회독플래너

실패율 Zero! 따라만 해도 5회독 가능!

KB083866

권 구분	PART	CHAPTER	1회독	2회독	3회독	4회독	5회독
문법과 어문규정	현대 문법	언어와 국어	1	1	1	1	1
		음운론	2-4	2-4	2-3		
		형태론	5-8	5-8	4-5	2	2
		통사론	9-12	9-12	6-8	3	
		의미론과 화용론	13	13	9		
	어문 규정	한글 맞춤법	14-17	14-17	10-11	4	3
		문장 부호	18	18	12		
		표준어 사정 원칙	19-22	19-22	13-14	5	4
		표준 발음법	23-24	23-24	15	6	5
		로마자 표기법과 외래어 표기법	25	25	16	7	
	고전 문법	국어사	26	26	17	8	6
		훈민정음과 고전 문법	27-28	27-28	18	9	
		주요 고전문 분석	29	29	19	10	
	언어 예절과 바른 표현	언어 예절	30	30	20	11	7
		바른 표현	31	31	21	12	
비문학	이론 비문학	작문	32	32	22	13	8
		화법	33				
		논증과 오류	34				
	독해 비문학	주제 찾기 유형	35	33	23		
		내용 일치/불일치 유형	36				
		밑줄/괄호 유형	37				
문학	문학 기본 이론	문학의 이해	38	34	24	14	9
		한국 문학의 이해					
	현대 문학의 이해	한국 현대 문학의 흐름	39-40	35			
		현대 시	41	36	25	15	10
		현대 소설	42				
		희곡, 시나리오, 수필	43				
	고전 문학의 이해	한국 문학과 고대의 문학	44	37	26	16	11
		상고 시대의 문학					
		고려 시대의 문학	45				
		조선 시대의 문학	46				
	주요 문학 작품	현대 시	47-50	38-41	27-29	17	12
		현대 소설	51-54	42-45	30-31	18	13
		현대 희곡과 수필	55	46	32		
		고전 운문	56-59	47-49	33-34	19	14
		고전 산문	60	50	35	20	
어휘와 관용표현	순우리말		틈틈이!	틈틈이!	틈틈이!	틈틈이!	틈틈이!
	관용 표현		틈틈이!	틈틈이!	틈틈이!	틈틈이!	틈틈이!
	한자와 한자어		틈틈이!	틈틈이!	틈틈이!	틈틈이!	틈틈이!
			60일 완성	**50일 완성**	**35일 완성**	**20일 완성**	**14일 완성**

* 전 영역에 대한 회독플래너입니다.
* 일부 영역만 학습 시, 해당 일자를 참고하여 플래너를 활용하세요.

권 구분	PART	CHAPTER	1회독	2회독	3회독	4회독	5회독
문법과 어문규정	현대 문법	언어와 국어					
		음운론					
		형태론					
		통사론					
		의미론과 화용론					
	어문 규정	한글 맞춤법					
		문장 부호					
		표준어 사정 원칙					
		표준 발음법					
		로마자 표기법과 외래어 표기법					
	고전 문법	국어사					
		훈민정음과 고전 문법					
		주요 고전문 분석					
	언어 예절과 바른 표현	언어 예절					
		바른 표현					
비문학	이론 비문학	작문					
		화법					
		논증과 오류					
	독해 비문학	주제 찾기 유형					
		내용 일치/불일치 유형					
		밑줄/괄호 유형					
문학	문학 기본 이론	문학의 이해					
		한국 문학의 이해					
	현대 문학의 이해	한국 현대 문학의 흐름					
		현대 시					
		현대 소설					
		희곡, 시나리오, 수필					
	고전 문학의 이해	한국 문학과 고대의 문학					
		상고 시대의 문학					
		고려 시대의 문학					
		조선 시대의 문학					
	주요 문학 작품	현대 시					
		현대 소설					
		현대 희곡과 수필					
		고전 운문					
		고전 산문					
어휘와 관용표현	순우리말						
	관용 표현						
	한자와 한자어						

* 전 영역에 대한 회독플래너입니다.
* 일부 영역만 학습 시, 해당 일자를 참고하여 플래너를 활용하세요.

__일 완성	__일 완성	__일 완성	__일 완성	__일 완성

시작하는 방법은
말을 멈추고
즉시 행동하는 것이다.

– 월트 디즈니(Walt Disney)

1. 에듀윌 합격앱 접속하기

QR코드
스캔하기

또는

에듀윌 합격앱
다운받기

기출OX 퀴즈 무료로 이용하기

하단 딱풀 메뉴에서 기출OX 선택	▶	과목과 PART 선택	▶	퀴즈 풀기

• 틀린 문제는 기출오답노트(기출OX)에서 다시 확인할 수 있습니다.

교재 구매 인증하기

• 무료체험 후 7일이 지나면 교재 구매 인증을 해야 합니다(최초 1회 인증 필요).
• 교재 구매 인증화면에서 정답을 입력하면 기간 제한 없이 기출OX 퀴즈를 무료로 이용할 수 있습니다(정답은 교재에서 찾을 수 있음).

※ 에듀윌 합격앱 어플에서 회원 가입 후 이용하실 수 있는 서비스입니다.
※ 스마트폰에서만 이용 가능하며, 일부 단말기에서는 서비스가 지원되지 않을 수 있습니다.
※ 해당 서비스는 추후 다른 서비스로 변경될 수 있습니다.

설문조사에 참여하고 스타벅스 아메리카노를 받아가세요!

에듀윌 7·9급공무원 기본서를 선택한 이유는 무엇인가요?

소중한 의견을 주신 여러분들에게 더욱더 완성도 있는 교재로 보답하겠습니다.

참여 방법	QR코드 스캔 ▶ 설문조사 참여(1분만 투자하세요!)
이벤트 기간	2022년 6월 23일~2023년 5월 31일
추첨 방법	매월 6명 추첨 후 당첨자 개별 연락
경품	스타벅스 아메리카노(tall)

2023

에듀윌 7·9급공무원

기본서

국어 | 문학

기출분석의 모든 것

최근 5개년 출제 문항 수

2022~2018 9급
국가직, 지방직, 서울시
기준

권 구분	PART	CHAPTER	2022	2021		2020		2019			2018			합계
			국9	국9	지/서9	국9	지/서9	국9	지9	서9	국9	지9	서9	
문법과 어문 규정	현대 문법	언어와 국어		1						1				2
		음운론						1	1		1		2	5
		형태론		1				1		1			3	6
		통사론				2	1			1				4
		의미론과 화용론	1	1			1	1	2	1	1		1	9
	어문 규정	한글 맞춤법	3	1	1	1	3		2	4	1	3	2	21
		문장 부호												0
		표준어 사정 원칙			1								1	2
		표준 발음법								1				1
		국어의 로마자/외래어 표기법									2	1		3
	고전 문법	국어사												0
		훈민정음과 고전 문법									1	1	1	3
		주요 고전문 분석												0
	언어 예절과 바른 표현	언어예절												0
		바른 표현	1	1		2				1		1	1	7
비문학	이론 비문학	작문		2	1	1	2	2	1		3		1	13
		화법	1	2	1	2	1	3	2			2		14
		논증과 오류									1			1
	독해 비문학	주제 찾기 유형				2	2		2		1			7
		내용 일치/불일치 유형	4	3	3	3	1	3	3		3	4	2	29
		밑줄/괄호 유형	1	1	3	1	1	2		1				10
		기타	3	1	3		1					2		10
문학	기본 이론	문학의 이해						1	1				1	3
	현대 문학의 이해	한국 현대 문학의 흐름										2		2
	고전 문학의 이해	한국 문학과 고대의 문학												0
	주요 문학 작품	현대 시	1	1	1		1	1		3	1	1		10
		현대 소설	1		1	2	1	1	1	1	1	1	1	11
		현대 희곡과 수필		1	2			1						4
		고전 운문	1	2			1	2	1	2	1	2	1	13
		고전 산문	1		1		3	1	1		2	1		10
어휘와 관용 표현	순우리말	문학 작품 속 순 우리말												0
		사람 관련 순우리말												0
		자연 관련 순우리말												0
		기타 순우리말			1									1
		단어의 의미 관계												0
	관용 표현	주요 관용구			1									1
		신체 관련 관용구												0
		주요 속담								1			1	2
	한자와 한자어	한자와 한문법												0
		주요 한자												0
		두 글자 주요 한자어	1	1			2		1		1	1	1	8
		주의해야 할 한자와 한자어					1				1			2
		주요 사자성어	1	1			1	1	1				1	6
문항수 합계			20	20	20	20	20	20	20	20	20	20	20	220

권 구분	PART	CHAPTER	출제 개념
문법과 어문규정	현대 문법	언어와 국어	언어와 사고, 고유어, 한자어, 외래어, 귀화어, 비어, 국어의 형태적 특성, 언어의 자의성과 사회성, 순화어
		음운론	음운 변동, 자음과 모음
		형태론	용언의 불규칙 활용, 품사, 접두사, 대명사, 용언의 기본형, 보조사(는, 만, 대로, 조차), 조사(에서), 본용언과 보조 용언, 합성어와 파생어, 통사적 합성어와 비통사적 합성어, 접미사
		통사론	안긴문장의 성분, 주체 높임, 객체 높임, 상대 높임, 주동문과 사동문
		의미론과 화용론	지시 표현, 의미의 확대와 축소, 어휘의 의미 관계, 반의 관계[부상(扶桑)-함지(咸池)], 반의어(분분하다-합치하다, 겸손-오만, 결미-모두, 살다-죽다, 높다-낮다, 늙다-젊다, 뜨겁다-차갑다), 다의어와 동음이의어(싸다, 짚다, 타다), 유의어(잡다), 동일한 주어 찾기, '살다'의 의미
	어문 규정	한글 맞춤법	사이시옷 규정, 란-난, 량-양, 썩이다-썩히다, 가름-갈음, 부문-부분, 구별-구분, 로서-로써, 웬일, 며칠, 박이다, 오레, 한밤중, 잘할뿐더러, 두 시간 만에, 안된다, 도와시하다, 대리전으로밖에는, 내키는 대로, 회복될지, 으로부터, 십여 년 전, 정한 대로, 재조정하여야, 추진력마저, 나하고, 활용될 수밖에, 공부깨나, 가는 김에, 창밖, 우단 천, 30년 동안, 낫다, 이어서, '데'와 '대', 쳐주다, 먹어 버렸다, 부쳐 주었다, 젊어 보인다, 입원시켰다, 부부간, 아무것, 집채만 한, 믿을 만한, 미닫이, 졸음, 익히, 육손이, 집집이, 곰배팔이, 끄트머리, 바가지, 이파리
		문장 부호	
		표준어 사정 원칙	콧방울, 눈초리, 귓불, 장딴지, 퍼레서, 똬리, 머리말, 잠가야, 버젓이, 깨단하다, 뒤져내다, 허구하다, 개발새발, 이쁘다, 덩쿨, 마실, 치켜세우다, 사글세, 설거지, 수캉아지, 주책, 두루뭉술하다, 허드레
		표준 발음법	디귿이[디그시], 홑이불[혼니불]
		국어의 로마자 표기법/외래어 표기법	국어의 로마자 표기법: 음절 사이 붙임표(-), 학여울[항녀울]-Hangnyeoul / 외래어 표기법: 플래시, 슈림프, 프레젠테이션, 뉴턴, 배지, 앙코르, 콘테스트, 난센스, 소파, 소시지, 슈퍼마켓, 보디로션, 팸플릿, 도트
	고전 문법	국어사	
		훈민정음과 고전 문법	조사, 어미, 접사, 훈민정음의 28 자모, 초성 17자
		주요 고전문 분석	
	언어 예절과 바른 표현	언어 예절	
		바른 표현	바른 단어 사용, 문장 성분의 호응, 바른 조사 사용
비문학	이론 비문학	작문	전개 방식(유추, 대조, 분석, 예시, 대조, 정의, 묘사), 통일성, 자료의 활용, 개요, 고쳐쓰기, 두괄식 문단, 미괄식 문단
		화법	공감적 듣기, 대담, 대화, 대화의 원리, 토의, 토론, 인터뷰
		논증과 오류	우연의 오류, 애매어의 오류, 결합의 오류, 분해의 오류, 대중에 호소하는 오류, 무지에 호소하는 오류, 권위에 호소하는 오류, 연민에 호소하는 오류, 논증 구조
	독해 비문학	주제 찾기 유형	필자가 궁극적으로 강조하는 내용으로 옳은 것은, 제목으로 가장 적절한 것은, 칸트의 입장과 부합하는 것은, 중심 내용으로 가장 적절한 것은, 글쓴이의 생각을 적절히 추론한 것은
		내용 일치/불일치 유형	글에 대한 이해로 적절하지 않은 것은, 글쓴이의 견해에 부합하는 것은, 하버마스의 주장에 부합하는 사례로 가장 적절한 것은, 추론한 내용으로 적절하지 않은 것은, 설명으로 적절하지 않은 것은, 부합하지 않는 것은, 추론할 수 있는 내용으로 적절하지 않은 것은, 부합하는 것은, 필자의 견해로 볼 수 없는 것은, 알 수 있는 내용이 아닌 것은,
		밑줄/괄호 유형	다음 문장이 들어가기에 가장 적절한 곳을 ㉠~㉣에서 고르면, (가)~(라)에 들어갈 말로 가장 적절한 것은, 다음 문장이 들어가기에 가장 적절한 곳은, 다음 글에 <보기>가 들어가기에 가장 적절한 것은, 다음 글의 괄호 안에 들어갈 문장으로 적절한 것은
		기타	문단 순서 배열, 문장 순서 배열, 조건에 맞는 글, 예시 찾기
문학	문학 기본 이론	문학의 이해/한국 문학의 이해	골계미, 풍자, 해학, 작품 감상의 관점
	현대 문학의 이해	한국 현대 문학의 흐름	6·25 전쟁과 관련된 소설 작품, 1960년대 한국 문학의 특징, 시사(詩史)의 전개와 순서, 동일한 시대적 배경의 시, 서울 배경의 소설 작품
	고전 문학의 이해	한국 문학과 고대의 문학	
	주요 문학 작품	현대 시	신동엽의 「봄은」·「이야기하는 쟁기꾼의 대지」·「누가 하늘을 보았다 하는가」, 조병화의 「나무의 철학」, 조지훈의 「봉황수」, 함민복의 「그 샘」, 박목월의 「나그네」·「청노루」, 이육사의 「절정」, 곽재구의 「사평역에서」
		현대 소설	이태준의 「패강랭」, 김정한의 「산거족」, 강신재의 「젊은 느티나무」, 조세희의 「난쟁이가 쏘아 올린 작은 공」, 양귀자의 「비 오는 날이면 가리봉동에 가야 한다」, 오정희의 「중국인 거리」, 황순원의 「목넘이 마을의 개」, 이호철의 「닳아지는 살들」, 김승옥의 「서울, 1964년 겨울」·「무진기행」, 김유정의 「봄·봄」, 염상섭의 「삼대」
		현대 희곡과 수필	이상의 「권태」, 김훈의 「수박」, 이강백의 「느낌, 극락 같은」·「파수꾼」
		고전 운문	고려 가요: 작자 미상의 「동동」/ 악장: 정인지, 권제, 안지 등의 「용비어천가」/ 한시: 이달의 「제총요」, 허난설헌의 「사시사」/ 가사: 박인로의 「누항사」, 유응부의 「기봉에 부던 ㅂ람에~」, 이항복의 「철령 노픈 봉에~」, 계랑의 「이화우 흣뿌릴 제~」, 조식의 「삼동에 뵈옷 닙고~」, 박인로의 「반중 조홍감이~」, 황진이의 「동짓둘 기나긴 밤을~」, 성혼의 「말 업슨 청산이오~」, 이현보의 「농암에 올라보니~」, 김재의 「오백년 도읍지를~」, 이황의 「도산십이곡」, 윤선도의 「초연곡」, 권섭의 「하하 허허 흔들~」, 정철의 「내 마음 베어 내어~」, 정철의 「훈민가」, 김상헌의 「가노라 삼각산아~」
		고전 산문	신화: 「주몽 신화」/ 가전체 문학: 이첨의 「저생전」, 임춘의 「공방전」/ 고전 소설: 김만중의 「구운몽」·「사씨남정기」, 작자 미상의 「춘향전」/ 민속극: 작자 미상의 「봉산 탈춤」
어휘와 관용표현		순우리말	반나절, 달포, 그끄저께, 해거리, 해미, 안갚음, 볼썽, 상고대, 쌈, 제, 거리, 굼적대다, 비나리 치다, 가리사니
		관용 표현	속담, 관용구
		한자와 한자어	사자성어, 두 글자 한자어, 한자의 훈과 음

이 책의 차례

문학 기본 이론

5개년 챕터별 출제비중 & 출제개념

CHAPTER 01 문학의 이해						100%	골계미, 풍자, 해학, 작품 감상의 관점
CHAPTER 02 한국 문학의 이해	0%						—

1%

※최근 5개년(국, 지, 서)
출제비중

01 문학의 이해

1 문학의 개관
2 문학의 기능
3 문학의 갈래
4 문학 감상 방법
5 문학의 표현법: 수사법

단권화 MEMO

01 문학의 개관

1 문학의 개념

문학은 언어를 표현 수단으로 하는 언어 예술이며, 인간의 다양한 삶을 형상화하는 하나의 양식이다.

2 문학의 본질과 특성

(1) 문학의 본질

① 가치 있는 체험의 기록이다.

② 정서·관념·사물 등을 언어로 표현하는, 언어를 매체로 하는 예술이다.

③ 실제는 아니지만 있을 법한 일을 작가의 상상력으로 꾸며 내는 허구(상상)의 세계이다.

④ 사상과 정서의 표현이다.

⑤ 문학은 문학이 인간과 세계에 대한 이해를 돕는다는 '인식적 기능', 문학을 통해 삶의 의미를 깨닫게 된다는 '윤리적 기능', 문학이 정서적, 미적으로 삶을 고양한다는 '미적 기능' 등의 기능을 한다.

(2) 문학의 특성

① 항구성: 문학은 시대를 초월한 인간의 정서, 사상을 담아 독자에게 감동을 주기 때문에 시대를 초월하여 영원한 생명력을 지닌다.

② 보편성: 훌륭한 문학은 보편적 인간 정서를 다루기 때문에 시간과 공간을 초월하여 모든 인류에게 감동을 준다.

③ 개성(특수성): 문학은 작가의 주관적 체험의 표현이기 때문에 개성적이며 독창적이다.

④ 개연성: 문학은 현실에서 있음 직한 일을 다루는 '허구'이다.

3 문학의 언어: 문학 언어와 일상 언어

① 문학은 언어로 표현된다. 문학 언어는 일상 언어를 토대로 하는 정서적, 구체적, 함축적 언어이다. 문학에서 쓰이는 언어는 우리가 일상생활에서 사용하는 언어와 크게 다르지 않다. 즉, 일상 언어와 문학 언어가 별개의 언어는 아니다.

② 다만 문학 언어는 일상적 의사소통의 기능만 하는 것이 아니라, 일상 언어 속에 있는 여러 요소들이 고도로 압축되어 함축적 의미를 지님으로써 독자의 상상력을 자극한다.

③ 문학 언어는 관습화된 일상 언어 사용의 측면을 창조적인 언어 운용의 측면으로 전환한 것이며, 이를 통해 현실이나 대상을 새롭게 바라보게 한다.

④ 문학 언어는 일상 언어의 용법 중 미학적 기능, 표현적 기능에 치중하는 경향이 있다.

4 문학의 요소와 구조

(1) 문학의 요소

① **인지적 요소**: 세계를 인식하는 능력, 실용적 지식을 얻으려고 하는 것을 의미한다.

② **정의적 요소**: 인간의 감수성에 작용하여 내적 변화를 유도하는 것을 의미한다.

③ **도덕적 요소**: 도덕적 교훈을 얻거나 문제 해결의 방법을 찾는 것을 의미한다.

④ **심미적 요소**: 감동의 아름다움을 지향하는 것을 의미한다.

(2) 문학적 상상력과 문학 요소와의 관계

작가가 문학을 통해 자신의 정서, 사상, 또는 경험과 인생을 예술적으로 표현하는 데에는 상상력이 필요하다. 문학에서의 상상력은 사물이나 현실을 이해하고 비판하는 능력, 사물 또는 현실의 의미를 재구성하는 능력, 이상적 세계를 만들어 보는 능력 등이 모두 포함된다. 작가의 문학적 상상력은 시대나 지역에 따라 다른 경향을 보여 주기도 한다.

(3) 문학의 구조

문학은 하나의 구조물이다. 따라서 문학은 작품을 구성하는 모든 요소들이 서로 유기적으로 짜여 하나의 전체 구조를 이룬다.

5 문학의 형상화

작가가 어떤 내용(주제)을 문학의 여러 가지 요소를 통해 실감 있는 모습으로 바꾸어 놓은 것을 '문학의 형상화'라고 한다.

(1) 형상화의 과정

작가는 현실 속에서 드러내고자 하는 주제 의식을 문학의 여러 가지 요소를 통해 형상화하여 작품으로 표현하고, 독자는 작품을 통해 감동과 현실에 대한 새로운 인식을 얻게 됨으로써 다시 현실에 영향을 미친다.

(2) 형상화의 요소

구분	내용	형식	표현
시	소재, 제재, 시적 화자 및 시적 화자의 상황, 미적 범주, 정서	형태(시어, 행, 연, 짜임), 운율(음보율, 두운·각운, 단어·문장의 반복, 병렬, 의성어·의태어 등)	시적 진술(가진술), 객관적 상관물, 감정 이입, 수사법(비유와 상징, 반어와 역설), 이미지 등
소설	인물, 사건, 배경, 주제	문체, 시점, 구성	서술, 묘사, 대화
희곡	인물, 사건, 배경, 주제	해설, 지문, 대사	대사, 행동, 소도구

02 문학의 기능

1 문학의 기원

심리학적 기원설	모방 본능설	• '아리스토텔레스'가 「시학」에서 주장한 학설 • 인간에게는 본래 모방의 본능이 있고, 모방을 통하여 배우며 모방 자체에 희열을 느끼고, 이로 인해 문학과 예술이 발생했다는 학설 • 문학을 비롯한 각 예술에 많은 영향을 미치게 됨
	유희 본능설	• '칸트', '실러', '스펜서' 등이 주장한 학설 • 인간을 제외한 모든 동물은 생명 보존 본능과 종족 보존 본능을 충족하기 위하여 모든 에너지를 써 버리나, 인간만은 예외로 남은 정력으로 유희를 즐기며 이로 인해 문학과 예술이 발생했다는 학설
	흡인 본능설	• '다윈'과 같은 진화론자가 주장한 학설 • 인간도 짐승과 같이 남을 끌어들이려는 흡인 본능이 있고, 이로 인해 문학이 발생했다는 학설 • 카나리아가 아름다운 소리로 지저귀는 것, 수꿩이나 공작의 꼬리가 아름다운 것 등은 흡인 본능의 작용이며, 사람도 남의 관심을 끌기 위해 장식물을 붙이고 치장을 하는데 이러한 본능의 소산이 곧 문학의 창작이라는 것
	자기표현 본능설	• '허드슨'이 주장한 학설 • 문학과 예술은 자기를 표현하려는 본능에 의하여 발생했다는 학설 • 낭만주의 문학 이론의 중요한 맥을 이룸
발생학적 기원설		• '그로세'가 주장한 학설 • 문학과 예술의 발생은 심미성보다는 실제 생활에 관련되어 있고 실용성으로 인해 발생했다는 학설
발라드 댄스설		• '몰튼'이 주장한 학설 • 문학은 말과 소리와 몸짓의 결합인 원시 종합 예술로부터 자연적으로 분화, 발생한 것이라는 학설

2 문학의 기능

쾌락적 기능 (심미적 기능)	① 개념: 문학 수용 과정에서 독자에게 즐거움과 감동을 주는 것 ② 특징 　• 문학적 감흥: 매우 다양함 　• 즐거움의 요소: 내용과 형식에 걸쳐 작품을 구성하는 요소는 모두 독자에게 즐거움을 줄 수 있음 　• 즐거움을 만드는 과정: 작가가 신선한 감각과 깊은 인상을 주면서 독자가 카타르시스를 느끼고 독자의 감성과 정신을 끄는 아름다움을 발휘할 때 나타남
교훈적 기능 (교시적 기능)	① 개념: 문학은 인생의 진실에 대한 깨달음을 주며, 도덕적 교훈을 주는 것 ② 특징 　• 교훈의 형상화: 문학은 교훈을 직접적으로 전달하는 것이 아니라 인생의 모습을 구체적으로 형상화함으로써 독자 스스로가 깨우치게 함 　• 목적 문학: 윤리 의식, 사상, 신념, 도덕관 등을 선전하고 강요하기 위해 그러한 주제를 미리 정해 놓고 만들어 낸 작품을 의미함
종합적 기능 (당의정설)	쾌락적 기능과 교훈적 기능을 절충한 입장으로, 문학은 독자에게 미적인 쾌락과 함께 인생의 가치와 도덕적 교훈을 주어야 하는 것

03 문학의 갈래

'문학의 갈래'란 작품을 유형별로 분류하여 질서화한 문학의 양식 체계를 말한다. 갈래를 통해 작품의 구조 원리를 알면 작품을 좀 더 쉽게 감상할 수 있고, 창작과 작품 수용의 윤곽을 파악할 수 있다.

1 갈래 구분

(1) 언어 형태에 따른 갈래

운문 문학	운율(rhythm)이 있는 언어로 내용을 표현하는 문학
산문 문학	언어의 리듬이 없이 이야기 전달 또는 의미 전달을 중시하는 문학

(2) 언어 전달 방식에 따른 갈래

구비 문학	① 개념: 입에서 입으로 전해 내려오는 문학으로, 설화, 민요, 무가, 판소리, 민속극 등이 있음 ② 특징 　• 말로 된 문학: 말로 존재하고, 말로 전달되고, 말로 전승되므로 공동작(共同作)의 문학이며, 작품을 창작한 작자와 연대가 미상 　• 구연(口演)되는 문학: 음성적 변화, 표정, 몸짓 등이 동원됨 　• 단순하고 보편적인 문학: 구비 문학은 말로 전하기 쉬운 단순한 구조로 되어 있으며, 공동작으로서 공통의 체험을 표현한 것이므로 보편성을 띰
기록 문학	① 개념: 문자 언어로 기록되어 전승되는 문학 ② 특징 　• 문자로 된 문학: 글로 기록하고 전달하는 문학으로, 주로 개인이 창작한 문학이므로 작품을 창작한 작자와 연대가 명시되어 있음 　• 개성적, 이지적인 문학

(3) 표현 양식에 따른 갈래

3분법	서정, 서사, 극 − 시, 소설, 희곡
4분법	서정, 서사, 극, 교술 − 시, 소설, 희곡, 수필

2 서정, 서사, 극, 교술

(1) 서정: 세계의 자아화
① 개인의 주관적인 목소리를 중시하기 때문에 주관적 정서 표출이 중심을 이룬다.
② 대부분 독백의 형식으로 표현되며, 세련된 언어 구사와 음악성을 특징으로 한다.
③ 갈래: 고대 가요, 향가, 고려 속요(고려 가요), 시조, 서정 민요, 잡가, 신체시, 현대 시 등

(2) 서사: 자아와 세계의 대결·갈등
① 복잡하고 다양한 삶의 양상을 이야기로 형상화하는 양식이다.
② 서사 갈래의 본질은 '자아(인물)와 세계(현실)의 대결·갈등'으로 요약할 수 있다.
③ 이야기를 전달하는 서술자가 있어 서술자가 일정한 배경 속에서 인물들 사이에 벌어지는 사건을 서술한다.
④ 인물, 시간, 장소의 설정에 제약이 따르지 않는다.
⑤ 갈래: 서사 민요, 서사 무가, 판소리, 설화(신화, 전설, 민담), 소설 등

■ 서정 갈래
작품 외적 세계의 개입이 없는 세계의 자아화이다.

■ 서사 갈래
작품 외적 세계의 개입으로 이루어지는 자아와 세계의 대결이다.

(3) 극: 자아와 세계의 대결·갈등
① 극 중에서 인물들 사이에서 벌어지는 사건은 현재의 장면으로 표현된다.
② 무대에서 상연되는 것을 전제로 한다.
③ 인물, 시간, 장소의 설정에 제약이 따른다.
④ 대화의 전개만으로 사건을 현재형으로 표현하는 문학이다.
⑤ 갈래: 탈춤, 인형극, 현대극 등

(4) 교술: 자아의 세계화
① 실제로 존재하는 사물(작품의 외적 세계, 현실)을 전달한다.
② 세계가 자아의 주관적 입장에서 변형되지 않고 그대로 작품 속에 등장한다.
③ 자아와 세계와의 관계에서 세계가 중심을 이루므로 '자아의 세계화'라고 할 수 있다.
④ 작가가 가치관을 담아서 독자를 설득하려 한다.
⑤ 실제의 경험과 사실을 바탕으로 의견을 제시한다.
⑥ 갈래: 교술 민요, 경기체가, 악장, 가사, 창가, 가전체, 몽유록, 수필, 서간, 일기, 기행문 등

04 문학 감상 방법

문학 감상 방법에는 내재적 방법과 외재적 방법이 있다. '내재적 방법'이란 작품 자체에 초점을 두고 감상하는 방법이고, '외재적 방법'이란 작가, 독자, 현실 등 외부적 요소에 초점을 두고 감상하는 방법이다.

1 절대론적 관점: 내재적 방법

(1) 개념
작품을 그 자체의 독립된 세계로 인식하고, 작가·독자·현실 등의 외부적 요소와 관련시키지 않고 작품을 감상·비평하는 관점으로 존재론적 관점, 구조론적 관점으로 부른다.

(2) 특징
① 작품의 언어적 구조를 중시하고 언어의 이미지·비유·상징 등에 주목한다.
② 작품을 유기적 존재로 본다.
③ 특히 시에 있어서 시어와 시어 사이, 행과 행, 연과 전체 작품의 상관관계, 운율과 의미의 관계 등을 분석적으로 이해한다.

2 반영론적 관점: 외재적 방법

(1) 개념
작품은 인간의 현실적 삶을 내용으로 삼는다는 것을 전제로 작품과 현실의 관계에 주목해 작품에 반영된 시대, 현실, 역사 등에 초점을 두고 작품을 감상·비평하는 관점이다.

(2) 특징

① 작품이 대상으로 삼은 현실 세계에 대해 연구한다.
② 작품에 반영된 세계와 대상 세계를 비교·검토한다.
③ 작품이 대상 세계의 진실한 모습과 전형적 모습을 반영했는지 검토한다.

3 표현론적 관점: 외재적 방법

(1) 개념

문학 작품을 작가 개인의 체험, 사상, 감정, 의식 등이 표현된 것으로 보고, 작품과 작가의 관계에 주목해 작가의 창작 의도, 전기적 사실, 심리 상태 등에 초점을 두고 작품을 감상·비평하는 관점이다.

(2) 특징

① 작가가 작품을 창작한 창작 의도에 초점을 맞추고 작품을 감상한다.
② 작가에 대한 전기적 연구와 작가의 심리 상태에 대한 연구가 이루어져야 한다.
③ 작가가 표현하고자 의도한 것과 그것이 실제 표현된 결과인 작품이 서로 일치하지 않는 경우가 있다.

4 효용론적 관점: 외재적 방법

(1) 개념

문학 작품을 미적 쾌감, 교훈, 감동 등의 효과를 주기 위해 창작된 것으로 보고, 작품과 독자의 관계에 주목해 독자의 반응에 초점을 두고 작품의 가치를 독자에게 어떤 효과를 어느 정도 주었느냐에 따라 감상·비평하는 관점이다.

(2) 특징

① 독자는 작품을 읽고 그 의미를 획득하는 능동적 주체이다.
② 독자는 작품을 통해 가치 있는 체험을 나누게 되고 삶에 대해 새로운 인식을 갖게 된다.

더 알아보기 문학 감상 방법의 정리

접근 방법	관점	관심 대상	전제	방법	장점	한계
내재적 비평	절대론 (존재론, 구조론)	작품 자체	작품의 이해는 작품에서(다양한 시각)	작품의 언어와 구조 연구	시 분석에 효과적	• 장편 소설에 적용하기 힘듦 • 작품이 사회적으로 어떤 영향을 받는지, 혹은 어떤 영향을 주었는지 파악하기 어려움
외재적 비평	반영론 (모방론)	작품 ㅣ 세계	작품의 현실 반영	작품 속 세계 연구 / 반영된 세계와 대상 세계 비교 / 전형성 검토	문학의 현실성 획득	• 기계적 반영론의 오류가 발생할 수 있음 – 작품을 사실의 조립체나 역사 자료로 봄
	표현론 (생산론)	작품 ㅣ 작가	인간의 표현하고픈 욕구 / 작품 속 작가의 체험 포함	창작 의도 연구 / 전기적 연구 / 심리 상태 연구	깊은 작품 이해	• 의도의 오류가 발생할 수 있음 – 작가의 의도가 독자의 작품 해석에 반영되지 않은 경우에 해석의 오류가 발생
	효용론 (수용론)	작품 ㅣ 독자	독자는 작품을 통해 무언가를 얻음	독자의 감동 원인 검토	능동적 독자	• 감정의 오류가 발생할 수 있음 – 독자가 느낀 의미와 작품의 진정한 의미의 불일치 – 주관적 감정의 정도 확인 불가

5 문학 비평의 관점

역사주의 비평	• 어떤 작품이든지 그 작품이 창작되었던 사회·문화적 맥락으로부터 자유로울 수 없다는 사실을 전제로 한 비평 • 작품의 역사적, 문화적, 사회적 배경과 작가의 전기적 사실 등이 작품에 미친 영향을 심도 있게 연구하며, 이러한 연구를 하기 위한 '원전 확정' 작업을 중시 • 여러 가지 이본들이 존재하는 경우 그들 사이의 상호 영향 관계 등을 검토하여 원본을 정함
형식주의 비평	작품 외적인 요소보다는 문학의 본질적인 속성, 즉 언어적 조직과 체계를 분석하고 연구하는 데에 집중하는 비평
구조주의 비평	• 전통적인 문학사 연구나 작가의 전기적 사실에 대한 연구가 아닌 문학 작품의 내적 속성을 중심으로 연구하는 입장 • 형식주의와 유사하지만 개별 작품의 분석 자체보다는 작품 분석을 통한 구조, 법칙을 발견해 내려는 것에 더 집중한다는 점에서 차이가 있음
해석학적 비평	• 독자가 가지고 있는 전체에 대한 이해가 개별 작품을 이해하는 데에 영향을 주며 이러한 개별 작품에 대한 이해는 독자의 전체에 대한 이해에 다시 영향을 미친다고 주장 • 작품 이해의 과정을 '대화'에 비유하며 이러한 대화는 시대의 흐름, 사회·문화적 맥락에 따라 달라질 수 있는 것이므로 고정된 텍스트의 의미를 상정하지 않음
신화적 비평	인간의 원초적 경험 양식인 신화의 체계에 따라 문학을 비평하는 관점으로, 문학 작품 속에서 신화의 원형을 찾아내고 이 원형들이 어떻게 재현되고 재창조되어 있는가를 살피는 비평

6 주요 문예 사조

(1) 고전주의

개념	• 광의로는 고대 그리스·로마의 고전 문학에 기반을 두고 그 전통을 계승하려는 경향 • 협의로는 17세기에 프랑스에서 발생하여 유럽 전역으로 파급된 문학 전반의 사상적 흐름
배경	• 봉건 제도의 해체, 종교 개혁 등에 의해 전통적인 가치 질서가 무너져서 사회가 혼란해지자 질서 있고 규율이 있는 사회가 다시 오기를 소망함 • 인간 감성의 한계를 인정, 이성을 통해서만 진실에 도달할 수 있다는 데카르트의 철학이 주류가 됨
특징	• 원리나 원칙을 매우 중요시하여 엄격한 형식, 균형 등을 문학의 생명으로 생각 • 객관적이고 이지적이며 형식적인 조화로부터 오는 아름다움을 추구 • 형식을 지나치게 강조한 결과 독창성 결여라는 한계점이 나타남

(2) 낭만주의

개념	• 고전주의에 반발하여 등장한 문예 사조 • 18세기 후반~19세기 초 독일, 영국, 프랑스를 중심으로 발전하여 유럽 전역을 풍미하게 된 문학적 경향
배경	고전주의의 규범 중 태도와 경직성에 반발하여 등장하였으며, 과도한 도덕적 교훈주의를 바탕으로 한 계몽주의에 대한 반발 기류가 유행함
특징	• 낭만주의 문예 사조는 등장 직후 전 유럽을 휩쓸었음 • 이성보다는 감성, 형식보다는 내용, 고전주의의 규범적 틀보다는 개성과 자유를 중시함 • 감상적·주관적·정열적·공상적이며, 자유분방한 창조적 상상력을 중시하고, 자연을 향한 무한한 동경과 이국적인 정조와 신비주의적 문체가 나타남 • 상상력을 극단적으로 옹호함

(3) 사실주의

개념	• 낭만주의를 비판하면서 등장한 문예 사조 • 19세기 전반, 지나친 이상주의적 정취에 취해 회의감에 허우적거리던 낭만주의를 대신한 문단의 흐름
배경	낭만주의의 철학적 배경이 되었던 계몽주의로부터 시작하여 근대의 합리주의, 과학 분야의 실증주의가 복합적으로 작용했다고 볼 수 있음
특징	• 사회 현실을 있는 그대로 과장 없이 그려냄 • 인간+환경: 온전한 현실을 문학 작품에 구현하려고 노력함

(4) 자연주의

개념	• 문학에 실험 과학의 방법을 도입하려 한 문예 사조 • 인간을 자연의 질서에 종속되어 있는 존재로 파악했으며 특히 본능에 종속된 존재로 파악함
배경	인간도 자연의 일부이므로 자연의 법칙에 종속된다는 기계론적 결정론, 다윈의 진화론, 인간을 둘러싼 환경에 인간의 행위가 절대적으로 지배된다는 환경 결정론이 자연주의의 배경 철학임
특징	• 낭만주의에 반대하였으며, 과학성을 추구했다는 점에서 사실주의를 계승했다고 볼 수 있음 • 환경이 인간을 어떻게 지배하는가를 묘사하는 데 중점을 둠

(5) 유미주의

개념	• 사실주의와 자연주의에 반대하였고, 19세기 말 유럽의 문단을 풍미함 • '예술을 위한 예술'이라는 표어를 내걸고 미의 창조를 언어 예술의 유일한 목표로 규정한 문학의 경향 • 유미주의를 광의의 상징주의에 포함하기도 함
특징	• 형식, 기교, 감각을 중시하고 개인의 개성 신장을 목표로 잡았으며, 자연을 배격함 • 퇴폐주의, 악마주의 경향이 나타나기도 하는데, 이는 도덕과 규범에 거리를 둔 미학을 추구하였기 때문임

(6) 상징주의

개념	• 사실주의에 반대하고 유미주의를 계승함 • 19세기 말 프랑스를 중심으로 발생하였으며, 20세기 초 전 유럽으로 퍼져 나간 문예 사조
특징	• 유미주의의 예술성을 중시하는 부분을 계승·심화하였고, 현대 시에 가장 큰 영향을 끼침 • 문학 작품을 창작할 때 운율, 음성 현상을 통해 표현되는 미묘한 음악성을 표현하는 데 심혈을 기울이고, 감각의 형상화·상상적 심상·상징적 기법 등을 중시함

(7) 모더니즘

개념	• 20세기 초 유럽에서 일어난 실험적 문학 운동을 총칭 • 영국과 미국의 주지주의, 이미지즘 계열의 문학, 문명사에 대한 위기 의식을 바탕으로 관습, 가치, 도덕, 신념 등의 권위를 거부하고 새로운 미의식을 추구한 문학 흐름
특징	• 주지주의, 이미지즘, 초현실주의, 표현주의, 다다이즘 등 다양한 경향을 포괄하는 문예 사조 • 산업화, 도시화로 인해 황폐화된 현대 사회를 비판적 시각으로 바라봄 • 전통적인 문학의 기법들을 사용하지 않고 다양한 실험을 시도함

더 알아보기 | 모더니즘의 분파

주지주의	① 개념 • 지적 호기심과 지성에 호소하였으며, 눈에 보이는 회화성을 중시함(시각적) • 자유와 평등, 도시 생활과 기계 문명을 주요 소재로 삼았고, 기존의 도덕과 전통적 권위를 거부함 ② 특징 • 낭만주의가 추구했던 주정주의를 거부함 • 고전주의를 재현했다고 해서 신고전주의라고도 함
초현실주의	• 프로이트의 정신 분석학과 다다이즘의 영향을 받아서 태동하였으며, 자연주의, 사실주의를 배격함 • 잠재된 의식, 무의식 상태를 잘 표출하는 것만이 위대한 작품을 창조하는 지름길로 보았음 • 무의식의 세계를 표현하는 자동 기술법이나 정신 분석학에서 사용하는 자유 연상 기법을 동원하여 인간의 가장 깊숙한 정신 세계를 탐구하고자 하였음 • 등장인물의 심리가 자연스럽게 흘러가게 하려고 정상적 문법이나 구문을 무시하고 상징적인 이야기 전개를 한다거나 내적인 독백 등을 사용함
이미지즘	• 제1차 세계 대전이 종료되어 가던 무렵 영국, 미국의 시민들이 사물의 직접적이고 구체적인 묘사를 통해 정확한 심상을 표현할 수 있다고 주장한 문예 사조 • 이미지와 리듬을 중시하고 정확한 용어를 사용함으로써 새로운 운율을 창조하려고 시도함
다다이즘	• 제1차 세계 대전 도중에 나타난 전위적인 예술 운동 • 합리적인 기술 문명을 거부하고 전쟁의 잔혹함을 증오하며 일체의 제약과 질서를 거부하고 파괴하는 실험주의적 경향을 보였음 • 후에 초현실주의에 흡수됨
표현주의	• 제1차 세계 대전 후 독일을 중심으로 일어난 문학 운동 • 작가 개인의 강한 주관을 표현하는 데 주력함
포스트 모더니즘	• 1950년대 후반에 미국을 중심으로 일어난 문학의 흐름으로, 이 시기의 미국의 사회적 특성(후기 자본주의)이 반영되어 있음 • 모더니즘이 실험 정신을 잃고 엘리트 예술 의식을 지닌 것을 비판하며, 모더니즘이 지닌 예술의 숭고성이나 가치 등을 부정하고 미학적 대중주의, 역사의식의 빈곤감 등의 표현에 주력 • 패러디*, 패스티시* 등의 기법이 있음
행동주의	• 제1차 세계 대전 후 자본주의 경제의 문제점이 노출되고 전체주의가 등장하는 등 사회 불안이 점차 고조되면서 발생한 문예 사조 • 인간이 가지고 있는 모험 지향적인 행동 양식에서 가치를 찾고자 하는 사상적 흐름으로, 1930년대까지 문학의 주류를 이루었음
실존주의	① 개념: 제2차 세계 대전 이후의 혼란기에 프랑스를 중심으로 나타난 일단의 작가들이 지향했던 문예 사조 ② 배경: 실존주의 철학자 사르트르의 '실존은 본질에 선행한다.'라는 명제가 실존주의의 철학적 배경이 됨 ③ 특징 • 인간을 파악할 때 본질의 문제보다 존재 자체를 중시 • 인간의 존재 자체가 비합리적이며 근본적으로 부조리성을 내포하고 있다고 파악함 • 현실 참여도가 높은 문예 사조이며, 휴머니즘을 바탕으로 함 • 극한의 상황에 처했을 때의 절박한 인간의 모습을 표현하고자 함

*패러디

특정 작품의 소재나 작가의 문체를 흉내 내 익살스럽게 표현하는 수법을 말한다.

*패스티시

어떠한 실현 욕구 없이 다른 사람의 작품에서 나온 내용, 형태, 표현 방식을 차용해 모사본을 생산하는 행위를 말한다.

05 문학의 표현법: 수사법

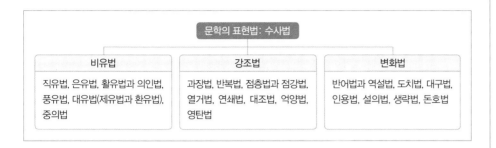

1 비유법

사물이나 관념(원관념*)을 직접 설명하지 않고 다른 대상(보조 관념*)에 빗대어 표현하는 방법을 '비유법'이라고 한다.

(1) 직유법

'같이', '듯이', '인 양', '처럼' 등을 사용하여 원관념을 보조 관념에 직접적으로 연결하여 표현하는 기법이다.

> 꽃같이 예쁜 내 얼굴
> (보조 관념)　　(원관념)

(2) 은유법

연결어를 사용하지 않고 마치 두 대상이 동일한 것처럼 나타내는 표현 기법이다. 원관념과 보조 관념의 관계가 직접적으로 드러나지 않을 수도 있다.

① 'A = B'의 형태('원관념 = 보조 관념'의 형태)

> 내 마음은 호수요
> (원관념) (보조 관념)
>
> — 김동명, 「내 마음은」中 —

② 'A의 B'의 형태

> 삶은 언제나 / 은총의 돌층계의 어디쯤이다.
> (원관념)　　　　　(보조 관념)
>
> — 김남조, 「설일」中 —

(3) 활유법과 의인법

① **활유법**: 무생물을 살아 있는 생명체처럼 표현하는 표현 기법이다.

> 긴—여름 해 황망히 나래를 접고
>
> — 김광균, 「와사등」中 —

② **의인법**: 사람이 아닌 사물에게 인격을 부여하는 표현 기법이다.

> 벼는 가을 하늘에도 / 서러운 눈 씻어 맑게 다스릴 줄 알고 / 바람 한 점에도 / 제 몸의 노여움을 덮는다.
>
> — 이성부, 「벼」中 —

*원관념
비유법에서 표현하고자 하는 실제 내용을 의미한다.
*보조 관념
비유법에서 원관념의 뜻이나 분위기가 잘 드러나도록 도와주는 관념 또는 비교하거나 비유하는 관념을 의미한다.

(4) 풍유법

① 원관념은 숨긴 채 보조 관념만으로 본래의 의미를 암시하는 표현 기법이다.

② '알레고리'라고도 하며, 흔히 '속담', '격언'으로 나타나고 소설에서는 '우화'인 경우와 작품 전체가 풍유인 경우도 있다.

> • 원숭이도 나무에서 떨어질 때가 있다.
> • 어물전 망신은 꼴뚜기가 시킨다.
> • 소설 「우리들의 일그러진 영웅」은 작품 자체가 풍유라고 할 수 있다.

(5) 대유법

유사 개념에 의한 연상 작용으로 원관념과 연관이 있는 보조 관념이 원관념을 대신 나타내는 표현 기법이다. 대유법은 '제유법'과 '환유법'으로 나눌 수 있다.

① 제유법: 전체를 구성하는 부분으로 그 전체를 대신하여 표현하는 기법이다.

> • 사람은 빵만으로 살 수 없다. (⇨ 양식)
> • 한라에서 백두까지 (⇨ 국토)

② 환유법: 원관념과 연관되는 다른 사물의 속성으로 원관념을 표현하는 기법이다.

> 향그러운 흙가슴만 남고
> 그, 모오든 쇠붙이는 가라. (⇨ 폭력)
>
> – 신동엽, 「껍데기는 가라」中 –

(6) 중의법

하나의 보조 관념으로 두 가지 이상의 원관념을 표현하는 기법이다.

> 청산리(靑山裏) 벽계수(碧溪水)야 수이 감을 자랑 마라
>   (푸른 시냇물, 왕족인 벽계수)
> 일도창해(一到滄海)하면 다시 오기 어려우니
> 명월(明月)이 만공산(滿空山)하니 쉬어 간들 어떠리.
> (달, 황진이)
>
> – 황진이의 시조 –

2 강조법

평범하고 일상적인 표현으로는 나타내고자 하는 바가 제대로 전달되지 않을 때, 뜻·이미지·인상 등을 뚜렷하게 강조하여 나타내는 방법을 '강조법'이라고 한다.

(1) 과장법

표현하고자 하는 대상을 실제보다 아주 크거나 작게 나타냄으로써 듣는 이로 하여금 큰 실감을 느끼게 하는 표현 기법이다.

> 그녀와 이별하고 삼백육십오 일 계속 울기만 했다.

(2) 반복법

같은 표현을 두 번 이상 사용함으로써 느낌을 강조하는 표현 기법이다.

> 산에는 꽃 피네
> 꽃이 피네.
> 갈 봄 여름 없이
> 꽃이 피네.
>
>   − 김소월, 「산유화」 中 −

(3) 점층법과 점강법

① **점층법**: 표현 대상에 대한 어구를 작은 것이나 약한 것에서 큰 것이나 강한 것으로 나열하여 뜻을 점차 강하게 하거나, 크게 하거나, 높게 하여 분위기를 고조시키는 방법이다.

> 나는 평지에서, 다시 언덕에서, 다시 산에서 달리기 시작했다.

② **점강법**: 큰 것이나 강한 것에서 작은 것이나 약한 것으로 점차 좁혀 가는 기법이다.

> 숲을 먼저 보고, 나무를 보고, 잎을 보자.

(4) 열거법

서로 비슷하거나 내용상 관련이 있는 말들을 늘어놓는 기법이다. 이때, 열거된 각각의 말은 대등 관계를 이루며, 그 하나하나가 모여 전체로서의 뜻을 강조한다. 평행 구조로 된 문장을 써서 문장 성분상 같은 자리에 열거한다.

> 별 하나에 추억과
> 별 하나에 사랑과
> 별 하나에 쓸쓸함과
> 별 하나에 동경과
> 별 하나에 시와
> 별 하나에 어머니, 어머니
>
>   − 윤동주, 「별 헤는 밤」 中 −

(5) 연쇄법

앞 구절의 끝 어구를 다음 구절의 앞에서 이어받아 연쇄적으로 잇는 기법이다.

> 고인(古人)도 날 몯 보고 나도 고인 몯 뵈,
> 고인(古人)을 몯 뵈도 녀던 길 알픠 잇닉.
> 녀던 길 알픠 잇거든 아니 녀고 엇멸고.
>
>   − 이황, 「도산십이곡」 제9곡 −

(6) 대조법

상반되는 내용을 나타내는 두 대상을 맞붙여 놓음으로써 그 차이점을 강조하는 기법이다. 대조의 효과를 극대화하기 위해서 평행 구조로 된 문장을 주로 사용한다.

> • 앉아서 주고 서서 받는다.
> • 山川(산천)은 依舊(의구)ㅎ되 人傑(인걸)은 간 듸 업다.
>
>   − 길재의 시조 中 −

【작품의 이해와 감상】
옛 어른들이 걷던 학문 수양의 길을 따르겠다는 내용의 시조이다.

(7) 억양법

서로 상반되는 두 사항을 대조하면서 어느 한쪽의 의미를 부각하는 표현 기법으로서 먼저 추켜올렸다가 낮추거나, 낮추었다가 추켜올리는 방법을 사용한다.

> 철수가 좀 모자라기는 하지만 착실하지.

(8) 영탄법

감탄사나 감탄 조사를 이용해 감정을 강하게 표출하는 기법이다.

> 산산이 부서진 이름이여!
> 허공중에 헤어진 이름이여!
> 불러도 주인 없는 이름이여!
> 부르다가 내가 죽을 이름이여!
>
>   – 김소월, 「초혼」 中 –

3 변화법

문장이 단조롭고 평범하게 진행되지 않도록 여러 가지 변화를 추구하는 표현 방법을 '변화법'이라고 한다. '변화법'은 강조법의 한 가지 수단으로 보기도 한다.

(1) 반어법과 역설법

① **반어법(아이러니)**: 표현하려는 내용과 정반대되는 말을 사용함으로써 독자에게 강한 인상을 주고 문장의 변화를 꾀하는 기법이다.

> 나 보기가 역겨워
> 가실 때에는
> <u>말없이 고이 보내 드리우리다.</u>
>
> 영변(寧邊)에 약산(藥山)
> 진달래꽃
> 아름 따다 가실 길에 뿌리우리다.
>
> 가시는 걸음걸음
> 놓인 그 꽃을
> 사뿐히 즈려밟고 가시옵소서.
>
> 나 보기가 역겨워
> 가실 때에는
> <u>죽어도 아니 눈물 흘리우리다.</u>
>
>   – 김소월, 「진달래꽃」 –

② **역설법(모순 형용)**: 언뜻 보기에는 어긋나거나 모순되는 말인 것 같으나, 사실은 그 속에 진리를 담고 있는 표현 기법이다.

> 이것은 소리 없는 아우성.
> 저 푸른 해원(海原)을 향하여 흔드는
> 영원한 노스텔지어의 손수건.
>
>   – 유치환, 「깃발」 中 –

(2) 도치법

주어와 서술어, 목적어와 서술어 등 정상적인 문장 배열 방식을 바꾸어 표현하는 기법이다.

> 모란이 피기까지는
> 나는 아직 기다리고 있을 테요,
> 찬란한 슬픔의 봄을.
>
> – 김영랑, 「모란이 피기까지는」中 –

(3) 대구법

형태·가락이 유사한 두 개 이상의 단어·구·절을 병행하여 재미와 변화를 주는 기법이다. 앞뒤의 내용이 비슷한 성격으로 나타난다.

> 한 다리를 들고 날라리를 불꺼나
> 고갯짓을 하고 어깨를 흔들거나
>
> – 신경림, 「농무」中 –

(4) 인용법

논지를 입증하거나 글의 내용을 충실하게 하기 위해, 격언이나 옛사람의 말, 또는 남의 책에서 한두 구절을 따다가 내용을 그대로 옮기는 표현 기법이다.

> 철학자들은 사람이 빵만으로 사는 것이 아니라고 한다.

(5) 설의법

의문형으로 문장을 끝냄으로써 강한 긍정을 느끼게 하는 표현 기법으로, 독자의 판단을 촉구하여 독자 스스로 결론을 내리게 하는 방법이다.

> 까마득한 날에
> 하늘이 처음 열리고
> 어디 닭 우는 소리 들렸으랴.
>
> – 이육사, 「광야」中 –

(6) 생략법

어구를 생략하여 독자의 상상을 자극함으로써 독자에게 여운이나 암시를 주는 효과를 얻으려는 방법이다.

> 그립다
> 말을 할까
> 하니 그리워
>
> 그냥 갈까
> 그래도
> 다시 더 한 번……
>
> – 김소월, 「가는 길」中 –

(7) 돈호법

대상을 부름으로써 독자의 주의를 환기시키는 표현 기법이다.

> 여보소 공중에
> 저 기러기
> 공중엔 길 있어서 잘 가는가
>
> 여보소 공중에
> 저 기러기
> 열십자(十字) 복판에 내가 섰소.
>
> − 김소월, 「길」中 −

CHAPTER

02 한국 문학의 이해

☐ 1 회독   월   일
☐ 2 회독   월   일
☐ 3 회독   월   일
☐ 4 회독   월   일
☐ 5 회독   월   일

1 한국 문학의 특질과 전통
2 한국 문학의 미적 범주
3 한국 문학의 연속성에 대한 논의

01 한국 문학의 특질과 전통

1 전통의 개념
'전통'이란 과거에 형성되어 역사적 생명을 가지고 미래에 적극적으로 영향을 미칠 수 있는 행동, 관습, 의식, 사고방식 등의 가치 체계를 의미한다.

2 전통의 창조적 성격
① 전통은 단순히 과거부터 지속적으로 지켜져 온 것이라기보다는 현재의 생활에 창조적으로 기여하는 것이다.
② 전통은 현재의 문화에도 영향을 줄 수 있어야 한다.
③ 현재의 창조적 문화가 미래에 훌륭한 전통으로 계승될 수 있다.

3 한국 문학의 특질
① 여유로운 시 형식
② 양식(갈래)의 다양성
③ 현실 중심의 문학
④ 인간 중심의 문학
⑤ 자연 친화의 문학
⑥ 웃음으로 눈물 닦기(해학)

4 한국 문학의 전통
① 헤어짐과 만남
② 은근과 끈기, 인내와 현세 중심의 사고
③ 자연과의 융화
④ 체념과 한*의 승화
⑤ 여백과 여운
⑥ 풍자와 해학
⑦ 저항과 비판의 정신

*한
'한(恨)'이란 삶의 행로에서 좌절과 절망을 경험한 사람들이 갖는 마음이나 정신적 상처와 아픔을 말한다. 그 상처와 아픔을 그대로 털어놓으면 넋두리가 되고 상처와 아픔을 예술로써 승화시켜 나타내면 문학이 된다.

02 한국 문학의 미적 범주

1 미적 범주의 요소

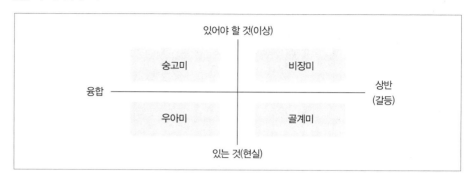

있어야 할 것(이상)

숭고미   비장미

융합 ——————————————————— 상반
                                  (갈등)

우아미   골계미

있는 것(현실)

2 미적 범주의 특징

(1) 숭고미

① '숭고미'란 인간이 아무리 추구해도 도달할 수 없는 높은 경지에서 느끼는 아름다움을 말한다.

② 인간의 보통 능력으로는 알 수 없는 경이, 위대함의 느낌을 준다.

③ 고대 문학에서 가장 분명히 나타난다.

④ 삶과 세계에 대한 절대적 이상을 추구하고자 하는 의식으로서 있어야 할 가치를 추구하고자 할 때 주로 나타난다.

⑤ **주요 작품**: 충담사의 「찬기파랑가」, 한용운의 「님의 침묵」 등

(2) 우아미

① 아름다움 자체를 문학적 형상으로써 구현하고자 하는 미의식이다.

② 삶에 대한 관조, 여유의 느낌을 준다.

③ 현실을 긍정하면서 이상적 가치를 현실에서 실현하고자 할 때 주로 나타난다.

④ **주요 작품**: 윤선도의 「어부사시사」, 조지훈의 「승무」 등

(3) 비장미

① 삶의 정한(情恨)과 비극적 상황 인식을 바탕으로 해서 이상적 가치를 추구하지만 현실의 한계와 장애로 인해서 이루어지지 못할 때 주로 나타나는 미의식이다.

② 갈등과 대결하는 비장한 결의의 느낌을 준다.

③ **주요 작품**: 정몽주의 시조 「단심가」, 김소월의 「초혼」 등

(4) 골계미

① 자연의 질서나 이치를 의미 있는 것으로 존중하지 않고 추락시킬 때 나타나는 미의식이다.

② 풍자와 해학의 수법으로 우스꽝스러운 상황이나 인간상을 구현하며 익살을 부리는 가운데 교훈을 준다.

③ **주요 작품**: 사설시조 「두꺼비 파리를 물고 ~」 등

1. 해학과 풍자

구분	해학	풍자
개념	익살스러운 말이나 행동. 대상을 우습게 표현하는 것	현실의 부정적 현상이나 모순 따위를 빗대어 비웃으면서 표현하는 것
공통점	웃음 유발	
차이점	• 대상에 대한 동정적 웃음 • 주체와 대상이 함께 웃는 웃음 • 인간의 약점이나 실수를 부드럽게 감쌈 (상대에 대한 동정, 포용이 바탕)	• 현실 모순을 반영. 직접적 비판 • 상대에 대한 분노, 경멸, 빈정거림에서 비롯되어 상대를 비웃고 공격하는 데 목적이 있음 • 잘못된 것을 바로잡으려는 의도가 있음

2. **골계의 기능**: 실의를 극복할 수 있는 힘. 관습화된 일상을 비틀어 감정의 정화를 가져옴(카타르시스의 한 방편)

03 한국 문학의 연속성에 대한 논의

1 이식문화론

임화는 '신문학사는 서구 문학의 자극과 영향, 모방으로 일관된 이식 문화의 역사'라고 주장하였다. 갑오개혁(1894) 이후의 현대 문학은 고전 문학의 전통을 창조적으로 계승하지 못했다는 의미이다.

2 이식문화론에 대한 반론

① 전통단절론은 개화기 계몽주의자들이 우리 문학사에 대한 인식 부족과 일제 침략을 합리화하기 위한 식민사관의 산물이다.
② 한국사는 민족사의 전개이며, 문학은 경험이나 사상, 정서의 표현이므로 민족이 존재하는 한 문학사의 단절은 나타날 수 없다.
③ 외래 문화의 수용은 수용 주체(민족)에 의해 창조적, 능동적으로 이루어진다.
④ 17~19세기에 자생적인 근대화의 요소가 나타나고 있었다.

3 우리 문학의 근대성

신분 질서의 동요, 새로운 계급의 대두, 지배층의 위선과 무능함 비판, 충·효·열의 가치 비판, 경제적·물질적 가치의 중시, 상공업의 성장, 인간 욕망에 대한 긍정, 민중 의식 성장, 실학사상 등의 주제가 우리 문학의 근대성이라고 할 수 있다.

4 근대 문학의 기점설: 갑오개혁설

① 갑오개혁을 근대 문학의 기점으로 보는 통설이다.
② 갑오개혁은 개화를 정착시키는 근대적인 개혁이었으므로 그때부터의 문학을 근대 문학이라고 보는 관점이다.
③ 근대화를 밖으로부터의 근대화 또는 위로부터의 근대화로 본다는 점에서 한계가 있다.

현대 문학의 이해

5개년 챕터별 출제비중 & 출제개념

CHAPTER 01 한국 현대 문학의 흐름	8%	6·25 전쟁과 관련된 소설 작품, 1960년대 한국 문학의 특징, 시사(詩史)의 전개와 순서, 동일한 시대적 배경의 시, 서울 배경의 소설 작품
CHAPTER 02 현대 시	37%	신동엽의 「봄은」·「이야기하는 쟁기꾼의 대지」·「누가 하늘을 보았다 하는가」, 조병화의 「나무의 철학」, 조지훈의 「봉황수」, 함민복의 「그 샘」, 박목월의 「나그네」·「청노루」, 이육사의 「절정」, 곽재구의 「사평역에서」
CHAPTER 03 현대 소설	40%	이태준의 「패강랭」, 김정한의 「산거족」, 강신재의 「젊은 느티나무」, 조세희의 「난쟁이가 쏘아 올린 작은 공」, 양귀자의 「비 오는 날이면 가리봉동에 가야 한다」, 오정희의 「중국인 거리」, 황순원의 「목넘이 마을의 개」, 이호철의 「닳아지는 살들」, 김승옥의 「서울, 1964년 겨울」·「무진기행」, 김유정의 「봄·봄」, 염상섭의 「삼대」
CHAPTER 04 희곡, 시나리오, 수필	15%	이상의 「권태」, 김훈의 「수박」, 이강백의 「느낌, 극락 같은」·「파수꾼」

12%

※최근 5개년(국, 지, 서)
출제비중

학습목표

01 한국 현대 문학의 흐름

단권화 MEMO

01 개화기 문학

1 시대 개관

개화기 문학이란 일반적으로 1894년 갑오개혁에서 1910년대 초반의 문학을 일컫는다. 개화기는 서양이라는 타자의 존재를 통해 주체로서의 '조선'과 '조선 민족'에 대한 새로운 자각이 확립된 시기였다.

(1) 국어 국문 운동
민족의 주체적 인식이 사회적으로 확대되는 과정에서 자연스럽게 국어 국문 운동이 발생하였다. 또한 민족 자체의 동일성과 정체성을 구성하는 핵심 요소로서 문자와 언어가 주목되었다.

(2) 동학 농민 운동
민족적 주체성 확립과 새로운 근대적 가치에 대한 인식이 농민 운동으로 나타났다. 또한 동학의 이념이 국문으로 이루어진 가사를 통해 민중에게 유포되었다.

(3) 정치 개혁 운동
정치 제도 개혁을 위해 다양한 방안이 제시되었고, 대중적 계몽 운동이 민간의 주도로 진행되었다. 특히 〈독립신문〉은 당대의 정치적 담론을 국문을 통해 새롭게 형성하였다.

2 문학의 전개
① 국한문을 혼용하다가 점차 언문일치가 시작되었다.
② 민족의 언어와 문자로 이루어진 문학만이 진정한 민족 문학이라는 인식이 자리 잡기 시작하면서, 민족의 정서를 민족의 언어와 문자로 표현하려는 국문 문학의 성립이 가능해졌다.
③ 일반 대중도 문화 생활이 가능해지기 시작하면서 근대적인 양식인 창가·신체시·신소설 등이 나타나게 되었다.

3 서정 문학의 흐름

(1) 시조
시조는 미약하나마 그 생명력이 이어졌으며, 문자와 음악이 분리되는 양상을 보였다.

(2) 개화 가사
① 개념: 전통적인 가사의 율격에 민요적 요소(분절체, 후렴구)를 더해 개화·계몽사상을 담았다. 신문이나 잡지가 간행되면서 새로운 시대 이념을 전파하기 위한 문학으로 발생하였다.
② 특징: 전통적인 가사체인 4·4조의 율격에 민요적 요소를 가미했으며, 자주독립과 애국심, 항일 정신, 강렬한 고발정신을 담았다.
③ 주요 작품: 이중원의 「동심가」, 김철영의 「애국가」, 이필균의 「애국하는 노래」 등

(3) 잡가
① 개념: 까다로운 격식 없이 누구나 부를 수 있고, 형식과 표현이 비교적 자유로운 갈래이다.
② 특징: 시조나 가사 등 비슷한 성향의 갈래들이 잡가에 편입되어 1910년대에 유행하였다.

(4) 창가
① 개념: 가사체에 개화사상을 담은 가사를 서양 음악의 곡조에 붙여 부르는 새로운 형태이다. 독립, 애국, 개화의 의지를 고취하기 위해 지은 단형의 국문 가사이다.
② 특징
　㉠ 7·5조, 6·5조, 8·5조 등 다양한 율격을 보였다.
　㉡ 주로 서양 음악의 곡조에 가사를 붙여 가창되었다.
　㉢ 가사가 민요처럼 짧아진 형태였으므로 개화 가사와 신체시 사이의 교량적 역할을 했다.
③ 주요 작품: 「권학가」, 「황제탄신경축가」, 최남선의 「경부철도가」, 「세계일주가」, 「조선유람가」, 「한양가」

(5) 신체시
① 개념: 개화 가사와 창가가 가진 정형적 율격에서 벗어나 형식이 자유로워졌으며, 계몽적인 내용을 담은 시 형태이다.
② 특징
　㉠ 7·5조나 3·4·5조의 새로운 형식을 취하여 비교적 자유로운 율격을 보여 준다.
　㉡ 개화 의식, 자주독립, 민족정신, 신교육, 남녀평등 사상 등의 내용을 담았다.
③ 의의: 정형시와 자유시의 중간적인 양식으로, 창가와 근대 시의 교량적 역할을 하였다. 또한 개화사상, 자주독립 사상, 남녀평등 사상 등을 내용으로 계몽 문학적 성격을 보여 준다.
④ 주요 작품
　㉠ 최남선의 「해에게서 소년에게」, 「태백산가」, 「대한 소년행」, 「구작삼편」, 「꽃 두고」 등
　㉡ 이광수의 「우리 영웅」, 「새 아이」 등

단권화 MEMO

■ 민요
이 시기의 민요는 민중의 노래로 머무르지 않고 민족의 노래로서 새로운 구실을 하였다.

4 서사 문학의 흐름

(1) 구비 문학

① 판소리: 하층의 예술로 시작한 판소리가 상하층의 요구를 아우르며 전국으로 퍼졌다.

② 설화: 설화가 여러 가지 형태로 기록되고 간행되었다.

(2) 한문학

① 변모: 한문학은 과거 제도와 밀접한 관련을 맺고 있었으나 과거 제도가 폐지되고 국가 문건이 국문화됨에 따라 쇠퇴하기 시작하였다.

② 경향

　㉠ 전통 한문학의 계승: 이항로, 강위, 김택영 등

　㉡ 시대 상황에 비판적 대응: 박규수, 황현, 의병들의 한문학, 이남규 등

(3) 신소설

① 개념: 갑오개혁 이전의 소설과 비교해 새로운 형식, 내용, 문체로 이루어진 과도기적 소설을 말한다.

② 특징

　㉠ 주로 현실적 문제를 다루었다.

　㉡ 형식: 언문일치체를 추구하였고 서술 형식의 전기체에서 벗어나 묘사 중심의 이야기 전달을 시도하였다.

　㉢ 내용: 개화·계몽사상, 봉건사상에 대한 비판 등이 주류를 이루었다. 즉, 자유독립, 자유연애, 신교육, 미신 타파 등의 주제를 다루었다.

③ 의의

　㉠ 고전 소설과 현대 소설의 교량 역할을 하였다.

　㉡ 고전 소설의 비현실적 내용에서 현실적 문제를 중심으로 내용을 변화시켰고 개화사상을 고취시켰다.

④ 한계

　㉠ 권선징악, 우연적 사건 전개, 평면적인 인물 등 고전 소설의 특징을 여전히 지니고 있었다.

　㉡ 완전한 언문일치를 이루지 못했다.

⑤ 주요 작품

작품	작가	연대	내용 및 특징
「혈(血)의 누(淚)」	이인직	1906	• 청일 전쟁을 배경으로 하며 자유 결혼, 신교육 등 문명개화를 주제로 함 • 신소설의 효시로, 영웅 소설적 성격을 지님
「치악산」		1908	봉건 사회의 악습 비판(양반의 부패 폭로, 처첩 간의 갈등)
「은세계」		1908	• 전래하던 판소리의 개작(일본 소설의 개작으로 보기도 함) • 지방 수령의 가렴주구를 비판하고 신교육을 통한 문명개화의 필요성 역설 • 원각사에서 공연된 최초의 신파극
「금수회의록」	안국선	1908	동물을 의인화하여 인간 사회의 악덕을 풍자(우화 소설)
「자유종」	이해조	1910	토론체 소설로, 여성의 해방과 자주독립 등의 문제를 다룸
「화(花)의 혈(血)」		1911	기생의 굳은 절개와 효도를 찬양하고 관리의 부패를 고발
「추월색」	최찬식	1912	봉건 잔재의 타파와 신교육 사상을 내세운 연애 소설

02 3·1 운동 이후~1920년대 문학

1 시대 개관

① 국권 피탈 이후 일제는 우리나라에 대한 지배력을 갖기 위해 차별적 교육 정책을 시행하고, 언론·출판에 대한 검열 정책을 강화했다. 또한 국어와 국문 교육을 제한하는 한편, 일본어 교육을 강화하였다. 그 결과 '모방과 굴종', '창조와 저항'이라는 양가적 속성을 지니는 독특한 식민지 문화가 형성되었다.

② 3·1 운동 이후, 일제는 무단 정치에서 기만적인 문화 정책으로 통치 변화를 시도하였다. 이에 대응하기 위해서 《조선일보》와 《동아일보》 등의 신문들이 창간되었고, 여러 방면에서 일본의 식민지 지배 정책에 대항하는 반식민주의 담론이 형성되었다. 한편으로는 일제의 강점에 대한 패배주의적 인식이 나타나기도 했다.

2 문학의 전개

① 3·1 운동 직후 조선어연구회(1921)가 조직되었고, 이를 시작으로 국문에 대한 활발한 연구가 진행되었다. 또한 국문 문학으로서의 한국 문학에 대한 새로운 인식이 자리 잡았다.

② 각종 문예지와 동인지들이 등장하면서 '다수 동인지 시대'가 열려 본격적인 문예 창작 활동이 이루어졌다.

③ 계급 문학을 추구하는 '계급 문학파'가 등장하였고, 이에 대응하여 문학의 순수성과 민족성을 강조하는 '국민 문학파'가 등장하였으며, 이 둘의 절충을 추구하는 '절충파'가 등장하였다.

계급 문학파	신경향파	• 1920년대 초, 사회주의적 성향을 띠고, 백조파와 창조파의 낭만주의와 자연주의를 비판하며 등장 • 주로 곤궁한 현실 생활을 표현하며, 반항적·관념적 계급 의식을 다룸 • 주요 작가: 박영희, 최서해, 주요섭, 김기진 등
	KAPF (1925~1935, 조선 프롤레타리아 예술가 동맹)	• 프롤레타리아 계급 사상(마르크스주의)과 일제에 대한 반제국주의 투쟁(현실 비판)적 성격을 지님 • 노동자와 농민의 궁핍한 삶, 계급 간의 대립, 민족 문제, 어려운 현실 속 결의와 전망을 담은 내용이 다수였음 • 뛰어난 현실 인식을 보였으나 도식적, 획일적인 구성으로 인해 문학적 형상화는 미흡한 작품들이 많음 • 주요 작가: 임화, 조명희, 박영희, 이기영 등
국민 문학파		• 민족정신, 전통, 국민적 공동 의식을 중시하여 시조 부흥론 전개 및 역사 소설 창작 • 국수주의적, 복고적 경향 • 반계급 문학적 입장에서 민족 제일주의, 순문학 제일주의를 표방함 • 주요 작가: 최남선, 이광수, 염상섭, 김동인 등
절충파		• 양주동과 염상섭을 중심으로 《문예공론》을 통해 절충주의를 내세움 • '사상'도 형식에 포함되어야 함을 주장(광의에서는 순수 문학적 입장) • 이들의 주장은 큰 성과를 거두지 못함

■ **동반자 작가**
카프(KAPF)에 가맹하지 않았으면서도 카프와 같은 계급 문학적 성격을 보여주었던 작가들이다. 이효석, 유진오, 채만식 등이 있다.

■ **해외 문학파**
해외 문학의 번역·소개를 목적으로 결성되었고, 절충파와 같이 중간 노선을 걸었다. 주요 작가로는 김진섭, 이하윤, 이헌구 등이 있다.

더 알아보기 | 주요 문예 동인지

동인지	발간	주요 작가	경향 및 특징
《창조》	1919	김동인, 주요한, 전영택	• 최초의 순수 문예 동인지 • 계몽주의 문학을 반대하고, 사실주의와 자연주의 표방
《개벽》	1920	박영희, 김기진	• 천도교 기관지이며, 월간 종합지 • 초기 신경향파 문학이 성장하는 데에 거점이 됨
《폐허》	1920	김억, 남궁벽, 황석우, 염상섭	• 시 중심의 동인지 • 퇴폐주의적, 낭만주의적, 상징주의적 경향
《장미촌》	1921	박종화, 노자영	• 최초의 시 전문 동인지이며, 《백조》의 전신 • 낭만주의 경향
《백조》	1922	홍사용, 이상화, 현진건, 나도향	• 순수 문예 동인지 • 염세적, 퇴폐적, 현실 도피적, 감성적 낭만주의 경향

3 시 문학의 흐름

(1) 자유시(근대 시)의 등장

① 외국 시의 유입으로 신체시의 형식적, 내용적 한계를 극복하고 근대 자유시가 형성되었다.

② 형식 면에서는 이전의 정형시에서 벗어나 자유로운 시 형태를 추구하고, 내용 면에서는 개인의 개성을 중시하는 서정시, 자유시를 지향하였다.

③ **주요 작가**: 주요한, 황석우, 김억 등이 있으며, 주요한의 「불놀이」를 최초의 자유시로 보기도 한다.

(2) 상징주의 문학

① 김억이 《태서문예신보》에 프랑스 상징주의 시를 번역·소개하면서 시작되었다.

② 상징적 표현, 시의 음악성, 이미지에 의한 표현을 중시하였다.

③ 당시 상징주의를 수용한 주체들이 '상징'의 의미를 '무언가 모호한 것, 불명확한 것'으로 인식하여 초기 시는 시적 상황이 모호하다는 한계를 지니지만, 본격적인 자유시 형식을 위한 실험의 측면으로 이해할 수 있다.

④ **주요 작가**: 김억, 황석우, 주요한 등

(3) 병적 낭만주의

① 3·1 운동이 실패하면서 민족적 좌절감과 현실 도피 의식이 팽배해져서 개인주의적, 감상적, 퇴폐적 경향을 보였다.

② 이전 시기의 '민족과 계몽' 등의 내용에서 벗어나 '개인의 감정'을 주로 노래하였다.

③ 주요 소재로는 '상실, 현실 부정, 죽음, 꿈, 무덤, 밀실, 동굴, 침실' 등이 등장한다.

④ **주요 작가와 작품**: 박영희의 「월광으로 짠 병실」, 박종화의 「사의 예찬」, 이상화의 「나의 침실로」, 홍사용의 「나는 왕이로소이다」 등

(4) 계급주의 문학

① 1920년대의 낭만주의 문학을 비판하며 등장한 사회주의적, 계급주의적 성격을 지닌 시로서, 일반적으로 '카프(KAPF)' 작가들이 창작한 시를 말한다.

② 계급 간의 대립을 드러내거나 식민지하 민족의 곤궁하고 비참한 상황을 담고 있으며, 그 안에서 결의나 미래에 대한 전망 또한 담아 내었다.

③ 주요 소재로 노동자와 농민의 빈궁한 삶을 다룬다.

④ **주요 작가와 작품**: 임화의 「우리 오빠와 화로」, 김기진의 「한 개의 불빛」

(5) 국민주의 문학

① 신경향파와 카프 문학에 대한 대항 의식에서 성립했으며, 카프 문학이 세계주의를 표방함에 대해 '국민주의' 또는 '민족주의'를 내세운 '국민문학파' 작가들이 창작한 시를 말한다.

② 민족정신이나 전통 양식을 강조하여 국수주의적, 복고적 성향을 강하게 지녔다.

③ 주요 활동으로는 민요시 운동, 시조 부흥 운동, 역사 소설 창작 등이 있다.

④ **주요 작가**: 최남선, 이광수, 이병기, 주요한, 정인보 등

(6) 그 밖의 주요 작가

① **김소월**: 전통적인 민요의 율격과 토속적인 언어를 사용하여 근대 시 형식에 새로운 독자적 가능성을 부여하였다. 대표 작품으로 「진달래꽃」이 있다.

② **한용운**: 민족과 국가를 위한 투쟁 의지를 시적으로 구현하면서도 여성적, 서정적인 어조를 활용하여 시로 형상화하였다. 대표 작품으로 「님의 침묵」이 있다.

③ **김동환**: 최초의 현대 장편 서사시인 「국경의 밤」을 발표하였다. 「국경의 밤」에 뒤이어 발표한 「승천하는 청춘」도 서사적 장편시였으며, 새로운 장시의 시적 가능성을 확보하였다.

4 소설 문학의 흐름

(1) 현대 소설의 성립과 사실주의, 자연주의 소설의 확립

① 1910년대 이광수의 「무정」에서 보여 주었던 계몽성에서 탈피하여 사실주의, 자연주의, 낭만주의 문예 사조를 수용해 예술성을 추구하였다.

② 현실에 바탕을 둔 소설적 상상력을 표현하며, 치밀한 구성, 객관적 묘사, 비극적 결말 처리, 구어체 문장 확립 등 소설의 기법을 발전시켜 현대 소설의 기틀을 마련하였다.

③ 주요 작가와 작품

이광수	• 「무정」은 최초의 근대적인 장편 소설(1917, 3·1 운동 이전) • 개화사상, 자유연애 사상 등을 담고 있으나 현실 인식이 추상적임
김동인	• 서사적 과거 시제의 도입, 3인칭 대명사의 소설적 활용, 시점의 확립 등을 통해 사실주의적 단편 소설의 기틀 마련 • 주요 작품: 「배따라기」, 「감자」, 「광염소나타」
현진건	• 김동인 이후 주도적인 양식으로 등장한 단편 소설의 기법적 완결성 추구 • 초기 소설에서 일인칭 화자(나)를 등장시켜 소설 속에서 인물 내면 분석의 가능성을 제시함 • 1920년대 중반 이후 3인칭 시점을 활용하여 작중 인물의 삶을 치밀하게 묘사 • 주요 작품: 「B사감과 러브레터」, 「운수 좋은 날」, 「고향」, 「빈처」
염상섭	• 일제 강점기 지식인의 고뇌를 사실적으로 그림 • 주요 작품: 「만세전」, 「삼대」, 「표본실의 청개구리」
나도향	• 주로 어두운 농촌 현실을 묘사함 • 주요 작품: 「벙어리 삼룡이」, 「물레방아」

(2) 계급주의 소설의 등장(신경향 소설, 노동 소설, 농민 소설)

① '카프(KAPF)' 결성을 전후하여 사회주의 성향이 강한 계급주의 소설이 등장하였다.

② 주로 일제의 수탈로 인해 피폐해진 농촌과 도시 노동자들의 실상을 그렸다.

③ 상투적, 도식적 기법으로 인해 크게 부흥하지는 못하였다.

④ **주요 작품:** 최서해의 「탈출기」, 「홍염」 등

03 1930년대~광복 전 문학

1 시대 개관

1930년대 중반부터 일본은 군국주의를 강화하면서 한반도 병참기지화정책에 따라 우리나라에 군수공장을 세우고, 전시 식량과 인력 부족을 해결하기 위해 강제 공출, 강제 동원을 일삼는 등 수탈을 강화하였다. 이와 더불어 사상 탄압이 심해지면서 문학이 위축되었다.

2 문학의 전개

① 일본의 강압적인 사상 탄압으로 카프(KAPF)가 해체된 반면, 신문이나 잡지가 증가하면서 발표할 수 있는 지면이 늘어나 시단은 개별 창작과 동인 활동을 확대하였다. 시 창작 활동은 1920년대의 사상적 대립에서 벗어나 순수 문학 운동으로 진행되었다.

② 모더니즘 경향이 두드러지게 전개되어 시각적 이미지를 중시하고, 도시 문명을 비판하는 한편 지성을 중시하였다.

③ '브나로드 운동'의 영향으로 계몽적 성격의 문학이 다시 등장하였다.

④ 일제의 탄압을 피하기 위해 우회적으로 현실 문제에 접근하는 작품들이 발표되었다.

더 알아보기　1930년대 주요 문예 동인지: 구인회

1. 순수 문학을 표방하며 결성
2. 시문학파의 순수 문학을 계승·발전시켰고, 1930년대 이후 모더니즘 문학의 주류를 형성하는 데 기여
   • 이름에 걸맞게 언제나 9명으로 구성됨
   • 이종명, 김유영의 발기로 이효석, 이무영, 유치진, 이태준, 조용만, 김기림, 정지용의 9인이 결성
   • 발족 후 얼마 안 가서 이종명, 김유영, 이효석이 탈퇴하고 박태원, 이상, 박팔양이 가입
   • 그 뒤 유치진, 조용만 대신에 김유정, 김환태가 가입

더 알아보기　주요 문예 동인지

동인지	발간	주요 작가	경향 및 특징
《시문학》	1930	김영랑, 박용철, 정지용	• 언어의 기교를 중시 • 순수시 지향 • 목적 문학에 반발
《삼사문학》	1934	신백수, 이시우, 정현웅	• 창간 연도를 동인지 명으로 함 • 신인들 위주의 참신한 문학 추구 • 초현실주의 기법 추구
《시인부락》	1936	김동리, 서정주, 오장환	• 생명파 중심 • 인간과 생명에 대한 깊은 관심

3 시 문학의 흐름

(1) 시문학파: 1930년대

① 시문학파는 카프에 반발하며 순수 서정시를 지향하였다.

② 세련된 언어 감각, 음악성, 예술적 기교를 중시한 자유시를 지향하였다.

③ 시의 형식과 표현적인 면에서 발전을 가져온 반면, 당대의 현실을 반영하지 못했다는 점에서 한계를 가진다.

④ 주요 작가와 작품

김영랑	• 초기 　– 서정적 자아의 내면에서 우러나오는 정서를 섬세한 언어로 형상화함 　– 섬세한 언어적 감각과 리듬 의식이 특징적 　– 대표 작품: 「내 마음을 아실 이」, 「끝없는 강물이 흐르네」 • 후기 　– 엄혹한 시대 속에서 시의 정신을 제대로 지켜 나가고자 하는 의지를 드러냄 　– 대표 작품: 「독을 차고」

(2) 모더니즘 시: 1930년대

① 구체적 이미지에 의한 지성적 시를 지향하였다.

② 음악성보다는 도시적 감각과 회화성을 중시하였다.

③ 새로운 내용과 형식을 도입한 반면, 현실에 대한 인식이 부족하다는 점에서 한계를 가진다.

④ 주요 작가와 작품

정지용	• 시적 대상을 감각적 심상과 절제된 언어로 형상화 • 대표 작품: 「유리창 1」, 「향수」, 「바다」
김기림	• 감상주의와 계급 시에 빠져 있던 당시의 시 정신을 바로잡기 위해 모더니즘 시론을 전개하고 모더니즘 시론에 근거한 창작에 나서기도 함 • 대표 작품: 「기상도」, 「바다와 나비」
김광균	• 서정적인 정서를 바탕으로 하면서도 섬세한 언어 기교와 감각적 이미지로 시적 대상을 형상화함 • 대표 작품: 「외인촌」, 「추일서정」
이상	• 자아의 분열 양상을 드러냄 • 현실로부터의 단절, 불안과 미래에 대한 허무감 등을 동시에 드러냄 • 대표 작품: 「오감도」, 「거울」

■ 정지용
정지용은 『시문학』 동인으로 활동하기도 했으나 『시문학』 동인으로서는 주목할 만한 활동이 없었다. 따라서 문학의 경향 측면으로 보았을 때 일반적으로 정지용을 시문학파로 분류하지 않는다.

■ 이상
초현실주의로 따로 분류하기도 하지만 광의의 모더니즘에 속하기도 한다.

(3) 생명파(인생파): 1930년대

① 생명파는 시문학파의 기교주의적 경향 및 모더니즘의 도시 문명 지향과 비인간성에 반발하여 인간의 삶과 생명 의식을 형상화하고자 하였다.

② 생명의 근원, 삶의 고뇌 등을 중시하였다.

③ 주요 작가와 작품

서정주	• 전통적 정서를 통한 삶의 성찰 • 대표 작품: 「화사」
유치환	• 삶의 허무와 생명의 본질, 원시적 생명력 추구 • 대표 작품: 「깃발」, 「생명의 서」

(4) 전원파: 1930년대

① 도시 문명을 간접적으로 비판하며 농촌 생활을 제재로 삼았다.

② 현실 도피적 성향을 보이며, 전원생활을 이상적 세계로 설정하여 동경하였다.

③ 자연 친화적 경향을 보인다.

④ 주요 작가와 작품: 김상용의 「남으로 창을 내겠소」, 신석정의 「그 먼 나라를 알으십니까」, 김동명의 「파초」·「내 마음은」 등

(5) 이야기시: 1930년대

① 식민지 현실과 민중의 정서를 소재로 삼아 이들의 고통을 깊이 있게 성찰하였다.

② 시에 이야기 요소를 도입하였다.

③ 주요 작가와 작품

백석	• 민족적 소재와 서사 구조로 향토적 정서와 공동체 의식 추구 • 대표 작품: 「여우난골족」, 「여승」
이용악	• 일제 식민지하에서 유랑민의 생활과 감정을 체험적·사실적으로 표현 • 대표 작품: 「낡은 집」

(6) 저항시: 1940년대

① 1930년대 후반으로 갈수록 일제의 탄압이 가속화되면서 문인들이 절필을 하기도 하고 친일 행위에 나서기도 하였으나, 일부 문인은 일제에 대한 저항 의식을 시적으로 형상화하였다.

② 주요 작가와 작품

이육사	• 암흑의 현실 속에서도 저항 의지를 드러냄 • 남성적 어조, 예언자적인 태도, 정제된 시 형태, 상징적 표현 등을 특징으로 함 • 대표 작품: 「광야」, 「절정」
윤동주	• 식민지 현실 속에서 자기 성찰을 통한 부끄러움의 정서를 형상화 • 대표 작품: 「쉽게 씌어진 시」, 「서시」, 「자화상」, 「참회록」

(7) 청록파: 1940년대

① 자연을 소재로 자연 관조와 자연 친화적 태도를 표현하였다.

② 향토적 소재를 통해 자연적 이상 세계를 그렸다.

③ 해방 후 전통적 서정시의 흐름을 주도하였다.

④ 주요 작가와 작품: 박목월의 「나그네」·「산도화」, 조지훈의 「승무」·「봉황수」, 박두진의 「해」 등

4 소설 문학의 흐름

(1) 모더니즘 소설

① 1930년대 소설에서는 카프(KAPF)의 해체로 이념적 경향이 퇴조하고 사실주의와 모더니 즘적 경향이 자리를 잡아갔다.

② 도시 문명이 지닌 병폐와 부정적 세태를 지식인의 관점에서 조명하고 비판하였다.

③ 복합 시점과 의식의 흐름, 내면 독백 수법을 사용하였다.

④ 주요 작가와 작품: 채만식의 「레디메이드 인생」·「치숙」·「탁류」, 유진오의 「김 강사와 T교수」, 이상의 「날개」, 박태원의 「천변 풍경」·「소설가 구보 씨의 일일」 등

(2) 농촌 소설(농민 소설)

① 계몽적 농촌 소설: 농촌을 배경으로 지식인인 주인공이 무지한 농민들의 계몽을 주도하는 소설이다. 주요 작가와 작품으로는 이광수의 「흙」, 심훈의 「상록수」 등이 있다.

② 전원적 농촌 소설: 농촌을 배경으로 농촌의 소박하고 순박한 삶을 보여 주고자 하는 소설 이다. 주요 작가와 작품으로는 김유정의 「동백꽃」·「봄·봄」 등이 있다.

③ 사실적 농촌 소설: 농촌을 배경으로 농촌의 현실을 사실적으로 다룬 소설이다. 주요 작가와 작품으로는 김정한의 「사하촌」 등이 있다.

(3) 역사 소설

① 일제의 검열을 피해 민족의식을 간접적으로 고취시키고자 하는 목적에서 쓰인 소설이다.
② 역사 소설은 장편 소설의 길을 여는 계기가 되었다.
③ 주요 작가와 작품: 현진건의 「무영탑」, 홍명희의 「임꺽정」 등

(4) 순수 소설

① 인간의 본질과 운명을 순수하게 탐구한 소설이다.
② 주요 작가와 작품: 김동리의 「무녀도」, 이효석의 「메밀꽃 필 무렵」, 주요섭의 「사랑손님과 어머니」, 계용묵의 「백치 아다다」 등

(5) 기타 소설

① 여성 작가들이 활발하게 활동하였다. 주요 작가와 작품으로는 강경애의 「인간 문제」가 있다.
② 역사의 흐름과 더불어 가족의 변천을 다룬 가족 소설이 등장하였다. 주요 작가와 작품으로는 염상섭의 「삼대」와 채만식의 「태평천하」가 있다.

(6) 주요 작가와 작품

박태원	• 현대인의 개별적인 삶의 모습을 제시하여 삶에 대한 새로운 접근을 보여 줌 • 「소설가 구보 씨의 일일」, 「천변 풍경」은 플롯과 주인공의 개념을 해체하여 새로운 충격을 주었으며, 이로 인해 기존의 리얼리즘 비평가들에게 비판을 받기도 함
이상	• 식민지 지식인의 내면 의식을 '의식의 흐름 기법'을 통해 형상화 • 대표 작품: 「날개」, 「지주회시」, 「종생기」
이태준	• 식민지하의 왜곡된 근대화의 문제점을 형상화 • 도덕적 타락과 세태의 혼란 속에서도 인간 본연의 순진성을 지키는 인물들을 강조하기도 함 • 대표 작품: 「복덕방」, 「달밤」
이효석	• 동반자 작가로 출발하였으나 계급적 성격을 벗어나면서부터 자연 친화적 정서에 바탕을 두고 인간의 본능을 서정적으로 형상화 • 대표 작품: 「메밀꽃 필 무렵」
김동리	• 토속적 무속 신앙과 전통 주술 세계를 배경으로 함 • 대표 작품: 「화랑의 후예」, 「무녀도」, 「황토기」
채만식	• 식민지 시대 현실을 풍자적으로 형상화 • 풍자의 수법으로 전통적인 판소리 창자의 어조를 활용하기도 함 • 대표 작품: 「레디메이드 인생」, 「치숙」, 「태평천하」
김유정	• 일제 강점기하의 삭막한 농민들의 삶을 회화적, 해학적으로 그려 냄 • 토속적인 어휘와 생동감 있는 문체를 바탕으로 하는 해학과 반어의 기법을 활용 • 대표 작품: 「동백꽃」, 「봄·봄」
기타	• 이광수의 「흙」: 농촌 계몽 소설로서 엘리트의 시혜자적인 입장이 드러남 • 심훈의 「상록수」: 문맹 퇴치 운동, 브나로드 운동과 같은 농촌 계몽 운동을 고취시킴 • 염상섭의 「삼대」: 삶에 대한 총체적 인식에 도달하려는 리얼리즘 정신에 바탕을 두고 근대 한국의 사회상을 형상화함 • 유진오의 「김 강사와 T교수」, 「창랑정기」: 지식인의 고뇌와 무력감과 시대 부적응을 그림. 동반자 작가 • 김정한의 「사하촌」, 「모래톱 이야기」: 일제 강점기 농촌의 부조리한 모습을 사실적으로 그리고 현실의 모순에 저항하는 모습을 그림 • 이무영의 「제1과 제1장」, 「흙의 노예」: 농촌의 모습을 사실주의적으로 그림 • 강경애의 「인간 문제」, 「지하촌」: 일제 강점기 빈민의 삶을 그림

■ **세태 소설**
사람들의 일상생활과 사회의 풍속, 인심, 유행 따위를 묘사한 소설이다.

■ **의식의 흐름 기법**
등장인물의 머릿속에 떠오르는 생각, 기억, 느낌을 그대로 적는 기법으로 모더니즘 소설에서 주로 사용하는 기법이다.

04 광복 후~1950년까지 문학

1 시대 개관

1945년 8월 15일, 우리나라는 광복을 맞이하여 일제의 식민지 지배에서는 벗어났지만, 한반도를 둘러싼 열강 세력의 이권 다툼으로 인해 혼란과 격동을 겪게 된다. 이로 인하여 이데올로기 갈등이 시작되고, 좌익과 우익으로 갈라서 대립이 심화되었다.

2 문학의 전개

① 해방 직후, 문단에서는 식민지 시대 문학의 청산과 새로운 민족 문학의 건설이라는 두 가지 과제가 제기되었다.

② 좌익과 우익이라는 정치적 영향이 문학과 문단에도 고스란히 영향을 미치게 되었다. 이로 인해 문단은 '조선문학가동맹'을 중심으로 하는 좌익 문단 계열과 '전조선문필가협회(이후 전조선문필가협회의 영향을 받아 조선청년문학가협회가 결성됨)'를 중심으로 하는 우익 문단으로 나뉘어 첨예한 갈등을 겪게 된다.

3 시 문학의 흐름

(1) 민족 진영(우익 문단)의 시

① 순수 서정시를 추구하여 인생에 대한 관조와 전통적 정서를 탐구하였다.

② 일제의 검열로 출간되지 못했던 다수의 작품들이 출간되었다.

　　㉠ 유고 시집: 이육사의 『육사시집』(1946), 윤동주의 『하늘과 바람과 별과 시』(1948) 등 유고 시집이 간행되었디.

　　㉡ 『청록집』: 조선청년문학가협회의 주동적인 인물이었던 박목월, 박두진, 조지훈의 합동 시집이다. 박목월의 향토성, 박두진의 이데아 지향, 조지훈의 고전적 정신 등 각 시인의 시적 개성이 살아 있는 작품이 수록되어 있다.

　　㉢ 서정주: 「귀촉도」(1948)는 서정성과 전통적인 정서로의 전환을 보여 주었다.

　　㉣ 유치환

　　　　• 『생명의 서』(1947): 인간 존재와 생명의 본질을 관념적으로 추구하였다.

　　　　• 『울릉도』(1948), 『청령일기』(1949): 현실의 삶에 대한 인식에 관심을 기울이기 시작하였다.

(2) 좌익 문단의 시

① 투쟁, 선전과 선동 등의 정치적 색채를 띤 시들이 창작되었다.

② 주요 작가와 작품

　　㉠ 오장환: 「병든 서울」(1946), 「나 사는 곳」(1947)

　　㉡ 이용악: 「오랑캐꽃」(1947)

　　㉢ 설정식: 「종」(1947), 「포도」(1948), 「제신의 분노」(1948)

4 소설 문학의 흐름

(1) 식민지적 삶에 대한 비판과 반성

① 일제 강점기하에서의 삶을 그리고, 그에 대한 반성을 함으로써 식민지적 삶을 극복하고자 하였다.

② 참된 해방의 의미를 모색하고자 하였다.

③ 주요 작가와 작품

김동인의 「반역자」, 「망국인기(亡國人記)」	일제 강점기 지식인의 모습에 대한 변명과 비판의 논리가 혼재되어 있는 작품
이태준의 「해방 전후」	일제 말기에 붓을 꺾고 낙향한 주인공과 고향 마을 향교를 지키고 있는 노인의 삶의 방식을 대조적으로 그리면서 이념의 선택을 통한 식민지 시대의 반성 의식을 드러냄
채만식의 「민족의 죄인」	등장인물이 일제 강점기 지식인들이 보여 준 삶의 세 가지 방식을 각기 대변하며, 이를 통해 지식인의 자기반성을 보여 줌

(2) 해방 전후의 현실 비판

① 해방 후 동포들의 귀환 과정과 당시 현실을 소설화한 작품이 발표되었다. 하지만 현실은 아름답지만은 않게 그려졌다.

② 해방 공간의 부조리한 현실을 풍자의 방법으로 비판한 소설이 등장하였다.

③ 주요 작가와 작품

김동리의 「혈거부족」	해방이라는 역사적인 사건에도 불구하고 인물들의 귀향 결과가 국토의 분단과 또 다른 고향 상실임을 보여 줌
계용묵의 「별을 헨다」	• 만주에서 고국을 그리며 죽어 간 아버지의 유골을 안고 어머니와 함께 귀국한 실향민의 고뇌를 그림 • 유사 소재: 최인욱의 「개나리」
채만식의 「미스터 방」	해방기의 혼란상을 풍자적으로 묘사함

(3) 계급 소설(경향 소설)

① 계급 의식을 고취시키고, 프롤레타리아를 선동하는 소설이다.

② 주요 작가와 작품: 이태준의 「농토」, 안회남의 「농민의 비애」 등

(4) 순수 소설

① 당대의 시대적 특수성과 상관없이 문학의 보편성을 추구한 소설이다. 인간의 보편적 욕망과 운명을 추구한다.

② 주요 작가와 작품: 김동리의 「역마」, 황순원의 「목넘이 마을의 개」 등

05 1950년대 문학

1 시대 개관

한국 전쟁은 이데올로기의 충돌이 빚은 뼈아픈 우리의 역사이다. 한국 전쟁 이후 남과 북으로 분단이 되고, 분단 논리 자체가 민족의식의 내면에까지 자리 잡게 되었다.

2 문학의 전개

① 전쟁 체험을 바탕으로 한 전후 문학이 등장하여 물질적·정신적 피폐함과 인간성 상실, 분단 현실 등을 그렸다.
② 서구의 실존주의 문학을 수용하면서 인간의 본질, 실존 탐구 등을 다루었다.
③ 전쟁 체험을 바탕으로 현실 참여의 주지주의 문학과 전통 지향적인 순수 문학의 두 흐름이 형성되었다.

3 시 문학의 전개

구분	특징	작가와 작품
전쟁 체험의 형상화	전쟁 자체의 비극성과 민족에 대한 연민 등	• 유치환의 「보병과 더불어」 • 조지훈의 「역사 앞에서」 • 구상의 「초토의 시」
후기 모더니즘 시	• 도시와 문명을 소재로 현대적 도시 감각과 지적 태도 중시 • 1930년대의 모더니즘을 계승한 『후반기』 동인이 주도함	• 박인환의 「목마와 숙녀」 • 김수영의 「달나라의 장난」
전통적 서정시	기존의 생명파와 청록파 작가들과 신인인 박재삼, 이동주 등이 흐름을 이어 나감	• 서정주의 「추천사」, 「국화 옆에서」 • 박재삼의 「울음이 타는 가을 강」
주지적 서정시	주지적 기법(현실에 대한 지적 인식) +서정적 경향(도회적 서정)	• 김춘수의 「꽃」 • 신경림의 「갈대」

■ 『후반기』 동인
한국 전쟁 기간 중 결성되어 모더니즘 시 운동을 전개하였다.

4 소설 문학의 전개

(1) 전후 소설

① 전후의 세태를 묘사하는 유형의 소설
  ㉠ 전후의 혼란스러운 사회 현실과 비참한 세태를 묘사하였다.
  ㉡ 삶의 무기력함, 물질적 궁핍과 정신적 피폐함을 사실적으로 묘사하였다.
  ㉢ 주요 작가와 작품: 손창섭의 「비 오는 날」, 이범선의 「오발탄」 등
② 전쟁의 상처를 치유하고자 하는 유형의 소설
  ㉠ 전쟁으로 인해 파괴된 인간성을 고발하고, 이를 극복하려는 휴머니즘 경향의 소설이다.
  ㉡ 주요 작가와 작품: 황순원의 「학」·「나무들 비탈에 서다」, 하근찬의 「수난이대」, 이범선의 「학마을 사람들」 등
③ 전후의 비극을 고발하는 유형의 소설
  ㉠ 극한 상황에 처한 인간 존재의 문제를 통해 인간 존재를 해명하고자 하는 실존주의 경향의 소설이다.
  ㉡ 주요 작가와 작품: 장용학의 「요한시집」, 오상원의 「유예」, 김성한의 「오분간」

(2) 순수 소설

① 현실에서 한 발 벗어나 인간의 본질적 삶의 문제를 다룬 소설이다.

② 주요 작가와 작품: 오영수의 「갯마을」, 강신재의 「절벽」 등

06 1960년대 문학

1 시대 개관

1960년대는 한국 전쟁의 상처를 서서히 회복해 가는 시기였으며, 4·19 혁명과 5·16 군사 정변이 일어난 시기였다. 4·19 혁명이 민주주의와 자유를 쟁취하기 위한 투쟁이었던 데 반해, 5·16 군사 정변은 산업화와 근대화 이면의 억압적인 사회상이 표출된 사건이라고 할 수 있다.

2 문학의 흐름

① 4·19 혁명 이후 전후 문학이 빠져들었던 위축, 나태, 무기력에서 벗어나게 되었다.

② 문학이 역사와 현실에 대한 신념을 표출할 수 있어야 한다는 당위론이 제기되면서 현실 지향적인 문학이 확대되었다.

③ 이러한 변화는 비평의 영역에서 참여론과 순수론의 갈등으로 나타났다.

3 시 문학의 흐름

(1) 참여시

① 문학의 현실 참여를 강조하며, 분단 극복과 시민의 자유와 권리를 다루었다.

② 1970년대 이후 본격적으로 대두되는 민중 시의 기반이 되었다.

③ 주요 작가와 작품: 김수영의 「풀」, 신동엽의 「껍데기는 가라」, 김광섭의 「성북동 비둘기」 등

(2) 순수시

① 참여시에 반대하여 문학의 순수성과 예술성을 강조하였다.

② 새로운 기법과 실험 정신을 바탕으로 시적 표현과 인식의 방법을 혁신하고자 하였다. 새로운 언어와 기법 실험, 관념적 주제 탐구, 시적 순수성을 추구하였고, 이로 인해 시가 난해해지고 복잡해지는 양상을 보였다.

③ 주요 작가와 작품: 신경림의 「갈대」, 김춘수의 「꽃을 위한 서시」

(3) 전통적 서정시

① 민요적 형식의 수용, 토속적 삶 추구, 자연에 대한 서정적 접근 등 전통적 서정시를 계승하였다.

② 주요 작가: 박목월, 서정주, 박재삼, 이형기 등

4 소설 문학의 흐름

(1) 새로운 전후 소설

① 분단을 중립적으로 보려는 시각이 등장하였고 이를 바탕으로 분단 문제와 이데올로기에 대한 성찰을 다루었다.

② 주요 작가와 작품: 최인훈의 「광장」[*]

*「광장」
• 전쟁, 분단, 후진국이라는 비참한 역사를 마주한 지식인의 고뇌를 그림
• 탈이데올로기적 시각으로 남과 북을 모두 비판함

(2) 전후 문학의 위축에서 벗어난 소설

① 문학의 예술적 형상화와 문체적 우수성을 드러내는 소설들이 등장하였다.

② 도시에서 고독과 소외를 느끼는 개인의 내면을 탐구하였다.

③ 주요 작가와 작품: 김승옥의 「무진기행」·「서울, 1964년 겨울」, 이청준의 「병신과 머저리」 등

(3) 사실주의 소설

① 사회 모순과 부조리함을 형상화하고, 그 안의 소외된 민중들의 삶까지 사실적으로 형상화하였다.

② 4·19 혁명을 통해 성장한 소시민의 의식, 좌절, 변모를 다루었다.

③ 주요 작가와 작품: 전광용의 「꺼삐딴 리」, 김정한의 「모래톱 이야기」

(4) 전통적 서정 소설

① 인간의 근원적 운명과 삶을 다룬 소설이 창작되었다.

② 주요 작가와 작품: 김동리의 「까치 소리」 등

07 1970년대 이후 문학

1 시대 개관

산업화·도시화에 따른 사회 문제를 다룬 작품, 암울한 정치적 상황에 대한 비판을 담은 작품, 인간의 본질적인 삶을 탐구하고자 하는 작품 등 다양한 경향이 나타났다. 또한 참여 문학론의 영향을 받은 민중 문학론이 본격적으로 전개된 시기이기도 하다.

2 시 문학의 흐름

(1) 민중 시

① 참여시의 계보를 이으며 현실의 날카로운 고백과 비판적 지성을 보여 주었다.

② 주요 작가와 작품: 김지하의 「오적」·「타는 목마름으로」, 신경림의 「농무」 등

(2) 모더니즘 시

① 순수시의 계보를 이으며 도시 현실 속에서의 인간 삶의 피폐성을 그렸다.

② 주요 작가: 오규원, 황지우, 김광규 등

(3) 전통 서정시

① 전통적인 서정시를 계승한 서정시가 계속하여 창작되었다.

② 주요 작가: 황동규, 정현종, 강은교, 나태주 등

3 소설 문학의 흐름

(1) 분단을 다룬 소설

① 분단 시대를 살아온 작가 자신의 체험을 객관화한 분단 소설이 창작되었다.

② 주요 작가와 작품: 윤흥길의 「장마」, 전상국의 「아베의 가족」, 오정희의 「중국인 거리」

(2) 도시 빈민을 다룬 소설

① 급속한 도시화와 산업화로 인한 도시 노동자들의 피폐한 삶을 묘사하였고, 이를 통해 사회적 관심을 촉발시켰다.

② **주요 작가와 작품**: 조세희의 「난쟁이가 쏘아 올린 작은 공」, 윤흥길의 「아홉 켤레의 구두로 남은 사내」, 황석영의 「객지」·「삼포 가는 길」 등

(3) 대중 소설

① 사회나 개인의 내면에 대한 깊이 있는 성찰은 아니지만 대중적인 방식으로 대중에게 호응을 얻은 대중 소설이 등장하였다.

② **주요 작가와 작품**: 최인호의 「별들의 고향」, 조선작의 「영자의 전성시대」, 조해일의 「겨울 여자」 등

02 현대 시

1 시의 개념과 특징
2 시의 종류
3 시의 요소

01 시의 개념과 특징

1 개념

자연이나 인생에 대하여 일어나는 개인의 감흥과 사상 등을 함축적이고 운율적인 언어로 표현한 글이다.

2 시어의 특징

① 시어는 사전적 의미와는 달리 문맥 속에서 의미를 함축, 압축, 생략하고 있다. 이를 '시어의 함축성'이라고 한다.

② 시어는 개별적이고 내포적인 언어이다. 따라서 문맥에 따라, 읽는 사람에 따라 의미를 다르게 해석할 수 있다. 이를 '시어의 다의성'이라고 한다. 시어의 다의성은 시를 다양하게 해석할 수 있게 하고 상상력을 유발한다.

③ 시어는 잘 다듬어져서 운율감과 리듬감이 있다.

④ 시어는 섬세한 정서와 감정을 드러내기 위해 일상의 언어 규범에서 벗어나는 표현을 사용할 수 있다. 이를 '시적 허용'이라고 한다. 시에서는 시적 허용을 통해 다양하고 미묘한 정서를 표현할 수 있다.

⑤ 시어는 일반적인 상식이나 과학적인 사실에 어긋나는 표현을 사용할 수 있다. 이를 '사이비 진술'이라고 한다. 시에서는 사이비 진술을 통해 현실의 논리를 초월한 감동을 전할 수 있으며, 언어 표현에 새로운 의미를 첨가할 수 있다.

■ **다의성을 형성하는 시적 장치**

'상징, 비유' 등이 있다.

02 시의 종류

구분	종류	개념
내용에 따라	서정시	개인적인 감정이나 정서를 표현한 시
	서사시	역사적 사건이나 영웅 이야기를 표현한 시
	극시	극의 형식을 빌리거나 극적인 수법을 사용하여 시상을 전개하는 시
형식에 따라	자유시	일정한 규칙 없이 자유롭게 쓴 시(내재율은 있음)
	정형시	시의 구조, 시구, 글자 수, 리듬 등을 일정한 규칙에 따라 고정하여 쓴 시
	산문시	행의 구분 없이 줄글(산문)처럼 쓴 시

목적에 따라	경향시	1920년대 프로 문학이 대표적이며, 특정한 사상을 선전하려는 목적성이 강한 시
	순수시	1930년대 시문학파 문학이 대표적이며, 순수하게 정서적 내용만 다룬 시
경향에 따라	주지시	감정보다 이성과 지성에 중점을 둔 시
	주정시	인간의 감정과 정서에 중점을 둔 시
	주의시	지성과 감성을 동반하여 목적이나 의도, 의지를 드러내기 위해 쓴 시

03 시의 요소

1. 내용 요소
1 시적 화자
'시적 화자'란 시 속에서 시인이 자신의 생각이나 느낌을 효과적으로 전달하기 위해 설정한 허구적 대리인이다. '페르소나'라고도 한다.

- 시적 화자 ⇒ 시인: 자신의 정서를 고백적으로 생생히 전달한다.
- 시적 화자 ⇏ 시인: 시인의 시적 세계를 확대하여 전달하고자 하는 주제 의식 형성에 기여한다.

① 시적 상황을 묘사한다.
② 시적 상황이나 대상에 대한 정보를 준다.
③ 시인의 내면세계를 효과적으로 드러낸다.

2 시적 대상
'시적 대상'이란 시적 화자의 말을 들어주는 청자, 시적 화자가 바라보는 인물, 자연물, 현상 등을 의미한다. 넓은 의미로는 시적 화자의 심리적 정황까지도 포함한다.

3 시적 상황
'시적 상황'은 시적 화자가 처한 형편, 분위기, 정황을 의미한다. 시적 상황은 시적 화자의 정서를 유발한다.

(1) 내적 상황
시적 화자 또는 시적 대상이 시 속에서 겪는 여러 가지 시간적·공간적·심리적 상황을 의미한다.

(2) 외적 상황
시에 반영된 시대적, 사회적 상황을 의미한다.

4 시적 정서와 태도

'시적 정서와 태도'란 시적 화자가 처한 상황이나 대상에 대해 느끼는 감정과 생각, 취하는 자세를 의미한다.

① 시적 정서와 태도는 곧 주제와 직결된다.
② 시적 화자의 태도는 주로 어조에서 드러난다.
③ 태도의 유형으로는 의지적 태도, 반성적 태도, 비판적 태도, 자연 친화적 태도, 예찬적 태도, 달관적 태도 등이 있다.
④ 시적 화자가 시적 대상을 대하는 정서적 긴밀성과 감정의 정도를 '시적 화자의 정서적 거리'라고 한다.

5 시의 어조

① '어조'란 시 속에 드러나는 시적 화자의 목소리를 의미한다.
② 어조는 시적 화자의 정서·감정·태도를 드러내며, 시의 분위기를 형성하고, 주제를 나타낸다.
③ 대체로 한 작품 내에서는 한 가지 어조를 사용하지만, 시적 화자의 정서에 변화가 생길 때에는 어조의 변화가 나타나기도 한다.

2. 형식 요소

1 시상 전개 방식

'시상 전개 방식'이란 시인이 본인의 감정과 정서 등을 표현하기 위해 시상을 조직하는 방식을 말한다.

시간의 흐름을 고려한 전개	• 시상이 시간의 흐름에 따라 전개되는 방식 • 순행적 시상 전개: 과거－현재－미래, 아침－점심－저녁, 계절의 변화 등 • 역순행적 시상 전개(시간의 역전): 과거에 대한 회상 등 예 박남수의 「아침 이미지」, 백석의 「여승」
공간과 시선의 이동에 따른 전개	화자가 직접 이동하거나 화자의 시선이 이동하는 방식 예 박목월의 「청노루」
대립적 전개	상반된 의미의 시어나 이미지 등을 활용하여 시상을 전개하는 방식 예 신경림의 「목계장터」
수미상관	첫 연과 끝 연을 대응시키거나 첫 연과 끝 연을 변형하여 대응시킴으로써 시상을 전개하는 방식 예 김영랑의 「모란이 피기까지는」
선경 후정	• 앞에서는 대상의 외적 요소나 경치를 묘사하고 뒤에서는 화자의 정서를 드러내는 방식 • 화자의 시선이 외부에서 내면으로 이동하는 것으로 표현할 수도 있음 예 조지훈의 「봉황수」
어조 변화에 따른 전개	• 시적 화자의 정서 변화가 어조에 반영되어 이전과는 다른 태도로 시상을 전개하는 방식 • 어조의 변화를 통해 주제 의식을 극적으로 드러냄 예 윤동주의 「별 헤는 밤」
기승전결	• 한시의 절구와 율시의 구성법에서 유래한 전개 방식 • '시상 제기(기) － 시상의 반복, 심화(승) － 시상 전환(전) － 시상 마무리(결)'의 형식을 보임 예 이수복의 「봄비」

■ **시선의 이동에 따른 시상 전개**

시선의 이동에 따른 시상의 전개는 대상의 나열, 근경에서 원경으로의 이동, 원경에서 근경으로의 이동 등으로 나타날 수 있다. 시선의 이동에 따른 시상 전개가 사용되면 일반적으로 시각적 이미지가 강조되고 대상이 묘사적으로 드러나는 경우가 많다.

2 운율

(1) 개념
'운율'*이란 시에서 느껴지는 리듬감을 의미한다. 운율은 말소리의 규칙적인 반복으로 형성되며, '운'과 '율'로 나뉜다.

(2) 종류
① **외형률**: 소리마디의 규칙적 반복이 외형적으로 드러나 있는 운율 형태로서 주로 고전 시가 작품, 정형시에 드러난다.

> **진달래꽃 中**
>
> 김소월
>
> 나 보기가 역겨워
> 가실 때에는
> 말없이 고이 보내 드리우리다.

② **내재율**: 소리마디의 규칙적 반복이 외형적으로 드러나지 않고 자유로운 형태 속에 내포되어 있는 운율로서 작가의 개성적 호흡이나 운율 의식에서 비롯된다. 주로 자유시, 현대 시에서 사용되는 율격이다.

> **나룻배와 행인 中**
>
> 한용운
>
> 만일 당신이 아니 오시면 나는 바람을 쐬고 눈비를 맞으며 밤에서 낮까지 당신을 기다리고 있습니다
> 당신은 물만 건너가면 나를 돌아보지도 않고 가십니다그려
> 그러나 당신이 언제든지 오실 줄만은 알아요
> 나는 당신을 기다리면서 날마다 날마다 낡아 갑니다

(3) 운율의 형성 요소
① **음보율**: 시간적 등장성에 근거한 운율의 단위로서, 시를 읽을 때 한 호흡 단위로 느껴지는 운율의 단위를 말한다. 우리나라 시에서는 주로 휴지의 주기인 3음절이나 4음절이 하나의 음보를 이루며 3음보와 4음보가 많은 편이다. 현대 시보다는 고전 시가 작품에서 주로 드러난다.

> **초혼(招魂) 中**
>
> 김소월
>
> 산산이 / 부서진 / 이름이여!
> 허공중(虛空中)에 / 헤어진 / 이름이여!
> 불러도 / 주인 없는 / 이름이여!
> 부르다가 / 내가 죽을 / 이름이여!

단권화 MEMO

*운율
• 운: 유사한 소리가 일정한 위치에서 반복적으로 나타나는 것으로서 두운, 요운, 각운으로 구분된다. 두운, 요운, 각운은 각각 시행의 처음/중간/끝에 일정한 음이 반복되어 나타나는 것이다.
• 율(율격): 일정한 시간적 간격을 두고 소리가 주기적으로 반복되는 것으로서 외형률과 내재율로 구분된다.

【작품의 이해와 감상】
3음보, 7·5조를 보여 주고 있다.

【작품의 이해와 감상】
시인 특유의 리듬 감각으로 창작한 자유시이므로 시를 읽으면서 자연스럽게 형성되는 내재율을 기본 율격으로 하는 작품이다.

【작품의 이해와 감상】
현대 시지만 전통적 율격인 3음보를 보여 주고 있다.

② 음수율: 음절 수를 일정하게 하여 형성되는 운율을 의미한다.

진달래꽃

김소월

나 보기가 역겨워
　　　　7
가실 때에는
　　5
말없이 고이 보내 드리우리다.
　　7　　　　5

영변(寧邊)에 약산(藥山)
　　　　7
진달래꽃
　4
아름 따다 가실 길에 뿌리우리다.
　　　　8　　　　　5

가시는 걸음 걸음
　　　7
놓인 그 꽃을
　　5
사뿐히 즈려 밟고 가시옵소서.
　　7　　　　5

나 보기가 역겨워
　　　7
가실 때에는
　　5
죽어도 아니 눈물 흘리우리다.
　　7　　　5

---

③ 일정한 음운과 음절의 반복

돌담에 속삭이는 햇발

김영랑

돌담에 속삭이는 햇발같이
풀 아래 웃음짓는 샘물같이
내 마음 고요히 고운 봄 길 위에
오늘 하루 하늘을 우러르고 싶다.

새악시 볼에 떠오는 부끄럼같이
시(詩)의 가슴에 살포시 젖는 물결같이
보드레한 에메랄드 얇게 흐르는
실비단 하늘을 바라보고 싶다.

---

④ 시어, 시구, 시행의 반복

초혼(招魂)

김소월

산산이 부서진 이름이여!
허공중(虛空中)에 헤어진 이름이여!
불러도 주인 없는 이름이여!
부르다가 내가 죽을 이름이여!

심중(心中)에 남아 있는 말 한 마디는
끝끝내 마저 하지 못하였구나.

사랑하던 그 사람이여!
사랑하던 그 사람이여!

붉은 해는 서산(西山) 마루에 걸리었다.
사슴의 무리도 슬피 운다.
떨어져 나가 앉은 산 위에서
나는 그대의 이름을 부르노라.

설움에 겹도록 부르노라.
설움에 겹도록 부르노라.
부르는 소리는 빗겨 가지만
하늘과 땅 사이가 너무 넓구나.

선 채로 이 자리에 돌이 되어도
부르다가 내가 죽을 이름이여!
사랑하던 그 사람이여!
사랑하던 그 사람이여!

⑤ 후렴구의 반복

단권화 MEMO

향수

정지용

넓은 벌 동쪽 끝으로 / 옛이야기 지줄대는 실개천이 휘돌아 나가고,
얼룩백이 황소가
해설피 금빛 게으른 울음을 우는 곳,

　　― 그곳이 차마 꿈엔들 잊힐 리야.

질화로에 재가 식어지면 / 비인 밭에 밤바람 소리 말을 달리고,
엷은 졸음에 겨운 늙으신 아버지가
짚베개를 돌아 고이시는 곳,

　　― 그곳이 차마 꿈엔들 잊힐 리야.

흙에서 자란 내 마음 / 파아란 하늘빛이 그리워
함부로 쏜 화살을 찾으려
풀섶 이슬에 함추름 휘적시던 곳,

　　― 그곳이 차마 꿈엔들 잊힐 리야.

전설 바다에 춤추는 밤물결 같은 / 검은 귀밑머리 날리는 어린 누이와
아무렇지도 않고 예쁠 것도 없는 / 사철 발 벗은 아내가
따가운 햇살을 등에 지고 이삭 줍던 곳,

　　― 그곳이 차마 꿈엔들 잊힐 리야.

하늘에는 성근 별 / 알 수도 없는 모래성으로 발을 옮기고,
서리 까마귀 우지짖고 지나가는 초라한 지붕,
흐릿한 불빛에 돌아앉아 도란도란거리는 곳,

　　― 그곳이 차마 잊힐 리야.

【작품의 이해와 감상】
후렴구의 반복을 통해 운율을 형성하고 있으며 시의 안정감과 통일성을 확보하고 있다. 또한 후렴구를 통해 고향에 대한 그리움의 정서를 환기시키고 있다.

단권화 MEMO

■ 수미상관

수미상관은 운율의 형성 방법인 동시에 시상 전개 방식이기도 하다.

【작품의 이해와 감상】

첫 연과 끝 연을 대응시킴으로써 운율을 형성하고 시적 안정감을 기하고 있다. 이 시의 수미상관 방식은 '나와 당신'의 관계를 강조하고, 시상 전개에 안정감을 주는 기능을 한다.

【작품의 이해와 감상】

의성어(피—ㄹ 닐니리)가 반복적으로 사용되어 운율을 형성하면서 그리움의 정서를 심화시키고 있다.

⑥ **수미상관**: 처음과 끝에 동일하거나 유사한 시구를 반복하여 형성되는 운율을 의미한다.

나룻배와 행인

한용운

나는 나룻배
당신은 행인

당신은 흙발로 나를 짓밟습니다
나는 당신을 안고 물을 건너갑니다
나는 당신을 안으면 깊으나 얕으나 급한 여울이나 건너갑니다

만일 당신이 아니 오시면 나는 바람을 쐬고 눈비를 맞으며 밤에서 낮까지 당신을 기다리고 있습니다
당신은 물만 건너가면 나를 돌아보지도 않고 가십니다그려
그러나 당신이 언제든지 오실 줄만은 알아요
나는 당신을 기다리면서 날마다 날마다 낡아 갑니다

나는 나룻배
당신은 행인

---

⑦ **음성 상징어의 사용**: 의성어와 의태어를 반복하여 형성되는 운율을 의미한다.

보리피리

한하운

보리피리 불며
봄 언덕
고향 그리워
피—ㄹ 닐니리.

보리피리 불며
꽃 청산(靑山)
어린 때 그리워
피—ㄹ 닐니리.

보리피리 불며
인환(人寰)의 거리
인간사 그리워
피—ㄹ 닐니리.

보리피리 불며
방랑의 기산하(幾山河)
눈물의 언덕을 지나
피—ㄹ 닐니리.

---

⑧ **시적 허용**: 음절 수를 조절하거나 비문법적인 표현을 통해 운율을 형성하고 시적 정서를 풍부하게 하는 기법이다.

빠알간 사과, 하이얀 고깔

---

3 심상(이미지)

(1) 개념

시를 읽으면서 마음속에 떠오르는 형상을 '심상'이라고 한다. 심상은 마음속의 감각을 재생시켜 시적 대상이나 상황을 더욱 생생하게 느끼게 하고 정서적 반응을 불러일으킨다.

(2) 기능

① 시적 화자가 전달하고자 하는 감정과 정서를 효과적으로 드러낸다.
② 추상적인 관념이나 대상을 구체적이고 생생하게 전달한다.

(3) 종류

① 감각적 이미지: 감각적 체험을 재생하여 표현하는 심상으로 시각적 · 청각적 · 후각적 · 미각적 · 촉각적 심상과 복합감각적 심상, 공감각적 심상으로 구분된다.

시각적 이미지	모양, 색깔, 형태 등 눈으로 보는 듯이 묘사한 이미지 📖 길은 한 줄기 구겨진 넥타이처럼 풀어져　　　　　　　　　　－ 김광균의 「추일서정」－
청각적 이미지	구체적인 소리나 의성어 등 소리를 묘사한 이미지 📖 그는 삐걱삐걱 소리를 치며　　　　　　　　　　　　　　　－ 김동환의 「북청 물장수」－
후각적 이미지	냄새나 향기 등 냄새를 묘사한 이미지 📖 방 안에서는 새옷 내음새가 나고 / 또 인절미 송구떡 콩가루차떡의 내음새도 나고 　　　　　　　　　　　　　　　　　　　　　　　　　　　－ 백석의 「여우난곬족」－
미각적 이미지	혀로 느껴지는 듯하게 맛을 묘사한 이미지 📖 메마른 입술에 쓰디쓰다.　　　　　　　　　　　　　　　　－ 정지용의 「고향」－
촉각적 이미지	피부에 닿는 듯한 느낌을 묘사한 이미지 📖 젊은 아버지의 서느런 옷자락에 / 열로 상기한 볼을 말없이 부비는 것이었다. 　　　　　　　　　　　　　　　　　　　　　　　　　　　－ 김종길의 「성탄제」－
복합감각적 이미지	대상을 표현하기 위해 두 가지 이상의 감각을 동시에 제시하는 이미지 📖 술 익는 마을마다 타는 저녁놀　　　　　　　　　　　　　－ 박목월의 「나그네」－ 　　⇨ 후각적 심상과 시각적 심상이 차례로 나열됨
공감각적 이미지	하나의 감각을 다른 종류의 감각으로 전이시켜 표현하는 이미지 📖 • 청각의 시각화: 분수처럼 흩어지는 푸른 종소리.　　　－ 김광균의 「외인촌」－ 　　• 청각의 후각화: 나는 향기로운 님의 말소리에 귀먹고.　－ 한용운의 「님의 침묵」－ 　　• 시각의 촉각화: 나비 허리에 새파란 초생달이 시리다.　－ 김기림의 「바다와 나비」－

② 의미에 따라

부정적 이미지	시적 화자에게 부정적으로 인식되는 이미지
긍정적 이미지	시적 화자에게 긍정적으로 인식되는 이미지

③ 움직임에 따라

정적 이미지	무겁고 고요한 느낌을 주는 이미지
동적 이미지	발랄하거나 역동적인 느낌을 주는 이미지

3. 표현 요소

1 비유

'비유'란 사물이나 관념(원관념)을 직접 설명하지 않고 다른 대상(보조 관념)에 빗대어 표현하는 방법이다. 비유는 원관념과 보조 관념 사이의 유사성을 전제로 한다. 다만 이 차이점이 크다면 긴장감을 형성하고 참신함이 커질 수 있다.

> **와사등 中**
>
> 김광균
>
> 긴―여름 해 황망히 나래를 접고
> 늘어선 고층 창백한 묘석같이 황혼에 젖어
> 찬란한 야경 무성한 잡초인 양 헝클어진 채
> 사념 벙어리 되어 입을 다물다.

2 상징

(1) 개념

인간의 내적 경험, 이상, 감정 등 드러내고자 하는 추상적 내용(원관념)은 숨기고 감각할 수 있는 구체적 대상(보조 관념)을 통해 드러내는 방법이다.

(2) 특징

① 상징은 비유와 달리 원관념과 보조 관념 사이의 유사성을 전제로 하지 않는다.
② 보조 관념은 하나인데, 이 보조 관념이 의미하는 원관념은 한 개 이상일 수 있다.

(3) 종류

① **원형적 상징**: 오랜 기간 지속적으로 되풀이되는 원초적 이미지로서의 상징이다.

> **우리가 물이 되어 中**
>
> 강은교
>
> 우리가 물이 되어 만난다면
> 가문 어느 집에선들 좋아하지 않으랴.
> 우리가 키 큰 나무와 함께 서서
> 우르르 우르르 비 오는 소리로 흐른다면.

② **관습적 상징**: 한 사회에서 오랫동안 되풀이되어 그 사회에 속한 사람들에게 인정받는 상징이다.

> **빼앗긴 들에도 봄은 오는가 中**
>
> 이상화
>
> 지금은 남의 땅 ― 빼앗긴 들에도 봄은 오는가?
>
> 나는 온몸에 햇살을 받고,
> 푸른 하늘 푸른 들이 맞붙은 곳으로,
> 가르마 같은 논길을 따라 꿈속을 가듯 걸어만 간다.
>
> 입술을 다문 하늘아, 들아,
> 내 맘에는 나 혼자 온 것 같지를 않구나.
> 네가 끌었느냐, 누가 부르더냐, 답답워라. 말을 해 다오.

③ 개인적 상징: 시인 개인이 독창적으로 만들어 낸 상징이다.

단권화 MEMO

> **꽃**
>
> 김춘수
>
> 내가 그의 이름을 불러주기 전에는
> 그는 다만
> 하나의 몸짓에 지나지 않았다.
> 내가 그의 이름을 불러주었을 때,
> 그는 나에게로 와서
> 꽃이 되었다.
>
> 내가 그의 이름을 불러준 것처럼
> 나의 이 빛깔과 향기에 알맞은
> 누가 나의 이름을 불러다오.
> 그에게로 가서 나도
> 그의 꽃이 되고 싶다.

【작품의 이해와 감상】
시어 '꽃'은 개인적 상징으로서 이 시에서는 '의미 있는 존재'라는 의미이다.

3 반어법(아이러니)

의도와 표현이 상반되는 표현 기법으로, 속뜻이 감추어져 있으므로 표면적 내용만으로는 의도를 짐작할 수 없다.

> **먼 후일**
>
> 김소월
>
> 먼 훗날 당신이 찾으시면
> 그때에 내 말이 "잊었노라"
>
> 당신이 속으로 나무라면
> "무척 그리다가 잊었노라"
>
> 그래도 당신이 나무라면
> "믿기지 않아서 잊었노라"
>
> 오늘도 어제도 아니 잊고
> 먼 훗날 그때에 "잊었노라"

【작품의 이해와 감상】
이 시는 '임을 잊겠다'는 진술로 일관하고 있다. 그러나 시적 화자의 태도로 보았을 때 표면에서 이루어진 표현이 화자의 의도와는 전혀 반대되는 반어법이 드러나 있다.

4 역설법

겉으로 드러난 진술에 모순이 있으나 그 속에 절실한 의미가 담기도록 하는 표현법이다. 모순되는 사물이나 관념을 연결시킴으로써 독자에게 신선함과 경이감을 준다.

> **님의 침묵 中**
>
> 한용운
>
> 나는 향기로운 님의 말소리에 귀먹고, 꽃다운 님의 얼굴에 눈멀었습니다.
> 사랑도 사람의 일이라, 만날 때에 미리 떠날 것을 염려하고 경계하지 아니한 것은 아니지만, 이별은 뜻밖의 일이 되고, 놀란 가슴은 새로운 슬픔에 터집니다.
> 그러나 이별을 쓸데없는 눈물의 원천(源泉)을 만들고 마는 것은 스스로 사랑을 깨치는 것인 줄 아는 까닭에, 걷잡을 수 없는 슬픔의 힘을 옮겨서 새 희망의 정수박이에 들어부었습니다.

【작품의 이해와 감상】
이 시는 이별의 슬픔을 극복하고 이별을 새로운 만남에 대한 희망으로 전환시킨 시로, 임의 부재를 임의 존재와 같게 보는 역설적 표현이 나타나 있다.

우리는 만날 때에 떠날 것을 염려하는 것과 같이, 떠날 때에 다시 만날 것을 믿습니다.
아아, 님은 갔지마는 나는 님을 보내지 아니하였습니다.

더 알아보기 　**모순 형용**

'모순 형용(표면적 역설)'은 역설의 한 종류로서, 수식어와 피수식어 사이에 모순이 생기는 표현 방법이다.
ⓔ 행복한 고민, 즐거운 비명

---

5 객관적 상관물

'객관적 상관물'이란 시적 화자의 정서나 상황을 객관적으로 표현하기 위한 구체적인 사물이나 상황을 말한다. 시적 화자의 정서나 상황과 일치하기도 하고 대비되기도 하며, 정서나 상황을 환기하기도 한다.

> **길 中**
>
> 　　　　　　　　　　　　　　　　김소월
>
> 여보소 공중에
> 저 기러기
> 공중엔 길 있어서 잘 가는가?
>
> 여보소 공중에
> 저 기러기
> 열십자(十字) 복판에 내가 섰소.
>
> 갈래갈래 갈린 길
> 길이라도
> 내게 바이 갈 길은 하나 없소.

6 감정 이입

시인의 감정을 시적 대상에 이입하여 마치 시적 대상이 느끼는 감정인 것처럼 표현하는 방식이다. 감정을 이입하는 대상은 인간일 수도 있고 자연물일 수도 있으며 무생물일 수도 있다.

> **사슴**
>
> 　　　　　　　　　　　　　　　　노천명
>
> 모가지가 길어서 슬픈 짐승이여,
> 언제나 점잖은 편 말이 없구나.
> 관(冠)이 향그러운 너는
> 무척 높은 족속이었나 보다.
>
> 물속의 제 그림자를 들여다보고
> 잃었던 전설을 생각해 내고는
> 어찌할 수 없는 향수에
> 슬픈 모가지를 하고
> 먼 데 산을 바라본다.

03 현대 소설

☐ 1 회 독   월   일
☐ 2 회 독   월   일
☐ 3 회 독   월   일
☐ 4 회 독   월   일
☐ 5 회 독   월   일

1 소설의 개념과 특징
2 소설의 종류
3 소설의 요소

01 소설의 개념과 특징

1 소설의 개념

소설은 현실에 있음직한 일을 작가의 상상력으로 꾸며 낸 허구적인 이야기이다.

2 소설의 특징

① **서사성**: 소설은 '인물, 사건, 배경'을 갖추고, 시간의 흐름에 따라 사건을 전개시키는 문학이다.

② **허구성**: 일상생활에서 소재를 끌어오지만, 작가의 상상력에 의해 새롭게 창조된 가공의 이야기이다.

③ **진실성**: 허구적인 이야기이지만, 그 속에는 현실과 인생에 대한 진실이 담겨 있어 인생의 참모습을 추구한다.

④ **예술성**: 예술적인 형식미를 지닌 언어 예술이다.

02 소설의 종류

1 분량에 따라

장편 소설	• 원고지 1,000매 이상의 긴 분량의 소설 • 인생과 사회를 총체적으로 그리며, 복잡하게 얽힌 사건을 전개시킴 • 복합적 구성 방식을 취하여 많은 에피소드를 연결시키며, 인물의 성격이 유동적인 특징을 지님 예 염상섭의 「삼대」
단편 소설	• 원고지 50∼100매 내외의 짧은 소설 • 단일한 주제를 압축된 긴밀한 구조로 표현하며, 대체로 단일 인물을 등장시키고 단일 구성 방식으로 전개됨 • 인생의 한 단면을 보여 주기 때문에 암시나 상징 등의 기법이 구사되기도 함 예 현진건의 「운수 좋은 날」
콩트(conte)	• 원고지 20∼30매 이내의 분량으로 가장 짧은 소설 • 지극히 단편적인 사건을 함축성 있게 표현하며, 구성이 고도로 압축되어 간결하고 산뜻한 인상을 줌 예 성석제의 「오렌지 맛 오렌지」
대하소설	• 한 인간의 인생 역정을 시대의 흐름에 따라 포괄적으로 그리는 가장 커다란 구조의 소설 • 우리나라는 조선 시대에 대하소설이 등장함 예 박경리의 「토지」

단권화 MEMO

■ **소설에 대한 여러 가지 정의**
• 소설은 인생의 회화(繪畵)이다.
• 소설은 인생의 해석이다.
• 소설은 적당한 길이와 산문으로 된 가공적(架空的)인 이야기이다.
• 소설은 인물에 대하여 꾸며 놓은 이야기이다.

■ **소설의 어원**
• 동양
  – '거리에 나도는 이야기'라는 의미로, 중국 후한 《한서》의 「예문지」에서 처음 사용되었다.
  – 우리나라에서는 고려 이규보의 「백운소설」에서 처음 사용되었다.
• 서양
  – 로망(roman): 중세 기사들의 무용담이나 흥미 위주의 연애담을 일컫는 말로 사용되었다.
  – 노블(novel): 새롭고 신기한 내용의 짧막한 이야기를 뜻하는 말로 사용되었다.
  – 픽션(fiction): '허구, 상상, 꾸며 낸 말'이라는 의미에서 확대되어 소설을 가리키는 말로 사용되었다. 개념상 로망과 노블을 포함한다.

2 창작 의도에 따라

예술 소설	• 오로지 작품의 예술성만을 추구한 소설로, 작품의 예술적 가치 이외의 모든 것을 배제함 • 단순한 흥미나 이념적 목적을 추구하기보다는 고도의 예술적 기교를 구사하기 때문에 '본격 소설'이라고도 함 ⑩ 이상의 「날개」
통속 소설	• 작품의 예술성보다는 효용성과 쾌락성이 강조되는 소설 • 평이한 문체와 흥미 위주의 내용으로 구성되었으며, '대중 소설'이라고도 함 ⑩ 김말봉의 「찔레꽃」

3 인물 묘사 방식에 따라

행동 소설	• 등장인물의 외부적 행동을 서술하는 이야기 중심의 소설 • 개개의 사건이 중요하게 취급되며 사건의 전개에 초점을 맞추게 됨 • 인물의 성격을 부각하려 한다든지 내면의 심리를 묘사하는 것에는 관심이 적으며, 외부적 행동과 사건 전개에 치중함 ⑩ 로버트 루이스 스티븐슨의 「보물섬」
성격 소설	• 등장인물의 성격을 부각하기 위해 성격 묘사에 치중하는 소설 • '행동 소설'이 사건의 전개와 플롯에 초점을 맞추고 개별적 사건에 중요한 의미를 부여하는 데 반해, '성격 소설'은 등장인물들에게 보다 많은 비중을 두고 이야기를 전개하는 것이 특징적임 • 주로 인물과 사회 현실과의 괴리 및 갈등을 보여 주며, 인물의 성격은 대체로 변하지 않음 ⑩ 이태준의 「달밤」
심리 소설	• 20세기에 들어와서 등장한 소설로, '성격 소설'이나 '행동 소설'이 인물의 외면적 묘사에 치중하는 데 반해, '심리 소설'은 인물의 내면 심리 묘사에 치중함 • 주로 의식의 흐름에 따라 서술되는 심리주의 소설이 이에 속하는데, 정신 분석학에 입각하여 인간의 내부 세계를 파헤치는 데에 역점을 둠 ⑩ 이상의 「날개」

4 문예 사조에 따라

낭만주의 소설	• 고전주의의 엄격한 형식미에서 벗어나 감정적, 주관적, 낭만적인 경향을 띤 소설 • 서양에서는 18세기 말부터 19세기 초에 걸쳐 환상적, 열정적, 주정적인 낭만주의 소설이 풍미하였으며, 우리나라에서는 1920년대 이후 나도향, 김유정 등에 의해 좋은 작품이 나옴 ⑩ 김유정의 「동백꽃」
사실주의 소설	• 낭만주의 소설의 반동으로 나타남 • 감정을 절제하며 인간의 삶을 있는 그대로 객관적, 합리적으로 묘사한 소설 • 대표 작가로는 1920년대 현진건이 있으며, 이후 현대 소설의 한 조류를 형성함 ⑩ 현진건의 「운수 좋은 날」
자연주의 소설	• 인물을 하나의 객관적 자연물로 보고 본능적인 욕망, 빈곤 등의 힘에 의해 인간이 어떻게 반응하는가를 객관적으로 묘사하는 소설 • 1920년대에 염상섭에 의해 시도됨 ⑩ 염상섭의 「표본실의 청개구리」
심리주의 소설	• 프로이트의 정신 분석학의 영향으로 인간의 내면 심리를 주로 묘사하며, 1인칭 주인공의 의식의 흐름을 따라 기술되는 특징을 지님 • 1930년대에 이상에 의해 시도됨 ⑩ 이상의 「날개」

실존주의 소설	• 실존주의 철학을 바탕으로 인간이 일정한 상황에 봉착하였을 때 어떻게 행동하고, 그의 자유 의지에 따라 무엇을 선택하는가에 초점을 맞추는 소설 • 전후 문학에서 이와 같은 경향을 띤 작품들이 많이 나타났으며, 대표 작가로는 장용학, 오상원 등이 있음 ⑩ 오상원의 「유예」

03 소설의 요소

소설 구성의 3요소

1 주제

'주제'란 작가가 작품을 통하여 하고 싶은 말, 또는 작가의 가치관, 인생관, 세계관이 담겨 있는 작품의 중심 사상이다. 주제는 제시하는 방법에 따라 '직접적 제시 방법'과 '간접적 제시 방법'으로 나눌 수 있다.

(1) 직접적 제시 방법

'주제의 직접적 제시 방법'이란 서술자가 직접적으로 서술하는 방법이다. 주로 편집자적 논평이나 인물 간의 대화를 통해 주제를 드러낸다.

무정 中

이광수

그네의 얼굴을 보건대 무슨 지혜가 있을 것 같지 아니하다. 모두 다 미련해 보이고 무감각(無感覺)해 보인다. 그네는 몇 푼어치 아니 되는 농사한 지식을 가지고 그저 땅을 팔 뿐이다. 이리하여서 몇 해 동안 하느님이 가만히 두면 썩은 볏섬이나 모아 두었다가는 한번 물이 나면 다 씻겨 보내고 만다. 그래서 그네는 영원히 더 부(富)하여짐이 없이 점점 더 가난하여진다. 그래서 (몸은 점점 더 약하여지고 머리는 점점 더) 미련하여진다. 저대로 내버려두면 마침내 북해도의 '아이누'나 다름없는 종자가 되고 말 것 같다.

저들에게 힘을 주어야 하겠다. 지식을 주어야 하겠다. 그리해서 생활의 근거를 안전하게 하여 주어야 하겠다.

"과학(科學)! 과학!"

하고 형식은 여관에 돌아와 앉아서 혼자 부르짖었다. 세 처녀는 형식을 본다.

"조선 사람에게 무엇보다 먼저 과학을 주어야겠어요. 지식을 주어야겠어요."

하고 주먹을 불끈 쥐며 자리에서 일어나 방 안으로 거닌다.

"여러분은 오늘 그 광경을 보고 어떻게 생각하십니까?"

이 말에 세 사람은 어떻게 대답할 줄을 몰랐다. 한참 있다가 병욱이가

"불쌍하게 생각했지요." / 하고 웃으며 / "그렇지 않아요?"

한다. 오늘 같이 활동하는 동안에 훨씬 친하여졌다.

【작품의 이해와 감상】

이 작품은 '계몽 사상의 고취'라는 주제 의식을 등장인물 '형식과 세 처녀'의 대화를 통해 직접적으로 제시하고 있다.

"그렇지요, 불쌍하지요! 그러면 그 원인이 어디 있을까요?"

"물론 문명이 없는 데 있겠지요. 생활하여 갈 힘이 없는 데 있겠지요."

"그러면 어떻게 해야 저들을 — 저들이 아니라 우리들이외다. — 구제할까요?"

하고 형식은 병욱을 본다. 영채와 선형은 형식과 병욱의 얼굴을 번갈아 본다. 병욱은 자신 있는 듯이

"힘을 주어야지요. 문명을 주어야지요."

"그리하려면?"

"가르쳐야지요. 인도해야지요."

"어떻게요?"

"교육으로, 실행으로."

(2) 간접적 제시 방법

'주제의 간접적 제시 방법'이란 인물의 행위, 배경 등 소설의 여러 요소를 통해 주제를 암시적으로 제시하여 유추하게 하는 방법이다.

【작품의 이해와 감상】
이 작품은 일제 식민지하에서 민중들의 비참한 삶의 모습을 그리고 있다. 이 주제는 마지막에 제시된 민요를 통해 간접적으로 제시되고 있다.

고향 中

현진건

그 여자는 자기보다 나이 두 살 위였는데, 한 이웃에 사는 탓으로 같이 놀기도 하고 싸우기도 하며 자라났다. 그가 열네 살 적부터 그들 부모들 사이에 혼인 말이 있었고 그도 어린 마음에 매우 탐탁하게 생각하였다. 그런데 그 처녀가 열일곱 살 된 겨울에 별안간 간 곳을 모르게 되었다. 알고 보니, 그 아비 되는 자가 이십 원을 받고 대구 유곽에 팔아먹은 것이었다. 그 소문이 퍼지자, 그 처녀 가족은 그 동리에서 못 살고 멀리 이사를 갔는데 그 후로는 물론 피차에 한 번 만ㅑ 보지도 못하였다. 이번에야 비터만 남은 고향을 구경하고 돌아오는 길에 읍내에서 그 아내 될 뻔한 댁과 마주치게 되었다. 처녀는 어떤 일본 사람 집에서 아이를 보고 있었다. 궐녀는 이십 원 몸값을 십 년을 두고 갚았건만 그래도 주인에게 빚이 육십 원이나 남았는데, 몸에 몹쓸병이 들어 나이 늙어져서 산송장이 되니까 주인 되는 자가 특별히 빚을 탕감해 주고 작년 가을에야 놓아 준 것이었다.

…(중략)…

"암만 사람이 변하기로 어째 그렇게도 변하는기오? 그 숱 많던 머리가 훌렁 다 벗어졌더마. 눈은 푹 들어가고 그 이들이들하던 얼굴빛도 마치 유산을 끼얹은 듯하더마."

"서로 붙잡고 많이 우셨겠지요?"

"눈물도 안 나오더마. 얼른 우동집에 들어가서 둘이서 정종만 열 병 때려 뉘고 헤어졌구마."

하고 가슴을 짜는 듯한 괴로운 한숨을 쉬더니만 그는 지난 슬픔을 새록새록 자아내어 마음을 새기기에 지쳤음이더라.

"이야기를 다하면 무얼 하는기오."

하고 쓸쓸하게 입을 다문다. 나 또한 너무도 참혹한 사람살이를 듣기에 쓴물이 났다.

"자, 우리 술이나 마저 먹읍시다."

하고 우리는 주거니 받거니 한 되 병을 다 말리고 말았다. 그는 취흥에 겨워서 어릴 때 멋모르고 부르던 노래를 읊조렸다.

볏섬이나 나는 전토는 / 신작로가 되고요 ──
말마디나 하는 친구는 / 감옥소로 가고요 ──
담뱃대나 떠는 노인은 / 공동 묘지 가고요 ──
인물이나 좋은 계집은 / 유곽으로 가고요 ──

2 구성

'구성'이란 내용을 형상화하기 위해 여러 요소들을 유기적으로 배열하거나 서술하는 것을 말한다. 다른 말로 '플롯(plot)'이라고 부르기도 한다. 구성은 '인물, 사건, 배경'으로 이루어진다.

(1) 인물

① 개념: 좁은 의미로는 소설에 등장하는 인물을, 넓은 의미로는 그 인물이 지니는 성격까지 포함하는 개념이다.

② 종류

ㄱ 역할에 따라

주동 인물	작품의 주인공으로 소설 속에서 주동적 역할을 수행하는 인물
반동 인물	주인공에 대립되는 인물로 갈등을 일으키는 역할을 수행

ㄴ 성격에 따라

전형적 인물	특정 부류나 계층의 보편적인 성격을 대표하는 인물
개성적 인물	독자적인 성격의 인물로 독특한 개성을 지님

■ 소설 구성의 3요소
인물, 사건, 배경

태평천하 中

채만식

윤 직원 영감은 팔을 부르걷은 주먹으로 방바닥을 땅 치면서 성난 황소가 영각을 하듯 고함을 지릅니다.

"화적패가 있너냐아? 부랑당 같은 수령(守令)들이 있너냐?…… 재산이 있대야 도적놈의 것이오, 목숨은 파리 목숨 같던 말세(末世)년 다 지내가고오……, 자 부아라, 거리거리 순사요, 골골마다 공명헌 정사(政事), 오죽이나 좋은 세상이여……. 남은 수십만 명 동병(動兵)을 히여서, 우리 조선 놈 보호히여 주니, 오죽이나 고마운 세상이여? 으응?…… 제 것 지니고 앉어서 편안허게 살 태평 세상, 이걸 태평천하라구 허는 것이여, 태평천하!…… 그런디 이런 태평천하에 태어난 부자 놈의 자식이, 더군다나 왜 지가 떵떵거리구 편안허게 살 것이지, 어찌서 지가 세상 망쳐 놀 부랑당 패에 참섭을 헌담 말이여, 으응?"

땅 방바닥을 치면서 벌떡 일어섭니다. 그 몸짓이 어떻게도 요란스럽고 괄괄한지, 방금 발광이 되는가 싶습니다. 아닌 게 아니라, 모여 선 가권들은 방바닥 치는 소리에도 놀랐지만, 이 어른이 혹시 상성이 되지나 않는가 하는 의구의 빛이 눈에 나타남을 가리지 못합니다.

"……착착 깎어 죽일 놈!…… 그 놈을 내가 핀지히여서 백 년 지녁을 살리라고 헐걸! 백 년 지녁을 살리라고 헐 테여……. 오냐, 그 놈을 삼천 석 거리는 직분(分財)히여 줄라구 히였더니, 오냐, 그놈 삼천 석 거리를 톡톡 팔어서 경찰서으다가 사회주의 허는 놈 잡어 가두는 경찰서으다가 주어 버릴 걸! 으응, 죽일 놈!"

마지막의 으응 죽일 놈 소리는 차라리 울음소리에 가깝습니다.

"……이 태평천하에! 이 태평천하에……."

【작품의 이해와 감상】
이 작품의 윤 직원 영감은 구한말과 일제 강점기를 지나면서 부를 축적한 친일적인 지주의 모습을 대표하므로 '전형적 인물'이다.

ㄷ 성격 변화 여부에 따라

평면적 인물 (정적 인물)	처음부터 끝까지 성격 변화를 보이지 않는 인물
입체적 인물 (동적, 발전적, 원형적 인물)	환경, 상황 등의 영향으로 사건의 진전에 따라 성격의 변화를 보이는 인물

흥부전 줄거리

어느 날 흥부는 다리가 부러진 제비를 고쳐 주어 제비로부터 박씨를 얻는다. 그 박씨로부터 열린 박을 타서 많은 재물을 얻어 부자가 된다. 놀부는 이 소식을 듣고 일부러 제비의 다리를 부러뜨린 후 제비를 고쳐 주어 박씨를 얻는다. 놀부가 심은 박에서는 도깨비가 나와 놀부의 재산을 모두 빼앗아 간다. 이후 놀부는 개과천선하여 흥부와 우애 있게 지낸다.

ⓔ 인생의 어떤 면을 보여 주는가에 따라

비극적 인물	제도, 인습, 인간의 탐욕 등에 의해 희생되는 비극적인 면을 보여 주는 인물
희극적 인물	• 인생의 희극적인 면을 보여 주는 인물 • 성격적으로 해학적·희화화된 면모를 보이거나 시대나 사회 현실에 대해 풍자적인 태도를 보임

③ **인물 제시 방법**: 작가가 소설 속에서 인물을 드러내는 방법을 의미하며, '성격화'라고도 한다.

직접적 방법	⊙ 개념: 서술자가 인물의 성격을 직접 요약·설명하는 방법 ⓛ 특징 • 인물의 성격을 서술자가 직접 논평하기 때문에 해설적·요약적·분석적인 특징을 지님 • 일반적으로 말하기(telling)의 기법이 사용됨 • 인물의 성격이나 심리를 상세하고 정확하게 제시할 수 있는 장점이 있지만 인물의 제시가 추상적일 수 있다는 단점이 있음
간접적 방법	⊙ 개념: 인물의 행동이나 대화를 통해 간접적으로 인물의 성격을 제시하는 방법 ⓛ 특징 • 묘사, 대화, 문장 기술 방식을 통해 하나의 장면으로 처리하여 보여 줌으로써 독자의 상상력에 맡기는 특징을 지님 • 일반적으로 보여 주기(showing)의 기법이 사용됨 • 인물을 생생하게 묘사하고 독자의 상상을 통한 참여를 기대할 수 있는 장점이 있지만, 표현상의 제약이 있다는 단점이 있음

고향 中

현진건

대구에서 서울로 올라오는 차중에서 생긴 일이다. 나는 나와 마주 앉은 그를 매우 흥미 있게 바라보고 또 바라보았다. 두루마기 격으로 기모노를 둘렀고, 그 안에서 옥양목 저고리가 내어 보이며 아랫도리엔 중국식 바지를 입었다. 그것은 그네들이 흔히 입는 유지 모양으로 번질번질한 암갈색 피륙으로 지은 것이었다. 그리고 발은 감발을 하였는데 짚신을 신었고, 고부가리로 깎은 머리엔 모자도 쓰지 않았다. 우연히 이따금 기묘한 모임을 꾸민 것이다. 우리가 자리를 잡은 찻간에는 공교롭게 세 나라 사람이 다 모였으니, 내 옆에는 중국 사람이 기대었다. 그의 옆에는 일본 사람이 앉아 있었다. 그는 동양 삼국 옷을 한 몸에 감은 보람이 있어 일본 말도 곧잘 철철 대이거니와 중국 말에도 그리 서툴지 않은 모양이었다.

"도꼬마데 오이데 데스까?"

하고 첫마디를 걸더니만, 도쿄가 어떠니, 오사카가 어떠니, 조선 사람은 고추를 끔찍이 많이 먹는다는 둥, 일본 음식은 너무 싱거워서 처음에는 속이 뉘엿거린다는 둥, 횡설수설 지껄이다가 일본 사람이 엄지와 집게 손가락으로 짧게 끊은 꼿꼿한 윗수염을 비비면서 마지못해 까땍까땍하는 고개와 함께 "소데스까?"란 한 마디로 코대답을 할 따름이요, 잘 받아 주지 않으매, 그는 또 중국인을 붙들고서 실랑이를 하였다. "니상 나얼취?" "니싱 섬마?" 하고 덤벼 보았으나 중국인 또한 그 기름 낀 뚜우한 얼굴에 수수께끼 같은 웃음을 띨 뿐이요, 별로 대꾸를 하지 않았건만, 그래도 무어라고 연해 웅얼거리면서 나를 보고 웃어 보였다.

(2) 사건과 갈등

① 개념: 소설은 사건을 문학적으로 형상화한 것이다. 사건은 인물들 간에 구체적으로 전개되는 이야기로서 인물들이 일으키는 갈등을 중심으로 이루어진다. 갈등이란 등장인물 사이에서 일어나는 대립과 충돌, 또는 등장인물과 환경 사이의 모순과 대립을 의미한다. 각 사건과 갈등은 인과적이고 유기적으로 구성되어 소설의 전체 구조를 탄탄하게 형성한다.

② 갈등의 종류

㉠ 내적 갈등: 한 개인의 내면에서 일어나는 갈등으로, 주로 개인 내부의 심리적 모순과 대립에 의한 갈등이다.

【작품의 이해와 감상】
인물의 방황하는 내면의식을 의식의 흐름 기법을 통해 드러내었다.

날개 中

이상

커피. 좋다. 그러나 경성역 홀에 한 걸음을 들여놓았을 때 나는 내 주머니에는 돈이 한 푼도 없는 것을, 그것을 깜박 잊었던 것을 깨달았다. 또 아뜩하였다. 나는 어디선가 그저 맥없이 머뭇머뭇하면서 어쩔 줄을 모를 뿐이었다. 얼빠진 사람처럼 그저 이리 갔다 저리 갔다 하면서…….

나는 어디로 어디로 들입다 쏘다녔는지 하나도 모른다. 다만 몇 시간 후에 내가 미쓰코시 옥상에 있는 것을 깨달았을 때는 거의 대낮이었다.

나는 거기 아무 데나 주저앉아서 내 자라 온 스물 여섯 해를 회고하여 보았다. 몽롱한 기억 속에서는 이렇다는 아무 제목도 불거져 나오지 않았다.

나는 또 내 자신에게 물어보았다. 너는 인생에 무슨 욕심이 있느냐고. 그러나 있다고도 없다고도, 그런 대답은 하기가 싫었다. 나는 거의 나 자신의 존재를 인식하기조차도 어려웠다.

㉡ 외적 갈등: 인물과 그를 둘러싼 외부적 요인들과의 갈등이다.

인물과 인물의 갈등	주로 주동 인물과 반동 인물 간의 충돌로 인해 발생하는 갈등 예 김유정의 「동백꽃」
인물과 사회와의 갈등	인물이 속한 사회의 윤리, 제도, 현실 등과 충돌하여 생기는 갈등 예 채만식의 「레디메이드 인생」
인물과 운명 간의 갈등	인물의 삶이 운명의 테두리 안에서 벗어나지 못함으로써 발생하는 갈등 예 김동리의 「역마」
인물과 자연과의 갈등	인물이 자연환경과 부딪쳐 싸우면서 겪게 되는 갈등 예 천승세의 「만선」, 헤밍웨이의 「노인과 바다」

【작품의 이해와 감상】
어수룩한 인물인 '나'와 사랑에 눈떠 가면서 '나'의 관심을 끌려고 노력하는 점순이와의 갈등이 두드러지게 나타난다.

동백꽃 中

김유정

어제까지도 저와 나는 이야기도 잘 않고 서로 만나도 본척만척하고 이렇게 점잖게 지내던 터이련만 오늘로 갑작스레 대견해졌음은 웬일인가. 항차 망아지만 한 계집애가 남 일 하는 놈 보구…….

"그럼 혼자 하지 떼루 하듸?"

내가 이렇게 내뱉는 소리를 하니까

"너 일하기 좋니?" / 또는

"한여름이나 되거든 하지 벌써 울타리를 하니?"

잔소리를 두루 늘어놓다가 남이 들을까 봐 손으로 입을 틀어막고는 그 속에서 깔깔댄다. 별로 우스울 것도 없는데 날씨가 풀리더니 이놈의 계집애가 미쳤나 하고 의심하였다. 게다가 조금 뒤에는 제 집께를 할금할금 돌아보더니 행주치마의 속으로 꼈던 바른손을 뽑아서 나의 턱밑으로 불쑥 내미는 것이다. 언제 구웠는지 아직도 더운 김이 홱 끼치는 굵은 감자 세 개가 손에 뿌듯이 쥐었다.

"느 집엔 이거 없지?"

하고 생색 있는 큰소리를 하고는 제가 준 것을 남이 알면 큰일날 테니 여기서 얼른 먹어 버리란다. 그리고 또 하는 소리가

"너 봄 감자가 맛있단다."

"난 감자 안 먹는다, 니나 먹어라."

나는 고개도 돌리려 하지 않고 일하던 손으로 그 감자를 도로 어깨 너머로 쑥 밀어 버렸다. 그랬더니 그래도 가는 기색이 없고, 뿐만 아니라 쌔근쌔근하고 심상치 않게 숨소리가 점점 거칠어진다.

(3) 배경

① **개념**: 배경은 사건이 일어나는 '시간과 공간' 그리고 '사회와 역사적 환경'이다. 배경은 사건에 사실성을 부여하며 주로 묘사와 서술에 의해 제시된다.

② **기능**

　　㉠ 작품의 분위기를 형성한다.

　　㉡ 인물의 행동이나 사건에 개연성을 부여한다.

　　㉢ 사건의 전개나 결말을 암시한다.

　　㉣ 인물의 내면 심리를 제시하기도 한다.

　　㉤ 주제 의식을 형성하거나 상징적 의미를 나타내기도 한다.

운수 좋은 날 中

현진건

　새침하게 흐린 품이 눈이 올 듯하더니, 눈은 아니 오고 얼다가 만 비가 추적추적 나리는 날이었다.

　이날이야말로 동소문 안에서 인력거꾼 노릇을 하는 김 첨지에게는 오래간만에도 닥친 운수 좋은 날이었다. 문안에(거기도 문밖은 아니지만) 들어간답시는 앞집 마나님을 전찻길까지 모셔다 드린 것을 비롯으로 행여나 손님이 있을까 하고 정류장에서 어정어정하며 내리는 사람 하나하나에게 거의 비는 듯한 눈길을 보내고 있다가, 마침내 교원인 듯한 양복쟁이를 동광 학교까지 태워다 주기로 되었다.

…(중략)…

　그때 김 첨지는 열화와 같이 성을 내며,

"에이, 오라질 년, 조랑복은 할 수가 없어, 못 먹어 병, 먹어서 병, 어쩌란 말이야! 왜 눈을 바루 뜨지 못해!"

하고 앓는 이의 뺨을 한 번 후려갈겼다. 홉뜬 눈은 조금 바루어졌건만 이슬이 맺히었다. 김 첨지의 눈시울도 뜨끈뜨끈하였다.

　이 환자가 그러고도 먹는 데는 물리지 않았다. 사흘 전부터 설렁탕 국물이 마시고 싶다고 남편을 졸랐다.

"이런 오라질 년! 조밥도 못 먹는 년이 설렁탕은. 또 처먹고 지랄병을 하게."

라고 야단을 쳐 보았건만, 못 사 주는 마음이 시원치는 않았다.

③ 종류

자연적 배경	인물의 행동이나 사건이 발생하는 구체적인 시간과 공간 ⑩ 박완서의 「그 여자네 집」: 해방 전후의 고향 마을과 현대 서울이 시공간적 배경으로 제시됨
사회적 배경	• 인물이 존재하는 사회적 상황, 사회적 분위기 • 일반적으로 시대상과 사회상이 동시에 나타남 ⑩ 이범선의 「오발탄」: 전후의 궁핍하고 부조리한 현실이라는 사회적 배경이 제시됨
심리적 배경	• 과거·현재·미래를 혼합하여 사용하는 심리적 시간뿐 아니라, 심리적 상황이나 흐름 자체가 배경 형성의 중요 요소로 등장 • '의식의 흐름', '내적 독백' 등을 꾀하는 심리주의 소설에 등장 ⑩ 이상의 「날개」: 자신의 내면에 갇혀 있는 무력한 지식인의 심리가 작품 전체의 배경으로 작용함
상황적 배경	• 배경 자체가 주제와 직결되는 모습을 보이며, 암시적이고 상징적인 의미를 내포함 • 실존주의 소설에서 나타나는 배경으로서 실존적인 상황을 암시하고 상징하는 배경을 가리킴 ⑩ 최인훈의 「광장」: '부채의 사북자리'는 인물이 처한 실존적 한계 상황을 드러내 주는 역할을 함

(4) 구성의 단계(플롯)

① 개념: '소설의 플롯'은 인과 관계에 중점을 둔 사건의 서술로, 사건의 진행 과정은 논리적 필연성을 내포하고 있다.

② 소설 구성의 5단계

발단	• 도입 단계 • 등장인물이 소개되고 배경이 제시되며 사건의 실마리가 나타나는 부분
전개	• 사건이 본격적으로 전개되는 단계 • 사건이 복잡하게 얽히고 갈등이 발생하며, 인물의 성격이 변화·발전됨 • 복선*, 암시*, 생략, 서스펜스(suspense)* 등의 기교가 요구되는 단계
위기	• 사건이 절정에 이르는 계기가 되는 단계 • 사건의 극적 반전을 가져오는 원인이 나타나는 부분
절정	• 갈등이 가장 격렬해지고 사건이 최고조에 이르는 단계, 동시에 사건 해결의 분기점이 되는 단계 • 작품 전체의 의미가 제시되며 위기가 반전됨
결말	• 사건이 마무리되는 단계 • 모든 갈등이 해결되고 주인공의 운명이 결정됨

③ 구성의 종류

  ㉠ 이야기의 수에 따라

단일 구성	• 한 가지 이야기만이 전개되는 구성 • 단일한 사건이 전개되어 단일한 인상을 주고 단일한 효과를 노림 • 주로 단편 소설에서 볼 수 있음
복합 구성	• 두 가지 이상의 이야기가 복합적으로 얽혀 전개되는 구성 • 주로 현대 소설, 장편 소설에서 볼 수 있음

■ **일반적인 소설의 구성 단계**
• 4단계: 발단 → 전개 → 절정 → 결말
• 5단계: 발단 → 전개 → 위기 → 절정 → 결말

＊**복선**
앞으로 일어날 사건을 미리 독자에게 암시하는 것을 말한다. 이는 앞으로 일어날 사건에 필연성을 부여한다.

＊**암시**
뜻하는 바를 간접적으로 나타내는 것을 말한다. 복선과는 달리 필연성이 없다.

＊**서스펜스(suspense)**
줄거리의 전개가 관객이나 독자에게 주는 긴박감, 불안감을 의미한다.

ⓒ 사건의 진행 방식에 따라

평면적 구성	• 사건이 시간적 흐름에 따라 진행되는 유형 • 주로 일대기적 구성을 지닌 고전 소설에서 볼 수 있음
입체적 구성	• 사건의 시간적 순서를 바꾸어 진행하는 방식(역순행적 구성) • '현재 → 과거 → 미래' 또는 '과거 → 미래 → 현재' 등으로 사건을 역행시켜 진행하는 구성 유형

ⓒ 기타

극적 구성	• 작품 속의 여러 가지 삽화나, 사건 등이 결합되어 소설의 구성 단계에 따라 극적인 진행이 이루어져 완전한 하나의 이야기로 통합되는 구성 방식 • 단일 구성이나 평면적 구성은 극적 구성과 밀접한 관련을 지님
피카레스크식 구성	• 독립된 각각의 이야기에 동일한 인물이 등장하여 사건을 경험하는 구성 방식 • 독립된 각각의 이야기는 전체적으로 하나의 틀에 속하며, 등장인물과 배경에 변화가 없음
상승 구성 / 하강 구성	주인공이 목표 도달에 성공했으면 상승 구성, 실패했으면 하강 구성으로 분류함
액자식 구성	• 액자 소설에서 보이는 유형으로, 한 작품이 '내부 이야기'와 '외부 이야기'로 이루어지는 구성 방식 • '내부 이야기'는 이야기 속의 핵심을, '외부 이야기'는 이를 둘러싼 이야기를 가리킴

3 문체와 어조

'문체'란 문장에 나타난 작가의 개성, 문장의 개성적 특성을 말한다. 즉, 작가가 언어를 사용하는 특수한 방식과 개성에 의해서 구현된다.

(1) 문체의 구성 요소

서술	인물, 사건, 배경 등을 직접 이야기하는 방식으로, 추상적, 해설적, 요약적으로 표현하여 사건 진행을 빠르게 함
묘사	인물, 사건, 배경 등을 장면화하여 대상을 구체적, 사실적으로 재현하는 것
대화	등장인물의 말에 의한 표현으로서 사건 전개, 인물 성격 제시의 역할을 하며, 스토리와 유기적으로 결합하여 자연스럽고 극적인 상황을 제시함

(2) 소설의 어조

'어조'란 소설에서 언어의 기교적인 배열로 인해 나타나는 서술자의 정서적 태도와 느낌, 언어에 의해 나타나는 분위기를 의미한다. 어조는 작품 전체를 지배하는 분위기를 형성하며, 작품의 총체적 의미나 주제 의식을 간접적으로 밝혀 주는 기능을 하기도 한다.

① 해학적 어조: 익살·해학이 중심을 이루는 어조

봄·봄 中

김유정

한번은 장인님이 헐떡헐떡 기어서 올라오더니 내 바짓가랭이를 요렇게 노리고서 담박 웅켜잡고 매달렸다. 악, 소리를 치고 나는 그만 세상이 다 팽그르 도는 것이
"빙장님! 빙장님! 빙장님!"
"이 자식! 잡어먹어라, 잡어먹어!"
"아! 아! 할아버지! 살려줍쇼, 할아버지!"

하고 두 팔을 허둥지둥 내절 적에는 이마에 진땀이 쭉 내솟고 인젠 참으로 죽나 부다 했다. 그래두 장인님은 놓질 않드니 내가 기어이 땅바닥에 쓰러져서 거진 까무러치게 되니까 놓는다. 더럽다, 더럽다. 이게 장인님인가? 나는 한참을 못 일어나고 쩔쩔맸다. 그러나 얼굴을 드니(눈에 참 아무 것도 보이지 않았다.) 사지가 부르르 떨리면서 나도 엉금엉금 기어가 장인님의 바짓가랭이를 꽉 움키고 잡아나꿨다.

내가 머리가 터지도록 매를 얻어맞은 것이 이 때문이다. 그러나 여기가 또한 우리 장인님이 유달리 착한 곳이다. 여느 사람이면 사경을 주어서라도 당장 내쫓았지, 터진 머리를 불솜으로 손수 지져 주고, 호주머니에 히연 한 봉을 넣어 주고, 그리고

"올 갈엔 꼭 성례를 시켜 주마. 암말 말구 가서 뒷골의 콩밭이나 얼른 갈아라."

하고 등을 뚜덕여 줄 사람이 누구냐.

나는 장인님이 너무나 고마워서 어느덧 눈물까지 났다. 점순이를 남기고 인젠 내쫓기려니 하다 뜻밖의 말을 듣고,

"빙장님! 인제 다시는 안 그러겠어유……."

이렇게 맹세를 하며 불랴살야 지게를 지고 일터로 갔다.

② 냉소적 어조: 차가운 냉소가 주조를 이루는 어조

비 오는 날 中

현진건

손창섭

원구는 별안간 엉덩이가 척척해 들어옴을 의식하였다. 바께쓰의 빗물이 넘어서 옆에 앉아 있는 원구의 자리로 흘러내린 것이었다. 원구는 젖은 양복바지 엉덩이를 만지며 일어섰다. 그제서야 동옥도 바께쓰의 물이 넘는 줄을 안 모양이다. 그러나 동옥은 직접 일어나서 제 손으로 치우려고 하지도 않았다. 앉은 채 부엌 쪽을 향하여, 오빠 물 넘어, 했을 뿐이었다. 동옥은 사잇문을 반쯤 열고 들여다보며, 이년아, 네가 좀 치우지 못해? 하고 목에 핏대를 세웠다. 그러자 자기가 나서기에 절호한 기회라고 생각한 원구는, 내가 내다 버리지 하고 한 손으로 바께쓰를 들어 올렸다. 그러나 한 걸음도 미처 옮겨 놓을 사이도 없이 바께쓰는 철그렁 하는 소리와 함께 한옆이 떨어지며 물이 좌르르 쏟아졌다. 손잡이의 한쪽 끝 갈고리가 고리 구멍에서 벗겨진 것이었다.

순식간에 방바닥은 물바다가 되고 말았다. 여지껏 꼼짝도 않고 앉아 있던 동옥도 그제만은 냉큼 일어나 한 걸음 비켜서는 것이었다. 그 순간의 동옥의 동작이 예사롭지가 않았다. 원구에게 또 하나 우울의 씨를 뿌려 주는 것이었다. 원피스 밑으로 드러난 동옥의 왼쪽 다리가 어린애의 손목같이 가늘고 짧았기 때문이다. 그러한 다리를 옮겨 디디는 순간, 동옥의 전신은 한쪽으로 쓰러질 듯이 기울어지는 것이었다. 동옥은 다시 한번 그 가늘고 짧은 다리를 옮겨 놓는 일 없이, 젖지 않은 구석 자리에 재빨리 주저앉아 버리고 말았다. 그러고는 희다 못해 파랗게 질린 얼굴에 독이 오른 눈초리로 원구를 잡아먹을 듯이 노려보는 것이었다. 동옥의 시선을 피하여, 탁류의 대하 가운데 떠 있는 것 같은 공포에 몸을 떨며, 원구는 마지막 기력을 다하여 허우적거리듯, 두 발로 물 괸 방바닥을 절벅거려 보는 것이었다.

③ 반어적 어조: 표현하려는 내용과 반대되게 표현함으로써 의미를 강조하는 어조

운수 좋은 날 中

현진건

새침하게 흐린 품이 눈이 올 듯하더니, 눈은 아니 오고 얼다가 만 비가 추적추적 내리는 날이었다.

이날이야말로 동소문 안에서 인력거꾼 노릇을 하는 김 첨지에게는 오래간만에도 닥친 운수 좋은 날이었다.

【작품의 이해와 감상】
전후의 궁핍하고 부조리한 현실을 동욱, 동옥 남매의 모습을 통해 형상화하고 있는 이 작품에서는 현실을 바라보는 서술자의 우울하고 차가운 어조를 느낄 수 있다.

【작품의 이해와 감상】
아내가 죽는 날이 김 첨지에게 운수 좋은 날이라고 표현하는 반어적 어조를 보여 주고 있다.

④ 풍자적 어조: 대상에 대한 비판과 풍자가 나타나는 어조

미스터 방 中

채만식

1945년 8월 15일, 역사적인 날.

이 날도 신기료장수 방삼복은 종로의 공원 건너편 응달에 앉아서 구두 징을 박으면서 해방의 날을 맞이하였다. 그러나 삼복은 감격한 줄도 기쁜 줄도 모르겠었다. 지나가는 행인이 서로 모르던 사람끼리면서 덥석 서로 껴안고 기뻐하고 눈물을 흘리고 하는 것이 삼복은 속을 모르겠고 차라리 쑥스러 보일 따름이었다. 몰려 닫는 군중이 오히려 성가시고, 만세 소리가 귀가 아파 이맛살이 지푸려질 지경이었다.

몰려다니고 만세를 부르고 하기에 미쳐 날뛰느라고 정신이 없어, 손님이 없어, 손님이 부쩍 줄었다.

"우랄질! 독립이 배부른가?"

이렇게 그는 두런거리면서 반감이 솟았다.

---

4 시점

(1) 시점과 서술자

① 시점: 소설에서 대상과 사건을 바라보는 서술자의 시각·관점으로, 소설의 진행을 어떤 인물의 눈을 통해 보여 주는가 하는 관찰의 각도와 위치를 말한다.

② 서술자: 작품을 서술하며, 독자에게 이야기를 중개해 주는 존재로, 사건을 전개하는 허구적 존재이다. 서술자는 작가 자신이 아니며, 작가의 대리인이다.

③ 종류

1인칭 주인공 시점	• 주인공이 자신의 이야기를 서술하는 시점 • 주인공이 곧 서술자이므로 주인공의 내면 심리를 제시하는 데에 효과적이며, 독자가 사건을 실제적 사실로 믿게 함으로써 깊은 신뢰감을 줌 • 심리주의 소설, 자전적 소설에서 주로 활용됨 ⑳ 최서해의 「탈출기」, 이상의 「날개」 등
1인칭 관찰자 시점	• 부수적인 인물이 관찰을 통하여 객관적 시각으로 주인공의 이야기를 서술하는 시점 • 서술자는 인물의 성격이나 심리에 개입할 수 없고 해설이나 평가 없이 그대로 제시 • 서술자가 관찰한 내용만을 제시하기 때문에 주인공의 내면 심리를 다룰 수는 없음 ⑳ 윤흥길의 「장마」, 주요섭의 「사랑손님과 어머니」 등
작가 관찰자 시점 (3인칭 관찰자 시점)	• 작가가 외부 관찰자의 위치에서 서술하는 시점 • 서술자는 주인공의 행동이나 외부적 사실을 객관적 태도로 관찰하고 묘사하여 보여 줄 뿐이므로 인물의 사상, 감정, 심리 등을 직접 표현하지 않음 • 사건을 극적으로 전개할 수 있는 장점이 있으나 작가가 자신의 사상, 인생관 등을 덧붙일 수 없으므로 주제는 암시적으로 제시됨 ⑳ 황순원의 「소나기」, 김동인의 「감자」 등
전지적 작가 시점	• 전지적, 분석적인 서술자가 전지전능한 위치에서 사건을 서술하는 시점 • 서술자는 등장인물의 행동과 심리까지 분석하고 설명하는 신과 같은 위치에 있음 • 서술자는 작품 속에 직접 개입하여 사건을 진행시키고 인물을 논평하기도 함 ⑳ 이광수의 「무정」, 염상섭의 「삼대」 등

치숙 中

채만식

내 이상과 계획은 이렇거든요. / 우리 집 다이쇼가 나를 자별히 귀애하고 신용을 하니까 인제 한 십 년만 더 있으면 한밑천 들여서 따로 장사를 시켜 줄 그런 눈치거든요. / 그러거들랑 그것을 언덕 삼아 가지고 나는 삼십 년 동안 예순 살 환갑까지만 장사를 해서 꼭 십만 원을 모을 작정이지요. 십만 원이면 죄선 부자로 쳐도 천석꾼이니, 뭐 떵떵거리고 살 게 아니라구요? / 그리고 우리 다이쇼도 한 말이 있고 하니까, 나는 내지인 규수한테로 장가를 들래요. 다이쇼가 다 알아서 얌전한 자리를 골라 중매까지 서준다고 그랬어요. 내지 여자가 참 좋지요.

나는 죄선 여자는 거저 주어도 싫어요.

달밤 中

이태준

한데 황수건은 그의 말대로 노랑수건이라면 온 동네에서 유명은 하였다. 노랑수건 하면 누구나 성북동에서 오래 산 사람이면 먼저 웃고 대답하는 것을 나는 차츰 알았다.

내가 잠깐씩 며칠 보기에도 그랬거니와 그에겐 우스운 일화도 한두 가지가 아니었다.

삼산학교에 급사로 있을 시대에 삼산학교에다 남겨 놓고 나온 일화도 여러 가지라는데, 그중에 두어 가지를 동네 사람들의 말대로 옮겨 보면, 역시 그때부터도 이야기하기를 대단 즐기어 선생들이 교실에 들어간 새, 손님이 오면 으레 손님을 앉히고는 자기도 걸상을 갖다 떡 마주 놓고 앉는 것은 물론, 마주 앉아서는 곧 자기류의 만담 삼매로 빠지는 것인데 한번은 도 학무국에서 시학관이 나온 것을 이 따위로 대접하였다. 일본말은 못하니까 만담은 할 수 없고 마주 앉아서 자꾸 일본말을 연습하였다.

감자 中

김동인

복녀의 송장은 사흘이 지나도록 무덤으로 못 갔다. 왕서방은 몇 번 복녀의 남편을 찾아갔다. 복녀의 남편도 때때로 왕서방을 찾아갔다. 둘의 새에는 무슨 교섭하는 일이 있었다. 사흘이 지났다.

밤중 복녀의 시체는 왕서방의 집에서 남편의 집으로 옮겼다.

그리고 그 시체에는 세 사람이 둘러앉았다. 한 사람은 복녀의 남편, 한 사람은 왕서방, 또 한 사람은 어떤 한방 의사. 왕서방은 말없이 돈주머니를 꺼내어, 십 원짜리 지폐 석 장을 복녀의 남편에게 주었다. 한방의의 손에도 십 원짜리 두 장이 갔다.

이튿날 복녀는 뇌일혈로 죽었다는 한방의의 진단으로 공동묘지로 가져갔다.

메밀꽃 필 무렵 中

이효석

충줏집을 생각만 하여도 철없이 얼굴이 붉어지고 발밑이 떨리고 그 자리에 소스라쳐버린다. 충줏집 문을 들어서서 술좌석에서 짜장 동이를 만났을 때에는 어찌 된 서슬엔지 발끈 화가 나버렸다. 상 위에 붉은 얼굴을 쳐들고 제법 계집과 농탕치는 것을 보고서야 견딜 수 없었던 것이다. 녀석이 제법 난질꾼인데 꼴사납다. 머리에 피도 안 마른 녀석이 낮부터 술 처먹고 계집과 농탕이야. 장돌뱅이가 망신만 시키고 돌아다니누나. 그 꼴에 우리들과 한몫 보자는 셈이지. 동이 앞에 막아서면서부터 책망이었다. 걱정두 팔자요 하는 듯이 빠히 쳐다보는 상기된 눈망울에 부딪칠 때, 얼결김에 따귀를 하나 갈겨주지 않고는 배길 수 없었다. 동이도 화를 쓰고 팩하고 일어서기는 하였으나, 허 생원은 조금도 동색하는 법 없이 마음먹은 대로는 다 지껄였다 ─ 어디서 주워 먹은 선머슴인지는 모르겠으나, 네게도 아비 어미 있겠지.

그 사나운 꼴 보면 맘 좋겠다. 장사란 탐탁하게 해야 돼지, 계집이 다 무어야. 나가거라, 냉큼 꼴 치워. 그러나 한마디도 대거리하지 않고 하염없이 나가는 꼴을 보려니, 도리어 측은히 여겨졌다.

【작품의 이해와 감상】
일제 강점기의 현실에 기대를 걸고 있는 무지한 인물인 '나'의 시선에서 이루어지는 진술을 통해 풍자적 효과를 거두고 있다.

【작품의 이해와 감상】
1인칭 관찰자인 '나'는 '황수건'이라는 주인공의 말과 행동을 관찰하여 제시하고 있다.

【작품의 이해와 감상】
작품 밖 서술자가 복녀의 남편과 왕서방의 행위를 객관적으로 전달하고 있다.

【작품의 이해와 감상】
전지적 서술자가 등장인물인 허 생원의 시각에 초점을 맞추어 서술하고 있다.

(2) 시점과 거리

① **개념**: 소설에서의 '거리'란 서술자와 독자 간의 거리, 독자와 등장인물 간의 거리, 서술자와 등장인물 간의 거리를 가리킨다. 거리는 시점에 의해서 결정되는 것이 일반적이다. 작가는 '서술자−독자−등장인물' 사이의 거리를 조정하여 박진감과 현실감, 객관적 느낌 등을 조절하고, 이를 통해 작품의 사실성을 살릴 수 있다.

② **종류**

　㉠ 1인칭 주인공 시점, 전지적 작가 시점

■ 시점과 거리

시점\거리	1인칭 주인공/전지적 작가	1인칭 관찰자/작가 관찰자
서술자−독자	가까움	멂
독자−인물	가까움 / 멂	가까움
서술자−인물	가까움	멂

서술자−독자	• 작품 속 등장인물인 '나'나 전지적 서술자가 인물의 내면까지 자세히 분석하여 제시하므로 서술자와 독자 사이가 가까움 • 일반적으로 1인칭 주인공 시점이 전지적 작가 시점보다 더 가까움
독자−인물	• 독자는 '나'의 진술이나 전지적 서술자의 자세한 설명을 듣기만 하면 되기 때문에 인물을 자세히 파악하려는 노력을 할 필요가 없으므로 독자와 인물 사이의 거리는 멂 • 단, 1인칭 주인공인 '나'는 독자와의 거리가 가까움
서술자−인물	서술자가 곧 '나'인 1인칭 주인공 시점과 인물에 대해 자세히 설명해 주는 전지적 시점은 서술자와 인물 사이가 가까움

　㉡ 1인칭 관찰자 시점, 작가 관찰자 시점

서술자−독자	서술자는 인물의 외면과 행동만을 독자에게 전달하므로 서술자와 독자 사이의 거리가 멂
독자−인물	서술자가 독자에게 인물에 대한 자세한 정보를 전달하지 않으므로 (1인칭 주인공이나 전지적 작가 시점에 비해 상대적으로) 독자는 인물을 파악하려는 적극적인 노력을 하게 되므로 독자와 인물 사이는 가까움
서술자−인물	서술자는 인물의 외면과 행동만을 전달하므로 서술자와 인물의 거리는 멂

더 알아보기 | **시점의 또 다른 특성**

1. **제한적 전지적 작가 시점(초점화)**: 전지적 서술자가 한 인물의 시각에서만 사건과 인물들에 대해 서술하는 시점이다.
   ◉ 박태원의 「소설가 구보 씨의 일일」
2. **신뢰할 수 없는 서술자**: 미성숙, 무교양, 무지로 인해 자기가 서술하는 일들에 관한 인식과 해석, 평가를 정확히 하지 못하는 화자이다.
   ◉ 채만식의 「치숙」
3. **의식의 흐름 기법**: 한 인물의 내면 의식을 인과 관계를 고려하지 않고 자연스럽게 흐르는 대로 서술하는 기법으로, 자동 기술법이라고도 한다.
   ◉ 이상의 「날개」

04 희곡, 시나리오, 수필

01 희곡의 이해

1 개념과 특징

(1) 개념

'희곡'은 무대 상연을 전제로 한 연극의 대본이다. 배우들이 무대 위에서 관객을 상대로 말과 행동을 통해 이야기를 직접 전달하는 문학이다.

(2) 특징

① 희곡은 무대 상연을 전제로 하므로 많은 제약이 따른다.
② 희곡에서 인물의 행동은 압축과 생략, 집중과 통일로 이루어져 있다.
③ 희곡은 대사를 통해 인물의 성격이 드러나고 사건이 진행된다.
④ 희곡은 배우들의 행동을 통해 관객의 눈앞에서 현재화되어 표현된다.
⑤ 희곡은 문학성과 연극성을 지닌다.

■ **희곡의 제약**
• 시간과 공간
• 등장인물의 수

구분	표현 수단	전달 형태	조직	보조 수단	기본 특성
문학성	문자적 표현	감정, 사상	구성	×	예술적 형상화
연극성	무대적 행위	대사, 행위	구성, 막	무대 장치	행위의 객관화

(3) 희곡과 소설의 비교

구분	희곡	소설
공통점	플롯의 전개, 성격 묘사, 대화, 배경 설명, 주제 의식, 갈등, 이야기가 있음	
차이점	• 보여 주기 위한 문학 • 대사(대화와 행동) • 서술자가 없으므로 객관적 • 인물의 간접적 묘사 • 제한적 구성	• 읽기 위한 문학 • 서술, 묘사, 대화 • 서술자의 객관적, 주관적 서술 가능 • 인물의 직접적, 간접적 묘사 • 자유로운 구성

2 희곡의 구성

(1) 내용 요소

인물	대화와 구성을 통해 설정하며, 의지적·전형적·개성적 특성을 보임
사건	주제를 향해 압축, 집중, 통일된 사건이 갈등과 긴장을 유발함
배경	구체적인 시간과 장소가 제시되어야 함

(2) 형식 요소

① 해설: 막이 오르기 전후에 무대 장치, 등장인물, 시간적·공간적 배경 등을 설명한다.

② 지문: 배경, 효과, 인물 소개 및 무대 설명, 인물의 행동을 지시하고 설명한다. 행동 지시문과 무대 지시문으로 나뉜다.

③ 대사: 등장인물이 하는 말로, 대사를 통해 인물의 성격이 드러나고 사건이 진행된다.

대화	등장인물들 사이에 주고받는 말
독백	등장인물이 상대방 없이 혼자 하는 말
방백	관객에게는 들리지만 상대방에게는 들리지 않는 것으로 약속하고 하는 말

(3) 희곡의 구성 단위

막	무대의 휘장이 오르고 내리는 사이의 한 단위로, 사건의 흐름을 매듭짓는 역할을 함
장	시간의 경과를 나타내는 무대 장치로, 인물의 등장과 퇴장으로 구분

(4) 희곡의 구성 단계

일반적으로 '발단 – 상승(전개) – 정점(위기) – 하강 – 대단원'으로 구성된다.

(5) 내용에 따른 희곡의 종류

비극(tragedy)	• 비범하고 영웅적인 개인을 주인공으로 설정하고, 극에서 발생하는 갈등과 대립에 있어 감정의 정서적 순화나 비장미를 그림 • 운명 비극, 상황 비극, 성격 비극
희극(comedy)	• 저속하거나 평범한 인물을 주인공으로 설정하여 우둔한 행동에서 드러나는 우둔미, 골계미를 나타냄 • 간혹 지적, 지성적 태도가 요구됨
희비극(tragicomedy)	비극적 내용과 희극적 내용이 혼합됨
기타	멜로드라마, 소화(우스꽝스런 동작, 희극), 모노드라마, 무언극(pantomime), 인형극, 가면극

02 시나리오의 이해

1 개념과 특징

(1) 개념

'시나리오'는 영화 촬영을 목적으로 한 글로서 영화의 대본이다. 영화 제작상의 기법을 염두에 두고 플롯을 구체적이고 극적으로 구성하며 특수한 용어를 써서 배우의 대화나 동작을 규정한다.

(2) 특징

① 영화 상영을 전제로 한 대본이다.

② 주로 대사와 행동으로 표현하며 직접적인 심리 묘사는 불가능하고, 장면과 대사로 간접적으로 묘사한다.

③ 시공간이 자유로워서 장면 전환이 자유롭다. 또한 인물 수에 제한이 없다.

④ 촬영 기계에 의한 조작을 고려한다.

⑤ 숏(shot), 시퀀스(sequence), 신(scene)을 단위로 한다.

(3) 시나리오와 희곡의 비교

구분	시나리오	희곡
공통점	• 종합 예술 • 동일한 이야기 진행 방법 사용	
차이점	• 영화 상영이 목적 • 시간, 공간 및 인물에 제약이 거의 없음 • 시퀀스(sequence)와 신(scene)으로 구성되며, 장면 세분화 • 인물의 다소 확산적 행동 • 배우가 관객을 간접적으로 대함	• 연극 상연이 목적 • 시간, 공간 및 인물에 제약이 많음 • 막과 장으로 구성되며, 장면들이 굵직함 • 인물의 초점화된 행동 • 배우가 관객을 직접 대함

(4) 시나리오와 소설의 비교

구분	시나리오	소설
공통점	• 개연성 있는 허구의 창작물 • 대립과 갈등을 서사적 구조에 담아냄	
차이점	• 읽을 수도 있으나 관객에게 보여 주는 것을 목적으로 함 • 객관적 성격 • 시공간 및 인물 수에 제약이 거의 없음 • 길이(관객의 흥미성, 연속성)에 제한이 있음 • 행동, 대화를 통한 전개 • 현재 시제	• 읽는 것을 목적으로 함 • 객관적, 주관적 성격이 전부 드러남 • 시공간 및 인물 수에 제약이 전혀 없음 • 길이에 제한이 없음 • 서술, 묘사, 대화를 통한 전개 • 기본적으로 과거 시제를 사용

2 시나리오의 구성

(1) 내적 구성 요소

장면 표시	• 사건의 배경이 되는 장면을 찍은 단위 • 장면 번호(S#1, S#2 등)로 나타냄
대사	• 등장인물이 서로 주고받는 말이나 혼잣말 • 인물의 성격을 드러내고 사건을 진행시키며 갈등 관계를 나타내고 작품의 주제를 구현함
지문	인물의 표정, 동작, 말투 등 연기에 대해 지시하거나 음향, 조명, 카메라 위치, 필름 편집 기술 등 촬영에 대해 지시하는 말
해설	등장인물이나 배경 등을 제시함

(2) 외적 구성 요소

컷(cut) 또는 숏(shot)	카메라의 회전을 중단하지 않고 촬영한 일련의 필름
신(scene, 장면)	컷 또는 숏이 모여 이루어진 단위로, 최소 단위임
시퀀스(sequence)*	장면과 장면이 모여 이루어진 단위로, 하나의 에피소드를 이루는 구성 단위임

단권화 MEMO

* 시퀀스(sequence)

신이 모여 시퀀스를 이루고 시퀀스가 모여 시나리오를 이룬다.

(3) 종류

창작 시나리오	처음부터 영화 제작을 위해 쓴 시나리오
각색 시나리오	소설, 희곡, 수필 등을 원작으로 하여 고쳐 쓴 시나리오
레제(읽기용) 시나리오	촬영을 전제로 하지 않고, 순수하게 문학 작품으로 읽히기 위한 시나리오

3 주요 시나리오 용어

내레이션(narration)	장면 밖에서 하는 해설
나라타주(narratage)	영화에서 주인공이 회상하는 형식으로 과거의 사건을 이야기하게 하면서 화면을 구성하는 표현 방법
더블 익스포저(Double Exposure, D·E, 이중 노출)	한 화면에 다른 화면이 겹쳐져서 합성된 화면을 이루는 것
롱 숏(long shot)	카메라가 원경을 포착하여 촬영하는 것
리프레인(refrain)	한번 보인 장면을 되풀이해서 보이는 것
몽타주(montage)	필름 편집의 기술로, 여러 가지의 장면을 한데 배합하여 일시적으로 보여 주는 것
무빙 숏(moving shot)	이동 촬영
스크린 프로세스 (screen process)	특수한 투과 스크린에 배경이 되는 화면을 비추고, 그 앞에서 배우가 연기하는 것을 촬영하며, 실제의 배경 앞에서 연기하는 것처럼 보이게 하는 특수 기술의 촬영 방법
신 넘버 (scene number, S#)	장면 번호
오버랩 (OverLap, O·L)	한 화면의 끝과 다음 화면의 처음을 부드럽게 포개는 기법
와이프(wipe)	한 화면이 닦아 내는 것처럼 조금씩 없어지며 다른 화면으로 바뀌는 것으로, 와이프 아웃(Wipe Out, W·O)이라고도 함
이펙트 (Effect, E, 효과음)	주로 화면 밖에서의 음향이나 대사를 말함
인서트 (Insert, Ins, 삽입 화면)	일련의 화면에 신문이나 편지 따위의 화면을 삽입하는 것
페이드 아웃 (Fade Out, F·O)	화면이 점차 어두워지는 것

03 수필의 이해

1 개념
'수필'은 형식상의 제약과 내용상의 구속 없이 사상과 감정을 개성적 문체로 표현하는 산문 문학이다.

2 특징
① 자신을 진실하게 드러내 보이면서 교훈을 주고, 고상한 멋과 운치를 곁들이는 특징을 가지고 있다.
② 고백적, 개성적인 글이므로 논리적이기보다는 관조적이며, 유머·위트·비평 정신을 띤 심미적·철학적 글이다.
③ 수필은 작자 자신인 '나'를 직접 드러냄으로써 독자와 마주하는 문학이다.
④ 수필은 형식의 제한이 없기 때문에 '무형식의 형식'이라고 불린다.
⑤ 전문 작가가 아니더라도 누구나 창작할 수 있는 대중적인 문학 갈래이다.
⑥ 수필은 작가의 사상뿐만 아니라 신변의 다양한 것들이 제재가 될 수 있는 문학이다.

3 종류

(1) 내용에 따라

경수필	• 작가의 체험, 취향, 느낌 등을 감성적, 주관적으로 표현한 수필 • 자유로운 내용과 비격식적 구조를 가짐
중수필	• 경수필에 비해 내용면에서 무게와 깊이가 있음 • 사회적, 문화적, 철학적 문제에 대한 지적, 논리적 접근을 보이는 수필

(2) 진술 방식에 따라

서정 수필	일상에서 느끼는 감정과 체험을 표현하는 수필
서사 수필	• 인물, 사건, 배경이 구체적으로 제시된 수필 • 단, 소설과는 달리 허구가 아닌 실제 체험을 그림
희곡 수필	작가의 체험을 극으로 표현한 수필
교훈 수필	교훈적 내용이 주를 이루는 수필

4 표현 방법

설명	필자가 알고 있는 것을 독자에게 전달하여 이해시키는 진술임
논증/설득	필자가 믿는 바를 독자에게 믿게 하거나 필자가 생각하고 있는 것을 독자에게 받아들이도록 진술함
묘사	필자가 어떤 모습, 사물, 상태, 특징 등을 그림을 그리듯이 그려 내어 진술함
서사	어떤 사건의 경위나 사물의 움직임, 그 연속을 이야기하듯 진술함

■ 수필의 어원
• 동양: 남송 시대 홍매의 「용재수필」
• 서양: 1580년 몽테뉴의 「수상록」
• 우리나라: 이민구의 「독사수필」, 조성건의 「한거수필」, 박지원의 「일신수필」

■ 수필의 발생
• 우리나라

한문 수필	이규보의 「백운소설」 이제현의 「역옹패설」 어숙권의 「패관잡기」
한글 수필	유씨 부인의 「조침문」 의유당의 「동명일기」 작자 미상의 「인현왕후전」 혜경궁 홍씨의 「한중록」
근대 수필	유길준의 「서유견문」 1930년대 김진섭의 작품

• 서양

원형	플라톤의 「대화」 아우렐리우스의 「명상록」
16세기	몽테뉴의 「수상록」
17세기	베이컨의 「수상록」
18세기	찰스 램의 「엘리아 수필집」

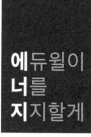

하루하루가 힘들다면
지금 높은 곳을 오르고 있기 때문입니다.

– 조정민, 『인생은 선물이다』, 두란노

Ⅱ 현대 문학의 이해

교수님 코멘트▶ 이 영역에서는 문학의 형식적 아름다움에 관한 문제가 자주 출제된다. 문학사 문제는 지방직 시험과 통합되기 이전의 서울시 시험에서 자주 출제되었다. 기본서 회독을 통해 다시 한번 꼭 확인해 두자.

한국 현대 문학의 흐름

01
2016 서울시 9급

〈보기〉의 문학사적 사실들을 발생 순서대로 배열한 것은?

── 보기 ──

ㄱ 「삼대」, 「흙」, 「태평천하」 등 다양한 장편 소설들이 발표되었다.

ㄴ 이광수의 「무정」이 《매일신보》에 연재되어 세간의 화제를 불러 일으켰다.

ㄷ 《창조》, 《백조》, 《폐허》 등의 동인지가 등장하고 《조선일보》, 《동아일보》와 같은 민간 신문들이 발행되었다.

ㄹ 《인문평론》, 《문장》 등 유수한 문학 잡지들과 한글 신문 등의 발행이 어려워지게 되었다.

ㅁ 이인직의 「혈의 누」, 이해조의 「자유종」과 같은 소설들이 발표되었다.

① ㄴ - ㅁ - ㄱ - ㄷ - ㄹ

② ㄴ - ㅁ - ㄷ - ㄹ - ㄱ

③ ㅁ - ㄴ - ㄷ - ㄱ - ㄹ

④ ㅁ - ㄷ - ㄱ - ㄴ - ㄹ

02
2014 서울시 9급

1930년대 문단의 상황에 대한 다음 진술 중 잘못된 것은?

① 김동리, 김유정 등 동반자 작가들이 활동했다.

② 예술성을 강조하는 순수 문학이 크게 유행했다.

③ 모더니즘 문학이 도입되고 다양한 기법이 실험되었다.

④ 전원파, 청록파, 생명파 등이 등장했다.

⑤ 일제의 탄압으로 카프(KAPF)가 해체되었다.

03
2018 서울시 9급

〈보기〉에 나타난 작품 감상의 관점으로 가장 옳은 것은?

── 보기 ──

나는 지금도 이광수의 「무정」 작품을 읽으면 가슴이 뜨거워지는 것을 느껴. 특히 결말 부분에서 주인공 이형식이 "옳습니다. 우리가 해야지요! 우리가 공부하러 가는 뜻이 여기 있습니다. 우리가 지금 차를 타고 가는 돈이며 가서 공부할 학비를 누가 주나요? 조선이 주는 것입니다. 왜? 가서 힘을 얻어오라고, 지식을 얻어 오라고, 문명을 얻어 오라고…… 그리해서 새로운 문명 위에 튼튼한 생활의 기초를 세워 달라고…… 이러한 뜻이 아닙니까?"라고 부르짖는 부분에 가면 금방 내 가슴도 울렁거려 나도 모르게 "네, 네, 네"라고 대답하고 싶단 말이야. 이 작품은 이 소설이 나왔던 1910년대 독자들의 가슴만이 아니라 아직 강대국에 싸여 있는 21세기 우리 시대 독자들에게도 조국을 생각하는 마음에 큰 감동을 주고 있다고 생각해.

① 반영론적 관점

② 효용론적 관점

③ 표현론적 관점

④ 객관론적 관점

04

(가)의 관점에서 (나)를 감상할 때 가장 적절한 것은?

> (가) 반영론은 문학 작품이 사회를 반영하여 현실의 문제를 비판적으로 성찰할 수 있게 하는 매개체라는 관점을 취한 비평적 입장이다.
>
> (나) 강나루 건너서
>   밀밭 길을
>
>   구름에 달 가듯이
>   가는 나그네
>
>   길은 외줄기
>   남도 삼백리
>
>   술 익는 마을마다
>   타는 저녁 놀
>
>   구름에 달 가듯이
>   가는 나그네
>
> ― 박목월, 「나그네」 ―

① 전통적 민요의 율격을 바탕으로 한 정형적 형식을 통해 정제된 시상이 효과적으로 드러났군.
② 삶의 고통스러운 단면을 외면한 채 유유자적한 삶만을 그린 것은 아닌지 비판할 여지가 있군.
③ 낭만적 감성을 불러일으키는 시적 분위기가 시조에서 보이는 선경후정과 비슷한 양상을 띠는군.
④ 해질 무렵 강가를 거닐며 조망한 풍경의 이미지가 한 폭의 그림을 보는 듯한 감각을 자아내는군.

01 ③ 현대 문학사

ⓜ 신소설들은 개화기에 나타났다.
ⓛ 이광수의 「무정」은 우리나라 최초의 현대 소설로서 1917년에 발표되었다.
ⓒ 《창조》, 《백조》, 《폐허》 등의 동인지는 1920년대에 창간되었다.
ⓙ 염상섭의 「삼대」, 이광수의 「흙」, 채만식의 「태평천하」 등은 1930년대에 발표된 소설들이다.
ⓔ 《인문평론》, 《문장》 등의 잡지는 1930년대 말에서 1940년대 초에 있었던 문학 잡지들이다. 이 시기에는 일제의 군국주의 확대에 따라 잡지 출판이나 신문 발행이 제한되었다.

02 ① 현대 문학사

① '동반자 작가'란 '카프'에 가맹하지 않았지만 카프와 유사한 계급 문학의 성격을 보여 주었던 작가들을 말한다. 카프의 조직 확대와 사회 진출을 논하는 과정에서 박영희에 의해 명명되었다. 대표 작가로는 유진오, 채만식, 이효석 등이 있다. 참고로 김동리와 김유정은 순수 문학 계열로 분류되며, 동반자 작가로 보지 않는다.
|오답해설| ②⑤ 1930년대는 일제의 군국주의 확대와 사상 탄압으로 인해 카프가 강제 해산되었고, 이후 문학은 순수 지향적 성격을 강하게 드러내게 된다.
③ 1930년대는 카프 해체 후 최재서, 김기림 등에 의해서 모더니즘 문학이 나타났다.
④ 전원파와 청록파는 1930년대에 나타난 시문학파의 뒤를 잇는 순수 지향의 유파이며, 생명파는 모더니즘의 비인간성과 반생명성에 반발하여 등장한 문학 유파이다.

03 ② 효용론적 관점

② 〈보기〉에서 독자는 「무정」을 읽으면서 느꼈던 감동에 대해 말하고 있다. 이는 효용론적 관점으로 작품을 해석하고 있다고 볼 수 있다.

04 ② 반영론적 관점

② 문학 작품의 감상 관점은 외재적 관점과 내재적 관점으로 나눌 수 있고, 외재적 관점은 다시 표현론, 반영론, 효용론 등으로 나눌 수 있다. 그중 반영론은 문학 작품이 사회를 반영하여 현실의 문제를 비판적으로 성찰할 수 있게 하는 매개체라는 관점을 취한 비평적 입장이다. 따라서 시대의 사회적 모습을 반영한 측면에서 작품을 감상한 ②가 반영론적 관점을 보여 준다.
|오답해설| ①③④ 모두 내재적 관점에서 작품을 감상하고 있다. 내재적 관점은 인물, 표현, 작품 상황 등에 초점을 두어 문학 작품을 감상하는 입장이다.

| 정답 | 01 ③ 02 ① 03 ② 04 ②

개념 적용문제 • 79

다음은 시에 대한 감상이다. 작품 자체의 내재적 의미만을 주목한 것은?

> 매운 계절의 채찍에 갈겨
> 마침내 북방으로 휩쓸려 오다.
>
> 하늘도 그만 지쳐 끝난 고원
> 서릿발 칼날진 그 위에 서다.
>
> 어데다 무릎을 꿇어야 하나
> 한 발 재겨 디딜 곳조차 없다.
>
> 이러매 눈 감아 생각해 볼 밖에
> 겨울은 강철로 된 무지갠가 보다.
>
> – 이육사, 「절정」 –

① 이 시를 쓴 시인은 의지력이 대단한 것 같아. 겨울과 같은 상황을 무지개로 바꾸어 생각한다는 것이 보통 사람들에게서는 거의 불가능한 일이 아니겠어?

② 시인의 현실적 상황에 대한 인식이 놀라워. "서릿발 칼날진 그 위"는 일제 치하의 극한적 상황을 정말 실감 있게 표현한 구절이야.

③ 이 시는 우리에게 어떻게 살아야 할 것인지를 가르쳐 주는 것 같아. 어떠한 상황 속에서도 희망을 잃지 않는 삶의 자세를 가지라는 교훈이 담겨 있잖아.

④ 겨울과 강철, 그리고 무지개의 연결은 그 발상이 놀라워. 겨울에 무지개를 본다면 얼마나 황홀할까? 그리고 강철로 된 무지개라면 사라지지도 않을 거야.

다음 문장에 쓰인 수사법과 같은 수사법이 쓰인 것은?

> 우리 옹기는 양은 그릇에 멱살을 잡히고 플라스틱류에 따귀를 얻어맞았다.

① 그는 30년 동안 입고 있던 유니폼을 벗고서 붓을 들기 시작했다.

② 지금껏 역사를 굽어본 강물은 말없이 흐른다.

③ 돈을 잃는 것은 적게 잃는 것이지만 명예를 잃는 것은 많이 잃는 것이고 건강을 잃는 것은 모든 것을 잃는 것이다.

④ 보고 싶어요, 붉은 산이, 그리고 흰 옷이.

⑤ 내 마음은 호수요 그대 노 저어 오오.

밑줄 친 부분 중 비유법을 사용하지 <u>않은</u> 것은?

> 붓질은 물기가 흥건하여 윤택하기 그지없다. 그런 호방한 붓질로 장승업은 정신이 번쩍 들게 때려 넣는가 하면 당겨 뽑고, 꺾어 냈는가 하더니 잔가지를 이리저리 뻗쳐 댔다. ㉠ 나무 이파리는 크고 작은 울림이 자진모리장단을 타고 달리는 듯하더니, 급기야 ㉡ 독수리며 나무 이끼의 반복되는 점들에 이르자 갑자기 쏟아진 장대비인 양 후드득 두들겨 댔다. ㉢ 그것은 형상이기 이전에 움직임이고, 보고 있는 동안 그대로 음악이다. 그러나 어쩐 일인가? 나무는 나무, 독수리는 독수리, 풀잎은 풀잎이다. 어느 하나 틀에 맞춰 그린 것이 없으니 과장과 왜곡은 분명하다. ㉣ 그런데도 넘쳐 나는 이 생명력은 무엇인가?

① ㉠

② ㉡

③ ㉢

④ ㉣

---

05 ④ 내재적 관점

'내재적 의미'란 내재적 관점(구조론, 절대론)을 의미한다. 즉, 작품의 내적 요소만을 고려하여 감상하는 관점이다. 이런 측면에서 ④는 표현법에 주목하여 감상하고 있으므로 내재적 의미에 집중한 감상이다.

| 오답해설 | ① 시인의 의지력이 시에 반영되어 있다는 감상이므로 외재적 관점 중 '표현론의 관점'에 해당한다.

② 일제 강점하의 시대적 상황이 반영되었다는 관점이므로 외재적 관점 중 '반영론의 관점'에 해당한다.

③ 시가 독자에게 교훈을 준다는 감상이므로 외재적 관점 중 '효용론적 관점'에 해당한다.

06 ② 의인법

제시된 문장에는 대상(옹기, 양은 그릇, 플라스틱류)에 인격을 부여하여 표현하는 의인법이 쓰였다. ② 역시 강물을 '역사를 굽어보는' 존재이면서 '말없는' 존재로 인격화하여 표현하였다.

| 오답해설 | ① 유니폼이 단체 생활의 속성이며 붓을 드는 것이 글을 쓰는 것의 속성이라면 '환유법(대유법)'이 쓰인 것으로 볼 수 있다.

③ 내용의 비중이나 강도가 점점 강해지는 점층법이 쓰였다.

④ 어순이 교체된 도치법이 쓰였다.

⑤ 두 대상을 동일시하여 표현한 은유법이 쓰였다.

07 ④ 비유법

비유법이란 표현하고자 하는 대상을 직접 드러내지 않고 다른 대상에 빗대어 표현하는 방법이다. 비유는 드러내고자 하는 원관념과 빗댄 대상인 보조 관념으로 구성된다.

④ ㉣에는 비유법이 사용되지 않았다.

| 오답해설 | ㉠㉡ 장승업이 그린 나무 이파리의 모습을 자진모리장단(㉠)과 쏟아진 장대비(㉡)에 비유하고 있는데, 이 과정에서 '~듯, ~인 양'의 연결어가 사용되었으므로 직유법이 쓰였다.

㉢ 장승업의 그림을 '움직임', '그대로 음악'이라고 비유하였는데, 두 대상을 연결어 없이 동일한 것(A = B)으로 표현하고 있으므로 은유법이 사용되었다.

08

다음 시에 대한 이해로 적절하지 <u>않은</u> 것은?

> 봄은
> 남해에서도 북녘에서도
> 오지 않는다.
>
> 너그럽고
> 빛나는
> 봄의 그 눈짓은,
> 제주에서 두만까지
> 우리가 디딘
> 아름다운 논밭에서 움튼다.
>
> 겨울은,
> 바다와 대륙 밖에서
> 그 매운 눈보라 몰고 왔지만
> 이제 올
> 너그러운 봄은, 삼천리 마을마다
> 우리들 가슴속에서
> 움트리라.
>
> 움터서,
> 강산을 덮은 그 미움의 쇠붙이들
> 눈 녹이듯 흐물흐물
> 녹여버리겠지.
>
> — 신동엽, 「봄은」 —

① 현실을 초월한 순수 자연의 세계를 노래하고 있다.
② 희망과 신념을 드러내는 단정적 어조로 표현하고 있다.
③ 시어들의 상징적인 의미를 통해 주제를 형성하고 있다.
④ '봄'과 '겨울'의 이원적 대립으로 시상을 전개하고 있다.

09

다음 글의 특징으로 적절하지 <u>않은</u> 것은?

> 가리워진 안개를 걷게 하라.
> 국경이며 탑이며 어용학(御用學)의 울타리며
> 죽 가래 밀어 바다로 몰아 넣라.
>
> 하여 하늘을 흐르는 날새처럼
> 한 세상 한 바람 한 햇빛 속에,
> 만 가지와 만 노래를 한 가지로 흐르게 하라.
>
> 보다 큰 집단은 보다 큰 체계를 건축하고,
> 보다 큰 체계는 보다 큰 악을 양조(釀造)한다.
>
> 조직은 형식을 강요하고
> 형식은 위조품을 모집한다.
>
> 하여, 전통은 궁궐 안의 상전이 되고
> 조작된 권위는 주위를 침식한다.
>
> 국경이며 탑이며 일만년 울타리며
> 죽 가래 밀어 바다로 몰아 넣라.
>
> — 신동엽, 「이야기하는 쟁기꾼의 대지」에서 —

① 직설적인 어조로써 메시지를 전달하고 있다.
② 고전적인 질서를 통해 새로운 희망을 추구하고 있다.
③ 인위적인 것과 자연적인 것이 대조적으로 제시되고 있다.
④ 농기구의 상징을 통해 체제 개혁을 역설하고 있다.

다음 시에 나타난 시적 화자의 정서와 가장 유사한 것은?

> 내 가슴에 독(毒)을 찬 지 오래로다.
> 아직 아무도 해(害)한 일 없는 새로 뽑은 독
> 벗은 그 무서운 독 그만 흩어 버리라 한다.
> 나는 그 독이 선뜻 벗도 해할지 모른다 위협하고,
>
> 독 안 차고 살아도 머지않아 너 나 마주 가 버리면
> 억만 세대(億萬世代)가 그 뒤로 잠자코 흘러가고
> 나중에 땅덩이 모지라져 모래알이 될 것임을
> '허무(虛無)한듸!' 독은 차서 무엇 하느냐고?
>
> 아! 내 세상에 태어났음을 원망 않고 보낸
> 어느 하루가 있었던가, '허무한듸!', 허나
> 앞뒤로 덤비는 이리 승냥이 바야흐로 내 마음을 노리매
> 내 산 채 짐승의 밥이 되어 찢기우고 할퀴우라 내맡긴 신
> 세임을
>
> 나는 독을 차고 선선히 가리라.
> 막음 날 내 외로운 혼(魂) 건지기 위하여.
>
> – 김영랑, 「독을 차고」 –

① 수양산(首陽山) 브라보며 이제(夷齊)를 한(恨)ᄒ노라.
　주려 주글진들 채미(採薇)도 ᄒ는 것가.
　비록애 푸새앳 거신들 긔 뉘 싸헤 낫드니.

② 짚방석(方席) 내지 마라, 낙엽(落葉)엔들 못 안즈랴.
　솔불 혀지 마라, 어제 진 ᄃᆞᆯ 도다 온다.
　아ᄒᆡ야, 박주산채(薄酒山菜)ㄹ망정 업다 말고 내여라.

③ 내 언제 무신(無信)ᄒ야 님을 언제 속엿관듸
　월침삼경(月沈三更)에 온 ᄯᅳᆺ지 전혀 업다.
　추풍(秋風)에 지ᄂᆞᆫ 닙 소리야 낸들 어이ᄒ리오.

④ 흥망(興亡)이 유수(有數)하니 만월대(滿月臺)도 추초(秋
　草)ㅣ로다.
　오백 년(五百年) 왕업(王業)이 목적(牧笛)에 부쳐시니,
　석양(夕陽)에 지나는 객(客)이 눈물계워 ᄒ노라.

08 ① 작품의 이해와 감상

① 신동엽의 「봄은」은 평화적이고 자주적인 통일을 원하는 화자의 바람과 의지를 표현한 시이다. 특히나 마지막 연의 무력과 폭력, 군사적 대립 등을 의미하는 '쇠 붙이'를 녹이고자 하는 부분에서 단순히 순수 자연을 노래하는 시가 아니라는 것을 추론해 볼 수 있다.

|오답해설| ② '봄'은 '남해에서도 북녘에서도', 즉 우리 국토가 아닌 곳에서는 '오지 않는다'라고 말하고 있고 '봄의 그 눈짓'이 '제주에서 두만까지' 아름다운 논밭에서 '움튼다'라고 말하고 있다. 이는 우리의 통일이 외세가 아닌 우리 민족 주체적으로 이루어질 것임을 단정적 어조로 표현하고 있다고 볼 수 있다.
③ '봄—통일', '겨울—분단 상황', '쇠붙이—군사적 대립' 등 시어들의 상징적 의미들을 통해 자주적이고 평화적인 통일을 염원하는 시의 주제를 형성하고 있다.
④ '봄'은 통일을 의미하고 '겨울'은 분단 상황을 의미하므로 이 둘의 이원적 대립을 통해 시상을 전개하고 있다고 볼 수 있다.

09 ② 작품의 이해와 감상

② 마지막 연을 보면 '일만년 울타리'도 '가래 밀어 바다로 몰아 넣라'라고 말하며 '일만년 울타리'를 버려야 할 대상으로 표현하고 있음을 알 수 있다. 시의 맥락을 고려하여 '일만년 울타리'가 우리 역사를 상징한다고 볼 때, 제시된 시에서 '고전 적인 것' 또한 부정의 대상이 되고 있음을 알 수 있다. 따라서 ②의 고전적인 질 서를 통해 새로운 희망을 추구하고 있다는 설명은 부적절하다.

|오답해설| ① '넣라', '하라' 등 직설적인 어조를 사용하고 있다.
③ 제시된 시에서 '국경, 탑, 어용학' 등 인간에 의해 만들어진 인위적인 것들은 철 저히 부정되고 있다. 반대로, 2연에 보이는 '하늘을 흐르는 날새, 바람, 햇빛' 등 의 자연적인 것들은 긍정되고 있음을 볼 수 있다. 따라서 인위적인 것과 자연적 인 것이 대조적으로 제시되고 있다는 설명은 적절하다.
④ '가래'라는 농기구를 통해 밀어 버리라고 표현함으로써 체제 개혁을 상징적으로 표현하고 있다고 볼 수 있다.

10 ① 작품의 이해와 감상

제시된 시에서 '독'은 부정적 현실에 대한 화자의 내면적 저항 및 결연한 대결 의지 를 상징한다. 따라서 시적 화자는 부정한 현실에 대한 저항 정신과 순결한 삶의 의지 를 다지고 있다. 이런 시적 화자의 정서와 가장 유사한 것은 ① 성삼문의 시조이다.
① 제시된 시조의 화자는 충신으로 추앙받는 백이와 숙제를 넌지시 비판함으로써 자신의 절의와 지조를 표현하고 있다.
|오답해설| ② 한호의 시조로, 자연을 즐기는 풍류의 멋을 표현하고 있다.
③ 황진이의 시조로, 임을 향한 애타는 그리움을 표현하고 있다.
④ 원천석의 시조로, 망국(고려의 멸망)의 한과 회고의 정(무상감)을 표현하고 있다.

다음 중 〈보기〉의 시에 대한 감상으로 가장 적절한 것은?

┤ 보기 ├

계절이 지나가는 하늘에는
가을로 가득 차 있습니다.

나는 아무 걱정도 없이
가을 속의 별들을 다 헤일 듯합니다.

가슴 속에 하나 둘 새겨지는 별을
이제 다 못 헤는 것은
쉬이 아침이 오는 까닭이요,
내일 밤이 남은 까닭이요,
아직 나의 청춘이 다하지 않은 까닭입니다.

별 하나에 추억과
별 하나에 사랑과
별 하나에 쓸쓸함과
별 하나에 동경과
별 하나에 시와
별 하나에 어머니, 어머니

① 화자는 어린 시절 친구들을 청자로 설정하여 내면을 고백하고 있다.
② 화자의 내면과 갈등 관계에 있는 현실에 비판적 시각을 드러내고 있다.
③ 별은 시적 화자가 지향하는 내적 세계를 나타낸다.
④ 별은 현실 상황의 변화를 바라는 화자의 현실적 욕망을 상징한다.

다음 시에 대한 설명으로 적절하지 <u>않은</u> 것은?

1

하늘에 깔아 논
바람의 여울터에서나
속삭이듯 서걱이는
나무의 그늘에서나, 새는
노래한다. 그것이 노래인 줄도 모르면서
새는 그것이 사랑인 줄도 모르면서
두 놈이 부리를
서로의 죽지에 파묻고
따스한 체온을 나누어 가진다.

2

새는 울어
뜻을 만들지 않고,
지어서 교태로
사랑을 가식하지 않는다.

3

— 포수는 한 덩이 납으로
그 순수를 겨냥하지만,

매양 쏘는 것은
피에 젖은 한 마리 상한 새에 지나지 않는다.

– 박남수, 「새」 –

① 시적 화자의 현실 비판적 의도가 엿보인다.
② '뜻'과 '납'은 서로 대조적인 의미를 가지고 있다.
③ 시적 화자는 절제된 태도로 대상을 노래하고 있다.
④ '상한 새'는 자연이나 순수한 삶의 파괴를 의미한다.

〈보기〉를 참고하여 ㉠~㉣을 이해한 내용으로 적절하지 않은 것은?

┤ 보기 ├

이용악은 1945년 해방이 되자 고향인 함경북도 경성에 가족을 두고 홀로 상경한다. '그리움'은 몹시 추웠던 그해 겨울 밤 고향에 두고 온 가족을 그리워하며 쓴 시이다.

눈이 오는가 ㉠ 북쪽엔
함박눈 쏟아져 내리는가.

험한 벼랑을 굽이굽이 돌아간
백무선 철길 위에
느릿느릿 밤새워 달리는
화물차의 검은 지붕에

연달린 산과 산 사이
㉡ 너를 남기고 온
작은 마을에도 복된 눈 내리는가.

잉크병 얼어드는 ㉢ 이러한 밤에
어쩌자고 ㉣ 잠을 깨어
그리운 곳 차마 그리운 곳.

눈이 오는가 북쪽엔
함박눈 쏟아져 내리는가.

– 이용악, 「그리움」 –

① ㉠은 자신이 떠나온 공간인 고향을 가리키는 것이겠군.
② ㉡은 고향에 남겨 두고 온 가족을 의미하는 표현이겠군.
③ ㉢은 극심한 추위 속에서도 가족을 떠올리는 시간이겠군.
④ ㉣은 그리운 이를 볼 수 없는 화자의 절망적 심정을 투영한 대상물이겠군.

정답&해설

11 ③ 작품의 이해와 감상

제시된 시는 윤동주의 「별 헤는 밤」으로, 아름다운 과거에 대한 그리움과 자기 성찰을 주제로 한 시이다. 화자는 자신이 그리워하고 바라는 것인 '사랑, 동경, 시, 어머니'를 생각하고 있다. 이것들을 '별'을 통해 바라보고 있으므로 ③의 감상이 적절하다.

12 ② 작품의 이해와 감상

박남수는 주지적 태도를 바탕으로 현대 문명에 의한 자연 파괴에 대해 비판적 인식을 드러낸 시들을 주로 창작하였다. 제시된 시 역시 '새'로 대표되는 자연 또는 순수한 삶이 '한 덩이 납'으로 상징되는 현대 문명에 의해 파괴되는 모습을 비판적으로 형상화하였다. 이러한 관점에서 보면 ②는 적절하지 않다. '납'과 상반되는 시어는 '새'이며, '뜻'은 인간의 인위적 행위를 의미하므로 오히려 '납'과 일맥상통한다고 할 수 있다.

|오답해설| ① '새'를 '한 마리 상한 새'로 만드는 현대 문명에 대한 비판적 태도가 어조에 의해 드러난다.
③ 새와 포수의 모습을 관찰자적 입장에서 서술함으로써 정서의 절제를 이루었다.
④ '새'가 자연이나 순수한 삶을 의미하므로 '상한 새'는 자연이나 순수한 삶의 파괴를 의미한다고 할 수 있다.

13 ④ 작품의 이해와 감상

④ '잠'은 그리운 대상을 잠시나마 잊을 수 있는 시간이라는 점에서 화자의 절망적 심정이 투영된 대상물로 볼 수 없다.

|오답해설| ① 〈보기〉의 내용을 참고할 때 북쪽은 고향(함경북도 경성)을 의미한다.
② 가족 전체를 '너'로 표현하는 대유법이 쓰인 것이다.
③ 잉크병이 얼어드는 추운 밤에 시적 화자는 '너'를 그리워하고 있다.

14

다음 시의 할머니에게서 얻을 수 있는 삶의 교훈으로 가장 적절한 것은?

> 산그늘 내린 밭 귀퉁이에서 할머니와 참깨를 턴다.
> 보아하니 할머니는 슬슬 막대기질을 하지만
> 어두워지기 전에 집으로 돌아가고 싶은 젊은 나는
> 한 번을 내리치는 데도 힘을 더한다.
> 세상사에는 흔히 맛보기가 어려운 쾌감이
> 참깨를 털어내는 일엔 희한하게 있는 것 같다.
> 한 번을 내리쳐도 셀 수 없이
> 솨아솨아 쏟아지는 무수한 흰 알맹이들
> 도시에서 십 년을 가차이 살아 본 나로선
> 기가 막히게 신나는 일인지라
> 휘파람을 불어 가며 몇 다발이고 연이어 털어 낸다.
> 사람도 아무 곳에나 한 번만 기분 좋게 내리치면
> 참깨처럼 솨아솨아 쏟아지는 것들이
> 얼마든지 있을 거라고 생각하며 정신없이 털다가
> "아가, 모가지까지 털어져선 안 되느니라."
> 할머니의 가엾어하는 꾸중을 듣기도 했다.
>
> – 김준태, 「참깨를 털면서」 –

① 지나침을 경계하고 순리를 따라야 한다.
② 자신의 체력을 알고 무리하지 않아야 한다.
③ 다른 대상에 대해 연민의 감정을 가져야 한다.
④ 과거에 연연하지 않고 긍정적으로 살아야 한다.

15

다음 작품이 지닌 특징으로 적절하지 <u>않은</u> 것은?

> 새끼오리도 헌신짝도 소똥도 갓신창도 개니빠디도 너울쪽도 짚검불도 가랑잎도 머리카락도 헝겊 조각도 막대 꼬치도 기왓장도 닭의 깃도 개 터럭도 타는 모닥불
>
> 재당도 초시도 문장 늙은이도 더부살이 아이도 새사위도 갓사돈도 나그네도 주인도 할아버지도 손자도 붓장수도 땜장이도 큰 개도 강아지도 모두 모닥불을 쪼인다
>
> 모닥불은 어려서 우리 할아버지가 어미 아비 없는 서러운 아이로 불쌍하니도 몽동발이가 된 슬픈 역사가 있다
>
> – 백석, 「모닥불」 –

① 구체적 대상을 열거하여 시상을 전개하고 있다.
② 특정한 조사를 반복하여 운율을 형성하고 있다.
③ 사물을 의인화하여 대상의 속성을 강조하고 있다.
④ 토속적 시어를 활용하여 향토색을 드러내고 있다.

16

이 시에 대한 설명으로 적절하지 <u>않은</u> 것은?

> 나는 나룻배 / 당신은 행인
>
> 당신은 흙발로 나를 짓밟습니다
> 나는 당신을 안고 물을 건너갑니다
> 나는 당신을 안으면 깊으나 얕으나 급한 여울이나 건너갑니다
>
> 만일 당신이 아니 오시면 나는 바람을 쐬고 눈비를 맞으며 밤에서 낮까지 당신을 기다리고 있습니다
> 당신은 물만 건너가면 나를 돌아보지도 않고 가십니다그려
> 그러나 당신이 언제든지 오실 줄만은 알아요
> 나는 당신을 기다리면서 날마다 날마다 낡아 갑니다
>
> 나는 나룻배 / 당신은 행인
>
> – 한용운, 「나룻배와 행인」 –

① 운문적 호흡으로 절제된 정서를 잘 표현해 내고 있다.
② 비유적 표현을 통해 주제 형상화에 이바지하고 있다.
③ 높임법을 활용하여 대상에 대한 태도를 분명히 드러내었다.
④ 일상적 시어를 통해서도 시적 화자의 심정이 잘 드러나고 있다.
⑤ 수미상관식 구성을 통해 구조적 안정성을 획득하고 있다.

17

다음 시에 대한 설명으로 적절하지 <u>않은</u> 것은?

> 나는 꿈꾸었노라, 동무들과 내가 가지런히
> 벌가의 하루 일을 다 마치고
> 석양에 마을로 돌아오는 꿈을,
> 즐거이, 꿈 가운데.
>
> 그러나 집 잃은 내 몸이여,
> 바라건대는 우리에게 우리의 보습 대일 땅이 있었더면!
> 이처럼 떠돌으랴, 아침에 저물손에
> 새라 새로운 탄식을 얻으면서.
>
> 동이랴, 남북이랴,
> 내 몸은 떠가나니, 볼지어다.
> 희망의 반짝임은, 별빛이 아득함은.
> 물결뿐 떠올라라, 가슴에 팔다리에.
>
> 그러나 어쩌면 황송한 이 심정을! 날로 나날이 내 앞에는
> 자칫 가늘은 길이 이어가라. 나는 나아가리라
> 한 걸음, 또 한 걸음. 보이는 산비탈엔
> 온 새벽 동무들 저저 혼자…… 산경을 김매이는.

① 1연에서는 평화로운 삶에 대한 기대를 드러내고 있다.
② 2연에서는 삶을 터전을 잃고 헤매는 삶의 고통을 그리고 있다.
③ 3연에서는 유랑하면서도 희망을 확신하는 모습을 그리고 있다.
④ 4연에서는 절망적인 현실을 극복하려는 의지를 보여주고 있다.
⑤ 유사어구의 반복과 영탄적 어조를 통해 정서를 표출하고 있다.

---

14 ① 작품의 이해와 감상

① 제시된 시는 조급함과 욕심으로 참깨를 터는 나의 모습과 슬슬 막대기질을 하며 나의 조급함과 욕심을 꾸짖는 할머니의 모습을 대비하여 드러냄으로써 지나침을 경계하고 순리에 따라야 한다는 주제 의식을 전달하고 있다.

15 ③ 작품의 이해와 감상

③ 사물을 의인화한 표현은 찾을 수 없다.
|오답해설| ① 구체적 대상(새끼오리, 헌신짝, 소똥 등)을 나열, 열거하고 있다.
② 보조사 '도'를 반복하여 운율을 형성하고 있다.
④ '갓신창, 개니빠디, 너울쪽' 등 토속적 어휘를 사용하고 있다.

16 ① 작품의 이해와 감상

제시된 시는 나룻배로 형상화된 시적 화자의 여성적 태도를 통해 님에 대한 사랑과 희생, 기다림의 정서를 드러내고 있다.
① 2연과 3연에서의 호흡은 운문적 호흡보다는 산문적 호흡이 두드러지며, 당신에 대한 원망의 정서도 비교적 직접적으로 나타난다.
|오답해설| ② '나는 나룻배 / 당신은 행인'이라는 비유적 표현을 통해 주제를 드러낸다.
③ 높임법을 활용하여 임에 대한 화자의 사랑의 태도를 드러낸다.
④ 일상적 시어가 많이 사용되고 있다.
⑤ 수미상관 구조를 통해 시적 안정감을 부여하고 구조적 통일성을 보여 주고 있다.

17 ③ 작품의 이해와 감상

제시된 시는 김소월의 「바라건대는 우리에게 우리의 보습 대일 땅이 있었더면」이다. 제시된 시는 일제 감정기 일제의 수탈로 인해 유랑하게 된 우리 민족의 모습과 그 상황을 극복하려는 의지를 형상화하여 보여 주고 있다.
③ 3연에서는 유랑하는 현실이 제시되어 있고 '희망의 반짝임', '별빛의 아득함'이라는 시어를 통해 희망을 제시하기도 하지만 반짝임은 찰나이고 별빛은 아득하다는 점에서 희망을 확신하는 모습을 그리고 있지는 않다.
|오답해설| ⑤ '새라 새로운', '동이랴, 남북이랴', '희망의 반짝임은, 별빛의 아득함은' 등에서 유사어구의 반복이 나타나고 있고, '있었더면!', '심정을!' 등의 영탄적 어조를 사용하여 정서를 드러내고 있다.

18

2022 국가직 9급

다음 글에 대한 이해로 적절하지 <u>않은</u> 것은?

정거장에 나온 박은 수염도 깎은 지 오래어 터부룩한 데다 버릇처럼 자주 찡그려지는 비웃는 웃음은 전에 못 보던 표정이었다. 그 다니는 학교에서만 지싯지싯* 붙어 있는 것이 아니라 이 시대 전체에서 긴치 않게 여기는, 지싯지싯 붙어 있는 존재 같았다. 현은 박의 그런 지싯지싯함에서 선뜻 자기를 느끼고 또 자기의 작품들을 느끼고 그만 더 울고 싶게 괴로워졌다.

한참이나 붙들고 섰던 손목을 놓고, 그들은 우선 대합실로 들어왔다. 할 말은 많은 듯하면서도 지껄여 보고 싶은 말은 골라낼 수가 없었다. 이내 다시 일어나 현은,

"나 좀 혼자 걸어 보구 싶네."

하였다. 그래서 박은 저녁에 김을 만나 가지고 대동강가에 있는 동일관이란 요정으로 나오기로 하고 현만이 모란봉으로 온 것이다.

오면서 자동차에서 시가도 가끔 내다보았다. 전에 본 기억이 없는 새 빌딩들이 꽤 많이 늘어섰다. 그중에 한 가지 인상이 깊은 것은 어느 큰 거리 한 뿌다귀*에 벽돌 공장도 아닐 테요 감옥도 아닐 터인데 시뻘건 벽돌만으로, 무슨 큰 분묘와 같이 된 건축이 웅크리고 있는 것이다. 현은 운전사에게 물어보니, 경찰서라고 했다.

― 이태준, 「패강랭」에서 ―

* 지싯지싯: 남이 싫어하는지는 아랑곳하지 아니하고 제가 좋아하는 것만 짓궂게 자꾸 요구하는 모양.
* 뿌다귀: '뿌다구니'의 준말로, 쑥 내밀어 구부러지거나 꺾어져 돌아간 자리.

① '현'은 예전과 달라진 '박'의 태도가 자신의 작품 때문이라고 생각하고 있다.
② '현'은 자신과 비슷한 처지에 있는 '박'을 통해 자신을 연민하고 있다.
③ '현'은 새 빌딩들을 보고 도시가 많이 변화하고 있음을 인지하고 있다.
④ '현'은 시뻘건 벽돌로 만든 경찰서를 보고 암울한 분위기를 느끼고 있다.

19

2019 지방직 9급

다음 글에서 '소리'에 대한 이해로 적절하지 <u>않은</u> 것은?

바깥은 어둡고 뜰 변두리의 늙은 나무들은 바람에 불려 서늘한 소리를 내었다. 처마 끝 저편에 퍼진 하늘에는 별이 총총하게 박혀 있으나, 아스무레한 초여름 기운에 잠겨 있었다. 집은 전체로 조용하고 썰렁했다.

꽝 당 꽝 당.

먼 어느 곳에서는 이따금 여운이 긴 쇠붙이 두드리는 소리가 들려왔다. 밑 거리의 철공소나 대장간에서 벌겋게 단 쇠를 쇠망치로 뚜드리는 소리 같았다.

근처에는 그런 곳은 없을 것이었다. 그렇다면 굉장히 먼곳일 것이었다. 굉장히 굉장히 먼 곳일 것이었다.

꽝 당 꽝 당.

단조로운 소리이면서 송곳처럼 쑤시는 구석이 있는, 밤중에 간헐적으로 들려오는 그 소리는 이상하게 신경을 자극했다.

"참, 저게 무슨 소리유?"

영희가 미간을 찌푸리면서 말했다.

"글쎄, 무슨 소릴까……."

정애가 심드렁하게 대답했다.

"이 근처에 철공소는 없을 텐데."

"……."

정애는 표정으로만 수긍을 했다.

꽝 당 꽝 당.

그 쇠붙이에 쇠망치 부딪치는 소리는 여전히 간헐적으로 이어지고 있었다. 밤내 이어질 모양이었다. 자세히 그 소리만 듣고 있으려니까 바깥의 선들대는 늙은 나무들도 초여름 밤의 바람에 불려서 그런 것이 아니라 저 소리의 여운에 울려 흔들리고 있었다. 저 소리는 이 방안의 벽 틈서리를 쪼개고도 있었다. 형광등 바로 위의 천장에 비수가 잠겨 있을 것이었다.

― 이호철, 「닳아지는 살들」 중에서 ―

① '서늘한 소리'는 예사롭지 않은 분위기를 조성하기 시작한다.
② '꽝 당 꽝 당' 소리는 인물의 심리적 상태의 변화를 촉발한다.
③ '단조로운 소리'는 반복적으로 드러남으로써 모종의 의미가 부여된다.
④ '소리의 여운'은 단선적 구성에 변화를 주어 갈등 해소의 기미를 강화한다.

다음 글을 읽고 추론한 내용으로 적절하지 않은 것은?

사방이 어두워지자 그들도 얘기를 그쳤다. 어디에나 눈이 덮여 있어서 길을 잘 분간할 수가 없었다. 뒤에 처졌던 백화가 눈 덮인 길의 고랑에 빠져 버렸다. 발이라도 삐었는지 백화는 꼼짝 못하고 주저앉아 신음을 했다. 영달이가 달려들어 싫다고 뿌리치는 백화를 업었다. 백화는 영달이의 등에 업히면서 말했다.

"무겁죠?"

영달이는 대꾸하지 않았다. 백화가 어린애처럼 가벼웠다. 등이 불편하지도 않았고 어쩐지 가뿐한 느낌이었다. 아마 쇠약해진 탓이리라 생각하니, 영달이는 어쩐지 대전에서의 옥자가 생각나서 눈시울이 화끈했다. 백화가 말했다.

"어깨가 참 넓으네요. 한 세 사람쯤 업겠어."

"댁이 근수가 모자라니 그렇다구."

– 황석영, 「삼포 가는 길」 중에서 –

① '눈 덮인 길의 고랑'은 백화가 신음하는 계기로 작용하기도 한다.

② 등에 업힌 백화는 영달이가 '옥자'를 떠올리는 계기로 작용하기도 한다.

③ 영달이는 '대전에서의 옥자'를, 어린애처럼 생각이 깊지 않은 존재로 인식하고 있다.

④ 백화는 처음에는 영달이의 등에 업히기를 싫어했으나, 영달이의 등에 업힌 이후 싫어하는 내색이 없어 보인다.

---

18 ① 작품의 이해와 감상

① 정거장에 나온 '박'은 전에 못 보던 표정을 지으며 분명 달라진 표정을 보인다. 하지만 이것이 '현'과 관련되어 있다는 근거는 이 글에서 찾기 어렵다.

|오답해설| ② 1문단의 '현은 박의 그런 ~ 울고 싶게 괴로워졌다.'를 통해 확인할 수 있다.

③ 마지막 문단의 '전에 본 기억이 없는 새 빌딩들이 꽤 많이 늘어섰다.'를 통해 확인할 수 있다.

④ 마지막 문단에서 '현'은 경찰서를 보며 '분묘(무덤)'와 같다는 생각을 한다. 따라서 경찰서를 보고 암울한 분위기를 느낀다는 이해는 적절하다.

19 ④ 작품의 이해와 감상

④ '단선적 구성'이란 목적 의식을 가지고 하나의 사건만을 집중적으로 전개해 나가는 방식을 말한다. '소리의 여운'으로 인해 새로운 사건이 진행되지 않으므로 단선적 구성에 변화를 주었다고 보기는 어렵다. 또한 '소리의 여운'은 글의 마지막 부분에서 볼 수 있듯이 갈등 해소의 기미를 강화하는 것이 아니라 갈등의 요소로 작용하고 있다.

|오답해설| ① "늙은 나무들은 바람에 불려 서늘한 소리를 내었다."를 통해 글의 전반적인 분위기를 알 수 있다.

② "단조로운 소리이면서 송곳처럼 쑤시는 구석이 있는, 밤중에 간헐적으로 들려오는 그 소리는 이상하게 신경을 자극했다."라는 부분을 통해 '꽝 당 꽝 당' 소리는 인물의 심리적 상태의 변화를 촉발하고 있음을 알 수 있다.

③ '단조로운 소리'는 반복적으로 드러남으로써 '송곳', '비수' 등 심리적 불안함의 의미를 부여하고 있다.

20 ③ 작품의 이해와 감상

③ 백화를 업은 영달이는 백화가 어린애처럼 가벼운 것을 두고 쇠약해진 탓이라고 생각하다가 대전에서의 옥자를 떠올린다. 이는 영달이가 백화와 옥자를 안타까움의 대상으로 여기고 있음을 알게 해 준다. 어린애처럼 생각이 깊지 않은 것과는 전혀 관련이 없다.

| 정답 | 18 ① 19 ④ 20 ③

〈보기〉를 참고할 때, ㉠～㉣에 대한 분석으로 적절하지 않은 것은?

┤ 보기 ├

　어떤 특정한 시기의 풍속이나 세태의 한 단면을 그리는 소설 양식을 세태 소설이라 한다. 세태 소설은 당대 사회의 모순이나 부조리 등을 있는 그대로 묘사하여 그 사회에 대한 비판 의식을 드러낸다. 그 대표적인 소설로 박태원의 「소설가 구보 씨의 일일」이 있다.

　㉠ 개찰구 앞에 두 명의 사내가 서 있었다. 낡은 파나마에 모시 두루마기 노랑 구두를 신고, 그리고 손에 조그만 보따리 하나도 들지 않은 그들을, 구보는, 확신을 가져 무직자라고 단정한다. 그리고 이 시대의 무직자들은, 거의 다 ㉡ 금광 브로커에 틀림없었다. 구보는 새삼스러이 대합실 안팎을 둘러본다. 그러한 인물들은, 이곳에도 저곳에도 눈에 띄었다. ㉢ 황금광 시대(黃金狂時代).

　저도 모를 사이에 구보의 입술에서는 무거운 한숨이 새어 나왔다. 황금을 찾아, 황금을 찾아, 그것도 역시 숨김없는 인생의, 분명히, 일면이다. 그것은 적어도, 한 손에 단장과 또 한 손에 공책을 들고, 목적 없이 거리로 나온 자기보다는 좀 더 진실한 인생이었을지도 모른다. 시내에 산재한 무수한 광무소(鑛務所). 인지대 백 원. 열람비 오 원. 수수료 십 원. 지도대 십팔 전……. 출원 등록된 광구, 조선 전토(全土)의 칠 할. 시시각각으로 사람들은 졸부가 되고, 또 몰락해 갔다. 황금광 시대. 그들 중에는 평론가와 시인, 이러한 문인들조차 끼어 있었다. 구보는 일찍이 창작을 위해 그의 벗의 광산에 가 보고 싶다 생각하였다. 사람들의 사행심, 황금의 매력, 그러한 것들을 구보는 보고, 느끼고, 하고 싶었다. 그러나 고도의 금광열은, 오히려, ㉣ 총독부 청사, 동측 최고층, 광무과 열람실에서 볼 수 있었다…….

　　　　　　　　　　－ 박태원, 「소설가 구보 씨의 일일」 중에서 －

① ㉠: 세태의 단면이 드러나는 공간적 배경이다.

② ㉡: 적극성을 지닌 존재들로 서술자의 예찬 대상이다.

③ ㉢: '무거운 한숨'을 유발하는 부조리한 현실로 서술자의 비판 대상이다.

④ ㉣: 서술자가 '금광열'이 고조되어 있는 것으로 설정한 대상이나 공간이다.

다음 글에 나타난 서술자에 대한 설명으로 가장 옳은 것은?

　내 이상과 계획은 이렇거든요.

　우리집 다이쇼*가 나를 자별히 귀애하고 신용을 하니까 인제 한 십 년만 더 있으면 한밑천 들여서 따로 장사를 시켜 줄 그런 눈치거든요.

　그러거들랑 그것을 언덕삼아 가지고 나는 삼십 년 동안 예순 살 환갑까지만 장사를 해서 꼭 십만 원을 모을 작정이지요. 십만 원이면 죠선* 부자로 쳐도 천석꾼이니, 뭐 땅땅거리고 살 게 아니라구요?

　그리고 우리 다이쇼도 한 말이 있고 하니까, 나는 내지인* 규수한테로 장가를 들래요. 다이쇼가 다 알아서 얌전한 자리를 골라 중매까지 서 준다고 그랬어요. 내지 여자가 참 좋지요.

　나는 죠선 여자는 거저 주어도 싫어요. 구식 여자는 얌전은 해도 무식해서 내지인하고 교제하는 데 안됐고, 신식 여자는 식자나 들었다는 게 건방져서 못쓰고, 도무지 그래서 죠선 여자는 신식이고 구식이고 다 제바리여요.

　내지 여자가 참 좋지 뭐. 인물이 개개 일자로 이쁘겠다, 얌전하겠다, 상냥하겠다, 지식이 있어도 건방지지 않겠다, 좀이나 좋아!

　그리고 내지 여자한테 장가만 드는 게 아니라 성명도 내지인 성명으로 갈고 집도 내지식 집에서 살고 옷도 내지 옷을 입고 밥도 내지식으로 먹고 아이들도 내지인 이름을 지어서 내지인 학교에 보내고…….

　내지인 학교라야지 죠선 학교는 너절해서 아이들 버려 놓기나 꼭 알맞지요.

　그리고 나도 죠선말은 싹 걷어치우고 국어만 쓰고요.

　이렇게 다 생활 법식부터도 내지인처럼 해야만 돈도 내지인처럼 잘 모으게 되거든요.

* 다이쇼: 주인
* 죠선: 조선
* 내지인: 일본인

① 서술자가 내지인을 비판함으로써 자기 주장을 강화하고 있다.

② 서술자가 전지적 존재로서 인물과 사건을 모두 조망할 수 있다.

③ 서술자가 작품 속에 등장하는 다른 인물의 내면을 추리하고 있다.

④ 서술자가 신뢰할 수 없는 존재로서, 독자로 하여금 서술자를 비판적으로 바라보게 한다.

다음 중 ㉠~㉢에 대한 감상으로 가장 적절하지 않은 것은?

2016 서울시 9급

 나는 그날 그에게 돈 삼 원을 주었다. 그의 말대로 삼산 학교 앞에 가서 뻐젓이 참외 장사라도 해 보라고. 그리고 돈은 남지 못하면 돌려 오지 않아도 좋다 하였다. ㉠ 그는 삼 원 돈에 덩실덩실 춤을 추다시피 뛰어나갔다. 그리고 그 이튿날, "선생님 잡수시라굽쇼." 하고 나 없는 때 참외 세 개를 갖다 두고 갔다. 그러고는 온 여름 동안 그는 우리 집에 얼른하지 않았다.

 들으니 ㉡ 참외 장사를 해 보긴 했는데 이내 장마가 들어 밑천만 까먹었고, 또 그까짓 것보다 한 가지 놀라운 소식은 그의 아내가 달아났단 것이다. 저희끼리 금슬은 괜찮았건만 동서가 못 견디게 굴어 달아난 것이라 한다. 남편만 남 같으면 따로 살림 나는 날이나 기다리고 살 것이나 평생 동서 밑에 살아야 할 신세를 생각하고 달아난 것이라 한다.

 그런데 요 며칠 전이었다. 밤인데 달포 만에 수건이가 우리 집을 찾아왔다. ㉢ 웬 포도를 큰 것으로 대여섯 송이를 종이에 싸지도 않고 맨손에 들고 들어왔다. 그는 벙긋거리며 첫마디로, "선생님 잡수라고 사 왔습죠." 하는 때였다. 웬 사람 하나가 날쌔게 그의 뒤를 따라 들어오더니 다짜고짜로 수건이의 멱살을 움켜쥐고 끌고 나갔다. 수건이는 그 우둔한 얼굴이 새하얗게 질리며 꼼짝 못하고 끌려 나갔다.

 나는 수건이가 포도원에서 포도를 훔쳐 온 것을 직각하였다. 쫓아 나가 매를 말리고 포도값을 물어주었다. 포도값을 물어 주고 보니 수건이는 어느 틈에 사라지고 보이지 않았다. 나는 그 다섯 송이의 포도를 탁자 위에 얹어 놓고 오래 바라보며 아껴 먹었다. ㉣ 그의 은근한 순정의 열매를 먹듯 한 알을 가지고도 오래 입안에 굴려 보며 먹었다.

— 이태준, 「달밤」 —

① ㉠: 황수건의 행위를 통해 참외 장사가 안 될 것을 예측할 수 있다.
② ㉡: 황수건에 대한 정보가 '나'에 의해 요약적으로 제시되고 있다.
③ ㉢: 포도는 장사 밑천을 대준 '나'에 대한 황수건의 고마움의 표시이다.
④ ㉣: 인물을 바라보는 '나'의 호의적인 태도를 읽을 수 있다.

21 ② 작품의 이해와 감상

② 서술자는 무직자들을 금광 브로커들로 보고 있다. 또한 이들이 만들어 내는 황금광 시대에 대해서 무거운 한숨을 내뱉고 있으므로 이들을 예찬 대상으로 보고 있는 것이 아니다.

|오답해설| ① '개찰구'는 무직자이자 금광 브로커들이 있는 곳이므로 세태의 단면을 드러내는 공간적 배경으로 볼 수 있다.
③ 평론가와 시인들 같은 문인들조차 끼어드는 황금광 시대에 대해서 비판적 태도를 보이고 있다.
④ ㉣의 바로 앞에 언급된 "고도의 금광열은 ~"에서 드러난다.

22 ④ 작품의 이해와 감상

④ 제시된 작품은 채만식의 「치숙」이다. 제시된 작품은 1인칭 관찰자 시점으로, 서술자인 '나'는 현실을 제대로 인식하지 못한 상태에서 자신의 생각을 여과 없이 표현하고 있다. 소설에서 이러한 화자를 '신빙성 없는 화자'라고 한다. 따라서 독자는 서술자의 생각을 비판적 시각에서 바라보게 된다.

23 ① 작품의 이해와 감상

① ㉠은 장사 밑천을 얻은 황수건의 즐거운 마음을 드러내고 있는 것이다. 앞으로 올 사건을 예측하게 하는 암시 또는 복선으로 보는 것은 무리가 있다.

|오답해설| ② 그간의 사건이 '나'에 의해 요약 제시되고 있다.

24

밑줄 친 부분의 함축적 의미로 가장 적절한 것은?

> 그는 피아노를 향하여 앉아서 머리를 기울였습니다.
> 몇 번 손으로 키를 두드려 보다가는 다시 머리를 기울이고 생각하고 하였습니다. 그러나 다섯 번 여섯 번을 다시 하여 보았으나 아무 효과도 없었습니다. 피아노에서 울려 나오는 음향은 규칙 없고 되지 않은 한낱 소음에 지나지 못하였습니다. 야성? 힘? 귀기? 그런 것은 없었습니다. 감정의 재뿐이 있었습니다.
> "선생님, 잘 안 됩니다."
> 그는 부끄러운 듯이 연하여 고개를 기울이며 이렇게 말하였습니다.
> "두 시간도 못 되어서 벌써 잊어버린담?"
> 나는 그를 밀어 놓고 내가 대신하여 피아노 앞에 앉아서 아까 베낀 그 음보를 펴 놓았습니다. 그리고 내가 베낀 곳부터 다시 시작하였습니다.
> 화염! 화염! 빈곤, 주림, 야성적 힘, 기괴한 감금당한 감정! 음보를 보면서 타던 나는 스스로 흥분이 되었습니다.
>
> — 김동인, 「광염 소나타」 중에서 —

① 화려한 기교가 없는 연주
② 악보와 일치하지 않는 연주
③ 도저히 이해할 수 없는 연주
④ 기괴한 감정이 느껴지지 않는 연주

25

두 사람의 대화에 대한 설명으로 적절한 것은?

> "저어기, 개천에서 올라오는 저 사람이 인제 어딜 가는지 알아내시겠에요?"
> "어디, 누구?"
> "저거, 땅꾼 아니냐?"
> "땅꾼요?"
> "거지 대장 말야."
> "저건 둘째 대장예요. 근데 지금 어딜 가는지 아시겠에요?"
> "인석, 그걸 내가 으떻게 아니?"
> 그러면 소년은 가장 자랑스러이,
> "인제 보세요. 저어 다리께 가게루 갈 테니."
> "어디…… 참, 딴은 가게로 들어가는구나. 저눔이 담뱃 사러 갔을까?"
> "아무것두 안 사구 그냥 나올 테니 보세요. 자아, 다시 돌쳐서서 이쪽으로 오죠?"
> "그래 인젠 저눔이 어딜 가누."
> "인제, 개천가 선술집으루 들어갈 테니 보세요."
> "어디…… 참, 딴은 술집으루 들어가는구나. 그래두 저눔이 가게서 뭐든지 샀겠지, 그냥 거긴 갔다 올 까닭이 있나?"
> "왜 들어가는지 아르켜 드릴까요? 저 사람이, 곧잘, 나리 밑으루 들어가서, 게서, 거지들한테 돈을 십 전이구 이십 전이구, 얻어 갖거든요. 그래 그걸루 술두 사 먹구, 밥두 사먹구 허는데, 그게 거지들이 동냥해 들인 거니, 이십 전이구, 삼십 전이구 간에, 모두 동전 한 푼짜릴 거 아녜요? 근데 저 사람이 동전 가지군 절대 술집엘 안 들어가거든요. 그래 은제든지 꼭 가게루 가서 그걸 모두 십 전짜리루 바꿔 달래서……."
>
> — 박태원, 「천변 풍경」 중에서 —

① 두 사람의 관심사가 달라서 대화가 지속되지 못하고 있다.
② 한 사람이 대화를 주도하면서 상대방의 관심을 끌어들이고 있다.
③ 상대방의 질문에 답하는 가운데 현실의 문제점을 확인하고 있다.
④ 서로 간의 의견 차이를 조정하면서 절충점을 찾아내고 있다.

26

다음 글의 내용과 부합하지 않는 것은?

무슈 리와 엄마는 재혼한 부부다. 내가 그를 아버지라고 부르기 어려운 것은 거의 그런 말을 발음해 본 적이 없는 습관의 탓이 크다.

나는 그를 좋아할뿐더러 할아버지 같은 이로부터 느끼던 것의 몇 갑절이나 강한 보호 감정 — 부친다움 같은 것도 느끼고 있다.

그러나 나는 그의 혈족은 아니다.

무슈 리의 아들인 현규와도 마찬가지다. 그와 나는 그런 의미에서는 순전한 타인이다. 스물두 살의 남성이고 열여덟 살의 계집아이라는 것이 진실의 전부이다. 왜 나는 이 일을 그대로 알아서는 안 되는가?

나는 그를 영원히 아무에게도 주기 싫다. 그리고 나 자신을 다른 누구에게 바치고 싶지도 않다. 그리고 우리를 비끄러매는 형식이 결코 '오누이'라는 것이어서는 안 될 것을 알고 있다.

나는 또 물론 그도 나와 마찬가지로 같은 일을 생각하고 있기를 바란다. 같은 일을 — 같은 즐거움일 수는 없으나 같은 이 괴로움을.

이 괴로움과 상관이 있을 듯한 어떤 조그만 기억, 어떤 조그만 표정, 어떤 조그만 암시도 내 뇌리에서 사라지는 일은 없다. 아아, 나는 행복해질 수는 없는 걸까? 행복이란, 사람이 그것을 위하여 태어나는 그 일을 말함이 아닌가?

초저녁의 불투명한 검은 장막에 싸여 짙은 꽃향기가 흘러든다. 침대 위에 엎드려서 나는 마침내 느껴 울고 만다.

– 강신재, 「젊은 느티나무」에서 –

① '나'는 '현규'도 '나'와 같은 감정을 갖고 있기를 기대하고 있다.

② '나'와 '현규'는 혈연적으로는 아무런 관계가 없는 타인이며, 법률상의 '오누이'일 뿐이다.

③ '나'는 '현규'에 대한 감정 때문에 '무슈 리'를 아버지로 부르는 것에 거부감을 갖고 있다.

④ '나'는 사회적 인습이나 도덕률보다는 '현규'에 대한 '나'의 감정에 더 충실해지고 싶어 한다.

---

24 ④ 작품의 이해와 감상

④ 밑줄 친 앞부분에 "야성? 힘? 귀기? 그런 것은 없었습니다."라는 말을 통해 '감정의 재'란 기괴한 감정이 느껴지지 않는 연주임을 알 수 있다.

25 ② 작품의 이해와 감상

② '소년'이 '둘째 대장'에 대한 화제를 제시하고 대화를 주도하면서 상대방의 관심을 끄는 방식으로 대화가 진행되고 있다.

|오답해설| ① 두 사람의 관심사는 같다.

③ 상대방의 질문에 답하고 있으나 그 가운데 현실의 문제점을 확인하고 있지는 않다.

26 ③ 작품의 이해와 감상

③ "거의 그런 말을 발음해 본 적이 없는 습관의 탓이 크다."를 통해 내가 현규 때문에 무슈 리를 아버지로 부르는 것에 거부감을 갖고 있는 것이 아님을 알 수 있다.

|오답해설| ① "나는 또 물론 ～ 같은 이 괴로움을."을 통해 '나'는 현규도 '나'와 같은 감정을 갖고 있기를 기대하고 있음을 알 수 있다.

② "무슈 리의 아들인 현규와도 ～ 그대로 알아서는 안 되는가?"를 통해 '나'와 현규는 혈연적으로는 아무런 관계가 없는 타인이며 법률상의 오누이일 뿐이라는 것을 알 수 있다.

④ "나는 그를 영원히 아무에게도 ～ 안 될 것을 알고 있다."를 통해 '나'는 사회적 인습이나 도덕률보다 현규에 대한 '나'의 감정에 더 충실해지고 싶어 하는 것을 알 수 있다.

27

다음 글의 공간에 대한 설명으로 적절하지 <u>않은</u> 것은?

시(市)를 남북으로 나누며 달리는 철도는 항만의 끝에 이르러서야 잘려졌다. 석탄을 싣고 온 화차(貨車)는 자칫 바다에 빠뜨릴 듯한 머리를 위태롭게 사리며 깜짝 놀라 멎고 그 서슬에 밑구멍으로 주르르 석탄 가루를 흘려보냈다.

집에 가 봐야 노루꼬리만큼 짧다는 겨울 해에 점심이 기다리고 있는 것도 아니어서 우리들은 학교가 파하는 대로 책가방만 던져둔 채 떼를 지어 선창을 지나 항만의 북쪽 끝에 있는 제분 공장에 갔다.

제분 공장 볕 잘 드는 마당 가득 깔린 멍석에는 늘 덜 건조된 밀이 널려 있었다. 우리는 수위가 잠깐 자리를 비운 틈을 타서 마당에 들어가 멍석의 귀퉁이를 밟으며 한 움큼씩 밀을 입 안에 털어 넣고는 다시 걸었다. 올올이 흩어져 대글대글 이빨에 부딪치던 밀알들이 달고 따뜻한 침에 의해 딱딱한 껍질을 불리고 속살을 풀어 입 안 가득 풀처럼 달라붙다가 제법 고무질의 질긴 맛을 낼 때쯤이면 철로에 닿게 마련이었다.

우리는 밀껍으로 푸우푸우 풍선을 만들거나 침목(枕木) 사이에 깔린 잔돌로 비사치기를 하거나 전날 자석을 만들기 위해 선로 위에 얹어 놓았던 못을 뒤지면서 화차가 닿기를 기다렸다.

드디어 화차가 오고 몇 번의 덜컹거림으로 완전히 숨을 놓으면 우리들은 재빨리 바퀴 사이로 기어 들어가 석딴 가루를 훑고 이가 벌어진 문짝 틈에 갈퀴처럼 팔을 들이밀어 조개탄을 후벼내었다. 철도 건너 저탄장에서 밀차를 밀며 나오는 인부들이 시커멓게 모습을 나타낼 즈음이면 우리는 대개 신발주머니에, 보다 크고 몸놀림이 잽싼 아이들은 시멘트 부대에 가득 든 석탄을 팔에 안고 낮은 철조망을 깨금발로 뛰어 넘었다.

선창의 간이음식점 문을 밀고 들어가 구석 자리의 테이블을 와글와글 점거하고 앉으면 그날의 노획량에 따라 가락국수, 만두, 찐빵 등이 날라져 왔다.

석탄은 때로 군고구마, 딱지, 사탕 따위가 되기도 했다. 어쨌든 석탄이 선창 주변에서는 무엇과도 바꿀 수 있는 현금과 마찬가지라는 것을 우리는 알고 있었고, 때문에 우리 동네 아이들은 사철 검정 강아지였다.

– 오정희, 「중국인 거리」에서 –

① 철길 때문에 도시가 남북으로 나뉘어 있다.
② 항만 북쪽에는 제분 공장이 있고, 철도 건너에는 저탄장이 있다.
③ 선로 주변에 아이들이 넘을 수 없는 철조망이 있다.
④ 석탄을 먹을거리와 바꿀 수 있는 간이음식점이 있다.

희곡, 시나리오, 수필

28

다음 글에 대한 설명으로 옳지 <u>않은</u> 것은?

해설자: (관객들에게 무대와 등장인물을 설명한다.) 이곳은 황야입니다. 이리 떼의 내습을 알리는 망루가 세워져 있죠. 드높이 솟은 이 망루는 하늘로 둘러싸여 있습니다. 하늘은 연극의 진행에 따라 황혼, 초승달이 뜬 밤, 그리고 아침으로 변할 겁니다. 저기 위를 바라보십시오. 파수꾼이 앉아 있습니다. 높은 곳에서 하늘을 등지고 있기 때문에 그는 언제나 시커먼 그림자로만 보입니다. 그는 내가 태어나기 전부터 파수꾼이었습니다. 나의 늙으신 아버지께서도 어린 시절에 저 유명한 파수꾼의 이야기를 들으셨다 합니다.

– 이강백, 「파수꾼」에서 –

① 공간적 배경은 망루가 세워져 있는 황야이다.
② 시간적 배경은 연극의 진행에 따라 변한다.
③ 해설자는 무대 위의 아버지를 소개한다.
④ 파수꾼의 얼굴은 분명하게 알 수 없다.

29

2017 서울시 9급

다음 〈보기〉의 글 다음에 나올 내용으로 가장 적절한 것은?

┤ 보기 ├

재작년이던가 여름날에 있었던 일이다. 날씨가 화창하여 밀린 빨래를 해치웠었다. 성미가 비교적 급한 나는 빨래를 하더라도 그날로 풀을 먹여 다려야지 그렇지 않으면 찜찜해서 심기가 홀가분하지 않다. 그날도 여름 옷가지를 빨아 다리고 나서 노곤해진 몸으로 마루에 누워 쉬려던 참이었다. 팔베개를 하고 누워서 서까래 끝에 열린 하늘을 무심히 바라보고 있었다. 그러다가 모로 돌아누워 산봉우리에 눈을 주었다. 갑자기 산이 달리 보였다. 하, 이것 봐라 하고 나는 벌떡 일어나, 이번에는 가랑이 사이로 산을 내다보았다. 우리들이 어린 시절 동무들과 어울려 놀이를 하던 그런 모습으로.

① 자연 속에서 무소유의 교훈을 찾아야 한다.
② 성실한 삶의 자세를 가져야 한다.
③ 종교적 의지를 통해 현실을 초월해야 한다.
④ 틀에 박힌 고정관념을 극복해야 한다.

27 ③ 작품의 이해와 감상

③ 다섯째 단락을 보면 "낮은 철조망을 ~ 뛰어넘었다."라는 표현에서 아이들이 철조망을 쉽게 뛰어넘었음을 알 수 있다.

|오답해설| ① 첫째 단락 "시(市)를 남북으로 나누며 달리는 철도"를 통해 확인할 수 있다.

② 둘째 단락 "항만의 북쪽 끝에 있는 제분 공장에 갔다."와 다섯째 단락 "철도 건너 저탄장"을 통해 확인할 수 있다.

④ 여섯째 단락 "선창의 간이음식점 ~ 날라져 왔다."를 통해 확인할 수 있다.

28 ③ 희곡

③ 아버지께서도 어린 시절에 파수꾼의 이야기를 들으셨다고 하더라는 언급만 있다. 아버지가 무대 위에 있는 인물은 아니다.

|오답해설| ① "이곳은 황야입니다."에서 알 수 있다.

② "하늘은 연극의 진행에 따라 ~ 변할 겁니다."에서 알 수 있다.

④ "파수꾼이 앉아 있습니다. ~ 그는 언제나 시커먼 그림자로만 보입니다."에서 알 수 있다.

29 ④ 수필

④ 제시된 글은 법정의 「거꾸로 보기」이다. 작가는 다리 사이로 거꾸로 보기를 하면서 일상이던 풍경이 갑자기 달리 보이는 경험을 하고 있다.

| 정답 | 27 ③　28 ③　29 ④

30

다음 글에 대한 이해로 가장 적절한 것은?

> 암소의 뿔은 수소의 그것보다도 한층 더 겸허하다. 이 애상적인 뿔이 나를 받을 리 없으니 나는 마음 놓고 그 곁 풀밭에 가 누워도 좋다. 나는 누워서 우선 소를 본다.
>
> 소는 잠시 반추를 그치고 나를 응시한다.
>
> '이 사람의 얼굴이 왜 이리 창백하냐. 아마 병인인가 보다. 내 생명에 위해를 가하려는 거나 아닌지 나는 조심해야 되지.'
>
> 이렇게 소는 속으로 나를 심리하였으리라. 그러나 오 분 후에는 소는 다시 반추를 계속하였다. 소보다도 내가 마음을 놓는다.
>
> 소는 식욕의 즐거움조차를 냉대할 수 있는 지상 최대의 권태자다. 얼마나 권태에 지질렸길래 이미 위에 들어간 식물을 다시 게워 그 시큼털털한 반소화물의 미각을 역설적으로 향락하는 체해 보임이리오?
>
> 소의 체구가 크면 클수록 그의 권태도 크고 슬프다. 나는 소 앞에 누워 내 세균 같이 사소한 고독을 겸손하면서 나도 사색의 반추는 가능함지 불가능함지 몰래 좀 생각해 본다.
>
> — 이상, 「권태」에서 —

① 대상의 행위를 통해 글쓴이의 심리가 투사되고 있다.

② 과거의 삶을 회상하며 글쓴이의 처지를 후회하고 있다.

③ 공간의 이동을 통해 글쓴이의 무료함을 표현하고 있다.

④ 현실에 대한 글쓴이의 불만이 반성적 어조로 표출되고 있다.

[31~32] 다음 글을 읽고 물음에 답하시오.

> 〈전략〉
>
> 우리들이 필요에 의해서 물건을 갖게 되지만 때로는 그 물건 때문에 적잖이 마음이 쓰이게 된다. 그러니까 무엇인가를 갖는다는 것은 다른 한편 무엇인가에 얽매인다는 것이다. 필요에 따라 가졌던 것이 도리어 우리를 부자유하게 얽어맨다고 할 때 주객전도(主客顚倒)되어 우리는 가짐을 당하게 된다는 말이다. 그러므로 많이 갖고 있다는 것은 흔히 자랑거리로 되어 있지만, 그마만큼 많이 얽히어 있다는 측면도 동시에 지니고 있는 것이다.
>
> 지난 해 여름 장마가 개인 어느 날 봉선사(奉先寺)로 운허 노사(耘虛老師)를 뵈러 간 일이 있었다. 한낮이 되자 장마에 갇혔던 햇볕이 눈부시게 쏟아져내리고 앞 개울 물소리에 어울려 숲속에서는 매미들이 있는 대로 목청을 돋구었다.
>
> 아차! 이때에야 문득 생각이 난 것이다. 난초를 뜰에 내놓은 채 온 것이다. 모처럼 보인 찬란한 햇볕이 돌연 원망스러워졌다. 뜨거운 햇볕에 늘어져 있을 난초잎이 눈에 아른거려 더 지체할 수가 없었다. 허둥지둥 그 길로 돌아왔다. 아니나 다를까 잎은 축 늘어져 있었다. 안타까워하며 샘물을 길어다 축여 주고 했더니 겨우 고개를 들었다. 하지만 어딘지 생생한 기운이 빠져버린 것 같았다.
>
> 나는 이때 온몸으로, 그리고 마음속으로 절절히 느끼게 되었다. 집착이 괴로움인 것을. 그렇다. 난(蘭)을 가꾸면서는 산철에도 나그네 길을 떠나지 못한 채 꼼짝 못하고 말았다. 밖에 볼 일이 있어 잠시 방을 비울 때면 환기가 되도록 들창문을 조금 열어 놓아야 했고, 분(盆)을 내놓은 채 나가다가 뒤미처 생각하고는 되돌아와 들여 놓고 나간 적도 한두 번이 아니었다. 그것은 정말 지독한 집착이었다.
>
> 며칠 후, 난초처럼 말이 없는 친구가 놀러왔기에 선뜻 그의 품에 분을 안겨 주었다. 비로소 나는 얽매임에서 벗어난 것이다. 날을 듯 홀가분한 해방감, 삼 년 가까이 함께 지낸 '유정(有情)'을 떠나보냈는데도 서운하고 허전함보다 홀가분한 마음이 앞섰다. 이때부터 나는 하루 한 가지씩 버려야겠다고 스스로 다짐을 했다. 난을 통해 무소유(無所有)의 의미 같은 걸 터득하게 됐다고나 할까.
>
> 인간의 역사는 어떻게 보면 소유사(所有史)처럼 느껴진다. 보다 많은 자기네 몫을 위해 끊임없이 싸우고 있는 것 같다. 소유욕에는 한정도 없고 휴일도 없다. 그저 하나라도 더 많이 갖고자 하는 일념으로 출렁거리고 있는 것이다. 물건만으로는 성에 차질 않아 사람까지 소유하려 든다. 그 사람이 제 뜻대로 되지 않을 경우는 끔찍한 비극도 불사(不辭)하면서 제 정신도 갖지 못한 처지에 남을 가지려 하는 것이다.
>
> 소유욕은 이해(利害)와 정비례한다. 그것은 개인뿐 아니라 국가 간의 관계도 마찬가지. 어제의 맹방(盟邦)들이 오늘에는 맞서게 되는가 하면, 서로 으르렁대던 나라끼리 친선 사절을 교환하는 사례를 우리는 얼마든지 보고 있다. 그것은 오

로지 소유에 바탕을 둔 이해 관계 때문인 것이다. 만약 인간의 역사가 소유사(所有史)에서 무소유사(無所有史)로 그 향(向)을 바꾼다면 어떻게 될까. 아마 싸우는 일은 거의 없을 것이다. 주지 못해 싸운다는 말은 듣지 못했다.

간디는 또 이런 말도 하고 있었다. "내게는 소유가 범죄처럼 생각된다.…" 그가 무엇인가를 갖는다면 같은 물건을 갖고자 하는 사람들이 똑같이 가질 수 있을 때 한한다는 것. 그러나 그것은 거의 불가능한 일이므로 자기 소유에 대해서 범죄처럼 자책하지 않을 수 없다는 것이다. 우리들의 소유 관념이 때로는 우리들의 눈을 멀게 한다. 그래서 자기의 분수까지도 돌볼 새 없이 들뜨게 되는 것이다. 그러나 우리는 언젠가 한번은 빈손으로 돌아갈 것이다. 내 이 육신마저 버리고 홀홀히 떠나갈 것이다. 하고많은 물량일지라도 우리를 어떻게 하지 못할 것이다.

크게 버리는 사람만이 크게 얻을 수 있다는 말이 있다. 물건으로 인해 마음을 상하고 있는 사람들에게는 한 번쯤 생각해 볼 말씀이다. 아무것도 갖지 않을 때 비로소 온 세상을 갖게 된다는 것은 무소유(無所有)의 역리(易理)이니까.

– 법정(法頂), 「무소유(無所有)」에서 –

31

2013 법원직 9급

위 글의 서술상의 특징으로 가장 적절한 것은?

① 비슷한 상황에 빗대어 추상적인 관념의 이해를 돕고 있다.
② 상반되는 사물과 대비하여 제재의 특성을 효과적으로 부각하고 있다.
③ 일상생활의 경험을 바탕으로 한 깨달음을 통해 교훈을 주고 있다.
④ 소유에 대한 인간의 태도 변화를 통해 세상사의 부질없음을 깨우치고 있다.

32

2013 법원직 9급

위 글을 통해 저자가 궁극적으로 말하려는 것으로 가장 적절한 것은?

① 우리는 언젠가 모두 빈손으로 돌아간다.
② 이 세상에 진실로 자기가 소유하는 것은 없다.
③ 소유욕에서 벗어날 때 인간은 자유로울 수 있다.
④ 소유로 인하여 삶의 균형이 파괴되고 마음의 평정을 잃는다.

정답&해설

30 ① 수필

① '소의 반추 행위'를 통해 글쓴이의 권태로운 심리가 투사되고 있다.
|오답해설| ②③④ 자신의 처지를 후회하는 심리나, 공간의 이동, 반성적 어조 등은 드러나지 않는다.

31 ③ 수필

③ 제시된 작품은 난초를 기르면서 경험한 사실을 바탕으로 인간이 가진 소유욕의 문제점과 무소유의 자유로움이라는 깨달음을 얻고, 이를 통해 자신의 것을 버림으로써 마음의 평화를 얻을 수 있다는 교훈을 전달한다.

32 ③ 수필

③ 제시된 작품의 주제는 무소유를 통한 평화와 자유로움이다.
|오답해설| ①②④ 무소유를 강조하기 위해서 보조적으로 쓰인 표현들이다.

| 정답 | 30 ① 31 ③ 32 ③

Ⅱ 현대 문학의 이해

공무원 vs. 수능 비교분석 ▶ 공무원 문학 문제는 감상형 문제와 지식형 문제가 둘 다 출제된다. 하지만 감상형 문제 출제 위주로 그 비중이 점차 변화하고 있다. 따라서 감상형 문제만 난도 높게, 집중적으로 출제되는 수능 문학 문제를 통해 공무원 문학의 감상형 문제를 심화하여 대비할 수 있다.

현대 시

[01~03] 다음 글을 읽고 물음에 답하시오.

(가)

[A] ┌ 검정 포대기 같은 까마귀 울음소리 고을에 떠나지 않고
    │ 밤이면 부엉이 괴괴히 울어
    │   남쪽 먼 포구의 백성의 순탄한 마음에도
    │   상서롭지 못한 세대의 어둔 바람이 불어오던
    └   – 융희(隆熙) 2년!

[B] ┌ 그래도 계절만은 천 년을 다채(多彩)하여
    │ 지붕에 박년출 남풍에 자라고
    └ 푸른 하늘엔 석류꽃 피 뱉은 듯 피어

[C] ┌ 나를 잉태한 어머니는
    │ 짐짓 어진 생각만을 다듬어 지니셨고
    │ 젊은 의원인 아버지는
    └ 밤마다 사랑에서 저릉저릉 글 읽으셨다

[D] ┌ 왕고뭇댁 제삿날 밤 열나흘 새벽 달빛을 밟고
    │ 유월이가 이고 온 제삿밥을 먹고 나서
    │   희미한 등잔불 장지 안에
    └   번문욕례 사대주의의 욕된 후예로 세상에 떨어졌나니

[E] ┌ 신월(新月)같이 슬픈 제 족속의 태반을 보고
    │ 내 스스로 고고(呱呱)*의 곡성(哭聲)*을 지른 것이 아니련만
    └ 명(命)이나 길라 하여 할머니는 돌메라 이름 지었다오

                              – 유치환, 「출생기(出生記)」 –

* 고고: 아이가 세상에 나오면서 처음 우는 울음소리
* 곡성: 사람이 죽어 슬퍼서 크게 우는 소리

(나)

샤갈의 마을에는 **삼월**에 눈이 온다.
봄을 바라고 섰는 사나이의 관자놀이에
새로 돋은 정맥이
바르르 떤다.
바르르 떠는 사나이의 관자놀이에
새로 돋은 정맥을 어루만지며
눈은 수천수만의 **날개**를 달고
하늘에서 내려와 샤갈의 마을의
지붕과 굴뚝을 덮는다.
삼월에 눈이 오면
샤갈의 마을의 쥐똥만 한 **겨울 열매들**은
다시 **올리브빛**으로 물이 들고
밤에 **아낙**들은
그해의 제일 아름다운 불을
아궁이에 지핀다.

                              – 김춘수, 「샤갈의 마을에 내리는 눈」 –

01

2019 수능

(가)와 (나)의 공통점으로 가장 적절한 것은?

① 시간과 관련된 표지를 제시하여 시적 분위기를 조성하고 있다.

② 과거 시제를 사용하여 서사적 사건을 들려주는 형식을 취하고 있다.

③ 시적 상황의 객관적 관찰에 초점을 둠으로써 주관적 의미의 서술을 배제하고 있다.

④ 암울하고 비관적인 정서를 내포한 시어를 사용하여 비극적 상황을 고조하고 있다.

⑤ 자연물을 살아 있는 대상으로 묘사하여 화자가 느끼는 이국적인 세계의 모습을 담아내고 있다.

02

2019 수능

[A]~[E]에 대한 이해로 적절하지 <u>않은</u> 것은?

① [A]: 청각의 시각화를 통해 음산한 시적 상황을 조성하고 있다.

② [B]: 시대 상황과 대비되는 자연의 모습을 통해 생명력을 표현하고 있다.

③ [C]: 대구 형식을 활용하여 화자의 출생을 앞둔 집안의 분위기를 드러내고 있다.

④ [D]: 화자가 태어난 날의 상황을 구체적으로 서술하여 출생에 대한 감격을 드러내고 있다.

⑤ [E]: 울음소리에서 연상되는 상반된 의미와 연결하여 화자의 이름이 지어진 이유를 제시하고 있다.

03

2019 수능

〈보기〉를 참고하여 (나)를 감상한 내용으로 적절하지 <u>않은</u> 것은?

┤ 보기 ├

　　김춘수는 샤갈의 그림 「나와 마을」에서 받은 느낌을 시로 표현함으로써 상호 텍스트성을 구현했다. 올리브빛 얼굴을 가진 사나이와 당나귀가 서로 마주 보고 있는 그림에서 영감을 받은 시인은, "특히 인상 깊었던 것은 커다란 당나귀의 눈망울이었고, 그 당나귀의 눈망울 속에 들어앉아 있는 마을이었다."라고 느낌을 말했다. 또한 밝고 화려한 색감을 지닌 이질적 이미지들의 병치로 이루어진 샤갈의 초현실주의적 그림에 대한 감각적 인상을, 자신의 고향 마을에 투사하여 다양한 이미지의 병치로 변용했다. 이는 봄을 맞이한 생동감과 고향 마을의 따뜻한 풍경에 대한 그리움을 형상화한 것이라고 할 수 있다.

① '샤갈의 마을'은 시인이 그림 속 마을 풍경에서 받은 인상을 자신의 고향 마을에 투사하여 표현한 것이군.

② '삼월에 눈', '봄을 바라고 섰는 사나이', '새로 돋은 정맥' 등은 시인이 그림 속 이질적 이미지들의 병치를 다양한 이미지들의 병치로 변용하여 봄의 생동감을 형상화한 것이군.

③ '날개', '하늘', '지붕과 굴뚝' 등은 시인이 밝고 화려한 색감을 지닌 그림 속 마을의 모습을 공감각적 이미지의 풍경으로 변용한 것이군.

④ '올리브빛'은 시인이 그림 속에서 영감을 받은 것으로 '겨울 열매들'을 물들이는 따뜻한 봄의 이미지를 표상한 것이군.

⑤ '아낙', '아궁이' 등은 시인이 초현실주의적 그림 속 풍경에 대한 감각적 인상을 고향 마을을 떠올리게 하는 이미지로 전이시킨 것이군.

정답&해설

01 ①

① (가)는 '융희(隆熙) 2년'이라는 시간과 관련된 표지를 제시하여 일제 강점기를 앞둔 암울한 시적 분위기를, (나)는 '삼월'이라는 시간과 관련된 표지를 제시하여 봄을 맞는 생동감 있는 시적 분위기를 조성하고 있다.

|오답해설| ③ (나)의 '봄을 바라고 섰는 사나이'와 '제일 아름다운 불'은 다소 주관적인 서술이다. 따라서 주관적 의미의 서술을 배제하고 있다는 진술은 적절치 않다.

02 ④

④ 화자가 태어난 날의 상황을 구체적으로 서술한 것은 맞으나, '욕된 후예'로 태어났다는 내용과 연관 지어 보면 출생에 대한 감격이라는 진술은 부적절하다.

03 ③

③ '날개', '하늘'은 흰색 계열이고, '지붕과 굴뚝'은 어두운 색 계열이다. 따라서 밝고 화려한 색감이라는 진술은 적절하지 않다.

|정답| **01** ① **02** ④ **03** ③

(가) 꿈을 아느냐 네게 물으면,
　　플라타너스,
　　너의 머리는 어느덧 파아란 하늘에 젖어 있다.

　　너는 사모할 줄을 모르나,
　　플라타너스,
　　너는 네게 있는 것으로 그늘을 늘인다.

　　먼 길에 올 제,
　　㉠ 홀로 되어 외로울 제,
　　플라타너스,
　　너는 그 길을 나와 같이 걸었다.

　　이제 너의 뿌리 깊이
　　나의 영혼을 불어넣고 가도 좋으련만,
　　플라타너스,
　　나는 너와 함께 신이 아니다!

　　수고론 우리의 길이 다하는 어느 날,
　　플라타너스,
　　너를 맞아 줄 검은 흙이 먼 곳에 따로이 있느냐?
　　나는 오직 너를 지켜 네 이웃이 되고 싶을 뿐,
　　그곳은 아름다운 별과 나의 사랑하는 창이 열린 길이다.
　　　　　　　　　　　　　　　　　　　　－ 김현승, 「플라타너스」 －

(나) 선뜻! 뜨인 눈에 하나 차는 영창
　　달이 이제 밀물처럼 밀려오다.

　　미욱한 잠과 베개를 벗어나
　　부르는 이 없이 불려 나가다.

　　한밤에 ㉡ 홀로 보는 나의 마당은
　　호수같이 둥긋이 차고 넘치노나.

　　쪼그리고 앉은 한옆에 흰 돌도
　　이마가 유달리 함초롬 고와라.

　　연연턴 녹음, 수묵색으로 짙은데
　　한창때 곤한 잠인 양 숨소리 설키도다.

　　비둘기는 무엇이 궁거워* 구구 우느뇨,
　　오동나무 꽃이야 못 견디게 향그럽다.
　　　　　　　　　　　　　　　　　　　　－ 정지용, 「달」 －

* 궁거워: 궁금하여

04
2018 9월 고3 모의고사

(가)에 대한 설명으로 가장 적절한 것은?

① 반복적 호명을 통해 중심 대상으로 초점을 모으고 있다.
② 반어적 표현을 활용하여 대상의 이중성을 부각하고 있다.
③ 색채어를 활용하여 대상의 고풍스러운 모습을 드러내고 있다.
④ 현재형 진술을 통해 대상의 역동적 성격을 보여 주고 있다.
⑤ 상승적 이미지를 활용하여 사물의 변화 과정을 표현하고 있다.

05
2018 9월 고3 모의고사

㉠과 ㉡에 대한 이해로 가장 적절한 것은?

① ㉠은 화자의 관조적 자세를, ㉡은 화자의 반성적 자세를 보여 준다.
② ㉠은 화자가 경험한 시련을, ㉡은 화자가 간직한 추억을 환기한다.
③ ㉠은 화자의 무기력한 태도를, ㉡은 화자의 담담한 태도를 표현한다.
④ ㉠은 화자의 적막한 처지를, ㉡은 화자를 둘러싼 고즈넉한 분위기를 드러낸다.
⑤ ㉠은 현실에 대한 화자의 회의감을, ㉡은 앞날에 대한 화자의 기대감을 부각한다.

06

〈보기〉를 바탕으로 (가)와 (나)를 감상한 내용으로 적절하지 않은 것은?

―| 보기 |―

　(가)와 (나)는 특정한 공간에서 사물과 교감하는 화자의 내면을 보여 준다. (가)의 화자는 삶의 여정이자 구도적 공간인 '길'에서 이상 세계인 '하늘'을 지향하는 소망을 드러낸다. (나)의 화자는 달밤의 조화로운 풍경을 포착하는 심미적 공간인 '마당'에서 사물의 아름다움에 대한 충만한 정서를 드러낸다.

① (가)의 화자는 '플라타너스'와 '같이' 걷는 모습에서, (나)의 화자는 '흰 돌'의 '유달리' 고운 '이마'를 알아채는 모습에서 사물과의 교감을 보여 주는군.

② (가)의 화자는 '어느 날'에 이르는 과정을 통해 삶의 여정을 드러내고, (나)의 화자는 '한밤'에 '밀물'처럼 밀려온 달빛을 통해 조화로운 풍경을 포착하는군.

③ (가)의 '창'은 화자와 '하늘'을 잇는 매개체로서 이상 세계의 완전함을, (나)의 '영창'은 화자의 내면과 외부 세계를 잇는 매개체로서 화자의 만족감을 상징하는군.

④ (가)는 반짝이는 '별'의 이미지를 활용하여 화자가 지향하는 세계의 아름다움을, (나)는 차고 넘치는 '호수'의 이미지를 활용하여 화자가 느끼는 '마당'의 아름다움을 표현하는군.

⑤ (가)의 화자는 '플라타너스'와 '이웃'이 되어 구도의 '길'을 함께하고자 하는 소망을, (나)의 화자는 오동 꽃이 '못 견디게 향그럽다'고 표현하여 자연에 대한 감흥을 드러내는군.

04 ①

① (가)의 화자는 매 연마다 '플라타너스'를 반복적으로 부르며 '플라타너스'에 대한 화자의 인식과 소망 등을 드러내고 있다. 이러한 반복적인 호명을 통해 작품의 초점을 '플라타너스'라는 중심 대상에 집중시키는 효과를 거두고 있다.

|오답해설| ③ '파아란'이라는 색채어를 사용하고 있으나, 이것은 플라타너스가 꿈을 지닌 존재라는 것을 드러내는 표현이다. 이를 통해 플라타너스가 고풍스러운 모습을 지녔다는 진술은 부적절하다.

05 ④

④ (가)의 화자는 자신의 상황을 '홀로 되어 외로울 제'라고 인식하며 고독감을 드러내고 있으므로 ㉠은 적막한 처지를 드러내는 표현이라고 할 수 있다. 반면, (나)의 화자는 밤중에 달빛이 마당을 비춘 광경을 '홀로 보'면서 고요하고 정감 어린 정취를 표현하고 있으므로 ㉡은 고즈넉한(고요하고 아늑한) 분위기를 드러내고 있다고 할 수 있다.

06 ③

③ (가)에서 '창'은 〈보기〉에서 언급한 화자가 지향하는 이상 세계와 관련된다고 볼 수 있으나, '창' 자체가 이상 세계의 완전함을 상징하는 것은 아니다.

현대 소설

[07~09] 다음 글을 읽고 물음에 답하시오.

[앞부분 줄거리] 어린 시절의 친구 은자를 주인공으로 한 소설을 발표했던 '나'는 어느 날 오랫동안 소식을 몰랐던 은자로부터 연락을 받는다.

다음날 아침 어김없이 은자의 전화가 걸려 왔다. 토요일이었다. 이제 오늘 밤과 내일 밤뿐이었다. 은자도 그것을 강조하였다.

"설마 안 올 작정은 아니겠지? 고향 친구 한번 만나 보려니까 되게 힘드네. 야, 작가 선생이 밤무대 가수 신세인 옛 친구 만나려니까 체면이 안 서데? 그러지 마라. 네 보기엔 한심할지 몰라도 오늘의 미나 박이 되기까지 참 숱하게도 넘어지고 또 넘어지고 했으니까."

그렇게 말할 만도 하였다. 고상한 말만 골라서 신문에 내고 이렇게 해야 할 것 아니냐, 저렇게 되면 곤란하다, 라고 말하는 게 능사인 작가에게 밤무대 가수 친구가 웬 말이냐고 볼멘소리를 해 볼 만도 하였다. 나는 아무런 대꾸도 할 수 없었다. 박은자에서 미나 박이 되기까지 그 애는 수없이 넘어지고 또 넘어진 모양이었다. 누군들 그러지 않겠는가. 부천으로 옮겨 와 살게 되면서 나는 그런 삶들의 윤기 없는 목소리를 많이 듣고 있었다. 딱히 부천이어서가 아니라 내가 부천 사람이어서 그랬을 것이었다. 창가에 붙어 앉아 귀를 모으고 있으면 지금이라도 넘어져 상처 입은 원미동 사람들의 이야기를 들을 수 있었다. 넘어졌다가 다시 일어나고, 또 넘어지는 실패의 되풀이 속에서도 그들은 정상을 향해 열심히 고개를 넘고 있었다. 정상의 면적은 좁디좁아서 아무나 디딜 수 있는 곳이 아니라는 엄연한 현실도 그들에게는 단지 속임수로밖에 납득되지 않았다. 설령 있는 힘을 다해 기어올랐다 하더라도 결국은 내리막길을 마주해야 한다는 사실 또한 수긍하지 않았다. 부딪치고, 아등바등 연명하며 기어 나가는 삶의 주인들에게는 다른 이름의 진리는 아무런 소용도 없는 것이었다. 그들에게 있어 인생이란 탐구하고 사색하는 그 무엇이 아니라 몸으로 밀어 가며 안간힘으로 두들겨야 하는 굳건한 쇠문이었다. 혹은 멀리 보이는 높은 산봉우리였다.

…(중략)…

일 년에 한 번씩 타인의 낯선 얼굴을 확인하러 고향 동네에 가는 일은 쓸쓸함뿐이었다. 이제는 그 쓸쓸함조차도 내 것으로 남지 않게 될 것이었다. 누구라 해도 다시는 고향으로 돌아가지 못할 것이었다. 고향은 지나간 시간 속에 있을 뿐이니까. 누구는 동구 밖의 느티나무로, 갯마을의 짠 냄새로, 동네를 끼고 흐르는 긴 강으로 고향을 확인하며 산다고 했다. 내게 남은 마지막 표지판은 은자인 셈이었다. 보이는 것들은, 큰오빠까지도 다 변하였지만 상상 속의 은자는 언제

나 같은 모습이었다. 은자만 떠올리면 옛 기억들이, 내게 남은 고향의 모든 숨소리가 손에 잡힐 듯이 다가오곤 하였다. 허물어지지 않은 큰오빠의 모습도 그 속에 온전히 남아 있었다. 내가 새부천 클럽에 가서 은자를 만나 버리고 나면 그때부터는 어떤 표지판에 기대어 고향을 찾아갈 수 있을 것인지 정말 알 수 없었다.

은자의 지금 모습이 어떤지 나는 전혀 떠올릴 수가 없다. 설령 클럽으로 찾아간다 하여도 그 애를 알아볼 수 있을지 자신할 수도 없었다. 내 기억 속의 은자는 상고머리에, 때 낀 목덜미를 물들인 박 씨의 억센 손자국, 그리고 터진 겨드랑이 사이로 내 보이던 낡은 내복의 계집아이로 붙박여 있었다. 서른도 훨씬 넘은 중년 여인의 그 애를 어떻게 그려 낼 수 있는가. 수십 년 간 가슴에 품어 온 고향의 얼굴을 현실 속에서 만나고 싶지는 않다, 라고 나는 생각하였다. 만나 버린 뒤에는 내게 위안을 주었던 유년의 소설도, 소설 속의 한 시대도 스러지고야 말리라는 불안감을 떨쳐 버릴 수가 없었다. 그렇다 하더라도 이미 현실로 나타난 은자를 외면할 수 있을는지 그것만큼은 풀 수 없는 숙제로 남겨 둔 채 토요일 밤을 나는 원미동 내 집에서 보내고 말았다.

일요일 낮 동안 나는 전화 곁을 떠나지 못하였다. 이제 은자는 가시 돋친 음성으로 나의 무심함을 탓할 것이었다. 그녀의 질책을 나는 고스란히 받아들일 작정이었다. 나는 그 애가 던져 올 말들을 하나하나 상상해 보면서 전화를 기다렸다. 오전에는 그러나 한 번도 전화벨이 울리지 않았다.

— 양귀자, 「한계령」 —

07

2019 6월 고3 모의고사

윗글의 서술상 특징으로 가장 적절한 것은?

① 독백적 진술을 중심으로 인물의 내면 심리를 드러낸다.

② 동시에 벌어진 사건들을 삽화처럼 나열하여 이야기의 흐름을 지연시킨다.

③ 이야기 외부의 서술자가 인물의 행위를 해설하고 사건의 의미를 직접 제시한다.

④ 서술자가 다양한 인물로 바뀌면서 인물 간의 갈등을 다각적으로 조명한다.

⑤ 서술자가 의문과 추측의 진술을 통하여 다른 인물에 대한 반감을 드러낸다.

08

윗글의 '나'와 '은자'에 대한 이해로 가장 적절한 것은?

① '은자'는 가수로서의 성공을, '나'는 작가로서의 성공을 확신하고 있다.

② '나'는 '은자'의 전화로부터 심리적 위안을 얻으며 갈등을 해소하고 있다.

③ '은자'는 '나'와의 재회를 기대하고 있고, '나'는 '은자'의 제안을 단호히 거절하고 있다.

④ '나'는 '은자'가 도도하다고 여기고 있고, '은자'는 '나'가 체면을 차린다고 여기고 있다.

⑤ '은자'는 현재의 자신을 '나'에게 보여 주려 하고 있고, '나'는 '은자'를 통해 옛 기억을 돌아보고 있다.

09

〈보기〉를 바탕으로 윗글을 감상한 내용으로 적절하지 <u>않은</u> 것은?

┤ 보기 ├

아이러니는 흔히 말하는 반어보다 넓은 개념이다. 소설에서는 어떤 인물의 행동이나 내면, 그리고 그가 살고 있는 세계에서 대립적인 두 의미를 동시에 찾을 수 있을 때에 아이러니가 발견될 수 있다. 이때 대립적인 의미는 양면성을 생성한다. 「한계령」에서는 인물이 바라보는 대상, 인물의 행위와 의식의 대립, 인물의 심리 등에서 이러한 양면성을 발견할 수 있다.

① '결국은 내리막길을 마주해야' 하는데도, '있는 힘을 다해 기어'오르고 있는 '그들'에게서 '나'는 양면성을 발견하는군.

② '몸으로 밀어 가'야 할 '굳건한 쇠문'을 '탐구하고 사색'하려 하는 '그들'에게서 '나'는 양면성을 발견하는군.

③ '일 년에 한 번씩' '고향 동네에 가'면서도, '누구라 해도 다시는 고향으로 돌아가지 못할 것'이라고 생각하는 '나'의 모습에서 양면성이 나타나는군.

④ '변해' 버린 '큰오빠'와 '온전히 남아' 있는 '큰오빠'가 '나'의 생각 속에 공존하고 있는 것에서 양면성이 나타나는군.

⑤ '은자'를 '만나고 싶지는 않다'고 생각하면서도, 만나자는 '은자'의 '전화를 기다'리는 '나'의 모습에서 양면성이 나타나는군.

정답&해설

07 ①

① 제시된 작품은 어린 시절 친구였던 '은자'의 전화를 받은 '나'가 '은자'에 대한 기억으로부터 끌어 낸 서민들의 애환에 대한 생각과, '은자'로부터 연상된 고향과 '큰오빠'에 대한 생각을 담담하게 독백적인 어조로 서술하며 인물 내면의 심리를 드러내고 있다.

|오답해설| ⑤ "박은자에서 미나 박이 되기까지 그 애는 수없이 넘어지고 또 넘어진 모양이었다.", "서른도 훨씬 넘은 중년 여인의 그 애를 어떻게 그려 낼 수 있는가." 등을 통해 확인할 수 있듯이 제시된 작품에서는 서술자가 '은자'의 삶에 대해 추측하는 부분이 나타나 있다. 그러나 이러한 추측이 인물에 대한 반감을 드러내는 것은 아니다.

08 ⑤

⑤ "설마 안 올 작정은 아니겠지?", "네 보기엔 한심할지 몰라도 오늘의 미나 박이 되기까지 참 숱하게도 넘어지고 또 넘어지고 했으니까." 등을 통해 확인할 수 있듯이 '은자'는 자신의 현재 모습을 '나'에게 보여 주려 하고 있다. 그리고 "은자만 떠올리면 옛 기억들이 ~"에서 확인할 수 있듯이 '나'는 '은자'를 통해 옛 기억을 돌아보고 있다.

|오답해설| ① '은자'가 가수로 활동하고 있는 것은 맞으나, '나'에게 "작가 선생이 밤무대 가수 신세인 옛 친구 만나려니까 체면이 안 서데?"라고 묻는 것에서 '은자'는 스스로가 작가인 '나'에게 다소 부담스러운 존재일 수도 있다고 생각하고 있다고 볼 수 있다. 그러므로 '은자'가 성공을 확신하고 있다는 진술은 적절하지 않다.

09 ②

② "그들에게 있어 인생이란 탐구하고 사색하는 그 무엇이 아니라 몸으로 밀어 가며 안간힘으로 두들겨야 하는 굳건한 쇠문이었다."를 통해 확인할 수 있듯이 '그들'은 '굳건한 쇠문'을 몸으로 밀어 가며 살아가야 하는 존재들일 뿐, 그것을 '탐구하고 사색하는' 존재들이 아니다.

[10~12] 다음 글을 읽고 물음에 답하시오.

㉠ 그렇게…… 그렇게도 배가 고프디야.

그 넓은 운동장을 다 걸어 나올 때까지 불현듯 어머니의 입에서 새어 나온 말은 꼭 그 한마디였다. 하지만 그것은 반드시 그를 향해 묻는 말이라기보다는 넋두리에 더 가까웠다. 교문을 나선 어머니는 집으로 가는 길을 제쳐 두고 웬일인지 곧장 다릿목에서 왼쪽으로 꺾어 드는 것이었다. 저만치 구호소 식당이 눈에 들어왔을 때 그는 까닭 모를 두려움과 수치심으로 뒷걸음질을 쳤다. 그런 그를 어머니는 별안간 무서운 힘으로 잡아끌었다.

㉡ 가자. 아무리 없어서 못 먹고 못 입고 살더래도 나는 절대로 내 새끼를 거지나 도둑놈으로 키울 수는 없응께. 시상에…… 시상에, 돌아가신 느그 아버지가 이런 꼴을 보시면 뭣이라고 그러시끄나이.

어머니의 음성은 돌연 냉랭하게 변해 있었다. 끝내 그는 와앙 울음을 터뜨려 버리고 말았다. 그러나 어머니는 기어코 구호소 식당 안의 때 묻은 널빤지 의자 위에 그를 끌어다가 앉혀 놓았다.

잠시 후 어머니가 손바닥에 받쳐 들고 온 것은 ⓐ 한 그릇의 국수였다. 긴 대나무 젓가락이 찔려져 있는 그것을 어머니는 그의 앞으로 밀어 놓으며 말했다.

㉢ 먹어라이. 어서 먹어 보란 말다이…….

어머니의 음성에는 어느새 아까의 냉랭함이 거의 지워져 있었다. 그는 몇 번 망설이다가 젓가락을 뽑아 들고 무 조각 하나가 덩그러니 떠 있는 그 구호용 가락국수를 먹기 시작했다. 그러다가 문득 고개를 들었던 그는 그만 젓가락을 딸각 놓아 버리고 말았다. 마주 앉아서 그때까지 그를 줄곧 지켜보고 있었을 어머니의 눈에는 소리도 없이 눈물이 그득히 괴어오르고 있었기 때문이었다. 탁자 밑에 가지런히 모아져 있는 어머니의 낡은 먹고무신을 내려다보며 그는 갑자기 목구멍이 뻐근해져 옴을 느껴야 했다.

그 후, 그는 두 번 다시 그 빈민 구호소 식당 앞에서 얼쩡거리지 않았다. 아마도 그런 기억 때문이었는지는 몰라도, 두 아이의 아버지가 된 지금까지도 국수는 그에게 여전히 싫어하는 음식으로 남아 있었다.

…(중략)…

어머니한테 뭔가 이상한 변화가 일어나고 있을지도 모른다는 불길한 조짐을 처음으로 느끼기 시작한 것은 두 달 전쯤부터였다. 그날따라 겨울이 전에 없이 일찍 앞당겨 찾아온 듯한 늦가을 날씨로 밖은 유난히 썰렁했다. 젓가락으로 밥알을 헤아리듯 하며 맛없는 아침상을 받고 있노라니까 아내가 심상찮은 기색으로 곁에 쪼그려 앉는 것이었다. 그녀가 미처 입을 열기도 전에 그는 짐짓 신경질적인 표정부터 준비했다. 그즈음은 마침 지난달의 봉급을 받지 못한 데다가 그달 봉급마저도 벌써 며칠째 넘기고 있던 참이었으므로, 이번에도 또

아내의 입에서 보나마나 궁색한 소리가 튀어나오리라고 지레짐작했던 때문이었다. 급료도 제대로 나오지 않는 직장을 뭣 하러 나다녀야 하느냐는 당연한 투정 때문에 얼마 전에도 한바탕 말다툼을 벌였던 적이 있었던 것이다. 그러나 이날 아침은 그게 아니었다.

여보. 나가시기 전에 어머님 좀 잠시 들여다보세요. 암만 해도…….

아니 왜. 감기약을 지어 드렸는데도 여전히 차도가 없으시대?

며칠 전부터 몸이 편찮으시다고 누워 계시는 줄은 그도 알고 있었다. 병원에 가 보는 게 어떻겠느냐고 물었더니, 특별히 아픈 데는 없노라고, 아마도 고뿔인 것 같으니까 누워 있으면 곧 괜찮아질 거라고 하며 어머니는 손을 내젓던 것이었다.

그게 아니라, 저어, 암만해도 어머님이 좀 이상해지신 것 같단 말예요.

그, 그건 또 무슨 소리야.

아내는 뭔가 숨기고 있는 듯한 어정쩡한 표정으로 그의 눈치를 살피고 있었다. 문득 불길한 예감이 뒤통수를 때렸다.

아무리 봐도 예전 같지가 않으시다구요. 그렇게 정신이 총총하시던 분이 별안간 무슨 말인지도 모를 헛소리를 하시기도 하고……. 어쩌다가는 또 말짱해 보이시는 것 같다가도 막상 물어 보면 전혀 엉뚱한 대답을 하시는 거예요. 처음엔 일부러 그러시는가 했는데, 글쎄 그게 아니에요.

도대체 난데없이 무슨 소릴 하고 있는 거야, 지금.

설마 어머니가 그럴 리가 있을까 싶으면서도 왠지 섬뜩한 예감에 그는 숟가락을 놓고 곧장 건너가 보았다.

어머니는 이불을 덮고 누워 무얼 생각하는지 멀거니 천장만 올려다보고 있었다. 의외로 안색이 나아 보였으므로 그는 적이 맘을 놓았다. 하지만 어머니는 두 번씩이나 부르는 아들의 목소리에도 대답이 없었다. 그저 꼼짝도 하지 않고 망연한 시선을 천장의 어느 한 점에 멈춰 두고 있을 뿐이었다. 한동안 멍청하게 앉아 있던 그가 자리에서 마악 일어서려 할 때였다.

㉣ 찬우야이!

어머니의 입에서 불쑥 그 한마디가 튀어나오는 순간 그는 가슴이 철렁했다. 직감적으로 어떤 불길한 예감이 전신을 휩싸 안는 것 같았다. 아직까지 어머니는 한 번도 그렇게 아들의 이름을 직접 부르는 적이 없었다. 적어도 그가 결혼한 후로는 그랬다. 하지만 그보다도 더 그가 놀랐던 것은 어머니의 음성에서였다. 그것은 이미 예전의 귀에 익은 음성이 아니었다. 언제나 보이지 않는 따뜻함과 부드러움으로 흘러나오곤 하던 그 목소리에는 대신 어딘가 냉랭하면서도 들떠 있는 듯한 건조함이 배어 있었다. 그 음성을 듣는 순간 그가 내심 섬찟했던 것은 바로 그 생경한 이질감 때문이었는지도 모른다. 그는 놀란 눈으로 황급히 어머니의 얼굴을 들여다보았다.

ⓗ 찬우야이. 어서 꼬두메로 돌아가자이. 느그 아부지랑 찬세가 얼매나 기다리겠냐아. 더 추워지기 전에 싸게싸게 집으로 가야 한단 말다이.

어머니는 나직하게, 그러나 힘이 서린 목소리로 그렇게 말하는 것이었다. 그가 너무 당황하여 그 말이 무슨 뜻인지를 얼른 쉽사리 가려낼 수가 없었다.

 – 임철우, 「눈이 오면」 –

10

2018 9월 고3 모의고사

윗글의 서술상 특징으로 가장 적절한 것은?

① 특정 인물의 회상을 중심으로 이야기를 전개하고 있다.
② 계절의 변화를 통해 사건 해결의 실마리가 드러나고 있다.
③ 공간적 배경에 대한 상세한 묘사를 통해 사건 전개를 지연시키고 있다.
④ 서술자가 관찰자의 입장에서 사건을 전달함으로써 객관성을 높이고 있다.
⑤ 서술의 초점을 다양한 인물로 옮겨 가며 갈등을 다각적으로 조명하고 있다.

11

2018 9월 고3 모의고사

ⓐ에 대한 설명으로 가장 적절한 것은?

① '어머니'와 '그'의 갈등을 지속시키는 매개물이다.
② '그'가 사회 문제에 관심을 갖게 하는 매개물이다.
③ '그'가 '어머니'의 속마음을 깨닫게 하는 매개물이다.
④ '어머니'에 대한 '그'의 배려를 드러내는 매개물이다.
⑤ 어려운 처지의 '어머니'에게 위안을 주는 매개물이다.

정답&해설

10 ①

① 제시된 작품은 특정 인물, 즉 '그'(찬우)가 회상하는 과거의 일을 중심으로 이야기가 전개되고 있다.

|오답해설| ② (중략) 뒷부분에 "그날따라 겨울이 전에 없이 일찍 앞당겨 찾아온 듯한 늦가을 날씨로 밖은 유난히 썰렁했다."라는 부분이 있어 계절의 변화가 나타나 있다고 볼 수는 있으나, 이것은 시간적 배경과 분위기를 제시한 것일 뿐 사건 해결의 실마리와는 관계가 없다.

11 ③

③ ⓐ '한 그릇의 국수'는 '어머니'가 빈민 구호소 식당에서 '그'에게 먹인 음식이다. 마지못해 국수를 먹던 '그'는 눈물이 그득히 괴어오른 '어머니'의 눈을 보게 되고, '어머니'의 속마음은 가난의 설움, 가난 때문에 배불리 먹이지 못하는 자식에 대한 안쓰러움과 사랑 같은 것이었음을, 국수를 먹으며 깨닫게 된다.

|오답해설| ① 국수를 먹기 전까지 '그'와 '어머니'는 표면적으로 갈등 관계에 있었다. 그러나 국수를 먹음으로써 '그'는 '어머니'를 이해하게 된다. 따라서 국수는 갈등을 지속시키는 매개물이 아니라 갈등을 해소하는 매개물이다.

| 정답 | 10 ① 11 ③

2018 9월 고3 모의고사

〈보기〉를 참고하여 ㉠~㉤을 감상한 내용으로 적절하지 않은 것은?

┤보기├

「눈이 오면」에서는 어머니의 목소리가 발화 내용과 어우러져 '그'에게 특별한 메시지를 전달한다. 그 목소리는 '그'에게 수치심, 죄책감, 불길함, 섬찟함, 당혹감 등의 감정을 불러일으키거나 특정한 행동을 야기한다.

① ㉠에서 '어머니'가 넋두리에 가까운 말로 아들의 배고픔을 언급한 것은 '그'가 구호소 식당을 보았을 때 느낀 까닭 모를 두려움과 수치심으로 이어지는군.

② ㉡에서 '어머니'가 냉랭한 음성으로 '아버지'를 언급한 것은 '그'에게 죄책감을 불러일으켜 결국 '그'로 하여금 울음을 터뜨리게 하는군.

③ ㉢에서 '어머니'가 냉랭함이 사라진 음성으로 '그'에게 국수를 먹으라고 권하는 것은 '그'에게 불길함을 느끼게 하여 젓가락을 딸각 놓는 행동에 영향을 주는군.

④ ㉣에서 '어머니'가 생경한 이질감이 느껴지는 음성으로 '그'의 이름을 부른 것은 '그'에게 '어머니'의 변화를 인식하게 하여 섬찟함을 느끼게 하는군.

⑤ ㉤에서 '어머니'가 힘이 서린 목소리로 돌아가신 아버지가 있는 집으로 가자고 하는 것은 과거와 현재를 구분하지 못하는 '어머니'의 모습을 드러내어 '그'에게 당혹감을 갖게 하는군.

희곡, 시나리오, 수필

[13~16] 다음 글을 읽고 물음에 답하시오.

최 노인: (화단 쪽을 가리키며) 저기 심어 놓은 화초며 고추 모가 도무지 자라질 않는단 말이야! 아까도 들여다보니까 고추 모에서 꽃이 핀 지는 벌써 오래전인데 열매가 열리지 않잖아! 이상하다 하고 생각을 해 봤더니 저 멋없는 것이 좌우로 탁 들어 막아서 햇볕을 가렸으니 어디 자라날 재간이 있어야지! 이러다간 땅에서 풀도 안 나는 세상이 될 게다! ㉠ 말세야 말세!

이때 경재 제복을 차려 입고 책을 들고 나와서 신을 신다가 아버지의 이야기를 듣고는 깔깔대고 웃는다.

경재: 원 아버지두……

최 노인: 이눔아 뭐가 우스워?

경재: 지금 세상에 남의 집 고추밭을 넘어다보며 집을 짓는 사람이 어디 있어요?

최 노인: ⓐ 옛날엔 그렇지 않았어!

경재: 옛날 일이 오늘에 와서 무슨 소용이 있어요? 오늘은 오늘이지. ㉡ (웅변 연사의 흉을 내며) 역사는 강처럼 쉴 새 없이 흐르고 인생은 뜬구름처럼 변화무쌍하다는 이 엄연한 사실을, 이 역사적인 사실을 똑바로 볼 줄 아는 사람만이 자신의 운명을 개척할 수 있다는 사실을 최소한도로 아셔야 할 것입니다! 에헴!

…(중략)…

경수: 여보 영감님! 여긴 종로 한복판입니다. 게다가 가게와 살림집이 붙었는데 그래 겨우 이백오십만 환이라구요? ⓑ 그런 당치도 않은 거짓말은 공동묘지에서나 하시오.

복덕방: 뭐 뭐요? 공동묘지에서라고? 예끼 버릇없는 놈 같으니라구!

경수: 아니 이 영감님이……

복덕방: 그래 이눔아 너는 애비도 에미도 없는 놈이기에 나이 먹은 늙은이더러 공동묘지에 가라구? 이 천하에.

최 노인: 여보 김 첨지. 젊은 애들이 말버릇이 나빠서 그런 걸 가지고 탓할 게 뭐요?

복덕방: 그래 내가 집 거간이나 놓고 다니니까 뭐 사고무친한 외도토린 줄 아느냐? 이눔아! 나도 장성 같은 아들에다 딸이 육 남매여!

경수: 아니 제가 뭐라고 했길래……

어머니: 넌 잠자코 있어! 용서하시우. 요즘 젊은 놈들이란 아무 생각 없이 말을 하니까요…… 게다가 술을 마셨다우.

복덕방: 음 이눔이 한낮부터 술 처먹고 어른에게 행패구나! 이눔아! 내가 그렇게 만만하니?

최 노인: 김 첨지! 글쎄 진정하시라니까…… 내가 대신 이렇게 사죄하겠소 원!

복덕방: 그러고 이백오십만 환이 터무니없는 값이라고? 이 늙아 누군 돈이 바람 맞은 대추알이라던? 응? 그것도 잘 생각해서야! 음! 이런 분한 일이 있나!

최 노인: 글쎄 참으시고 이리 앉으세요.

복덕방: 난 그만 가 보겠소이다. 이런 일도 기분 문제니까요! 다른 사람 골라서 공동묘지로 보내구려! 에잇.

최 노인: 아 ⓒ 김 첨지! 김 선생! (하며 뒤를 쫓아 나간다.)

경수: 제길 무슨 놈의 영감이 저래?

어머니: 네가 잘못이지 뭐니……

경수: 집을 팔지 말라고 했는데……

이때 최 노인 쌔근거리면서 등장하자 이 말을 듣고는 성을 더 낸다.

최 노인: 이눔아! ⓒ 누가 이 집을 판다고 했어? 응?

경수: 아니 그럼 이 집을 파시는 게 아니면 뭣 하러 복덕방은……

최 노인: 저런 쓸개 빠진 녀석 봤나! 아니 내가 뭣 때문에 이 집을 팔아? 응? 옳아 네눔 취직 자본을 대기 위해서? 응?

어머니: 아니 그럼 이백오십만 환이란 무슨 얘깁니까?

최 노인: 네 따위 놈을 위해서 하나 남은 집마저 팔아야만 속이 시원하겠니? 전세로 육 개월만 내놓겠다는 거야!

경수: 예? 전세라구요?

ⓓ (어머니와 경운은 서로 얼굴을 바라본다.)

최 노인: 왜 아주 안 파는 게 양에 안 차지? 이눔아! 이 애비가 집도 절도 없는 거지가 되어서 죽는 꼴이 그렇게도 보고프냐?

경수: (당황하며) 아버지 아니에요! 저는……

최 노인: 아니면 껍질이냐?

어머니: ⓓ 여보 그럼 집을 전세로 줘서 뭣 하시게요?

최 노인: 글쎄 아까 어떤 친구 얘기가 요즘 그 실내에서 하는 그 뭐드라 '샤풀이뽈'이라든가……

경운: '샤뿔뽀오드*' 말씀이에요?

최 노인: 그래 '샤뿔뽀오드' 말이다! 그건 차리는 데 돈도 안 들고 수입이 괜찮다고 하면서 4가에 적당한 집이 있다기에 그걸 해 볼까 하고 이 집을 보였지. 그래 얘기가 거이 익어 가는 판인데 글쎄 다 되어 간 음식에 코 빠치기로 저 녀석이……

어머니: 아니 그럼 전세로 이백오십만 환이란 말인가요?

최 노인: 그렇지! 저 가게만 해도 백만 환은 받을 수 있어!

어머니: 그런 걸 가지고 나는 괜히……

최 노인: 뭐가 괜히야?

경운: ⓔ 아버지께서 이 집을 팔으실 줄만 알았어요.

12 ③

③ '그'가 ⓒ을 듣고 불길함을 느꼈다는 내용은 찾을 수 없다. 오히려 냉랭함이 거의 지워졌음을 느끼고 있다.

최 노인: 흥! 너희들은 모두 한속이 되어서 어쩌든지 내 일을 안 되게 하고 이 집을 날려 버릴 궁리들만 하고 있구나! 이 천하에 못된 것들! (하며 불쑥 일어선다.)

어머니: 그럴 리가 있겠어요! 다만……

최 노인: 듣기 싫어! (화초밭으로 나오며) 이 집안에서는 되는 거라곤 하나도 없어! 흔한 햇볕도 안 드는 집이 뭣이 된단 말이야! 뭣이 돼! (하며 화초밭을 함부로 작신작신 짓밟고 뽑아 헤친다.)

어머니: ⑩ (맨발로 뛰어내리며) 여보! 이게 무슨 짓이오! 그렇게 정성을 들여서 가꾼 것들을…… 원…… 당신도……

최 노인: 내가 정성을 안 들인 게 뭐가 있어…… 나는 모든 일에 정성을 들였지만 안 되지 않아! 하나도 씨도 말야!

— 차범석, 「불모지」 —

* 샤뿔뽀오드(shuffleboard): 오락의 한 종류

13

2018 9월 고3 모의고사

윗글에 대한 이해로 가장 적절한 것은?

① 언어유희를 통해 인물 간의 긴장을 고조시키고 있다.
② 장면의 전환을 통해 각 인물의 내면이 부각되고 있다.
③ 인물들의 복장을 통해 인물들의 심리를 드러내고 있다.
④ 인물의 등퇴장을 통해 인물의 성격 변화를 드러내고 있다.
⑤ 실제 지명의 노출을 통해 극중 상황에 사실감을 부여하고 있다.

14

2018 9월 고3 모의고사

㉠~㉤에 대한 설명으로 적절하지 않은 것은?

① ㉠: 주변 환경의 변화에 대한 '최 노인'의 부정적 인식이 드러나 있다.
② ㉡: '경재'의 말에 주목하게 하는 효과를 드러내고 있다.
③ ㉢: 호칭을 달리하면서 상대방의 마음을 돌리기 위한 '최 노인'의 노력이 드러나 있다.
④ ㉣: 두 인물이 '경수'와는 다른 생각을 가지고 있음을 동시에 확인하고 있다.
⑤ ㉤: '어머니'의 다급한 심리를 행동을 통해 제시하고 있다.

15

2018 9월 고3 모의고사

〈보기〉와 ⓐ~ⓔ를 관련지어 윗글을 감상한 내용으로 적절하지 않은 것은?

┤ 보기 ├

'발견'이란 인물이 극의 전개 과정에서 사건의 숨겨진 측면을 알아차리는 계기를 드러내는 기법이다. '발견'의 대상은 중요한 의미를 지닌 물건이 될 수도 있고 몰랐던 사실이나 새로운 가치, 인물의 다른 면 등이 될 수도 있다. 이러한 '발견'을 통해 사건은 새로운 국면으로 바뀌기도 하고 인물들의 갈등 양상이 변모되기도 한다.

① '경재'는 ⓐ를 통해 '최 노인'이 예전과 달라진 현실을 부정적으로 인식한다는 것을 발견함으로써, '최 노인'에게 변화를 수용하는 태도가 필요함을 드러내는군.
② '복덕방'은 ⓑ를 통해 '경수'가 자신을 무시한다는 것을 발견함으로써, '최 노인'과의 흥정을 중지하게 되는군.
③ '경수'는 ⓒ를 통해 '최 노인'이 집을 팔 의도가 없다는 것을 발견함으로써, '최 노인'에 대한 오해가 풀리게 되는군.
④ '최 노인'은 ⓓ를 통해 자신의 계획을 '어머니'가 못마땅해한다는 것을 발견함으로써, 자신의 계획을 변경하게 되는군.
⑤ '최 노인'은 ⓔ를 통해 집 문제에 대한 자신의 의도를 '경운'이 잘 모르고 있었다는 것을 발견함으로써, 가족들에 대한 불만을 드러내는군.

16

2018 9월 고3 모의고사

화초밭에 대한 이해로 가장 적절한 것은?

① 경제적 안정에 대한 가족들의 희망이 드러나는 장소이다.
② 중심인물이 집을 지키기 위해 자신의 꿈을 포기하는 장소이다.
③ 두 인물의 상반된 행동을 통해 인물 간의 갈등이 해소되는 장소이다.
④ 중심인물이 현재의 고통이 자신에게서 비롯되었음을 자책하는 장소이다.
⑤ 자신의 노력이 결실을 맺지 못하여 허망해하는 중심인물의 감정이 드러나는 장소이다.

[17~21] 다음 글을 읽고 물음에 답하시오.

(가)　산과 산이 마주 향하고 믿음이 없는 얼굴과 얼굴이 마
　　주 향한 항시 어두움 속에서 꼭 한 번은 **천동 같은 화산**
　　이 일어날 것을 알면서 요런 자세로 꽃이 되어야 쓰는가.
　　　저어 서로 응시하는 쌀쌀한 풍경. 아름다운 자폭토는 이
　　미 고구려 같은 정신도 신라 같은 이야기도 없는가. **별**
　　들이 차지한 하늘은 끝끝내 하나인데…… 우리 무엇에
　　불안한 얼굴의 의미는 여기에 있었던가.
　　　모든 **유혈(流血)**은 꿈같이 가고 지금도 나무 하나 안심
　　하고 서 있지 못할 광장. 아직도 **정맥**은 끊어진 채 휴식
　　인가 야위어 가는 이야기뿐인가.
　　　언제 한 번은 불고야 말 독사의 혀같이 **징그러운 바람**
　　이여. 너도 이미 아는 모진 겨울살이를 또 한 번 겪으라
　　는가 아무런 죄도 없이 피어난 꽃은 시방의 자리에서 얼
　　마를 더 살아야 하는가 아름다운 길은 이뿐인가.
　　　산과 산이 마주 향하고 믿음이 없는 얼굴과 얼굴이 마
　　주 향한 항시 어두움 속에서 꼭 한 번은 천동 같은 화산
　　이 일어날 것을 알면서 **요런 자세로 꽃**이 되어야 쓰는가.

　　　　　　　　　　　　　　　　　　　　－ 박봉우, 「휴전선」 －

(나) 득음은 못하고, 그저 시골장이나 떠돌던
　　소리꾼이 있었다, 신명 한 가락에
　　막걸리 한 사발이면 그만이던 흰 두루마기의 그 사내
　　꿈속에서도 폭포 물줄기로 내리치는
　　한 대목 절창을 찾아 떠돌더니
　┌　오늘은, 왁새* 울음 되어 우항산 솔밭을 다 적시고
[A]　우포늪 둔치, 그 눈부신 봄빛 위에 자운영 꽃불
　└　질러 놓는다
　┌　살아서는 근본마저 알 길 없던 혈혈단신
[B]　텁텁한 얼굴에 달빛 같은 슬픔이 엉켜 수염을 흔
　└　들곤 했다
　　　늙은 고수라도 만나면
　　　어깨 들썩 산 하나를 흔들었다
　┌　필생 동안 그가 찾아 헤맸던 소리가
[C]　적막한 늪 뒷산 솔바람 맑은 가락 속에 있었던가
　┌　소목 장재 토평마을 양파들이 시퍼런 물살 몰아칠 때
[D]　일제히 깃을 치며 동편제* 넘어가는
　└　저 왁새들
　┌　완창 한 판 잘 끝냈다고 하늘 선회하는
[E]　그 소리꾼 영혼의 심연이
　└　우포늪 꽃잔치를 자지러지도록 무르익힌다

　　　　　　　　　　　　　　　　　　　　－ 배한봉, 「우포늪 왁새」 －

* 왁새: 왜가리의 별명 / * 동편제: 판소리의 한 유파

---

13 ⑤

⑤ '중략' 바로 다음에 나오는 경수의 대사에서 '종로'라는 실제 지명이 드러난다. 이처럼 서울 중심의 실제 지명을 노출함으로써, 최 노인이 자기 집 주변에 '멋없는 것이 좌우로 탁 들어 막아서 햇볕을 가리는 상황을 개탄하며 '이러다간 땅에서 풀도 안 나는 세상이 될' 거라고 역정을 내는 극중 상황에 사실감이 더해지고 있다.

| 오답해설 | ② 집을 둘러싼 각 인물의 내면이 드러나지만 이것이 장면의 전환을 통해 부각되는 것은 아니다.

14 ④

④ ⓔ에서 '어머니'와 '경운'은 '경수'와 마찬가지로 '최 노인'이 집을 팔려고 하는 줄로 알고 있었기에 놀라서 서로 쳐다보는 상황이다.

15 ④

④ ⓓ는 집을 전세로 육 개월만 내놓겠다는 '최 노인'의 계획을 '어머니'가 못마땅해 한 것이 아니라 그 계획의 의도를 궁금해하는 것이다.

16 ⑤

⑤ '최 노인'은 좌우를 가로막은 건물들 탓에 햇볕이 잘 들지 않아 작물들이 도무지 자라질 않는 상황에서도 화초밭을 정성껏 가꾸어 왔다. 그는 화초밭뿐만이 아니라 모든 일에 정성을 들였다. 그러나 아무것도 제대로 되지 않았다. 따라서 화초밭은 '최 노인'이 자기의 노력이 결실을 맺지 못한 것에 허망해하는 감정이 드러난 장소라고 할 수 있다.

(다) 그 바위를 가리켜 어느 건방진 옛사람이 오심암(吾心巖)이라고 이름을 지어 주었다 한다. 그보다도 조금 겸손한 누구는 세심암(洗心巖)이라고 불렀다 한다.

기운차게 일어선 산발이 이곳에 이르러 오심암의 절경을 남기기 위하여 한 둥근 골짜기를 이루어 놓고 다시 다물어졌다.

짙은 단풍 빛에 붉게 누렇게 물든 **검은 절경**의 성장(盛裝), 그것을 선을 두른 동해보다도 더 푸른 하늘빛, 천사가 흘리고 간 형겊인 듯 봉우리 위에 가볍게 비낀 백옥보다도 흰 엷은 구름 조각.

이것은 분명히 자연이 흘려 놓은 예술의 극치다. 그러나 겸손한 자연은 그의 귀한 예술이 홍진(紅塵)에 물들 것을 염려하여 그것을 이 깊은 산골짜기에 감추었던 것인가 보다.

어귀까지 '버스'를 불러오고 이곳까지 2등 도로를 끌어오는 것은 본래부터 그의 뜻은 아니었을 게다. 오직 사람만이 장하지도 아니한 그들의 예술을 천하에 뽐낼 기회만 엿보나 보다.

둘러보건대 이 골짜기에는 일찍이 먼지를 품은 **미친 바람**과 같은 것은 지나가 본 일이 아주 없었나 보아서 **아득히 쳐다보이는 높은 하늘 아래** 티끌을 품은 듯한 아무것도 없다. 잠깐 내 자신을 굽어보니 허옇게 먼지 낀 의복, 그 밑에 숨은 먼지 낀 내 몸뚱어리, 그리고 또 그 속에 엎드린 먼지 낀 내 마음, 나는 그 텃기 모르는 순결한 자연 속에 쓰레기처럼 동떨어진 내 몸의 더러움을 새삼스럽게 부끄러워하였다.

…(중략)…

차디찬 **바위** 위에 신발을 벗고 모자를 던지고 외투를 벗어 팽개치고 반듯이 누워서 눈을 감으니 인생도 예술도 다 어디로 사라지고 오직 끝없는 **망각**이 내 마음을 아니 우주를 채우며 온다. 그러나 몸을 식히며 스며드는 **찬기**는 어느새 거리에서 멀리 떨어진 우리들의 위치를 깨닫게 한다. 우리는 채 씻기지 않은 마음을 거두어 가지고 잠시나마 정을 들인 오심암을 두 번 세 번 돌아다보면서 간 길을 다시 내려오기 시작하였다. 좋은 벗 떠나기란 싫은 것처럼, 좋은 자연에도 석별의 정은 마찬가진가 보다. 또한 좋은 음식을 만났을 때 벗을 생각하는 것이 자연스러운 것처럼 떠나고 싶지 않은 자연을 앞에 두고는 멀리 있는 벗들이 갑자기 그리웁다. 나는 마음속으로 어느새 오심암에게 무언(無言)의 약속을 주어 버렸다.

'내년에는 벗을 데리고 또 찾아오마'고.

– 김기림, 「주을온천행」 –

(가)~(다)의 공통점으로 가장 적절한 것은?

① 인간의 삶과 공간의 의미를 연결 지어 주제 의식을 구체화하고 있다.

② 갈등과 대립이 없는 화합의 세계를 보여 줌으로써 희망적인 미래를 예견하고 있다.

③ 역사적 상황을 직시함으로써 부정적 현실을 극복하려는 참여 의식을 표방하고 있다.

④ 자연이 인간에게 미친 긍정적인 영향을 강조함으로써 사물에 대한 예찬적 태도를 드러내고 있다.

⑤ 특정한 장소에 대한 직접적인 경험을 바탕으로 인간의 교만한 태도에 대한 비판을 이끌어 내고 있다.

(가), (나)에 대한 설명으로 적절하지 <u>않은</u> 것은?

① (가)는 설의적 표현으로 현실에 대한 화자의 안타까움을 드러내고 있다.

② (나)는 청각의 시각화를 통해 소재의 생동감을 부각하고 있다.

③ (가)는 시간의 흐름에 따라, (나)는 시선의 이동에 따라 시상을 전개하고 있다.

④ (가)는 동일한 시구를 반복하여, (나)는 인물에 대한 이야기를 활용하여 주제 의식을 강조하고 있다.

⑤ (가)와 (나)는 모두 화자의 인식을 자연물에 투영하여 시적 정서를 환기하고 있다.

19

(가)와 (다)에 대한 감상으로 가장 적절한 것은?

① (가)의 '천둥 같은 화산'은 신뢰를 잃은 상황이 초래한 불안한 현실을, (다)의 '검은 절경'은 아름다움을 잃은 풍경에서 느껴지는 암울한 심정을 드러내고 있다.

② (가)의 '별들이 차지한 하늘'은 하나로 이어진 세계를, (다)의 '아득히 쳐다보이는 높은 하늘 아래'는 흠결 없는 세계를 그려 내고 있다.

③ (가)의 끊어진 '정맥'은 '유혈'을 이겨낸 삶의 의지를, (다)의 엄습하는 '찬기'는 정든 곳을 떠나야 하는 절망감을 환기하고 있다.

④ (가)의 '징그러운 바람'은 미래에 닥칠지 모를 모진 상황을, (다)의 '미친 바람'은 삶에서 지켜야 할 소중한 존재를 상징하고 있다.

⑤ (가)의 '꽃'은 죄 없이 '요런 자세'로 삶에 순응하는 존재를, (다)의 '바위'는 지나온 과거를 '망각'하며 삶을 회의하는 존재를 표현하고 있다.

20

〈보기〉를 참고하여 [A]~[E]를 이해한 내용으로 적절하지 <u>않은</u> 것은?

> ┤ 보기 ├
>
> 이 시의 화자는 '우포늪'에서 왁새 울음소리를 들으며, 득음을 못한 채 생을 마감했던 한 '소리꾼'을 상상적으로 떠올리고 있다. 화자는 왁새 울음소리에서 고단하고 외로웠던 소리꾼이 평생을 추구했던 절창을 연상함으로써, 우포늪의 생명력이 소리꾼의 영혼을 절창으로 이끌었음을 표현하고자 했다. 자연과 인간이 어우러진 세계에서 창조되는 예술의 경지와 우포늪의 아름다움을 조화롭게 형상화한 것이다.

① [A]: 화자는 왁새 울음소리와 우포늪의 풍경을 연결 지어 소리꾼이 추구했던 절창을 상상적으로 떠올리고 있다.

② [B]: 득음의 경지를 찾아 떠돌았던 소리꾼의 얼굴에 묻어나는 삶의 비애를 감각적으로 표현하고 있다.

③ [C]: 소리꾼이 평생 추구했던 절창을 우포늪에서 찾아낸 화자의 정서를 드러내고 있다.

④ [D]: 화자가 상상적으로 떠올린 세계를 우포늪 일대의 현실적 공간과 결부하고 있다.

⑤ [E]: 날아가는 왁새와 완창을 한 소리꾼을 대비하여 자연과 인간이 통합된 예술의 형상을 사실적으로 보여 주고 있다.

---

17 ①

① (가)에서는 휴전선이라는 공간을 남북 분단의 현실과 결부해 우리 민족이 겪는 비극과 그 비극을 극복하려는 의지를 드러낸다. (나)에서는 진정한 소리를 찾기 위해 평생을 바쳤던 한 소리꾼의 삶을 생명력 넘치는 우포늪이라는 공간과 결부해 그의 삶과 우포늪이 지니는 가치를 구체화한다. (다)에서는 바위로 대표되는 겸손하고 순결한 자연 공간과 세속적 삶에 물든 글쓴이를 연결 지어 바위처럼 살고 싶은 글쓴이의 마음을 드러낸다.

|오답해설| ③ (가)에서는 남북 분단이라는 역사적 상황을 직시함으로써 분단 상황을 극복하려는 화자의 의지가 드러나 있으나, (나)와 (다)에서는 역사적 상황을 직시하는 부분이 없다.

18 ③

③ (가)는 시간의 흐름에 따라 시상을 전개하지 않았으며, (나) 또한 시선의 이동에 따라 시상을 전개하지 않았다.

19 ②

② (가)의 '별들이 차지한 하늘'은 왕래할 수 없도록 땅을 나눈 휴전선과 달리, 자유롭게 왕래할 수 있는 '끝끝내 하나인' 세계이다. 또한 (다)에서 '아득히 쳐다보이는 높은 하늘 아래'는 순결한 자연을 의미한다.

|오답해설| ④ (가)의 '징그러운 바람'은 미래에 발발할 수도 있는 전쟁으로 인한 비극적 상황을 상징하기에 미래에 닥칠지 모를 모진 상황이라는 해석이 가능하다. 그러나 (다)의 '미친 바람'은 먼지를 품고 있다. 즉, 부정적 존재를 상징한다.

20 ⑤

⑤ [E]에서 화자는 하늘을 선회하는 왁새를 바라보며, 평생 추구했던 절창을 끝낸 소리꾼과 이 왁새를 동일시하고 있다. 즉, 대비하고 있지 않다.

〈보기〉는 '선생님'의 안내에 따라 학생들이 (다)를 감상한 내용이다. ⓐ∼ⓔ 중 적절하지 **않은** 것은?

┤ 보기 ├

선생님 : 수필은 글쓴이의 성찰을 보여 준다는 점에서 반성적이고, 깨달음을 전한다는 점에서 교훈적이며, 인생과 사회에 대한 인식과 판단을 드러낸다는 점에서 비판적인 특징을 갖습니다. 글쓴이의 발상과 통찰은 제재에서 새로운 의미를 이끌어 내고, 글쓴이의 문체는 내용을 효과적으로 표현하는 데 활용되지요. 그러면 이 작품에 드러난 수필의 특징을 확인해 봅시다.

학생 1 : 가을의 풍경을 효과적으로 그려 내기 위해 감각적인 문체를 활용하고 있음을 알 수 있어요. ──── ⓐ

학생 2 : '예술의 극치'와 '장하지도 아니한' 예술을 대비하는 데에서, 인간에 대한 비판적 인식을 엿볼 수 있어요. ──────────────── ⓑ

학생 3 : '오심암'의 경치에서 '겸손한 자연', '순결한 자연'을 이끌어 내는 데에서, 대상의 새로운 의미에 대한 통찰을 엿볼 수 있어요. ──── ⓒ

학생 4 : 인간의 삶에서 자연이 '티끌'처럼 작아 보인다고 한다는 점에서, 사색을 통해 교훈을 얻는 수필의 특성을 확인할 수 있어요. ──── ⓓ

학생 5 : '먼지 낀 의복'을 보고 '몸뚱어리'와 '마음'에 대한 부끄러움을 떠올린 데에서, 스스로를 돌아보는 반성적인 태도를 확인할 수 있어요. ──── ⓔ

① ⓐ

② ⓑ

③ ⓒ

④ ⓓ

⑤ ⓔ

[22~26] 다음 글을 읽고 물음에 답하시오.

(가)　그 골목이 그렇게도 짧은 것을 그가 처음으로 느낄 수 있었을 때, 신랑의 몸은 벌써 차 속으로 사라지고, 자기와 차 사이에는 몰려든 군중이 몇 겹으로 길을 가로막았다. 이쁜이 어머니는 당황하였다. 그들의 틈을 비집고,

'이제 가면, 네가 언제나 또 온단 말이냐? ……'

딸이 이제 영영 돌아오지 못하기나 하는 것 같이, 그는 막 자동차에 오르려는 딸에게 달려들어,

"이쁜아."

한마디 불렀으나, 다음은 목이 메어, 얼마를 멍하니 딸의 옆 얼굴만 바라보다가, 그러한 어머니의 마음을 알아줄 턱없는 운전수가, 재촉하는 경적을 두어 번 울렸을 때, 그는 또 소스라치게 놀라며, 그저 입에서 나오는 대로,

"모든 걸, 정신 차려, 조심해서, 해라……"

그러나 자동차의 문은 유난히 소리 내어 닫히고, 다시 또 경적이 두어 번 운 뒤, 달리는 자동차 안에 이쁜이 모양을, 어머니는 이미 찾아볼 수가 없었다. 그는 실신한 사람같이, 얼마를 그곳에 서 있었다. 깨닫지 못하고, **눈물**이 뺨을 흐른다. 그 마음속을 알아주면서도, 아낙네들이, 경사에 눈물이 당하냐고, 그렇게 책망하였을 때, 그는 갑자기 조금 웃고, 그리고, 문득, 정신을 바짝 차리지 않으면, 그대로 그곳에서 혼도해 버리고 말 것 같은 극도의 피로와, 또 이제는 이미 도저히 구할 길 없는 마음속의 공허를, 그는 일시에 느꼈다.

제6절 몰락

한편에서 이렇게 경사가 있었을 때─(그야, 외딸을 남을 주고 난 그 뒤에, 홀어머니의 외로움과 슬픔은 컸으나 그래도 아직 그것은 한 개의 경사라 할 밖에 없을 것이다)─, 또 한편 개천 하나를 건너 신전 집에서는, 바로 이날에 이제까지의 서울에서의 살림을 거두어, 마침내 애달프게도 온 집안이 시골로 내려갔다.

[A] ┌ 독자는, 그 수다스러운 점룡이 어머니가, 이미 한 달도 전에, 어디서 어떻게 들었던 것인지, 쉬이 신전 집이 낙향을 하리라고 가장 은근하게 빨래터에서 하던 말을 기억하고 계실 것이다. 이를테면 그것이 그대로 실현된 것에 지나지 않는다. 그러나 다만 그들의 가는 곳은, 강원도 춘천이라든가 그러한 곳이 아니라, 경기 강화였다.

이 봄에 대학 의과를 마친 둘째 아들이 아직 취직처가 결정되지 않은 채, 그대로 서울 하숙에 남아 있을 뿐으로─(그러나, 그도 그로써 얼마 안 되어 충청북도 어느 지방의 '공의'가 되어 서울을 떠나고 말았다)─, 신전 집의 온 가족은, 아직도 장가를 못 간 주인의 처남까지도 바로 어디 나들

이라도 가는 것처럼, 별로 남들의 주의를 끄는 일도 없이, 스무 해를 살아온 이 동리에서 사라지고 말았다.

한번 기울어진 가운은 다시 어쩌는 수 없어, 온 집안사람은, 언제든 당장이라도 서울을 떠날 수 있는 준비 아래, 오직 주인 영감의 명령만을 기다리고 있었던 것이므로, 동리 사람들도 그것을 단지 시일 문제로 알고 있었던 것이나, 그래도 이 신전 집의 몰락은, 역시 그들의 마음을 한때, 어둡게 해 주었다.

그러나 오직 그뿐이다. 이 **도회에서의 패잔자**는 좀 더 남의 마음에 애달픔을 주는 일 없이 무심한 이의 눈에는, 참말 어디 볼일이라도 보러 가는 사람같이, 그곳에서 얼마 안 되는 작은 광교 차부에서 강화행 자동차를 탔다. 천변에 일어나는 온갖 일에 관찰을 게을리하지 않는 이발소 소년이, 용하게도 막, 그들의 이미 오래 전에 팔린 집을 나오는 일행을 발견하고 그래 이발소 안의 모든 사람이 그것을 알았을 뿐으로, 그들이 남부끄럽다 해서, 고개나마 변변히 못 들고 빠른 걸음걸이로 천변을 걸어 나가, 그대로 큰길로 사라지는 뒷모양이라도 흘낏 본 이는 몇 명이 못 된다. 얼마 있다, 원래의 신전은 술집으로 변하고, 또 그들의 살던 집에는 좀 더 있다, 하숙옥 간판이 걸렸다.

— 박태원, 「천변 풍경」 —

(나) #68. 산비탈 길

뚜벅뚜벅 걷고 있는 철호.

#69. 피난민 수용소 안(회상)

담요 바지 철호의 아내가 주워 모은 널빤지 조각을 이고 들어와 부엌에 내려놓고 흩어진 머리칼을 치키며 숨을 돌리고 있다.

철호ⓔ*: 저걸 저토록 고생시킬 줄이야.

담요 바지 아내의 모습 위에 — O·L* —

여학교 교복을 입고 강당에 서서 노래를 부르고 있는 그 시절의 아내. 또 O·L되며 신부 차림의 아내가 노래를 부르고 있다. 그 옆에 상기되어 앉아 있는 결혼 피로연 석상의 철호. 노래는 '돌아오라 소렌토'.

#70. 산비탈

철호가 멍하니 시가지를 내려다보고 섰다. 황홀에 묻힌 거리.

#71. 자동차 안

해방촌의 **골목길**을 운전수가 땀을 빼며 빠져나와서 뒤를 돌아보고

운전수: 손님! 이상 더 올라가지 못하겠는데요.

영호: 그럼 내립시다. **시시한 동네**까지 몰구 오느라고 수고했소.

21 ④

④ (다)에서 글쓴이는 티끌 하나 없는 순결한 자연에 비해 자신의 몸과 마음이 먼지, 즉 세속의 때로 가득하다고 생각하며 부끄러워하고 있다. 즉, 제시된 글에서 '티끌'은 세속의 더러움을 표현한 것이지, 자연이 '티끌'처럼 작아 보인다고 한 것은 아니다.

천 환짜리 한 장을 꺼내 준다.

운전수: (공손히) 감사합니다.

#72. 철호의 방 안

철호의 아내가 만삭의 배를 안고 누더기를 꿰매고 있다. 옆에서 콜콜 자고 있는 혜옥.

영호: (들어오며) 혜옥아!

　　　　　　　…(중략)…

#73. 철호의 집 부엌 안

민호가 팔다 남은 신문을 끼고 들어와 신들메를 끌르며

민호: 에이 날씨도 꼭 겨울 같네.

철호ⓔ: 어쨌든 너도 인젠 정신을 차려야지! 군대에서 나온 지도 이태나 되잖니.

영호ⓔ: 정신 차려야죠. 그렇잖아도 금명간 판결이 날 겁니다.

철호ⓔ: 어디 취직을 해야지.

#74. 철호의 집 방 안

영호: 취직이요. 형님처럼 전차 값도 안 되는 월급을 받고 남의 살림이나 계산해 주란 말예요? 싫습니다.

철호: 그럼 뭐 뾰죽한 수가 있는 줄 아니?

영호: 있지요. 남처럼 용기만 조금 있으면.

철호: 용기?

영호: 네. 분명히 용기지요.

철호: 너 설마 엉뚱한 생각을 하고 있는 건 아니겠지.

영호: 엉뚱하긴 뭐가 엉뚱해요.

철호: (버럭 소리를 지르며) 영호야! 그렇게 살자면 이 형도 벌써 잘살 수 있었단 말이다.

영호: 저도 형님을 존경하지 않는 건 아녜요. 가난하더라도 깨끗이 살자는 형님을……. 허지만 형님! 인생이 저 골목에서 십 환짜리를 받고 코 흘리는 어린애들에게 보여 주는 요지경이라면야 가지고 있는 돈값만치 구멍으로 들여다보고 말 수도 있죠. 그렇지만 어디 인생이 자기 주머니 속의 돈 액수만치만 살고 그만둘 수 있는 요지경인가요? 형님의 **어금니**만 해도 푹푹 쑤시고 아픈 걸 견딘다고 절약이 되는 건 아니죠. 그러니 비극이 시작되는 거죠. 지긋지긋하게 살아야 하니까 문제죠. 왜 우리라고 좀 더 넓은 테두리까지 못 나가라는 법이 어디 있어요.

영호는 반쯤 끌러 놨던 넥타이를 풀어서 방구석에 픽 던진다. 철호가 무겁게 입을 연다.

철호: 그건 억설이야.

영호: 억설이오?

철호: 네 말대로 꼭 잘살자면 양심이구 윤리구 버려야 한다는 것 아냐.

영호: 천만에요.

#75. 철호의 집 골목

스카프를 두르고 핸드백을 걸친 명숙이가 엿듣고 있다.

철호ⓔ: 그게 바루 억설이란 말이다. 마음 한구석이 어딘가 비틀려서 하는 억지란 말이다.

영호ⓔ: 비틀렸죠. 분명히 비틀렸어요. 그런데 그 비틀리기가 너무 늦었단 말입니다.

　　　　　　　　　　– 이범선 원작, 이종기 각색, 「오발탄」–

* ⓔ 효과음(effect): 화면에 삽입된 음향
* O·L(overlap): 하나의 화면이 끝나기 전에 다음 화면이 겹치면서 먼저 화면이 차차 사라지게 하는 기법

22

2019 수능

(가)와 (나)의 공통점으로 가장 적절한 것은?

① 인물 간의 대결 의식을 통해 사건의 긴장감을 조성하고 있다.
② 인물 간의 대화를 통해 특정 인물의 생각과 행동을 희화화하고 있다.
③ 인물의 회상 장면을 통해 사건 해결의 실마리를 과거에서 찾고 있다.
④ 인물 간의 갈등을 다각적으로 조명하여 사건 전개의 양상을 다면화하고 있다.
⑤ 인물의 내면을 행위로 제시하여 상황을 받아들이기 어려워하는 심리를 보여 주고 있다.

23

2019 수능

(가)의 이발소 소년 에 대한 이해로 가장 적절한 것은?

① 주변을 관찰하여 일상의 변화를 포착한다.
② 특정 가족이 몰락하게 된 이유를 분석한다.
③ 새로운 사건을 모으고 그 진위를 논평한다.
④ 천변의 소식을 타 지역 주민에게 전해 준다.
⑤ 천변 주민들 사이에 발생하는 문제를 중재한다.

24

[A]에 대한 설명으로 적절하지 <u>않은</u> 것은?

① 독자가 가진 정보를 상기시키고 있다.
② 정보를 제공한 인물을 독자에게 환기시키고 있다.
③ 독자를 언급하여 서술자의 개입을 드러내고 있다.
④ 정보가 실현되지 못한 원인을 독자의 망각에서 찾고 있다.
⑤ 인물의 행선지와 관련한 정보를 독자에게 제공하고 있다.

25

(가)와 (나)에 대한 감상으로 적절하지 <u>않은</u> 것은?

① (가)의 짧게 느껴지는 '골목'은 어머니의 아쉬움을, (나)의 빠져나오기 힘든 '골목길'은 '시시한 동네'의 열악함을 보여 주고 있다.
② (가)는 딸이 멀리 떠나는 모습을 통해, (나)는 명숙이 집 밖에서 엿듣는 모습을 통해 가족들 간의 갈등 상황을 보여 주고 있다.
③ (가)의 '눈물'은 가족을 떠나보내는 자의 아픔을, (나)의 '어금니'는 가족의 생계를 꾸려나가는 자의 견딤을 보여 주고 있다.
④ (가)는 주인 영감의 명령만을 기다리는 신전 집 가족들을 통해, (나)는 만삭의 몸에도 누더기를 꿰매는 아내의 모습을 통해 가족이 처한 불우한 상황을 보여 주고 있다.
⑤ (가)는 '도회에서의 패잔자'가 낙향하는 모습을 통해, (나)는 영호가 취직을 거부하는 모습을 통해 현실에 적응하지 못하는 인물의 처지를 보여 주고 있다.

26

(나)의 '#68~#71'에 대한 이해로 적절하지 <u>않은</u> 것은?

① #68의 장면에 이어지는 #69에서 '철호ⓔ'를 삽입하여 회상의 주체가 철호임을 알려 주고 있다.
② #69에서 '철호ⓔ'를 삽입하여 아내에 대한 연민을 드러내고 있다.
③ #69에서 '노래'를 활용하여 학창 시절 아내의 화면을 결혼 피로연장 아내의 화면으로 전환하고 있다.
④ #70에서 침묵하는 철호의 모습과 시가지의 분위기를 대비하여, 거리를 바라보는 철호의 심리를 암시하고 있다.
⑤ #70의 침묵과 #71의 대화를 상호 대비하여 영호의 소심함을 드러내고 있다.

정답&해설

22 ⑤

⑤ (가)의 도회에서의 패잔자는 '고개나마 변변히 못 들고 빠른 걸음걸이로 천변을 걸어 나가. 그대로 큰길로 사라지'는 행위를 통해 자신들의 상황을 받아들이기 어려워하는 심리를 보여 주었고, (나)의 #70에서 철호는 '멍하니 시가지를 내려다보고 서 있는' 행위를 통해 가난으로 인해 아내가 비참해지는 상황을 받아들이기 어려워하는 심리를 표출하고 있다.

|오답해설| ① (나)에는 인물 간의 대결 의식이 나타나지만, (가)에서는 인물 간의 대결 의식을 찾을 수 없다.

23 ①

① 이발소 소년은 신전 집 사람들이 오래전에 팔린 집에서 나오는 것을 포착한다.

|오답해설| ④ 이발소 소년이 천변에서 일어난 일을 이발소 사람들에게 알려 주었지만, 타 지역 주민들에게 전달한 것은 아니다.

24 ④

④ [A]에서 서술자는 독자에게 신전 집 사람이 낙향할 것이라는 정보를 이전에 언급한 적 있다고 말하고 있으나, 신전 집 사람이 낙향하는 일이 실현되지 못한 원인을 독자의 망각에서 찾고 있지는 않다.

25 ②

② (가)에서 가족 간의 갈등 상황은 찾기 어렵다.

26 ⑤

⑤ #71의 대화에서는 영호의 소심함보다는 대담한 성격이 드러난다.

|정답| **22** ⑤ **23** ① **24** ④ **25** ② **26** ⑤

아는 세계에서 모르는 세계로 넘어가지 않으면
우리는 아무것도 배울 수 없다.

– 클로드 베르나르(Claude Bernard)

PART

고전 문학의 이해

5개년 챕터별 출제비중 & 출제개념

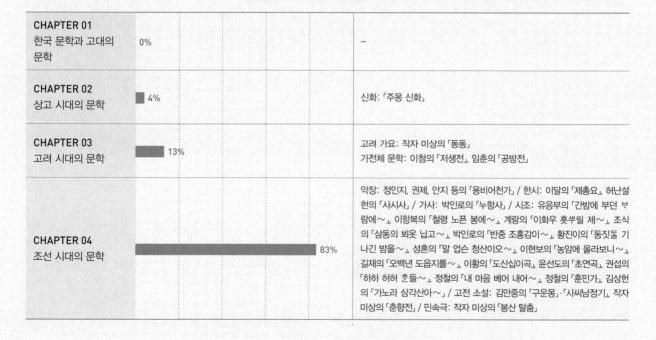

CHAPTER 01 한국 문학과 고대의 문학	0%	–
CHAPTER 02 상고 시대의 문학	4%	신화: 「주몽 신화」
CHAPTER 03 고려 시대의 문학	13%	고려 가요: 작자 미상의 「동동」 가전체 문학: 이첨의 「저생전」, 임춘의 「공방전」
CHAPTER 04 조선 시대의 문학	83%	악장: 정인지, 권제, 안지 등의 「용비어천가」 / 한시: 이달의 「제총요」, 허난설헌의 「사시사」 / 가사: 박인로의 「누항사」 / 시조: 유응부의 「간밤에 부던 ᄇ람에~」, 이항복의 「철령 노픈 봉에~」 계랑의 「이화우 흣쑤릴 제~」, 조식의 「삼동의 뵈옷 닙고~」, 박인로의 「반중 조홍감이~」, 황진이의 「동짓돌 기나긴 밤을~」, 성혼의 「말 업슨 청산이오~」, 이현보의 「농암에 올라보니~」, 길재의 「오백년 도읍지를~」, 이황의 「도산십이곡」, 윤선도의 「초연곡」, 권섭의 「하하 허허 혼들~」 정철의 「내 마음 베어 내어~」, 정철의 「훈민가」, 김상헌의 「가노라 삼각산아~」 / 고전 소설: 김만중의 「구운몽」·「사씨남정기」, 작자 미상의 「춘향전」 / 민속극: 작자 미상의 「봉산 탈춤」

10%

※최근 5개년(국, 지, 서)
출제비중

01 한국 문학과 고대의 문학

1 한국 문학
2 고대의 문학

01 한국 문학

'한국 문학'이란 상고 시대부터 현대까지 우리나라에서 우리나라 사람이 창작한 문학 작품을 말한다. 대체로 왕조의 교체에 따라 구분한다. 우리 민족은 민족 고유의 뛰어난 문학적 역량으로 문학 작품들을 창조·전수하였으며, 외래 문학도 주체적으로 수용 및 발전시켜 왔다.

02 고대의 문학

1 개념
'고대 문학'이란 상고 시대부터 고려 시대 이전까지의 문학을 말한다.

2 국문학의 분화와 발전
① 인간이 원시 상태에서 벗어나 생활이 복잡해지고 생활 수단이 분업화됨에 따라 예술도 점차 과거의 종합적인 형태에서 해체·분화되어 음악·무용·시 등 개별적인 분야로 독립되었다.
② 분리·독립된 시가는 구전으로 계승되면서 구전 설화, 구전 민요로 발전하고 중국으로부터 한자가 들어와 문자를 갖게 된 후로는 기록이 되어 신화, 전설, 민담, 설화, 고대 시가, 한역가 등으로 전승되었다.
③ 설화, 전설 등은 서사 문학의 원형이 되었으며, 한역으로 전하는 고대 가요는 서정 문학의 원형이 되었다.

02 상고 시대의 문학(고조선~통일 신라 시대)

☐ 1 회독   월   일
☐ 2 회독   월   일
☐ 3 회독   월   일
☐ 4 회독   월   일
☐ 5 회독   월   일

1 상고 시대 문학의 개관
2 상고 시대 문학 작품의 실제(설화, 고대 가요, 향가)

---

01 상고 시대 문학의 개관

단권화 MEMO

1 시대적 배경
중국과는 구별되는 독자적인 민족 문화를 수립해 나갔다.

2 특징

						서사시	→	소설
제천 의식	⇨	원시 종합 예술	⇨	시가	⇨	서정시	→	시
						극시	→	희곡

① 국가마다 사람들이 모여 하늘에 제사를 지내고 여러 날 동안 노래와 춤을 즐기는 국중 대회*를 열었는데, 이러한 제천 의식에서 행해진 집단 가무는 원시 종합 예술(ballad dance)의 형태로 문학의 모태가 되었다.
② 초기에는 무격 신앙(샤머니즘)과 정령 신앙(토테미즘)을 바탕으로 하다가, 통일 신라 이후 불교 사상과 유교 사상이 사상적 기반을 이루게 되었다.
③ 구비 문학(유동 문학)이 중심이 된 시대이다.
④ 집단적 서사 문학에서 점차로 개인적 서정 문학으로 발전되어 갔다.
⑤ 고대 소설의 근원 설화가 형성되었으며, 우리 고유의 시가인 향가 문학이 출현하였다.

＊국중 대회
부여의 영고, 고구려의 동맹, 동예의 무천 등과 같은 제천 행사를 말한다.

3 대표 갈래 및 작품

건국 신화	「단군 신화」, 「동명왕 신화」, 「김수로왕 신화」, 「박혁거세 신화」 등
고대 가요	「구지가」, 「해가」, 「공무도하가」, 「황조가」 등
향가	「서동요」, 「제망매가」 등
설화 문학	『삼국사기』, 『삼국유사』에 수록된 설화들은 후대 소설의 근원 설화가 됨
한문학	「여수장우중문시」(한시), 「화왕계」(설화), 『계원필경』(문집), 『왕오천축국전』(기행문) 등
연극의 자취	• 원시 종합 예술의 놀이나 굿에서 분화되어 나온 것으로, 고대의 연극은 극이라기보다는 놀이의 성격이 두드러짐 • 고구려의 「꼭두각시놀음」, 신라의 「오기」와 「처용무」 등

02 상고 시대 문학 작품의 실제

1 설화

(1) 개념

'설화'는 한 민족 사이에서 구전되어 온 허구적 이야기로서 신화, 전설, 민담을 아우르는 말이다. 시기적으로는 '신화'가 가장 앞서고 '전설, 민담'이 그 뒤를 따른다. 고대 서사 문학은 구전에 적합하고 단순하며 간편한 표현형을 가지며, 설화가 가장 대표적이다.

(2) 설화의 갈래

신화	• 건국, 민족의 기원을 담은 신성한 이야기 • 신적 존재인 주인공의 업적을 기리는 내용 • 우리나라에서는 「단군 신화」로부터 북부여의 해모수, 동부여의 금와, 고구려의 동명 성왕, 신라의 혁거세와 탈해, 가야의 수로왕 등과 같이 건국 신화와 시조 신화가 복합된 형태가 주로 나타남
전설	• 신적인 존재가 아닌 영웅적 존재인 인간을 사건과 행위의 주체로 함(신화와의 차이점) • 단, 많은 경우 인간 생활은 신적 존재와의 상호 관계 속에서 파악 • 특정 지역이나 구체적인 사물 등을 등장시키며 역사성과 진실성이 있는 것으로 믿음
민담	• 흥미 위주로 꾸며진 이야기 • 구체적·개별적인 증거물을 갖지 않으며 비교적 제약에서 자유로움 • 지역적인 제한성을 벗어나 제재나 내용, 구조 등이 범세계적 보편성을 띰 • 평범한 인물이 소원을 성취하는 공상적 성격 때문에 인간의 기본적 욕구를 표현하는 특성을 지님

│ 신화, 전설, 민담의 비교

구분	신화	전설	민담
전승자의 태도	신성성, 숭고미	진실성, 비장미	흥미, 해학미
주인공	신적, 초인적 존재	비범한 인간	평범한 인간
배경	태초의 신성한 장소	구체적 시간과 장소	뚜렷하지 않음
증거물	포괄적(천지, 국가 등)	특정적(바위, 고개 등)	–
전승 범위	민족	특정 지역	전 세계
대표 작품	「단군 신화」, 「주몽신화(동명왕 신화)」	「연오랑 세오녀」, 「지귀설화」	「콩쥐팥쥐」

(3) 특징

① 민족 전체의 사상과 정서, 풍습을 담고 있다.
② 기이하고 우화적인 요소를 지닌다.
③ 구전되다가 이후 한역되어 전한다.
④ 무속 신앙(샤머니즘, 토테미즘) 등을 사상적 배경으로 한다.

2 고대 가요

(1) 개념

상고 시대부터 고려 이전의 노래 중에서 향가와 한시를 제외한 나머지 시가 작품을 가리킨다. 집단적이고 서사적인 원시 종합 예술에서 출발하여 개인적이고 서정적인 시가로 분리·발전하면서 형성되었다.

(2) 특징

① 초기에는 집단적 서사시로서 의식요와 노동요가 주로 창작되었고, 후기에는 개인적 서정 시가가 주로 창작되었다.

② 구전되다가 이후에 한역으로 기록되어 전해진다.

③ 배경 설화가 함께 전해지며, 이는 서사 양식과 서정 양식의 미분화를 의미한다.

(3) 의의

① 국문학 사상 최초의 서정 시가 형태이다.

② 두 토막씩 네 줄 또는 네 토막씩 두 줄로 된 노래로서, 초기 단계의 우리 시가의 기본 형식을 보여 준다.

③ 한국 시가의 연원으로서 민족 문학의 뿌리를 형성한다.

(4) 주요 작품

작품	작가	성격	내용	수록 문헌
「구지가」	가야의 구간(九干)	집단적, 주술적	수로왕의 강림을 기원하는 주술적인 노래	『삼국유사』
「해가」	미상 또는 강릉 백성들	집단적, 주술적	용에게 납치된 수로 부인을 구출하기 위해 부른 주술적인 노래	『삼국유사』
「공무도하가」	백수 광부의 처	개인적, 서정적	물에 빠져 죽은 남편을 애도하는 노래	『해동역사』
「황조가」	고구려 유리왕	개인적, 서정적	꾀꼬리에 견주어서 사랑하는 임을 잃은 슬픔을 노래함	『삼국사기』
「정읍사」	미상 또는 행상인의 처	개인적, 서정적	행상 나간 남편을 염려하는 아내의 마음을 노래한 백제의 시가	『악학궤범』*

3 향가

(1) 개념

① 넓은 의미에서는 중국 시가나 범패(梵唄, 불교 음악)에 대비되는 '우리나라 노래'라는 의미를 지닌다.

② 좁은 의미에서는 시대적으로 삼국 시대 말부터 고려 초까지 존재했던 시가 문학으로 향찰로 표기된 시가 작품을 가리킨다.

(2) 형식

4구체	• '민요, 동요, 무가'가 문자로 정착된 초기의 형식으로, 민요적 성격을 지님 • 대표 작품: 「서동요」, 「풍요」, 「헌화가」, 「도솔가」
8구체	• 4구체의 배구적 형식으로, 8구로 이루어짐 • 4구체와 10구체의 과도기적 형태 • 대표 작품: 「모죽지랑가」, 「처용가」
10구체 (사뇌가)	• 가장 정제된 형식으로, 시상을 지속적으로 전개하다 낙구 첫머리를 감탄사로 시작하며 낙구에 주제를 제시하여 마무리 함 • 주로 4 · 4 · 2의 분절 구조이나 3구 6명으로 형식을 설명하고자 하는 연구도 있음 • 대표 작품: 「혜성가」, 「원왕생가」, 「원가」, 「제망매가」, 「안민가」, 「찬기파랑가」, 「도천수대비가」, 「우적가」

＊『악학궤범』

조선 성종 24년(1493)에 현현 등이 왕명에 따라 펴낸 음악책으로, 「정읍사」가 실려 있다. 즉, 「정읍사」가 지어진 시기는 백제이지만(고대 가요) 기록된 시기는 조선이다(고려 가요).

■ 10구체의 형식

시조 종장의 첫머리가 감탄사로 시작되는 것과 흡사하다고 하여 시조의 기원으로 보기도 하며, 이와 같은 형식은 가사에도 나타난다.

(3) 특징

① 불교적인 것 또는 화랑의 삶을 노래한 것이 주류를 이루나, 인생을 노래하고 자연을 예찬하고 이상 세계를 염원하고 현실의 고뇌를 노래하는 등 신라인의 다양한 사상과 감정을 잘 드러내고 있다.

② 주요 창작층으로는 승려나 화랑이 많았고, 불교 사상에 바탕을 둔 이상주의자, 주관적 관념론자가 주류를 이루었다.

③ 모든 계층이 함께 향유할 수 있는 갈래였다.

(4) 의의

① 우리 문학사상 최초로 정형화된 서정시이다.

② 향가의 가사와 표기 형식은 신라어 연구의 귀중한 자료가 된다.

③ 소박하면서도 깊이 있는 수사로 원만하고 차원 높은 신라인의 정신세계를 반영하고 있다.

④ 우리 문학의 주체성을 보여 주는 문학이자 민족정신과 정서를 바탕으로 하여 꽃피운 민족 문학이다.

(5) 주요 작품

■ 향가의 수록 문헌

『삼국유사』에 14수, 『균여전』에 11수가 전한다. 향가집이라고 알려진 『삼대목』은 전해지지 않고 있다.

작품	작가	형식	시대	내용	수록 문헌
「서동요」	서동	4구체	진평왕	백제의 서동이 선화 공주를 얻기 위해 신라의 아이들에게 부르게 한 노래	『삼국유사』 14수
「풍요」	성 안의 남녀		선덕여왕	양지가 영묘사 장육존상을 만들 때, 장안의 남녀들이 진흙을 나르면서 부른 불교적인 노동요	
「헌화가」	견우 노인		성덕왕	수로 부인이 절벽 위의 철쭉꽃을 탐하기에 소를 끌고 가던 노인이 꽃을 꺾어 바치며 부른 노래	
「도솔가」	월명사		경덕왕	두 개의 해가 한꺼번에 나타나 왕이 월명사에게 산화공덕하게 하여 지어 부른 공덕의 노래. 일명 산화가(散花歌)	
「모죽지랑가」	득오	8구체	효소왕	삼국을 통일한 화랑인 죽지랑을 추모하여 부른 노래	
「처용가」	처용		헌강왕	자기 아내를 범한 역신에게 처용이 이 노래를 불러 역신을 굴복시켰다는 무가	
「혜성가」	융천사	10구체	진평왕	혜성을 물리치기 위해 부른 주술적 축사의 노래	
「원왕생가」	광덕		문무왕	광덕이 극락왕생을 바라며 부른 불교적 신앙의 노래	
「원가」	신충		효성왕	효성왕이 신충과 사귈 때 후일을 약속했으나 즉위 후 잊어버려서 신충이 이 노래를 지어 잣나무에 붙였다는 주가	
「제망매가」	월명사		경덕왕	월명사가 죽은 누이를 위하여 재를 올릴 때 부른 추도의 노래	
「안민가」	충담사		경덕왕	충담사가 경덕왕의 요청으로 부른 치국의 노래	
「찬기파랑가」	충담사		경덕왕	화랑인 기파랑을 찬양하여 부른 노래	
「도천수대비가」	희명		경덕왕	희명이 생후 5년 만에 눈이 먼 아들을 위해 분황사 관음보살에게 부른 기도의 노래. 일명 「천수대비가」	
「우적가」	영재		원성왕	도둑을 회개시킨 교훈의 노래	
「보현십원가」 (11수)	균여		고려 광종	균여 대사가 불교의 보급을 위해 지은 노래	『균여전』 11수

■ 향가의 소멸

향가는 「보현십원가」를 마지막으로 소멸된 것으로 보이나 고려 제16대 예종이 지은 「도이장가(悼二將歌)」, 고려 의종 때 정서가 지은 「정과정곡(鄭瓜亭曲)」에서 향가의 잔영을 엿볼 수 있다.

03 고려 시대의 문학

01 고려 시대 문학의 개관

1 시대적 배경

고려의 후삼국 통일로 민족의 판도가 한반도 내로 국한되었지만 단일 민족과 단일 국가의 전통이 세워졌다.

2 특징

① 신라의 불교 문화를 계승하였으며, 과거 제도의 실시로 한문학이 융성했다.
② 향가가 쇠퇴한 후, 고려 전기까지 향가계 여요가 존속하고, 고려 가요가 평민층에서 널리 애송되었다. 고려 가요는 평민층에서 생겨나서 궁중 음악으로 쓰이다가 구전되어 조선 시대에 문자로 정착되었다.
③ 설화에서 발전한 패관 문학과 가전체 작품이 소설로 접근해 갔다.
④ 신흥 사대부에 의해 귀족 문학인 경기체가가 발달했고, 시조가 발생했다.
⑤ 진솔하고 소박한 내용이 많으나 내우외환으로 인해 현실 도피적이며 향락적인 내용도 있었다.
⑥ 과도기적 문학으로 보기도 하는데 향가, 경기체가, 고려 가요(고려 속요)는 그 수명이 길지 못하였고, 시조는 조선조에 와서 꽃을 피웠기 때문이다.

3 주요 창작층

① **귀족 문학:** 경기체가, 한문학, 시조
② **평민 문학:** 고려 가요(이중적 성격을 지님)

4 의의

① 한문학의 발달로 국문학이 위축되었으나 외국 문학을 접할 기회가 많아졌다.
② 적나라한 인간성과 풍부한 정서를 유려한 국어로써 표현한 고려 가요의 발달로 문학의 진실한 모습을 맛보게 되었다.
③ 귀족층에서 즐긴 경기체가는 한자어를 나열하였으나, 문학의 표현에 대한 자주적 정신이 싹트기 시작했다.
④ 시조 문학은 후대로 이어져 귀족과 평민 계층을 망라하여 국민 문학을 형성하게 되었다.
⑤ 설화, 가전체 문학, 패관 문학이 발전하여 소설이 탄생할 수 있는 기틀을 마련하였다.

5 대표 갈래 및 작품

향가	• 고려 초기까지 존속되었는데, 서정성을 상실하고 찬불가의 형태로 남음 • 대표 작품: 「보현십원가」 11수
고려 가요 (고려 속요)	• 평민 문학, 구비 문학적 성격 • 대표 작품: 「가시리」, 「서경별곡」, 「청산별곡」, 「동동」, 「사모곡」 등
경기체가	• 귀족적, 향락적, 퇴폐적인 풍류 문학 • 대표 작품: 「한림별곡」, 「관동별곡」, 「죽계별곡」 등
시조	• 고려 중엽에 발생하여 고려 말에 완성된 3장 6구 45자 내외의 4음보 정형시 • 전대의 향가, 속요, 민요 등의 영향으로 발생함 • 대표 작가: 이조년, 이색, 최영, 정몽주, 이방원 등
패관 문학	• 항간의 설화에 채록자(패관)의 창의가 가미되어 수필적 성격을 보이는 문학의 갈래 • 대표 작품: 「수이전」, 「백운소설」, 「파한집」 등
가전체 문학	• 어떤 사물을 역사적 인물처럼 의인화하여 서술한 전기 형식의 갈래로, 교훈적·풍자적 성격을 보임 • 설화와 소설의 교량적 역할을 함 • 대표 작품: 「국순전」, 「국선생전」, 「죽부인전」, 「공방전」 등
한문학	• 과거 제도의 실시, 불교 문화의 발달로 한문학이 성행함 • 대표 작가: 박인량, 김부식, 정지상 등

02 고려 시대 문학 작품의 실제

1 향가계 여요

(1) 개념

신라 시대의 향가가 고려 가요로 넘어가는 과정에서 생겨난 과도기적인 시가 형태이다. 고려 시대에 지어졌으나 그 표기는 향찰로 되어 있거나 향가의 형식을 갖춘 시가를 말한다.

(2) 주요 작품

작품	작가	내용
「도이장가」	예종	• 팔관회에서 가면극을 보고 만든 작품으로, 예종이 김낙, 신숭겸을 추모하는 일종의 추모시, 찬송시 • 8구체 형식과 유사하며, 분장은 되어 있으나 후렴구가 없고 향찰로 표기됨
「정과정」	정서	• 정서가 동래로 유배 가서 지은 작품으로, 내용은 충신연주지사이며 유배 가요에 속함 • 향찰로 표기되지는 않았지만 10구체 향가와 유사한 형태이며, 분장되어 있지 않고 후렴구도 없음. 낙구 첫머리에 '아소'라는 감탄사가 있는데 그 위치가 10구체 향가와는 다름 • 후대에 나타나는 충신연주지사적 성격의 작품에 지대한 영향을 미침

2 고려 가요

(1) 개념
고려 시대 때 평민들이 부르던 민요가 궁중 음악으로 편입되어 불린 노래를 말한다. 고려 가요는 구전되어 오다가 훈민정음 창제 이후 조선 성종 대에 이르러 한글로 기록되어 전해졌다. 향가계 여요 또한 고려 가요에 포함시켜 이해하는 것이 일반적이다.

(2) 특징
① 형식: 대부분 3·3·2조 또는 3·4·4조의 분연체(분절체, 연장체)로 구성되며, 후렴구와 조흥구가 발달하였다.
② 내용: 주로 남녀 간의 사랑, 자연에 대한 예찬, 이별의 아쉬움 등 평민들의 숨김없는 인간성을 나타내었고, 소박하고 풍부한 정서를 진솔하게 표현하였다. 특히 남녀 간의 사랑을 솔직하게 표현한 작품이 다수 창작되었는데, 조선 시대 유학자들이 남녀상열지사라 하며 문헌에 싣지 않고 개작 또는 삭제된 작품이 많았다.
③ 주요 창작층: 대부분 작자와 창작 연대가 알려지지 않았는데, 문자를 몰랐던 평민 계급을 작자층으로 보는 것이 일반적이다.

(3) 의의
① 고려 가요는 표현의 소박함과 함축성, 꾸밈없는 생활 정서의 표현, 높은 문학성 등으로 시조와 더불어 우리 문학사의 대표적인 시가 양식으로 평가받는다.
② 적나라한 인간성과 풍부한 정서를 우리말로 표현하여 국문학의 중요한 유산으로서의 가치가 있다.

(4) 주요 작품

성격	작품	형식	내용	수록 문헌
효심	「사모곡」	비연시	어버이의 사랑을 당시의 농경 사회에서 친숙한 농기구에 빗대어 노래	『악장가사』, 『시용향악보』
	「상저가」	비연시	방아를 찧으면서 부른 소박한 노래(노동요)	『시용향악보』
송축	「동동」	전 13연	월별로 그 달의 자연 경물이나 행사에 따른 남녀의 애정을 읊은 월령체	『악학궤범』
	「정석가」	전 6연	불가능한 상황을 설정해 임금(또는 임)에 대한 사랑과 만수무강을 축원한 노래	『악장가사』, 『시용향악보』
축사	「처용가」	비연시	향가 「처용가」를 부연해서 부른 무가. 축사의 노래. 희곡적 구성	『악학궤범』, 『악장가사』
현실 도피	「청산별곡」	전 8연	현실 도피적인 생활상과 실연의 슬픈 정서가 담긴 노래	『악장가사』, 『시용향악보』
이별의 정한	「가시리」	전 4연	남녀 간의 애타는 이별의 정	
	「서경별곡」	전 3연	서경을 무대로 한 남녀의 애끓는 이별가	
풍자	「유구곡」	비연시	비둘기보다 뻐꾸기를 좋아한다는 노래	『시용향악보』
남녀 상열 지사	「쌍화점」	전 4연	남녀 간의 적나라한 애정을 표현한 유녀의 노래	『악장가사』, 『시용향악보』
	「만전춘」	전 5연	남녀 간의 애정을 대담하고 솔직하게 읊은 사랑의 노래	『악장가사』
	「이상곡」	비연시	인간의 유한성을 전제로 한 남녀 간의 애정을 노래	『악장가사』

■ **고려 가요의 명칭**
'고려 가요'를 '고려 속요'라고도 부른다.

■ **여음**
• 여음구: 가사의 뜻 전달에 관계없이 덧붙이는 말
• 후렴구: 흥을 돋움. 노래를 길게 함. 운율에 기여함. 주제 형상화에 기여함
• 반복구: 주제 강조. 운율 형성
• 조흥구: 흥을 돋움. 운율 형성

■ **고려 가요의 수록 문헌**
고려 가요는 『악학궤범』, 『악장가사』, 『시용향악보』에 전한다.

3 경기체가

(1) 개념

고려 중기에 발생하여 조선 초까지 이어진 사대부의 교술 시가이다. 한문학에 의해 잠식당하고 있는 국문학 자체의 발전에 대한 욕구와 한학자의 현실에 대한 불만으로 새로운 시가 양식이 나타나게 되었다. 통일 신라 시대의 향찰식 표기 체계가 한자로 바뀌면서 정치적 혼란기(무신 집권, 몽고의 침입 등)의 문인들은 한자 어휘의 나열과 이두식 후렴구로 그들의 의식 세계를 노래하기 시작하였는데, 이것이 경기체가이다.

(2) 특징

① 형식

ㄱ 분절체, 3·3·4조, 4·4·4조의 3음보를 바탕으로 4음보가 혼합된 형식이다.

ㄴ 매 장은 다시 전후 양절로 나눌 수 있는데 앞부분은 길고[전대절(前大節)] 뒷부분은 짧으며[후소절(後小節)], 3음보 또는 4음보로 되어 있다. 대부분 한문 투의 나열이며, 부분적으로 이두도 사용되었다.

ㄷ 매 절의 끝마다 '위 ~ 景 긔 엇더ㅎ니잇고'라는 후렴구가 있는데, 이것이 '경기체가'로 이름 붙여진 근거가 되었다.

② 내용: 풍류적이고 향락적이면서도 사대부들의 자부심을 과시하였다.

③ 주요 창작층: 고려 후기에 등장한 신흥 사대부

(3) 의의

조선 시대에 들어와서도 사대부들에 의해 창작되었으나 협소한 형식과 성리학의 심화로 인해 교술 시가로서의 본분을 가사에 넘겨주고 소멸하였다.

(4) 주요 작품

한림제유의 「한림별곡」, 안축의 「죽계별곡」·「관동별곡」

경기체가와 고려 가요의 비교

구분	경기체가	고려 가요
공통점	3음보 율격, 후렴구, 분절 형태	
형식상 차이점	• 귀족 문학 • 기록 문학으로 출발 • 생경한 한자 어휘에 이두식 후렴구를 붙임 • 후렴구가 한 가지로 고정 • 주제: 지시적 언어로 객관적인 사물들을 그대로 운율에 맞게 나열하면서 무신의 난 이후 새로이 진출한 문인들의 세계와 능력에 대한 자긍심 표현	• 평민 문학이 귀족 문학으로 변모함 • 구비 문학으로 출발 • 순수한 우리말을 아름답게 구사 • 다양한 후렴구 • 주제: 인간사에서 느끼는 슬픔이나 기쁨 등의 개인 내면의 정서를 함축적 언어로 노래
내용상 차이점	퇴폐적·향락적 귀족의 생활과 자연 감상	평민들의 진솔한 정서

4 시조

(1) 개념
고려 중기에 발생하여 고려 말엽에 완성된 형태로 조선 시대를 거쳐 현대까지 창작되고 불리는 우리 문학의 대표적인 서정 양식이다.

(2) 등장 배경
고려 중기 이후에 이르러 새로이 등장한 신흥 사대부들이 역사적 전환기를 맞아 기존의 문학 양식인 경기체가만으로는 감당할 수 없는 정서를 표출하기 위해 새로운 표현 양식을 개척하는 과정에서 발생하였다.

(3) 기원
① **민요 기원설:** 「모내기 노래」나 「나뭇꾼 노래」에서 비롯되었다는 견해이다.
② **향가 기원설:** 3개의 의미 단락을 가지며(10구체의 8구 – 초장, 중장 / 10구체의 낙구 – 종장), 시조 종장 첫 음보가 10구체 향가의 낙구에서 나타나는 차사(감탄사)와 관련된다는 점에서 향가에서 기원했다는 견해이다.
③ **고려 속요 기원설:** 「정읍사」는 여음과 후렴구를 빼면 3장 6구 형식과 유사하다는 점과 「만전춘」 역시 3장의 형식을 갖추고 있다는 점에서 고려 속요에서 기원했다는 견해이다.

(4) 특징
① **형식:** 기본 운율은 각 장 4음보, 전체 12음보, 3 · 4조 또는 4 · 4조의 음수율, 전체 45자 내외(종장의 첫 음보는 3음절로 고정)
  ㉠ **평시조:** 3장 6구 45자 내외, 4음보
  ㉡ **연시조:** 평시조가 2수 이상 연결된 시조
  ㉢ **엇시조:** 종장의 첫 구절을 제외하고 어느 한 구절이 평시조보다 길어진 형태의 시조
  ㉣ **사설시조:** 종장의 첫 구절을 제외하고 두 구절 이상이 각각 그 글자 수가 10자 이상으로 길어진 시조로, 파격이 대개 중장에서 일어나나 3장이 다 파격적인 경우도 있음
② **내용**
  ㉠ 늙음에 대한 탄식과 한탄, 어리석은 군주에 대한 걱정, 무인이 가진 우국충절, 혼란한 정치에 대한 원망, 쇠락해 가는 고려 왕조에 대한 번민 등이 어우러져 이 시기 시조의 내용적 특성을 형성하고 있다.
  ㉡ 고려 말 시조는 특정 작가군에 의한 상층 문학의 성격을 띠고 있으나 다양한 제재를 취하여 단편적인 심정을 토로했다는 데 그 한계가 있다.
③ **대표 작가:** 이색, 정몽주, 최영 등

5 가전체 문학

(1) 개념
사물을 의인화하여 일대기 형식으로 쓴 서사 문학이며, 계세징인(戒世懲人)*의 목적성을 가진 교훈적인 문학이다. 패관 문학과 달리 개인적 상상력에 의해 한문으로 창작된 문학이라는 특징을 가진다.

*계세징인(戒世懲人)
• 세상 사람을 경계하고 징계함
• 세상 사람이 악에 빠지지 않게 깨우쳐 줌

(2) 특징

① 신라 신문왕 때 설총이 지은 「화왕계」＊를 가전체의 기원으로 보기도 한다.

② 가전체는 고려 중기 이후에 크게 유행하였으며, 조선 시대에도 창작되었다.

③ 인간사의 다양한 문제를 의인화라는 간접적이고 우화적인 수법으로 다루면서 비평하고 있기 때문에 강한 풍자성을 수반하는 경우가 많다.

④ 가계와 생애, 성품, 공과를 서술하기 위해 대상이 되는 사물에 얽힌 여러 고사들을 많이 도입하고 있어 현학적인 분위기를 이끌어 내는 것이 일반적이다.

⑤ 작품을 이해하기 위해 여러 고사들을 많이 알고 있어야 한다는 점이 가전체를 소설로 보기 어렵게 만드는 원인 중 하나이다.

(3) 의의

① 철학과 문학, 역사 등을 조합하여 격조 높은 서사 문학 장르를 이룩하였다.

② 개인이 창작한 허구적 이야기라는 점에서 설화와 소설의 교량적 역할을 하였다.

(4) 한계

① 허구에 있어서 제한성이 따르고 인물에 치중한 일대기적 구성을 보인다.

② 사물의 속성을 벗어나지 못해 독창성이 떨어지며 서술적 형상화가 미흡하다.

③ 도입, 전개, 논평으로 구성되며 논평의 내용이 전형적이다.

④ 주제를 직접적으로 표출하여 문학적 형상화가 미흡하다.

(5) 주요 작품

작품	작가	내용	수록 문헌
「국순전」	임춘	• 술을 의인화 • 당시의 방탕한 군주를 풍자 • 술로 인한 패가망신을 경계함	「서하선생집」,「동문선」
「공방전」	임춘	• 돈을 의인화 • 돈의 내력과 그 흥망성쇠를 통해 재물에 대한 탐욕을 경계함	「동문선」
「국선생전」	이규보	• 술을 의인화 • 등장인물의 이름과 지명을 모두 술, 누룩에 관련된 한자를 써서 지었으며, 위국충절의 교훈을 드러냄	「동문선」
「청강사자현부전」	이규보	• 거북을 의인화 • 왕의 부름에도 응하지 않고 속된 무리와도 어울리지 않는 어진 사람의 행실을 묘사하여 세상 사람들을 경계하고자 함	「동문선」
「저생전」	이첨	• 종이를 의인화 • 위정자들에게 올바른 정치를 권유	「동문선」
「죽부인전」	이곡	• 대나무를 의인화 • 주인공 죽부인이 남편을 잃은 뒤에 절개를 지키며 사는 모습을 통해 음란한 궁중과 타락한 사회에 경종을 울림	「동문선」
「정시자전」	석식영암	• 지팡이를 의인화 • 당시의 사회상과 배불 사상을 비판함	「동문선」

6 패관 문학

(1) 개념

중국 한나라에서 거리에 떠도는 이야기를 수집하던 벼슬의 이름이 '패관'이었다. 우리나라에서는 고려 고종 때를 전후해 항간에 떠돌던 당대의 야화, 일화, 담화를 채록한 문학을 의미한다. 채록 과정에서 채록자의 창의성이 가미되어 윤색된 경우가 많았다.

(2) 의의

① 당대의 야사, 일화, 사화를 수집하여 기록으로 남겼다.
② 서사성이 드러나는 것이 많아 조선 시대의 소설 문학 발전에 기여하였다.

(3) 주요 작품

작품	작가	성격	제재	주제	특징
「청학동」	이인로	서정적, 체험적	지리산 청학동	이상향에 대한 동경	이상과 현실의 괴리를 관조적으로 표현
「경설」		교훈적, 관조적	거울[鏡]	올바른 처세의 자세와 현실에 대한 풍자	• 문답법 사용: 나그네 問, 거사 答 • 올바른 처세(유연함)+현실 풍자
「이옥설」		교훈적, 경험적	집 수리	잘못을 미리 알고 고쳐 나가는 자세의 중요성	개인적 체험 → 깨달음 → 깨달음의 일반화
「슬견설」	이규보	교훈적, 설득적	이와 개	• 사물에 대한 편견 배제 • 생명이 있는 것은 모두 소중함	변증법적 사고: 대조적 예시와 대유
「괴토실설 (토실을 허문 데 대한 설)」		경험적	토실 (土室)	자연의 질서에 순응하며 사는 삶	자연 순리에 역행하는 것을 경계함
「차마설」	이곡	교훈적	말을 빌림	소유에 대한 성찰과 깨달음	사실(일상적 경험 제시)+의견(경험의 일반화)

04 조선 시대의 문학

1 조선 전기 문학의 개관
2 조선 후기 문학의 개관
3 조선 시대 문학 작품의 실제(악장, 가사, 민요, 시조, 고전 소설, 판소리, 판소리계 소설, 민속극)

단권화 MEMO

01 조선 전기 문학의 개관

1 개념

시기적으로 조선 건국으로부터 임진왜란 이전까지의 문학을 의미한다.

2 시대적 배경

조선이 건국된 14세기 후반부터 17세기 초까지를 조선 전기라 한다. 조선 왕조는 대외적으로는 친명 정책에 힘쓰고 대내적으로는 나라의 기강을 확립하여 건국의 기초를 공고히 하는 데 주력하였다. 1446년 훈민정음의 반포는 본격적인 국문학 전개의 기초가 되었다. 즉, 전대의 구비 문학이 정착되고, 새로운 우리글인 훈민정음으로 표기된 문학이 창작되어 진정한 의미에서 국문학이 융성할 수 있었다.

3 특징

① 훈민정음의 창제로 고려 시대의 구비 문학이 정착되고, 경서와 문학서의 언해 사업이 활발했다.
② 조선 건국의 합리성과 정당성을 드러내기 위해 조선 왕조의 건국 위업을 찬양하고 왕실의 무궁한 번영을 축원하는 '악장'이 출현하였다.
　　예 「용비어천가」
③ '설화 문학'의 발전과 중국 소설의 영향으로 '한문 소설'이 발생하기 시작하였다.
　　예 김시습의 「금오신화」
④ 경기체가가 붕괴되고 '가사'가 출현하였으며, '시조' 등 형식면에서 운문 문학이 지배적이었다. 또한 시조가 본격적인 발전을 보이기 시작하였다.
　　예 호남 가단과 영남 가단의 분화, 기생 시조의 등장 등
⑤ 문학의 향유 계층은 양반, 귀족 계층이 주류를 이루었다.
⑥ 유교를 바탕으로 성리학이 도입되어 철학적인 사상적 배경을 이룩하였고, 성리학 세계가 반영된 문학이 창작되기 시작하였다.
　　예 정철의 「훈민가」

4 대표 갈래 및 작품

악장	• 조선 왕조의 체제 확립과 유지라는 목적성을 띤 문학 • 대표 작품: 「신도가」, 「정동방곡」, 「용비어천가」, 「월인천강지곡」 등
언해 문학	• 불경과 경서, 운서 및 한시 번역 • 대표 작품: 「분류두공부시언해(두시언해)」, 「능엄경언해」, 「삼강행실도」, 「소학언해」 등
경기체가	• 고려 때 발생하여 조선 초기까지 이어짐 • 대표 작품: 「한림별곡」 등
가사	• 경기체가의 붕괴에서 발생한 교술 문학 • 운문과 산문의 중간적 성격을 띰 • 대표 작품: 「상춘곡」, 「면앙정가」, 「관동별곡」, 「사미인곡」, 「속미인곡」, 「규원가」, 「만분가」 등
시조	• 충의, 애정, 도학의 세계로까지 주제를 확장 • 연시조의 형태가 일반화되었으며, 사대부들을 중심으로 활발하게 창작됨 • 대표 작품: 「회고가」, 「강호사시가」, 「충의가」, 「오륜가」, 「도산십이곡」 등
한문학	성현, 남곤, 서거정, 서경덕, 이황, 이이, 김시습, 삼당시인(백광훈, 최경창, 이달) 등에 의해 왕성한 작품 활동
패관 문학	• 설화, 수필, 시화, 시론, 소화 등을 엮어서 문집을 만듦 • 대표 작품: 박인량의 『수이전』, 이인로의 『파한집』, 이규보의 『백운소설』 등
한문 소설	• 설화, 패관 문학, 가전체 문학 등을 바탕으로 하여 중국의 전기, 화본 등의 영향을 받아 생겨난 산문 문학의 대표적 장르 • 대표 작품: 「금오신화」, 「화사」, 「수성지」, 「원생몽유록」 등

02 조선 후기 문학의 개관

1 개념

시기적으로 임진왜란 이후부터 갑오개혁 이전까지의 문학을 의미한다. 즉, 17세기 중엽부터 19세기 말까지의 문학을 말한다.

2 등장 배경

① **정치·경제적 배경**: 여러 차례에 걸친 전란은 정치적 혼란과 경제적 피폐를 가져왔고, 왜적 앞에서 너무나도 무력했던 양반 사대부의 권위가 땅에 떨어지면서 자연스럽게 평민 의식이 싹트기 시작하였다.

② **사상적 배경**: 전통적 성리학이 관념적이고 형식적이라는 비판을 받게 되면서 현실적이고 인간 생활 위주의 근대적 사상인 실학사상이 일어나게 되었다.

3 시대적 배경

조선 후기는 중세적 질서가 붕괴되고 근대적인 맹아(萌芽)가 싹트는 근대로의 이행기이다. 시대적으로는 임진왜란과 병자호란을 겪으면서 지배 질서가 흔들리고 평민들의 의식이 성장하게 되어, 중세적 가치와 근대 지향 의식이 서로 갈등을 일으키는 것이 기본 골격이다.

4 특징

① 임진왜란과 병자호란 이후, 사대부의 권위가 실추되자 현실에 대한 비판과 평민 의식을 구가하는 새로운 내용이 작품 속에 투영되었다. 즉, 현실을 비판하고 지배층을 규탄하며 자아 각성과 평민 의식을 추구하는 새로운 내용이 작품 속에 투영되었고, 표현은 한층 사실적이고 내용은 생활적이 되었다.

② 비현실적·소극적인 '유교 문학'에서 현실적·구체적인 삶의 의미를 추구하는 '실학 문학'으로 발전했다.

③ 작품의 제재 및 주제의 변화와 함께 작가 및 독자의 범위가 확대되었다. 왜냐하면 한글의 보급으로 국문 문학이 발달하면서 작자층과 향유층이 확대되었기 때문이다.

④ 산문 정신에 의해 운문 중심에서 '산문 중심'의 문학으로 이행·발전되었다.

⑤ 국문 소설이 최초로 발생하였다.

> ⓔ 허균의 「홍길동전」: 최초의 한글 소설로 평가된다.

⑥ 내간체 수필, 내방 가사 등 '여성 문학'이 새롭게 부상했다.

⑦ 시조는 초기의 정형성에서 벗어나 사설시조와 같은 중장형의 시조로 형태의 변화가 이루어졌고, 가사 역시 보다 산문적인 기행 가사나 유배 가사 등이 나타나게 되었다.

⑧ 판소리가 새롭게 등장하였고 탈춤이 널리 공연되었다.

⑨ 김천택, 김수장 등의 평민 가객들은 가단을 형성하고 시조집을 편찬하여 시조 문학 발전에 기여하였다.

⑩ 구전되어 오던 많은 설화들이 소설에 영향을 미쳤다.

5 대표 갈래 및 작품

소설	• 국문 소설의 효시인 「홍길동전」을 시작으로 본격적인 소설의 시대가 전개됨 • 내용도 다양하여 '영웅 소설, 가정 소설, 대하소설, 애정 소설, 풍자 소설, 판소리계 소설' 등 풍부한 작품을 선보임
시조	• 평민 의식과 산문 정신의 영향으로 새로운 형식의 시조인 사설시조 등장 • 평민과 기생들의 참여, 전문적인 가단의 형성, 시조집 편찬 등으로 시조의 전성기를 이룸 • 대표 작가: 윤선도, 김천택, 김수장
가사	• 관념적·서정적인 조선 전기 가사에서 구체적·일상적·서사적인 가사로 변모 • 산문화의 영향으로 장편 기행 가사, 유배 가사, 내방 가사 등이 발달 • 대표 작품: 「일동장유가」, 「북천가」, 「연행가」, 「만언사」, 「한양가」 등
수필	• 사회 변동에 따른 개인의 체험이나 역사적 사실을 기록한 글 • 대표 한글 수필: 「계축일기」, 「한중록」, 「의유당일기」, 「산성일기」 등 • 대표 한문 수필: 「서포만필」, 「열하일기」, 「순오지」, 「시화총림」 등
한문학	실학자들이 창작한 실학파 문학, 중인들에 의한 위항 문학 등
판소리	• 전문 예술가인 광대와 고수에 의해 공연되는 풍자적인 민중 예술 • 조선 후기 평민 문학의 정수로서 국민 문학으로 자리매김함 • 12마당 → 신재효가 6마당으로 정리 → 현재는 5마당만 전해짐
민속극	• 춤, 노래, 대사, 몸짓을 섞어 가며 관중과 더불어 행해지는 종합 예술 • 평민 의식이 극명하게 표현됨 • 가면극(탈춤)이 대표적이며, 지역에 따라 산대놀이, 해서 탈춤, 오광대놀이, 야류 등이 있음

03 조선 시대 문학 작품의 실제

1 악장

(1) 개념

조선 초기 왕의 행차나 종묘 제향 등 국가적인 행사에 사용하던 음악의 가사로서, 조선 건국 및 문물 제도를 찬양하는 송축가를 의미한다. 조선 초기에 발생하여 세종 때 성행하다가 성종 이후 소멸하였다.

(2) 특징

① 형식: 일정한 틀은 없으나 초기에는 중국의 고시체의 형태를 취한 것이 많고, 훈민정음 창제 이후에는 약간의 국어가 섞인 현토체가 나타나다가, 「용비어천가」, 「월인천강지곡」과 같은 독자적인 정형성을 띤 신체 형식이 등장하였다.

② 내용: 조선 건국의 정당성을 밝히고, 임금의 만수무강을 축원하며, 후대 왕에 대한 권계의 내용을 담고 있는 경우가 많다.

③ 몇 편의 작품을 제외하고는 작위성이 강하고 과장과 아첨이 심하므로 문학성이 높다고 보기 어렵다.

(3) 작자 및 향유층

대부분 조선조의 특권층인 권신들이 작자층이다. 향유 계층도 소수 특권 귀족층에 국한되어 있다. 따라서 국민 문학으로 일반화되지 못했고, 그 생명도 오래가지 못했다.

(4) 주요 작품

「신도가」, 「정동방곡」, 「용비어천가」, 「월인천강지곡」 등

2 가사

(1) 개념

고려 말 경기체가가 쇠퇴하면서 나타난 문학 장르로, 조선조에 들어와 본격적으로 창작되어 주로 사대부 사회에서 널리 유행하였으며, 4음보 연속체의 시가 형식을 보인다. 일반적으로 정극인의 「상춘곡」을 가사의 효시로 본다.

(2) 등장 배경

경기체가가 쇠퇴하면서 사대부들은 평시조는 물론, 연시조로도 표출할 수 없는 자신들의 정서를 좀 더 자유롭게 피력할 수 있는 장형 시가가 필요했다. 이에 따라 4·4조의 연속체로 시상을 지속적으로 전개하다 시조의 종장처럼 시상을 마무리하는 이른바 '정격 가사'를 창출해 냈던 것이다. 이렇게 시작된 가사는 부녀들의 내방 가사와 서사적 성격의 기행 가사 등을 남기며 개화 가사에까지 이르게 된다.

(3) 특징

① 형식: 가사는 3(4)·4조의 연속체로, 4음보로 된 운문 문학이다. 행수에는 제한이 없다. 마지막 행의 형식은 대체로 시조의 종장과 일치하는데(3·5·4·3), 시조의 종장 형식을 따르는 가사 형식을 '정격 가사'라 하고, 그렇지 않은 것을 '변격 가사'라 한다. 조선 후기로 갈수록 정격 가사는 변격 가사로 변모하였고 장형화되는 양상을 보인다.

② 내용: 임금에 대한 충성이나 자연 속에서 유유자적하는 심정을 읊은 서정적인 작품, 역사·교훈·기행 등 서사적 성격의 특성을 보이는 작품들이 있다. 내방 가사는 규중 부녀자들의 애환 등 부녀자들의 생활과 심정을 노래하였다.

(4) 주요 창작층

조선 전기에는 주로 사대부를 중심으로 창작되었으나, 조선 후기에는 평민층과 여성에까지 작자층이 확대되었다.

(5) 주요 작품

「상춘곡」, 「면앙정가」, 「관동별곡」, 「사미인곡」, 「속미인곡」, 「규원가」, 「만분가」 등

3 민요

(1) 개념

민중 속에서 자연 발생하여 오랫동안 전해 오는 구전 가요로, 민중의 소박한 생활 감정이 담긴 노래이다.

(2) 특징

① 형식: 연속체의 긴 노래로 대개 후렴이 붙어 있다. 3음보 혹은 4음보의 노래가 주류를 이루며 4음절, 4음보가 많다.

② 내용: 노동의 고달픔, 삶의 애환, 남녀의 애틋한 사랑, 놀이의 표현 등 다양하다.

③ 분류: 노동요, 의식요, 유희요 등

(3) 주요 작품

「시집살이 노래」 등

4 시조

(1) 특징

고려 중기에 발생하여 고려 말엽에 완성된 시가 형태로, 조선 시대를 거쳐 현대까지 창작되고 불리는 우리 문학의 대표적인 서정 양식이다.

(2) 전반적인 특징

① 일반적 형식은 3장 6구 45자 내외의 정형이 기본형이다.

② 음수율은 3·4조 또는 4·4조가 기조로 되어 있으나 한두 음절의 가감은 무방하다.

③ 4음보의 율격을 이루며, 종장의 첫 음보는 엄격한 제약이 따라서 3음절로 고정되어 있다.

④ 종장의 첫 음보에 감탄사(어즈버, 아희야 등)가 빈번한 것은 10구체 향가의 낙구에 나오는 감탄사(아야, 아으)의 영향으로 보기도 한다.

(3) 조선 전기의 시조

① 특징

    ㉠ 우국충절, 강호한정(자연 속의 삶), 남녀 간의 애정을 내용으로 하였다.

    ㉡ 사대부, 기녀에 의해 창작된 평시조가 중심이었다.

    ㉢ 대표적인 시가 문학으로 자리를 잡기 시작하였다.

    ㉣ 형식의 간결함이 당시 유학자들의 담백한 정서를 표현하는 데 적합했다.

    ㉤ 가창을 위한 문학이었다. (읊조리기 위한 것이 아님)

    ㉥ 우아미가 두드러지지만 이밖에도 다양한 미의식을 보여 준다.

    ㉦ 단시조가 주류를 이루었다. 조선 전기에는 주로 단시조로 창작되었지만, 점차 단시조가 중첩된 연시조로 발전하였다. 그러나 연시조라 하더라도 각각의 연은 평시조의 형태를 유지하고 있었다.

② 주요 창작층: 고려 유신, 사대부(훈구파 – 사림파), 기생 등
③ 주요 작품: 황희의 「대쵸 볼 불근 골에 ～」, 황진이의 「어져 내 일이야 ～」, 이개의 「방 안에 혓는 촉불 ～」, 성혼의 「말 업슨 청산이오 ～」

(4) 조선 후기의 시조

① 특징
　ㄱ 조선 후기에 들어 시조 문학사상 가장 빼어난 문인으로 칭송되는 윤선도가 등장하였다.
　ㄴ 김천택, 김수장, 박효관, 안민영 등의 평민 가객이 등장하여 가단을 형성하고 시조집을 편찬하였다.
　ㄷ 윤선도에 이르러 절정에 달했던 사대부의 시조 문학은 산문 문학의 발달로 인한 운문 문학의 쇠퇴와 평민 계층의 시조 창작으로 인한 창작 동기 감소로 인해 점차 활기를 잃게 된다.
　ㄹ 수많은 무명의 평민 작자들에 의해 사설시조가 창작되기 시작하였다. 사설시조는 산문 정신과 서민 의식을 배경으로 하여 평시조의 3장체의 기본 틀을 유지하면서도 내용이나 표현 면에서 기존의 고정 관념을 깨뜨렸다.
② 주요 작가: 윤선도, 김천택, 김수장, 박효관, 안민영, 무명의 평민 작가
③ 주요 작품: 윤선도의 「오우가」, 안민영의 「매화사」, 김천택의 「강산 죠흔 경을 ～」

5 고전 소설

(1) 개념
갑오개혁 이후의 신소설과 구분하기 위한 상대적 명칭으로서, 일정한 요건을 갖춘 산문 문학이다.

(2) 등장 배경
① 문학사적으로 고려의 패관 문학이나 가전체 등의 서사 문학의 전통을 계승하고, 외부적으로는 당시 유행한 명나라의 전기, 화본 등의 영향을 받아 발생하였다.
② 서사 문학으로서의 고전 소설은 광해군 때 허균의 국문 소설 「홍길동전」을 거쳐 중국 번안 소설 및 실학사상의 영향으로 크게 꽃피웠으며, 조선 후기에는 궁중을 배경으로 한 대장편 소설의 창작 등으로 전개되었다.

(3) 특징
① 고대 설화나 가전체가 발전하여 소설 문학을 이루었다.
② 김시습의 「금오신화」를 고전 소설의 효시로 보며, 이는 광해군 때 최초의 국문 소설인 허균의 「홍길동전」으로 이어졌다.
③ 평민 문학으로서 서민의 사상, 감정이 반영된 문학이다.
④ 산문 정신에 입각한 서사 문학이다.
⑤ 고전 소설은 대개 시간적 흐름에 따라 이야기를 진행하여 가는 평면적 구성을 취한다. 그리하여 대개 주인공이 태어나서 죽을 때까지의 일대기를 서술한 전기적 구성을 취하게 된다. 그리고 인물은 성격 변화가 거의 없는 평면적 인물인 경우가 많으며 선인과 악인 간의 갈등이 첨예하게 드러나는 경우가 많다.

■ **고전 소설의 일반적 특징**
• 권선징악적 주제 의식
• 한 인물의 일대기 형식(추보식 구성) 의 전형적인 구성
• 비현실적, 우연적 사건 전개
• 인물의 전형성

(4) 전개 양상

① 조선 전기의 소설

  ㉠ 조선 전기에는 훈민정음이 창제되었음에도 불구하고 국문 소설은 창작되지 않고 한문 소설만 등장하였다.

  ㉡ 고전 소설의 효시: 김시습의 「금오신화」를 고전 소설의 효시로 본다. 이 작품은 명나라 구우의 『전등신화』의 영향을 받았으며, 5편의 단편 작품이 수록된 것으로 알려져 있다.

  ㉢ 「금오신화」의 특징

   • 한문 문어체로 사물을 극도로 미화시켜 표현하였다.

   • 주인공들이 재자가인(才子佳人)*이며, 보편적 현실과는 거리가 먼 신비로운 내용을 담고 있다.

   • 위의 2가지 특징은 몽유록계 한문 소설에도 그대로 나타나는 조선 전기 소설의 특징이다.

  ㉣ 몽유록 계통의 소설: 임제의 「원생몽유록」이 그 대표적인 작품인데, 수양 대군이 단종의 왕위를 찬탈한 역사적 사건을 제재로 한 것이다.

② 조선 후기의 소설

  ㉠ 조선 후기에 들어 '한글 소설'이라는 새로운 문학 양식이 등장하여 서사 문학을 대표하며 크게 유행했다.

  ㉡ 한글 소설의 등장은 임진왜란과 병자호란을 겪으면서 양반의 권위가 땅에 떨어지고, 평민 의식이 싹틈에 따라 평민 기질에 맞는 산문 문학이 절실히 요구되었던 시대적 특성과 밀접한 관계가 있다.

  ㉢ 주제가 윤리·도덕적, 권선징악적이며 평면적 구성, 인물의 전형성, 사건의 비현실성, 행복한 결말을 특징으로 한다.

  ㉣ 공간적 배경은 중국뿐만 아니라 국내를 무대로 한 경우도 늘어났으며 시간적 배경은 과거로 하는 것이 보통이었다.

  ㉤ 사상적 측면에서는 유·불·도 사상이 혼합되어 있는 점이 특징이다.

  ㉥ 허균의 「홍길동전」: 임진왜란 이후 근대적 자아의 각성과 부조리한 현실에 대한 민중들의 비판 의식이 형성되었고, 이와 같은 의식이 소설화된 대표적인 작품이다. 한글 소설은 「홍길동전」을 효시로 하여 평민 문학으로 자리 잡기 시작하여 영·정조 때에 이르러 전성기를 맞이하게 되었다.

  ㉦ 김만중의 「구운몽」: 「구운몽」은 불교 사상에 입각하여 인간사의 온갖 부귀영화가 사실은 다 허망한 것이라는 주제를 제시하였으며, 양반 사대부들의 정신적 지향점을 제시하였다.

  ㉧ 김만중의 「사씨남정기」: 당시 숙종과 인현 왕후, 장희빈 사이에 있었던 갈등을 우회적으로 풍자한 작품이다.

  ㉨ 박지원의 소설: 실학이라는 새로운 사상적 흐름 속에서 박지원의 한문 소설이 등장하였다. 박지원은 공리공론을 배격하고 일종의 사실주의 문학을 수립했다. 박지원은 「양반전」을 통해 몰락해 가는 양반들의 현실을 풍자했고, 「호질」에서는 유학자의 전형적인 위선을 고발했으며, 「허생전」에서는 이전 시대의 「홍길동전」에서 그랬듯이 부정적인 현실과 그것이 제거된 이상국을 보여 줌으로써 날카로운 사회 비판의 작가 정신을 드러내었다.

(5) 주요 작품

「금오신화」, 「홍길동전」, 「유충렬전」, 「구운몽」, 「사씨남정기」, 「허생전」, 「호질」 등

6 판소리

(1) 개념

광대가 이야기를 노래로 부르는 전통적인 공연 양식이다. '판소리'의 말뜻은 '판'과 '소리'의 합성어로 판놀음, 즉 연희에서 부르는 소리를 뜻하는 것으로 알려져 있다.

(2) 형성

숙종 때 대두한 평민 문학이 본격적인 문학의 주류를 형성하면서부터 18세기 영조 대에 이르러 새로운 문학의 양식으로 판소리가 등장하게 되었다. 이렇게 등장한 판소리는 평민 문학인 사설시조의 자극을 받았고, 유랑 재인인 광대들에 의해서 이루어진 것으로 본다. 또한 남자 무당 집단의 서사 무가에서 형성되었다고 보는 견해도 있다.

(3) 특징

① 주로 서민들의 현실 생활을 그림.
② 극적, 민속적, 희곡적
③ 운문체
④ 풍자와 해학 등의 골계적인 내용이 풍부함.

(4) 주요 작품

「수궁가」, 「흥보가」, 「춘향가」, 「심청가」

더 알아보기 판소리

1. 판소리의 3요소

광대	노래를 부르는 사람
고수	북을 치는 사람
청중	극의 진행에 직·간접적으로 개입하는 관객

2. 판소리의 구성 요소

창(소리)	광대가 부르는 노래
아니리	판소리에서 중간중간에 가락을 붙이지 않고 이야기하듯 엮어 나가는 사설
발림	소리의 극적인 전개를 돕기 위하여 몸짓이나 손짓으로 하는 동작
너름새	'발림'과 같으나 가사, 소리, 몸짓이 일체가 되었을 때 일컫는 말
추임새	장단을 짚는 고수가 창의 사이에 흥을 돋우기 위하여 삽입하는 소리
더늠	광대가 자신의 독특한 방식으로 다듬어 부르는 어떤 마당의 한 대목

3. 판소리의 장단

진양조장단	가장 느린 장단으로 슬프고 무거운 느낌
중모리장단	진양조보다 조금 빠르고 중중모리보다 조금 느린 중간 빠르기로 안정감이 있음
중중모리장단	중모리보다 빠르고 자진모리보다 느린 장단. 흥취를 돋우며 우아한 맛이 있음
자진모리장단	휘모리보다 좀 느리고 중중모리보다 빠른 속도로. 섬세하면서도 명랑하고 차분하면서도 상쾌함
엇모리장단	2박과 3박이 뒤섞인 빠른 10박 장단. 평조음으로 평화스럽고 경쾌함
휘모리장단	가장 빠른 속도로 처음부터 급하게 휘몰아 부르는 장단

7 판소리계 소설

(1) 개념
판소리 사설을 돌려 가며 베끼는 과정에서 독서물로 정착하게 된 소설이다.

(2) 특징
① 영웅이 등장하지 않고, 사건 전개에서 인과 관계를 중시한다.
② 해학과 풍자 속에 평민의 생활상을 폭넓게 형상화한다.
③ 표면적 주제와 이면적 주제를 가진다.

(3) 주요 작품
「춘향전」, 「심청전」, 「흥부전」, 「토끼전」, 「별주부전」, 「배비장전」, 「장끼전」, 「옹고집전」, 「숙영낭자전」 등

8 민속극

(1) 개념
민간에서 전하며 내려오는 극 양식을 말한다. 우리 민속극에는 일찍부터 무극, 가면극, 인형극 등이 있었다. 무극은 굿에서 연행되는 굿놀이를 말하며, 가면극은 각 지역에서 행해지던 탈놀이를, 인형극은 남사당이라는 유랑인 집단에 의해 행해지던 꼭두각시놀음을 말한다. 일반적으로 가면극의 연원은 삼국 시대 기악이나 오기, 처용무 등에 두고 있다.

(2) 특징
① 형식: 대본은 장, 무대, 등장인물, 대사 등을 갖추고 있어 오늘날의 희곡과 유사한 형식적 구조를 가진다.
② 내용: 조선 시대 대부분의 평민 소설이 그랬던 것처럼 풍자적이고 해학적인 특성을 보이며, 풍자 대상의 주류는 특권적 신분층이었다.
③ 농민이나 남사당 등의 서민들에 의해 주도되었으며, 나아가서 일반 서민들을 관중으로 삼았기 때문에 서민들의 언어와 삶의 모습이 생생하게 담겨 있다.
④ 공동작으로 연희되며 재창조되고, 문자 기록에 의하지 않고 구비 전승되었다는 특징을 갖고 있다.
⑤ 관중이 모여서 구경할 수 있는 빈 공간이면 어디서든 공연이 가능하였다.

(3) 종류
① 가면극: 배우가 가면을 쓰고 공연하는 민속극을 말한다. 농촌의 탈놀이에서 출발하여 점차 상업 중심지의 공연물로 자리 잡게 되었다. 가면극은 기존의 신분적 특권과 관념적 사고를 풍자하고 자신들의 삶을 해학적으로 드러내었다.
② 인형극: 배우 대신 인형을 쓰는 민속극을 말한다. 조종자가 무대 뒤에 숨어서 동작을 조종하며 대사와 가창을 하였다. 남사당패들에 의해 공연되었고 조선 후기의 공연물로 재편성될 때에는 익살과 해학, 반어와 풍자 등 평민들의 비판 의식과 오락성이 잘 결합된 독특한 세계를 연출해 냈다.

(4) 주요 작품
① 가면극: 「봉산탈춤」
② 인형극: 「꼭두각시놀음」

9 기타 작품

(1) 수필류
① 일기체 수필: 「산성일기」
② 기행 수필: 「화성일기」, 「의유당관북유람일기」, 「연행록」, 「무오연행록」
③ 궁중 수필: 「계축일기」, 「한중록」
④ 기타: 「규중칠우쟁론기」, 「조침문」

(2) 번역 문학
① 불경: 「석보상절」, 「월인석보」 등
② 문해서: 「두시언해」, 「연주시격언해」 등
③ 경서: 「내훈」, 「삼강행실도」, 「번역소학」, 「소학언해」 등

III 고전 문학의 이해

교수님 코멘트▶ 이 영역에서는 주요 고전 문학 작품이 반복적으로 출제된다. 따라서 주요 작품과 기출된 작품 등을 꼼꼼하게 학습해야 한다.

상고 시대의 문학(고조선~통일 신라 시대)

01
2017 국가직 9급(사회복지직 9급)

다음 시가의 전개 방식으로 옳은 것은?

> 龜何龜何
> 首其現也
> 若不現也
> 燔灼而喫也
>
> – 「구지가」 –

① 요구 – 위협 – 환기 – 조건
② 환기 – 요구 – 조건 – 위협
③ 위협 – 조건 – 환기 – 요구
④ 조건 – 요구 – 위협 – 환기

02
2013 지방직 7급

(가)~(다)에 대한 설명으로 가장 적절한 것은?

> (가) 公無渡河　그대 물을 건너지 마오.
> 　　 公竟渡河　그대 기어이 물을 건너시네.
> 　　 墮河而死　물에 빠져 죽으시니
> 　　 當奈公何　이제 그대 어찌하리.
> 　　　　　　 – 백수 광부의 아내, 「공무도하가」 –
>
> (나) 어져 내 일이야 그릴 줄을 모로ᄃ냐.
> 　　 이시라 ᄒ더면 가랴마ᄂ 제 구ᄐ여
> 　　 보ᄂ고 그리는 情(정)은 나도 몰라 ᄒ노라.
> 　　　　　　 – 황진이의 시조 –
>
> (다) 梨花雨(이화우) 훗ᄲ릴 제 울며 잡고 離別(이별)ᄒ 님
> 　　 秋風落葉(추풍낙엽)에 저도 날 싱각ᄂ가
> 　　 千里(천 리)에 외로운 ᄭᅮᆷ만 오락가락 ᄒ노매.
> 　　　　　　 – 계랑의 시조 –

① (가)와 (나)는 모두 민요조의 율격을 바탕으로 하고 있다.
② (가)와 (다)는 모두 참요(讖謠)의 성격을 강하게 드러내고 있다.
③ (나)와 (다)는 모두 향토적 소재를 사용하여 시상을 전개하고 있다.
④ (가), (나), (다)의 화자는 모두 이별로 인한 쓰라림을 느끼고 있다.

03

다음 작품에 대한 설명으로 적절한 것은?

> 생사(生死) 길은
> 예 있으매 머뭇거리고
> 나는 간다는 말도
> 못다 이르고 어찌 갑니까.
> 어느 가을 이른 바람에
> 이에 저에 떨어질 잎처럼
> 한 가지에 나고
> 가는 곳 모르온저.
> 아아, 미타찰(彌陀刹)에서 만날 나
> 도(道) 닦아 기다리겠노라.
>
> – 월명사, 「제망매가(祭亡妹歌)」 –

① 시적 대상과의 재회에 대한 소망을 담고 있다.
② 반어적 표현을 통해 화자의 정서를 부각하고 있다.
③ 세속의 인연에 미련을 두지 않은 구도자의 자세를 드러 내고 있다.
④ 상황 인식 – 객관적 서경 묘사 – 종교적 기원의 3단 구성 으로 되어 있다.

04

다음 중 신라의 향가가 아닌 것은?

① 천수대비가
② 헌화가
③ 처용가
④ 숙세가

---

01 ② 고대 가요

② 제시된 작품은 「구지가」이다. 해석을 하면 다음과 같다.

> **龜何龜何** 거북아, 거북아. → 환기
> **首其現也** 머리를 내어라. → 요구
> **若不現也** 내어놓지 않으면. → 조건
> **燔灼而喫也** 구워서 먹으리. → 위협

따라서 정답은 ②이다.

02 ④ 고대 가요와 시조

(가) 고대 가요 「공무도하가」에서는 사랑하는 임을 잃은 슬픔이 드러난다.
(나) 황진이의 시조에서는 헤어진 임에 대한 그리움과 후회가 드러난다.
(다) 계랑의 시조에서는 헤어진 임에 대한 그리움이 드러난다.
(가)~(다)의 화자는 모두 이별로 인한 쓰라림을 느끼고 있으므로 정답은 ④이다.
| 오답해설 | ① (나)의 시조는 3·4조, 4·4조, 4음보의 민요적 율격을 바탕으로 하지 만, (가)의 고대 가요는 원래 민요적 성격을 지녔을 것이나 이것이 한자로 기록된 후 다시 우리말로 해석한 것이므로 율격을 판단할 근거가 부족하다.

03 ① 향가

① 9행과 10행을 보면 죽은 누이와 미타찰에서 만나겠다는 의지를 보이며 누이를 잃은 슬픔을 종교적으로 승화하고 있다.

04 ④ 향가

④ 「숙세가」는 2000년 충남 부여에서 출토된 4언 4구의 노래로서, 현존하는 가장 오래된 백제 시가라는 주장이 학계에 제기되어 있다. 참고로, 기존에는 「정읍사」 를 현존하는 가장 오래된 백제 시가로 보았다.
| 오답해설 | ① 불교적 신앙심을 노래한 10구체 향가이다.
② 수로 부인에 대한 연모의 정을 담은 4구체 향가이다.
③ 현재 전하는 신라 시대 마지막 향가 작품으로 주술적 성격이 강한 8구체 향가이다.

| 정답 | 01 ②   02 ④   03 ①   04 ④

05

다음 작품에 대한 설명으로 가장 적절하지 <u>않은</u> 것은?

> 흐느끼며 바라보매
> ㉠ 이슬 밝힌 달이
> 흰 구름 따라 떠간 언저리에
> 모래 가른 물가에
> 기랑(耆郎)의 모습이올시 수풀이여.
> 일오(逸烏)내 자갈 벌에서
> 낭(郎)이 지니시던
> 마음의 갓을 좇고 있노라.
> ㉡ 아아, 잣나무 가지가 높아
> 눈이라도 덮지 못할 고깔이여.

① 표현 기교가 뛰어난 작품으로 「제망매가」와 함께 향가 문학의 백미로 꼽힌다.

② 기파랑이라는 화랑을 추모하면서 그의 높은 덕을 기리고 있는 작품이다.

③ ㉠에서 화자는 지금은 없는 기파랑의 자취를 찾으며 슬퍼하고 있다.

④ ㉡에서 화자는 기파랑의 높은 인품을 잣나무 가지와 눈에 비유하고 있다.

다음 중 한글로 전해지지 <u>않는</u> 시는?

① 사미인곡

② 정읍사

③ 풍요

④ 누항사

⑤ 청산별곡

다음 중 향가에 대한 설명으로 <u>잘못된</u> 것은?

① 현전하는 향가 중 「혜성가(彗星歌)」는 최초의 작품으로 8구체 형식을 취하고 있다.

② 충담사는 10구체 향가인 「안민가(安民歌)」와 「찬기파랑가(讚耆婆郎歌)」를 남겼다.

③ 각간 위홍과 대구 화상이 역대의 향가를 모은 『삼대목(三代目)』이 있었다는 것은 『삼국사기』의 기록을 통해 알 수 있다.

④ 「균여전(均如傳)」에서는 향가가 '삼구육명(三句六名)' 형식으로 짜여 있다고 한다.

⑤ 「원왕생가(願往生歌)」와 「천수대비가(千手大悲歌)」는 불교 신앙의 향가이다.

다음 글의 ㉠~㉣에 대한 설명으로 적절하지 <u>않은</u> 것은?

금와는 그때 한 여자를 태백산 남쪽 우발수에서 만났는데, 그녀가 이렇게 말했다. "㉠ <u>하백의 딸 유화입니다. 동생들과 놀러 나왔을 때 한 남자가 나타나 자신이 천제의 아들 해모수라고 하며 웅신산 아래 압록강 가에 있는 집으로 유인하여 사통하였습니다. 그러고는 저를 떠나가서 돌아오지 않았습니다. 부모는 제가 중매도 없이 다른 사람을 따라간 것을 꾸짖어 이곳으로 귀양을 보내 살도록 했습니다.</u>"

㉡ <u>금와가 괴이하게 여겨 유화를 방 안에 남몰래 가두어 두었더니, 햇빛이 비추었다. 그녀가 피하자 햇빛이 따라와 또 비추었다. 이로 인해 임신하여 알을 하나 낳았는데,</u> 크기가 다섯 되쯤 되었다.

…(중략)…

금와에게는 아들이 일곱 있었는데, 항상 주몽과 함께 놀았다. 그러나 그들의 기예가 주몽에게 미치지 못하자 ㉢ <u>맏아들 대소가 말했다. "주몽은 사람에게서 태어난 것이 아니니 일찍이 도모하지 않으면 후환이 있을 것입니다."</u> 왕은 듣지 않고 주몽에게 말을 기르도록 했다. 주몽은 준마를 알아보고 먹이를 조금씩 주어 마르게 하고, 늙고 병든 말은 잘 먹여 살찌게 했다. 왕은 살찐 말은 자기가 타고 주몽에게는 마른 말을 주었다. 왕의 아들들과 여러 신하들이 함께 주몽을 해치려 하자, 그 사실을 알게 된 주몽의 어머니가 아들에게 말했다. "나라 사람들이 너를 해치려고 하는데, 너의 재략이라면 어디 간들 살지 못하겠느냐? 빨리 떠나거라."

그래서 주몽은 오이 등 세 사람과 벗을 삼아 떠나 개사수에 이르렀으나 건널 배가 없었다. ㉣ <u>추격하는 병사들이 문득 닥칠까 두려워서 이에 채찍으로 하늘을 가리키며 빌었다. "나는 천제의 손자이고, 하백의 외손이다. 황천후토(皇天后土)는 나를 불쌍히 여겨 급히 주교(舟橋)를 내려 주소서." 하고 활로 물을 쳤다. 그러자 물고기와 자라가 다리를 만들어 주어 강을 건너게 했다.</u> 그러고는 다리를 풀어 버렸으므로 뒤쫓던 기병은 건너지 못했다.

– 작자 미상, 「주몽 신화」 중에서 –

① ㉠: '유화'가 귀양에 처해진 이유를 알 수 있다.
② ㉡: '유화'가 임신을 하게 된 이유를 알 수 있다.
③ ㉢: '주몽'이 준마를 얻기 위해 '대소'와 모의했음을 알 수 있다.
④ ㉣: '주몽'이 강을 건너가기 위해 '신'과 교통했음을 알 수 있다.

05 ④ 향가

④ 제시된 작품은 10구체 향가인 「찬기파랑가」이다. 기파랑의 높은 인품을 잣나무 가지에 비유하고 있는 것은 맞지만, 눈은 외적 시련을 의미한다.

06 ③ 향가

③ 4구체 향가 「풍요」는 향가이므로 한자의 음과 뜻을 빌린 향찰로 기록되어 있다. 일반적으로 실질 형태소는 훈독하고 형식 형태소는 음독하지만 표기에 예외가 많다.

| 오답해설 | ①④ 「사미인곡」, 「누항사」는 조선 시대, 한글 창제 이후에 창작된 가사이므로 한글로 표기되어 있다.

②⑤ 「정읍사」는 고대 가요, 「청산별곡」은 고려 가요로, 구전되다가 조선 시대에 한글이 창제된 이후에 한글로 기록되어 전한다.

07 ① 향가

① 「혜성가」는 최초의 10구체 향가 작품으로, 형식이 다소 산만하여 10구체 향가가 정립되는 과정을 보여 주는 작품이다. 현전하는 향가 중 최초의 작품은 4구체 향가인 「서동요」이다.

| 오답해설 | ② 충담사의 「찬기파랑가」는 목적성, 주술성을 지니지 않는 개인 서정시로서 사뇌가의 전형으로 평가된다. 「안민가」 역시 충담사의 작품이다.

③ 「삼대목」이라는 향가집을 편찬했다는 기록은 전하지만 현존하지 않는다.

④ '삼구육명'은 「균여전」에서 사뇌가(10구체 향가)의 형식(운율)을 규정한 것을 이르는 말이다.

⑤ 두 작품 모두 불교적 신앙심을 표현한 작품이다.

08 ③ 신화

③ ㉢은 주몽이 준마를 일부러 마르게 하여 왕에게 받음으로써 후일을 도모하게 되는 이유가 된다. 그러므로 주몽이 준마를 얻기 위해 대소와 모의하였다는 진술은 적절하지 않다.

09

2015 서울시 7급

다음 고전 시가에 대한 설명으로 가장 옳은 것은?

> 내 님믈 그리ᅀᆞ와 우니다니
> 산(山) 졉동새 난 이슷ᄒᆞ요이다.
> 아니시며 거츠르신ᄃᆞᆯ 아으
> 잔월효성(殘月曉星)이 아ᄅᆞ시리이다.
> 넉시라도 님은 ᄒᆞᆫᄃᆡ 녀져라 아으
> 벼기더시니 뉘러시니잇가
> 과(過)도 허믈도 천만(千萬) 업소이다.
> ᄆᆞᆯ 힛마리신뎌
> ᄉᆞᆯ읏븐뎌 아으
> 니미 나ᄅᆞᆯ ᄒᆞ마 니ᄌᆞ시니잇가.
> 아소 님하, 도람 드르샤 괴오쇼셔.
>
> – 정서, 「정과정」 –

① 현재 자신의 처지에서 벗어나고 싶은 심정을 담고 있다.
② 이상과 현실의 괴리에 대한 담담한 마음을 담고 있다.
③ 다가올 미래에 대한 비관적인 심경을 담고 있다.
④ 일상적인 소재를 통해서 삶의 교훈을 담고 있다.

[10~11] 다음 작품을 읽고 물음에 답하시오.

> 德(덕)으란 곰ᄇᆡ예 받ᄌᆞᆸ고
> 福(복)으란 림ᄇᆡ예 받ᄌᆞᆸ고
> 德(덕)이여 福(복)이라 호ᄂᆞᆯ
> ㉠ 나ᅀᆞ라 오소이다
>   아으 動動(동동)다리
>
> 正月(정월)ㅅ 나릿므른
> 아으 어져 녹져 ᄒᆞ논ᄃᆡ
> 누릿 가온ᄃᆡ 나곤
> ㉡ 몸하 ᄒᆞ올로 녈셔
>   아으 動動(동동)다리
>
> 二月(이월)ㅅ 보로매
> 아으 ㉢ 노피 현
> 燈(등)ㅅ블 다호라
> 萬人(만인) 비취실 즈ᅀᅵ샷다
>   아으 動動(동동)다리
>
> 三月(삼월) 나며 開(개)ᄒᆞᆫ
> 아으 滿春(만춘) ㉣ ᄃᆞᆯ욋고지여
> ᄂᆞᆷ 브롤 즈슬
> 디뎌 나샷다
>   아으 動動(동동)다리

10

2018 경찰직 1차

밑줄 친 부분에 대한 설명으로 가장 적절하지 않은 것은?

① ㉠: '나중에 오십시오.'라는 뜻이다.
② ㉡: 시적 화자의 외로운 처지를 나타낸다.
③ ㉢: 2월의 세시 풍속인 '연등제'와 관계된다.
④ ㉣: 임의 수려한 외모를 비유적으로 형상화하였다.

11

2018 경찰직 1차

이 작품에 대한 설명으로 가장 적절하지 않은 것은?

① 임을 그리는 여인의 심정을 월령체 형식에 맞추어 노래한 고려 가요이다.
② 고려 시대부터 구전되어 내려오다가 조선 시대에 문자로 정착되어 『악장가사』에 전한다.
③ 후렴구를 사용하여 연을 구분하고 음악적 흥취를 고조시켰다.
④ 1연은 서사(序詞)로서 송축(頌祝)의 내용을 담고 있는데, 이는 민간의 노래가 궁중으로 유입되면서 덧붙여진 것으로 추측된다.

12

다음 작품과 가장 유사한 정서를 지니는 것은?

> 가시리 가시리잇고 나는
> 부리고 가시리잇고 나는
>   위 증즐가 대평셩되(大平盛代)
>
> 날러는 엇디 살라 ᄒ고
> 부리고 가시리잇고 나는
>   위 증즐가 대평셩되(大平盛代)
>
> 잡ᄉ와 두어리마ᄂᆞᄂᆞᆫ
> 선ᄒ면 아니 올셰라
>   위 증즐가 대평셩되(大平盛代)
>
> 셜온 님 보내ᄋᆞ노니 나는
> 가시ᄂᆞᆫ 듯 도셔 오쇼셔 나는
>   위 증즐가 대평셩되(大平盛代)

① 한용운, 「님의 침묵」
② 김상용, 「남으로 창을 내겠소」
③ 서정주, 「국화 옆에서」
④ 김소월, 「진달래꽃」

13

㉠~㉣의 의미로 적절하지 않은 것은?

> 二月ㅅ 보로매 아으 노피 ㉠현 燈ㅅ블 다호라
> 萬人 비취실 즈싀샷다 아으 動動다리
> 三月 나며 開혼 아으 滿春 ᄃᆞᆯ욋고지여
> ᄂᆞ미 브롤 ㉡즈슬 디녀 나샷다 아으 動動다리
> 四月 아니 ㉢니저 아으 오실셔 곳고리새여
> ㉣므슴다 錄事니ᄆᆞᆫ 녯 나ᄅᆞᆯ 닛고신뎌 아으 動動다리
>
>   – 작자 미상, 「動動」에서 –

① ㉠은 '켠'을 의미한다.
② ㉡은 '모습을'을 의미한다.
③ ㉢은 '잊어'를 의미한다.
④ ㉣은 '무심하구나'를 의미한다.

---

09 ① 향가계 여요

① 「정과정」은 향가계 여요로 평가받기도 하는 노래로서 '충신연주지사'의 성격을 지니는 고려 전기의 노래이다. 후대의 사대부 문학에 지대한 영향을 미쳤다. 이 작품은 유배를 가 있던 정서가 자신의 억울함을 호소하며 임금이 자신을 다시 불러 주길 원하는 마음을 담고 있다.

|오답해설| ② 이상과 현실의 괴리로 볼 여지는 있으나 담담한 마음이 아니라 슬픔, 원망 등의 정서가 절실히 드러난다.
③ "도람 드르샤 괴오쇼셔"라는 소망을 드러내므로 적절치 않다.
④ 접동새, 잔월효성 등 일상적 소재는 사용되지만 삶의 교훈을 담고 있지 않다.

10 ① 고려 가요

① ㉠은 '바치러(진상하러) 오십시오.'라는 의미이다.

11 ② 고려 가요

② 「동동」은 고려 시대부터 구전되어 내려오다가 조선 시대에 문자로 정착되어 『악학궤범』에 전한다.

12 ④ 고려 가요

④ 제시된 작품은 「가시리」이다. 「가시리」와 김소월의 「진달래꽃」은 모두 사랑하는 사람을 떠나보내는 슬픔을 노래한 작품이다.

13 ④ 고려 가요

④ '므슴다'는 '무슨 일로'로 해석하거나 '어찌하여' 정도로 의역하여 해석할 수 있다.

14

2021 지방직 7급

다음 시조에 대한 이해로 적절하지 <u>않은</u> 것은?

> 흔 손에 막듸 잡고 또 흔 손에 가싀 쥐고
> 늙ᄂᆞᆫ 길 가싀로 막고 오ᄂᆞᆫ 백발(白髮) 막듸로 치려터니
> 백발(白髮)이 제 몬져 알고 즈럼길노 오더라
>
> – 우탁 –

① 인생의 덧없음을 관조적으로 표현하고 있다.
② 대상을 의인화하여 생동감 있게 표현하고 있다.
③ 거스를 수 없는 자연의 섭리를 해학적으로 표현하고 있다.
④ 인간의 한계를 드러내어 운명은 거부할 수 없음을 표현하고 있다.

15

2016 국가직 9급

다음 글에 대한 설명으로 옳지 <u>않은</u> 것은?

> 거사는 이렇게 대답했다.
> "얼굴이 잘생기고 예쁜 사람은 맑고 아른아른한 거울을 좋아하겠지만, 얼굴이 못생겨서 추한 사람은 오히려 맑은 거울을 싫어할 것입니다. 그러나 잘생긴 사람은 적고 못생긴 사람은 많기 때문에, 만일 맑은 거울 속에 비친 추한 얼굴을 보기 싫어할 것인즉 흐려진 그대로 두는 것이 나을 것입니다. 그래서 차라리 깨쳐 버릴 바에야 먼지에 흐려진 그대로 두는 것이 나을 것입니다. 먼지로 흐리게 된 것은 겉뿐이지 거울의 맑은 바탕은 속에 그냥 남아 있는 것입니다. 만약 잘생기고 예쁜 사람을 만난 뒤에 닦고 갈아도 늦지 않습니다. 아! 옛날에 거울을 보는 사람들은 그 맑은 것을 취하기 위함이었지만, 내가 거울을 보는 것은 오히려 흐린 것을 취하는 것인데, 그대는 이를 어찌 이상스럽게 생각합니까?"
> 하니 나그네는 아무 대답이 없었다.
>
> – 이규보, 「경설」 중에서 –

① 잘생긴 사람이 적고 못생긴 사람이 많다는 말에서 거사의 현실인식을 알 수 있다.
② 용모에 대한 거사의 논의는 도덕성, 지혜, 안목 등을 비유한 것으로 볼 수 있다.
③ 잘생기고 예쁜 사람을 만난 후 거울을 닦겠다는 말에서 거사가 지닌 처세관을 엿볼 수 있다.
④ 이상주의적이고 결백한 자세로 현실에 맞서고자 하는 거사의 높은 의지가 드러나 있다.

16

2015 국가직 9급

다음 글에 대한 설명으로 적절하지 <u>않은</u> 것은?

> 나는 집이 가난하여 말이 없어서 간혹 남의 말을 빌려 탄다. 노둔하고 여윈 말을 얻게 되면 일이 비록 급하더라도 감히 채찍을 대지 못하고 조심조심 금방 넘어질 듯 여겨서 개울이나 구렁을 지날 때는 말에서 내려 걸어가므로 후회할 일이 적었다. 발굽이 높고 귀가 쫑긋하여 날래고 빠른 말을 얻게 되면 의기양양 마음대로 채찍질하고 고삐를 늦추어 달리니 언덕과 골짜기가 평지처럼 보여 매우 장쾌하지만 말에서 위험하게 떨어지는 근심을 면치 못할 때가 있었다. 아! 사람의 마음이 옮겨지고 바뀌는 것이 이와 같을까? 남의 물건을 빌려서 하루아침의 소용에 쓰는 것도 이와 같은데, 하물며 참으로 자기가 가지고 있는 것이야 어떻겠는가?
>
> – 이곡, 「차마설(借馬說)」 –

① 경험을 통한 통찰력이 돋보인다.
② 우의적 기법을 적절히 활용하고 있다.
③ 대상들 사이의 유사점을 통해 대상의 특성을 설명하고 있다.
④ 일상사와 관련지어 글쓴이의 주장을 설득력 있게 드러내고 있다.

17

2016 국가직 7급

다음 글의 괄호 안에 들어갈 말로 알맞은 것은?

> 어떤 사물을 역사적 인물처럼 의인화하여 그 가계와 생애 및 개인적 성품, 공과(功過)를 기록하는 전기(傳記) 형식의 글을 (   )이라고 한다. 거북·대나무·지팡이·술·돈 따위의 동물이나 식물, 생활에 필요한 물건 같은 사물을 의인화해 그 생애를 서술한다

① 평전(評傳)
② 열전(列傳)
③ 가전(假傳)
④ 실전(實傳)

18

다음 글에서 의인화하고 있는 사물은?

姓은 楮이요, 이름은 白이요, 字는 無玷이다. 회계 사람이고, 한나라 중상시 상방령 채륜의 후손이다. 태어날 때 난초 탕에 목욕하여 흰 구슬을 희롱하고 흰 띠로 꾸몄으므로 빛이 새하얗다. … (중략) … 성질이 본시 정결하여 武人은 좋아하지 않고 文士와 더불어 노니는데, 毛學士가 그 벗으로 매양 친하게 어울려서 비록 그 얼굴에 점을 찍어 더럽혀도 씻지 않았다.

① 대나무
② 백옥
③ 엽전
④ 종이

14 ① 시조

이 시조는 우탁의 시조로 '늙음에 대한 한탄'을 나타내는 '탄로가'이다. 이 시조는 '늙음'이라는 추상적인 대상을 시각적인 길로 전환하여 인생의 무상감을 느끼게 한다. 또한 인간이 세월을 거역하고자 하지만 그것이 불가능한 상황을 익살스럽게 표현하고 있다. 즉 자연의 섭리에 따라 살아가는 인간의 한계성을 드러내는 시이다. 이 시에서 화자는 '늙음'을 막기 위해 적극적으로 노력하고 있다. 따라서 '관조적'으로 표현하고 있는 것은 아니다.

|오답해설| ② '백발'을 '먼저 알고 지름길 오는 대상'으로 의인화하여 표현하고 있다.
③ '늙음'을 막고자 하나 결국은 자연의 섭리를 거스를 수 없음을 해학적으로 표현하고 있다.
④ 자연의 섭리에 따라 살아가는 인간의 한계성을 드러내는 시로 아무리 노력해도 자연의 섭리를 거부할 수 없음을 표현하고 있다.

15 ④ 패관 문학

④ '거울'은 사람의 지혜, 도덕성 등을 비유한 것이다. 거사는 흐린 거울을 그대로 쓰다가 잘생기고 예쁜 사람을 만난 이후에 닦고 갈아도 늦지 않다고 했으므로 현실주의적 처세관을 보이는 인물이다.

16 ③ 패관 문학

말을 빌려 탄 경험을 통해 소유에 대한 성찰과 깨달음을 유도하고 있는 글이다. '설'의 양식이란 '구체적 사실의 제시 → 보편적 사실, 원리로의 유추'라는 구성을 가지므로 2단 구성을 기본으로 기승전결의 4단 구성을 보이기도 한다. 또한 구체적 사실은 대부분 작가의 실제 경험을 바탕으로 한 경우가 많다.
③ 대상들 사이의 유사점을 근거로 한다고 했으므로 비교의 표현이 쓰여야 하지만 제시된 작품에서 비교의 표현은 쓰이지 않았고, 대상의 특성이 아니라 깨달음을 드러내고 있다.

|오답해설| ① 말을 빌려 탔던 자신의 경험으로부터 일반적 원리를 이끌어 내고 있다.
② 소유에 대한 성찰을 말을 빌리는 행위에 빗대어 드러내고 있다.
④ 관련 경험을 바탕으로 자신의 주장을 설득력 있게 드러내고 있다.

17 ③ 가전체 문학

③ '가전'은 사물을 역사적 인물처럼 의인화하고, 전기(傳記) 형식을 따른 글이다. 고려 중기 이후에 성행하였으며, 임춘의 「공방전」이나 이규보의 「국선생전」 등이 있다.

|오답해설| ① 평전(評傳): 개인의 일생에 대하여 평론을 곁들여 적은 전기
② 열전(列傳): 여러 사람의 전기(傳記)를 차례로 벌여서 기록한 책
④ 실전(實傳): 실제의 전승이나 전기

18 ④ 가전체 문학

④ 제시된 작품은 이첨의 「저생전」이다. 이때 '저생'은 '종이'를 뜻한다. '새하얗다', '무인(武人)은 좋아하지 않고 문사(文士)와 노닌다', 붓을 의인화한 '모학사(毛學士)', '얼굴에 점을 찍어' 등을 통해서 작품에서 의인화하고 있는 사물이 종이임을 알 수 있다.

|정답| 14 ① 15 ④ 16 ③ 17 ③ 18 ④

19

2013 지방직 9급

다음 글에서 다루고 있는 소재들의 관계가 다른 하나는?

어떤 사람이 내게 말했다.

"어제저녁, 어떤 사람이 몽둥이로 개를 때려 죽이는 것을 보았네. 그 모습이 불쌍해 마음이 매우 아팠네. 그래서 이제부터는 개고기나 돼지고기를 먹지 않을 생각이네."

그 말을 듣고 내가 말했다.

"어제저녁, 어떤 사람이 화로에서 이[蝨]를 잡아 태워 죽이는 것을 보고 마음이 무척 아팠네. 그래서 다시는 이를 잡지 않겠다고 맹세를 하였네."

그러자 그 사람은 화를 내며 말했다.

"이는 하찮은 존재가 아닌가? 나는 큰 동물이 죽는 것을 보고 불쌍한 생각이 들어 말한 것인데, 그대는 어찌 그런 사소한 것이 죽는 것과 비교하는가? 지금 나를 놀리는 것인가?"

나는 좀 구체적으로 설명할 필요를 느꼈다.

"무릇 살아 있는 것은 사람으로부터 소, 말, 돼지, 양, 벌레, 개미에 이르기까지 모두 사는 것을 원하고 죽는 것을 싫어한다네. 어찌 큰 것만 죽음을 싫어하고 작은 것은 싫어하지 않겠는가? 그렇다면 개와 이의 죽음은 같은 것이겠지. 그래서 이를 들어 말한 것이지, 어찌 그대를 놀리려는 뜻이 있었겠는가? 내 말을 믿지 못하거든, 그대의 열 손가락을 깨물어 보게나. 엄지손가락만 아프고 나머지 손가락은 안 아프겠는가? 우리 몸에 있는 것은 크고 작은 마디를 막론하고 그 아픔은 모두 같은 것일세. 더구나 개나 이나 각기 생명을 받아 태어났는데, 어찌 하나는 죽음을 싫어하고 하나는 좋아하겠는가? 그대는 눈을 감고 조용히 생각해 보게. 그리하여 달팽이의 뿔을 소의 뿔과 같이 보고, 메추리를 큰 붕새와 동일하게 보도록 노력하게나. 그런 뒤에야 내가 그대와 더불어 도(道)를 말할 수 있을 걸세."

– 이규보, 「슬견설(蝨犬說)」 중에서 –

① 이[蝨] : 개
② 벌레 : 개미
③ 달팽이의 뿔 : 소의 뿔
④ 메추리 : 붕새

조선 시대의 문학

[20~22] 다음 글을 읽고 물음에 답하시오.

(가) 가노라 삼각산(三角山)아 다시 보쟈 한강수(漢江水)ㅣ야
　　　고국산천(故國山川)을 써ᄂᆞ고쟈 ᄒᆞ랴마ᄂᆞᆫ
　　　시절(時節)이 하 수상(殊常)ᄒᆞ니 올동말동 ᄒᆞ여라

　　　　　　　　　　　　　　　　　　　　　– 김상헌 –

(나) 창(窓) 내고쟈 창(窓)을 내고쟈 이내 가슴에 창(窓) 내고쟈
　　　고모장지 세살장지 들장지 열장지 암돌져귀 수돌져귀
　　　비목걸새 크나큰 쟝도리로 쑥싹 바가 이내 가슴에 창(窓) 내고쟈
　　　잇다감 하 답답홀 제면 여다져 볼가 ᄒᆞ노라

　　　　　　　　　　　　　　　– 사설시조, 작가 미상 –

(다) 두터비 프리를 물고 두험 우희 치드라 안자
　　　건넌 산(山) ᄇᆞ라보니 백송골(白松骨)이 써잇거늘 가슴이 금즉ᄒᆞ여 풀덕 쒸여 내닷다가 두험 아래 잣바지거고
　　　모쳐라 ᄂᆞᆯ낸낼싀만졍 에헐질 번ᄒᆞ괘라

　　　　　　　　　　　　　　　– 사설시조, 작가 미상 –

20

2019 법원직 9급

(나)의 표현 방식에 대한 설명으로 가장 적절하지 않은 것은?

① 웃음을 통해 비애와 고통을 극복하려는 우리나라 평민 문학의 한 특징이 엿보인다.

② 초·중·종장이 모두 율격을 무시한 형태의 시조로, 평시조에서 사설시조로 나아가는 작품의 성향을 나타내 주고 있다.

③ 구체적 생활 언어와 친근한 일상적 사물을 수다스럽게 열거함으로써 괴로움을 강조하는 수법은 반어적으로 웃음을 유발한다.

④ 특히 중장에서 여러 종류의 문과 문고리들을 열거하고 있는데, 이것은 화자의 답답한 심정을 강조하면서 동시에 화자가 처한 현실을 극복하고자 하는 의지의 표현으로도 볼 수 있다.

21

(다)를 이해한 내용으로 가장 적절하지 않은 것은?

① 어휘면에서는 '백송골, 두험, 금즉하여, 풀덕 뛰어, 잣바지거고, 모쳐라' 등 서민적인 일상어를 구사하고 있다.

② 자신보다 강하거나 높은 위치에 있는 사람에게는 꼼짝 못하면서도 자기 자신을 위로하는 두꺼비의 모습에서 솔직하지 못한 위선을 엿볼 수 있다.

③ 두꺼비는 약자에게는 군림하고 강자에게는 비굴한 존재로 그려지고 있으며, 특히 황급히 도망가려다 실수를 하고도 자기 합리화를 하는 모습에서 비판의 대상임을 알 수 있다.

④ 이 노래는 '파리'와 '두터비', '백송골'의 세 계층을 통해서 권력 구조의 비리를 우회적으로 잘 나타내고 있는 작품으로, 종장에서 화자를 바꾸어 풍자의 효과를 높이고 있다.

22

(가)와 〈보기〉의 공통적 특징으로 가장 적절한 것은?

┌ 보기 ┐

간다 간다 나는 간다 너를 두고 나는 간다
잠시 뜻을 얻었노라 까불대는 이 시운이
나의 등을 내밀어서 너를 떠나가게 하니
일로부터 여러 해를 너를 보지 못할지나
그 동안에 나는 오직 너를 위해 일하리니
나 간다고 슬퍼 마라 나의 사랑 한반도야

– 안창호, 「거국가(去國歌)」 –

└──────────────────────┘

① 도치법과 설의법을 통해 시적 화자의 안타까움을 드러내고 있다.

② 대유법과 의인법을 사용하여 고국에 대한 애정을 표현하고 있다.

③ 대구와 대조의 방식을 사용하여 시적 화자의 불안감을 형상화하고 있다.

④ a – a – b – a의 반복과 과장법을 통해 화자의 답답한 마음을 드러내고 있다.

정답&해설

19 ② 패관 문학

「슬견설」은 '이'와 '개'라는 소재를 통해 작은 것과 큰 것을 막론하고 생명은 모두 소중하다는 주장과 함께 현상의 본질을 파악할 수 있어야 한다는 견해를 드러낸다. 이런 관점에서 보면 ①③④는 모두 작은 것과 큰 것이라는 대조적 관계를 가지고 있지만 ② '벌레 : 개미'는 모두 작은 것에 속하는 것들이다.

20 ② 사설시조

평시조는 3장 6구 45자 내외의 형식을 갖는다. 반면, 엇시조는 평시조에서 초장, 중장, 종장 중 어느 한 장의 구가 길어진 형태이다. 그리고 사설시조는 평시조에서 초장, 중장, 종장 중 2구 이상이 길어진 형태로, 주로 중장이 길어지는 경우가 많으며 종장 첫 어절은 3글자를 유지한다. (나)는 중장의 구가 늘어난 사설시조의 모습을 보이지만 초장이나 종장은 평시조의 형태와 크게 다르지 않다. 따라서 ②의 초·중·종장이 모두 율격을 무시한 형태의 시조라는 설명은 적절하지 않다.

| 오답해설 | ① 답답한 마음을 가슴에 창을 내는 것을 통해 해소하고자 하는 해학성을 보이고 있다. 해학성은 우리나라 평민 문학의 한 특징이다.

③ 구체적 생활 언어와 친근한 일상적 사물을 수다스럽게 열거함으로써 괴로움을 강조하는 수법은 슬픈 상황인데도 불구하고 웃음을 유발하는 반어적 수법으로 볼 수 있다.

④ 여러 종류의 문고리들을 열거하고 반복함으로써 화자의 답답한 심정을 강조하고 있다. 또한 이와 같은 표현 속에는 답답한 심정을 그렇게 해서라도 해소하고 싶은 화자의 극복 의지가 담겨 있다.

21 ① 사설시조

① '백송골'은 사냥용 매로서 서민적인 일상어로 보기 어렵다. 오히려 귀족 계층의 삶을 보여 주는 어휘로 봐야 한다.

22 ② 시조와 가사

② (가)는 병자호란 이후 청나라로 끌려가는 비감을 읊은 시조이고, 〈보기〉는 일제의 탄압으로 망명하는 민족주의자의 절절한 마음을 노래한 작품이다. (가)에서는 조국을 삼각산과 한강수에 비유하는 대유법을 사용하였고, 〈보기〉는 조국을 한반도에 비유하는 대유법을 사용하였다. 또한 (가)에서는 삼각산과 한강수를 사람처럼 부르는 돈호법과 의인법이 사용되었고, 〈보기〉 역시 조국을 '너'라 칭하며 사람처럼 부름으로써 의인법을 사용하고 있다. 두 작품 모두 떠나는 자의 시점에서 고국에 대한 애정을 표현하고 있다.

| 오답해설 | ① (가)에는 "가노라 삼각산아 다시 보자 한강수 ㅣ 야"에서 도치법이 쓰였다. 하지만 〈보기〉에는 도치법이 쓰이지 않았다. 설의법은 두 작품 모두 쓰이지 않았다.

③ (가)의 초장에서 대구법이 쓰였으나, 〈보기〉에는 대구법이 쓰이지 않았다. 대조법은 두 작품 모두 쓰이지 않았다.

④ 'a – a – b – a' 표현법은 일정한 말을 반복(a)하고 변화(b)를 주는 표현 방법이다. 〈보기〉에서 '간다(a) – 간다(a) – 나는(b) – 간다(a)', '간다 간다(a) – 나는 간다(a) – 너를 두고(b) – 나는 간다(a)'에서 이 표현법이 사용되었다. 하지만 (가)에서는 'a – a – b – a' 표현법이 쓰이지 않았다. 또한 두 작품 모두 과장법이 사용되지 않았다.

| 정답 | **19** ② **20** ② **21** ① **22** ②

(가)~(라)의 ㉠~㉣에 대한 설명으로 적절하지 <u>않은</u> 것은?

> (가) 간밤의 부던 브람에 눈서리 치단 말가
>   ㉠ 낙락장송(落落長松)이 다 기우러 가노미라
>   흐믈며 못다 핀 곳이야 닐러 무슴 흐리오.
>
> (나) 철령 노픈 봉에 쉬여 넘는 져 구롬아
>   고신원루(孤臣寃淚)를 비 사마 씌여다가
>   ㉡ 님 계신 구중심처(九重深處)에 뿌려 본들 엇드리.
>
> (다) 이화우(梨花雨) 훗샐릴 제 울며 잡고 이별흔 님
>   추풍낙엽(秋風落葉)에 ㉢ 저도 날 싱각는가
>   천리(千里)에 외로온 꿈만 오락가락 흐노매.
>
> (라) 삼동(三冬)의 뵈옷 닙고 암혈(巖穴)의 눈비 마자
>   구롬 낀 볏뉘도 쐰 적이 업건마는
>   서산의 ㉣ 히 다다 흐니 그를 셜워 흐노라.

① ㉠은 억울하게 해를 입은 충신을 가리킨다.
② ㉡은 궁궐에 계신 임금을 가리킨다.
③ ㉢은 헤어진 연인을 가리킨다.
④ ㉣은 오랜 세월을 함께한 벗을 가리킨다.

(가)~(라)에 대한 설명으로 적절하지 <u>않은</u> 것은?

> (가) 고인(古人)도 날 몯 보고 나도 고인(古人) 몯 뵈
>   고인(古人)을 몯 뵈도 녀던 길 알픽 잇닉
>   녀던 길 알픽 잇거든 아니 녀고 엇뎔고
>
> (나) 술은 어이흐야 됴흐니 누룩 섯글 타시러라
>   국은 어이흐야 됴흐니 염매(鹽梅) 틀 타시러라
>   이 음식 이 뜯을 알면 만수무강(萬壽無疆) 흐리라
>
> (다) 우레굿치 소르나는 님을 번기굿치 번뜻 만나
>   비굿치 오락기락 구름굿치 헤여지니
>   흉중(胸中)에 보롬 굿튼 흔슘이 안기 피듯 흐여라
>
> (라) 하하 허허 흔들 내 우음이 졍 우움가
>   하 어쳑 업서셔 늣기다가 그리 되게
>   벗님늬 웃디들 말구려 아귀 씌여디리라

① (가): 연쇄법을 활용하여 고인의 길을 따르겠다는 의지를 드러내고 있다.
② (나): 문답법과 대조법을 활용하여 임의 만수무강을 기원하고 있다.
③ (다): '굿치'를 반복적으로 표현하여 운율감을 더하고 있다.
④ (라): 냉소적 어조를 통해 상대에 대한 불편한 심기를 표출하고 있다.

25

다음 시조에 대한 설명으로 적절하지 <u>않은</u> 것은?

> 재 너머 셩권농(成勸農) 집의 술 닉닷 말 어제 듯고
> 누은 쇼 발로 박차 언치 노하 지즐투고
> 아히야 네 권농 겨시냐 뎡좌슈(鄭座首) 왓다 ᄒ여라

① 화자는 소박한 풍류를 즐기며 살고 있다.
② '박차'라는 표현에서 역동성과 생동감을 느낄 수 있다.
③ '언치 노하'는 엄격한 격식을 갖추려는 태도를 드러낸다.
④ '아히'는 화자의 의사를 간접적으로 전달하는 존재이면서도, 대화체로 이끄는 영탄적 어구이다.

26

다음 시조와 가장 유사한 정서가 나타난 것은?

> 방안에 혓는 촛불 눌과 이별 ᄒ엿관듸
> 것츠로 눈물 디고 속 타는 줄 모르는고
> 뎌 촛불 날과 갓트여 속 타는 줄 모르도다

① 이화에 월백ᄒ고 은한이 삼경인 제
  일지춘심을 자규야 알랴마ᄂ
  다정도 병인냥ᄒ여 줌 못 드러 ᄒ노라
② ᄒ 손에 막듸 잡고 또 ᄒ 손에 가싀 쥐고
  늙는 길은 가싀로 막고 오는 백발은 막듸로 칠엿튼이
  백발이 제 몬져 알고 지름길로 오건야
③ 이화우 훗쑬릴 제 울며 잡고 이별ᄒ 님
  추풍낙엽에 저도 날 싱각ᄂ가
  천리에 외로운 쑴만 오락가락 ᄒ노매
④ 무 올 사룸들아 올흔 일 ᄒ쟈스라
  사룸이 되어 나셔 올티옷 못ᄒ면
  무 쇼룰 갓 곳갈 싀워 밥머기나 다르랴

정답&해설

23 ④ 시조

④ 조식의 '삼동(三冬)의 뵈옷 닙고'는 벼슬에 나아가지 않은 선비가 임금의 승하를 애도하는 노래이다. 서산의 '히'는 임금을 뜻하고 이 '해'가 진다는 표현은 임금의 승하를 의미한다고 볼 수 있다.

|오답해설| ① 유응부의 '간밤에 부던 ᄇ람에'는 수양대군의 계유정난을 비판하기 위해 쓴 시조이다. 수양대군의 폭력성을 'ᄇ람'과 '눈서리'에 비유하고 있고 그런 수양대군의 폭력에 해를 입은 충신들을 '낙락장송'에 비유하고 있다.
② 이항복의 '철령 노픈 봉에'는 광해군이 인목대비를 폐위하는 것에 반대하다가 유배를 가게 되어 쓴 시조이다. '님 계신 구중심처'는 임금이 계신 궁궐을 의미하고 그곳에 임금의 사랑을 받지 못하는 신하가 흘리는 외로운 눈물인 '고신원루'를 뿌려 달라고 말하며 비통한 심정을 표현하고 있다.
③ 계랑의 '이화우(梨花雨) 훗쑬릴 제'는 봄날에 이별한 임을 가을에도 역시나 그리워하고 있는 마음을 말하고 있는 시조이다. 따라서 '저도'의 '저'는 이별한 임을 가리키고 그 임 역시 자신을 그리워하고 있는지를 묻고 있다고 볼 수 있다.

24 ② 시조

② (나)의 "술은 어이하여 맛이 좋은가? 누룩을 섞은 탓이다. 국이 어이하여 맛이 좋은가? 간을 알맞게 한 탓이다"에서 문답법이 활용되었음을 확인할 수 있다. 하지만 대조법은 사용되지 않았으며, 임의 만수무강을 기원한다는 내용 또한 적절하지 않다.

|오답해설| ① (가)에서는 앞의 일정 부분을 뒤에 이어 나가는 연쇄법이 사용되었다.
③ (다)에서는 'ᄀ치'를 반복적으로 표현해 운율감을 더하고 있다.
④ (라)에서는 웃는 것은 어처구니가 없기 때문이라는 냉소적 어조를 통해 상대에 대한 불편한 심기를 표출하고 있다.

25 ③ 시조

③ 정철의 시조로, 화자가 전원생활에서 즐기는 멋과 풍류를 노래하고 있다. 중장은 '누운 소를 발로 차서 일으키고 깔개를 얹어서 눌러 타고'로 해석할 수 있다. 술벗을 빨리 찾아가고자 하는 화자의 급한 마음을 해학적으로 표현하고 있는 구절이다.
ⓐ 언치: 말이나 소의 안장이나 길마 밑에 깔아 그 등을 덮어 주는 방석이나 담요

26 ③ 시조

제시된 작품은 이개의 시조로, 임과 이별한 심정을 촛불에 투영하여 절실히 드러내었다. ③ 계랑의 시조에서도 임과 이별한 상황에서 임에 대한 간절한 그리움이 드러난다.

|오답해설| ① 이조년의 시조로, 봄날의 애상감이 주된 정서이다.
② 우탁의 시조로, 늙음에 대한 탄식을 해학적으로 드러냈다.
④ 정철의 「훈민가」로, 교훈을 전달하고자 한다.

27

2015 국가직 9급

㉠~㉣에 대한 설명으로 적절하지 않은 것은?

> 삼동(三冬)에 ㉠ 베옷 입고 암혈(巖穴)에 ㉡ 눈비 맞아
> 구름 낀 볕뉘도 쬔 적이 없건마는
> ㉢ 서산에 해 지다 하니 ㉣ 눈물겨워 하노라.

① ㉠: 화자의 처지나 생활을 추측할 수 있게 한다.
② ㉡: 화자와 중심 대상 사이를 연결하는 매개체이다.
③ ㉢: 화자가 머물고 있는 공간과 구별되는 공간이다.
④ ㉣: 상황에 대한 화자의 감정이 직접 표출되고 있다.

28

2021 국가직 9급

(가)~(라)에 대한 이해로 적절하지 않은 것은?

> (가) 반중(盤中) 조홍(早紅)감이 고아도 보이ᄂᆞ다
> 유자 안이라도 품엄즉도 ᄒᆞ다마ᄂᆞᆫ
> 품어 가 반기리 업슬새 글노 설워ᄒᆞᄂᆞ이다
>
> (나) 동짓ᄃᆞᆯ 기나긴 밤을 한 허리를 버혀 내여
> 춘풍 니불 아래 서리서리 너헛다가
> 어론 님 오신 날 밤이여든 구뷔구뷔 펴리라
>
> (다) 말 업슨 청산(靑山)이오 태(態) 업슨 유수(流水)로다
> 갑 업슨 청풍(淸風)이오 님ᄌᆞ 업슨 명월(明月)이로다
> 이 중에 병 업슨 이 몸이 분별 업시 늘그리라
>
> (라) 농암(籠巖)에 올라보니 노안(老眼)이 유명(猶明)이로다
> 인사(人事)이 변ᄒᆞᆫ들 산천이ᄯᆞᆫ 가샐가
> 암전(巖前)에 모수 모구(某水 某丘)이 어제 본 ᄃᆞᆺᄒᆞ예라

① (가)는 고사의 인용을 통해 돌아가신 부모님에 대한 그리움을 표현하고 있다.
② (나)는 의태적 심상을 통해 임에 대한 기다림을 표현하고 있다.
③ (다)는 대구와 반복을 통해 자연에 귀의하려는 의지를 표현하고 있다.
④ (라)는 자연과의 대조를 통해 허약해진 노년의 무력함을 표현하고 있다.

29

2014 국회직 8급

다음 작품에 등장하는 ㉠~㉤이 의미하는 바로 옳은 것은?

> 나모도 돌도 ㉠ 바히 업슨 뫼헤 매게 ᄶᅩ친 가토릐 안과
> 大川 바다 한가온대 一千石 시른 ᄇᆡ에 노도 일코 닷도 일코 ㉡ 농총도 근코 돗대도 것고 치도 ᄲᅡ지고 ᄇᆞ람 부러 물결치고 안개 뒤섯거 ㉢ ᄌᆞᄌᆞ진 날에 갈길은 千里萬里 나믄듸 四面이 거머어득 져뭇 天地寂寞 ㉣ 가치노을 떳ᄂᆞᆫ듸 水賊 만난 都沙工의 안과,
> 엇그제 님 여흰 내 안히야 엇다가 ㉤ ᄀᆞ을ᄒᆞ리오.

① ㉠: 보이는 것이
② ㉡: 닻을 매달아 놓은 줄
③ ㉢: 잔잔해진
④ ㉣: 사나운 파도
⑤ ㉤: 원망을 하리오

30

2014 국회직 9급

다음 시조의 화자와 유사한 태도를 보이는 작품은?

> 十年을 經營ᄒᆞ여 草廬三間 지여 내니
> 나 ᄒᆞᆫ 간 ᄃᆞᆯ ᄒᆞᆫ 간에 淸風 ᄒᆞᆫ 간 맛져 두고
> 江山은 들일 듸 업스니 둘러 두고 보리라

① 말 업슨 靑山이오 態 업슨 流水ㅣ로다
갑 업슨 淸風과 님자 업슨 明月이라
이 中에 病 업슨 내 몸이 分別 업시 늙그리라

② 菊花ᄂᆞᆫ 무ᄉᆞᆷ 일노 三月春風 다 바리고
落木寒天에 네 홀노 푸엿ᄂᆞᆫ다
아마도 傲霜孤節은 너ᄲᅮᆫ인가 ᄒᆞ노라

③ ᄆᆞ음이 어린 後ㅣ니 ᄒᆞᄂᆞᆫ 일이 다 어리다
萬重雲山에 어ᄂᆡ 님 오리마ᄂᆞᆫ
지ᄂᆞᆫ 닙 부ᄂᆞᆫ ᄇᆞ람에 힝혀 긘가 ᄒᆞ노라

④ 간밤의 부던 ᄇᆞ람에 눈서리 치단 말가
落落長松이 다 기우러 가노ᄆᆡ라
ᄒᆞ물며 못다 핀 곳이야 닐러 므슴 ᄒᆞ리오

⑤ 靑草 우거진 골에 자ᄂᆞᆫ다 누엇ᄂᆞᆫ다
紅顔을 어듸 두고 白骨만 무쳣ᄂᆞᆫ이
盞 자바 勸ᄒᆞ리 업스니 그를 슬허ᄒᆞ노라

31

다음 작품에 투영된 시적 정서와 가장 거리가 먼 것은?

> 靑山는 엇뎨ᄒ야 萬古애 프르르며
> 流水는 엇뎨ᄒ야 晝夜애 긋디 아니ᄂᆞ고
> 우리도 그치디 마라 萬古常靑호리라

① 五曲은 어드미오 隱屛이 보기 죠희
　水邊精舍는 瀟灑홈도 ᄀᆞ이 업다
　이 中에 講學도 ᄒ려니와 咏月吟風ᄒ리라
② 잔들고 혼자 안자 먼 뫼흘 ᄇᆞ라보니
　그리던 님이 오다 반가옴이 이리ᄒᆞ랴
　말ᄉᆞᆷ도 우움도 아녀도 몯내 됴하ᄒᆞ노라
③ 十年을 經營ᄒᆞ여 草廬三間 지여 내니
　나 ᄒᆞᆫ 간 ᄃᆞᆯ ᄒᆞᆫ 간에 淸風 ᄒᆞᆫ 간 맛져 두고
　江山은 들일 듸 업스니 둘러 두고 보리라
④ 고을사 져 곳치여 半만 여윈 져 곳치여
　더도 덜도 말고 每樣 그만 ᄒᆞ여잇셔
　春風에 香氣 좃ᄂᆞᆫ 나뷔를 웃고 마ᄌᆞ허노라
⑤ 靑山도 절로절로 綠水ㅣ라도 절로절로
　山 절로절로 水 절로절로 山水間에 나도 절로절로
　그중에 절로 ᄌᆞ란 몸이 늙기도 절로절로 ᄒ리라

27 ② 시조

② 조식의 시조로, 평생을 벼슬하지 않은 선비로 살았지만 왕이 승하했다는 소식을 듣고 왕을 애도하기 위해 지은 것으로 알려졌다. 이 시조에서 ○ '눈비'는 '베옷'과 함께 평생을 산림처사로 살아온 자신의 상황을 드러내는 시어로 볼 수 있다.

| 오답해설 | ① '베옷'은 자신이 벼슬하지 않은 선비임을 나타내므로 적절하다.
③ 시적 화자는 '암혈'에 머물며 별뉘(햇볕)도 쬔 적이 없으므로 타당하다.
④ 슬픔과 애도의 정서가 직접 드러난다.

28 ④ 시조

④ (라)는 고향에서의 한정과 자연 귀의를 노래하고 있는 작품이다. 따라서 노년의 무력함을 표현하고 있는 것이 아니다.

| 오답해설 | ① (가)는 '회귤 고사'를 인용한 작품으로, 돌아가신 부모님에 대한 그리움을 노래하였다.
② (나)는 '서리서리, 구뷔구뷔' 등의 의태적 심상을 통해 임에 대한 기다림을 표현하고 있다.
③ (다)는 '~은 ~이오 ~은 (이)로다'의 반복과 대구를 통해 자연에 귀의하려는 의지를 표현하고 있다.

29 ④ 사설시조

| 오답해설 | ① 바히: 전혀
② 농총: 돛대의 줄
③ ᄌᆞᄌᆞ진: 자욱한
⑤ ᄀᆞ을ᄒᆞ리오: 비교하리오

30 ① 시조

제시된 작품은 송순의 시조로, 자연을 즐기며 청빈하게 살고자 하는 태도(강호한정과 안분지족)가 드러난다. ① 성혼의 시조에서도 자연에서 욕심 없이 살고자 하는 태도가 드러난다.

| 오답해설 | ② 이정보의 시조로, '국화'의 절개를 예찬적으로 드러낸다.
③ 서경덕의 시조로, 임을 그리워하는 정서를 드러낸다.
④ 유응부의 시조로, 당대의 부정한 현실에 대한 비판과 안타까움이 드러난다.
⑤ 임제의 시조로, 이미 죽은 황진이를 회고하며 안타까움의 정서를 드러낸다.

31 ④ 시조

제시된 작품은 이황의 「도산십이곡」으로, 인간도 자연을 닮아 언제나 푸르러야 한다는 의미를 담고 있다. 이는 자연을 동경하는 강호가도의 정서와 함께 학문 수양에 대한 의지를 드러낸 것이다. 반면, ④ 안민영의 시조는 자연을 대상으로 하고 있지만 이는 사라지는 것에 대한 안타까움의 정서를 드러내기 위한 것이다.

| 오답해설 | ① 이이의 「고산구곡가」로, 주위의 자연 경치에 감탄하고 이곳에서 학문을 수양할 것이라는 의지를 드러낸다.
② 윤선도의 「만흥」으로, 자연을 즐기는 정서가 드러난다.
③ 송순의 시조, ⑤ 송시열의 시조로, 자연을 즐기며 함께하고자 하는 정서가 드러난다.

| 정답 | **27** ② **28** ④ **29** ④ **30** ① **31** ④

32

다음 중 화자가 복수로 설정된 것은?

① 頭流山 兩端水를 네 듯고 이제 보니,
　桃花 쓴 묽은 물에 山影조차 잠겨셰라.
　아희야, 武陵이 어딘미오, 나는 옌가 ᄒ노라.

② 호미도 놀히언마ᄅᆞᆫ 낟ᄀᆞ티 들 리도 업스니이다.
　아바님도 어이어신마ᄅᆞᆫ
　위 덩더둥셩 어마님ᄀᆞ티 괴시리 업세라.
　아소 님하, 어마님ᄀᆞ티 괴시리 업세라.

③ ᄉᆡ어마님 며ᄂᆞ라기 낫바 벽 바흘 구로지 마오
　빗에 바든 며ᄂᆞ린가 갑세 쳐 온 며ᄂᆞ린가 밤나모 서근
　등걸에 휘초리 나니ᄀᆞᆺ치 알살픠선 ᄉᆡ아버님, 볏 뵌 쇳
　똥ᄀᆞᆺ치 되죵고신 ᄉᆡ어마님 三年 겨론 망태에 새 송곳 부
　리ᄀᆞᆺ치 쎴쪽ᄒ신 ᄉᆡ누이님 唐피 가론 밧틔 돌피 나니ᄀᆞᆺ
　치 싀노란 욋곳 ᄀᆞᆺ튼 피똥 누ᄂᆞᆫ 아들 ᄒᆞ나 두고,
　건 밧틔 메곳 ᄀᆞᆺ튼 며ᄂᆞ리를 어듸를 낫바 ᄒ시ᄂᆞᆫ고.

④ ᄒᆞᄅᆞ밤 서리김의 기러기 우러 녈 제
　危樓에 혼자 올나 水晶簾을 거든마리
　東山의 ᄃᆞᆯ이 나고 北極의 별이 뵈니
　님이신가 반기니 눈믈이 절로 난다.
　淸光을 쥐여 내여 鳳凰樓의 븟티고져
　樓 우히 거러 두고 八荒의 다 비최여
　深山窮谷을 졈낫ᄀᆞ티 ᄆᆡᆼ그소셔.

⑤ 두터비 ᄑᆞ리를 믈고 두험 우희 치ᄃᆞ라 안자
　것넌산 ᄇᆞ라보니 白松骨이 ᄯᅥ 잇거늘, 가슴이 금즉ᄒᆞ여
　풀덕 쮜여 내ᄃᆞᆺ다가 두험 아래 잣바지거고.
　모쳐라, 늘낸 낼싀망졍 에헐질 번ᄒ괘라.

33

다음 중 시적 화자의 정서가 〈보기〉의 시와 가장 가까운 것은?

┌ 보기 ┐
　ᄆᆞᄋᆞᆷ이 어린 後ㅣ니 ᄒᆞᄂᆞᆫ 일이 다 어리다
　萬重雲山에 어닉 님 오리마ᄂᆞᆫ
　지ᄂᆞᆫ 닙 부ᄂᆞᆫ ᄇᆞ람에 힝혀 귄가 ᄒ노라
└─────┘

① 風霜이 섯거 친 날에 ᄀᆞᆺ 픠온 黃菊花를
　金盆에 ᄀᆞ득 다마 玉堂에 보닉오니,
　桃李야, 곳이오냥 마라, 님의 뜻을 알괘라.

② 말 업슨 靑山이오 態 업슨 流水ㅣ로다
　갑 업슨 淸風과 임ᄌᆞ 업슨 明月이로다
　이 듕에 일 업슨 닉 몸이 分別 업시 늙그리라

③ 靑草 우거진 골에 ᄌᆞᄂᆞᆫ다 누엇ᄂᆞᆫ다
　紅顔을 어듸 두고 白骨만 뭇쳣ᄂᆞᆫ다
　盞 잡아 勸ᄒ리 업스니 글을 슬허 ᄒ노라.

④ 묏버들 갈히 것거 보내노라 님의 손ᄃᆡ
　자시ᄂᆞᆫ 窓 밧긔 심거 두고 보쇼셔
　밤비예 새닙 곳 나거든 날인가도 너기쇼셔

⑤ 늙고 病든 情은 菊花에 붓쳐두고
　실갓치 헛튼 愁心 黑葡萄에 붓쳣노라
　귀밋틔 흣나는 白髮은 一長歌에 붓쳣노라

34

화자의 상황을 적절하게 표현한 한자 성어는?

미인이 잠에서 깨어 새 단장을 하는데
향기로운 비단, 보배 띠에 원앙이 수놓였네
겹발을 비스듬히 걷으니 비취새가 보이는데
게으르게 은 아쟁을 안고 봉황곡을 연주하네
금 재갈, 꾸민 안장은 어디로 떠났는가?
다정한 앵무새는 창가에서 지저귀네
풀섶에 놀던 나비는 뜰 밖으로 사라지고
꽃잎에 가리운 거미줄은 난간 너머에서 춤추네
뉘 집의 연못가에서 풍악 소리 울리는가?
달빛은 금 술잔에 담긴 좋은 술을 비추네
시름겨운 이는 외로운 밤에 잠 못 이루는데
새벽에 일어나니 비단 수건에 눈물이 흥건하네

　　　　　　　　　　　　　 – 허난설헌, 「사시사(四時詞)」에서 –

① 琴瑟之樂　　　　　② 輾轉不寐
③ 錦衣夜行　　　　　④ 麥秀之嘆

35

〈보기〉는 다음 한시에 대한 감상이다. ⊙~② 중 적절하지 않은 것은?

> 白犬前行黃犬隨 흰둥이가 앞서고 누렁이는 따라가는데
> 野田草際塚纍纍 들밭머리 풀섶에는 무덤이 늘어서 있네
> 老翁祭罷田間道 늙은이가 제사를 끝내고 밭 사이 길로 들어서자
> 日暮醉歸扶小兒 해 저물어 취해 돌아오는 길을 아이가 부축하네
>
> – 이달, 「제총요(祭塚謠)」 –

┌─ 보기 ─┐

이달(李達, 1561~1618)이 살았던 시기를 고려할 때, 시인은 임진왜란을 겪었을 것이라 추정된다. ⊙ 이 시는 해질 무렵 두 사람이 제사를 지낸 뒤 집으로 돌아오는 상황을 노래하고 있다. ⓒ 이 시에서 무덤이 들밭머리에 늘어서 있다는 것은 전란을 겪은 마을에서 많은 이들이 갑작스러운 죽음을 맞이했음을 의미한다고 할 것이다. 여기 등장하는 늙은이와 아이는 할아버지와 손자의 관계로 파악할 수 있다. 아마도 이들은 아이의 부모이자 할아버지의 자식에 해당하는 이의 무덤에 다녀오는 길일 것이다. ⓒ 할아버지가 취한 까닭도 죽은 이에 대한 안타까움과 속상함 때문일 것이다. ② 이 시는 전반부에서는 그림을 그리듯이 장면을 묘사하고 후반부에서는 정서를 표출하는 선경후정의 형식을 취하고 있다.

① ⊙   ② ⓒ
③ ⓒ   ④ ②

32 ⑤ 고전 시가

⑤ 초장과 중장은 두꺼비의 모습을 바라보는 화자가 서술하고 있고, 종장인 "모쳐라, 놀낸 낼싀망졍 에헐질 번ᄒ 괘라."는 두꺼비가 화자가 되어 말하는 부분이다. 즉, 복수의 화자가 등장한다.

|오답해설| ① 조식의 시조로, 두류산에서 자연을 보는 화자 한 명뿐이다.

② 고려 가요 「사모곡」으로, 어머님의 사랑을 낫에 비유하는 화자 한 명뿐이다.

③ 사설시조로, 화자는 시집살이를 겪는 며느리 한 명이다.

④ 정철의 「사미인곡」으로, 화자는 임을 그리워하는 여성 화자 한 명이다.

33 ④ 시조

〈보기〉는 서경덕의 시조로, 임에 대한 그리움의 정서를 드러내고 있다. ④ 홍랑의 시조에서도 떠나간 임을 그리워하면서 자신을 기억해 줄 것을 바라고 있다.

|오답해설| ① 송순의 시조로, 임금에 대한 충성이 드러난다.

② 성혼의 시조로, 자연을 즐기는 마음이 드러난다.

③ 임제의 시조로, 이미 죽은 황진이에 대한 안타까움이 드러난다.

⑤ 김수장의 시조로, 늙음에 대한 정서가 드러난다.

34 ② 한시

화자의 상황을 보면 미인이 잠을 깨었고 아직 밖은 달이 뜬 봄날의 밤이라는 것을 알 수 있다. 그리고 '시름겨운 이는 외로운 밤에 잠 못 이룬다'고 하며 잠 못 이루는 화자가 느끼는 봄밤의 외로움의 정서를 표현해 주고 있다. 따라서 이러한 화자의 상황과 가장 가까운 한자 성어는 ② '輾轉不寐(전전불매)'이다.

|오답해설| ① 琴瑟之樂(금슬지락): '거문고와 비파(琵琶)의 조화로운 소리'라는 뜻으로, 부부 사이의 다정하고 화목한 즐거움을 뜻한다.

③ 錦衣夜行(금의야행): 비단옷을 입고 밤길을 다닌다는 뜻으로, '자랑삼아 하지 않으면 생색이 나지 않음을 이르는 말' 또는 '아무 보람이 없는 일을 함'을 이르는 말이다.

④ 麥秀之嘆(맥수지탄): 고국의 멸망을 한탄함을 이르는 말이다.

35 ④ 한시

④ 이 시에서는 직접적인 정서 표현이 된 부분을 찾기 어렵다. 주로 장면 묘사를 통해 시상을 전개하고 있다.

|오답해설| ① "늙은이가 제사를 끝내고", "아이가 부축하네" 등을 통해 확인할 수 있다.

② 〈보기〉의 첫째 문장인 "시인은 임진왜란을 겪었을 것이라 추정된다."를 통해 마을의 무덤은 임진왜란으로 인한 죽음과 관련되어 있다는 것을 알 수 있다.

③ ⓒ 앞 문장인 "아마도 이들은 아이의 부모이자 할아버지의 자식에 해당하는 이의 무덤에 다녀오는 길일 것이다."를 통해 할아버지가 취한 까닭은 죽은 자식에 대한 안타까움과 속상함 때문일 것이라는 것을 알 수 있다.

36

밑줄 친 시어에서 '외롭고 쓸쓸한 화자의 심정'을 나타내기 위해 동원된 객관적 상관물로서 화자 자신과 동일시되는 소재는?

> ㉠春雨暗西池 / 봄비 내리니 서쪽 못은 어둑한데
> 輕寒襲㉡羅幕 / 찬바람은 비단 장막으로 스며드네.
> 愁依小㉢屛風 / 시름에 겨워 작은 병풍에 기대니
> 墻頭㉣杏花落 / 담장 위에 살구꽃이 떨어지네.

① ㉠   ② ㉡
③ ㉢   ④ ㉣

37

㉠과 ㉡에 대한 설명으로 적절한 것은?

> 헌 먼덕* 숙여 쓰고 축 없는 짚신에 설피설피 물러오니
> 풍채 적은 형용에 ㉠ 개 짖을 뿐이로다
> 와실(蝸室)에 들어간들 잠이 와서 누웠으랴
> 북창(北窓)을 비겨 앉아 새벽을 기다리니
> 무정한 ㉡ 대승(戴勝)*은 이내 한을 돋우도다
> 종조(終朝) 추창(惆悵)*하며 먼 들을 바라보니
> 즐기는 농가(農歌)도 흥 없이 들리나다
> 세정(世情) 모르는 한숨은 그칠 줄을 모르도다
>
> – 박인로, 「누항사(陋巷詞)」에서 –
>
> * 먼덕: 짚으로 만든 모자
> * 대승(戴勝): 오디새
> * 추창(惆悵): 슬퍼하는 모습

① ㉠은 실재하는 존재물이고, ㉡은 상상적 허구물이다.
② ㉠은 화자의 절망을 나타내고, ㉡은 화자의 희망을 나타낸다.
③ ㉠은 화자의 내면을 상징하고, ㉡은 화자의 외양을 상징한다.
④ ㉠은 화자의 초라함을 부각시키고, ㉡은 화자의 수심을 깊게 한다.

[38~40] 다음 글을 읽고 물음에 답하시오.

> ㉠ 홍진(紅塵)에 뭇친 분네 이내 생애(生涯) 엇더ᄒ고
> 녯 사람 풍류(風流)ᄅᆞᆯ 미츨가 못 미츨가
> 천지간(天地間) 남자(男子) 몸이 날만ᄒᆞᆫ 이 하건마ᄂᆞᆫ
> 산림(山林)에 뭇쳐 이셔 지락(至樂)을 ᄆᆞ를 것가
> 수간모옥(數間茅屋)을 벽계수(碧溪水) 앏픠 두고
> 송죽(松竹) 울울리(鬱鬱裏)예 풍월주인(風月主人) 되여셔라
> 엇그제 겨을 지나 새봄이 도라오니
> 도화 행화(桃花杏花)ᄂᆞᆫ 석양리(夕陽裏)에 픠여 잇고
> 녹양방초(綠楊芳草)ᄂᆞᆫ 세우 중(細雨中)에 프르도다
> 칼로 몰아 낸가 붓으로 그려 낸가
> 조화신공(造化神功)이 물물(物物)마다 헌ᄉ룹다
> 수풀에 우는 새는 춘기(春氣)ᄅᆞᆯ 못내 계워
> 소리마다 교태(嬌態)로다
> 물아일체(物我一體)어니 ㉡ 흥(興)이이 다를소냐
> 시비(柴扉)예 거러 보고 정자(亭子)애 안자 보니
> 소요음영(逍遙吟詠)ᄒᆞ야 산일(山日)이 적적(寂寂)ᄒᆞᄃᆡ
> 한중진미(閑中眞味)ᄅᆞᆯ 알 니 업시 호재로다
> 이바 니웃드라 산수(山水) 구경 가쟈스라
> 답청(踏靑)으란 오ᄂᆞᆯ ᄒᆞ고 욕기(浴沂)란 내일(來日) ᄒᆞ새
> 아ᄎᆞᆷ에 채산(採山)ᄒᆞ고 ㉢ 나조ᄒᆡ 조수(釣水)ᄒᆞ새
> ᄀᆞᆺ 괴여 닉은 술을 갈건(葛巾)으로 밧타 노코
> 곳나모 가지 것거 수 노코 먹으리라
> 화풍(和風)이 건듯 부러 녹수(綠水)ᄅᆞᆯ 건너오니
> 청향(淸香)은 잔에 지고 낙홍(落紅)은 옷새 진다
> 준중(樽中)이 뷔엿거든 날ᄃᆞ려 알외여라
> 소동(小童) 아ᄒᆡᄃᆞ려 주가(酒家)에 술을 믈어
> 얼운은 막대 집고 아ᄒᆡᄂᆞᆫ 술을 메고
> 미음완보(微吟緩步)ᄒᆞ야 시냇ᄀᆞ의 호자 안자
> 명사(明沙) 조ᄒᆞᆫ 믈에 잔 시어 부어 들고
> 청류(淸流)ᄅᆞᆯ 굽어보니 써오ᄂᆞ니 도화(桃花) ㅣ 로다
> 무릉(武陵)이 갓갑도다 져 ᄆᆡ이 긘 거이고
> 송간(松間) 세로(細路)에 두견화(杜鵑花)ᄅᆞᆯ 부치 들고
> ㉣ 봉두(峰頭)에 급피 올나 구름 소긔 안자 보니
> 천촌만락(千村萬落)이 곳곳이 버러 잇ᄂᆡ
> 연하일휘(煙霞日輝)ᄂᆞᆫ 금수(錦繡)ᄅᆞᆯ 재폇ᄂᆞᆫ 듯
> 엇그제 검은 들이 봄빗도 유여(有餘)ᄒᆞ샤
> 공명(功名)도 날 씌우고 부귀(富貴)도 날 씌우니
> 청풍명월(淸風明月) 외에 엇던 벗이 잇ᄉᆞ올고
> 단표누항(簞瓢陋巷)에 흣튼 혜음 아니 ᄒᆞᄂᆡ
> 아모타 백년행락(百年行樂)이 이만ᄒᆞᆫ들 엇지ᄒᆞ리
>
> – 정극인, 「상춘곡(賞春曲)」 –

38
2014 법원직 9급

위 글에 대한 설명으로 가장 적절하지 <u>않은</u> 것은?

① 계절의 변화에 따른 대상의 차이에 주목하고 있다.
② 속세를 떠나 자연 속에서 자연과 동화된 삶을 자랑스럽게 여긴다.
③ 설의법, 의인법, 직유법 등의 여러 가지 표현 기법을 사용하고 있다.
④ 화자의 시선 이동이 좁은 공간에서 넓은 공간으로 옮겨지면서 확대되고 있다.

39
2014 법원직 9급

㉠~㉣에 대한 설명으로 가장 적절한 것은?

① ㉠은 작가와 대조되는 삶을 살고 있는 사람들로서, 화자가 안타까움을 느끼는 대상이다.
② ㉡은 '흥이 이에 미치겠는가'라는 의미로, 자연이 인간보다 우위에 있음을 드러낸다.
③ ㉢은 '저녁에 낚시하세'라는 뜻으로, 문제 해결에 있어 선공후사(先公後私)의 태도를 견지하는 모습을 보여준다.
④ ㉣과 같은 백성의 삶에 대한 관심은, 위정자로서의 책임감이 반영된 결과이다.

40
2014 법원직 9급

이 글의 시적 화자가 지닌 삶의 태도와 가장 유사한 것은?

① 전원(田園)에 나믄 흥(興)을 전나귀에 모도 싯고
　계산(溪山) 니근 길로 흥치며 도라와셔
　아히 금서(琴書)를 다스려라 나믄해를 보내리라
　　　　　　　　　　　　　　　　　　　　　　　－ 김천택 －

② 슬프나 즐거오나 옳다 하나 외다 하나
　내 몸의 해올 일만 닦고 닦을 뿐이언정
　그 밧긔 여남은 일이야 분별(分別)할 줄 이시랴
　　　　　　　　　　　　　　　　　　　　　　　－ 윤선도 －

③ 오늘도 다 새거다 호미 메고 가쟈스라
　내 논 다 매여든 네 논 좀 매어 주마
　올 길혜 뽕 따다가 누에 머겨 보쟈스라
　　　　　　　　　　　　　　　　　　　　　　　－ 정철 －

④ 노래 삼긴 사롬 시름도 하도할샤
　닐러 다 못닐러 블러나 푸돗든가
　진실로 풀릴 거시면은 나도 블러 보리라
　　　　　　　　　　　　　　　　　　　　　　　－ 신흠 －

---

36 ④ 한시

제시된 작품은 5언 절구의 한시인 허난설헌의 「봄비」이다. 4행인 결구에서 젊은 시절은 속절없이 지나고 늙어가기만 하는 자신의 심정을 살구꽃이 지는 모습으로 나타내고 있다. 따라서 ④ '촘花[살구꽃]'가 화자 자신과 동일시되는 객관적 상관물이다.

37 ④ 가사

④ '풍채 적은 형용에 개 짖을 뿐'이라고 하였으므로 '개'는 화자의 초라함을 부각시키는 존재이고, '무정한 대승은 이내 한을 돋우도다'라고 하였으므로 '대승(오디새)'은 화자의 수심을 깊게 하는 소재이다.
|오답해설| ① '개'와 '대승' 둘 다 실재하는 존재물이다.
② '개'를 화자의 부정적 심리와 연결할 수는 있지만 '대승'은 화자의 한을 돋우는 대상이므로 화자의 희망과 연결하기 어렵다.
③ '개'와 '대승' 모두 내면이나 외면을 상징한다고 보기는 어렵고, 둘 다 화자 내면의 정서를 심화하는 소재로 기능한다.

38 ① 가사

① 봄이 온 자연의 모습을 드러내고 있으므로 작품 내에서 계절 변화가 드러나지 않는다.
|오답해설| ② "녯 사롬 풍류롤 ~", "아모타 백년행락이 ~" 등에서 자연을 즐기는 화자의 자부심이 드러난다.
③ 봄이 온 자연의 모습을 여러 가지 표현 기법을 통해 드러내고 있다.
④ 화자는 '수간모옥'에서 들판, 시냇가, 산으로 이동하고 있으므로 옳은 진술이다.

39 ① 가사

① '홍진에 뭇친 분네[속세에 묻혀 사는 사람들]'에게 자신의 삶을 자랑스럽게 드러내고 있으므로 속세인들에 대한 안타까움의 정서가 전제되어 있다고 볼 수 있다.
|오답해설| ② 앞서 '물아일체'(인간과 자연이 하나됨)를 언급하고 있으므로 자연이 인간보다 우위에 있음을 드러내는 것이 아니라 자연과 인간을 동등한 대상으로 보고 있다.
③ 아침에 산나물을 캐고 저녁에 낚시를 하는 것은 모두 사적인 행위이므로, '선공후사'와 관련이 없다.
④ 산 위에서 바라본 경치를 표현한 것으로, 위정자로서의 책임감과는 관련 없다.

40 ① 가사

정극인의 「상춘곡」 속 화자는 자연을 즐기는 유유자적한 삶의 태도를 드러낸다. 이런 태도는 ① 김천택의 시조에서 드러난다. ①에서 화자는 전원에서 남은 흥을 나귀에 싣고 돌아와 거문고, 책과 함께 남은 세월을 보내겠다는 유유자적한 태도를 보인다.
|오답해설| ② 윤선도의 「견회요」로, 제시된 부분에서는 자연을 즐기는 태도가 드러나지 않으며 남들의 시선이나 판단에 상관없이 자신이 해야 할 일을 하며 살겠다는 태도가 드러난다.
③ 정철의 「훈민가」로, 농사일을 권계하는 태도가 드러난다.
④ 신흠의 시조로, 마음속 근심을 노래로 풀고자 하는 정서가 드러난다.

| 정답 | 36 ④ 37 ④ 38 ① 39 ① 40 ①

41

⊙~@에 대한 풀이로 가장 적절한 것은?

> ⊙天텬根근을 못내 보와 望망洋양亭뎡의 올은말이, 바다
> 밧근 하늘이니 하늘 밧근 므서신고. ⓛ굿득 노흔 고래 뉘라셔
> 놀래관디, 블거니 뿜거니 어즈러이 구는디고. ⓒ銀은山산
> 을 것거 내여 六뉵合합의 느리는 듯, 五오月월 長댱天텬의
> @白빅雪셜은 므스일고.
>
> – 정철, 「관동별곡」 중에서 –

① ⊙ – 은하수　　　　② ⓛ – 성난 파도

③ ⓒ – 태백산　　　　④ @ – 흰 갈매기

42

아래 시는 「농가월령가」의 일부이다. 아래에 나온 내용은 음력 몇 월을 노래한 것인가?

> 인가(人家)의 요긴한 일 장 담는 정사로다.
> 소금을 미리 받아 법대로 담그리라.
> 고추장 두부장도 맛맛으로 갖추하소.
> 전산에 비가 개니 살진 향채 캐오리라.
> 삽주 두릅 고사리며 고비 도랏 어아리를
> 일분은 엮어 달고 이분은 묻혀 먹세.
> 낙화를 쓸고 앉아 병술로 즐길 적에
> 산처의 준비함이 가효가 이뿐이라.

① 2월　　　　② 3월

③ 4월　　　　④ 5월

⑤ 6월

43

다음 글에 대한 이해로 적절하지 <u>않은</u> 것은?

> 승상이 말을 마치기도 전에 구름이 걷히더니 노승은 간곳이 없고 좌우를 돌아보니 팔낭자도 간곳이 없었다. 승상이 놀라 어찌할 바를 모르는 중에 높은 대와 많은 집들이 한순간에 사라지고 자기의 몸은 작은 암자의 포단 위에 앉아 있었는데, 향로의 불은 이미 꺼져 있었고 지는 달이 창가에 비치고 있었다.
>
> 자신의 몸을 보니 백팔염주가 걸려 있고 머리를 손으로 만져보니 갓 깎은 머리털이 까칠까칠하더라. 완연한 소화상의 몸이요, 전혀 대승상의 위의가 아니었으니, 이에 제 몸이 인간 세상의 승상 양소유가 아니라 연화도량의 행자 성진임을 비로소 깨달았다.
>
> 그리고 생각하기를, '처음에 스승에게 책망을 듣고 풍도옥으로 가서 인간 세상에 환도하여 양가의 아들이 되었지. 그리고 장원급제를 하여 한림학사가 된 후 출장입상하고 공명신퇴하여 두 공주와 여섯 낭자로 더불어 즐기던 것이 다 하룻밤 꿈이었구나. 이는 필시 사부가 나의 생각이 그릇됨을 알고 나로 하여금 이런 꿈을 꾸게 하시어 인간 부귀와 남녀 정욕이 다 허무한 일임을 알게 하신 것이로다.'
>
> – 김만중, 「구운몽」에서 –

① '양소유'는 장원급제를 하여 한림학사가 되었다.

② '양소유'는 인간 세상에 환멸을 느껴 스스로 '성진'의 모습으로 되돌아왔다.

③ '성진'이 있는 곳은 인간 세상이 아니다.

④ '성진'은 자신의 외양을 통해 꿈에서 돌아왔음을 인식한다.

44

㉠~㉣ 중 서술자가 개입되어 있지 <u>않은</u> 것은?

이때 춘향이는 사령이 오는지 군노가 오는지 모르고 주야로 도련님을 생각하여 우는데, ㉠ 생각지 못할 우환을 당하려 하니 소리가 화평할 수 있겠는가. 한때나마 빈방살이 할 계집아이라 목소리에 청승이 끼어 자연히 슬픈 애원성이 되니 ㉡ 보고 듣는 사람의 심장인들 아니 상할 것인가. 임 그리워 서러운 마음 밥맛없어 밥 못 먹고 불안한 잠자리에 잠 못 자고 도련님 생각으로 상처가 쌓여 피골이 상접하고 양기가 쇠진하여 진양조 울음이 되어 노래를 부른다. 갈까 보다 갈까 보다, 임을 따라 갈까 보다. 천 리라도 갈까 보다. 만 리라도 갈까 보다. 바람도 쉬어 넘고 수진이 날진이 해동청 보라매도 쉬어 넘는 높은 고개 동선령 고개라도 임이 와 날 찾으면 신발 벗어 손에 들고 아니 쉬고 달려가리. ㉢ 한양 계신 우리 낭군 나와 같이 그리워하는가, 무정하여 아주 잊고 나의 사랑 옮겨다가 다른 임을 사랑하는가? ㉣ 이렇게 한참을 서럽게 울 때 사령 등이 춘향의 슬픈 목소리를 들으니 목석이라도 어찌 감동을 받지 않겠는가? 봄눈 녹듯 온몸에 맥이 탁 풀렸다.

– 작자 미상, 「춘향전」에서 –

① ㉠

② ㉡

③ ㉢

④ ㉣

41 ② 가사

② ㉡은 파도가 출렁거리며 부서지는 모습을 비유적으로 드러낸 것이다.

|오답해설| ① 천근: 하늘의 끝을 의미한다.

③ 은산: 높이 솟은 파도의 모습을 비유한 표현이다.

④ 백설: 파도가 부서지면서 내리는 물방울을 표현한 것이다.

42 ② 가사

제시된 작품은 정학유의 「농가월령가」 중 일부로, 「동동」(고려 가요)에서 보인 월령체가 쓰인 조선 후기 가사이다. 농사에 대한 권계 목적으로 창작되었다. '향채, 두릅, 고사리' 등에서 계절적 배경이 봄인 것을 알 수 있는데, 음력으로 생각해 보면 ② 3월경의 모습을 드러낸 것으로 보는 것이 타당하다.

43 ② 고전 소설

② '승상이 놀라 어찌할 바를 모르는 중에~성진임을 비로소 깨달았다.'에서 '양소유'가 스스로 '성진'으로 돌아온 것은 아님을 알 수 있다.

|오답해설| ① 3문단 '장원 급제를 하여 한림학사가 된 후'를 통해 알 수 있다.

③ 2문단 '이에 제 몸이~연화도량(천상계)의 행자 성진임을 비로소 깨달았다.'를 통해 알 수 있다.

④ 2문단 '자신의 몸을 보니~비로소 깨달았다.'를 통해 알 수 있다.

44 ③ 고전 소설

③ 서술자의 개입은 3인칭 서술자가 서술자 자신의 생각, 감정, 의견 등을 소설에서 직접적으로 표출하는 것을 말한다. ㉠㉡㉣은 3인칭 서술자 자신의 생각, 감정, 의견 등이 표출된 것으로 볼 수 있다. 반면, ㉢은 등장인물인 '춘향이'의 생각을 표현하고 있다.

45

다음 글에 대한 이해로 가장 적절한 것은?

유 소사가 말하기를, "신부(新婦)가 이제 내 집에 들어왔으니 어떻게 남편을 도울꼬?"

사씨 대답하여 말하기를, "첩(妾)이 일찍 아비를 여의고 자모(慈母)의 사랑을 입사와 본래 배운 것이 없으니 물으시는 말씀에 대답치 못하옵거니와 어미 첩을 보낼 제 중문(中門)에 임(臨)하여 경계하여 말씀하시기를 '반드시 공경(恭敬)하며 반드시 경계(警戒)하여 남편을 어기지 말라.' 하시니 이 말씀이 경경(耿耿)하여 귓가에 있나이다."

유 소사가 말하기를, "남편의 뜻을 어기오지 말면 장부(丈夫) 비록 그른 일이 있을지라도 순종(順從)하랴?"

사씨 대 왈, "그런 말이 아니오라 부부(夫婦)의 도(道) 오륜(五倫)을 겸(兼)하였으니 아비에게 간(諫)하는 자식이 있고 나라에 간하는 신하 있고 형제(兄弟) 서로 권하고 붕우(朋友) 서로 책(責)하나니 어찌 부부라고 간쟁(諫諍)치 않으리이까? 그러나 자고로 장부(丈夫) 부인(婦人)의 말을 편청(偏聽)하면 해로움이 있삽고 유익(有益)함이 없으니 어찌 경계 아니 하리이까?"

유 소사가 모든 손님을 돌아보며 말하기를, "나의 며느리는 가히 조대가*에 비할 것이니 어찌 시속(時俗) 여자가 미칠 바리오."라고 하였다.

― 김만중, 「사씨남정기」에서 ―

＊ 조대가: 『한서(漢書)』를 지은 반고(班固)의 누이동생인 반소(班昭). 학식이 뛰어나고 덕망이 높아 왕실 여성의 스승으로 칭송이 자자했다.

① 사씨의 어머니는 딸이 남편에게 맞섰던 일을 비판하고 있다.
② 사씨는 홀어머니를 모시느라 제대로 배우지 못한 것을 안타까워하고 있다.
③ 사씨는 부부의 예에 따라, 남편이 잘못하면 이를 지적해야 한다고 생각한다.
④ 유 소사는 며느리와의 대화를 통해, 효성이 지극한 사씨의 모습에 흡족해하고 있다.

46

㉠~㉣에 대한 풀이로 옳지 않은 것은?

빌기를 다 함에 지성이면 감천이라 황천인들 무심할까. 단상의 오색구름이 사면에 옹위하고 산중에 ㉠백발 신령이 일제히 하강하여 정결케 지은 제물 모두 다 흠향한다. 길조(吉兆)가 여차(如此)하니 귀자(貴子)가 없을쏘냐. 빌기를 다한 후에 만심 고대하던 차에 일일은 한 꿈을 얻으니, ㉡천상으로서 오운(五雲)이 영롱하고, 일원(一員) 선관(仙官)이 청룡(靑龍)을 타고 내려와 말하되,

"나는 청룡을 다스리던 선관이더니 익성(翼星)이 무도(無道)한 고로 상제께 아뢰되 익성을 치죄하야 다른 방으로 귀양을 보냈더니 익성이 이걸로 함심(含心)하야 ㉢백옥루 잔치 시에 익성과 대전(對戰)한 후로 상제전에 득죄하여 인간에 내치심에 갈 바를 모르더니 남악산 신령들이 부인 댁으로 지시하기로 왔사오니 부인은 애휼(愛恤)하옵소서."

하고 타고 온 청룡을 오운 간(五雲間)에 방송(放送)하며 왈,

"㉣일후 풍진(風塵) 중에 너를 다시 찾으리라."

하고 부인 품에 달려들거늘 놀래 깨달으니 일장춘몽이 황홀하다.

정신을 진정하야 정언주부를 청입(請入)하야 몽사를 설화(說話)한대 정언주부가 즐거운 마음 비할 데 없어 부인을 위로하야 춘정(春情)을 부쳐 두고 생남(生男)하기를 만심고대하더니 과연 그달부터 태기 있어 십 삭이 찬 연후에 옥동자를 탄생할 제, 방 안에 향취 있고 문 밖에 서기(瑞氣)가 뻗질러 생광(生光)은 만지(滿地)하고 서채(瑞彩)는 충천하였다.

…(중략)…

이때에 조정에 두 신하가 있으니 하나는 도총대장 정한담이요, 또 하나는 병부상서 최일귀라. 본대 천상 익성으로 자미원 대장성과 백옥루 잔치에 대전한 죄로 상제께 득죄하여 인간 세상에 적강(謫降)하여 대명국 황제의 신하가 되었는지라 본시 천상지인(天上之人)으로 지략이 유여하고 술법이 신묘한 중에 금산사 옥관도사를 데려다가 별당에 거처하게 하고 술법을 배웠으니 만부부당지용(萬夫不當之勇)이 있고 백만군중대장지재(百萬軍中大將之才)라 벼슬이 일품이요 포악이 무쌍이라 일상 마음이 천자를 도모코자 하되 다만 정언주부인 유심의 직간을 꺼려하고 또한 퇴재상(退宰相) 강희주의 상소를 꺼려 주저한 지 오래라.

― 「유충렬전」 중에서 ―

① ㉠: 길조(吉兆)가 일어날 것임을 암시한다.
② ㉡: '부인'이 꾼 꿈의 상황이다.
③ ㉢: '선관'이 인간 세상에 귀양을 오게 되는 계기이다.
④ ㉣: '남악산 신령'이 후일 청룡을 타고 천상 세계로 복귀할 것임을 암시한다.

47

다음 글의 내용과 시적 상황이 가장 유사한 것은?

이때는 추구월망간(秋九月望間)이라. 월색이 명랑하여 남창에 비치고, 공중에 외기러기 응응한 긴 소리로 짝을 찾아 날아가고, 동산의 송림 사이에 두견이 슬피 울어 불여귀를 화답하니, 무심한 사람도 마음이 상하거든 독수공방에 눈물로 세월을 보내는 송이야 오죽할까. 송이가 모든 심사를 저버리고 책상머리에 의지하여 잠깐 졸다가 기러기 소리에 놀라 눈을 뜨고 보니, 남창에 밝은 달 허리에 가득하고 쓸쓸한 낙엽송은 심회를 돕는지라, 잊었던 심사가 다시 가슴에 가득해지며 눈물이 무심히 떨어진다. 송이가 남창을 가만히 열고 달빛을 내다보며 위연탄식하는데,

"달아, 너는 내 심사를 알리라. 작년 이때 뒷동산 명월 아래 우리 임을 만났더니, 달은 다시 보건마는 임을 어찌 보지 못하는고. 심양강의 탄금녀는 만고문장 백낙천을 달 아래 만날 적에, 설진심중무한사(說盡心中無限事)를 세세히 하였건마는, 나는 어찌 박명하여 명랑한 저 달 아래서 부득설진심중사(不得說盡心中事)하니 가련하지 아니할까. 사람은 없어 말하지 못하나, 차라리 심중사를 종이 위에나 그리리라."

하고, 연상을 내어 먹을 흠씬 갈고 청황모 무심필을 듬뿍 풀어 백능화주지를 책상에 펼쳐 놓고, 섬섬옥수로 붓대를 곱게 쥐고 탄식하면서 맥맥이 앉았다가, 고개를 돌려 벽공의 높은 달을 두세 번 우러러보더니, 서두에 '추풍감별곡(秋風感別曲)' 다섯 자를 쓰고, 상사가 생각 되고, 생각이 노래 되고, 노래가 글이 되어 붓끝을 따라오니, 붓대가 쉴새 없이 쓴다.

– 「채봉감별곡」 중에서 –

① 임이여 물을 건너지 마오 / 임은 기어이 물을 건너갔네 / 물에 빠져 돌아가시니 / 이제 임이여 어이할꼬.

② 가위로 싹둑싹둑 옷 마르노라 / 추운 밤 열 손가락 모두 굳었네 / 남 위해 시집갈 옷 항상 짓건만 / 해마다 이내 몸은 홀로 잔다네.

③ 펄펄 나는 저 꾀꼬리 / 암수 서로 정다운데 / 외로울사 이내 몸은 / 누구와 함께 돌아갈꼬.

④ 비 개인 긴 언덕에 풀빛 짙은데 / 님 보내는 남포에는 서러운 노래 퍼지네 / 대동강 물은 언제나 마를까 / 이별의 눈물 해마다 푸른 물결 더하니.

---

45 ③ 고전 소설

③ 유 소사가 "남편의 뜻을 어기오지 말면 장부 비록 그른 일이 있을지라도 순종하랴?"라고 묻자 사씨는 "어찌 부부라고 간쟁치 않으리이까?"라고 반문하고 있다. 따라서 사씨는 부부의 예에 따라, 남편이 잘못하면 이를 지적해야 한다고 생각한다.

오답해설 ① 사씨의 어머니가 딸이 남편에게 맞섰던 일을 비판하는 내용은 제시되지 않았다.
② 사씨가 "본래 배운 것이 없으니"라고 말한 부분은 제대로 배우지 못한 것을 안타까워하는 것이 아니라 자신을 낮추는 표현이다.
④ 유 소사는 사씨의 모습을 조대가에 비겨 칭찬하고 있는 것이지, 효성이 지극한 사씨의 모습에 흡족해하고 있는 것이 아니다.

46 ④ 고전 소설

④ "일후 풍진 중에 너를 다시 찾으리라."라는 말을 한 사람은 남악산 신령이 아니라 '선관'이다. '남악산 신령'은 선관을 정언주부 부인에게 안내한 사람이다.

오답해설 ① 신령이 하강하여 제물을 모두 흠향하였으므로 길조가 있을 것임을 암시한다.

47 ③ 고전 소설

제시된 작품은 애정 가사에 사연을 덧붙여 만든 고전 소설이다. 작품에서 '송이'는 헤어져 있는 임에 대한 그리움과 외로움을 신세 한탄을 통해 드러내고 있다. 이와 유사한 시적 상황은 ③ 「황조가」에서 드러난다. 임과의 이별 후 자신의 외로움을 드러내며 신세를 한탄하고 있기 때문이다.

오답해설 ① 「공무도하가」로, 임이 물에 빠진 상황에서 애원과 체념의 정서가 두드러진다.
② 허난설헌의 「빈녀음」으로, 남의 옷을 짓는 자신의 신세에 대한 한탄이 두드러진다.
④ 정지상의 「송인」으로, 이별 상황에서의 슬픔이 두드러진다.

| 정답 | **45** ③ | **46** ④ | **47** ③ |

다음 글의 등장인물에 대한 설명으로 적절하지 <u>않은</u> 것은?

양반이라는 말은 선비 족속의 존칭이다. 강원도 정선군에 한 양반이 있었는데, 그는 어질면서도 글 읽기를 좋아하였다. 군수가 새로 부임하면 반드시 그 집에 몸소 나아가서 경의를 표하였다. 그러나 그는 집안이 가난해서 해마다 관가에서 환곡을 빌려 먹다 보니 그 빚이 쌓여서 천 석에 이르렀다. 관찰사가 각 고을을 돌아다니다가 이곳의 환곡 출납을 검열하고는 매우 노하여, "어떤 놈의 양반이 군량을 이렇게 축내었느냐?"라고 하였다. 그리고는 명령을 내려 그 양반을 잡아 가두라고 하였다. 군수는 마음속으로 그 양반이 가난해서 갚을 길이 없는 것을 불쌍히 여겼지만 그렇다고 해서 가두지 않을 수도 없었다.

그 양반은 밤낮으로 훌쩍거리며 울었지만 별다른 대책도 생각해 낼 수 없었다. 그런 상황에서 그의 아내가 몰아 세우기를, "당신은 한평생 글 읽기를 좋아했지만 관가의 환곡을 갚는 데 아무런 도움이 못 되는구려. 양반 양반하더니 양반은 한 푼 가치도 못 되는구려."라고 하였다.

– 박지원, 「양반전」 중에서 –

① 양반은 자구책을 마련하지 못하고 있다.
② 군수는 양반에게 측은지심을 느끼고 있다.
③ 관찰사는 공평무사하게 일을 처리하고 있다.
④ 아내는 남편에 대해 외경하는 마음을 지니고 있다.

다음 글의 내용과 직접적 연관성이 <u>없는</u> 것은?

남원에 양생이 살았는데 일찍 부모를 여의고 장가들지 못한 채 만복사 동쪽에서 홀로 지내고 있었다. 방 밖에 서 있는 한 그루 배나무는 바야흐로 봄을 맞아 꽃이 활짝 피어 마치 옥으로 된 나무에 은덩이가 붙어 있는 것 같았다. 양생은 달 밝은 밤이면 그 나무 아래를 거닐며 낭랑하게 시를 읊조렸다.

'한 그루 배나무 꽃 쓸쓸함을 달래주나
가련히도 밝은 달밤을 저버리누나.
청춘에 홀로 누운 외로운 창가로
어디선가 미인이 봉황 퉁소 부는구나.

비취 새 외로이 날아 짝을 맺지 못하고
원앙새 짝을 잃고 맑은 강에 몸을 씻네.
어느 집에 인연 있나 바둑으로 점치다가
밤엔 등불 꽃 점복하고 근심스레 창에 기대네'.

읊기를 마치자 홀연히 공중에서 소리가 들려 왔다. "그대가 좋은 짝을 얻고자 하니 어찌 이루지 못할까 걱정하는가?"

① 주인공은 고독한 처지에 놓여 있다.
② 사건 전개에 비현실적인 내용이 들어 있다.
③ 인물의 내면이 시를 통하여 표출되고 있다.
④ 고난과 고난 극복의 서사가 이어지고 있다.
⑤ 작품 배경이 수사적 표현으로 그려지고 있다.

50

다음 글의 내용을 이해한 것으로 적절하지 <u>않은</u> 것은?

이생도 처연해져 한탄하기를 마지않으며 말했다.

"차라리 낭자와 함께 구천에 갈지언정 어찌 하릴없이 홀로 남은 생을 보전하겠소? 지난번에 난을 겪은 뒤 친척과 종들이 각각 어지럽게 흩어지고 돌아가신 부모님의 해골은 어지러이 들판에 굴러다닐 때, 낭자가 아니었다면 누가 제사 지내고 묻어주었겠는가? 옛사람이 말하기를 '살아서는 예로써 섬기고 죽어서는 예로써 장사지낸다.'라고 했는데 낭자는 이를 모두 다 실천하였으니 천성이 효성스럽고 인정이 두터운 사람이오. 감격스러움은 한량없고 자괴감을 이길 수 없소. 인간 세상에 더 머물렀다 백 년 뒤에 함께 묻힙시다."

여자가 말했다.

"낭군님의 수명은 아직 남아 있지만 저는 이미 귀신 명부에 올라 있으니 더 오래 보지 못합니다. 만약 인간 세상에 연연해하면 명을 어기는 것이니 나에게 죄를 줄 뿐 아니라 그대에게도 누가 미칠 것입니다. 저의 유골이 아무 곳에 흩어져 있으니 은혜를 베풀어주시려거든 바람과 햇빛에 드러나지 않게 해주십시오."

서로 바라보며 눈물을 흘리다가 여자가 말했다.

"낭군님, 잘 계십시오."

말을 마치자 점점 사라지더니 자취가 없어졌다.

이생이 유골을 수습하여 부모님 묘 옆에 묻어주었다. 장례를 마치고 나서 이생 또한 그리움 때문에 병이 들어 몇 달 뒤에 죽었다. 이 말을 들은 사람들은 마음 아파하고 탄식하며 그 의리를 사모하지 않음이 없었다.

– 김시습, 「이생규장전」에서 –

① 두 사람의 비극적 사랑과 비애가 드러나 있다.
② 유교 사상에서 강조하는 덕목이 제시되어 있다.
③ 인물의 행적과 품성을 압축적으로 서술하고 있다.
④ 사건의 전개에 비현실적인 요소가 작용하고 있다.
⑤ 일련의 사건을 통해 주인공의 고독이 해소되고 있다.

---

48 ④ 고전 소설

「양반전」은 실학사상에 근거하여 양반들의 무능과 허위, 비리 등을 풍자한 한문 단편 소설이다. 박지원의 소설 중 풍자적 성격이 가장 강한 것으로 알려져 있으며, 양반뿐만 아니라 돈으로 양반을 사고자 한 부자에 대한 비판 의식도 담긴 작품이다. 또한 「양반전」에는 조선 후기 상공업의 발달과 신분제의 동요 양상이 반영되어 있다.

④ 아내는 "양반은 한 푼 가치도 못 되는구려."라고 하며 남편을 비판하고 있으므로 남편에 대해 외경하는 마음을 지니고 있다는 진술은 적절하지 않다.

|오답해설| ① 2문단의 첫 번째 문장 "그 양반은 ~ 대책도 생각해 낼 수 없었다."를 통해 알 수 있다.
② 군수는 양반을 불쌍히 여겼으므로 적절한 진술이다.
③ 관찰사는 상대가 양반이라도 군량을 축낸 것에 대해 공정하게 판단하고 있다.

49 ④ 고전 소설

제시된 작품은 김시습의 「금오신화」 중 「만복사저포기」이다. 우리나라 최초의 소설로 평가되며 귀신과 사랑을 한다는 명혼 설화를 바탕으로 하고 있는 작품이다.

④ 인물이 외로움을 느끼고 있지만 구체적 고난이 드러난 것도 아니며 고난의 극복도 드러나지 않는다.

|오답해설| ① 주인공은 일찍 부모를 여의고 장가들지 못한 채 홀로 지내고 있다.
② "홀연히 공중에서 소리가 들려 왔다."에서 드러난다.
③ 인물의 내면 심리가 시를 통해 제시되는데, 이는 고전 소설의 일반적 특징이다.
⑤ 배경을 비유적으로 표현하여 드러내고 있다.

50 ⑤ 고전 소설

제시된 작품은 김시습의 「금오신화」 중 「이생규장전」이다. 귀신과의 사랑을 다루는 명혼 설화를 바탕으로 하고 있으며, 사회적 배경과 불교적 세계관이 두 남녀의 이별에 원인을 제공하고 있는 모습으로 그려지는 작품이다.

⑤ 이미 죽은 낭자(최랑)와 이생은 결국 헤어지게 되므로 고독이 해소되는 것이 아니라 심화된다.

|오답해설| ① 두 사람의 죽음으로 이야기가 끝나는 비극적 사랑 이야기이다.
② "살아서는 예로써 섬기고 죽어서는 예로써 장사지낸다."에서 드러난다.
③ 이생이 낭자를 설득하는 대목에서 낭자의 행적과 품성이 드러난다.
④ 이미 죽은 낭자와의 사랑은 비현실적 요소이다.

| 정답 | 48 ④ 49 ④ 50 ⑤

51

다음 글에 대한 설명으로 바르지 <u>않은</u> 것은?

신라 때, 부임하는 신임현령마다 부인이 실종되는 문창에 현령으로 부임한 최충은 미리 부인의 손에 명주실을 매어 두었다가 부인이 실종되자 찾아 나선다. 실이 뒷산 바위틈으로 들어간 것을 확인한 최충은 부인을 잡고 있던 금돼지를 죽이고 부인을 구하여 온다.

그 후 부인이 아들 최치원을 낳자, 최충이 금돼지의 자식이라며 버렸더니, 선녀가 내려와 보호해 주고 천유(天儒)가 내려와 글을 가르친다. 치원의 글 읽는 소리가 중국의 황제에게까지 들리자 황제가 두 학사를 보내 글을 겨루게 하나 치원을 당하지 못하고 두 학사는 중국으로 돌아간다. 황제는 함 속에 물건을 넣어 신라에 보내며 맞히지 못하면 공격할 것이라고 협박한다. 치원은 함 속의 물건을 맞히면 벼슬과 땅을 나누어 주겠다는 임금의 명령과 승상 나업의 딸 운영이 아름답다는 소문을 듣고 서울로 올라가 운영의 종이 된다. 치원은 나업에게 물건을 맞히면 자신을 사위로 삼아달라고 하여 허락을 받고 그것이 계란에서 병아리가 된 것임을 맞힌다. 황제가 물건 맞힌 인재를 중국으로 들여보내라고 하자 치원은 중국으로 간다. 도중에 용자(龍子) 이목(李牧)을 만나고, 늙은 할미를 만난 후 그의 지시로 아름다운 여인을 만나 부적 세 개를 얻는다. 중국에서 치원은 모든 재주 겨루기에서 부적 등을 이용하여 이기고, 과거에도 급제한다. 마침 황소의 난이 일어나자 문장으로 항복을 받는다. 그러나 치원을 질투한 대신들의 모함으로 귀양간다. 치원은 그곳에서 선유(仙遊)하다가 황제가 부르자 용으로 다리를 놓아 낙양에 돌아온다. 그 후 치원은 청사자를 타고 고국에 돌아와 백발이 된 아내를 소녀로 만들고 가족과 함께 가야산에 들어가 신선이 되었다고 한다.

① 작자 연대 미상의 고전소설이다.
② '영웅의 일생' 줄거리를 지니고 있어 영웅소설 유형에 속한다.
③ 실존 인물 최치원을 주인공으로 하여 역사적 사실을 주로 다루었다.
④ 중국의 선비보다 신라의 선비를 우월하게 그린 것이 특징이다.
⑤ 실제 현실과 반대로 되어 있는 내용에서 현실 극복 심리를 엿볼 수 있다.

[52~54] 다음 글을 읽고 물음에 답하시오.

(가) 말을 그치며 홍련 형제 일어나 절하고 청학을 타고 반공에 솟아 가거늘, 부사가 그 말을 들으매 낱낱이 분명하니 자기가 흉녀에게 속은 줄 깨닫고 더욱 분노하여 날새기를 기다려 새벽에 좌기를 베풀고 좌수 부부를 성화같이 잡아들여 각별 다른 말은 묻지 아니하고 ㉠그 낙태한 것을 바삐 들이라 하여 살펴본 즉 낙태한 것이 아닌 줄 분명하매 좌우를 명하여 그 낙태한 것의 배를 가르라 하니 좌우가 영을 듣고 칼을 가지고 달려들어 배를 가르니 그 속에 쥐똥이 가득하였거늘 허다한 관속이 이를 보고 다 ⓐ흉녀의 흉계인 줄 알아 저마다 꾸짖으며, 홍련 형제가 애매히 처참하게 죽음을 가장 불쌍히 여기더라.

(나) "ⓑ저의 무지 무식하온 죄는 성주의 처분에 있사오나 비록 시골의 변변하지 못한 어리석은 백성이온들 어찌 사리와 체모를 모르리잇고. 전실 장 씨 불쌍히 죽고 두 딸이 있사오매 부녀가 서로 위로하여 세월을 보내옵더니 후사를 아니 돌아보지 못하여 ⓒ후처를 얻사온즉 비록 어질지 못하오나 연하여 세 아들을 낳사오매 마음에 가장 기뻐하옵더니 하루는 제가 나갔다가 돌아온즉 흉녀가 문득 발연변색하고 하는 말이, '장화의 행실이 불측하여 낙태하였으니 들어가 보라.' 하고 이불을 들추매 제가 놀라 어두운 눈에 본즉, ㉡과연 낙태한 것이 적실하오매 미련한 소견에 전혀 깨닫지 못하는 중 더욱 전처의 유언(遺言)을 아득히 잊고 흉계(凶計)에 빠져 죽인 것이 분명하오니 그 죄 만 번 죽어도 사양치 아니하나이다."

(다) "ⓓ소첩의 몸이 대대 거족으로 문중이 쇠잔하고 가세 탕패하던 차 좌수가 간청하므로 그 후처가 되오니 전실의 양녀가 있사오되 그 행동거지 심히 아름다옵기에 ⓔ친자식같이 양육하여 이십에 이르는 저의 행사가 점점 불측하여 백가지 말에 한 말도 듣지 아니하고 성실치 못할 일이 많사와 원망이 심하옵기로 때때로 저를 경계하고 타일러 아무쪼록 사람이 되게 하옵더니 하루는 ㉢저희 형제의 비밀한 말을 우연히 엿듣사온즉 그 흉패한 말이 측량치 못할지라 마음에 가장 놀랍사와 가부더러 이른즉 반드시 모해하는 줄로 알 듯하여 다시금 생각하여 저를 먼저 죽여 내 마음을 펴고자 하여 가부를 속이고 죽인 것이 옳사오니 자백하오매 법에 따라 처치하시려니와 첩의 아들 장쇠는 이 일로 말미암아 천벌을 입어 이미 병신이 되었으니 죄를 사하소서."

(라) 각설, 배 좌수가 국가 처분으로 흉녀를 능지하여 두 딸의 원혼을 위로하나 오히려 쾌한 것이 없으매 오직 여아의 애매히 죽음을 주야로 슬퍼하여 그 형용을 보는 듯 목소리를 듣는 듯 거의 미치기에 이를 듯하여 다만 다음 세상에 다시 부녀지의를 맺음을 종일 축원하는 중 집안에 살림할 이 없으매 그 지향할 곳이 더욱 없어 부득이 혼처를 구할새 향족 윤광호의 딸을 취하니 ㉣나이 십팔

세요, 용모와 재질이 비상하고 성품이 또한 온순하여 자못 숙녀의 풍도가 있는지라.

－ 작자 미상. 「장화홍련전(薔花紅蓮傳)」 －

52

ⓐ～ⓓ 중 지시하는 대상이 다른 것은?

① ⓐ

② ⓑ

③ ⓒ

④ ⓓ

53

〈보기〉를 참고할 때, ㉠～㉣ 중 성격이 다른 것은?

┤ 보기 ├

서술자는 자신의 시각에서 이야기를 직접 서술하거나, 인물의 시각에서 인물의 경험과 인식을 반영하여 서술한다. 즉 '서술'은 서술자가 담당하지만 '시각'은 서술자의 것일 수도, 인물의 것일 수도 있다는 것이다.

① ㉠

② ㉡

③ ㉢

④ ㉣

54

ⓔ에 부합하는 속담으로 가장 적절한 것은?

① 믿는 도끼에 발등을 찍혔네.

② 공든 탑이 무너져 버렸구나.

③ 적반하장(賊反荷杖)도 유분수지.

④ 닭 쫓던 개 지붕 쳐다보는 격이군.

정답&해설

51 ③ 고전 소설

③ 제시된 작품은 작자 미상인 「최고운전」이다. 최치원은 실존 인물이지만 제시된 내용은 전승되던 설화를 바탕으로 한 허구이다.

| 오답해설 | ①② 신이한 출생, 비범한 능력 등이 드러나는 영웅의 이야기 구조를 보여 주는 작자 연대 미상의 고전소설이다.

④ 최치원이 중국에서 모든 재주 겨루기를 이기고 과거에 급제하는 것에서 알 수 있다.

⑤ 실제 역사에서 최치원은 당에서 유학하여 빈공과에 급제하지만 중국에서 재주 겨루기를 통해 중국의 인재들을 이긴 적은 없다. 이런 모습은 중국에 대한 극복 심리를 드러내는 것이다.

52 ② 고전 소설

② ⓑ는 배 좌수 본인이 자신을 가리키며 말하는 부분이므로 배 좌수를 지시한다.

| 오답해설 | ① ⓐ는 '흉녀'이다.

③ ⓒ는 배 좌수가 얻은 후처이므로 '흉녀'이다.

④ ⓓ는 흉녀 본인이 자신을 가리키며 말하는 부분이므로 '흉녀'에 해당한다.

53 ④ 고전 소설

④ ㉣은 "자못 숙녀의 풍도가 있는지라."라고 서술자의 시각에서 언급된 부분이다.

| 오답해설 | ① ㉠은 '부사'의 시각에서 한 말이다.

② ㉡은 '배 좌수'의 시각에서 한 말이다.

③ ㉢은 '흉녀'의 시각에서 한 말이다.

54 ③ 고전 소설

ⓔ는 '흉녀'가 '장화'를 친자식같이 잘 키워 줬는데도 불구하고 '장화'가 나이를 먹자 자신의 말을 듣지 않고 행동이 옳지 못하게 되었다고 '부사'에게 변명하는 부분이다. 따라서 잘못한 사람이 아무 잘못도 없는 사람을 나무라는 상황을 비판하는 의미인 ③이 적절한 속담이다.

| 오답해설 | ① '잘되리라고 믿고 있던 일이 어긋나거나 믿고 있던 사람이 배반하여 오히려 해를 입음'이라는 의미이다.

② '힘을 다하고 정성을 다하여 한 일의 결과가 헛되게 되었다.'라는 의미이다.

④ '애써 하던 일이 실패로 돌아가거나 남보다 뒤떨어져 어찌할 도리가 없이 됨'을 비유적으로 이르는 말이다.

| 정답 | 51 ③ **52** ② **53** ④ **54** ③

55

다음 글의 견해와 가장 거리가 먼 것은?

> "오륜(五倫)에 충실하고 오사(五事)를 옳게 하는 것은 사람의 예절이며, 떼를 지어 다니고 어미 새끼가 서로 부르며 먹이는 것은 짐승의 예절이며, 떨기로 무성하고 가지가 뻗어 나가는 것은 초목의 예절이니, 사람으로서 다른 생물들을 보면 사람이 귀하고 다른 생물들이 천하지만 다른 생물로서 사람을 보면 그들이 귀하고 사람은 천할 것이며, 하늘에서 전체를 보면 사람과 모든 생물이 균등할 것이다."
>
> – 홍대용, 「의산문답(醫山問答)」 중에서 –

① 기질로 말한다면 바르고 통하는 기(氣)를 얻은 것은 인(人)이 되고, 치우치고 막힌 기(氣)를 얻은 것은 물(物)이 된다. 바르고 통하는 가운데도 맑고 흐리며, 순수하고 불순한 구분이 있다. 치우치고 막힌 가운데도 이따금 통하기도 하고 아주 막히기도 하는 차이가 있다.

② 하늘이 명한 바에서 본다면, 범이나 사람이나 다 같이 물(物)의 하나이다. 하늘과 땅이 물(物)을 낳는 인에서 논한다면, 범이나 메뚜기, 누에, 벌, 개미가 사람과 함께 양육되어 서로 어그러질 수 없다.

③ 물(物)에는 저것 아닌 것이 없고 이것 아닌 것이 없다. 그러나 저것으로부터는 보지 못하고 스스로 아는 것만 안다. 그러므로 저것은 이것 때문에 생겨나고 이것은 저것 때문에 생겨난다.

④ 무릇 생명이 있는 것이라면, 사람으로부터 소나 말, 돼지와 염소, 개미 같은 곤충에 이르기까지, 삶을 사랑하고 죽음을 싫어하는 법이라오. 어찌 꼭 큰 생물만이 죽음을 싫어하고 작은 생물은 그렇지 않다 하겠소?

다음 글에 대한 설명으로 적절하지 않은 것은?

> "심청은 시각이 급하니 어서 바삐 물에 들라."
>
> 심청이 거동 보소. 두 손을 합장하고 일어나서 하느님 전에 비는 말이,
>
> "비나이다, 비나이다. 하느님 전에 비나이다. 심청이 죽는 일은 추호라도 섧지 아니하되, 병든 아비 깊은 한을 생전에 풀려 하고 이 죽음을 당하오니 명천(明天)은 감동하사 어두운 아비 눈을 밝게 띄워 주옵소서."
>
> 눈물지며 하는 말이,
>
> "여러 선인네 평안히 가옵시고, 억십만금 이문 남겨 이 물가를 지나거든 나의 혼백 불러내어 물밥이나 주시오."
>
> 하며 안색을 변치 않고 뱃전에 나서 보니 티 없이 푸른 물은 월러렁 콸넝 뒤둥구리 굽이쳐서 물거품 북적찌데한데, 심청이 기가 막혀 뒤로 벌떡 주저앉아 뱃전을 다시 잡고 기절하여 엎딘 양은 차마 보지 못할 지경이었다.
>
> – 「심청가」 중에서 –

① 사건에 대한 서술자의 주관적 서술이 나타나 있다.

② 등장인물들의 발화를 통해 사건의 상황을 보여준다.

③ 죽음을 초월한 심청의 면모와 효심이 드러나 있다.

④ 대상을 나열하여 장면을 다양하게 제시하고 있다.

2021 지방직(=서울시) 9급

㉠～㉣에 대한 설명으로 옳지 <u>않은</u> 것은?

> 이때는 오월 단옷날이렷다. 일 년 중 가장 아름다운 시절이라. ㉠ 이때 월매 딸 춘향이도 또한 시서 음률이 능통하니 천중절을 모를쏘냐. 추천을 하려고 향단이 앞세우고 내려올 제, 난초같이 고운 머리 두 귀를 눌러 곱게 땋아 봉황 새긴 비녀를 단정히 매었구나. …(중략)… 장림 속으로 들어가니 ㉡ 녹음방초 우거져 금잔디 좌르르 깔린 곳에 황금 같은 꾀꼬리는 쌍쌍이 날아든다. 버드나무 높은 곳에서 그네 타려 할 때, 좋은 비단 초록 장옷, 남색 명주 홑치마 훨훨 벗어 걸어 두고, 자주색 비단 꽃신을 썩썩 벗어 던져두고, 흰 비단 새 속옷 턱밑에 훨씬 추켜올리고, 삼껍질 그넷줄을 섬섬옥수 넌지시 들어 두 손에 갈라 잡고, 흰 비단 버선 두 발길로 홀쩍 올라 발 구른다. …(중략)… ㉢ 한 번 굴러 힘을 주며 두 번 굴러 힘을 주니 발밑에 작은 티끌 바람 쫓아 펄펄, 앞뒤 점점 멀어 가니 머리 위의 나뭇잎은 몸을 따라 흔들흔들. 오고갈 제 살펴보니 녹음 속의 붉은 치맛자락 바람결에 내비치니, 높고 넓은 흰 구름 사이에 번갯불이 쏘는 듯 잠깐 사이에 앞뒤가 바뀌는구나. …(중략)… 무수히 진퇴하며 한참 노닐 적에 시냇가 반석 위에 옥비녀 떨어져 쟁쟁하고, '비녀, 비녀' 하는 소리는 산호채를 들어 옥그릇을 깨뜨리는 듯. ㉣ 그 형용은 세상 인물이 아니로다.
>
> — 작자 미상, 「춘향전」에서 —

① ㉠: 설의적 표현을 통해 춘향이도 천중절을 당연히 알 것이라는 점을 서술하고 있다.

② ㉡: 비유법을 사용하고 음양이 조화를 이룬 아름다운 봄날의 풍경을 서술하고 있다.

③ ㉢: 음성 상징어를 사용하여 춘향의 그네 타는 모습을 시각적으로 서술하고 있다.

④ ㉣: 서술자의 편집자적 논평을 통해 춘향이의 내면적 아름다움을 서술하고 있다.

---

55 ① 고전 산문 문학

제시된 글은 홍대용의 「의산문답」이다. 홍대용은 조선 후기의 실학자로서 기존 성리학의 이기 이원론적 사고방식을 거부한다. 즉, '화(華)'와 '오랑캐'의 구분(화이론), 인간과 자연의 구분, 신분과 계급에 의한 차별에 부정적 입장을 보였다. 제시된 글 역시 자연과 사물이 각기의 이치를 가지고 있는 것으로서 근본적으로 균등한 것이라는 태도를 보여 준다.

① 성리학의 '이통 기국론'을 설명한 것이다. '이'와 '기'는 구분되며 기의 맑고 흐린 정도, 막히는 정도에 따라 사람과 사물이 구분된다는 생각을 보여 주고 있으므로 홍대용의 견해와 가장 거리가 멀다.

|오답해설| ②③④ 각각 사람과 자연, 이것과 저것, 큰 것과 작은 것이 차이가 없음을 드러낸다. ②는 박지원의 「호질」의 일부이고, ④는 이규보의 「슬견설」의 일부이다.

56 ④ 판소리

④ 제시된 글에서는 남경상인에 팔린 심청이가 인당수에 빠지기 직전의 모습이 드러나 있다. 그러나 열거, 나열을 통해서 특정 장면을 다양하게 제시하지는 않았으므로 ④의 진술은 적절하지 않다.

|오답해설| ① 글의 마지막 부분인 "엎딘 양은 차마 보지 못할 지경이었다."에서 편집자적 논평이 드러난다.

② 심청이를 재촉하는 상인의 말, 심청이의 기도 내용을 통해 사건의 상황을 알 수 있다.

③ 아비가 눈을 뜨기 원하여 팔려 온 것이므로 적절하다.

57 ④ 고전 산문 문학

④ "세상 인물이 아니로다."에서 편집자적 논평이 쓰였으나, 이는 춘향의 '내면적 아름다움'이 아닌 그네 타는 모습과 관련된 외면적 아름다움을 드러내는 표현이다.

|오답해설| ① "천중절을 모를쏘냐."와 같이 '설의법'을 통해 춘향이도 천중절을 당연히 알 것이라는 점을 서술하고 있다.

② "황금 같은 꾀꼬리는 쌍쌍이 날아든다."라는 '비유법(직유법)'을 사용하여 음양이 조화를 이룬 아름다운 봄날의 풍경을 서술하고 있다.

③ '펄펄, 흔들흔들'이라는 음성 상징어를 사용하여 춘향의 그네 타는 모습을 시각적으로 서술하고 있다.

|정답| 55 ① 56 ④ 57 ④

III 고전 문학의 이해

공무원 vs. 수능 비교분석▶ 공무원 문학 문제는 감상형 문제와 지식형 문제가 둘 다 출제된다. 하지만 감상형 문제 출제 위주로 그 비중이 점차 변화하고 있다. 따라서 감상형 문제만 난도 높게, 집중적으로 출제되는 수능 문학 문제를 통해 공무원 문학의 감상형 문제를 심화하여 대비할 수 있다.

고전 운문

[01~03] 다음 글을 읽고 물음에 답하시오.

(가) 서경(西京)이 아즐가 서경(西京)이 셔울히마르는
　　위 두어렁셩 두어렁셩 다링디리
　　닷곤티 아즐가 닷곤티 쇼셩경 고외마른
　　위 두어렁셩 두어렁셩 다링디리
　　여히므론 아즐가 여히므논 **질삼뵈** 브리시고
　　위 두어렁셩 두어렁셩 다링디리
　　괴시란티 아즐가 괴시란티 **우러곰 좃니노이다**
　　위 두어렁셩 두어렁셩 다링디리
　　　　　　　　　　　　　　　〈제1연〉

[A]
　　　구스리 아즐가 구스리 바회예 디신들
　　　　위 두어렁셩 두어렁셩 다링디리
　　　긴히똔 아즐가 긴힛똔 그츠리잇가 나는
　　　　위 두어렁셩 두어렁셩 다링디리
　　　즈믄 히를 아즐가 즈믄 히를 외오곰 녀신들
　　　　위 두어렁셩 두어렁셩 다링디리
　　　신(信)잇든 아즐가 신(信)잇든 **그츠리잇가 나는**
　　　　위 두어렁셩 두어렁셩 다링디리
　　　　　　　　　　　　　　　〈제2연〉
　　　　　　　　　　　　　　　－ 작자 미상, 「서경별곡」 －

(나) 이 몸이 녹아져도 옥황상제 처분이요
　　이 몸이 싀여져도 옥황상제 처분이라
　　녹아지고 싀여지어 혼백(魂魄)조차 흩어지고
　　공산(空山) 촉루(髑髏)＊같이 임자 업시 구닐다가
　　곤륜산(崑崙山) 제일봉의 만장송(萬丈松)이 되어 이셔
　　바람비 뿌린 소리 님의 귀에 들리기나
　　윤회(輪廻) 만겁(萬劫)ᄒ여 금강산(金剛山) 학(鶴)이 되어
　　일만 이천봉에 ᄆ음껏 솟아올라
　　ᄀ을 둘 불근 밤에 두어 소리 **슬피 우러**
　　님의 귀에 들리기도 옥황상제 처분이로다

흔(恨)이 뿌리 되고 눈물로 가지 삼아
님의 집 창밧긔 외나모 매화(梅花) 되어
설중(雪中)에 혼자 피어 침변(枕邊)＊에 시드는 듯
월중(月中) 소영(疎影)＊이 님의 옷에 **빗취어든**
어엿븐 이 얼굴을 너로다 **반기실가**
동풍이 유정(有情)ᄒ여 암향(暗香)을 불어 올려
고결(高潔)ᄒᆫ 이내 생애 죽림(竹林)에나 부치고져
빈 낙대 빗기 들고 빈 비를 혼자 띄워
백구(白溝) 건네 저어 **건덕궁(乾德宮)**에 가고지고
　　　　　　　　　　　　　　　－ 조위, 「만분가」 －

＊ 공산 촉루: 텅 빈 산의 해골
＊ 침변: 베갯머리
＊ 월중 소영: 달빛에 언뜻언뜻 비치는 그림자

01

2019 6월 고3 모의고사

(가)와 (나)에 대한 설명으로 가장 적절한 것은?

① (가)의 '셔울'과 (나)의 '건덕궁'은 모두 화자가 현재 머무르고 있는 공간이다.
② (가)의 '질삼뵈'와 (나)의 '빈 낙대'는 모두 화자가 현재 회피하고 싶은 대상이다.
③ (가)의 '우러곰'과 (나)의 '슬피 우러'는 모두 임의 심정을 드러내고 있다.
④ (가)의 '좃니노이다'와 (나)의 '빗취어든'은 모두 임의 곁에 있고 싶은 화자의 소망을 드러내고 있다.
⑤ (가)의 '그츠리잇가'와 (나)의 '반기실가'는 모두 미래 상황에 대한 의혹을 드러내고 있다.

02

(나)에 대한 감상으로 적절하지 않은 것은?

① '임자 업시 구닐'던 '이 몸'이 '학'이 되어 솟아오르게 함으로써 상승의 이미지를 구현하고 있다.

② '만장송'과 '매화'라는 소재를 활용하여 임을 향한 화자의 마음을 표상하고 있다.

③ '바람비 뿌린 소리'와 '두어 소리'의 청각적 이미지를 활용하여 임에게 알리고 싶은 화자의 심정을 나타내고 있다.

④ '매화'의 '뿌리'와 '가지'를 활용하여 '흔'의 정서를 형상화하고 있다.

⑤ 'ㄱ을 둘 불근 밤'과 '월중'이라는 시간적 배경을 통해 임과 재회한 순간을 드러내고 있다.

03

〈보기〉를 참고할 때, (가)의 [A]와 〈보기〉의 [B]를 비교하여 이해한 내용으로 적절하지 않은 것은?

> ┤ 보기 ├
>
> 「서경별곡」의 제2연에서 여음구를 제외한 부분은 당시 유행하던 민요의 모티프를 수용한 것으로, 「정석가」에도 동일한 모티프가 나타난다. 고려 시대의 문인 이제현도 당시에 유행하던 민요를 다음과 같이 한시로 옮긴 적이 있다.
>
> [B]
> ┌ 비록 구슬이 바위에 떨어져도　　　縱然巖石落珠璣
> │ 끈은 진실로 끊어질 때 없으리　　　纓縷固應無斷時
> │ 낭군과 천 년을 이별한다고 해도　　與郎千載相離別
> └ 한 점 붉은 마음이야 어찌 바뀌리　一點丹心何改移

① [A]와 [B]에서 '구슬'은 변할 수 있는 것을, '긴'이나 '끈'은 변하지 않는 것을 비유하는 소재로 활용하였군.

② [A]에서는 '신'을, [B]에서는 '붉은 마음'을 굳건한 '바위'로 형상화하였군.

③ [A]와 [B] 모두에서 변하지 않는 마음을 소중한 가치로 여기는 화자의 태도가 나타나는군.

④ [A]와 [B]를 보니 동일한 모티프가 서로 다른 형식의 작품으로 수용되었군.

⑤ [A]와 [B]를 보니 여음구의 사용 여부에 차이가 있군.

정답&해설

01 ④

④ (가)의 '좃니노이다'는 '따라가겠습니다'라는 의미이며, 이것은 임이 자신을 사랑해 준다면 임과 함께하겠다는 소망을 나타낸다. (나)의 '빗취어든'은 '비치거든'이라는 의미이며, 이것은 화자가 달빛에 비친 그림자가 되어 임의 옷에 가 닿고 싶다는 의미이므로, 이 역시 임의 곁에 있고 싶은 화자의 소망을 드러내는 것이다.

|오답해설| ① (가)의 '셔울'은 화자가 현재 머무르고 있는 공간이나, (나)의 '건덕궁'은 임이 거처하는 공간으로 화자가 가고자 하는 공간일 뿐, 현재 머무르고 있는 공간이 아니다.

02 ⑤

⑤ 'ㄱ을 둘 불근 밤'은 임과 헤어져 있어 슬픈 화자의 처지를 부각하는 시간적 배경이며, '월중'은 임의 옷에 비친 그림자라도 되어 임과 함께하고 싶다는 화자의 심정이 제시되는 시간적 배경이다. 이들은 모두 이별한 임과 재회하고자 하는 화자의 소망이 반영되어 있는 배경이다.

03 ②

② [A]의 '신'과 [B]의 '붉은 마음'은 모두 변하지 않는 화자의 마음을 비유적으로 나타내는 것이고, [A]와 [B]의 '바위'는 모두 그 마음을 변하게 할 수 있는 장애물을 의미하는 것이다.

| 정답 | 　　01 ④　　02 ⑤　　03 ②

배 방에 누워 있어 내 신세를 생각하니
가득이 심란한데 대풍(大風)이 일어나서
태산(泰山) 같은 성난 물결 천지에 자욱하니
크나큰 만곡주가 나뭇잎 불리이듯
하늘에 올랐다가 지함(地陷)*에 내려지니
열두 발 쌍돛대는 차아*처럼 굽어 있고
쉰두 폭 초석(草席) 돛은 반달처럼 배불렀네
굵은 우레 잔 벼락은 등[背] 아래서 진동하고
성난 고래 동(動)한 용(龍)은 물속에서 희롱하니
방 속의 요강 타구(唾具) 자빠지고 엎어지며
상하좌우 배 방 널은 잎잎이 우는구나
이윽고 해 돋거늘 장관(壯觀)을 하여 보세
일어나 배 문 열고 문설주 잡고 서서
사면(四面)을 돌아보니 어와 장할시고
인생 천지간에 ㉠이런 구경 또 있을까
구만리 우주 속에 큰 물결뿐이로다
                    …(중략)…

[A] 그중에 전승산이 글 쓰는 양(樣) 바라보고
     필담(筆談)으로 써서 뵈되 전문(傳聞)에 퇴석(退石)
     선생

[B] 쉬 짓기가 유명(有名)터니 선생의 빠른 재주
     일생 처음 보았으니 엎디어 묻잡나니
     필연코 귀한 별호(別號) 퇴석인가 하나이다

[C] 내 웃고 써서 뵈되 늙고 병든 둔한 글을
     포장(褒奬)을 과히 하니 수괴(羞愧)*키 가이 없다

[D] 승산이 다시 하되 소국(小國)의 천한 선비
     세상에 났삽다가 ㉡장(壯)한 구경하였으니
     저녁에 죽사와도 여한이 없다 하고
     어디로 나가더니 또다시 들어와서
     아롱보(褓)에 무엇 싸고 삼목궤(杉木櫃)에 무엇 넣어
     이마에 손을 얹고 엎디어 들이거늘
     받아 놓고 피봉(皮封)* 보니 봉(封)한 위에 쓰였으되
     각색 대단(大緞) 삼단이요 사십삼 냥 은자(銀子)로다

[E] 놀랍고 어이없어 종이에 써서 뵈되
     그대 비록 외국이나 선비의 몸으로서
     은화를 갖다 가서 글 값을 주려 하니
     그 뜻은 감격하나 의(義)에 크게 가하지 않아
     못 받고 도로 주니 허물하지 말지어다

                              – 김인겸, 「일동장유가」–

* 지함: 땅이 움푹하게 주저앉은 곳
* 차아: 줄기에서 벋어나간 곁가지
* 수괴: 부끄럽고 창피함
* 피봉: 겉봉

04

2019 수능

윗글에 대한 설명으로 적절하지 않은 것은?

① 동물의 역동성을 통해 공간의 분위기를 긍정적으로 바꾸고 있다.

② 거대한 자연물에 비유하여 악화된 기상 상황을 표현하고 있다.

③ 식물의 연약한 속성을 활용하여 화자의 위태로운 상황을 드러내고 있다.

④ 상승과 하강의 이미지를 대비하여 목전에 닥친 위기감을 강조하고 있다.

⑤ 인물의 행동을 시간의 흐름에 따라 열거하여 상황을 구체적으로 보여 주고 있다.

05

2019 수능

㉠과 ㉡에 대한 이해로 가장 적절한 것은?

① ㉠과 ㉡은 모두 화자의 고난 극복 의지를 드러내고 있다.

② ㉠과 ㉡은 모두 화자가 구경하는 대상의 실체를 은폐하고 있다.

③ ㉠은 자연의 풍광에 대한 감탄을, ㉡은 인물의 능력에 대한 감탄을 표현하고 있다.

④ ㉠은 화자의 관찰력에 대한, ㉡은 화자의 창조력에 대한 타인의 평가를 담고 있다.

⑤ ㉠은 대상에 대한 화자의 만족을, ㉡은 대상에 대한 화자의 아쉬움을 드러내고 있다.

06

〈보기〉를 바탕으로 윗글을 감상한 내용으로 적절하지 <u>않은</u> 것은?

┌─ 보기 ├─

    사행 가사인 「일동장유가」에는 화자와 일본인 문인 사이의 필담 장면이 기술되어 있는데, 필담을 통한 문답 형식은 일종의 대화의 성격을 지닌다. 필담 속에는 대화가 시작되는 상황, 문답의 주요 내용, 의사소통의 심층적 의미, 선비로서의 예법 등이 자연스럽게 포함되어 있다.

① [A]는 [B]~[D]의 필담이 시작되는 계기를 보여 주는군.

② [B]의 '빠른 재주'는 '나'의 글에 대한 상대의 평가를, [C]의 '늙고 병든 둔한 글'은 자신의 글에 대한 '나'의 입장을 보여 주는군.

③ [B]의 '필담으로 써서 뵈되'와 [C]의 '내 웃고 써서 뵈되'를 통해, 문답의 형식을 활용하여 의사소통 장면을 구체적으로 제시하는군.

④ [B]의 '귀한 별호 퇴석'과 [D]의 '소국의 천한 선비'는 선비의 예법을 동원하여 동일한 사람을 다르게 지칭한 표현이군.

⑤ [D]에는 '나'의 글에 대한 상대의 찬사가 나타나 있고, [E]에는 상대의 글 값에 대한 '나'의 거절이 드러나 있군.

---

04 ①

① 일본으로 가는 배 안에서 풍랑을 만난 화자는 "성난 고래 동(動)한 용(龍)은 물속에서 희롱하니"라는 표현을 통해 파도가 요동치는 모습을 제시하고 있다. 이는 동물의 역동성을 이용하여 풍랑 상황을 효과적으로 드러내는 것으로, 화자가 처한 상황이 매우 위태롭다는 것을 말해 주는 것이지, 공간의 분위기를 긍정적으로 바꾸는 것이 아니다.

05 ③

③ ㉠은 풍랑이 끝난 후에 배 방에서 밖으로 나온 화자가 눈앞에 펼쳐진 해돋이 풍광에 대해 평가한 것이다. 즉, '이런 구경'에는 해돋이 장관에 대한 화자의 감탄이 나타나 있다. 한편, ㉡은 일본인 문인인 '전승산'이 '나'의 글 짓는 재주에 대해 평가한 것으로, '나'가 글 짓는 것을 '장한 구경'이라는 표현으로 제시함으로써 '나'의 능력에 대한 감탄을 드러내고 있다.

|오답해설| ④ ㉡에는 '나'의 글 솜씨에 대한 '전승산'의 평가가 담겨 있다. 따라서 화자의 창조력에 대한 타인의 평가를 담고 있다는 진술은 적절하다. 그러나 ㉠은 화자가 자신이 직접 본 풍경에 대한 표현이므로 여기에 타인의 평가가 담겨 있다고 할 수 없다.

06 ④

④ '퇴석(退石)'은 제시된 작품을 지은 김인겸의 호이다. 제시문에서는 '전승산'이 화자의 글 솜씨를 보고 다른 사람에게서 전해 듣기만 하던 '퇴석 선생'이 바로 지금 자신의 눈앞에 있는 사람이라는 것을 깨닫고 감탄하는 상황이 나타난다. 그러므로 [B]의 '귀한 별호 퇴석'은 화자인 '나'를 지칭하는 것이며, [D]의 '소국의 천한 선비'는 '전승산'이 자기 자신을 낮추어 표현한 말이다. 따라서 '귀한 별호 퇴석'과 '소국의 천한 선비'는 각각 '나'와 '전승산'이라는 다른 인물을 지칭하는 말이다.

고전 산문

[07~09] 다음 글을 읽고 물음에 답하시오.

자점이 심복을 보내 거짓 조서를 전하고 옥에 가두니, 경업이 옥에 갇혀 생각하되,

'세자와 대군이 어찌 내 일을 모르고 구치 아니시는고?'

하며 주야 번민하여 목이 말라 물을 찾는데, 옥졸이 자점의 부촉(附囑)*을 들은 고로 물도 주지 아니하여 경업이 더욱 한하더니, 전옥(典獄) 관원은 강직한지라 경업의 애매함을 불쌍히 여겨 경업더러 왈,

"장군을 역적으로 잡음이 다 자점의 흉계니, 잘 주선하여 누명을 벗으라."

경업이 그제야 자점의 흉계로 알고 통분을 이기지 못하여 바로 몸을 날려 옥문(獄門)을 깨치고 궐내에 들어가 상을 뵙고 청죄한데, 상이 경업을 보시고 반겨 가로되,

"경이 만리타국에 갔다가 이제 돌아오매 반가움이 끝이 없거늘 무삼 일로 청죄하느뇨?"

경업이 돈수사죄 왈,

"신이 무인년에 북경에 잡혀가다가 중간에 도망한 죄는 만사무석이오나, 대명(大明)과 함께 호왕을 베어 병자년 원수를 갚고 세자와 대군을 모셔오고자 하였더니, 간인에게 속아 북경에 잡혀갔다가 천행으로 살아 돌아옵더니, 의주(義州)에서 잡혀 아무 연고인 줄 알지 못하옵고 오늘을 당하와 천안(天顏)을 뵈오니 이제 죽어도 한이 없사옵니다."

상이 들으시고 대경하사 신하더러 왈,

"경업을 무슨 죄로 잡아온고?"

하시고 자점을 패초(牌招)*하사 실사를 물으시니, 자점이 속이지 못하여 주왈,

"경업이 역적이옵기로 잡아 가두고 계달코자 하였나이다."

경업이 대로하여 고성대매 왈,

"이 몹쓸 역적아! 들으라. 벼슬이 높고 국록이 족하거늘 무엇이 부족하여 모반할 마음을 두어 나를 해코자 하느뇨?"

자점이 듣고 무언이거늘, 상이 노하여 왈,

"경업은 삼국의 유명한 장수요, 또한 만고충신이거늘 네 무슨 일로 죽이려 하느뇨?"

하시고,

"자점과 함께한 자를 금부에 가두고 경업은 물러가 쉬게 하라."

하시다.

[A] 경업이 사은하고 퇴궐할새, 자점은 궐문 밖에 나와 심복 수십 명을 매복하였다가, 경업이 나옴을 보고 불시에 달려들어 난타하니, 경업이 아무리 용맹한들 손에 촌철이 없는지라. 여러 번 맞아 중상하매 자점이 용사들을 분부하여 경업을 옥에 가두고 금부로 가니라.

이때 대군이 시자(侍者)더러 문왈,

"임장군이 입성하였으나 지금 어디 있느뇨?"

시자가 대왈,

"소인 등은 모르나이다."

대군이 의심하여 바삐 입궐하여 경업의 거처를 묻되, 상이 수말을 이르시니 대군이 주왈,

"자점이 이런 만고충신을 해하려 하오니 이는 역적이라. 엄치하소서."

하고, 명일을 기다려 친히 경업을 가 보려 하시더라.

[B] 차시, 경업이 자점에게 매를 많이 받아 천명이 진하게 되매 분기대발하여 신음하다 죽으니, 시년 사십팔 세요, 기축(己丑) 9월 26일이라.

…(중략)…

자점이 반심을 품은 지 오래다가 절도(絕島)에 안치되매 더욱 앙앙(怏怏)하여* 불측지심이 나타나거늘, 우의정 이시백이 자점의 일을 아뢰니, 상이 놀라 금부도사를 보내 엄형 국문하신 후 옥에 가두었더니, 이날 밤 한 꿈을 얻으시니, 경업이 나아와 주왈,

"흉적 자점이 소신을 죽이고 반심을 품어 거의 일이 되었사오니 바삐 국문하옵소서."

하고 울며 가거늘, 상이 놀라 깨달으시니 경업이 앞에 있는 듯한지라. 상이 슬픔을 이기지 못하시고 날이 밝으매 자점을 올려 국문하시니, 자점이 자복하여 역심을 품은 일과 경업을 모해한 일을 승복하거늘, 상이 노하여 자점의 삼족을 다 내어,

"저자 거리에서 죽이라."

하시고,

"그 동류를 다 문죄하라."

하시며, 경업의 자식들을 불러 하교 왈,

"너희 아비가 자결한 줄로 알았더니, 꿈에 와 '자점의 모해로 죽었다.' 하기로 내어 주나니 원수를 갚으라."

하시다.

— 작자 미상, 「임장군전」—

* 부촉: 부탁하여 맡김
* 패초: 임금이 승지를 시켜 신하를 부름
* 앙앙하여: 매우 마음에 차지 아니하거나 야속하여

윗글에 대한 설명으로 적절하지 <u>않은</u> 것은?

① 인물들의 대립 구도를 통해 서사적인 흥미를 높이고 있다.
② 주인공의 죽음을 제시하여 작품의 비극성을 고조하고 있다.
③ 대화의 내용을 통해 이전에 일어난 사건의 정황을 나타내고 있다.
④ 악인의 횡포를 징벌함으로써 권선징악의 세계관을 드러내고 있다.
⑤ 적대자와의 지략 대결을 통해 주인공의 초월적 능력을 보여 주고 있다.

---

07 ⑤

⑤ 경업이 전옥(典獄) 관원을 통해 자점의 흉계를 알고 옥문(獄門)을 깨치는 부분에서 초월적 능력을 일부 드러내나. 적대자인 자점과 지략 대결을 벌이는 내용은 나타나지 않는다.

08 ⑤

⑤ 경업은 상의 꿈에 나타나 "흉적 자점이 소신을 죽이고 반심을 품어 거의 일이 되었다."라고 아뢴다. 이에 상은 놀라 자점을 국문(심문)하고 자복을 받은 뒤. 경업의 자식을 불러 "너희 아비가 자결한 줄" 알았더니 "자점의 모해로 죽었다."라고 말하며 원수를 갚으라고 명령한다. 따라서 상은 꿈에 나타난 경업의 말을 듣고 자점의 자복을 받아낸다는 진술은 적절하다.

|오답해설| ③ 대군은 경업이 궐 내로 들어왔다는 소식을 듣고 시자(侍者)에게 경업의 거처를 묻는다. 이에 시자가 모른다고 하자 의심하여 바삐 입궐을 하게 된다. 대군이 자점의 흉계를 의심한 것은 적절하지만 대군은 경업의 거처를 모르고 있으므로, 경업에게 옥에 갇힌 경위를 물었다는 진술은 적절하지 않다.

윗글에 대한 이해로 가장 적절한 것은?

① 경업은 옥에 갇히기 전부터 거짓 조서 때문에 자점의 흉계를 알고 있었다.
② 옥졸은 자점의 부탁을 받고 경업의 죄를 상에게 밀고했다.
③ 대군은 자점을 의심하며 경업에게 옥에 갇힌 경위를 물었다.
④ 우의정 이시백은 경업이 옥에 갇힐 만한 정보를 상에게 제공했다.
⑤ 상은 꿈에 나타난 경업의 발언 이후 자점의 자복을 받아 내었다.

〈보기〉를 참고할 때, [A]와 [B]에 대한 이해로 적절하지 않은 것은?

┤ 보기 ├

「임장군전」을 읽은 당시 독자층은 책의 여백과 말미에 특정 대목에 대한 자신의 생각을 적은 다양한 필사기를 남겼다. '식자층'은 "㉠ 대역 김자점의 소행이 혐오스러워 붓을 멈춘다."라는 시각을 나타내거나 "㉡ 잡혔으니 가히 아프고 괴로우며 애석하네."라며 경업에 대한 안타까움을 드러냈다. 한편 '평민층'은 "㉢ 슬프다, 임 장군이여. 남의 손에 죽으니 어찌 천운이 아니랴."라며 숙명론적인 반응을 보이거나, "㉣ 조회하고 나오는 것을 문외의 무사로 박살하니 그 아니 가엾지 아니리오."라는 안타까운 반응을 남기거나, "㉤ 사람마다 알게 하기는 동국충신의 말임에 혹 만민이라도 깨달아 본받게 함이라."라는 필사기를 남겼다. ㉠, ㉢, ㉤은 경업이 죽는 대목에, ㉡과 ㉣은 경업이 자점에게 피습되는 대목에 남아 있는 필사기이다.

① [B]를 읽은 식자층은, ㉠을 통해 자점의 행위에 대해 부정적 평가를 내리고 있군.

② [A]를 읽은 식자층은, ㉡을 통해 경업의 시련에 대한 안타까움을 나타내고 있군.

③ [B]를 읽은 평민층은, ㉢을 통해 경업의 죽음이 자점 때문임을 알고 있으면서도 그의 죽음에 대해 운명론적인 태도를 보이고 있군.

④ [A]를 읽은 평민층은, ㉣을 통해 자점을 비판하면서도 그의 행위에 대한 연민을 드러내고 있군.

⑤ [B]를 읽은 평민층은, ㉤을 통해 충신의 이야기가 널리 알려지기를 바라고 있군.

갈래 통합

[10~14] 다음 글을 읽고 물음에 답하시오.

(가)

[A]
만금 같은 너를 만나 백년해로하잤더니, 금일 이별 어이 하리! 너를 두고 어이 가잔 말이냐? 나는 아마도 못 살겠다! 내 마음에는 어르신네 공조참의 승진 말고, 이 고을 풍헌(風憲)만 하신다면 이런 이별 없을 것을, 생눈 나올 일을 당하니, 이를 어이한단 말인고? 귀신이 장난치고 조물주가 시기하니, 누구를 탓하겠냐마는 속절없이 춘향을 어찌할 수 없네! 네 말이 다 못 될 말이니, 아무튼 잘 있거라!

춘향이 대답하되, 우리 당초에 광한루에서 만날 적에 내가 먼저 도련님더러 살자 하였소? 도련님이 먼저 나에게 하신 말씀은 다 잊어 계시오? 이런 일이 있겠기로 처음부터 마다하지 아니하였소? 우리가 그때 맺은 금석 같은 약속 오늘날 다 허사로세! 이리해서 분명 못 데려가겠소? 진정 못 데려가겠소? 떠보려고 이리하시오? 끝내 아니 데려가시려 하오? 정 아니 데려가실 터이면 날 죽이고 가오!

그렇지 않으면 광한루에서 날 호리려고 ㉠ 명문(明文) 써 준 것이 있으니, ㉡ 소지(所志) 지어 가지고 본관 원님께 이 사연을 하소연하겠소. 원님이 만일 당신의 귀공자 편을 들어 패소시키시면, 그 소지를 덧붙이고 다시 글을 지어 전주 감영에 올라가서 순사또께 소장(訴狀)을 올리겠소. 도련님은 양반이기에 ㉢ 편지 한 장만 부치면 순사또도 같은 양반이라 또 나를 패소시키거든, 그 글을 덧붙여 한양 안에 들어가서, 형조와 한성부와 비변사까지 올리면 도련님은 사대부라 여기저기 청탁하여 또다시 송사에서 지게 하겠지요. 그러면 그 ㉣ 판결문을 모두 덧보태어 똘똘 말아 품에 품고 팔만장안 억만가호마다 걸식하며 다니다가, 돈 한 푼씩 빌어 얻어서 동이전에 들어가 바리 뚜껑 하나 사고, 지전으로 들어가 장지 한 장 사서 거기에다 언문으로 ㉤ 상언(上言)을 쓸 때, 마음속에 먹은 뜻을 자세히 적어 이월이나 팔월이나, 동교(東郊)로나 서교(西郊)로나 임금님이 능에 거둥하실 때, 문밖으로 내달아 백성의 무리 속에 섞여 있다가, 용대기(龍大旗)가 지나가고, 협연군(挾輦軍)의 자개창이 들어서며, 붉은 양산이 따라오며, 임금님이 가마나 말 위에 당당히 지나가실 제, 왈칵 뛰어 내달아서 바리뚜껑 손에 들고, 높이 들어 땡땡하고 세 번만 쳐서 억울함을 하소연하는 격쟁(擊錚)을 하오리다! 애고애고 설운지고!

그것도 안 되거든, 애쓰느라 마르고 초조해하다 죽은 후에 넋이라도 삼수갑산 험한 곳을 날아다니는 제비가 되어 도련님 계신 처마에 집을 지어, 밤이 되면 집으로 들어가는 체하고 도련님 품으로 들어가 볼까! 이별 말이 웬 말이오?

이별이란 두 글자 만든 사람은 나와 백 년 원수로다! 진시황이 분서(焚書)할 때 이별 두 글자를 잊었던가? 그때 불살 랐다면 이별이 있을쏘냐? 박랑사(博浪沙)[*]에서 쓰고 남은 철퇴를 천하 장사 항우에게 주어 힘껏 둘러메어 이별 두 글자를 깨치고 싶네! 옥황전에 솟아올라 억울함을 호소하여, 벼락을 담당하는 상좌가 되어 내려와 이별 두 글자를 깨치고 싶네!

– 작자 미상, 「춘향전」 –

* 박랑사: 중국 지명. 장량이 진시황을 암살하려 했던 곳

(나)

[B]
이별이라네 이별이라네 이 도령 춘향이가 이별이 로다
춘향이가 도련님 앞에 바짝 달려들어 눈물짓고 하는 말이
도련님 들으시오 나를 두고 못 가리다
나를 두고 가겠으면 홍로화(紅爐火) 모진 불에 다 사르겠으면 사르고 가시오
날 살려 두고는 못 가시리라
잡을 데 없으시면 @ 삼단같이 좋은 머리를 휘휘칭칭 감아쥐고라도 날 데리고 가시오
살려 두고는 못 가시리다
날 두고 가겠으면 용천검(龍泉劍) 드는 칼로다
요 내 목을 베겠으면 베고 가시오
날 살려 두고는 못 가시리라
두어 두고는 못 가시리다
날 두고 가겠으면 ⓑ 영천수(潁川水) 맑은 물에다 던지겠으면 던지고나 가시오
날 살려 두고는 못 가시리다

이리 한참 힐난하다 할 수 없이 도련님이 떠나실 때
방자 놈 분부하여 나귀 안장 고이 지으니
도련님이 나귀 등에 올라앉으실 때
춘향이 기가 막혀 미칠 듯이 날뛰다가
우르르 달려들어 나귀 꼬리를 부여잡으니
ⓒ 나귀 네 발로 동동 굴러 춘향 가슴을 찰 때
안 나던 생각이 절로 나
그때에 이별 별(別) 자 내인 사람 나와 한백 년 대원수로다
깨치리로다 깨치리로다 박랑사 중 쓰고 남은 철퇴로
천하장사 항우 주어 이별 두 자를 깨치리로다
할 수 없이 도련님이 떠나실 때
향단이 준비했던 주안을 갖추어 놓고
풋고추 겨리김치 문어 전복을 곁들여 놓고
잡수시오 잡수시오 이별 낭군이 잡수시오
언제는 살자 하고 화촉동방(華燭洞房) 긴긴 밤에
청실홍실로 인연을 맺고 백 년 살자 언약할 때
물을 두고 맹세하고 산을 두고 증삼(曾參)[*] 되자더니
ⓓ 산수 증삼은 간 곳이 없고

09 ④

④ [A]는 경업이 자점의 흉계로 심복들에게 난타를 당하고 다시 옥에 갇혀 금부로 잡혀가는 장면이며, 〈보기〉의 ㉣은 자점의 흉계로 경업이 박살나서 죽음을 당한 일에 대한 평민층의 안타까움을 나타낸 필사라고 할 수 있다. [A]를 읽은 평민층은 ㉣을 통해 경업을 고통에 빠뜨린 자점의 행동을 비판하고 있을 뿐, 자점의 행위에 대한 연민을 드러내지는 않는다.

이제 와서 이별이란 웬 말이오

잘 가시오

잘 있거라

산첩첩(山疊疊) 수중중(水重重)한데 부디 편안히 잘 가

시오

나도 ⓔ 명년 양춘가절*이 돌아오면 또다시 상봉할까나

— 작자 미상, 「춘향이별가」 —

* 증삼: 공자의 제자. 고지식하여 약속을 반드시 지킴
* 양춘가절: 따뜻하고 좋은 봄철

10

2018 9월 고3 모의고사

(가)에 대한 이해로 적절하지 <u>않은</u> 것은?

① '도련님'은 이별의 상황이 자신의 입장에서는 불가피한 것임을 드러내고 있다.

② '춘향'은 '도련님'을 처음 만날 때부터 이별의 상황을 우려하였음을 말하고 있다.

③ '춘향'은 '도련님' 곁에 머물고 싶은 마음을 자연물에 의탁하여 드러내고 있다.

④ '춘향'은 고사를 활용하여 자신의 상황이 역사적 사건과 관련되어 있음을 말하고 있다.

⑤ '춘향'은 천상의 존재에게 억울함을 전하는 상황을 설정하여 자신의 감정을 드러내고 있다.

11

2018 9월 고3 모의고사

㉠~㉢에 대한 설명으로 가장 적절한 것은?

① ㉠: '도련님'의 마음을 확인하고자 '춘향'이 쓴 글이다.

② ㉡: '도련님'이 자신의 무고함을 밝히는 내용이 담길 것이다.

③ ㉢: '춘향'과의 친밀감을 강화하려는 '도련님'의 마음을 전하는 내용이 담길 것이다.

④ ㉣: '도련님'에게는 약속 파기의 책임을 물을 수 없음을 밝히는 내용이 담길 것이다.

⑤ ㉤: '춘향'이 '순사또'의 힘을 빌려 '임금'에게 자신의 입장을 전하는 내용이 담길 것이다.

12

2018 9월 고3 모의고사

ⓐ~ⓔ에 대한 설명으로 가장 적절한 것은?

① ⓐ는 인물이 지닌 자부심을 환기하여 좌절감을 완화하는 소재이다.

② ⓑ는 초월적 공간에 대한 지향을 드러내어 현재의 고통과 대비하기 위한 소재이다.

③ ⓒ는 부정적인 상황을 희화화함으로써 당면한 현실을 풍자하는 표현이다.

④ ⓓ는 기대가 어긋나 버린 사정을 부각하여 비애감을 심화하는 표현이다.

⑤ ⓔ는 미래에 대한 전망을 바탕으로 대상과의 재회를 확신하는 표현이다.

〈보기〉를 바탕으로 (가), (나)를 이해한 내용으로 적절하지 <u>않은</u> 것은?

┤ 보기 ├

　　여러 작품에서 '춘향'은 다양한 면모를 지닌 인물로 형상화되었다. '춘향'은 원치 않는 상황을 받아들이는 수용적 면모를 보이기도, 목표를 이루려 단호하게 행동하는 적극적 면모를 보이기도 한다. 신세를 한탄하며 절규하는 격정적 면모를 드러내는가 하면, 문제를 숙고하여 대응책을 모색하는 치밀한 면모를 표출하기도 한다. 한편 '춘향'은 당대 민중의 시각을 대변하는 면모를 지니기도 한다.

① (가)에서 양반들이 한통속이어서 '도련님'을 두둔할 것이라고 언급하는 모습을 통해, 민중의 입장을 취하는 '춘향'의 면모를 확인할 수 있다.

② (가)에서 구걸하고 다니면서라도 자신의 상황을 알리겠다는 모습을 통해, 뜻한 바를 성취하려는 '춘향'의 적극적 면모를 확인할 수 있다.

③ (나)에서 이별 후 자신이 겪을 고난을 말하며 '도련님'의 마음을 돌리려는 모습을 통해, 문제 해결책을 강구하는 '춘향'의 치밀한 면모를 확인할 수 있다.

④ (나)에서 '도련님'에게 주안을 올리며 어쩔 수 없이 이별을 받아들이는 모습을 통해, 서글픈 현실을 감내하려는 '춘향'의 수용적 면모를 확인할 수 있다.

⑤ (가), (나)에서 '이별'이라는 두 글자를 철퇴로 깨뜨리고자 하는 모습을 통해, 북받친 감정을 토로하면서 탄식하는 '춘향'의 격정적 면모를 확인할 수 있다.

10 ④

④ (가)에는 진시황의 분서 사건, 박랑사와 관련된 사건 등의 고사가 나타나 있다. 그러나 이것은 이별 상황에 직면한 '춘향'의 안타까운 심정을 드러내는 기능을 하고 있는 것이지, '춘향'이 당면한 상황이 역사적 사건과 관련되어 있음을 말하기 위해 활용된 것이 아니다.

11 ④

④ ⓔ의 앞부분인 "도련님은 사대부라 여기저기 청탁하여 또다시 송사에 지게 하겠지요."를 고려할 때, '판결문'에는 춘향이 송사에 패소하는 내용, 즉 '도련님'에게는 죄가 없다고 판결한 내용이 담겨 있을 것임을 추론할 수 있다.

12 ④

④ "백 년 살자 언약할 때 물을 두고 맹세하고 산을 두고 증삼 되자더니", "이제 와서 이별이란 웬 말이오"를 고려할 때, ⓓ는 변하지 않을 것이라고 기대했던 맹세가 깨져 버린 상황에 대한 '춘향'의 비애감을 심화하는 표현이다.

|오답해설| ③ '춘향'이 이별을 막기 위해 '도련님'이 탄 나귀의 꼬리를 잡고, 나귀는 춘향의 가슴을 차는 모습이 안타깝고 절박한 상황을 희화화한 면은 있지만, 이것이 현실을 풍자하기 위한 장면은 아니다.

13 ③

③ (나)에는 이별을 안타까워하며 자신의 슬픔을 하소연하는 '춘향'의 모습이 제시되어 있다. 그러나 이별 후 자신이 겪을 고난에 대해 말하는 '춘향'의 모습은 나타나 있지 않다.

〈보기〉를 바탕으로 [A], [B]를 감상한 내용으로 적절하지 않은 것은?

┤ 보기 ├

조선 후기에 책을 대여하고 값을 받는 세책업자는 「춘향전」을 (가)와 같은 세책본 소설로, 유흥적 노래를 지은 잡가의 담당층은 「춘향전」의 대목을 (나)와 같은 잡가로 제작했다. 세책업자는 과장되고 재치 있는 표현을 활용하여 흥미를 높이거나 특정 부분의 분량을 늘려 이윤을 얻으려 했다. 잡가의 담당층은 노래의 내용을 단시간에 전달하기 위해 상황을 집약해 설명하고 인물의 감정을 드러내는 가사를 반복해 청중의 공감을 끌어냈다. 연속되지 않은 장면들을 엮어 노래를 구성할 때에는 작품 속 화자의 역할이 바뀌기도 하였다.

① [A]에서 '생눈 나올 일'이라는 과장된 표현을 쓴 것은 작품의 흥미를 높이려는 취지와 관련되겠군.

② [A]에서 '도련님'에게 거듭하여 묻는 형식을 사용한 것은 분량을 늘리려는 의도와 관련되겠군.

③ [B]에서 첫 행에 작품의 상황을 제시한 것은 청중을 작품의 내용에 빠르게 끌어들이려는 전략과 관련되겠군.

④ [B]에서 '못 가시리다'라는 구절을 반복하여 인물의 감정을 강조한 것은 청중의 공감을 유발하려는 목적과 관련되겠군.

⑤ [B]에서 화자가 해설자에서 인물로 역할을 바꾸는 것은 연속되지 않은 장면들이 엮여 작품이 구성되었음을 알게 해 주는 단서이겠군.

[15~18] 다음 글을 읽고 물음에 답하시오.

[앞부분 줄거리] 옹고집은 성격이 고약한 부자이다. 어느 날 옹고집 앞에 가짜 옹고집이 나타나, 서로 자신이 진짜라고 주장한다.

[A]
두 옹고집이 송사 가는 제, 읍내를 들어가니 짚옹고집 거동 보소. 주저 없이 제가 앞에 가며 읍의 촌가인 하나와 만나 보면 깜짝 반겨 두 손을 잡고, "나는 가변을 송사하러 가는지라. 자네와 나와 아무 연분에 서로 알아 죽마고우로 지냈으니 나를 몰라볼쏘냐."

또 하나를 보면, "자네 내게서 아무 연분에 돈 오십 냥을 취하여 갔으니 이참에 못 주겠느냐. 노잣돈 보태 쓰게 하라." 또 하나 보면, "자네 쥐골평 논 두 섬지기 이때까지 소작할 제, 거년 선자(先資)* 스물닷 말을 어찌 아니 보내는가."

이처럼 하니 참옹고집이 짚옹고집을 본즉 낱낱이 내 소견대로 내가 할 말을 제가 먼저 하니 기가 질려 뒤에 오며, 실성한 사람같이, 아는 사람도 오히려 짚옹고집 같이도 모르는지라.

짚옹고집이 노변에서 지나가는 사람 데리고 하는 말이, "가운이 불길하여 어떠한 놈이 왔으되 용모 나와 비슷해 제가 내라 하고 자칭 옹고집이라 하기로, 억울한 분을 견디지 못하여 일체 구별로 송사하러 가는지라. 뒤에 오는 사람이 기네. 자네들도 대소간 눈이 있거든 혹 흑백을 가릴쏘냐."

참옹고집이 뒤에 오면서 기가 막히고 얼척도 없어 말도 못하고 울음 울 제, 행인들이 이어 보고 하는 말이, "누가 알아보리오. 뉘 아들인지 알 수가 없다. 아마도 상동이란 말밖에 또 하리오."

…(중략)…

짚옹고집 반만 웃고 집으로 돌아와서 바로 내정으로 들어가니 처자 권속이 내달아 잡고 들어가니, "하늘도 무심치 아니하기로 **내 좋은 형세와 처자를 빼앗기지** 아니하였다."

송사를 이긴 내력을 말하니 처자 권속이며 상하 노복 등이 참옹고집으로 알고, 마누라는, "㉠ 우리 서방님이 그런 고생이 또 있을까."

뭇 아들 나서며, "그런 자식에게 아버지가 큰 봉재를 보았다."

노복 종이며 마을 사람들이 다 칭찬하거늘, 짚옹고집이, "내가 혈혈단신으로 자수성가하였기로 전곡을 과연 아낄 줄만 알았더니 내빈 왕객 접대 상과 **만가 동냥 거지들을 독하게 박대**하였더니 인심부득 절로 되어 이런 재변이 난 듯싶으니, 사람 되고 개과천선 못할쏘냐. 오늘부터 재물과 곡식을 흩어 활인구제(活人救濟)하리라."

전곡을 흩어 사방에 구차한 사람을 구제한단 말이 낭자하니 팔도 거지들과 각 절 유걸승들이 구름 모이듯 모여드니 **백 냥 돈 천 냥 돈을 흩어** 주니 옹고집은 인심 좋단 말이 낭자하더라.

하루는 주효를 낭자케 장만하고 원근에 모모한 친구며 사방 사람을 청좌하여 대연을 배설할 제, 이때의 참옹고집 **전전걸식**하다가 맹랑촌 옹고집 활인구제한단 말 듣고 분심으로 하는 말이,

"ⓒ 남의 재물 갖고 제 마음대로 쓰는 놈은 어떤 놈의 팔자인고. 찾아가서 내 집 망종 보고 죽자."

하고 죽장망혜로 찾아갈 제, ⓒ 짚옹고집 도술 보고 근처에 참옹고집 온 줄 알고 사환을 분부하되,

"오늘 큰 잔치에 음식도 낭자하고 걸인도 많을 제, 타일 천하게 다투던 거짓 옹가 놈이 배도 고프고 기한(飢寒)을 견디지 못하여 전전걸식 다닐 제, 잔치 소문을 듣고 마을 근처에 왔으나 차마 못 들어오는가 싶으니 너희 등은 가서 데려오라. 일변 생각하면 되도 못할 일 하다가 중장(重杖)만 맞았으니 불쌍하다."

사환 등이 영을 듣고 사방으로 나가 보니 ⓔ 과연 마을 뒷산에 앉아 잔치하는 데를 보고 눈물을 흘리고 앉았거늘 사환들이 바로 가서 엉겁결에 배례하고 문안하니, 슬프다. 참옹고집이 대성통곡 절로 난다.

사환들이 가자 하니, "ⓜ 갈 마음 전혀 없다."

[B]
─── 여러 놈이 부축하여 들어가서 좌상에 앉히니 짚옹고집 일어서며 인사 후에,

"네 들어라. 형세 있어 좋다 하는 것이 활인구제하여 만인적선이 으뜸이거늘 천여 석 거부로서 첫째로는 부모 박대하니 세상에 용납지 못할 놈이요, 둘째는 유걸산승 욕보이니 불도가 어찌 허사리오. 우리 절 도승이 나를 보내어 묘하신 불법으로 가르쳐서 너의 죄목을 잡아 아주 죽여 세상에 영영 자취 없게 하여 세상 사람에게 모범이 되게 하라 하시거늘 너를 다시 세상에 내어 보내기는 나의 어진 용심으로 살린 것이니, 이만해도 후생에게 너 같은 행실을 징계한 사례가 될 듯싶으니 이후는 아무쪼록 개과하라."

하고, 좌상에 나앉으며 문득 자빠지니 허수아비 찰벼
─── 짚 묶음이라.

이로 좌상이 다 놀라 공고를 하고 옹고집이 이날부터 개과천선하여 세상에 전하여 일가친척이며 원근친고 사람에게 인심을 주장하니 옹고집의 인심을 만만세에 전하더라.

— 작자 미상, 「옹고집전」 —

* 선자: 일을 시작하기에 앞서 드는 돈

정답&해설

14 ⑤

⑤ [B]에는 "이별이라네 이별이라네 이 도령 춘향이가 이별이로다 / 춘향이가 도련님 앞에 바짝 달려들어 눈물짓고 하는 말이"라고 말하는 서술자 역할을 하는 화자와 "도련님 들으시오 나를 두고 못 가리다 / ~ 날 살려 두고는 못 가시리다"라고 말하는 '춘향'의 역할을 하는 화자가 등장하고 있다. 그러나 역할이 다른 두 화자가 말하고 있는 내용은 모두 '춘향'과 '이 도령'이 이별하는 장면에 대한 내용일 뿐, 〈보기〉에 제시된 '연속되지 않은 장면들이 엮여 작품이 구성되었음을 알게 해 주는 단서'로 보기에는 무리가 있다.

15

[A]에 대한 설명으로 가장 적절한 것은?

① 송사 원인이 금전적 이해관계에 있음이 밝혀진다.

② 송사 결과에 대한 행인들의 상반된 예측이 제시된다.

③ 송사 가는 이의 답답한 심정이 서술자에 의해 드러난다.

④ 송사 가는 이들 간에 서로를 비방하는 대화가 이어진다.

⑤ 송사 가는 길에 새롭게 등장한 인물의 외양이 묘사된다.

16

㉠~㉤에 대한 이해로 적절하지 <u>않은</u> 것은?

① ㉠: '마누라'는 집에 돌아온 이를 '참옹고집'으로 알고 있다.

② ㉡: '참옹고집'은 '짚옹고집'을 못마땅하게 여기고 있다.

③ ㉢: '짚옹고집'은 '참옹고집'의 거동을 수상히 여기고 있다.

④ ㉣: '참옹고집'은 집에 들어가지 못한 채 서러워하고 있다.

⑤ ㉤: '참옹고집'은 '사환들'에게 거절의 의사를 표하고 있다.

17

〈보기〉를 참고하여 윗글을 감상한 내용으로 적절하지 <u>않은</u> 것은?

> ┤ 보기 ├
>
> 「옹고집전」은 주인공 '참옹고집'이 소외를 경험하도록 그와 똑같이 생긴 '짚옹고집'을 등장시켜 그를 대신하게 하는 독특한 인물 관계를 설정하였다. 이는 '참옹고집'으로 형상화된 조선 후기 향촌 사회의 부유층에게 요구되는 사회적 책무와도 연결된다. 부유하게 살면서도 가난한 이들을 구제하지 않고 외면하면 공동체로부터 소외될 수 있음을 보여 주고 있기 때문이다.

① '내 좋은 형세와 처자를 빼앗기지 아니하였다'고 말한 데에서, '참옹고집'이 송사 이전부터 가족에게 소외되어 온 정황이 '짚옹고집'을 통해 드러남을 알 수 있군.

② '만가 동냥 거지들을 독하게 박대'하였다고 말한 데에서, 가난한 이들을 외면했던 '참옹고집'의 행적이 '짚옹고집'을 통해 언급됨을 알 수 있군.

③ '전곡을 흩어 사방에 구차한 사람을 구제'한다는 데에서, 가난한 이들을 구제해야 하는 '참옹고집'의 책무가 '짚옹고집'을 통해 이행됨을 알 수 있군.

④ '짚옹고집'이 '백 냥 돈 천 냥 돈을 흩어' 줄 수 있을 만큼 '참옹고집'의 재물이 많았다는 데에서, 조선 후기 향촌 사회의 부유층을 연상시키는 '참옹고집'의 모습이 확인되는군.

⑤ '참옹고집'이 '짚옹고집'에게 자리를 빼앗기고 '전전걸식'하며 살아가는 데에서, 공동체로부터 소외되어 고통을 겪는 '참옹고집'의 처지가 확인되는군.

18

〈보기〉는 「옹고집전」 이본의 일부이다. [B]와 〈보기〉를 비교하여 이해한 내용으로 적절하지 <u>않은</u> 것은?

| 보기 |

　참옹고집 듣기를 다하여 천방지방 도사 앞에 급히 나아가 합장배례하며 공손히 하는 말이, "이놈의 죄를 생각하면 천사(千死)라도 무석(無惜)이요 만사라도 무석이나 명명하신 도덕하에 제발 덕분 살려 주오. 당상의 늙은 모친 규중의 어린 처자 다시 보게 하옵소서. 원견지 하온 후 지하에 돌아가도 여한이 없을까 하나이다. 제발 덕분 살려 주옵소서."

　만단으로 애걸하니 도사 하는 말이, "천지간에 몹쓸 놈아. 인제도 팔십 당년 늙은 모친 냉돌방에 구박할까, 불도를 능멸할까. 너 같은 몹쓸 놈은 응당 죽일 것이로되 정상(情狀)이 불쌍하고 너의 처자 가여운고로 놓아주니 돌아가 개과천선하라."

　부적을 써 주며 왈, "이 부적을 몸에 붙이고 네 집에 돌아가면 괴이한 일 있으리라."

하고 홀연 간데없거늘 참옹고집 즐겨 돌아와서 제집 문전 다다르니 고루거각 높은 집에 청풍명월 맑은 경은 옛 놀던 풍경이라.

① '참옹고집'을 살려 두는 이유로 [B]는 '나의 어진 용심'을, 〈보기〉는 '정상이 불쌍'함을 제시하는 것으로 보아, [B]에서는 용서하는 이의 마음을 고려했고, 〈보기〉에서는 용서받는 이의 처지까지도 고려하였군.

② '참옹고집'을 살려 두는 이유로 [B]는 '이만해도 후생에게', '징계한 사례'가 됨을, 〈보기〉는 '너의 처자 가여'움을 제시하는 것으로 보아, [B]에서는 징계의 사회적 효용이, 〈보기〉에서는 징계로 인한 가족의 피해가 고려되었군.

③ '참옹고집'의 악행으로 [B]는 '부모 박대'를, 〈보기〉는 '모친' '구박'을 거론하는 것으로 보아, [B]와 〈보기〉에서 모두 '참옹고집'의 비인륜적 행위가 징계의 사유에 포함되었군.

④ '참옹고집'에게 개과천선하라는 요청이 [B]와 〈보기〉 모두 인물의 발화에 나타나는 것으로 보아, [B]와 〈보기〉에서 모두 인물의 발화는 '참옹고집'이 용서를 구하기 시작하는 계기에 해당하는군.

⑤ '참옹고집'을 훈계하던 존재가 [B]에서는 '허수아비'로 변하고, 〈보기〉에서는 '홀연' 사라지는 것으로 보아, [B]와 〈보기〉에서 모두 신이한 사건이 벌어지는군.

15 ③

③ [A]에서 서술자는 '참옹고집'의 입장에서 "낱낱이 내 소견대로 내가 할 말을 제가 먼저 하니 ~ 짐옹고집 같이도 모르는지라."라고 함으로써 '참옹고집'의 답답한 심정을 드러내고 있다.

| 오답해설 | ② [A]에서 지나가는 행인들의 "누가 알아보리오. 뉘 아들인지 알 수가 없다."와 같은 반응이 제시되고 있으므로 상반된 예측이라고 보기 어렵다.

16 ③

③ '짐옹고집'은 '참옹고집'을 경계하는 것이 아니라, '참옹고집'을 개과시키기 위해 데려올 것을 사환들에게 지시하고 있다. 따라서 ⓒ을 '참옹고집'의 거동을 수상히 여겨서 한 행동이라고 할 수 없다.

17 ①

① "내 좋은 형세와 처자를 빼앗기지 아니하였다."라는 말은 '참옹고집'이 아니라 '짐옹고집'이 한 말이다.

18 ④

④ [B]와 〈보기〉에서 '참옹고집'에게 개과천선할 것을 요청하는 발화가 나타나는 것은 맞으나, 이러한 발화가 '참옹고집'이 용서를 구하기 시작하는 계기가 되고 있지는 않다.

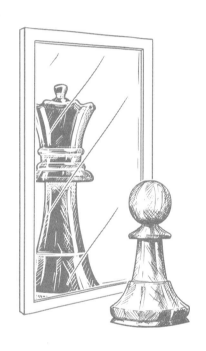

되고 싶은 사람의 모습에
자신의 현재의 모습을 투영하라.

– 에드가 제스트(Edgar Jest)

※ PART Ⅳ의 출제비중은 PART Ⅱ와 PART Ⅲ에서 이미 산출하였으므로 여기서는 산출하지 않았습니다.

학습목표

CHAPTER

01 현대 시

단권화 MEMO

- **성격**: 영탄적, 격정적, 상징적, 감상적
- **표현**
  ① 과감한 실험 정신이 돋보이는 자유로운 형식
  ② 개인의 서정을 직설적으로 표현
  ③ 대립적 심상들의 뚜렷한 대비를 통해 강렬한 인상을 줌
  ④ 신체시에 나타난 계몽적 입장, 목적 의식, 생경한 한문 투의 문장 등이 배제됨
- **주제**: 상실한 자의 슬픔과 고뇌 및 극복 의지

＊니즘
'니즘'의 의미가 다소 불분명하다. 외래어인 '–ism' 또는 '리듬(rhythm)'이라고도 하나, '잊음'의 평북 방언으로 보는 견해도 있다.

1 불놀이 | 주요한

아아, 날이 저믄다. 서편(西便) 하늘에, 외로운 강물 우에, 스러져 가는 분홍빗 놀…… 아아 해가 저믈면 해가 저믈면, 날마다 살구나무 그늘에 혼자 우는 밤이 또 오것마는, 오늘은 사월(四月)이라 패일날 큰길을 물밀어 가는 사람 소리는 듯기만 하여도 흥성시러운 거슬 웨 나만 혼자 가슴에 눈물을 참을 수 업는고?
초파일(석가 탄신일)
주변 상황과의
대조를 통해 자아의 외로움과 고독이 부각된 부분

▶1연: 불놀이를 즐기는 사람들과 고독한 자아

아아 춤을 춘다, 춤을 춘다, 싯별건 불덩이가, 춤을 춘다. 잠잠한 성문(城門) 우에서 나려다보니, 물 냄새, 모랫 냄새, 밤을 쎄물고 하늘을 쎄무는 횃불이 그래도 무어시 부족(不足)하야 제 몸까지 물고 쓰들 쌔, 혼자서 어두운 가슴 품은 절믄 사람은 과거(過去)의 퍼런 꿈을 찬 강물 우에 내여던지나, 무정(無情)한 물결이 그 기름자를 멈출 리가 이스랴? ── 아아 쎅거서 시들지 않는 꼿도 업건마는, 가신 님 생각에 사라도 죽은 이 마음이야, 에라 모르겟다. 저 불길로 이 가슴 태와 버릴가, 이 서름 살라 버릴가, 어제도 아픈 발 쓸면서 무덤에 가 보앗더니, 겨울에는 말랏던 꼿이 어느덧 피엇더라마는, 사랑의 봄은 쏘다시 안 도라오는가, 찰하리 속 시언이 오늘 밤 이 물 속에…… 그러면 행여나 불상히 녀겨 줄 이나 이슬가…… 할 적에 통, 탕, 불쎅를 날니면서 튀여나는 매화포, 펄덕 정신(精神)을 차리니 우구구 써드는 구경쑨의 소리가 저를 비웃는 듯, 쑤짖는 듯. 아아 좀 더 강렬(强烈)한 열정(熱情)에 살고 십다. 저긔 저 횃불처럼 엉긔는 연기(煙氣), 숨맥히는 불꽃의 고통(苦痛) 속에서라도 더욱 쓰거운 삶을 살고 십다고 뜻밧게 가슴 두근거리는 거슨 나의 마음……

▶2연: 불놀이의 정경과 자아의 고뇌

4월달 다스한 바람이 강을 넘으면, 청류벽(淸流壁), 모란봉(牡丹峰) 노픈 언덕 우에, 허어혀케 흐늑이는 사람 쩨, 바람이 와서 불 적마다 불비체 물든 물결이 미친 우슴을 우스니, 겁 만흔 물고기는 모래 밑에 들어벡이고, 물결치는 뱃숩에는 조름 오는 '니즘*의 형상(形象)이 오락가락── ── 얼린거리는 그림자, 넓어나는 우슴 소리, 달아 논 등불 미테서 목청쩟 길게 쌔는 어린 기생의 노래, 쯧밧게 정욕(情慾)을 잇그는 불구경도 인제는 겹고, 한 잔 한 잔 또 한 잔 끝업슨 술도 인제는 실혀, 즈저분한 뱃 미창에 맥업시 누으면 까닭 모르는 눈물은 눈을 데우며, 간단(間斷)

업슨 쟝고 소리에 겨운 남자들은 째째로 불니는 욕심(慾心)에 못 견듸어 번득이는 눈으로 뱃가에 쒸여나가면, 뒤에 남은 죽어 가는 촉불은 우그러진 치마깃 우에 조을 쌔, 뜻잇는 드시 쩨걱거리는 배잣개 소리는 더욱 가슴을 누른다…….

▶3연: 지속되는 향락적인 축제와 자아의 절망감

아아, 강물이 웃는다 웃는다 <u>괴상한</u> 우슴이다. 차듸찬 강물이 썸썸한 하늘을 보고 웃는 우슴
<small>시적 자아의 혼란한 심리적 상태(비웃음)</small>
이다. 아아, 배가 올라온다, 배가 오른다, 바람이 불 적마다 슬프게 슬프게 쎄걱거리는 배가 오른다…….

▶4연: 강물의 흐름과 자아의 자조적 웃음

저어라, 배를, 멀리서 잠자는 능라도(綾羅島)까지, 물살 쌔른 대동강을 저어 오르라. 거긔 너
<small>지금까지의 슬픔과 갈등을 삶에 대한 왕성한 의욕으로 전환시키며 시상이 반전되는 부분</small>
<u>의 애인(愛人)이 맨발로 서서 기다리는 언덕으로</u> 곳추 너의 뱃머리를 돌니라. 물결 스테서 니러
<small>환상이지만 새 희망, 삶의 의욕, 광복에의 꿈 등을 상징</small>
나는 추운 바람도 무어시리오. 괴이(怪異)한 우슴 소리도 무어시리오, 사랑 일흔 청년의 어두운

가슴 속도 너의게야 무어시리오. <u>기름자 업시는 '발금'도 이슬 수 업는 거슬</u> ―.
<small>윤회적 논리에 의해 긍정적 시각으로 환원됨</small>

오오 다만 네 확실(確實)한 오늘을 노치지 말라.

오오 사로라, 사로라! 오늘밤! 너의 발간 횃불을, 발간 입셜을, 눈동자를, 쏘한 너의 발간 눈물을…….

▶5연: 절망적 상황에 대한 극복 의지의 회복

▌이해와 감상

이 시는 다양한 대립적인 의미 구조를 통해서 시적 화자가 느끼는 비애의 정서를 격정적으로 형상화하고 있다. 그러나 이 시는 시적 상황이 불분명하고 시상 전개에 있어서 일관성을 찾기 어려우며 개인의 감정이 지나치게 직설적으로 표현되어 있다는 비판을 받기도 한다. 하지만 다른 한편에서는 바로 그러한 형식의 자유로움과 감정의 자유분방한 표현이야말로 이 시가 최초의 현대 시, 혹은 현대 시의 형성에 결정적인 영향을 미쳤다는 평가를 받을 수 있는 근거라고 보기도 한다.

바로 확인문제

01 「불놀이」는 삶과 죽음, 밝음과 어둠, 슬픔과 기쁨 등 다양한 심상이 □□을 이루고 있다.

02 「불놀이」의 화자는 불타는 정열로 온갖 괴로움과 슬픔을 극복하고자 한다. (○ / ×)

03 「불놀이」는 전통적 형식과 순우리말 표현을 활용하였다. (○ / ×)

| 정답 | 01 대립 02 ○ 03 ×(운율적 제약에서 벗어난 자유시이다.)

- **성격**: 전통적, 여성적, 반어적, 애상적, 시각적
- **표현**
  ① 7·5조(3음보)의 민요적 율격과 각운(-우리다)을 통해 운율 형성
  ② 1과 4연의 수미상관법을 통해 강조의 효과 및 시적 완결성을 나타냄
  ③ 일반적 현대 시에 비해 음수율, 음보율, 연의 구조 등에서 정형성이 강함
- **주제**: 이별의 슬픔과 승화, 극기로 승화된 지순한 사랑

2 진달래꽃 | 김소월

나 보기가 역겨워
　　　구역질 나다. 마음에 거슬리다. 애정이 식다
가실 때에는

말없이 고이 보내 드리우리다.
하소연이나 원망 따위의 말

▶1연: 이별의 정한과 체념

영변(寧邊)에 약산(藥山)
실제 지명(구체적인 향토적 정감 유발)
진달래꽃 ──────────────── ❶ 시적 화자의 분신 상징
　　　　　　　　　　　　　　　　 ❷ 붉고 아름다운 자기 희생적 사랑
　　　　　　　　　　　　　　　　 ❸ 전통적 소재로서, '한'과 '슬픈 사랑'의 매개물
아름 따다 가실 길에 뿌리우리다.
'산화공덕(부처에게 꽃을 뿌리며 공덕을 기림)'의 이미지(임에 대한 축복)

▶2연: 떠나는 임에 대한 축원

가시는 걸음걸음

놓인 그 꽃을

사뿐히 즈려 밟고 가시옵소서.
❶ 이별의 정한을 숭고한 사랑으로 승화
❷ 자기희생적 이미지 강조
❸ 짓밟히는 꽃: 임에게 버림받은 시적 자아의 표상

▶3연: 원망을 초월한 희생적 사랑

나 보기가 역겨워

가실 때에는

죽어도 아니 눈물 흘리우리다.
❶ 화자의 정감의 깊이를 함축하고 있는 시어
❷ 시어의 창조를 위한 통사적 오용, 도치법, 반어법을 활용하여 화자의 감정 강조
❸ 아픈 감정의 절제 – 애이불비(哀而不悲)의 정서
❹ 표면적 의미와는 달리, 피맺힌 슬픔을 극복하려는 시적 자아의 몸부림이 느껴지는 반어적 표현

▶4연: 이별의 정한과 초극

▌이해와 감상

이 시는 우리 민족의 고유한 정서인 전통적 정한을 예술적으로 승화시킨 작품이라는 평가를 받는다. 이 정한의 세계는 「공무도하가」, 「가시리」, 「도솔가」, 「헌화가」, 「서경별곡」, 「아리랑」 등에서 찾아볼 수 있으며, 현대 시까지 면면히 이어져 내려오고 있는 것이다.

이 시는 여성적 어조의 시적 화자를 설정하여 떠나는 임에 대한 사랑과 헌신의 태도를 보여 주고 있으며, 이러한 태도는 떠나는 임을 위해서 꽃을 뿌리며 축복하는 산화공덕의 모습에서 절실히 표현되어 있다. 그러나 한편으로는 떠나는 임에 대한 원망과 떠나지 않기를 바라는 마음을 반어적으로 표현하고 있다고 볼 수도 있다.

바로 확인문제

01 「진달래꽃」은 3·4조의 3음보 율격, '-우리다'와 같은 각운, 1연과 4연의 수미상관법 등을 통해 운율을 형성하고 있다. (○ / ×)

02 "나 보기가 역겨워 / 가실 때에는 / 죽어도 아니 눈물 흘리우리다."와 "먼 훗날 당신이 찾으시면 / 그때에 내 말이 '잊었노라'"는 비유적 표현 중 □□□이 쓰인 구절이다.

| 정답 |　01 ×(3·4조 → 7·5조)
02 반어법

3 산유화(山有花) | 김소월

산에는 꽃 피네
　　　　　모든 생명체를 대표하는 존재의 표상, 자연물을 대표하는 소재

꽃이 피네.

갈 봄 여름 없이
가을 → 율격의 흐름을 부드럽게 하기 위한 표현

꽃이 피네.

　　　　　　　　　　　　　　　　　　　▶1연: 존재(꽃)의 탄생

산에

산에

피는 꽃은 ┌─ 시어의 중의성(모호성)이 두드러지는 표현:
　　　　　❶ 대상 간의 거리(시적 화자와 꽃 사이의 거리 또는 꽃들 사이의 거리)를 '저만큼'으로 나타냄

저만치 혼자서 피어 있네.　❷ 꽃의 상태를 '저것처럼', '저렇게나'로 나타냄
❶ 모든 존재들의 숙명론적인 거리감을 나타냄
❷ 단독자로서 살 수밖에 없는 존재와 존재들 사이에 가로놓인 거리감

　　　　　　　　　　　　　　　　　　　▶2연: 고독한 존재로서의 모습

산에서 우는 작은 새여,
　　　　　　❶ 시적 화자의 모습이 투영된, 감정이 이입된 소재

꽃이 좋아　❷ 자연 속에서 꽃과 함께 어울려 합일되기를 갈망하는 자의 모습

산에서

사노라네.

　　　　　　　　　　　　　　　　　　　▶3연: 존재 사이의 교감

산에는 꽃 지네

꽃이 지네.

갈 봄 여름 없이

꽃이 지네.

　　　　　　　　　　　　　　　　　　　▶4연: 존재(꽃)의 소멸

▌이해와 감상

이 시는 꽃이 피고 지는 자연의 모습을 통해서 생명의 생성과 소멸의 구조를 형상화하고 있다. 즉, 자연의 순환과 그 자연 속에서 저만치 혼자 피어 있는 꽃, 작은 새의 모습을 통해서 세상의 것들은 존재론적으로 고독한 것임을 드러내고 있다. 또한 이러한 고독의 정서를 효과적으로 드러내기 위해서 변형된 수미상관의 구조와 3음보의 전통적인 운율을 활용하는 특징을 보인다.

단권화 MEMO

• 성격: 관조적, 민요적, 전통적
• 표현
① 3음보와 그 변조로 운율감 형성
② 시행의 배열과 연의 구조가 규칙적
③ 평범한 시어를 통해 비범한 인식의 세계 형상화
④ 반복과 대칭, 절제된 시어의 사용
• 주제
① 생성과 소멸의 존재 원리
② 자연에서 소외된 자아의 고독한 표상(자연과의 합일을 소망하는 자아상)

바로 확인문제

01 「산유화」는 '점층'과 '반복'을 통해 시상을 전개하고 있다. (○ / ×)

02 2연에서 '□□□'는 시어의 중의성(모호성)이 두드러지는 표현이다.

| 정답 |　01 ×(점층 → 대칭)　02 저만치

- **성격:** 남성적, 의지적, 저항적
- **표현**
  ① 투철하고 예리한 현실 인식이 바탕을 이룸
  ② 고통을 이겨 내고자 하는 의지가 영탄법과 도치법을 통해 표현됨
  ③ 2연의 가정법과 설의법의 문장은 시의 의미를 역동화함
- **주제:** 토지(국토)를 잃은 자의 탄식과 현실을 극복하려는 의지

4 바라건대는 우리에게 우리의 보습 대일 땅이 있었더면 | 김소월

나는 꿈꾸었노라, 「동무들과 내가 가지런히
　　　　　　　　　　우리 민족
벌 가의 하루 일을 다 마치고
벌판의 가장자리
석양에 마을로 돌아오는 꿈을,
　　　　　　　「 」: 꿈이라고 말하기조차 초라한 일상적인 삶의 한 형태이지만, 이것조차도 불가능한 일이 되고만 현실을 떠올려 볼 수 있음
즐거이, 꿈 가운데.

▶1연: 잃어버린 행복한 삶

　　　　　　┌삶의 터전을 잃은 처지
그러나 집 잃은 내 몸이여,
시상이 전환되는 부분　　　　　　　　　　┌농사를 지을 수 있는 땅, 즉 조국과 국토
바라건대는 우리에게 우리의 보습 대일 땅이 있었더면!
　　　　　　　　땅을 갈아 흙덩이를 일으키는 쟁기의 날(농기구)　　　영탄법, 가정법
「이처럼 떠돌으랴, 아침에 저물 손에
　　　　　　　　　　　저물 무렵에
새라 새로운 탄식을 얻으면서.」
새롭고 새로운　　　　　　「 」: 설의법, 도치법

▶2연: 집과 땅을 잃은 처지

동이랴, 남북이랴,
삶의 터전을 잃고 유랑하는 처지임을 알 수 있음
내 몸은 떠가나니, 볼지어다,

「희망의 반짝임은, 별빛의 아득임은,
　┌절망감
물결뿐 떠올라라, 가슴에 팔다리에」
「 」: 세상 사방으로 떠돌아다니는 몸이니, 희망과 이상은 아득하게 멀어져 허망하게만 보임

▶3연: 절망적인 상황

그러나 어쩌면 황송한 이 심정을! 날로 나날이 내 앞에는
시상이 전환되는 부분
자칫 가늘은 길이 이어 가라. 나는 나아가리라
　　열악한 현실을 극복할 수 있는 희망의 탈출구
한 걸음, 또 한 걸음. 보이는 산비탈엔
　　　　　　　　　　　　고난으로 점철된 우리의 국토
온 새벽 동무들 저 저 혼자…… 산경(山耕)을 김매이는.
미래를 개척해 나갈 우리 민족　　　　산경은 현실을 극복할 수 있는 대안이기에 이곳을 향하여
　　　　　　　　　　　　　　힘든 발걸음이지만 유일한 희망으로 나아가고 있는 것임

▶4연: 미래 지향적인 희망 제시

▌이해와 감상

이 시는 다른 김소월의 시에서 두드러지게 나타나는 정한의 정서 대신, 당대의 현실 인식이 드러나 있는 특징을 보인다. 이러한 현실 인식은 '꿈과 현실'이라는 대립적인 구조를 통해서 형상화되고 있다. 즉, 꿈속에서는 친구들과 즐거이 노동을 하지만 현실은 보습 대일 땅조차 없다는 것을 보여 주고 있다. 그러나 시적 화자는 이러한 현실 속에서 좌절하기만 하는 것이 아니라 '가늘은 길'로 표현된 희망을 가지고 앞으로 나아가고자 하는 의지를 드러내고 있다.

01 「바라건대는 우리에게 우리의 보습 대일 땅이 있었더면」은 김소월의 작품 전반에 드러나는 이별의 정한이 두드러진 작품이다. (○ / ×)

02 '안식처, 씨 뿌리고 가꿀 땅, 우리 민족의 삶의 터전, 평온한 고향'을 표현한 시어는 '□□ □□ □'이다.

| 정답 | 01 ×(이별의 정한 → 일제 강점기의 암울한 현실을 극복하고자 하는 정서) 02 보습 대일 땅

5 님의 침묵 | 한용운

단권화 MEMO

님은 갔습니다. 아아, 사랑하는 나의 님은 갔습니다.
　　　　　　　임의 떠남에 대한 절망과 슬픔의 감탄사

푸른 산빛을 깨치고 단풍나무 숲을 향하여 난 작은 길을 걸어서, 차마 떨치고 갔습니다.
밝음과 희망의 상징　←　죽음과 조락의 상징

황금(黃金)의 꽃같이 굳고 빛나던 옛 맹서(盟誓)는 차디찬 티끌이 되어서 한숨의 미풍(微風)에
임이 떠남으로 인해 임과의 사랑이 허무하고 보잘것없는 것이 되어 버림

날아갔습니다.

날카로운 첫 키스의 추억(追憶)은 나의 운명(運命)의 지침(指針)을 돌려 놓고, 뒷걸음쳐서 사
임과의 운명적이고 충격적인 첫 만남

라졌습니다.　　　　　　　　　　　　　　　　　　　▶ 1~4행: 임과의 이별(기)

나는 향기로운 님의 말소리에 귀먹고, 꽃다운 님의 얼굴에 눈멀었습니다.
❶ 임의 절대적인 아름다운 모습 ❷ 임에게 정신적인 포로가 되어 버린 화자의 모습(화자에게 임은 절대적 존재임) - 역설법, 대구법

사랑도 사람의 일이라, 만날 때에 미리 떠날 것을 염려하고 경계하지 아니한 것은 아니지만,
　　　　　　　불교적 윤회 사상(회자정리, 거자필반)

이별은 뜻밖의 일이 되고, 놀란 가슴은 새로운 슬픔에 터집니다.　▶ 5~6행: 이별 후의 슬픔(승)

그러나 이별을 쓸데없는 눈물의 원천(源泉)을 만들고 마는 것은 스스로 사랑을 깨치는 것인
시적 전환이 이루어지는 부분(비극적 상황에서 희망의 상황으로)

줄 아는 까닭에, 걷잡을 수 없는 슬픔의 힘을 옮겨서 새 희망(希望)의 정수박이에 들어부었습니다.
　　　　　　　　주체할 수 없는 슬픔을 도리어 희망을 위한 실천과 의지로 전환시키고자 하는 모습

우리는 만날 때에 떠날 것을 염려하는 것과 같이, 떠날 때에 다시 만날 것을 믿습니다.
불교적 윤회 사상(회자정리, 거자필반)을 밑바탕으로 임과의 재회를 확신

　　　　　　　　　　　　　　　　　　　▶ 7~8행: 슬픔을 극복한 새로운 희망(전)

아아, 「님은 갔지마는 나는 님을 보내지 아니하였습니다.」
└ 깨달음(절망 속에서 희망을 봄)의 감탄사　┌「　」: 역설적 진리가 담긴 부분으로, 현상적인 임이
　　　　　　　　　　　　　　　　　　　지금은 비록 존재하지 않지만 언젠가는 다시
제 곡조를 못 이기는 사랑의 노래는 님의 침묵을 휩싸고 돕니다.　만날 수 있으리라는 확신 내지는, 화자의 마
'님'의 의미가 다양하게 해석될 수 있음　　　　　　　　음속에서는 항상 살아 있는 임을 나타냄
❶ 쉽게 도달하기 힘든 부처의 경지(피안의 불법과 진리)　▶ 9~10행: 영원한 사랑 다짐(결)
❷ 독립이 이루어지지 않은 암담한 조국의 현실 상황
❸ 현상은 존재하지 않고 본질로서만 있는 임의 존재

▌이해와 감상

이 시는 떠난 임에 대한 시적 화자의 탄식과 슬픔의 정서가 주로 드러나는 작품이다. 그러나 이 시의 시적 화자는 탄식과 슬픔에만 머무는 것이 아니라 불교적 시각과, 임은 부재하는 것이 아니라 침묵하는 것이라는 태도를 통해서 슬픔을 극복하고자 하는 의지를 보인다. 이러한 정서를 효과적으로 형상화하기 위하여 다양한 심상을 효과적으로 사용하고 있을 뿐만 아니라 여성적 어조의 경어체를 통해서 정서를 좀 더 절실히 전달하고 있다.

• 성격: 상징적, 여성적, 낭만적, 산문적, 역설적, 연가적, 불교적, 전통적, 의지적

• 표현
① 사설조의 산문체
② 여성 화자의 경어체 사용
③ 고도의 상징적 수법
④ 불교 사상(윤회 사상)의 심화
⑤ 역설적 표현의 묘미
⑥ '기-승-전-결'의 구성으로 완결성 추구
⑦ 변증법적(생성과 소멸) 원리에 따라 시상을 전개함

• 주제: 임을 상실한 슬픔의 극복과 임에 대한 영원한 사랑

바로 확인문제

01 1행의 '아아'와 9행의 '아아'는 각각 □□과 □□□을 상징한다.

02 「님의 침묵」은 불교의 윤회 사상이 돋보이는 작품으로 '만남은 또 다른 이별을, 이별은 또 다른 만남'이라는 □□□□(으)로 나타낼 수 있다.

03 5행과 9행은 반어법과 역설법이 사용되었다. (○ / ×)

| 정답 | 01 슬픔, 깨달음 02 회자정리(또는 거자필반, 색즉시공, 공즉시색 등) 03 ×(반어법×)

6 나룻배와 행인 | 한용운

<u>나</u>는 나룻배,
화자 자신, 불도(佛道), 조국의 광복을 기다리는 자 — '나 = 나룻배', '당신 = 행인'의 은유법 활용
<u>당신</u>은 행인.
임, 조국, 중생(衆生)

▶1연: 나와 당신의 관계

당신은 흙발로 나를 짓밟습니다.
이기적이고 무심한 당신
나는 당신을 안고 물을 건너갑니다.
당신과 대조되는 '나'의 모습
나는 당신을 안으면 깊으나 얕으나 급한 여울이나 건너갑니다.

▶2연: 당신의 무심함과 나의 희생

만일 당신이 아니 오시면 나는 바람을 쐬고 눈비를 맞으며 밤에서 낮까지 당신을 기다리고 있

습니다.

당신은 물만 건너면 나를 돌아보지도 않고 가십니다그려.
고해(苦海), 물을 건너는 행위 — 제도(濟度)
그러나 당신이 언제든지 오실 줄만은 알아요.
거자필반이라는 말을 굳게 믿으며 묵묵히 기다림. 기다리는 시간 동안 화자로 하여금 절망하지 않게 하는 원동력이 나타남
나는 당신을 기다리면서 날마다 날마다 낡아 갑니다.

▶3연: 인고하며 기다리는 나

「나는 나룻배,   「 」: 수미상관
                       ❶ '나와 당신'의 관계를 강조함
 당신은 행인.」   ❷ 시상 전개에 안정을 줌

▶4연: 나와 당신의 관계 강조

▌이해와 감상
이 시는 '나룻배와 행인'이라는 제재를 통해서 인내와 희생을 통한 사랑의 실천이라는 주제 의식을 효과적으로 전달하고 있다. 즉, 나룻배는 흙발로 짓밟혀도 원망하지 않고(인내), 당신을 안고 물을 건너며(희생), 언제 올지도 모를 당신을 기다리며 낡아 감(사랑)을 보여 주고 있는 존재이다. 또한 이 작품을 창작 시기인 일제 강점기와 관련지어 해석하기도 하는데, 떠나간 행인은 잃어버린 조국으로 볼 수 있으며 행인을 기다리는 '나'는 조국이 하루 빨리 돌아오기를 바라는 마음을 형상화한 것으로 볼 수 있다.

• **성격**: 여성적, 명상적, 상징적, 불교적
• **표현**
  ① 경어체 사용으로 경건한 분위기 연출
  ② 불교적 명상을 바탕으로 한 상징 세계 형상화
  ③ 수미상관의 기법으로 시적 완결성 획득
  ④ 당신을 위한 헌신적 기다림이 '은유'의 효과를 통해 잘 드러남
• **주제**: 인내와 희생을 통한 사랑의 실천

바로 확인문제

01 '당신'은 '나'를 무심한 태도로 대하고 있다. (○ / ×)
02 '나'는 '당신'을 원망하며 비극에 빠져 있다. (○ / ×)
03 「나룻배와 행인」은 '나'를 '나룻배'에, '당신'을 '행인'에 비유하는 □□□이 활용되었다.

| 정답 | 01 ○   02 ×('나'는 '당신'의 무심함에 상처를 받지만, 이를 극복하고 인고하며 헌신적 태도를 보이고 있다.)   03 은유법

7 당신을 보았습니다 | 한용운

단권화 MEMO

당신이 가신 뒤로 나는 당신을 잊을 수가 없습니다.
❶ 연인, 부처, 조국, 절망 중의 희망 ❷ '상실한 주권이나 조국'을 상징

까닭은 당신을 위하나니보다 나를 위함이 많습니다.
당신의 부재로 인해 나의 삶이 모욕과 멸시를 당하기 때문에 당신을 잊을 수가 없음

▶1연: 당신을 잊지 못하는 이유

나는 갈고 심을 땅이 없으므로 추수(秋收)가 없습니다.

저녁거리가 없어서 조나 감자를 꾸러 이웃집에 갔더니,

주인은 "거지는 인격(人格)이 없다. 인격이 없는 사람은 생명(生命)이 없다. 너를 도와주는 것
└ 4연의 '황금'을 상징, 일제의 상징
망국민인 우리 민족이 겪어야 할 절대 빈곤과 인권 유린
은 죄악(罪惡)이다."고 말하였습니다.

그 말을 듣고 돌어 나올 때에, 쏟아지는 눈물 속에서 당신을 보았습니다.
궁핍과 멸시 속에서 조국의 의미를 진정으로 깨닫게 됨

▶2연: 이웃집 주인의 모멸을 받으며 당신을 발견함

나는 집도 없고 다른 까닭을 겸하야 민적(民籍)이 없습니다.
일제의 신민이 되는 것에 대한 거부

"민적이 없는 자(者)는 인권(人權)이 없다. 인권이 없는 너에게 무슨 정조(貞操)냐." 하고 능욕
망국민이 겪어야 할 인권 유린과 능멸
(凌辱)하랴는 장군(將軍)이 있었습니다.
4연의 '칼'을 상징, 일제의 권력 구조나 공권력을 의미

그를 항거한 뒤에, 남에게 대한 격분이 스스로의 슬픔으로 화(化)하는 찰나에 당신을 보았습
망국민으로서의 슬픔, 자책감
니다.

▶3연: 장군에게 능욕을 당하며 당신을 발견함

아아 왼갖 윤리(倫理), 도덕(道德), 법률(法律)은 칼과 황금을 제사 지내는 연기(煙氣)인 줄을
허무한 것, 쓸데없는 것의 표상
지배자의 논리를 정당화하여 권력과 재물을 숭배하게 하는 헛된 표상
알았습니다.

영원(永遠)의 사랑을 받을까, 인간 역사(人間歷史)의 첫 페이지에 잉크칠을 할까 술을 마실까 망
초월적 세계로의 도피(죽음)   허위, 불의로 전개된 역사에 대한 부정   자포자기 상태로 현실을 도피하는 것(허무와 퇴폐에의 유혹)
서릴 때에 당신을 보았습니다.

▶4연: 절망으로 자포자기하려는 순간에 당신을 발견함

- **성격**: 산문적, 상징적, 희망적
- **표현**
  ① 연가풍의 분위기
  ② 산문적 율조와 여성적 어조
  ③ 대화체의 직설적 표현을 통해 생생함을 전달함
- **주제**: 국권 회복에 대한 열망과 저항 의지(굴욕적인 삶의 극복과 참된 가치 추구)

┃이해와 감상

이 시에서 '당신'은 한용운의 다른 시에서 보이는 '임'과 같은 존재로서, 시적 화자인 '나'는 '당신'이 없기에 남으로부터 인간다운 삶을 부정당하는 상황 속에 빠져 있다. 이러한 모습은 2~3연에서 '나'가 갈고 심을 땅이 없고 집과 민적이 없다는 이유로 부자인 '주인'과 권력자인 '장군'에게 치욕을 당하는 모습을 통해서 구체적으로 형상화되어 있다. 또한 시적 화자는 이처럼 부당하고 폭력적인 세계 속에서 윤리니 도덕이니 법률이니 하는 것들은 겉으로 그럴싸한 명분을 늘어놓기는 하지만, 사실은 기득권자들의 이익을 대변하는 수단일 뿐이라는 것을 깨닫는다. 이와 같은 절망적인 상황에서 '나'는 현실을 도피하고 싶어지기도 하지만 이러한 모든 생각들을 '당신'을 발견함으로써 넘어서고 극복하고자 한다.

바로 확인문제

01 「당신을 보았습니다」를 시대적 배경에 주목하여 해석하면 '주인'과 '장군'은 □□를 상징하는 것으로 볼 수 있다.

02 「당신을 보았습니다」의 화자는 한결같은 태도로 '당신'을 기다리고 있다. (○ / ×)

| 정답 | 01 일제   02 ×(4연에서 '도피', '포기' 등의 정서를 보이기도 한다.)

8 빼앗긴 들에도 봄은 오는가 | 이상화

• **성격**: 낭만적, 상징적, 저항적, 의지적
• **표현**
① 시각적 심상, 직유법, 의인법이
쓰임
② 한국적 정서와 친근감을 나타내
는 토속적 소재와 방언을 사용
③ 형태상의 균형미, 수미상관의 구
성(질문과 대답의 형식)
④ 감상적, 낭만적, 절망적, 자조적,
의지적 어조들의 교차
• **주제**: 국권 상실의 아픔과 국권 회
복에의 염원

국토(대유법)   광복
지금은 남의 땅 ─ 빼앗긴 들에도 봄은 오는가?
❶ 빼앗긴 조국의 현실을 인식하고, 국권 회복 가능성에 대한 문제 제기
❷ 역설적 의구심을 드러낸 강조 어법

▶1연: 빼앗긴 조국의 현실

나는 온몸에 햇살을 받고,

푸른 하늘 푸른 들이 맞붙은 곳으로,
현실적 속박과 갈등을 벗어난 푸른 생명이 넘치는 자유로운 세계
가르마 같은 논길을 따라 꿈속을 가듯 걸어만 간다.

▶2연: 들판으로 나옴

입술을 다문 하늘아, 들아,
의사 표현의 자유를 박탈당한 답답한 민족적 현실
내 맘에는 내 혼자 온 것 같지를 않구나!

네가 끌었느냐, 누가 부르더냐, 답답워라. 말을 해 다오.

▶3연: 들판의 침묵에 대한 항변

「바람은 내 귀에 속삭이며,

한 자욱도 섰지 마라, 옷자락을 흔들고,」
「 」: 조국 상실의 현실에서 좌절하지 말고 신념을 가지고 이상을 향해야 한다는 자아의 충동을 표현
종다리는 울타리 너머 아씨같이 구름 뒤에서 반갑다 웃네.
직유법

고맙게 잘 자란 보리밭아,

간밤 자정이 넘어 내리던 고운 비로

너는 삼단 같은 머리를 감았구나. 내 머리조차 가뿐하다.
자연에 동화된 모습

혼자라도 가쁘게나 가자.

마른 논을 안고 도는 착한 도랑이

젖먹이 달래는 노래를 하고, 제 혼자 어깨춤만 추고 가네.

▶4~6연: 봄을 맞는 들판의 모습

서두르지 마라
나비, 제비야, 깝치지 마라.
민들레   봄에 피는 꽃, 제비꽃 등 다양한 해석이 있음
맨드라미, 들마꽃에도 인사를 해야지.
전통적인 한국의 여인네
아주까리기름을 바른 이가 지심매던 그 들이라 다 보고 싶다.
민중들의 삶의 터전인 들판에 대한 강한 애정

내 손에 호미를 쥐여 다오.
우리 국토에서 노동을 하며 살고자 하는 의지적 표현
살진 젖가슴과 같은 부드러운 이 흙을
풍성한 생산과 따뜻한 사랑을 느낄 수 있는 이 땅
발목이 시도록 밟아도 보고, 좋은 땀조차 흘리고 싶다.
국토에 대한 애정의 구체적 표현

▶7~8연: 그리운 조국의 모습

강가에 나온 아이와 같이,

짬도 모르고 끝도 없이 닫는 내 혼아,

무엇을 찾느냐, 어디로 가느냐, 웃어웁다, 답을 하려무나.
❶ 식민지 현실에 대한 허탈감을 자조적으로 표현
❷ 낙망과 비애, 퇴폐와 허무감이 가득 찬 자조 의식

나는 온 몸에 풋내를 띠고,   「 」: 봄이 찾아온 국토에서 얻은 자연과의 일체감으로 인한 기쁨과 식민지적
                                                         상황에 대한 현실 인식으로 인한 슬픔이 교차되는 미묘한 심리 상태(이상
「푸른 웃음, 푸른 설움이 어우러진 사이로.」   과 현실의 괴리에서 비롯된 시적 화자의 고통을 구체화)

                                          ┌ 계절적인 봄과 조국 광복과 희망을 상징(중의법)
다리를 절며 하루를 걷는다. 아마도 봄 신령이 지폈나 보다.
징서적 불균형의 행동화   현실을 망각한 채 국토의 봄을 만끽한 것은 아마도 신이 내려
                                   나도 모르게 봄의 자연에 취한 것인가 보다.

                                                      ▶9~10연: 암울한 현실을 깨달음

그러나 지금은 ─들을 빼앗겨 봄조차 빼앗기겠네.
1연에 대한 대답 ─ 빼앗길 것 같기에 빼앗기지 말아야겠다는 현실 인식에 기초한 저항 정신

                                                      ▶11연: 빼앗긴 조국의 현실 재인식

▎이해와 감상

이 시에서 시적 화자는 "지금은 남의 땅 ─ 빼앗긴 들에도 봄은 오는가?"라는 의구심을 갖는다. 이러한 질문에 대답하기 위해 시적 화자는 들판을 걸어간다. 그의 눈에 비치는 들판의 모습은 봄이 와서 아름답고 생명력이 넘치는 공간이며 이러한 공간에서 시적 화자는 노동에 대한 의지를 드러내기도 한다. 그러나 시적 화자는 아름다운 봄이 온 들판이 '빼앗긴 들'이라는 것을 이내 환기하며 답답한 정서를 느끼게 될 뿐만 아니라 "그러나 지금은 ─ 들을 빼앗겨 봄조차 빼앗기겠네."라며 위기감과 함께 봄을 빼앗길 수는 없다는 의지를 드러낸다.

단권화 MEMO

바로 확인문제

01 시어 '봄'은 '조국의 □□'을 상징한다.

02 「빼앗긴 들에도 봄은 오는가」는 서구적 모더니즘의 색채가 강한 작품이다. (○ / ×)

03 「빼앗긴 들에도 봄은 오는가」는 전체적으로 '물음─확인 과정─답'의 구조를 취하고 있다. (○ / ×)

| 정답 | 01 광복   02 ×(서구적 모더니즘 → 한국적 정서, 토속적)   03 ○

- **성격**: 낭만적, 상징적, 유미적(탐미적), 여성적, 역설적
- **표현**
  ① 기승전결의 전통적인 구조
  ② 수미상관의 구조를 통한 주제 강조
  ③ 독백체의 그윽하고 정감 어린 어조
  ④ 부드러운 시어를 사용하여 정겨움, 부드러움, 섬세함을 적절히 표현함
  ⑤ 역설적 표현을 통한 비애미
  ⑥ '기다림 → 슬픔 → 기다림', '희망 → 절망 → 희망'이 형식적으로 정교한 대칭을 이루고 있음
- **주제**
  ① 모란(보람, 아름다움)에 대한 기다림
  ② 소망 성취에 대한 기다림

01 「모란이 피기까지는」은 유미주의적 순수시로 볼 수 있다. (○ / ×)

02 「모란이 피기까지는」의 화자는 만개한 모란을 보며 환희를 느끼고 있다. (○ / ×)

03 '찬란한 슬픔의 봄을'이라는 시구는 비유 방법 중 □□적 표현이다.

9 모란이 피기까지는 | 김영랑

「모란이 피기까지는

□□□ : 시인이 추구하는 절대 가치의 미(美)

나는 아직 나의 봄을 기다리고 있을 테요.」 ▶1~2행: 모란의 개화를 기다림 – 현재(기)

모란이 뚝뚝 떨어져 버린 날,
깊은 절망감의 표현
나는 비로소 봄을 여읜 설움에 잠길 테요. ▶3~4행: 슬픔에 잠김 – 미래(승)

오월 어느 날, 그 하루 무덥던 날,

떨어져 누운 꽃잎마저 시들어 버리고는

천지에 모란은 자취도 없어지고,

뻗쳐 오르던 내 보람 서운케 무너졌느니,

모란이 지고 말면 그뿐, 내 한 해는 다 가고 말아,
모란이 짐으로써 희망과 기대는 소멸되고, 한 해의 나머지는 삶의 의미가 없어진다는 의미
삼백예순 날 하냥 섭섭해 우옵내다. ▶5~10행: 슬픔과 절망감 – 과거의 체험(전)
화자의 서러운 정감의 깊이를 나타내는 시어
「모란이 피기까지는

나는 아직 기다리고 있을 테요.」 찬란한 슬픔의 봄을. ▶11~12행: 모란이 피기를 기다림 – 현재(결)
「 」: 수미상관   ❶ 역설적 표현(모순 형용), 비애미(悲哀美)
                 ❷ 감상이나 통곡의 세계가 아닌, 슬픔을 찬란하게 승화시킨 경지
                 ❸ 봄(美, 소망)에 대한 기쁨과 그것의 소멸로 인한 슬픔이 한데 어우러진 표현

이해와 감상

이 시는 '모란'이라는 소재를 통해서 영원할 수 없는 아름다움에 대한 비애와 기다림의 정서를 형상화하고 있다. 즉 시적 화자는 모란이 피기까지 봄을 기다리며 소망과 기대감을 가지며 살다가, 모란이 지고 나자 슬픔과 좌절감에 빠지고 만다. 그러나 이 슬픔에도 불구하고 그는 또다시 봄을 기다린다. 또한 이 시에서는 전통적인 기승전결의 구조와 변형된 수미상관의 구조, 섬세한 언어 감각을 활용하여 시적 화자의 정서를 효과적으로 형상화하고 있다.

내 가슴에 독(毒)을 찬 지 오래로다
독을 차는 행위: 억압적인 현실에 맞서 영혼의 순수함을 잃지 않고 살아가고자 하는 화자의 의지

아직 아무도 해(害)한 일 없는 새로 뽑은 독
다른 사람을 해치는 데 사용될 독이 아니라, 스스로를 혹독하게 할 결심과 의지를 말함

벗은 그 무서운 독 그만 흩어 버리라 한다.
허무주의에 빠져 현실에 적당히 타협하고 적응하려는 삶의 태도를 보이는 인물

나는 그 독이 선뜻 벗도 해할지 모른다 위협하고

▶1연: 나의 의지

❶ 순수한 내면에 간직한 치열한 삶의 대결 의지, 자기 방어의 의지
❷ 험난하고 궁핍한 현실 속에서 치열하게 살아가려는 대항 의식이면서 순결의 의지
❸ 시의 순수성만을 고집했던 시인조차 변화하게 한 '참을 수 없는 현실'을 짐작하게 함

독 안 차고 살아도 머지않아 너 나 마주 가 버리면

억만 세대(億萬世代)가 그 뒤로 잠자코 흘러가고

나중에 땅덩이 모지라져 모래알이 될 것임을

'허무(虛無)한듸!' 독은 차서 무엇 하느냐고?

▶2연: 벗의 충고

「아! 내 세상에 태어났음을 원망 않고 보낸
「 」 ❶ 허무한 세상임을 인정하는 탄식
❷ 그동안의 순수 지향이 현실에 순응하는 적당주의의 삶이 아님을 강하게 재인식함

어느 하루가 있었던가.」 '허무한듸!' 허나

잔혹한 일제를 표상함
앞뒤로 덤비는 이리 승냥이 바야흐로 내 마음을 노리매
마음에 독을 차게 된 이유

내 산 채 짐승의 밥이 되어 찢기우고 할퀴우라 내맡긴 신세임을

▶3연: 독을 찬 배경

나는 독을 차고 선선히 가리라.
주저함이나 망설임이 없는 결의에 찬 행동, 자신의 결단의 의연함과 확고함을 천명함

막음 날 내 외로운 혼(魂) 건지기 위하여.
삶이 끝나는 날   불의와 타협하지 않은,
        그래서 외로운 화자의 진정한 자아

▶4연: 나의 결의

이해와 감상

이 시는 순수 서정의 세계를 주로 그려 냈던 김영랑의 주된 시적 경향과는 차이를 보인다. 이 시에서 시적 화자는 허무한 세상에서 독을 차서 무엇 하느냐는 벗의 설득에도 불구하고 '독(독한 마음)'을 차고 살아가겠노라고 다짐하는데, 그 이유는 '이리와 승냥이'로 표현된 부정적 현실 속에서 자신을 지키기 위한 것이라고 말한다. 이는 험난하고 부정적인 현실 속에서 자신의 순수와 순결을 지키겠다는 의지의 표현이라고 할 수 있다. 이러한 시적 화자의 상황과 정서는 당대의 일제 강점기 말의 부정적 현실과 연관 지어 해석되기도 한다. 즉, 일제에 대한 적극적인 저항 의지를 표상하는 동시에 고통스러운 현실을 이겨 나가고자 하는 순결한 삶의 의지를 드러냈다고 보는 것이다.

단권화 MEMO

- **성격**: 의지적, 직설적, 참여적, 저항적, 상징적
- **표현**
  ① 결연한 남성적 어조
  ② 부분적인 대화체(2연의 목소리가 이질적임)
  ③ 상징에 의한 심상, 두 삶의 자세의 대조(벗과 나)
- **주제**: 부정한 현실에 대한 저항 정신과 순결한 삶의 의지

바로 확인문제

01 「독(毒)을 차고」는 전반적으로 체념적, 순종적, 허무적 태도가 두드러진다. (○ / ×)

02 □은 「독(毒)을 차고」의 화자와 삶의 방식이 대조되는 존재이다.

03 「독(毒)을 차고」의 화자는 □을 억압된 현실에 대응하기 위한 도구로 삼고 있다.

| 정답 | 01 ×(체념적, 순종적, 허무적 → 의지적, 저항적) 02 벗 03 독

• 성격: 낭만적, 목가적, 전원적
• 표현
  ① 동일한 통사적 구조의 반복
  ② 간절한 소망형(호소적) 어조
  ③ 의문형의 종결을 통해 산문체 시의 리듬을 살려 줌
  ④ 자연 세계의 묘사와 동경을 통해 현실의 삶과 현대 문명을 간접적으로 비판함
• 주제: 이상향에 대한 동경

어머니,
　❶ 현실의 갈등을 벗어난 근원적 평화의 상징
　❷ 화자를 이상 세계로 데려다 줄 절대적 구원자
　❸ 잃어버린 조국

당신은 그 먼 나라를 알으십니까?
　　　　　순수한 자연 그대로의 이상 세계

「깊은 삼림대(森林帶)를 끼고 돌면
　　　현실과 이상의 경계
고요한 호수에 흰 물새 날고,

좁은 들길에 들장미 열매 붉어.」
「　」: 평화롭고 아름다운 이상 세계의 모습

멀리 노루 새끼 마음 놓고 뛰어다니는

아무도 살지 않는 그 먼 나라를 알으십니까?

그 나라에 가실 때에는 부디 잊지 마셔요.

나와 같이 그 나라에 가서 비둘기를 키웁시다.
　　　　　　　　　　　　'평화'의 상징

▶1~4연: 자유롭고 평화로운 세계에 대한 동경

어머니,

당신은 그 먼 나라를 알으십니까?

산비탈 넌지시 타고 내려오면

양지밭에 흰 염소 한가히 풀 뜯고,

길 솟는 옥수수밭에 해는 저물어 저물어

먼 바다 물 소리 구슬피 들려오는
이상 세계(먼 나라)에 이르지 못한 화자의 슬픔 투영
아무도 살지 않는 그 먼 나라를 알으십니까?

어머니, 부디 잊지 마셔요.

그때 우리는 어린 양을 몰고 돌아옵시다.
　　　　　　'순수함'의 상징

▶5~7연: 순수한 자연 세계에 대한 동경

어머니,

당신은 그 먼 나라를 알으십니까?

오월 하늘에 비둘기 멀리 날고,

오늘처럼 촐촐히 비가 내리면,
　　　　　비가 조금씩 내리는 모양으로, 애상적 정서를 환기함

꿩소리도 유난히 한가롭게 들리리라.

서리까마귀 높이 날아 산국화 더욱 곱고

노란 은행잎이 한들한들 푸른 하늘에 날리는

가을이면 어머니! 그 나라에서

양지밭 과수원에 꿀벌이 잉잉거릴 때,

나와 함께 그 새빨간 능금을 또옥똑 따지 않으렵니까?

❶ '보람과 충실'의 이미지
❷ '자유와 해방'의 이미지(빌헬름 텔의 사과)
❸ '풍요와 결실'의 이미지

▶8~10연: 풍요로운 세계에 대한 동경

이해와 감상

이 시는 '그 먼 나라'라는 전원적 이상향에 대한 동경과 그리움의 정서를 형상화하고 있다. 이러한 정서를 효과적으로 형상화하기 위해서 '어머니'라는 시적 대상을 설정한 후에 대화체의 어조를 활용하고 있으며, 일정한 통사 구조를 반복하여 정서를 강조하고 있다. 한편, 시대적 상황을 고려하면 이 시에 나타난 전원적 이상향은 일제 강점기 현실과는 대비되는 곳으로서 현실에 대한 간접적인 비판 의식을 형상화한 곳이라고 볼 수도 있다.

단권화 MEMO

바로 확인문제

01 「그 먼 나라를 알으십니까」는 저항적, 현실 참여적 성격이 두드러진 작품이다. (○ / ×)

02 2연의 '삼림대'는 순수한 자연 그대로의 이상 세계를 상징한다. (○ / ×)

03 「그 먼 나라를 알으십니까」는 화자가 □□□와 대화하는 형식으로 시상이 전개되고 있다.

| 정답 | 01 ×(저항적, 현실 참여적 → 낭만적, 목가적, 전원적) 02 ×(현실과 이상의 경계를 상징한다.) 03 어머니

- **성격**: 상징적, 전통적, 현실 참여적
- **표현**
  ① 거문고를 '기린'에 비유한 것이 인상적임
  ② 대상의 현재 상황을 부각하여 시적 정서를 형성함
  ③ '기린'과 '이리 떼, 잔나비 떼'의 대비를 통해 주제 의식을 암시함
- **주제**: 국권 상실을 극복하기를 소망함

12 거문고 | 김영랑

검은 벽에 기대선 채로
기린이 마음대로 울 수 있는 본연의 자유로움을 막는 시대적 상황 암시

해가 스무 번 바뀌었는데

내 기린(麒麟)은 영영 울지를 못한다
성인이 세상에 나올 징조로 나타난다는 상상 속의 동물. '거문고'에 대한 비유

▶1연: 소리를 잃은 거문고

그 가슴을 퉁 흔들고 간 노인의 손
기린을 울게 했던 존재 → 동경의 대상

지금 어느 끝없는 향연(饗宴)에 높이 앉았으려니
특별히 융숭하게 손님을 대접하는 잔치

땅 우의 외론 기린이야 하마 잊어졌을라
외로운 기린. 시적 화자의 정서가 투영된 대상

▶2연: 다시 울 날을 소망하는 외로운 거문고

바깥은 거친 들 이리 떼만 몰려다니고
└ 기린의 자유를 억압하는 시대 상황

사람인 양 꾸민 잔나비 떼들 쏘다니어
원숭이

내 기린은 맘 둘 곳 몸 둘 곳 없어지다

▶3연: 부정적 상황에서 정처를 잃은 거문고

문 아주 굳이 닫고 벽에 기대선 채
바깥 세상을 멀리하려는 화자의 자세. 일제 강점기에 대한 내면적 저항

해가 또 한 번 바뀌거늘

이 밤도 내 기린은 맘 놓고 울들 못한다
주권 상실의 암담한 현실에 대한 안타까움

▶4연: 소리를 잃은 거문고

이해와 감상

이 시는 김영랑의 시를 대표하는 아름다운 시어와 낭만적인 감수성 대신 역사의식과 비판적 현실 인식이 두드러지는 작품이다. 일제 강점기라는 시대적 상황을 생각해 보았을 때, 시적 화자와 동일시되는 '기린'을 둘러싼 외부 환경은 '기린'의 자유로운 활동을 억압하고 있고 이러한 모순과 억압의 상황에서 시적 화자는 답답함을 느끼고 있다. 또한 '이리 떼, 잔나비 떼'로 상징되는 일제와 부정적 세력에 대해서 비판 의식을 드러내고 있다.

01 「거문고」는 작가의 낭만적 감수성이 작품에 잘 드러난 작품이다.
(O / ×)

02 '거문고'를 □□에 비유하고 있다.

03 「거문고」는 급격한 산업화 시대에 적응하지 못한 소시민들의 애환이 담겨 있다. (O / ×)

| 정답 | 01 ×(낭만적 감수성 → 역사의식과 비판적 현실 인식) 02 기린 03 ×(일제 강점기에 국권을 상실한 사람들의 비통함이 담겨 있다.)

13 여우난골족 | 백석
여우가 난 골짜기 부근에 사는 일가친척들

명절날 나는 엄매 아배 따라 우리 집 개는 나를 따라 진할머니 진할아버지가 있는 큰집으로
'친할머니, 친할아버지'의 방언

가면

▶1연: 명절날 큰집으로 감

얼굴에 별자국이 솜솜 난 말수와 같이 눈도 껌벅거리는 하루에 베 한 필을 짠다는 벌 하나 건
천연두 흉터 자국   자기표현이 자유롭지 못하고 어눌한   우직하니 일만 하는 성격

넛집엔 복숭아 나무가 많은 신리(新里) 고무 고무의 딸 이녀(李女) 작은 이녀(李女)
여을 고거나 메주를 쑨 후 솥을 씻은 진한 갈색의 물

열여섯에 사십(四十)이 넘은 홀아비의 후처가 된 포족족하니 성이 잘 나는 살빛이 매감탕 같
빛깔이 고르지 않고 파르스름한 기운이 도는(화가 나서 토라지는 모양을 흉내 낸 말)

은 입술과 젖꼭지는 더 까만 예수쟁이 마을 가까이 사는 토산(土山) 고무 고무의 딸 승녀(承女)

아들 승(承)동이

육십 리(六十里)라고 해서 파랗게 뵈이는 산(山)을 넘어 있다는 해변에서 과부가 된 코끝이
남몰래 많이 우는

빨간 언제나 흰 옷이 정하던 말끝에 설게 눈물을 짤 때가 많은 큰골 고무 고무의 딸 홍녀(洪女)
고무의 깔끔한 성격이 드러남

아들 홍(洪)동이 작은 홍(洪)동이

배나무 접을 잘하는 주정을 하면 토방돌을 뽑는 오리치를 잘 놓는 먼 섬에 반디젓 담그러 가
집의 낙수 고랑 안쪽으로 돌려가며 놓은 돌. 섬돌   ┌오리를 사냥하는 평북 지방 특유의 사냥 용구   밴댕이젓

기를 좋아하는 삼춘 삼춘 엄매 사춘 누이 사춘 동생들

▶2연: 명절날 모인 친족들의 외모, 성격, 인상, 삶의 모습들

이 그득히들 할머니 할아버지가 있는 안간에들 모여서 방 안에서는 새 옷의 내음새가 나고

또 인절미 송구떡 콩가루차떡의 내음새도 나고 끼때의 두부와 콩나물과 볶은 잔디와 고사리
명절 음식   명절 음식

와 도야지 비계는 모두 선득선득하니 찬 것들이다
서느런 느낌이 드는 북쪽 지역임을 드러냄

▶3연: 새 옷을 입은 가족들이 함께 먹는 명절 음식들

저녁술을 놓은 아이들은 외양간 섶 밭마당에 달린 배나무 동산에서 쥐잡이를 하고 숨굴막질
저녁밥 먹는 숟가락   숨바꼭질

을 하고 꼬리잡이를 하고 가마 타고 시집가는 놀음 말 타고 장가가는 놀음을 하고 이렇게 밤이

어둡도록 북적하니 논다   □ : 현재 시제 사용 – 과거 체험의 생생한 현재화

밤이 깊어 가는 집 안엔 엄매는 엄매들끼리 아르간에서들 웃고 이야기하고 아이들은 아이들
아랫간, 아랫방   서로 다리를 끼고 노래 부르며 다리를 세는 놀이

끼리 웃간 한 방을 잡고 조아질하고 쌈방이 굴리고 바리깨돌림하고 호박떼기하고 제비손이구손
공기 놀이   주사위 같은 놀이 기구 밥그릇 뚜껑 돌리기   말타기와 비슷한 놀이

이하고 이렇게 화디의 사기방등에 심지를 몇 번이나 돋구고 홍게닭이 몇 번이나 울어서 졸음이
등잔을 얹는 기구   방에서 켜는 사기 등   새벽닭

오면 아릇목싸움 자리싸움을 하며 히드득거리다가 잠이 든다 그래서는 문창에 텅납새의 그림자
처마의 안쪽 지붕

가 치는 아침 시누이 동세들이 욱적하니 홍성거리는 부엌으론 샛문 틈으로 장지문 틈으로

무이징게국을 끓이는 맛있는 내음새가 올라오도록 잔다
무와 민물 새우를 넣어서 끓인 국

▶4연: 저녁부터 밤새도록 놀다 잠드는 아이들과 어른들

이해와 감상
이 시는 명절날 일가친척들이 모두 모인 정겨운 풍경을 관찰자적 시선과 사실적인 묘사, 나열로 그려 내고 있는 작품이다. 이 시는 유년의 '나'가 체험하는 명절날의 풍속을 시간적 경과에 따라 순차적으로 서술하고 있다. 또한 각종 향토적 소재와 사투리가 사용되고 있다. 이 시에서 형상화되는 고향은 전통적이고 향토적인 고향으로서 당대의 일제 강점기 현실을 감안했을 때 해체되어 가고 있는 고향, 농촌 공동체의 모습이라고 볼 수도 있다.

단권화 MEMO

• 성격: 회고적, 산문적, 토속적, 서사적, 사실적
• 표현
① 사투리의 사용과 토속적 소재 나열
② 반복, 나열, 언어유희적 성격으로 사설시조나 민요의 기법이 나타남
③ 산문적 리듬과 명절 분위기에 대한 사실적인 묘사
④ 인물과 사건이 결부된 서사적 진술
• 주제
① 혈족들의 공동체적 삶에서 우러나는 고향의 풍요로움
② 삶의 순수성과 고향의 정취

바로 확인문제

01 「여우난골족」에는 작가의 조국 광복에 대한 염원이 담겨 있다.
(O / X)

02 「여우난골족」은 시간적·공간적 □□이 분명하게 제시되어 있다.

03 「여우난골족」은 사실적인 묘사들을 반복, 나열하고 있다. (O / X)

| 정답 | 01 X(유년 시절의 추억 또는 고향에 대한 그리움이 담겨 있다.)
02 배경 03 O

14 흰 바람벽이 있어 | 백석

• 성격: 애상적, 의지적, 회고적
• 표현
　① 연상 작용을 통해 내용을 전개함
　② 감각적 이미지를 사용하여 시적
　　화자의 정서를 구체적으로 제시함
• 주제
　① 부정적 현실 속에서도 고결함을
　　잃지 않으려는 삶의 자세
　② 흰 바람벽에 오고 가는 외로운
　　생각들과 화자의 자기 체념 및
　　위안

오늘 저녁 이 좁다란 방의 흰 바람벽에　　　　　[ ]: 화자의 가난하고 쓸쓸한 삶 암시

어쩐지 쓸쓸한 것만이 오고 간다
　　　　지배적 정서
이 흰 바람벽에　　　　　* 바람벽에 비친 고향의 영상
　　　기억의 영상들이 비치는 곳　　❶ 고달픈 어머니의 모습과 단란했던 가족의 모습
　　　　　　　　　　　　　　　　❷ 그리움의 대상이자 동시에 쓸쓸함을 더해 주는 대상임
희미한 십오 촉(十五燭) 전등이 지치운 불빛을 내어던지고

때글은 다 낡은 무명 샤쯔가 어두운 그림자를 쉬이고

그리고 또 달디단 따끈한 감주나 한 잔 먹고 싶다고 생각하는 내 가지가지 외로운 생각이 헤
　　　　　　　　　　고향의 어머니를 연상하게 되는 계기　　　　　　　　화자의 쓸쓸하고 외로운 내면의 풍경
매인다
　　　　　　　　　　　　　　　　　　　　　　　▶ 흰 바람벽에 비친 쓸쓸한 기억

그런데 이것은 또 어인 일인가

이 흰 바람벽에

「내 가난한 늙은 어머니가 있다

내 가난한 늙은 어머니가

이렇게 시퍼러둥둥하니 추운 날인데 차디찬 물에 손을 담그고 무이며 배추를 씻고 있다」
「　」: 고달프고 힘들게 살아오신 어머니의 일상을 떠올림
또 내 사랑하는 사람이 있다

내 사랑하는 어여쁜 사람이
　　　　　　　어느 지방을 중심으로 하여, 그 남쪽 지방을 이르는 말. 아랫녘
「어늬 먼 앞대 조용한 개포 가의 나즈막한 집」에서　　「　」: 남쪽 지방에 있는 '내 사랑하는 어여쁜 사람'의 집
　　　　　　　　　　└ 강이나 내에 바닷물이 드나드는 곳
그의 지아비와 마조 앉어 대구국을 끓여 놓고 저녁을 먹는다

벌써 어린것도 생겨서 옆에 끼고 저녁을 먹는다　　　　　　▶ 흰 바람벽에 비친 기억의 영상

그런데 또 이즈막하야 어느 사이엔가

이 흰 바람벽엔

「내 쓸쓸한 얼굴을 처다보며

이러한 글자들이 지나간다」　　　　❶ 화자의 내면 의식을 직접 드러내는 내용
「　」: 의인화. 쓸쓸한 자신의 처지를 위로하는 모습　❷ 비참하고 쓸쓸한 처지에 있는 화자 자신을 위로하는 내면 의식
　　　　　　　　　　　　　　　　❸ 현실적 패배와 정신적 승리 사이의 긴장감을 형성하면서 주제 의식을 강화
　　— 나는 이 세상에서 가난하고 외롭고 높고 쓸쓸하니 살어가도록 태어났다
　　　　불행하고 쓸쓸하게 실지만 고결하게 살아가야 할 운명이라는 인식
　　　　그리고 이 세상을 살어가는데

　　　　내 가슴은 너무도 많이 뜨거운 것으로 호젓한 것으로 사랑으로 슬픔으로 가득 찬다
　　　　내가 느끼는 이러한 감정들을 고결한 정신으로 극복할 수밖에 없음을 감추어 두고 말하는 것임
　　　　　　　　　　　　　　　　　　　　　　　▶ 흰 바람벽에 비친 내면 의식

그리고 이번에는 나를 위로하는 듯이 나를 울력하는 듯이
　　　　　　　　　　　　　　　　　많은 사람들이 힘을 합쳐 나를 도와주는 듯이
눈질을 하며 주먹질을 하며 이런 글자들이 지나간다

　　— 「하늘이 이 세상을 내일 적에 그가 가장 귀해 하고 사랑하는 것들은 모두

　　　가난하고 외롭고 높고 쓸쓸하니 그리고 언제나 넘치는 사랑과 슬픔 속에 살도록 만드신 것
이다」
「　」: 화자 자신이 하늘의 은총을 가장 많이 받은 존재라는 사실에 자긍심을 느끼며 스스로의 처지를 극복하고자 함
　　　초승달과 바구지꽃과 짝새와 당나귀가 그러하듯이
　　　고결한 이미지의 사물들로, 화자 자신과 동일시하는 대상들

그리고 또 '프랑시쓰 쨈'과 도연명과 '라이넬 마리아 릴케'가 그러하듯이
불행하지만 고결하게 살았던 시인들
▶ 운명론적 인식을 통한 자기 위안

┃ 이해와 감상

이 시는 고향을 떠나 홀로 살아가는 시적 화자의 쓸쓸함과 외로움의 정서를 고백적 어조로 형상화한 작품이다. 좁은 방에 혼자 있던 시적 화자는 흰 바람벽의 쓸쓸한 풍경에서 그리운 사람들의 모습을 떠올리게 된다. 그들을 향한 시적 화자의 그리움은 '흰 바람벽'에 영상으로 흐르면서 쓸쓸한 정서를 더욱 고조시킨다. 즉, 흰 바람벽은 시적 화자의 내면 정서를 투영하는 매개체로서 활용되고 있다. 또한 시적 화자는 자기가 가난하고 외로운 처지에 있지만 고결한 정신을 간직한 채 살아갈 운명임을 자각하면서, 현실의 세계에서는 패배했지만 정신의 세계에서는 결코 패배하지 않겠다는 의지를 보여 주고 있다.

단권화 MEMO

바로 확인문제

01 「흰 바람벽이 있어」의 화자는 추운 날 배추를 씻는 늙은 어머니와, 아이를 옆에 끼고 남편과 대굿국을 먹는 여성과 함께 지내며 가난의 고통을 감내하고 있다. (ㅇ / ✕)

02 1행의 '□ □□□'은 화자의 내면 정서를 투영하는 매개체로서 활용되고 있다.

03 「흰 바람벽이 있어」는 현재형 어미를 사용하여 시적 상황을 드러내고 있다. (ㅇ / ✕)

┃ 정답 ┃　01 ✕(여성과 함께 지내며 → 여성은 홀로 떠올리며)　02 흰 바람벽　03 ㅇ

15 남신의주 유동 박시봉방 | 백석

• **성격**: 산문적, 고백적, 성찰적, 사변적, 의지적
• **표현**
  ① 독백체의 어조와 토속적 시어의 사용
  ② 산문적 서술과 쉼표를 활용하여 내재율을 적절히 살림
  ③ 시상을 전환하여 화자의 심리 및 태도의 변화를 드러냄
  ④ 편지 형식을 빌린 산문적 진술을 통해 화자의 근황을 서술함
• **주제**: 무기력한 삶에 대한 반성과 새로운 삶에 대한 의지

어느 사이에 나는 아내도 없고, 또,

아내와 같이 살던 집도 없어지고,

그리고 살뜰한 부모며 동생들과도 멀리 떨어져서,

그 어느 <u>바람</u> 세인 쓸쓸한 <u>거리 끝</u>에 헤매이었다.　　▭ : 고난과 시련과 방황의 요소들

바로 날도 저물어서,

바람은 더욱 세게 불고, <u>추위</u>는 점점 더해 오는데,

나는 어느 목수(木手)네 집 헌 <u>샅</u>을 깐,
　　　　　　　　　　　　갈대를 엮어서 만든 자리
한 방에 들어서 <u>쥔</u>을 붙이었다.　　　　　　　　　　　　　　　　　　▶가족과 고향을 잃음
　　　　　　　　주인집에 세를 얻어 기거하게 되었다. 세를 들었다.
이리하여 나는 이 습내 나는 춥고, 누긋한 방에서,

낮이나 <u>밤</u>이나 나는 나 혼자도 너무 많은 것같이 생각하며,
　　　　　　　　주체할 수도 감당할 수도 없는 삶의 무게감을 느낌
<u>딜옹배기</u>에 북덕불이라도 담겨 오면,
동글넙적하고 아가리가 넓게 벌어진 질그릇에 담긴 짚이나 풀 따위를 태워 담은 화톳불 – 화자에게 따뜻한 위안을 줄 수 있는 대상
이것을 안고 손을 쬐며 재 우에 뜻 없이 글자를 쓰기도 하며,
　　　　　　　　　　　　무의미하고 무가치한 삶에 대한 인식
또 문밖에 나가지도 않고 자리에 누워서,

머리에 손깍지베개를 하고 굴기도 하면서,

<u>나는 내 슬픔이며 어리석음이며를 소처럼 연하여 쌔김질하는 것이었다.</u>
슬픔과 어리석음으로 점철된 회한의 삶을 성찰하는 모습
내 가슴이 꽉 메어 올 적이며,

내 눈에 뜨거운 것이 핑 괴일 적이며,

또 내 스스로 화끈 낯이 붉도록 부끄러울 적이며,

<u>나는 내 슬픔과 어리석음에 눌리어 죽을 수밖에 없는 것을 느끼는 것이었다.</u>　　　▶회한과 절망
어리석게 살아온 자신의 삶을 돌아보며 그 슬픔을 내면화하는 과정에서 시적 자아는 격렬한 감정의 소용돌이에 휩싸이게 되며,
이 순간 시적 자아의 내적 갈등은 그 정점에 달하게 됨(죽음에 대한 충동)
<u>그러나</u> 잠시 뒤에 나는 고개를 들어,
시상의 전환이 이루어지는 부분(절망에서 희망으로)
허연 문창을 바라보든가 또 눈을 떠서 높은 천장을 쳐다보는 것인데,

<u>이때 나는 내 뜻이며 힘으로, 나를 이끌어 가는 것이 힘든 일인 것을 생각하고,</u>
　　　　　무기력한 자아에 대한 인식
이것들보다 더 크고, 높은 <u>것</u>이 있어서, 나를 마음대로 굴려 가는 것을 생각하는 것인데,
절대적이고 초월적인 힘, 운명
이렇게 하여 여러 날이 지나는 동안에,　　　　　　　　　　　　　　　▶운명에 이끌려 온 삶

내 어지러운 마음에는 슬픔이며, 한탄이며, 가라앉을 것은 차츰 앙금이 되어 가라앉고,

외로운 생각만이 드는 때쯤 해서는,

더러 <u>나줏손</u>에 쌀랑쌀랑 싸락눈이 와서 문창을 치기도 하는 때도 있는데,
　　　저녁 무렵
나는 이런 저녁에는 화로를 더욱 다가 끼며, <u>무릎을 꿇어 보며,</u>
　　　　　　　　　　　　　　　　　　반성과 성찰의 태도, 경건한 느낌
어느 먼 산 뒷옆에 바우섶에 따로 외로이 서서,

어두워 오는데 하이야니 눈을 맞을, 그 마른 잎새에는,

쌀랑쌀랑 소리도 나며 눈을 맞을,

그 드물다는 굳고 정한 갈매나무라는 나무를 생각하는 것이었다.　　　　▶ 새로운 삶에 대한 다짐
　　❶ 외로움과 추위를 견디며 당당히 맞서고 있는 나무(객관적 상관물)
　　❷ 의인화 – 화자의 '현실 극복의 의지' 표상
　　❸ 눈을 맞으며 단단하고 정갈하게 서 있는 갈매나무의 이미지는 시적 자아로 하여금 삶의
　　　고달픔과 외로움. 그로 인한 내면적 고뇌로부터 벗어날 수 있게 함

이해와 감상

이 시는 자신의 삶에 대한 반성과 삶에 대한 새로운 의지가 시적 화자의 고백적 어조로 형상화되어 있다. 시적 화자는 아내와, 아내와 같이 살던 집도 없어지고, 부모 형제와도 떨어져 바람 센 쓸쓸한 거리를 헤매는 상황에 처해 있다. 이러한 상황 속에서 시적 화자는 자신의 삶을 뒤돌아보면서 성찰을 하기도 하고 부끄러움을 느끼기도 한다. 그러나 이러한 과정을 통해서 자신의 삶에 대해 운명론적인 체념을 하면서도 '그 드물다는 굳고 정한 갈매나무'를 떠올리며 굳세고 깨끗하게 살아가겠다는 현실 극복의 의지를 드러내고 있다.

단권화 MEMO

바로 확인문제

01 「남신의주 유동 박시봉방」은 시어와 구조를 반복하여 내재적인 운율을 형성하고 있다. (○ / ×)

02 마지막 행의 '□□□□'는 어려운 상황 속에서도 굳세고 깨끗하게 살아가겠다는 화자의 삶의 의지를 보여 주는 □□□ □□□이다.

03 「남신의주 유동 박시봉방」을 통해 무기력한 지식인의 반성과 내적 번민을 느낄 수 있다. (○ / ×)

| 정답 |　01 ×(산문적 서술과 쉼표를 활용하여 운율을 형성한다.)　02 갈매나무, 객관적 상관물　03 ○

16 전라도 가시내 | 이용악

• 성격: 서사적, 애상적, 비극적
• 표현
① 시인의 실제적 체험을 동병상련
   의 어조로 표현함
② 토속적이고 감각적인 시어를 주
   로 사용함
③ 서정적이면서도 북방의 정서를
   잘 담아 냄
④ 전형적인 '이야기시'의 서사적 서
   술 형식을 갖춤: 서사적 요소의
   도입[배경과 인물의 설정, 시간의
   흐름에 따른 사건의 기술, 시적
   대상(청자)에게 말을 건네는 듯한
   대화체의 말투]
• 주제: 일제 강점기하 북간도를 떠도
  는 우리 민족(유이민들)의 비극적인 삶

<u>알룩조개에 입 맞추며 자랐나</u>
'가시내'의 고향이 '바닷가'임을 알 수 있는 단서

<u>눈이 바다처럼 푸를뿐더러 까무스레한 네 얼굴</u>
가시내의 외양 묘사

가시내야
시적 대상(청자)

나는 발을 얼구며
꽁꽁 얼려 가며

<u>무쇠다리를 건너온 함경도 사내</u>
두만강 철교   시적 주체(화자), 시인 자신의 모습을 투영함

▶1연: 가시내와 함경도 사내의 만남

바람 소리도 <u>호개</u>도 인전 무섭지 않다만
        오랑캐의 노래(호가)

어두운 등불 밑 안개처럼 자욱한 시름을 달게 마시련만
              힘든 삶도 인내하려고 노력하는 모습

어디서 흥참한 기별이 뛰어들 것만 같애

<u>두터운 벽도 이웃도 못 미더운 북간도 술막</u>
공간적 배경의 분위기(흉악하고 불안한 상황)

▶2연: 북간도 술막의 험악하고 불안한 상황

온갖 방자의 말을 품고 왔다

<u>눈포래</u>를 뚫고 왔다
눈보라(고난과 시련)

가시내야

<u>너의 가슴 그늘진 숲 속을 기어간 오솔길을 나는 헤매이자</u>
동병상련

술을 부어 남실남실 술을 따라

<u>가난한 이야기</u>에 고히 잠겨 다오
전라도 가시내가 북간도에까지 올 수밖에 없었던 사연을 짐작케 함(가난)

▶3연: 전라도 가시내의 그늘진 삶 이야기

네 두만강을 건너왔다는 석 달 전이면

단풍이 물들어 <u>천 리 천 리 또 천 리</u> 산마다 불탔을 겐데
                삼천 리 강산(조국)

그래도 외로워서 슬퍼서 치마폭으로 얼굴을 가렸더냐
전라도에서 북간도까지의 소요 시간

<u>두 낮 두 밤을 두루미처럼 울어 울어</u>
고향을 떠나는 전라도 가시내의 슬픔을 형상화

<u>불술기</u> 구름 속을 달리는 양 유리창이 흐리더냐
'기차'의 함북 방언

▶4연: 두만강을 건너던 석 달 전의 상황과 그때 여인의 심정

<u>차알삭 부서지는 파도 소리에 취한 듯</u>
가시내의 고향(전라도 바닷가)과 연관 지은 표현 - 고향 회상

때로 <u>싸늘한 웃음이 소리 없이 새기는 보조개</u>
              가시내의 싸늘한 웃음에서 세상에 대한 냉소적, 비관적 태도를 순간적으로 발견함

가시내야

<u>울 듯 울 듯 울지 않는 전라도 가시내야</u>
슬픔을 안으로 삭이는 모습(여인의 강인한 성격)으로, 시적 화자의 연민을 불러일으킴

<u>두어 마디 너의 사투리로 때 아닌 봄을 불러 줄게</u>
가시내에 대한 연민의 마음으로 위로해 주는 화자의 모습

손때 수줍은 분홍 댕기 휘휘 날리며

<u>잠깐 너의 나라로 돌아가거라</u>
화자는 가시내에게 고향으로 돌아가라는 따뜻한 말로 위로해 주고자 함

▶5연: 전라도 가시내를 위로해 주는 함경도 사내(연민의 정)

이윽고 얼음길이 밝으면 □□ : 우리 민족이 처한 암울하고도 고통스러운 역사적 현실

나는 눈포래 휘감아치는 벌판에 우줄우줄 나설 게다
　　　　　　　　　　　　　　의태어를 통하여 비상하고 결연한 모습을 형상화

「노래도 없이 사라질 게다

자욱도 없이 사라질 게다」
「　」: ❶ 역사의식에 바탕을 둔 결의와 다짐
　　　 ❷ 날이 밝으면 흔적도 남기지 않고 자신의 길을 향해 떠나야만 하는 화자의 처지
　　　 ❸ 비참한 우리 민족의 운명이 화자의 모습을 통해 잘 드러남
　　　　　　　　　　　　　▶6연: 우리 민족의 비극적 운명과 고통 극복의 다짐

▍이해와 감상
이 시는 전라도 가시내와 함경도 사내가 북간도의 술집에서 만나 술잔을 나누며 대화를 하는 상황을 통해서 일제 강점기에 고향을 떠난 유이민의 삶의 모습을 형상화한 작품이다. 특히 이 시는 인물의 설정과 배경, 시간의 흐름의 측면에서 서사적 요소가 도입되어 있는 것으로 평가되기도 한다.

17 바다와 나비 | 김기림

아무도 그에게 수심(水深)을 일러 준 일이 없기에
　　　　　　　　화자가 처한 현실과 추구하는 이상 사이의 차이
흰 나비는 도무지 바다가 무섭지 않다.
　　　　　　　　　　　　　　　　　❶ 거칠고 냉혹한 현실 세계
❶ 꿈을 가지고 여행을 하는 순수하고 가냘프고 연약한 존재로 이미지화　　　❷ 근대화 과정에서 반드시 거쳐 가야 하는 모험과 시련의
❷ 근대 문명에 무방비 상태로 노출된 순진하고 어리숙한 낭만주의자　　　　 　공간. 탐색과 동경의 공간(최남선의 「해에게서 소년에게」
❸ 시인 자신의 청년기적 자아 표상　　　　　　　　　　　　　　　　　　　에서의 '바다'의 이미지와 유사)

　　　　　　　　　　　　　　　　　　　　　　　　　▶1연: 나비의 모험

청(靑)무우밭인가 해서 내려갔다가는
나비가 동경하는 세계의 모습
어린 날개가 물결에 절어서

공주(公主)처럼 지쳐서 돌아온다.
세상 물정을 잘 모르는 순진한 존재

　　　　　　　　　　　　　　　　　　　　　　　　　▶2연: 나비의 시련

　　　　　　　┌나비가 지향하는 이상향의 세계
삼월(三月)달 바다가 꽃이 피지 않아서 서글픈
❶ 이른 봄(현실과 미래에 대한 인식을 제대로 할 수 없었던 시대)
❷ 근대 문명의 수용 과정에서 겪게 되는 과도기적 시기
나비 허리에 새파란 초생달이 시리다.
　　　　　　　└좌절된 꿈　　공감각적 심상(시각의 촉각화)

　　　　　　　　　　　　　　　　　　　　　　　　　▶3연: 나비의 좌절

▍이해와 감상
이 시는 새로운 세계에 대한 동경과 좌절이라는 주제 의식을 '바다'와 '나비'라는 대비적 이미지를 가진 시어와 색채 대비 등의 시각적 이미지를 활용하여 형상화하고 있는 작품이다. 이 시에서는 대상이 되는 '나비'의 모습을 감각적 이미지를 활용하여 제시할 뿐 주관적 감정의 개입을 절제하여 최소화하고 있으며, '나비'가 느끼는 '좌절감'은 마지막 연의 공감각적 심상을 통해서 암시되고 있다.

단권화 MEMO

바로 확인문제

01 「전라도 가시내」는 '시'임에도 서사적 줄거리가 드러난다. (○ / ×)

02 '전라도 가시내'는 이 시의 □□(이)라 할 수 있다.

03 '전라도 가시내'와 '함경도 사내'는 각각 분단된 남과 북을 상징한다.
　　　　　　　　　　　　　(○ / ×)

단권화 MEMO

• 성격: 감각적(시각적), 상징적, 주지적
• 표현
　① 견고하고 명확한 시각적 이미지, 공감각적 이미지의 제시
　② 색채 대비를 통한 선명한 시각적 이미지 제시(흰색과 푸른색의 대비)
　③ 대조적 심상(넓은 바다와 작은 나비의 대조, 공포스러운 바다와 연약한 나비의 대조)
• 주제
　① 새로운 세계에 대한 동경과 좌절
　② 순진한 낭만적 꿈의 좌절과 냉혹한 현실 인식

바로 확인문제

04 「바다와 나비」는 냉혹한 현실 인식에서 출발한 것으로 해석할 수 있다. (○ / ×)

05 '바다, 청무우밭, 초생달'의 푸른 이미지와 '나비'의 흰 이미지가 선명하게 □□되고 있다.

06 '나비'는 결국 냉혹한 현실을 극복하고 이상향에 도달하고 있다.
　　　　　　　　　　　　　(○ / ×)

| 정답 | 01 ○ 02 청자 03 ×(고향을 잃고 떠도는 우리 민족을 상징한다.) 04 ○ 05 대비 06 ×(냉혹한 현실에 좌절하고 있다.)

• **성격**: 비극적, 애상적, 이국적, 서정
   적, 회상적
• **표현**
  ① 수미상관식 구성
  ② 청각적 이미지를 통해 감정을 절
     제함
  ③ 아버지의 죽음을 슬퍼하고 애통
     해하면서도 다소 절제되고 담담
     한 어조
  ④ '고향 → (일제 강점) → 러시아
     → 침상 없는 최후'로 개인이 아
     닌 민족 전체의 아픔을 형상화함
• **주제**: 아버지의 비참한 죽음과 일제
   강점기 유랑민의 비애

18 풀벌레 소리 가득 차 있었다 | 이용악

「우리 집도 아니고

일갓집도 아닌 집

고향은 더욱 아닌 곳에서
「 」: 낯선 이국땅(러시아)
아버지의 침상(寢床) 없는 최후의 밤은
아버지의 비참한 객사
풀벌레 소리 가득 차 있었다.
❶ 화자의 슬픈 정서를 직접 드러내지 않고 청각적 이미지로 형상화함으로써 감정을 절제하여 표현함
❷ 아버지의 비극적인 죽음과 대비되어 고요한 분위기를 조성함

▶1연: 아버지의 죽음

노령(露領)을 다니면서까지
러시아 영토, 시베리아 일대
애써 자래운 아들과 딸에게
          키운
한마디 남겨 두는 말도 없었고,
유언 한마디 남기지 못한 아버지의 갑작스러운 죽음
「아무을만(灣)의 파선도
러시아 지명으로 헤이룽강 하류의 아무르 지역
설룽한 니코리스크의 밤도 완전히 잊으셨다.」 「 」: 아버지의 죽음을 의미
춥고 차가운   시베리아의 니콜라옙스크
목침을 반듯이 벤 채.

다시 뜨시잖는 두 눈에
다시 살아 돌아오지 못하는
피지 못한 꿈의 꽃봉오리가 갈앉고,
아버지께서 품었던 꿈과 희망
얼음장에 누우신 듯 손발은 식어갈 뿐

입술은 심장의 영원한 정지(停止)를 가리켰다.
아버지의 최후를 객관적이고 담담한 어조로 묘사함
「때늦은 의원이 아모 말 없이 돌아간 뒤

이웃 늙은이 손으로

눈빛 미명은 고요히
'무명'의 방언
낯을 덮었다.」「 」: 아버지의 죽음을 확인

▶2~3연: 아버지의 비극적인 최후의 모습

「우리는 머리맡에 엎디어

있는 대로의 울음을 다아 울었고」
「 」: 가장을 잃은 가족들의 슬픔의 통곡
아버지의 침상 없는 최후 최후의 밤은

풀벌레 소리 가득 차 있었다.

▶4연: 가족의 슬픔

이해와 감상
이 시는 러시아를 넘나들며 상인으로 삶을 꾸려 가던 한 조선인 아버지의 최후를 통해 일제 식민지 치하에서
유랑하는 민중의 비참한 삶을 보여 주고 있다. 객지에서 돌아가신 아버지의 죽음을 객관적이고 차분한 어조로
서술하는 한편, 아버지의 죽음에 대한 화자의 슬픔은 '풀벌레 소리'로 간접적으로 표현하여 감정을 절제함으
로써 작품의 비극성을 더하고 있다.

01 '풀벌레 소리'는 절망을 극복하고자
   하는 화자의 의지가 담겨 있다.
                          (ㅇ / ✕)
02 「풀벌레 소리 가득 차 있었다」는 □
   □적 이미지를 통해 절제된 감정으
   로 비극성을 더하고 있다.

| 정답 | 01 ✕(화자의 슬픈 감정을
형상화한다.)   02 청각

19 유리창 1 | 정지용

> **입김**
> 유리(琉璃)에 <u>차고 슬픈 것</u>이 어른거린다.　　☐ : '죽은 아이'의 영상
> '죽은 아이'와 '시적 자아'를 가로막는 장벽인 동시에 둘 사이를 이어 주는 통로의 의미(단절과 교감)
>
> <u>열없이</u> 붙어 서서 입김을 흐리우니
> 자식을 잃은 상실감
>
> 길들은 양 <u>언 날개</u>를 파다거린다.　　▶1~3행: 유리창에 어린 영상
> 사라져가는 입김 자국을 언 날개를 힘없이 파닥거리는 가냘픈 새로 표현함
>
> <u>지우고 보고 지우고 보아도</u>
> 죽은 아이에 대한 그리움, 안타까움
>
> 새까만 밤이 밀려 나가고 밀려와 부딪히고,
> 죽음의 세계(알 수도 없고 보이지도 않는 세계)
>
> <u>물 먹은 별</u>이, 반짝, 보석(寶石)처럼 백힌다.　　▶4~6행: 창밖의 밤의 영상
> 화자의 눈물 어린 눈에 비친 별빛　　❶ 모순 형용, 역설적 표현
>
> 밤에 홀로 유리를 닦는 것은　　❷ 자식을 잃은 데서 오는 외로움과, 유리를 닦으며 밤하늘의 별을 보고 아들의 모습을 다시 보는 듯이 느끼는 데서 생겨나는 황홀함이 얽힌 마음
>
> <u>외로운 황홀한 심사</u>이어니　　❸ 비애 속으로의 침잠 속에서 환상적으로 황홀한 아름다움을 체험한다는 것은, 삶의 신비를 관조하는 정신에 의해 형성됨　　▶7~8행: 시적 화자의 모순된 감정
>
> 고운 폐혈관(肺血管)이 찢어진 채로
> 자식이 병(폐렴)에 시달리다 죽었음을 암시함과 동시에 자아가 지닌 극도의 비애를 드러냄
>
> 아아, 늬는 <u>산(山)ㅅ새</u>처럼 날아갔구나!　　▶9~10행: 죽은 아이에 대한 상실감

▌이해와 감상

이 시는 죽은 어린 아들을 그리워하는 아버지를 시적 화자로 설정하고 있다. 즉, 죽은 아들을 그리워하던 시적 화자는 밤의 '유리창'을 통해서 아들의 모습을 보게 된다. 하지만 그것은 환각일 뿐임을 이내 깨닫고 '외로운 황홀한 심사'를 가지게 되면서 다시 한 번 '산(山)ㅅ새'로 표현된 죽은 아들에 대한 안타까움의 정서를 드러내고 있다. 또한 이 작품은 죽은 어린 아들에 대한 그리움과 슬픔을 형상화하고 있으면서도 감각적 이미지를 활용하여 시적 화자의 정서를 최대한 절제하여 표현하고 있다는 특징을 지닌다.

20 장수산 1 | 정지용

> 벌목정정(伐木丁丁)이랬거니 아람도리 큰 솔이 베혀짐즉도 하이 골이 울어 멩아리 소리 쩌르
> 아름드리 나무가 울창한 산의 장엄함을 표현　　❶ 나무가 쓰러지는 소리가 쩌렁쩌렁한
>
> 렁 돌아옴즉도 하이 다람쥐도 좇지 않고 묏새도 울지 않어 깊은 산 고요가 차라리 뼈를 저
> 메아리가 되어 돌아올 만큼 깊은 산골　　❷ 청각적 심상을 통해 역설적으로 장수산의 고요를 형상화
>
> 리우는데 눈과 밤이 조히보담 희고녀! 달도 보름을 기달려 흰 뜻은 한밤 이 골을 걸음이란다?
> 눈 내린 밤이 종이보다 흼　　보름달 밤 골짜기를 걷는 상황을 운치 있게 표현
>
> 「웃절 중이 여섯 판에 여섯 번 지고 웃고 올라간 뒤 조찰히 늙은 사나이의 남긴 내음새를 줏는
> 「 」: 화자는 자신과 바둑을 두며 여섯 판을 지고도 웃고 올라간 늙은 중의 모습을 통해 자족과 여유, 무욕의 태도를 생각하게 됨
>
> 다?」 시름은 바람도 일지 않는 고요에 심히 흔들리우노니 「오오 견디랸다 차고 올연(兀然)히 슬
> 내적인 시름과 번뇌에 시달림　　홀로 우뚝하게
>
> 픔도 꿈도 없이 장수산 속 겨울 한밤내 ─」
> 세속을 초월한 고요　　한밤내 견디겠다는 의지의 표현이면서
> 하고 신비롭고 고결　　그 시간 동안의 지속, 고통, 힘겨움 등
> 한 세계　　을 함축함
> 「 」: ❶ 슬픔도 꿈도 모두 이 장수산 속의 겨울 한밤의 적막 속에 묻어 버리겠다는 의미
> ❷ 고요를 통해 시름을 이겨 내려는 시적 화자의 의지가 드러남

▌이해와 감상

이 시는 '겨울 장수산'의 모습을 시각적 이미지와 청각적 이미지를 통하여 형상화하고 있는 작품이다. 이 작품에 드러나는 '장수산'은 세상과는 단절된 탈속의 공간으로 형상화되고 있는데, 이는 시적 화자의 고요하고 탈속적인 내면을 형상화한 것으로 볼 수 있다. 이러한 탈속적인 공간을 효과적으로 형상화하기 위하여 감각적 이미지를 효과적으로 활용했을 뿐 아니라 시행의 종결을 의도적으로 거부하기도 하고 예스러운 말투를 활용하고 있기도 하다. 또한 시상 전개에 있어서는 전통적인 시가 작품에서 두드러지게 나타나는 선경 후정의 방법을 활용하고 있다.

단권화 MEMO

• **성격**: 회화적, 상징적, 감각적(시각적)
• **표현**
① 감정의 절제
② 감각적 묘사와 비유를 통한 선명한 시각적 심상
③ 감정의 대위법 및 역설적 표현
• **주제**
① 죽은 자식에 대한 상실의 슬픔
② 상실의 슬픔을 관조하고 극복하고자 함

바로 확인문제

01 「유리창 1」의 화자는 죽은 어린 아들을 그리워하는 아버지이다.
　　　　　　　　(ㅇ / ×)

02 8행의 '외로운 황홀한 심사'는 ☐☐적 표현이다.

03 '차고 슬픈 것, 언 날개, 물 먹은 별, 유리창, 산새'는 죽은 아이의 형상이다. (ㅇ / ×)

단권화 MEMO

• **성격**: 탈속적, 초월적, 동양적, 감각적
• **표현**
① 청각적 심상과 시각적 심상을 통해 산중의 정경을 형상화
② 고어와 예스러운 어투를 사용하여 고전적이고 우아한 느낌을 줌
③ 선경 후정의 기법으로 시상을 전개함
④ 시행의 종결을 의도적으로 거부함
⑤ 탈속적, 초월적 세계를 지향하는 태도
• **주제**
① 탈속적 삶에 대한 동경
② 암울한 시대 현실에 대응하는 태도

바로 확인문제

04 '☐☐☐'은 세상과 단절된 탈속의 공간이다.

05 「장수산 1」은 두 사람의 문답 형식으로 구성되어 있다. (ㅇ / ×)

| 정답 | 01 ㅇ 02 역설 03 ×(유리창: 화자와 시적 대상 사이의 장벽이자 연결 통로) 04 장수산 05 ×(두 사람의 문답 형식 → 화자의 독백)

• **성격**: 감각적, 묘사적, 회화적, 애상적, 이국적, 도시적
• **표현**
① 색채감과 시각성을 살려 감각적 이미지를 통해 정서를 형상화
② 현대성을 함축한 시어의 사용(역등, 전신주, 화원지, 시계 등)
③ 시간의 흐름에 따른 시상 전개
④ 시각적, 공감각적 심상의 활용
• **주제**
① 외인촌의 이국적 정취에서 오는 고독과 우수
② 도시인의 고독과 우수

21 외인촌(外人村) | 김광균

'하이얀'의 시각적·음악적 효과, 어둠이 완전히 잦아들지 않은 상태
하이얀 모색(暮色) 속에 피어 있는
날이 저물 때 쇠잔해 가는 빛. 저물어 가는 풍경
산협촌(山峽村)의 고독한 그림 속으로
현실과 동화되지 않은 거리감이 느껴지는 모습 – 시 속에 형상화하고자 하는 주된 정서와 분위기
파아란 역등(驛燈)을 달은 마차가 한 대 잠기어 가고
상실과 소멸의 이미지

바다를 향한 산마루 길에

우두커니 서 있는 전신주 위엔
바다에 대해 동경과 그리움에 젖어 있는 인간의 고독한 모습이 연상됨
지나가던 구름이 하나 새빨간 노을에 젖어 있었다.
그리움에 불타는 자아의 모습 연상(객관적 상관물)

▶1연: 저녁 무렵의 산협촌

바람에 불리우는 작은 집들이 창을 내리고

갈대밭에 묻힌 돌다리 아래선

작은 시내가 물방울을 굴리고,

▶2연: 작은 집들과 시냇물

안개 자욱한 화원지(花園地)의 벤치 위엔　　□: 이국적 소재

한낮에 소녀들이 남기고 간

가벼운 웃음과 시들은 꽃다발이 흩어져 있었다.
❶ 축제 뒤의 허망함이나 처량함이 느껴짐
❷ 공감각적 심상(청각의 시각화)

▶3연: 화원지의 풍경

외인 묘지(外人墓地)의 어두운 수풀 뒤엔

밤새도록 가느단 별빛이 내리고,
'구원, 희망'보다는 '우수, 애상'의 이미지로 해석됨

▶4연: 외인 묘지의 밤 풍경

공백(空白)한 하늘에 걸려 있는 촌락(村落)의 시계(時計)가
아무것도 없이 텅 비어 있는 상태. 회색 하늘빛의 이미지
여윈 손길을 저어 열 시를 가리키면,
시계 바늘을 의인화한 표현. 고독과 애수의 심상 제시
날카로운 고탑(古塔)같이 언덕 위에 솟아 있는

퇴색(褪色)한 성교당(聖敎堂)의 지붕 위에선

분수(噴水)처럼 흩어지는 푸른 종소리.
❶ 공감각적 심상(청각의 시각화)
❷ 작품 전체의 우수와 애상이 극복되는 심상(비약과 확산의 심상)

▶5~6연: 교회당의 종소리

┃이해와 감상

이 시는 감각적 이미지를 다양하게 활용하여 이국적이고 쓸쓸한 외인촌의 모습을 형상화하고 있는 작품이다. 모더니즘 시 계열 중 이미지스트였던 김광균의 특징이 잘 드러난 작품이다. 그러나 이 시에 제시된 외인촌의 모습이 당시의 실제 모습을 형상화했다기보다는 다소 추상적인 현실의 모습이 드러난다는 점을 문제점으로 꼽기도 한다. 그러나 모더니즘 시 이론을 바탕으로 시각적, 회화적, 공감각적 이미지를 적절히 활용하여 실제 작품 창작에 반영했다는 점에서 의의를 지닌다고 볼 수 있다.

22 와사등(瓦斯燈) | 김광균

가스로 작동하는 등

차단한 등불이 하나 비인 하늘에 걸려 있다.
차디찬, 시적 허용에 해당   빈(시적 허용)   ┌─ 공허한 내면
                                    └─ 원관념은 '등불(와사등)'
내 호올로 어딜 가라는 슬픈 신호냐.
삭막한 도시 문명 속에서 갈 곳을 잃은 현대인들의 정신적 혼돈과 방황, 방향 상실을 암시

▶1연: 현대인들의 방향 감각 상실

긴 여름 해 황망히 나래를 접고
어둠이 찾아오는 것을 '날개 접는 새'에 비유한 감각적 표현.
                              ┌─ 문명 비판적, 현대인의 종말감 상징
늘어선 고층 창백한 묘석같이 황혼에 젖어
현대 도시 문명의 불모성에 대한 비판적 인식이 황혼과 밤의 이미지와 연결되면서 우울하고 절망적인 분위기를 자아냄

찬란한 야경 무성한 잡초인 양 헝크러진 채
                    무질서한 현대 문명의 성격 암시
사념 벙어리 되어 입을 다물다.
❶ 어두운 도시를 바라보며 종말 의식에 싸여 있는 시적 자아의 답답한 심정과 비애의 정조
❷ 도시인들의 정신적 위기를 나타냄

▶2연: 황량한 도시 문명의 슬픔

피부의 바깥에 스미는 어둠
  공감각적 심상(시각의 촉각화)
낯설은 거리의 아우성 소리

까닭도 없이 눈물겹고나
현대인의 절망적인 존재 인식

▶3연: 도시적인 삶 속에서 느끼는 비애

공허한 군중의 행렬에 섞이어

내 어디서 그리 무거운 비애를 지고 왔기에
식민지적 상황의 민족적 비애, 인간 본연의 굴레 등
길게 늘인 그림자 이다지 어두워
쓸쓸하고 고독한 현대인

▶4연: 도시적인 삶의 중압감과 비애

내 어디로 어떻게 가라는 슬픈 신호기
                          희망도 이상도 방향도 상실한 현대인
차단한 등불이 하나 비인 하늘에 걸리어 있다.
┌─ 변형된 수미상관
❶ 형태상 안정감을 부여함
❷ 삶의 방향을 상실한 현대인의 고독과 비애를 강조함

▶5연: 현대인들의 삶의 방향 감각 상실

이해와 감상

이 시는 도시 문명에서 느끼는 현대인의 쓸쓸함과 비애를 감각적 심상과 다양한 비유를 통해서 형상화하고 있는 작품이다. '와사등'이라는 소재는 이국적 정서를 환기시키면서 도시 문명의 모습을 효과적으로 드러낸다. 특히 수미상관 구성을 활용하여 시 전체에 안정감을 주면서도 다양한 비유를 활용하여 도시의 모습과 시적 화자의 정서를 효과적으로 형상화하고 있다.

단권화 MEMO

• 성격: 서정적, 감각적, 주지적, 도시적, 회화적, 애상적
• 표현
① 촉각적, 시각적, 공감각적 심상의 활용
② 수미상관적 구성
③ 이국적 정서를 통한 참신한 비유와 독창적인 이미지 창출
④ 우수와 고독의 정서
• 주제
① 도시 문명에 대한 현대인의 절망과 비애
② 현대인의 고독, 우수, 불안 의식

바로 확인문제

01 「와사등」은 도시 문명에서 느끼는 고독과 우수를 노래한 작품이다.
(O / X)
02 '차단한'이라는 표현은 시각적 심상이 두드러지는 시어이다. (O / X)
03 이 시는 첫 연과 끝 연을 대응시킨 변형된 □□□□으로 화자의 정서를 심화하고 있다.

| 정답 | 01 O   02 X(시각적 → 촉각적)   03 수미상관

23 거울 | 이상

• 성격: 초현실주의적, 자의식적, 냉
소적, 관념적
• 표현
① 역설적 표현
② 자동 기술법
③ 띄어쓰기나 시의 율격을 무시(기
존의 문법 질서를 파괴하려는 반
이성주의의 소산)
④ 6연을 제외한 각 연 2행의 대립
구조(현실적 자아와 본질적 자아
사이의 대립과 분열에 상응하는
구조)
⑤ 냉소적이고 자조적인 어조
• 주제: 자아 분열의 고통과 자의식의
심화(근대인의 비극, 불행)

거울속에는소리가없소
자의식의 세계

저렇게까지조용한세상은참없을것이오
거울 밖과 속의 단절

거울속에도내게귀가있소
　　　　　내면의 자아

내말을못알아듣는딱한귀가두개나있소
현실적 자아

▶1~2연: 의사소통의 단절

거울속의나는왼손잡이오

내악수(握手)를받을줄모르는 —— 악수를모르는왼손잡이오
두 자아의 화해 시도　　　　　　　　악수를모르는왼손잡이오
　　　　　　　　　　　　　　　　　두 자아의 화해 실패 및 단절의 심화

거울때문에나는거울속의나를만져보지를못하는구료마는
차단의 기능. 단절의 장치

거울이아니었던들내가어찌거울속의나를만나보기만이라도했겠소
만남의 기능. 연결의 매개체

▶3~4연: 거울로 인한 '나'와의 단절

나는지금(至今)거울을안가졌소마는거울속에는늘거울속의내가있소
자아의 분열을 객관적으로 인식함

「잘은모르지만외로된사업(事業)에골몰할게요」
　　　　　　　현실적 자아와의 대립 및 불화를 가져올 만한 일
「 」: 내면적 자아와 현실적 자아가 대립하고 있는 구체적 모습으로, 자아 분열의 극한을 보여 줌

▶5연: 자아의 이중화

「거울속의나는참나와는반대(反對)요마는

또꽤닮았소」
「 」: 거울 안팎의 '나'가 지니는 유사성과 상반된 모습 제시(역설적 표현)
나는거울속의나를근심하고진찰(診察)할수없으니퍽섭섭하오
현실적 자아의 고뇌와 갈등

▶6연: 분열된 자아의 모습

▌이해와 감상
이 시는 모더니즘의 한 부류인 초현실주의 계열의 시로 평가받는 작품이다. 이 시에서는 현실적 자아와 내면
적 자아가 거울을 매개로 하여 대립하고 있는 모습을 보인다. 즉, 이 시에서 거울은 두 자아를 연결하는 매개
체의 역할을 하면서도 서로 만질 수 없게 단절시키기도 하는 역할을 수행하고 있는 것이다. 또한 이 시에서는
띄어쓰기가 무시되어 있는데, 이는 기존의 문법을 파괴함으로써 이성이나 합리성을 거부하는 의미를 담고 있
으면서도 읽는 이에게 새로운 감각을 전달하는 역할을 하고 있다.

01 '□□'을 통해 현실적 자아와 내면
적 자아 사이의 갈등, 즉 자의식의
분열을 드러내고 있다.

02 작가는 초현실주의 기법에 의해 감
각적 심상을 이미지화하고 있다.
(○ / ×)

03 「거울」의 내면적 자아와 현실적 자
아는 소통을 통해 화해에 이르고 있
다. (○ / ×)

| 정답 |　01 거울　02 ×(감각적 심
상을 이미지화 → 내면의 분열을 냉소
적으로 나열)　03 ×(화해를 시도하나
실패한다.)

애비는 종이었다. 밤이 깊어도 오지 않았다.

❶ 개인적 솔직성을 넘어서서 뚜렷한 자기주장과 개인 의식을 느끼게 하는 표현
❷ 망국민으로서의 노예적인 삶을 상징하는 표현

파뿌리같이 늙은 할머니와 대추꽃이 한 주 서 있을 뿐이었다.
쓸쓸하고 음울한 분위기

어매는 달을 두고 풋살구가 꼭 하나만 먹고 싶다 하였으나…… 「흙으로 바람벽 한 호롱불 밑에
여인이 아이를 가짐을 의미함   「 」: 가난에 찌든 어린 화자의 모습

손톱이 까만 에미의 아들.」

갑오년(甲午年)이라든가 바다에 나가서는 돌아오지 않는다 하는 외할아버지의 숱 많은 머리털

과 그 커다란 눈이 나는 닮았다 한다.
❶ 외할아버지가 동학 혁명에 가담하여 죽음을 당한 사실이 암시된 표현
❷ 외할아버지는 주어진 조건에 타협하거나 굴종하지 않고 저항하고 투쟁하는 인물임을 알게 해 줌

▶1연: 불행했던 어린 시절의 기억

스물세 해 동안 나를 키운 건 팔할(八割)이 바람이다.
끊임없는 방랑, 난폭함, 정처 없음, 무절제,
세상 속에서의 시달림, 흙먼지와 추위 같은 것들

세상은 가도가도 부끄럽기만 하더라.
세인들에게 죄인과 천치로 인식될 정도로 온갖 수난과 역경 속에서 부대껴 온 고달픈 운명의 표정

어떤 이는 내 눈에서 죄인(罪人)을 읽고 가고
❶ 타인이 나에 대해 규정한 것

어떤 이는 내 입에서 천치(天痴)를 읽고 가나
❷ 천한 출생 성분에 대한 못난이 의식
❸ 무지함에서 오는 열등의식이 담긴 표현

나는 아무것도 뉘우치진 않을란다.
❶ 굴욕적인 삶에 맞서려는 의지
❷ 삶의 시련과 고통은 오히려 '나'로 하여금 더욱 굳세게 일어나도록 하는 힘이 됨

▶2연: 시련과 방황의 삶

찬란히 틔워 오는 어느 아침에도
지금까지와는 다른 현재의 상황

이마 위에 얹힌 시(詩)의 이슬에는
괴로운 삶 속에서 이루어지는 창조의 열매

몇 방울의 피가 언제나 섞여 있어
시련을 극복하는 삶에 요구되는 노력과 고통

볕이거나 그늘이거나 혓바닥 늘어뜨린
┌ 고통스러운 삶과 강렬한 생명에의 욕구를 동시에 지닌 자아의 모습
병든 수캐마냥 헐떡거리며 나는 왔다.
❶ 자신의 고통스러운 삶에 대해 쓰디쓴 회고를 하면서도, 버릴 수 없는 생명적 욕구에의 강렬함을 확인
❷ 봉건적이고 부정적인 사회 현실 속에 매몰되지 않고 개처럼 헐떡거리며 살 것을 강요하는 현실에 대해
    자기 자신을 대결시키려는 저항 의지의 표출

▶3연: 고통스러운 삶에 대한 고백

┃이해와 감상

이 시는 자신의 지나온 삶에 대한 솔직한 회고와 성찰을 담담한 어조로 형상화하고 있는 작품이다. 이 시에서 시적 화자는 자신의 애비는 종이었으며 세상의 사람들은 자신을 비웃거나 조롱하는 모습을 보이지만 자신은 아무것도 뉘우치지 않겠다며 굴욕적인 삶과 맞서겠다는 태도를 보인다. 한편으로는 시 창작을 위한 어려움과 고통을 드러내면서도 이러한 모든 어려움들을 '병든 수캐'로 표현된 삶에 대한 의지로 극복해 내고 있음을 드러내고 있다.

01 「자화상」의 화자는 자신의 삶에 대해 성찰하며 깊이 반성하고 있다.
(O / ×)

02 마지막 행의 '병든 수캐'는 화자 자신을 비유한 표현이다. (O / ×)

03 2연의 '□□'은 방랑, 무절제, 시달림과 같은 시련을 상징한다.

| 정답 | 01 ×(반성하고 있다 → 반성하고 있지 않다) 02 ○ 03 바람

25 무등(無等)을 보며 | 서정주

「가난이야 한낱 남루(襤褸)에 지나지 않는다.」 ^{「 」} ❶ 가난이 육신을 초라하게 할 수는 있을지언정, 쉽게 벗어 버릴 수 있는 것이라는 사고의 표현
❷ 가난을 통해 삶의 소중함, 가정의 따뜻함, 세속적 욕망으로부터의 초월 등의 자세가 중요함을 말하고자 함

저 눈부신 햇빛 속에 갈매빛의 등성이를 드러내고 서 있는
❶ 짙은 초록빛

여름 산(山) 같은 ❷ 가난의 색깔과는 대조되는 것으로, 우리의 마음씨를 드러내기 위해 사용한 표현
❸ 생명력 넘치는 건강한 마음씨를 색채감 있게 표현함

우리들의 타고난 살결, 타고난 마음씨까지야 다 가릴 수 있으랴.
인간의 본질적 모습(선한 본성)

▶1연: 물질적 가난은 인간 본연의 순수함까지 가리지 못함

청산(靑山)이 그 무릎 아래 지란(芝蘭)을 기르듯

우리는 우리 새끼들을 기를 수밖엔 없다.
질긴 핏줄과 본능적 요소에 호소

▶2연: 인생에 대한 의연한 긍정 정신

목숨이 가다가다 농울쳐 휘어드는
가난과 굶주림으로 피로와 허기를 느끼는

오후의 때가 오거든

내외(內外)들이여 그대들도

「더러는 앉고 「 」: 서로를 위로하며 삶의 고통을 긍정적으로 받아들이는 삶의 태도

더러는 차라리 그 곁에 누워라.」

▶3연: 고통을 대하는 의연한 태도

지어미는 지애비를 물끄러미 우러러보고

지애비는 지어미의 이마라도 짚어라.

▶4연: 서로를 위로하며 고난을 이겨 내야 함

어느 가시덤불 쑥구렁에 놓일지라도
❶ 형극(고난과 질망의 삶)
❷ 고난과 시련으로 가득한 삶의 조건

우리는 늘 옥돌같이 호젓이 묻혔다고 생각할 일이요,
영원히 썩지 않는 고결하고 아름다운 정신

청태(靑苔)라도 자욱이 끼일 일인 것이다.
❶ 무른 이끼
❷ 연륜이 쌓여 가면서 만들어지는 '성숙한 삶' 또는 '삶의 품위와 지조'

▶5연: 현실을 이겨 내는 넉넉한 정신 자세

┃이해와 감상
이 시는 궁핍한 현실을 서로에 대한 위로와 높은 정신적 자세로 극복하고자 하는 의연한 정서를 형상화하고 있다. 즉, 가난은 헌 누더기에 불과할 뿐이며 어려움 속에서도 산과 같이 우리는 우리의 자녀들을 길러 내야 한다고 말하고 있다. 또한 '목숨이 가다가다 농울쳐 휘어드는 오후의 때'가 오면 서로를 위로하고 높은 정신적 자세를 통해 극복할 수 있음을 드러내고 있다.

• **성격**: 관조적, 긍정적, 교훈적, 설득적
• **표현**
① 구체적 대상(무등산)을 보며 시상을 전개
② 여유 있고 넉넉한 정신 자세를 자연에 빗대어 표현
• **주제**
① 삶의 본질적 가치에 대한 긍지와 신념
② 가난을 이겨 내려는 긍정적 자세

바로 확인문제

01 「무등을 보며」는 무등을 □□□하여 무등산이 가진 자태를 인간의 삶에 투영하고 있다.

02 5연의 '청태'는 가난을 상징적으로 나타낸다. (ㅇ / ×)

03 「무등을 보며」의 화자는 가난이 삶의 가치를 가릴 수 없다고 믿는다.
(ㅇ / ×)

| 정답 | 01 의인화 02 ×(가난 → 성숙한 삶 또는 삶의 품위와 지조) 03 ○

흙이 풀리는 내음새
봄이 찾아오고 있음을 후각적으로 표현

강바람은

산짐승의 우는 소릴 불러
강으로 불어오는 바람을 청각적으로 표현

다 녹지 않은 얼음장 울명울명 떠내려간다.
'얼어 붙은 시대상'을 암시   ● 얼음이 물에 떠내려가는 모양의 표현이자, 울음이 곧 터질 듯한 모양
                            ● 화자의 쓸쓸한 감정이 이입된 표현

▶1연: 해빙될 무렵 강가

「진종일

나룻가에 서성거리다」
「 」: 고향을 앞에 두고 머뭇거리고 있는 화자의 처지

행인의 손을 쥐면 따뜻하리라.
따뜻하고 정겨운 고향에 대한 그리움을 감각적(촉각)으로 표현함

▶2연: 사람이 그리워 나룻가를 서성거림

고향 가까운 주막에 들러

누구와 함께 지난날의 꿈을 이야기하랴.
                ● 예전 고향 모습은 사라지고 황폐화된 고향을 간접적으로 암시
                ● 더 이상 고향에 대한 추억을 누구와도 함께할 수 없다는 상실감 표현

양귀비 끓여다 놓고
마약의 원료. 고향에 갈 수 없는 아픔을 벗어나려는 주인집 영감의 행위로 해석됨

주인집 늙은이는 공연히 눈물 지운다.
● 동병상련의 대상
● 화자와 마찬가지로 고향 상실감에 젖어 있는 인물

▶3연: 쓸쓸한 고향의 주막

간간이 잔나비 우는 산기슭에는
            청각적 심상을 통해 쓸쓸하고 적막한 분위기를 형성

아직도 무덤 속에 조상이 잠자고
변함없는 것은 무덤뿐이라는 인식이 담겨 있는 표현. 자연 속의 고향은 변함이 없음을 나타냄

설레는 바람이 가랑잎을 휩쓸어 간다.
고향으로 가고 싶은 설레는 마음을 나타내는 객관적 상관물

▶4연: 황폐해진 고향과 쓸쓸한 심정

예제로 떠도는 장꾼들이여!
여기저기로   고향의 정취를 확인해 줄 존재들

상고(商賈)하며 오가는 길에
물건을 팔며, 장사하며

혹여나 보셨나이까.

▶5연: 장꾼들에게 묻는 고향의 존재

「전나무 우거진 마을

집집마다 누룩을 디디는 소리, 누룩이 뜨는 내음새……」
「 」: 지금은 갈 수 없는 예전의 아름답고 평화로웠던 고향에 대한 그리움을 감각적(시각, 청각, 후각)으로 제시

▶6연: 고향을 그리워하는 마음

┃이해와 감상
이 시는 잃어버린 고향에 대해서 느끼는 그리움과 비애의 정서를 형상화한 작품이다. 이 시에서 시적 화자는 봄이 온 고향에 가지 못하고 고향 앞에서 서성이고 있을 뿐이다. 즉, 고향 근처의 주막에서 주인의 이야기를 듣기도 하고 오고 가는 상인들에게 고향의 소식을 묻기도 한다. 그러나 시적 화자는 끝내 고향에는 가지 못하고 기억 속의 고향을 떠올리며 그리워할 뿐이다. 이러한 시적 화자가 처한 고향 상실의 상황은 일제 강점기라는 당대의 상황을 고려한다면 일제에 의해서 상실된 고향, 해체된 농촌 공동체의 상황을 반영하고 있다고 볼 수 있다.

단권화 MEMO

• **성격**: 낭만적, 서정적, 감각적, 비극적, 애상적
• **표현**
  ① 시각, 청각, 후각 등 다양한 심상을 감각적으로 표현
  ② 현재형 시제의 사용으로 작품의 사실감 조성
  ③ 회한과 자책 속에서 쓸쓸하고 애잔한 목소리가 차분히 드러남
• **주제**: 잃어버린 고향 앞에서 느끼는 향수와 비애

바로 확인문제

01 「고향 앞에서」의 시간적 배경은 한겨울이다. (○ / ×)

02 3연의 '□□□ □□□'는 화자와 비슷한 상실감을 느끼고 있다.

03 「고향 앞에서」는 시각, 청각, 후각 등 다양한 심상이 감각적으로 사용되었다. (○ / ×)

| 정답 | 01 ×(한겨울 → 해빙될 무렵의 봄) 02 주인집 늙은이 03 ○

・**성격**: 남성적, 의지적, 상징적
・**표현**
　① 수미상관식 구성
　② 상징적 시어들의 사용
　③ 단호하고 강인한 남성적 어조
　④ 극도의 절제된 표현으로 동양화
　　를 연상시킴
　⑤ 낯설고 관념적인 한자어를 사용해,
　　심오한 의미와 관념성을 강화함
・**주제**: 현실을 초극하려는 굳은 의지

바로 확인문제

01 '□□'는 초월적 존재로 화자가 지
　향하는 모습을 지닌 객관적 상관물
　이라 할 수 있다.
02 '구름', '원뢰'는 '바위'와 상징하는 바
　가 유사한 시어이다. (ㅇ / ×)
03 「바위」의 화자는 인간적 감정은 물
　론 생명까지도 초월한 존재가 되고
　자 한다. (ㅇ / ×)

27 바위 | 유치환

┌ 초월적 존재
내 죽으면 한 개 **바위**가 되리라.　　　　　　　　　　　　　　　▶바위가 되겠다는 의지
화자의 비장한 각오와 결의(바위가 되고자 하는 것은 2~3행에 나오는 애련과 희로에서 벗어나서 자유로워지기 위한 것임)

아예 <u>애련(愛憐)</u>에 물들지 않고
애처롭고 가엾게 여김(인간적 감정)

<u>희로(喜怒)</u>에 움직이지 않고
기쁨과 노여움(인간적 감정)

「비와 바람에 깎이는 대로
외부의 자극이나 시련

<u>억 년(億年) 비정(非情)의 함묵(緘默)</u>에
애련과 희로의 감정을 영원히 버린 채로 입을 다물고

안으로 안으로만 채찍질하여　　　　　　　　「 」: ❶ 온갖 시련과 고난, 감정의 소용돌이를 내밀하게 극복하여,
　　　　　　　　　　　　　　　　　　　　　　　　드디어는 생명까지도 망각하게 되는 초연함을 가지게 됨
드디어 생명도 망각하고」　　　　　　　　　　❷ 내적인 고행의 과정

흐르는 **구름**　　　┌ ❶ 가변적이고 유동적인 속성을 지닌 것으로, '바위'와 대조되는 시어
머언 **원뢰(遠雷)**　└ ❷ 바위의 경지에 도달한 화자에게 주어지는 어떤 외적적 자극이나 유혹
　　└ 멀리서 들려오는 천둥 소리　　　　　　　　　　　　　　　▶유혹에 초연한 바위의 모습

「꿈꾸어도 노래하지 않고

두 쪽으로 깨뜨려져도

소리하지 않는 바위가 되리라.」　　　　　　　　　　　　　　　▶비정의 의지
「 」: 꿈(소망)이나 스스로의 파멸도 초극하려는 의지

┃이해와 감상

이 시는 흔들리지 않는 높은 정신세계에 대한 의지, 또는 현실에 대한 초극 의지를 형상화하고 있는 작품이다.
즉, 이 시에서 시적 화자는 애련과 희로의 감정도 거부하고, 어떠한 시련과 고난도 극복하며, 비정의 함묵을 유
지하면서 자신이 이상으로 설정한 '바위'가 되겠다는 의지를 보여 주고 있다. 또한 이러한 정서를 효과적으로
전달하기 위해서 단호하고 강인한 어조를 활용하여 극도의 절제된 표현을 사용하고 있다. 다만, 표현 측면에
대해서는 낯설고 관념적인 한자를 다소 직설적으로 사용했다는 비판을 받기도 한다.

이것은 소리 없는 아우성
깃발의 거센 움직임을 형상화한 것으로, 침묵하는 가운데서도 내적인 몸부림이 매우 강렬함을 나타냄(은유, 모순 형용), 시각의 청각화(공감각적 심상)

저 푸른 해원(海原)을 향하여 흔드는
　　　이상향　　　　　　　　미래나 아직 가 보지 못한 장소에 대한 그리움

영원한 노스탤지어의 손수건　　　　　　　　　　▶ 초월적 세계에 대한 향수
끝끝내 도달할 수 없는 향수

순정(純情)은 물결같이 바람에 나부끼고
이상향을 향한 순수하고 본질적인 마음

오로지 맑고 곧은 이념의 푯대 끝에
　　　　　　　　이상향에 도달할 수 없는 근원적 한계

애수(哀愁)는 백로처럼 날개를 펴다.　　　　　　▶ 깃발의 순수한 열정과 애수
영원한 이상에 도달할 수 없는 슬픔

「아! 누구던가?

이렇게 슬프고도 애달픈 마음을
이상 세계에 도달할 수 없는 인간적 한계에서 느끼는 슬픔

맨 처음 공중에 달 줄을 안 그는.」　　　　　　　▶ 인간 존재의 한계와 좌절의 아픔
「 」: 특정한 개인을 염두에 둔 질문이 아니라,
모든 인간이 그 대상이며, 결국 인간 존재의
근원적 본질을 파악한 질문임(영탄법, 도치법)

│ 이해와 감상

이 시는 '이상적 세계에 대한 동경과 좌절'이라는 정서를 형상화하고 있는 작품이다. 즉, 바다를 향해 나부끼지만 푯대에 묶여 있는 '깃발'이라는 소재를 사용하여, 이상적 세계를 동경하고 추구하지만 현실적 제약으로 인해서 도달할 수 없음을 드러내고 있다. 이러한 동경과 좌절의 정서를 효과적으로 형상화하기 위해서 중심 이미지인 깃발을 '아우성, 손수건, 순정, 애수, 마음' 등 다양한 대상에 비유하고 있으며, 공감각적 심상을 포함한 다양한 심상과 역설적 표현을 효과적으로 활용하고 있다.

- **성격**: 감상적, 허무적, 낭만적, 상징적, 역동적, 의지적
- **표현**
  ① 다양한 상징적 시어를 비유적으로 묘사
  ② 공감각적 심상(소리 없는 아우성), 역동적 이미지
  ③ 모순 형용(이것은 소리 없는 아우성)
  ④ 색채의 대조(푸른 해원과 백로)
  ⑤ 의인화, 도치법, 영탄법
- **주제**: 이상향에 대한 향수와 그 좌절

01 「깃발」에는 공감각적 심상을 통한 모순 형용이 나타난다. (ㅇ / ×)

02 '□□□ □□'는 이상향에 도달할 수 없는 근원적 한계를 가리킨다.

03 「깃발」의 화자는 결국 이상 세계에 도달할 수 있음을 깨닫게 된다.
　　　　　　　　　　　　　　(ㅇ / ×)

| 정답 |　01 ㅇ　　02 이념의 푯대
03 ×(있음 → 없음)

- **성격**: 전원적, 목가적, 자연 친화적, 관조적
- **표현**
  ① 시각적인 여백의 효과
  ② 간결한 종결, 경칭 서술어
  ③ 각운 사용(-요, -소, -오)
- **주제**
  ① 평화로운 전원에서의 여유로운 삶을 소망
  ② 전원생활을 통한 달관의 삶 추구

남(南)으로 창(窓)을 내겠소.
    ❶ 자연의 섭리에 순응해서 살겠다는 건강하고 낙천적인 삶의 태도
밭이 <u>한참갈이</u>   ❷ 일종의 선언으로, 양지(앞쪽, 태양)를 향한 화자의 건강한 삶에의 지향을 나타냄
    소로 잠깐이면 갈 수 있는 작은 논밭 – 안분지족하는 삶의 태도
팽이로 파고

호미론 김을 매지요.

▶1연: 전원에서의 소박한 생활

    ┌ 헛된 세속적 이익이나 명예 따위
구름이 꼬인다 갈 리 있소.
     유혹한다
새 노래는 공으로 들으랴오.
대가 없는 아름다운 자연
강냉이가 익걸랑

함께 와 <u>자셔도</u> 좋소.
    드셔도

▶2연: 자연을 즐기는 생활

「왜 사냐건

웃지요.」
「　」: 강한 체념과 달관의 경지(유머와 관조의 자세)

▶3연: 달관의 경지

▌이해와 감상

이 시는 전원적 공간에서 욕심 없이 살고자 하는 여유로운 정서를 형상화하고 있는 작품이다. 이러한 정서를 효과적으로 표현하기 위해서 각운의 요소(-요, -소, -오)를 활용하고 있을 뿐만 아니라, 시각적인 여백의 효과, 간결한 종결, 경칭 서술어 등을 활용하고 있다. 그러나 이 시가 창작된 일제 강점기의 현실을 고려했을 때 이 시에 나타나는 전원의 모습은 일종의 체념이나 도피로 볼 수도 있다.

바로 확인문제

01 「남으로 창을 내겠소」의 화자는 건강하고 낙천적인 삶을 지향하고 있다. (○ / ×)

02 2연의 '구름'은 화자가 추구하는 이상향을 의미한다. (○ / ×)

03 「남으로 창을 내겠소」의 화자의 생활 태도와 관계가 깊은 한자 성어는 '□□□□'이다.

| 정답 |　01 ○　02 ×(헛된 세속적 이익이나 명예를 의미한다.)　03 안분지족

30 절정(絕頂) | 이육사

매운 계절(季節)의 채찍에 갈겨
겨울의 혹독한 추위, 일제 강점하의 가혹한 탄압의 현실
마침내 북방(北方) 으로 휩쓸려 오다.
　　　　불가피하게 쫓겨 온 이역 공간(수평적 공간의 한계 – 평평한 땅에서 느끼는 수평적 공간에서의 극한 상황)

　　　　　　　　　　　　　　　　　　▶1연: 수평적 현실의 한계(기)

하늘도 그만 지쳐 끝난 고원(高原)
더 이상 쫓겨 달아날 곳도 없는　　　수직적 공간의 한계 – 높은 곳에서 느끼는 수직적 공간에서의 극한 상황. '북방'과 대비되는 공간
서릿발 칼날진 그 위에 서다.
극한 상황 상징

　　　　　　　　　　　　　　　　　　▶2연: 수직적 현실의 한계(승)

어데다 무릎을 꿇어야 하나
　　　　현실적 극한 상황의 극복을 위한 간절한 염원의 행동을 나타냄(기도)
한 발 재겨 디딜 곳조차 없다.
❶ 어떠한 형태로도 현실의 절박한 상황 극복이 허용되지 않는 극한 상태
❷ 소멸할 수밖에 없는 절망적 상황

　　　　　　　　　　　　　　　　　　▶3연: 극한 상황의 인식(전)

이러매 눈 감아 생각해 볼밖에　　　❶ 시적 자아가 존재할 수 있는 공간과 행위의 상실에서 마지막으로 할 수 있는 행위
시상 전환　　　　　　　　　　　❷ 새롭게 거듭할 무한한 세계가 전개될 계기가 되는 행동
겨울은 강철로 된 무지갠가 보다.
❶ 꿈과 희망이 있는 정신적 세계
❷ 현실에서 해결할 수 없는 대립을 인식함으로써 이를 해결하려는 시적 자아의 노력
❸ 역설을 통한 초극 의지

　　　　　　　　　　　　　　　　　　▶4연: 극한 상황의 초극 의지(결)

이해와 감상

이 시는 극한의 부정적 현실을 정신적 초극을 통해서 극복하고자 하는 의지를 형상화한 작품이다. 일제 강점기라는 당대의 현실을 고려했을 때, 시에서 제시된 극한적 상황과 정신적 초극 의지는 이 시를 저항시로 볼 수 있게 하는 주요 근거가 된다. 특히 이 작품은 형식적으로 보았을 때 전통적인 기승전결의 구성 방식과 선경 후정의 구성 방식을 지니고 있으며, 상징적 시어와 강인한 어조가 두드러지게 나타난다는 특징을 보인다.

단권화 MEMO

・**성격**: 의지적, 남성적, 저항적, 상징적, 지사적
・**표현**
　① 기승전결의 한시 형식과 상통
　② 표현의 간결성과 깊은 상징성 사이의 긴장
　③ 상징적 시어 사용(북방, 고원, 칼날, 무지개)
　④ 저항적 심상을 지닌 시어 사용이 두드러짐
　⑤ 역설적 표현을 통해 주제를 효과적으로 형상화
・**주제**: 매서운 극한 현실에서 거듭 다지는 결단의 의지(현실 초극 의지)

바로 확인문제

01 시의 정서와 작가의 삶을 고려하면 「절정」의 배경은 6・25 전쟁 무렵으로 볼 수 있다. (○ / ×)
02 "겨울은 강철로 된 무지갠가 보다." 는 극한 상황의 초월을 의미하는 □□적 표현이다.
03 「절정」은 '기승전결'의 구조를 갖추고 있다. (○ / ×)

| 정답 | 01 ×(6・25 전쟁 → 일제 강점기)　02 역설　03 ○

- **성격**: 남성적, 의지적, 저항적, 상징적
- **표현**
  ① 간결하고 강인한 어조
  ② '차라리, 아예, 차마' 등 강한 의지를 나타내는 단정적 시어 사용
- **주제**: 혹독한 시대 상황에 굴복하지 않는 강인한 의지

바로 확인문제

01 「교목」의 화자는 죽음까지 감수하려는 불굴의 의지로 외부의 압박을 이겨 내려 한다. (ㅇ / ×)

02 3연의 '호수'는 화자의 평온한 심리 상태를 상징한다. (ㅇ / ×)

03 「교목」은 □□적 □□형 어미를 활용하여 화자의 저항 의식을 강렬하게 표현하고 있다.

31 교목(喬木) | 이육사
'신념을 향한 절대적이고 치열한 지향 의식'을 상징하는 제목

푸른 하늘에 닿을 듯이
교목이 지향하는 이상 세계(조국 독립, 일체의 장애가 제거된 해방된 삶)

세월에 불타고 우뚝 남아 서서
교목이 겪은 세파(시련과 고난의 세월)

차라리 봄도 꽃 피진 말아라.
자기를 향한 강한 채찍질과 명령

▶1연: 이상을 향한 굽힐 수 없는 의지

낡은 거미집 휘두르고
암담한 현실적 조건

끝없는 꿈길에 혼자 설레이는
새로운 세계를 희구하는 마음, 자유와 광복을 위한 투쟁

마음은 아예 뉘우침 아니라.
자신이 선택한 길을 후회하지 않겠다는 뜻

▶2연: 후회 없는 삶의 결의

검은 그림자 쓸쓸하면
죽음과 파멸의 이미지 – 암담한 시대 상황

마침내 호수 속 깊이 거꾸러져
물의 이미지 → 죽음

차마 바람도 흔들진 못해라.
의지를 흔들고 굽히려는 외부적인 힘과 유혹

▶3연: 극한적 상황에 대한 대응

▍이해와 감상
이 시는 부정적 현실에 대한 강인한 저항 의지를 형상화하고 있는 작품이다. 즉, 곧은 이미지를 가진 '교목'이라는 소재와 부정적 현실을 환기시키는 '낡은 거미집', '검은 그림자' 등의 시어를 대비하여 주제를 효과적으로 표현하고 있다. 또한 정서를 효과적으로 형상화하기 위해서 상징적 시어와 함께 '차라리, 아예, 차마' 등의 부사와 '말아라, 아니라, 못해라'와 같은 부정적 명령형 어미의 시어를 적절히 활용하고 있는 특징을 보인다.

여행할 길의 경로와 거리를 적은 기록을 의미하는 말로, 시인은 이 작품을 통해 자신이 지난 시절에 겪었던 고통스러운 삶을 회상함

목숨이란 마─치 깨어진 뱃조각
　　　　　　　　유랑하며 불안하게 사는 삶의 무상감

여기저기 흩어져 마을이 구죽죽한 어촌보다 어설프고
　　　　　　　　　　　구질구질한

삶의 티끌만 오래 묵은 포범(布帆)처럼 달아 매었다.
의미도 가치도 없이 살아온　　베로 만든 돛
지니온 삶의 모습

▶1연: 화자가 살아온 어두웠던 삶

남들은 기뻤다는 젊은 날이었건만

밤마다 내 꿈은 서해를 밀항(密航)하는 정크와 같아
　　　　　　　　　　　　　작은 배

소금에 절고 조수(潮水)에 부풀어 올랐다.
시련의 연속이었던 젊은 날의 삶

▶2연: 고통과 상처만 남은 젊은 날

항상 흐릿한 밤 암초(暗礁)를 벗어나면 태풍과 싸워 가고
　　　　　　　└──────┘ 삶의 시련과 장애물

전설(傳說)에 읽어 본 산호도(珊瑚島)는 구경도 못 하는
　　　　　　　　　　화자가 추구하는 이상적인 세계

그곳은 남십자성(南十字星)이 비쳐 주도 않았다.
　　　　삶의 지표나 희망　　　　비춰 주지도

▶3연: 희망이 보이지 않는 암울한 상황

쫓기는 마음! 지친 몸이길래

그리운 지평선을 한숨에 기오르면
절망적 현실 상황을 극복하려는 모습. 자신의 염원을 이루기 위해 노력하는 모습

시궁치는 열대 식물처럼 발목을 에워쌌다.
　　└─ 절망적 현실이 화자를 구속하는 열악한 상황
　└ 시궁창. 절망적인 현실

▶4연: 지친 몸을 쉴 수조차 없는 어두운 현실

새벽 밀물에 밀려온 거미인 양
화자 자신의 모습(비주체성, 기생성)

다 삭아 빠진 소라 껍질에 나는 붙어 왔다.
상황에 휘둘리며 비주체적으로 살아온 비극적 삶의 모습(엄격한 자아 성찰의 산물)

머─ㄴ 항구의 노정(路程)에 흘러간 생활을 들여다보며.
지난 시절의 자신의 모습을 돌아보는 모습

▶5연: 쫓기고 지친 '나'의 모습

- **성격**: 고백적, 자기 성찰적, 회고적
- **표현**
  ① 다양한 비유와 상징적 시어를 통해 화자의 고통스러운 삶을 형상화함
  ② '물'의 흐름을 통해 화자의 노정이 제시됨
  ③ 독백체의 어조를 통해 자기 성찰적 삶의 자세를 드러냄
  ④ 삶에 대한 비극적 인식이 바탕이 됨
  ⑤ 대립적 시어(산호도, 남십자성 ↔ 밤, 암초, 태풍)를 사용하여 현재의 상황을 제시함
- **주제**: 힘겹게 살아온 지난날의 어두웠던 삶에 대한 회고와 성찰

❙ 이해와 감상

이 시는 힘겹게 살아온 삶에 대한 회고와 성찰을 형상화한 작품이다. 즉, 시적 화자는 '물'의 흐름을 통해서 자신의 인생 노정을 드러내고 있는데, 이러한 자신의 인생은 '깨어진 뱃조각, 서해를 밀항하는 정크' 같았고 자신을 비춰 줄 '남십자성' 하나 없었음을 고백한다. 이러한 시적 화자의 모습은 일제 강점기 현실을 고려했을 때 일제에 대한 저항과 투쟁으로 점철된 시인의 고단한 삶의 역정을 반영한다고 할 수 있다. 형식적으로는 독백체의 어조를 통해 자기 성찰적 삶의 자세를 드러내고 있으며 대립적 시어(산호도, 남십자성 ↔ 밤, 암초, 태풍)를 사용하여 현재의 상황을 비유적으로 제시하고 있다.

• **성격**: 회고적, 고백적, 자기 성찰적, 의지적, 반성적, 미래 지향적
• **표현**
　① 다양한 상징적 표현의 사용
　② 대립적 시어를 통해 시적 대상을 시각적으로 형상화
• **주제**: 자기 성찰을 통한 암울한 현실의 극복 의지

33 쉽게 씌어진 시 | 윤동주

창(窓)밖에 밤비가 속살거려 ── ❶ 시적 화자의 쓸쓸한 심정을 더욱 고조시키는 배경(암담한 시대적 상황)
　　　　　　　　　　　　　　　 ❷ 화자로 하여금 자신을 성찰하게 하는 계기가 됨
┌ '나'를 구속하는 한계 상황으로, 구속과 부자연스러운 삶의 공간을 상징
육첩방(六疊房)은 남의 나라,
화자가 처한 현실적 상황이 단적으로 드러난 표현(일본 유학 시절)

시인(詩人)이란 슬픈 천명(天命)인 줄 알면서도
현실 문제에 직접 참여하지 못하고 '시'로서밖에 말하지 못하는 소극적인 삶에 대한 괴로움
한 줄 시(詩)를 적어 볼까,

　　　　　　　　　　　　　　　　　　　　　　　▶1~2연: 슬픈 현실 인식

땀내와 사랑내 포근히 품긴

보내 주신 학비 봉투(學費封套)를 받아

대학(大學) 노─트를 끼고

늙은 교수(敎授)의 강의 들으러 간다.
❶ 현실과는 동떨어진 학문
❷ 화자의 고민을 해결해 주지 못하는 무기력한 학문
❸ 학문 세계에 대한 회의적 생각이 반영됨

　　　　　　　　　　　　　　　　　　　　　　　▶3~4연: 현재의 삶에 대한 회의

생각해 보면 어린 때 동무를

하나, 둘, 죄다 잃어버리고

나는 무얼 바라

나는 다만, 홀로 침전(沈澱)하는 것일까?
　　　　　　　　　　희망도 없이 무의미한 생활을 해 나가는 데 대한 자책감과 부끄러움

「인생(人生)은 살기 어렵다는데

시(詩)가 이렇게 쉽게 씌어지는 것은

부끄러운 일이다.」
「　」: 자아와 시대 현실과의 괴리감 - 반성적 자기 성찰
　　　　　　　　　　　　　　　　　　　　　　　▶5~7연: 반성적 성찰

육첩방(六疊房)은 남의 나라

창(窓)밖에 밤비가 속살거리는데

┌ 희망, 저항 의지   ┌ 부정적 현실(일제 강점기)
등불을 밝혀 어둠을 조금 내몰고,
화자를 실의에 빠지게 했던 모든 요소들을 부정하려는 엄숙한 결의
시대(時代)처럼 올 아침을 기다리는 최후(最後)의 나,
새로운 세계가 열리는 때   └ 희망, 광복   자기 성찰을 통해 성숙한 현실적·내면적 자아
(개인적 번민으로부터 해방되는 시기)

나는 나에게 작은 손을 내밀어
나(우울하고 무기력한 삶을 살아가는 자아)는 나(삶을 반성하고 극복하는 자아)에게
눈물과 위안으로 잡는 최초(最初)의 악수(握手).
분열된 두 자아의 화해

　　　　　　　　　　　　　　　　　　　　　　　▶8~10연: 현실 극복의 의지

01 「쉽게 씌어진 시」는 작품 전반에 자기 성찰을 통한 □□□□의 정서가 두드러진다.

02 9연의 '□□'과 □□'은 희망과 극복, 저항 등을 상징한다.

03 「쉽게 씌어진 시」의 화자는 자아와 현실 사이에서 괴리감을 느끼지만, 결국 분열을 극복하고자 한다.
　　　　　　　　　　　　　　　(o / x)

| 정답 |　01 부끄러움　02 등불, 아침
03 o

▌이해와 감상
이 시는 자기 성찰을 통해서 암울한 현실을 극복하고자 하는 의지를 드러내고 있는 작품이다. 특히나 작품 전반에 자기 성찰을 통한 부끄러움의 정서가 두드러진다. 즉, 시적 화자는 자신이 있는 곳이 남의 나라임을 자각하고 시를 적어 보지만 자신의 삶은 늙은 교수의 강의를 들으러 다닐 뿐이며 어린 시절의 순수함은 상실했다고 반성하고 있다. 이 작품이 창작된 일제 강점기의 현실을 고려했을 때 이러한 시적 화자의 성찰과 부끄러움의 정서는 시대의 현실에 적극적으로 대응하지 못하는 자신의 모습에 대한 인식에서 온 것이라고 볼 수 있다.

┌ 자기 성찰(참회)의 매개체
파란 녹이 낀 |구리거울| 속에
식민 지배하의 지욕스러운 민족적 현실
내 얼굴이 남아 있는 것은
욕된 망국인의 모습(무기력한 자아)
어느 왕조(王朝)의 유물(遺物)이기에
일제에 망한 조선 왕조
이다지도 욕될까.
❶ 감당할 수 없는 치욕감
❷ 국권 상실의 역사에 대한 빈감 및 젊은 나이로 시간을 헛되이 보내고 있는 스스로에 대한 혐오감

▶1연: 지난날에 대한 참회

나는 나의 참회(懺悔)의 글을 한 줄에 줄이자.
부끄럽고 무의미한 삶이었기에
── 만 이십사 년 일 개월을   중언부언할 필요가 없음
지나온 삶의 전부
무슨 기쁨을 바라 살아왔던가.
지난 삶에 대한 뼈저린 회한

내일이나 모레나 그 어느 즐거운 날에
밝은 미래, 조국 광복이 이루어지는 날
나는 또 한 줄의 참회록(懺悔錄)을 써야 한다.
현재의 참회에 상응하는 삶을 살아야 한다는 당위성을 인식한 데서 비롯된 것
── 그때 그 젊은 나이에

왜 그런 부끄런 고백(告白)을 했던가.
역사적 시련에 적극적으로 대항하지 못하고
소극적 고백이나 하였던 자신에 대한 자책감

「밤이면 밤마다 나의 거울을
민족의 현실이 암울할수록   「 」: 거울을 닦는 행위
                                   ❶ 투철한 자기 성찰
손바닥으로 발바닥으로 닦아 보자.」 ❷ 흐트러진 민족의 현실을 가다듬어, 민족적 자아를
온몸으로, 혼신의 노력   되찾고 시대적 양심을 실현하려는 노력

▶2~4연: 자아 성찰을 위한 노력

그러면 어느 운석(隕石) 밑으로 홀로 걸어가는
죽음, 파괴와 소멸과 절망의 세계(식민지의 암울한 현실)
슬픈 사람의 뒷모양이
암담한 현실 상황 속에서 욕된 역사에 대한 책임을 홀로 지고 참회하는 망국인의 슬픈 뒷모습 → 속죄양 이미지
거울 속에 나타나 온다.

▶5연: 자신의 미래에 대한 전망

이해와 감상

이 시는 부정적인 자신의 삶을 '거울'이라는 매개체를 통해서 반성하고 성찰하는 정서를 형상화하고 있는 작품이다. 이 작품에서 '거울'은 자신을 비추어 성찰하게 하는 매개체일 뿐만 아니라 역사적 현실을 성찰하게 하는 도구로서 활용되고 있다. 즉, 시적 화자의 역사 인식을 드러내는 도구로서도 활용되고 있는 것이다.

단권화 MEMO

• **성격**: 자기 성찰적, 고백적, 참여적, 상징적, 반성적
• **표현**
  ① 시간의 흐름(과거 → 현재 → 미래)에 따른 시상의 전개
  ② 자신에 대한 성찰을 통해 자아의 모습을 확인하려 함
• **주제**: 투철한 역사 인식을 동반한 끊임없는 자기 성찰(역사에 대한 책임감과 참회)

바로 확인문제

01 □□□□은 화자가 자기 성찰을 하는 매개체의 역할을 한다.

02 3연의 '즐거운 날'과 4연의 '밤'이 상징하는 의미는 동일하다. (○ / ×)

03 이 시는 '과거−현재−미래'의 흐름에 따라 시상을 전개하고 있다.
(○ / ×)

| 정답 | 01 구리거울 02 ×('즐거운 날'은 밝은 미래[조국 광복의 날]를, '밤'은 암울한 시대 현실을 상징한다.)
03 ○

35 꽃덤불 | 신석정

- **성격**: 상징적, 독백적, 비판적, 관조적, 참여적
- **표현**
  ① 현실 비판적, 참여적, 회고적 어조
  ② 밝음과 어둠의 대립적 이미지
  ③ 반복에 의한 리듬감(3연)
  ④ 상징적 시어 사용
- **주제**: 이상적이고 새로운 민족 공동체 건설에 대한 염원과 기대

태양을 의논하는 거룩한 이야기는

항상 태양을 등진 곳에서만 비롯하였다.

○ : ❶ 빛, 밝음, 광명, 생명력, 절대 가치, 영원성 등의 원형적 상징
❷ 장차 이루어야 할 조국의 밝은 미래(조국의 광복)
❸ 민족 내부의 대립과 갈등을 극복하고 우리 민족이 궁극적으로 도달해야 할 목표
□ : 일제 강점기의 암울하고 절망적인 상황

▶1연: 광복 전의 어두운 현실

달빛이 흡사 비오듯 쏟아지는 밤에도

우리는 헐어진 성터를 헤매이면서
　　　식민지 시대의 황량하고 음울한 상황 속에서 방황하고 괴로워하던 민족적 체험
언제 참으로 그 언제 우리 하늘에

오롯한 태양을 모시겠느냐고

「가슴을 쥐어뜯으며 이야기하며 이야기하며

가슴을 쥐어뜯지 않았느냐?」
「 」: 반복을 통해 조국 광복에 대한 염원이 얼마나 절박하고 깊었던가를 표현함

▶2연: 독립을 위한 노력

그러는 동안에 영영 잃어버린 벗도 있다.
　　　목숨을 잃어버린 벗(죽은 자)
그러는 동안에 멀리 떠나버린 벗도 있다.
　　　조국 해방을 위한 노력을 포기한 벗(유랑자)
그러는 동안에 몸을 팔아 버린 벗도 있다.
　　　생계나 목숨을 위해 노동이나 협력을 통해 일제에 동조한 사람(변절자)
그러는 동안에 맘을 팔아 버린 벗도 있다.
　　　전향자

그러는 동안에 드디어 서른여섯 해가 지나갔다.
이 시가 외재적 배경을 지니고 있음을 드러낸 문장으로, 광복 직후에 씌어졌음을 알 수 있음

▶3~4연: 변절한 동지들과 일제 강점의 종식

다시 우러러보는 이 하늘에
광복 후의 조국
겨울밤 달이 아직도 차거니
광복이 되었음에도 좌우익의 이념 갈등 등으로 겪어야만 했던 극심한 사회적 혼란을 나타낸 부분
오는 봄엔 분수처럼 쏟아지는 태양을 안고
완전하고 진정한 광복이 이루어지는 때
그 어느 언덕 꽃덤불에 아늑히 안겨 보리라.
┌ 해방 공간 속에서도 태양(꽃덤불)에 온전히 안기지도 못한 상황
└ 우리 민족 전체가 진정으로 갈망하는 세계

▶5연: 새로운 국가 건설에 대한 기대

01 「꽃덤불」은 일제 강점기에 창작된 작품이다. (○ / ×)
02 「꽃덤불」은 유사한 통사 구조를 반복하여 □□□을 형성하고 있다.
03 「꽃덤불」의 화자는 혼란스러운 상황을 극복하고 진정한 화합을 이룬 조국을 추구하고 있다. (○ / ×)

┃이해와 감상

이 시는 새로운 민족 국가 건설에 대한 염원을 강하게 드러내고 있는 작품이다. 즉, 시적 화자는 '태양'으로 표현된 새로운 민족 국가를 건설하기 위한 그동안의 노력과 아픔을 언급하면서, 그러는 동안 변절해 갔던 동료들에 대한 안타까움을 드러낸다. 또한 현재는 아직 '겨울밤'이라는 인식과 함께 '새로운 봄에는 태양을 안고 꽃덤불에 안기겠다'는 기대를 드러내고 있다. 이러한 모습은 해방 직후 좌우익의 대립이 극심했던 시기에 새로운 민족 국가 건설에 대한 시인의 희망을 드러내고 있는 것으로 볼 수 있다.

36 이별가(離別歌) | 박목월

뮈락카노, 저편 강기슭에서
　　저승
니 뮈락카노 바람에 불려서
　　화자와 상대방 사이를 갈라놓는 장애물

이승 아니믄 저승으로 떠나는 뱃머리에서
　　　　　　　이승과 저승의 갈림길
나의 목소리도 바람에 날려서

☐ : ❶ 운율적 효과
❷ 소박한 정감의 절실한 분위기를 이끄는 시어
❸ 의사소통의 어려움을 표현한 구절

뮈락카노 뮈락카노
　　　　┌ 이승에서 맺은 인연('연결', '결합'을 의미)
썩어서 동아 밧줄은 삭아 내리는데
죽음으로 인해 이승에서의 인연이 소멸되는 상황

하직을 말자, 하직 말자
이별에 대한 거부의 몸짓
인연은 갈밭을 건너는 (바람)
❶ 인연의 허무함, 덧없음을 나타내는 말
❷ 속세의 인연은 끝났지만, 바람(초월적 존재)에 의한 새로운 인연에 대한 깨달음

▶ 1~4연: 운명적 이별

뮈락카노 뮈락카노 뮈락카노

니 흰 옷자락기만 펄럭거리고…….
　　수의 - '죽음' 상징

오냐, 오냐, 오냐.┌ ❶ '만남 → 헤어짐 → 또다시 만남'이라는 진리에 대한 깨달음
　　　　　　　└ ❷ 현실적 이별에 대한 수용·체념의 대답
이승 아니믄 저승에서라도…….

이승 아니믄 저승에서라도

인연은 갈밭을 건너는 (바람)
　　　　　이승과 저승을 이어 주는 존재

▶ 5~7연: 이승과 저승의 끊을 수 없는 인연

뮈락카노, 저편 강기슭에서

니 음성은 바람에 불려서
죽은 이와의 단절감

「오냐, 오냐, 오냐.
　　　　　　┌ '나'의 목소리를 죽은 이에게 전달해 주는 존재
나의 목소리도 바람에 날려서.」
「 」: 운명적 순응에서 오는 초극의 대답

▶ 8~9연: 운명에 순응하며 이별의 정한 초극

▍이해와 감상

이 시는 전통적인 이별의 정한을 '뮈락카노'라는 질문과 '오냐'라는 대답이라는 구조를 통해서 절실히 형상화하고 있는 작품이다. 작품 내에서 시적 화자는 강 저편 상대의 말을 알아들을 수가 없다. 왜냐하면 바람이 방해하고 있기 때문이다. 그러나 결국 '인연은 갈밭을 건너는 바람'이라는 인식을 얻으면서 바람은 두 사람의 말을 연결해 주고 있다. 즉, '바람에 불려서'와 '바람에 날려서'처럼 장애물의 이미지로 사용되던 바람은 화자와 '니(너)'를 연결해 주는 역할로 변하게 되는 것이다. 또한 이 작품은 경상도 방언을 활용하여 현장감과 향토감을 형성할 뿐만 아니라 방언을 적절히 반복하여 사용함으로써 전달하고자 하는 정서를 더욱 강조하여 표현하고 있다.

단권화 MEMO

• 성격: 전통적, 상징적, 관조적, 초월적
• 표현
　① 반복과 점층을 통한 그리움과 안타까움의 고조
　② 말끝을 감춤으로써 말로 표현하기 어려운 정서를 표출함
　③ 사투리를 적절히 사용하여 현실감과 운율의 효과를 동시에 얻음
　④ '뮈락카노(삶의 본질에 대한 질문)'와 '오냐(현실 상황에 대한 수긍)'라는 시어가 시 전체를 이끎
• 주제: 생사를 초월한 그리움과 한 (전통적인 이별의 정한)

바로 확인문제

01 「이별가」는 반복과 점강을 통해 그리움과 안타까움의 정서를 심화하고 있다. (O / ×)

02 '☐☐'은 장애물의 이미지에서 연결의 매개체로 그 역할이 변하고 있다.

03 「이별가」의 화자는 시적 대상과의 인연이 삶과 죽음의 경계를 초월할 수 있다고 여긴다. (O / ×)

| 정답 | 01 ×(점강 → 점층) 02 바람 03 O

37 승무(僧舞) | 조지훈

- 성격: 전통적, 불교적, 묘사적, 예찬적
- 표현
  ① 수미상관적 구성
  ② 순우리말을 잘 다듬어 시적으로 사용함(하이얀, 나빌레라, 파르라니, 감추오고, 모두오고, 감기우고, 귀또리, 외씨버선, 살포시, 이밤사)
- 주제
  ① 인간 번뇌의 종교적 승화
  ② 삶의 번뇌와 해탈의 염원

얇은 사(紗) 하이얀 고깔은
　　비단
고이 접어서 나빌레라.
　　　　　나비로구나

파르라니 깎은 머리
박사(薄紗) 고깔에 감추오고,
얇은 비단

두 볼에 흐르는 빛이
정작으로 고와서 서러워라.
　　　역설적인 표현(여승의 모습이 너무 아름다워 오히려 서럽게 느껴짐)

　　　　　　　　　　　　　　　　　　▶1~3연: 여승의 차림새와 인상

빈 대(臺)에 황촉(黃燭) 불이 말없이 녹는 밤에
오동잎 잎새마다 달이 지는데,
오동잎이 떨어질 때마다 달을 가리는 모습을 달이 진다고 표현함 → 애상적 정서

　　　　　　　　　　　　　　　　　　▶4연: 승무의 배경

소매는 길어서 하늘은 넓고,
돌아설 듯 날아가며 사뿐히 접어 올린 외씨버선이여!

까만 눈동자 살포시 들어
먼 하늘 한 개 |별빛|에 모두오고,
　　　　　　종교적인 소망(염원)의 대상

복사꽃 고운 뺨에 아롱질 듯 두 방울이야
눈물. 세속적 번뇌
세사(世事)에 시달려도 번뇌(煩惱)는 별빛이라.
세속의 정한에 시달리면서 얻게 된 온갖 번뇌의 종교적 승화(역설적 표현)

「휘어져 감기우고 다시 접어 뻗는 손이
깊은 마음속 거룩한 합장(合掌)인 양하고,」
　　　　　　　　세속의 번뇌를 넘어서고자 하는 마음가짐과 의지
「　」: 춤사위를 합장에 비유함(경건성 부여)

　　　　　　　　　　　　　　　　　　▶5~8연: 승무의 춤 동작

이 밤사 귀또리도 지새우는 삼경(三更)인데,
얇은 사(紗) 하이얀 고깔은 고이 접어서 나빌레라.
수미상관

　　　　　　　　　　　　　　　　　　▶9연: 시간의 흐름과 승무의 여운

▌이해와 감상

이 시는 승무를 통한 세속적인 번뇌의 종교적 승화를 주제 의식으로 하는 작품이다. 즉, 이 작품의 시적 화자는 가을밤 혼자서 승무를 추는 여승의 모습을 바라보고 있으며 이러한 여승의 승무는 단순한 무용이 아닌 세상의 번뇌에서 벗어나기 위한 일종의 의식으로 그려지고 있다. 지상적인 것과 천상적인 것의 대립과 순우리말을 잘 다듬어 사용(하이얀, 나빌레라, 파르라니, 감추오고, 모두오고, 감기우고 등: 시적 허용)함으로써 주제 의식을 효과적으로 드러내고 있다.

01 「승무」는 예스러운 순우리말 시어를 통해 우리말의 아름다움을 살리고 있다. (○ / ×)

02 3연의 '고와서 서러워라'와 7연의 '번뇌는 별빛이라'는 반어적 표현이다. (○ / ×)

03 운율과 어감을 살리기 위해 '하이얀', '감추오고' 등과 같이 '□□□□'을 사용하였다.

| 정답 | 01 ○ 02 ×(반어 → 역설)
03 시적 허용

38 봉황수(鳳凰愁) | 조지훈
봉황의 슬픔. 봉황은 우리 민족의 상징임

사라진 지난날의 영화로움   나라를 좀먹는 무리와 외세의 침략자 상징

벌레 먹은 두리기둥, 빛 낡은 단청(丹靑), 풍경 소리 날아간 추녀 끝에는 산새도 비둘기도 둥

주리를 마구 쳤다. 큰 나라 섬기다 거미줄 친 옥좌(玉座) 위엔 여의주(如意珠) 희롱하는 쌍룡(雙
      사대주의   왕조의 패망, 주권의 상실   중국 천자의 상징

龍) 대신에 두 마리 봉황새를 틀어 올렸다. 어느 땐들 봉황이 울었으랴만 푸르른 하늘 밑 추석
    나약한 조선 왕조의 상징   당당하게 국가적 영광을 제대로 펼쳐 보지 못한 우리 민족의 역사적 현실

           ┌ 옛날 조신(朝臣)들이 입던 예복의 좌우에 늘이어 차던 옥
(甃石)을 밟고 가는 나의 그림자. 패옥(佩玉) 소리도 없었다. 품석(品石) 옆에서 정일품(正
당당히 설 자리를 찾지 못하는 망국인의 모습   국권 상실의 현실 상징

一品), 종구품(從九品) 어느 줄에도 나의 몸둘 곳은 바이 없었다. 눈물이 속된 줄을 모를 양이면
식민지 지식인이 설 자리의 부재함, 국권 상실의 허망감이 드러남   운명을 슬퍼하여 눈물짓는 일은 속되고 부질없음

봉황새야 구천(九泉)에 호곡(號哭)하리라.
┌ 가장 높은 하늘   소리 내어 슬피 욺
└ 우리 민족을 상징

▎이해와 감상
이 시는 망국의 안타까움과 비애의 정서를 형상화하고 있는 작품이다. 시적 화자는 퇴락해 버린 고궁의 모습을 관찰하면서 망국의 원인을 짐작하기도 하고 망국민이 된 자신의 모습에 슬픔을 느끼는 모습을 드러내기도 한다. 또한 형식적으로는 화자의 시선이 외부 풍경에서 내면으로 옮겨지는 선경 후정의 시상 전개 방식을 사용하고 있으며, 예스러운 어조를 사용하여 화자의 정서를 절실히 드러내고 있다.

단권화 MEMO

- **성격**: 회고적, 의고적, 산문적, 고전적, 우국적
- **표현**
  ① 행이나 연의 구분이 없는 산문시
  ② 선경 후정에 의한 시상 전개
  ③ 감정 이입의 기법을 통해 화자의 정서를 드러냄
- **주제**: 망국의 한과 비애

바로 확인문제

01 「봉황수」는 정해진 율격과 음보에 맞춰 시상을 전개하고 있다.
(○ / ×)

02 '□□'과 '□□'을 대비함으로써 사대주의적 역사에 대한 비판적 시각을 드러내고 있다.

03 「봉황수」는 사물을 통해 화자의 정서를 간접적으로 드러내고 있다.
(○ / ×)

| 정답 | 01 ×(정해진 율격이나 음보가 없는 산문시이다.)   02 쌍룡, 봉황   03 ○

39 종소리 | 박남수

- **성격**: 주지적, 남성적, 역동적, 시각적, 의지적
- **표현**
  ① 거센소리(ㅊ, ㅌ, ㅍ)의 사용으로 감정과 어조의 긴장 및 격앙을 효과적으로 표현함
  ② 형태에 의한 적절한 통제
  ③ 의인법, 도치법, 은유법의 활용
- **주제**: 자유의 확산과 자유를 추구하는 정신

┌─ 종소리의 의인화
나는 떠난다. 청동(靑銅)의 표면에서
종소리가 울려 퍼지기 시작하는 순간

일제히 날아가는 진폭(振幅)의 새가 되어,
　　　　　　　　　　❶ 종소리 ①
　　　　　　　　　　❷ 종소리가 울려 퍼지는 상태를 날아가는 새의 몸짓으로 표현함(청각의 시각화)
광막한 하나의 울음이 되어,　　❸ 종소리를 '새'로 표현한 것은 '자유'의 이미지를 나타내기 위함임
종소리 ② - 아득히 멀리 거침없이 울려 퍼지는 종소리

하나의 소리가 되어.
종소리 ③ - 의미를 띤 외침(자유의 외침)

　　　　　　　　　　　　　　　　　▶1연: 울려 퍼지는 종소리

인종(忍從)은 끝이 났는가.
억압과 구속으로부터의 자유(물음의 형식이지만 담담한 심정을 표현한 것임)

청동의 벽에
　　□: 역사를 가두어 놓은 칠흑의 감방 - 자유를 구속당한 어둠과 절망의 역사
'역사'를 가두어 놓은

칠흑의 감방에서.

　　　　　　　　　　　　　　　　　▶2연: 갇혀 있던 종소리

나는 바람에 실리어

들에서는 푸름이 된다.
종소리 ④
　　　　　　　◯: ❶ 소망, 행복, 평화를 의미하는 것으로 볼 수 있음
꽃에서는 웃음이 되고,　　❷ 들, 꽃, 천상에서 볼 수 있는 가장 본질적이고도 이상적인 모습
종소리 ⑤

천상에서는 악기가 된다.
종소리 ⑥

　　　　　　　　　　　　　　　　　▶3연: 종소리의 변신

먹구름이 깔리면
폭력, 억압, 횡포, 절망의 삶

하늘의 꼭지에서 터지는
천상의 끝(횡포에 저항하는 정도를 강조하기 위한 표현)

뇌성(雷聲)이 되어
종소리 ⑦ - 먹구름을 참지 못해 나오는 소리(자유를 구가하는 우람한 외침)

가루 가루 가루의 음향(音響)이 된다.
종소리 ⑧ - 곱고 부드러운 소리로 울려 퍼지는 자유의 소리(청각의 시각화)

　　　　　　　　　　　　　　　　　▶4연: 종소리의 확산

▌이해와 감상

이 시는 자유를 추구하는 정신, 자유의 확산이라는 주제 의식을 주지주의의 기법으로 형상화한 작품이다. 즉, 종소리라는 청각적 대상을 시각적 심상으로 표현하면서도 감정의 적절한 절제를 통해서 균형 있는 정서를 드러내고 있다. 이 시의 시적 화자이자 대상인 '종소리'는 '청동의 벽', '칠흑의 감방'으로부터 자유의 공간으로 확산되어 나갈 뿐 아니라 '푸름', '웃음', '악기', '뇌성' 등으로 변신하며 퍼져 나가는 '자유'의 모습을 형상화하고 있다.

바로 확인문제

01 「종소리」의 주제는 자유의 확산과 자유를 추구하는 정신으로 볼 수 있다. (○ / ✕)

02 1행의 '나'는 '종소리'를 상징하며, 표현법 중 □□□이 쓰였다.

| 정답 | 01 ○　02 의인법

40 휴전선(休戰線) | 박봉우

『산과 산이 마주 향하고 믿음이 없는 <u>얼굴과 얼굴</u>이 마주 향한 항시 어두움 속에서 꼭 한번은
_{국토}   _{우리 민족}

<u>천둥 같은 화산(火山)</u>이 일어날 것을 알면서 요런 자세(姿勢)로 <u>꽃</u>이 되어야 쓰는가.』
_{전쟁 암시}

    ❶ 실제의 꽃이 아닌 삼엄하게 정지되어 있는 '상황의 꽃'　　❶ 아무런 대처 방안도 없이 속수무책인 상황
    ❷ 극악한 상황이 꽃으로 환치된 역설적 표현　　　　　　❷ 휴전으로 어정쩡한 평화가 일시적으로 이루어진 상황
    ❸ '꽃'은 연약한 이미지를 주며, 짧은 순간 피었다 결국 지고 마는 것으로, 일시적　　▶1연: 분단 상황에 대한 준엄한 인식
       평화 상태나 그런 불안정한 상황 속에 놓인 한시적인 삶을 뜻하는 소재

저어 서로 응시하는 쌀쌀한 풍경, 아름다운 풍토는 이미 <u>고구려(高句麗)</u> 같은 정신도 <u>신라(新</u>
_{대륙을 호령한 고구려의 기상과 개척 정신}

<u>羅)</u> 같은 이야기도 없는가. 별들이 차지한 하늘은 끝끝내 하나인데…… 우리 무엇에 불안한 얼
_{삼국 통일을 이룬 나라}

굴의 의미(意味)는 여기에 있었던가.

                           ▶2연: 불안한 대치 상황에서 느끼는 감상

            ❶ 나무 한 그루 없는 비무장 지대의 허허로운 벌판
            ❷ 우리를 지켜 줄 울타리 하나 없이 불안에 떨어야 하는 상황

모든 유혈(流血)은 꿈같이 가고 지금도 <u>나무 하나 안심하고 서 있지 못할 광장(廣場)</u>. 아직도

<u>정맥은 끊어진 채 휴식(休息.)</u>인가, <u>야위어 가는 이야기뿐인가.</u>
_{남한과 북한의 분단}　　　　　　　　　　_{휴전이 아닌 분단으로 점차 이행되어 가는 답답한 현실}

              ▶3연: 한국 전쟁으로 인한 민족의 피폐하고 불안한 현실

언제 한번은 불고야 말 <u>독사의 혀 같은 징그러운 바람</u>이여. <u>너도 이미 아는 모진 겨우살이</u>를
           _{조용한 듯하지만 '전운(戰雲)'이 감도는 상황}　　　　_{한국 전쟁과 같은 비극적인 상황에 처하는 것}

또 한 번 겪어야 하는가. 아무런 죄(罪)도 없이 피어난 꽃은 시방의 자리에서 얼마를 더 살아야

하는가. 아름다운 길은 이뿐인가.

                ▶4연: 다시 일어날지 모르는 전쟁에 대한 공포

『산과 산이 마주 향하고 믿음이 없는 얼굴과 얼굴이 마주 향한 항시 어두움 속에서 꼭 한번은

천둥 같은 화산(火山)이 일어날 것을 알면서 요런 자세(姿勢)로 꽃이 되어야 쓰는가.』
「　」: ❶ 전쟁을 일시적으로 멈추고 숨죽이고 있는 듯 양극으로 대치되어 있는 상태와 그 위기감
     ❷ 분단 현실을 직시하고 이를 극복하고자 하는 현실 인식을 보여 줌
     ❸ 수미상관

                   ▶5연: 대립과 증오의 현실 개탄

❚ 이해와 감상

이 시는 '휴전선'이라는 소재를 활용하여 우리 민족이 처한 분단 현실에 대한 인식과 극복 의지를 형상화하고 있는 작품이다. 즉, 시적 화자는 언젠가 꼭 한번은 일어날 천둥 같은 화산을 걱정하면서 과연 지금의 이 상태가 최선인지에 대해 질문을 던지고 현재의 분단이 극복되어야 한다는 인식과 의지를 드러내고 있다. 이러한 주제 의식을 효과적으로 드러내기 위해서 상징, 직유법, 수미상관식 구성, 의문형 종결 어미를 활용한 영탄적 어조 등을 적절히 활용하고 있다.

단권화 MEMO

• **성격**: 현실 참여적, 산문적, 상징적, 비판적

• **표현**
  ① 수미상관적 구성
  ② 의문형 종결로 안타까움을 영탄적으로 표출함
  ③ 사투리 사용으로 삶과 밀착된 정서를 대변함

• **주제**
  ① 분단 현실에 대한 인식과 대응 자세
  ② 민족의 화해와 분단 극복에 대한 열망

바로 확인문제

01 「휴전선」은 분단 극복과 민족의 통일에 대한 시적 화자의 강렬한 소망을 드러내고 있다. (○ / ×)

02 시어 '□'은 정지되어 있는 일시적인 평화를 상징한다.

03 '천둥 같은 화산'과 '별들이 차지한 하늘'의 함축적 의미는 동일하다.
                  (○ / ×)

| 정답 | 01 ○ 02 꽃 03 ×('천둥 같은 화산'은 언젠가 또다시 닥쳐올 전쟁을, '별들이 차지한 하늘'은 통일을 의미한다.)

41 꽃을 위한 서시(序詩) | 김춘수

나는 시방 위험(危險)한 짐승이다.
_{대상의 본질을 깨닫지 못하는 무지한 존재(윤리적 위험이 아닌 지적 위험)}

나의 손이 닿으면 너는
_꽃

미지(未知)의 까마득한 어둠이 된다.
_{대상이 지닌 참의미를 분별하지 못한 상태}

존재의 흔들리는 가지 끝에서
_{존재의 불안전성, 실존적 위기 상황을 묘사}

너는 이름도 없이 피었다 진다.
_{무의미하게}

▶1~2연: 존재의 본질을 인식하지 못하는 상태

눈시울에 젖어 드는 이 무명(無名)의 어둠에
_{존재의 본질이 드러나지 않은 상태}

추억(追憶)의 한 접시 불을 밝히고
_{지나온 삶의 과정에서 얻은 모든 경험과 감성의 정수(精髓)}

나는 한밤 내 운다.

❶ 사물의 본질을 포착하려는 노력을 통해 발현되는 힘
❷ 인식 주체의 끊이지 않는 생명력과 역동성을 표상

나의 울음은 차츰 아닌 밤 돌개바람이 되어

탑(塔)을 흔들다가
❶ 너무도 견고하여 결코 흔들리지 않을 것 같은 대상
❷ 꽃 한 송이의 의미조차 만들어 낼 수 없는 무너져야 할 허망한 인식의 탑

돌에까지 스미면 금(金)이 될 것이다.
_{존재의 본질이}　_{찬란함, 불변, 영원한 가치를 상징하는 말}
_{감추어진 대상}

▶3~4연: 존재의 본질을 발견하기 위한 화자의 노력

_{시간의 경과, 깨달음에 이르는 시간의 추이}
……얼굴을 가리운 나의 신부(新婦)여.
_{분명히 인식되지 못한 꽃의 실체}

▶5연: 존재의 본질 파악의 어려움

▌이해와 감상
이 시는 존재의 본질을 인식하기 위한 노력과 그 어려움을 형상화하고 있는 작품이다. 즉, 시적 화자는 '너'와 '꽃'과 '신부'로 표현된 존재의 본질을 인식하기 위해서 부단히 노력한다. 그러나 존재의 본질은 쉽게 인식되지 않는다. 하지만 시적 화자는 포기하지 않고 한밤 내 우는 노력을 통해서 돌에 스미는 금을 만들 것이라는 태도를 드러내고 있다. 즉, 끊임없는 인식에 대한 노력을 통해서 존재의 본질을 파악할 수 있다는 가능성을 보여 주고 있는 것이다. 한편으로는 '얼굴을 가리운'에서 알 수 있듯이 존재의 본질은 끝끝내 알 수 없다는 인식의 한계성 또한 제시하고 있다.

42 어느 날 고궁(古宮)을 나오면서 | 김수영

왜 나는 조그마한 일에만 분개하는가. _{일상적이고 사소한 일, 비본질적인 사건에 대해서는 예민하게 반응하면서 정작 본질적인 것에 대해서는 방관하고 있는 화자 자신의 허위의식을 폭로하는 말}

「저 왕궁(王宮) 대신에 왕궁(王宮)의 음탕 대신에
_{독재 지배자들의 권력의 산실로, 타파되어야 할 부패한 권력을 상징함}

50원짜리 갈비가 기름덩어리만 나왔다고 분개하고

옹졸하게 분개하고 설렁탕집 돼지 같은 주인년한테 욕을 하고」
_{욕설과 비어들은 시인 자신의 속된 모습을 드러내기 위한 의도적인 장치임}

옹졸하게 욕을 하고

「　」: 화자는 사소한 일상의 문제에 대해서는 민감하게 반응하면서도, 왕궁으로 상징되는 역사에 대해서는 외면하는 이중적 태도를 보임

▶1연: 조그마한 일에만 분개하는 나

한번 정정당당하게 / 불잡혀 간 소설가를 위하여
<small>남정현을 지칭하는 것으로 보임. 남정현은 1965년 발표한 소설 「분지(糞地)」로 인해 반공법으로 기소된 바가 있음</small>
언론의 자유를 요구하고 월남(越南) 파병(派兵)에 반대하는
<small>가치 있는 일</small>
자유를 이행하지 못하고 / 20원을 받으러 세 번씩 네 번씩

찾아오는 야경꾼들만 증오하고 있는가.

▶2연: 옹졸한 삶에 대한 반성

「옹졸한 나의 전통은 유구하고 이제 내 앞에 정서(情緒)로 / 가로놓여 있다.」
<small>「　」: 본질적인 현상을 도외시하는 삶이 시적 화자에게 체질화되었음 – 반어적 표현</small>
이를테면 이런 일이 있었다. / 부산에 포로수용소의 제14 야전 병원에 있을 때

정보원이 너스들과 스펀지를 만들고 거즈를 / 개키고 있는 나를 보고 포로 경찰이 되지 않는다고

남자가 뭐 이런 일을 하고 있느냐고 놀린 일이 있었다.

너스들 옆에서

▶3연: 포로수용소 시절부터 체질화된 나의 옹졸한 삶

지금도 내가 반항하고 있는 것은 이 스펀지 만들기와
<small>가치 없는 일</small>
거즈 접고 있는 일과 조금도 다름없다.
<small>가치 없는 일</small>
「개의 울음소리를 듣고 그 비명에 지고 / 머리에 피도 안 마른 애놈의 투정에 진다.

떨어지는 은행나무 잎도 내가 밟고 가는 가시밭」
<small>「　」: 사소한 일상사도 견디기 어려운 고통이나 고난으로 받아들일 정도로,
화자 자신이 현재 왜소하고 보잘것없고 옹졸한 존재임을 강조</small>

▶4연: 옹졸하게 반항하는 왜소한 자신에 대한 반성

<small>┌ 비판과 저항의 한복판</small>
아무래도 나는 비켜서 있다. 절정(絕頂) 위에는 서 있지
<small>방관자적 자세, 실천하지 못하는 소시민적 모습</small>
않고 암만해도 조금쯤 옆으로 비켜서 있다.

그리고 조금쯤 옆에 서 있는 것이 조금쯤 / 비겁한 것이라고 알고 있다!

▶5연: 절정에서 비켜 서 있는 나의 삶

그러니까 이렇게 옹졸하게 반항한다.
<small>강하게 저항하지 못하고 옹졸하게 반항하는 시적 화자의 자기반성이 담겨 있음</small>
이발쟁이에게
　　　　　　　　　　　　　○: 힘이 없는 자
　　　　　　　　　　　　　□: 권력이나 힘을 가진 자
땅 주인에게는 못 하고 이발쟁이에게

구청 직원에게는 못 하고 동회 직원에게도 못 하고

야경꾼에게 20원 때문에 10원 때문에 1원 때문에 / 우습지 않으냐 1원 때문에

▶6연: 옹졸하게 반항하는 현재의 삶에 대한 비판

「모래야 나는 얼마큼 작으냐. / 바람아 먼지야 풀아 난 얼마큼 작으냐.

정말 얼마큼 작으냐……」
<small>「　」: '모래, 바람, 먼지, 풀'의 자연과 대비되는 화자의 정신적 왜소함을 자조함</small>

▶7연: 자조적인 자기반성

▮이해와 감상

이 시는 현실의 모순과 부조리에 저항하지 못하고 소시민적 삶을 살고 있는 자신의 모습을 성찰하고 비판하는 정서를 형상화한 작품이다. 이를 위하여 시적 화자는 국내외적으로 부조리한 상황(소설가와 언론에 대한 정치적인 탄압, 월남 파병 등의 자유에 대한 강압)이 전개되는 시대 현실에는 맞서지 못하면서 일상의 사소한 일에만 분개하는 자신의 옹졸함과 비겁함에 대해서 자조하는 모습을 보이고 있다.

단권화 MEMO

· **성격**: 현실 참여적, 소시민적, 반성적, 비판적
· **표현**
① 억압적 현실에 대항하지 못하는 지식인의 무능과 허위를 폭로함
② 자조적 표현을 통해 독자들에게 교훈적·반성적 태도를 유도함
③ 대조적 대상들을 설정하여 시상을 전개함
· **주제**
① 불의와 부조리에 저항하지 못하는 소시민적 삶의 자세에 대한 비판과 반성
② 지식인의 무능과 허위 의식에 대한 고발과 자기반성

바로 확인문제

01 「어느 날 고궁을 나오면서」의 화자는 자신의 부끄러운 모습을 자책하고 있다. (O / X)

02 부끄러운 소시민의 삶을 살아가는 화자의 □□□인 태도는 독자들에게 자신의 삶을 되돌아보게 한다.

03 「어느 날 고궁을 나오면서」의 화자는 진정 분노해야 할 대상으로 '설렁탕집 주인, 땅 주인, 구청 직원' 등을 가리키고 있다. (O / X)

| 정답 | 01 O 02 자조적
03 X(설렁탕집 주인 ×)

- **성격**: 상징적, 주지적, 의지적, 참여적, 역동적, 비판적
- **표현**
  ① '눕다 ↔ 일어나다', '울다 ↔ 웃다'라는 네 개의 동사가 반복되는 대립 구조
  ② 반복을 통해 시의 역동감과 리듬감을 획득함
- **주제**: 민중의 끈질기고 강인한 생명력

43 풀 | 김수영

풀이 눕는다.
　　풀의 여리고 나약하고 수동적인 모습
비를 몰아오는 동풍에 나부껴

풀은 눕고

드디어 울었다.
　　　　나약한 '풀'의 모습
날이 흐려져 더 울다가
억압하는 세력이 기승을 부리는 현실
다시 누웠다.

○: ❶ 여리고 상처받기 쉽지만 질긴 생명력을 지닌 존재
　　❷ 권력자에 천대받고 억압받으면서도 질긴 생명력으로 불의에 저항해 온 민중(민초)들

△: ❶ 반민중 세력, 억압, 독재 권력, 가혹한 현실, 자유로운 삶을 억압하는 힘(정치 경제적 권력)
　　❷ '풀'과 대립적인 심상

▶1연: 풀의 나약함

풀이 눕는다.

바람보다도 더 빨리 눕는다.
겁을 먹고 미리 굴복함
바람보다도 더 빨리 울고

바람보다 먼저 일어난다.

□: 풀과 바람의 대립적 국면을 좀 더 확실하게 하는 기능을 함

❶ 민중의 각성
❷ 억압을 뚫고 저항하는 행위
❸ 강인한 생명력을 지닌 풀의 모습으로 전환되는 부분

▶2연: 풀의 생명력

날이 흐리고 풀이 눕는다.

발목까지

발밑까지 눕는다.

바람보다 늦게 누워도

바람보다 먼저 일어나고
풀의 강인한 생명력
바람보다 늦게 울어도

바람보다 먼저 웃는다.
고난에 굴하지 않는 풀의 의연함
날이 흐리고 풀뿌리가 눕는다.
비관적이고 부정적인 현실 인식

▶3연: 더 강해진 풀의 생명력과 어두운 현실

이해와 감상
이 시는 '풀'이라는 소재를 사용하여 민중들의 강인한 생명력을 형상화한 작품이다. 즉, 시적 화자는 '풀과 바람', '눕는다 – 일어난다', '울었다 – 웃는다'와 같은 대립적 이미지의 시어를 활용함으로써 풀로 상징된 민중들의 강인한 생명력을 드러내고 있다. 하지만 마지막 연의 "날이 흐리고 풀뿌리가 눕는다."에서 앞으로의 전망을 비관적으로 보는 모습이 드러나기도 한다.

01 '□'은 나약하지만 강인한 생명력을 지닌 민중을, '□□'은 부조리한 독재 권력과 민중을 억압하는 외부 세력을 의미한다.

02 「풀」은 대립 구조의 반복으로 리듬감을 형성하고 주제를 한층 강화한다. (○ / ×)

03 2연에서 '풀'의 능동성을, 3연에서 '풀'의 끈질긴 생명력을 점층적으로 제시하며 1, 2연과 3연이 상호 대조적인 관계이다. (○ / ×)

| 정답 | 01 풀, 바람 02 ○
03 ×(1, 2연과 3연 → 1연과 2, 3연)

44 껍데기는 가라 | 신동엽

껍데기는 가라.
거짓(가짜), 허세, 외세, 무력, 독재, 불의 등

사월도 알맹이만 남고
순수, 정의, 바람직한 것, 한국적인 것 등

껍데기는 가라.

▶1연: 4월 혁명의 순수성

껍데기는 가라.

동학년(東學年) 곰나루의, 그 아우성만 살고
└─ 순수한 열정
❶ 1894년 외세에 맞서 민족 자주를 목표로 혁명을 일으켰던 동학 혁명의 진원지
❷ 곰나루는 충남 공주의 옛 이름

껍데기는 가라.

▶2연: 동학 혁명의 순수성

그리하여, 다시
강조하기 위함

껍데기는 가라.

┌─ 가장 본질적이고 원초적인 민중의 세계
이곳에선, 두 가슴과 그곳까지 내논
허위와 가식이 전혀 없는

아사달 아사녀가
껍데기에 전혀 물들지 않은 순수한 우리 민족의 표상

중립(中立)의 초례청 앞에 서서
이념을 초월한 민족 대화합의 장소

부끄럼 빛내며

맞절할지니
민족의 화합과 통일

▶3연: 이 땅의 순수한 아름다움 회복에 대한 소망

껍데기는 가라

한라에서 백두까지
❶ 한반도 전체(조국)를 가리킴(대유법) ❷ 4·19 혁명의 자유와 평등 사상이 통일 사상으로까지 확대

향그러운 흙가슴만 남고
순수한 정신, 평화와 통일의 정신

그, 모오든 쇠붙이는 가라.
껍데기의 대표적 존재,
총알·전쟁·무력·폭력·군사 등을 상징

▶4연: 분단된 조국 현실의 극복에 대한 의지

▌이해와 감상

이 시는 순수한 민족의 삶 회복과 남북 간의 화합이라는 주제 의식을 드러내는 작품이다. 시적 화자는 부정적인 것을 의미하는 '껍데기'에 대해서 강한 어조로 "껍데기는 가라."라고 외치고 있으며, '알맹이'로 표현되는 여러 시어들과 '껍데기'로 표현되는 시어를 대비시킴으로써 염원하는 세계를 강조하여 표현하였다.

바로 확인문제

01 '껍데기'와 의미가 대조되는 시어는 '□□□'(이)다.

02 '껍데기', '아우성', '쇠붙이'는 우리 민족이 지양해야 할 불의, 폭력 등을 상징한다. (○ / ×)

03 「껍데기는 가라」는 반복과 대조를 통해 주제 의식을 강조하고 있다.
(○ / ×)

| 정답 | 01 알맹이 02 ×('아우성'은 순수한 열정을 상징한다.) 03 ○

• 성격: 비판적, 저항적, 의지적, 현실
참여적, 상징적, 점층적
• 표현
① 의인화('너')를 통해 민주주의를
향한 소망의 간절함을 나타냄
② 반복과 점층을 통해 내재적 리듬
을 형성하고, 화자의 강한 의지
를 드러냄
③ 단호하고 격정적인 어조와 상징
적 시어의 구사
• 주제: 민주주의 실현에의 강한 열망
과 기다림

45 타는 목마름으로 | 김지하

신새벽 뒷골목에
❶ 밝은 곳에서 떳떳하게 민주주의를 부르지 못하는 시대 현실
❷ 시간상 밝음의 이미지(순수와 자유의 생명이 탄생하는 시간)와 공간상 어둠의 이미지
(감추어지고 그늘진 뒷골목이라는 공간)가 교차됨

네 이름을 쓴다 민주주의여
의인화
❸ 밝은 미래와 현실의 어둠이 대비된 표현

내 머리는 너를 잊은 지 오래
서정적 자아가 민주주의를 까맣게 잊고 있었다는 사실 토로

내 발길은 너를 잊은 지 너무도 너무도 오래

오직 한 가닥 있어
민주주의에 대한 열망이 추상적 관념이 아니라 생존의 문제와 직결되어 있음을 암시

타는 가슴속 목마름의 기억이
현실의 억압 때문에 잊고 있었던 민주주의에 대한 기억을 염원과 갈망의 힘으로 끈질기게 되새긴다는 표현

네 이름을 남몰래 쓴다 민주주의여.
떳떳하게 내세우지 못하는 행위에서 비극적 연민의 감정을 유발시키는 표현

▶1연: 민주주의에 대한 열망

아직 동트지 않은 뒷골목의 어딘가
민주주의가 살아 숨 쉬는 바람직한 사회 구현이 이루어지지 않았음을 암시

발자욱 소리 호르락 소리 문 두드리는 소리
압제의 소리로서 독재 정권의 무자비한 탄압의 소리임

외마디 길고 긴 누군가의 비명 소리

신음 소리 통곡 소리 탄식 소리 」 그 속에 내 가슴팍 속에
「 」: 공포와 고통의 시대 상황 암시   민주주의의 실현을 위해 고통을 견디는 현실의 모습들을 자아의 내면에 동화시킴

깊이깊이 새겨지는 네 이름 위에

네 이름의 외로운 눈부심 위에
모순 형용(역설), 민주주의를 향한 고통과 희망이 동시에 스며 있는 표현임

살아오는 삶의 아픔

살아오는 저 푸르른 자유의 추억
민주주의, 자유 시대에 대한 희망적인 기억

되살아오는 끌려가던 벗들의 피묻은 얼굴

떨리는 손 떨리는 가슴

떨리는 치떨리는 노여움 」으로 나무판자에
「 」: 분노의 점층적 격앙

백묵으로 서툰 솜씨로

쓴다.

▶2연: 암울한 시대적 고통과 분노

숨죽여 흐느끼며

네 이름을 남몰래 쓴다.

타는 목마름으로

타는 목마름으로

민주주의여 만세.

▶3연: 민주주의에 대한 간절한 기다림

이해와 감상

이 시는 군부 독재의 시대 상황 속에서 민주주의에 대한 강한 갈망의 정서를 형상화한 작품이다. 이를 위하여 시적 화자는 첫째 연에서 '신새벽 뒷골목'이라는 후미진 곳에서만 간신히 행해지는 민주화 투쟁을 보여 준다. 둘째 연에서는 여러 가지 소리의 중첩을 통해 이 시대의 공포와 고통을 생생하게 드러낸다. 셋째 연에서는 남 몰래 타는 목마름으로 '민주주의 만세'를 쓸 수밖에 없었던 절박한 상황을 보여 주고 있다. 형식적으로는 의인 화를 통해 민주주의를 향한 소망의 간절함을 나타내고 있으며, 반복과 점층을 통해 리듬을 형성하고 화자의 강한 의지를 드러내고 있다.

01 「타는 목마름으로」에서는 '민주주
의'를 '나'로 의인화하고 있다.
(○ / ×)

02 1연의 '신새벽 뒷골목'은 어두운 현
실과 곧 밝아 올 미래를 상징한다.
(○ / ×)

03 「타는 목마름으로」에서는 현실 탄
압의 상황을 □□적 이미지로 표현
하고 있다.

| 정답 | 01 ×(나 → 너) 02 ○
03 청각

46 저문 강에 삽을 씻고 | 정희성

흐르는 것이 물뿐이랴.
└ 노동자의 삶 또는 노동자의 비애를 상징

우리가 저와 같아서
└ ❶ 우리의 삶을 흐르는 강물에 비유함
└ ❷ 흘러서 가고 오고, 차고, 기울고 하면서 끊임없는 반복을 통해 자기 완성을 이루어 가는 것이
　　우리의 인생과 유사함

「강변에 나가 삽을 씻으며
└ 노동자의 생계 수단

거기 슬픔도 퍼다 버린다.」　　　　　　　　　　　　　　　▶강물에서 발견한 인생의 의미
「　」: 강물을 바라보며 하루의 고단함이나 설움을 씻어 보려고 하는 모습

일이 끝나 저물어

스스로 깊어 가는 강을 보며

「쭈그려 앉아 담배나 피우고

나는 돌아갈 뿐이다.」　　　　　　　　　　　　　　　　　　▶삶의 무력감
「　」: 삶에 대한 무기력하고 체념적인 태도

「삽자루에 맡긴 한 생애가

이렇게 저물고, 저물어서」
「　」: 화자의 처지를 짐작게 하는 표현으로, 중년을 넘어서는 노동자임을 추측할 수 있음

샛강 바닥 썩은 물에
화자가 처한 상황이 황폐하고도 부정적인 현실임을 암시하는 표현

달이 뜨는구나.　❶ 절망 속에서 발견한 희망(노동의 피로와 우울한 심경을 위로해 줌)　▶암담한 노동의 현실 인식
　　　　　　　　❷ 삶의 순환과 반복

우리가 저와 같아서
'강' 혹은 '달'의 의미를 동시에 지니고 있는 중의적 시어

「흐르는 물에 삽을 씻고

먹을 것 없는 사람들의 마을로

다시 어두워 돌아가야 한다.」　　　　　　　　　　　　　　▶암담한 현실에 대한 체념
「　」: ❶ 고단한 삶을 쉴 수 있는 가난하고 누추한 곳으로 다시 돌아가는 힘겨운 모습
　　　❷ 삶의 조건이 열악하더라도 그것을 수용하지 않을 수 없다는 체념적인 태도가 엿보임

▌이해와 감상

이 시는 노동자의 힘겨운 삶에 대한 성찰과 비애의 정서를 형상화하고 있는 작품이다. 즉, 시적 화자는 지나온 자신의 인생을 되돌아보면서 슬픔과 무기력함을 느끼지만 그런 상황에서 체념적 태도를 드러낸다. 또한 샛강에 뜨는 달을 보며 언젠가 희망이 생길 것을 막연하게나마 기대하기도 한다. 그러나 그가 돌아가는 곳은 결국 먹을 것 없는 사람들의 마을이라는 점에서 미래에 대한 전망이 긍정적이라고 보기는 어렵다.

단권화 MEMO'

- 성격: 비유적, 성찰적, 회고적
- 표현
  ① 감정의 절제를 통해 지식인인 시인과 노동자인 화자 사이의 균형을 획득함
  ② 인생을 자연물인 '강'의 이미지와 결합하여 시적 의미를 획득함
- 주제
  ① 노동자로 살아온 인생에 대한 성찰
  ② 가난한 도시 근로자들의 삶의 비애

바로 확인문제

01 「저문 강에 삽을 씻고」의 화자는 암담한 현실 속에서 희망 없이 힘들게 살아가는 노동자의 삶을 보여 준다.
　　　　　　　　　　　(○ / ×)

02 「저문 강에 삽을 씻고」의 화자는 가난한 도시 근로자들의 삶을 격앙된 어조로 비판하고 있다. (○ / ×)

03 □은 노동자의 삶과 비애를 상징한다.

| 정답 | 01 ○　02 ×(격앙된 어조로 비판 → 절제된 어조로 성찰)　03 물

47 벼 │ 이성부

• 성격: 상징적, 참여적, 예찬적, 민중적
• 표현
　① 벼의 생장과 수확의 과정에 따라
　　단계적으로 전개함
　② 역사의식을 토대로 민중들의 덕
　　성에 대해 예찬적 태도를 취함
• 주제: 민중의 강인한 생명력과 공동
　체적 유대

벼는 서로 어우러져
공동체 의식에 바탕을 둔 민중. 민족의식과 생명 의지 상징

기대고 산다.

햇살 따가워질수록
벼의 생존을 위협하는 외적 상황. 현실의 고난이나 시련

깊이 익어 스스로를 아끼고

이웃들에게 저를 맡긴다.

▶1연: 벼의 외면적 모습

「서로가 서로의 몸을 묶어

더 튼튼해진 백성들」을 보아라.
「　」: 개인으로 존재할 때보다 함께할 때 더 큰 힘을 발휘할 줄 아는 민중의 저력

「죄도 없이 죄지어서 더욱 불타는
┌ 벼가 가장 성숙한 모습일 때

마음들」을 보아라, 벼가 춤출 때,
「　」: 역사 속에서 끊임없이 강요당하는 민중들의 억압과 고통, 그러한 고통에도 굴하지 않는 저항 의식

벼는 소리 없이 떠나간다.
스스로의 이기적인 삶을 버리고 대의를 위해 희생하는 모습

▶2연: 벼의 내면적 덕성

벼는 가을 하늘에도

서러운 눈 씻어 맑게 다스릴 줄 알고
서러움을 달래는 모습

바람 한 점에도

제 몸의 노여움을 덮는다.
노여움을 삭일 줄 아는 모습

저의 가슴도 더운 줄을 안다.
불의에 저항할 줄 아는 뜨거운 가슴의 소유자들

▶3연: 벼의 내면적 태도

「벼가 떠나가며 바치는

이 넓디넓은 사랑.」
「　」: 자기희생을 통해 사랑을 가르치는 벼 – 민중의 끈질긴 생명력의 원천

쓰러지고 쓰러지고 다시 일어서서 드리는

이 피 묻은 그리움,
민중이 열망하는 자유와 평등

이 넉넉한 힘……
민중이 지닌 저력

▶4연: 벼에 대한 예찬

┃이해와 감상

이 시는 민중들의 강인한 생명력과 연대 의식을 형상화하고 있는 작품이다. 이를 위해 '벼'라는 친숙한 소재를 활용하여 민족, 민중의 공동체 의식을 나타내고 있으며 비유와 상징의 기법으로써 주제를 형상화하고 있다. 또한 기·승·전·결의 4연 구성을 통해서 벼의 외면적 모습, 벼의 내면적 덕성, 벼의 내면적 태도, 벼에 대한 예찬의 과정에 따라 시상을 전개하고 있다.

바로 확인문제

01 「벼」는 '벼'의 다양한 형상을 통해
　민중의 삶의 모습을 형상화한 시로,
　□□에 의한 표현 방식을 사용하고
　있다.

02 1연의 '햇살'은 '벼'의 성장을 돕는
　긍정적인 존재이다. (○ / ×)

03 4연의 '피 묻은 그리움'은 민중이 열
　망하는 자유와 평등을 뜻한다.
　　　　　　　　　　　　(○ / ×)

┃정답┃　01 유추　02 ×(햇살: '벼'의
생존을 위협하는 고난과 시련)　03 ○

48 농무(農舞) | 신경림

징이 울린다 막이 내렸다.
　　　　　　　농민들의 슬픔과 한을 암시하는 표현
오동나무에 전등이 매어 달린 가설무대

구경꾼이 돌아가고 난 텅 빈 운동장
　　　　　　　　　　무너져 가는 농촌 현실 – 공허함
우리는 분이 얼룩진 얼굴로

학교 앞 소줏집에 몰려 술을 마신다

답답하고 고달프게 사는 것이 원통하다.　　　　　　　▶농무를 끝낸 후 허탈함
소외된 농민들의 한과 울분이 직설적으로 드러남
「꽹과리를 앞장세워 장거리로 나서면

따라붙어 악을 쓰는 건 쪼무래기들뿐

처녀 애들은 기름집 담벽에 붙어 서서

철없이 킬킬대는구나.」　　　　　　　　　　　　　　▶농악패의 초라한 행렬
「　」: 젊은이들이 떠나고 예전과는 달라진 농촌 현실
보름달은 밝아 어떤 녀석은

꺽정이처럼 울부짖고 또 어떤 녀석은
백정 출신의 의적인 임꺽정을 가리키는 것 – 모순된 현실에 저항하는 사람
서림이처럼 해해대지만 이까짓
임꺽정의 모사였으나 결국 권력에 붙어 임꺽정을 배신한 인물 – 모순된 현실에 타협하는 사람
산 구석에 처박혀 발버둥 친들 무엇하랴.
자조적, 체념적
비룟값도 안 나오는 농사 따위야
현실에 대한 농민들의 비극적 인식
아예 여편네에게나 맡겨 두고　　　　　　　　　　　▶농촌 현실에 대한 울분

쇠전을 거쳐 도수장 앞에 와 돌 때
우시장　　　　　　도살장, 삶의 울분과 한을 토로할 수 있는 분위기 연출
우리는 점점 신명이 난다.
울분의 역설적 표출
「한 다리를 들고 날라리를 불꺼나.

고갯짓을 하고 어깨를 흔들거나.」　　　　　　　　　▶농무로 울분을 달램
「　」: 절망과 한의 몸짓

이해와 감상
이 시는 소외된 농민들의 울분과 한을 사실적으로 형상화하고 있는 작품이다. 이를 위해서 더 이상 본래의 기능을 수행하지 못하고 구경거리가 된 '농무'를 소재로 등장시키고 있으며, 이러한 농무를 추는 농민들의 울분을 절실히 드러내고 있다. 이러한 모습은 1970년대에 산업화에 소외된 농민들의 모습을 형상화한 것으로 볼 수 있다. 또한 장소의 이동에 따른 서사적 시상 전개 방식을 사용하고 있으며, 일상어를 적절히 활용하고 있다.

단권화 MEMO

• 성격: 사실적, 묘사적, 현실 비판적, 참여적
• 표현
　① 직설적 감정 토로
　② 민요적 가락이 두드러지고 역설적 기법이 드러남
　③ 스토리적 요소의 재미와 사실적 기법의 배합
• 주제: 농민들이 피폐한 농촌 현실에서 느끼는 한과 고뇌의 삶

바로 확인문제

01 「농무」는 1970년대 산업화에 소외된 농민들의 현실을 묘사한 작품이다. (○ / ×)
02 '□□'은 농민의 울분을 역설적으로 드러내는 시어이다.
03 '꺽정이'와 '서림이'는 1970년대 농민들의 현실과 조선 시대 농촌 현실 사이의 차이를 드러낸다. (○ / ×)

| 정답 | 01 ○　02 신명　03 ×(차이가 없음을 드러낸다.)

49 목계 장터 | 신경림
근대화가 이루어지기 전에는 서울로 가는 길목의 하나였음

• **성격**: 비유적, 상징적, 독백적, 향토적
• **표현**
 ① 4음보의 안정된 율격과 일정한 어미의 반복
 ② 비유적이고 향토적 시어의 사용과 독백적 어조
 ③ '하고', '하네', '−라네' 등의 어미가 반복적으로 구사되어 생동감 있는 시상이 전개됨
 ④ 방랑(구름, 바람, 잔바람, 방물장수)과 정착(들꽃, 잔돌)의 심상이 교체되어 나타남
• **주제**: 떠돌이 민중의 삶의 애환과 갈등

하늘은 날더러 구름이 되라 하고   ☐: 떠돌이의 삶, 방랑, 유랑, 초연한 삶, 자유로움 등의 이미지

땅은 날더러 바람이 되라 하네.

청룡 흑룡 흩어져 비 개인 나루
비를 몰고 오는 구름의 형상을 상징
잡초나 일깨우는 잔바람이 되라네.

뱃길이라 서울 사흘 목계 나루에
전통적 민요 리듬을 깔고 있는 이 시의 특성상 4음보의 시적 운율을 위해 축약
아흐레 나흘 찾아 박가분 파는

가을볕도 서러운 방물장수 되라네.   ▶유랑하는 삶

산은 날더러 들꽃이 되라 하고
      └─ 한곳에 정착하여 삶을 견뎌 내는(인내) 것들
강은 날더러 잔돌이 되라 하네.

산서리 맵차거든 풀 속에 얼굴 묻고
     └─ 모진 시련이 닥치거든(민중의 삶의 애환)
물여울 모질거든 바위 뒤에 붙으라네.   ▶정착하는 삶

민물 새우 끓어 넘는 토방 툇마루
풍성하고 넉넉한 인심을 의미
「석삼년에 한 이레쯤 천치로 변해
      순진무구하면서도 탈세속적인 삶을 사는 사람
짐 부리고 앉아 쉬는 떠돌이」가 되라네.   ▶고달픈 민중의 삶
「 」: 세속적이고 일상적인 삶의 틀이나 구속으로부터 벗어나, 삶의 고달픔을 잊어 보고자 하는 시적 자아의 의지를 표상
「하늘은 날더러 바람이 되라 하고

산은 날더러 잔돌이 되라 하네.」   ▶유랑과 정착의 삶에서 갈등하는 민중
「 」: 차라리 천치가 되어 짐 부리고 앉아 쉬고 싶지만, 몸은 끝없이 떠돌 수밖에 없는 처지에 대한 인식이 바탕이 된 운명의 소리

│ 이해와 감상
이 시는 떠도는 민중의 삶의 애환과 갈등을 형상화하고 있는 작품이다. 즉, 이 시에서는 방황과 유랑의 이미지를 나타내는 시어(구름, 바람, 잔바람, 방물장수)들과 정착의 이미지를 드러내는 시어(들꽃, 잔돌)들을 적절히 활용함으로써 떠도는 삶을 살고 있는 민중이 겪는 애환과 갈등을 드러내고 있다. 특히 4음보의 안정된 율격과 일정한 어미의 반복, 비유적이고 향토적인 시어와 독백적 어조의 사용은 이러한 정서를 효과적으로 형상화하는 데 기여하고 있다.

바로 확인문제

01 「목계 장터」는 ☐음보의 민요적 율격이다.
02 '들꽃'과 '잔돌'은 정착의 이미지를, '구름'과 '바람'은 방랑의 이미지를 상징하는 시어이다. (○ / ×)
03 「목계 장터」는 3인칭 화자의 독백으로 시상을 전개하고 있다. (○ / ×)

│ 정답 │ 01 4 02 ○ 03 × (3인칭 → 1인칭)

50 사평역에서 | 곽재구

막차는 좀처럼 오지 않았다.
❶ 쓸쓸하고 외로운 분위기이 소재
❷ 기다림의 대상
❸ 쓸쓸한 간이역의 풍경과 고단한 삶을 살아가는 사람들의 모습을 부각하는 역할

대합실 밖에는 밤새 송이눈이 쌓이고

흰 보라 수수꽃 눈 시린 유리창마다

톱밥 난로가 지펴지고 있었다.
춥고 쓸쓸하고 우울한 분위기에 다소 따뜻한 위안을 주는 소재

「그믐처럼 몇은 졸고

몇은 감기에 쿨럭이고」
「 」: 힘겨운 삶에 지친 모습을 암시

그리웠던 순간들을 생각하며 나는
현재와는 다른, 아름답고 따뜻했던 과거의 시간

한 줌의 톱밥을 불빛 속에 던져 주었다. ▶ 대합실의 사람들
가난하고 소외된 이들에 대한 따뜻한 인간애

내면 깊숙이 할 말들은 가득해도
지금까지 살아온 내력에 대한 이야기

청색의 손바닥을 불빛 속에 적셔 두고
푸른색과 붉은색의 시각적 대조

모두들 아무 말도 하지 않았다.
고달픈 삶을 표현

「산다는 것이 때론 술에 취한 듯

한 두름의 굴비 한 광주리의 사과를
정성스럽게 준비한 것이나 그다지 자랑스러울 것은 없는 소재

만지작거리며 귀향하는 기분으로

침묵해야 한다는 것을」
「 」: 산다는 것은 지친 영혼의 안식처가 되는 고향에 가는 듯한 마음으로 침묵(현실의 고통을 감내)해야 함

모두들 알고 있었다. ▶ 애환과 고달픔을 간직한 사람들

「오래 앓은 기침 소리와

쓴 약 같은 입술 담배 연기」속에서
「 」: 막차를 기다리는 사람들이 힘겹게 살아가고 있음을 암시

싸륵싸륵 눈꽃은 쌓이고

그래 지금은 모두들
┌ 삶의 애환을 달래 주는 자연의 소리
눈꽃의 화음에 귀를 적신다.
눈 내리는 창밖의 풍경을 바라보는 모습을 감각적으로 표현함

자정 넘으면

낯설음도 뼈아픔도 다 설원인데

단풍잎 같은 몇 잎의 차창을 달고

밤 열차는 또 어디로 흘러가는지
고단한 인생 역정

그리웠던 순간들을 호명하며 나는
┌ 소외된 사람들을 향한 연민과 사랑
한 줌의 눈물을 불빛 속에 던져 주었다. ▶ 삶에 대한 연민과 위로
서글픈 인생에 대한 화자의 동류의식(동병상련)

이해와 감상

이 시는 고단한 삶을 살고 있는 서민들의 삶의 애환과 그에 대한 연민과 위로의 정서를 형상화하고 있는 작품이다. 시적 화자는 늦은 시간에 막차를 기다리며 역사에 있는 서민들의 모습을 드러내면서 이들에 대해 따뜻한 연민과 위로의 시선을 보내고 있다. 특히 냉온의 감각적 이미지를 적절히 활용하고 담담하고 차분한 어조를 활용하여 이러한 정서를 형상화하는 데 기여하고 있다.

• 성격: 묘사적, 애상적, 감각적, 자기
  성찰적, 회고적
• 표현
  ① 찬 '눈'과 '톱밥 난로'와 같이 냉온
    감각을 대조함
  ② 외적 상황을 내적 성찰의 계기로
    삼음
  ③ 담담하고 차분한 어조로 일관함
  ④ 침묵과 고요함이 녹아 있는 분
    위기
• 주제
  ① 삶의 고통에서 오는 내적 갈등의
    성찰
  ② 삶의 고단함과 애환

바로 확인문제

01 「사평역에서」는 외적 상황 묘사를
  통해 화자의 내적 고독을 드러내고
  있다. (○ / ×)
02 '□□□'은 다양한 인물들이 모여
  각기 다른 행로를 위한 기차를 기다
  리는 공간으로, 삶의 애환을 담고
  있는 공간이다.
03 대조적 색채 이미지를 통해, 눈 오
  는 겨울 풍경의 서정적 정취를 강조
  하였다. (○ / ×)

| 정답 | 01 ○ 02 대합실
03 ×(대조적 색채 이미지 → 추위에
언 몸을 톱밥난로에 녹이는 시민들의
고단한 모습)

• 성격: 현실 비판적, 풍자적
• 표현
① 대조적인 상황 설정(새 ↔ 우리)
으로 암울한 현실을 상징적으로
형상화
② 현실에 대한 냉소적인 어조
③ 반어적 표현을 적절히 구사하여
절망적인 상황을 노래함
• 주제
① 암울한 현실에 대한 좌절감과 허
무 의식
② 현실적 삶의 위선과 억압에 대한
비판과, 자유로운 삶에 대한 희구

51 새들도 세상을 뜨는구나 | 황지우

영화(映畵)가 시작하기 전에 우리는
　　　　　현실의 구속에서 자유롭지 못한 존재
일제히 일어나 애국가를 경청한다.
❶ 권위주의와 엄숙주의가 팽배하던 당대의 상황
❷ 군사 독재 정권 아래에서 부동자세를 취하고 맹목적인 삶을 따라야 했던 당시 민중들의 모습을 표상　　▶암울한 현실의 모습
❸ 맹목적인 애국심을 강요받았던 민중들의 모습

삼천리 화려 강산의
　더 이상 아름답지 않은 조국(반어적 표현)
을숙도에서 일정한 군(群)을 이루며
　철새 도래지로 유명한 곳
갈대숲을 이륙하는 흰 새 떼들이
　　　　　　　　자유로운 존재(화자의 처지와 대조됨)
「자기들끼리 끼룩거리면서

자기들끼리 낄낄대면서」
「　」: 자유를 구가하는 새들의 울음 - 현실에 대한 냉소적 태도
일렬 이열 삼렬 횡대로 자기들의 세상을
　획일화된 모습 풍자 ①
이 세상에서 떼어 메고
　자유가 억압된 현실
이 세상 밖 어디론가 날아간다.　　　　　　　　　　　　　　　　　　　▶현실에 대한 환멸
　　　자유와 평화가 보장되는 유토피아적인 이상향
우리들도 우리들끼리

「낄낄대면서

깔쭉대면서」
「　」: 현실에 대한 소통과 야유
우리의 대열을 이루며
　획일화된 모습 풍자 ②
한 세상 떼어 메고

이 세상 밖 어디론가 날아갔으면　　　　　　　　　　　　　　　　　　　▶현실 극복의 소망
　시적 화자의 소망
하는데 「대한 사람 대한으로

길이 보전하세」로
「　」: 애국가의 구절 - 현실 순응에 대한 강압적 주문
「각각 자기 자리에 앉는다

주저앉는다.」　　　　　　　　　　　　　　　　　　　　　　　　　　　　　　▶소망의 좌절
「　」: 영화 화면과 연관된 시상이 마무리되고 객석의 현실로 돌아오는 부분
　❶ 소망의 좌절(작은 소망마저도 가질 수 없게 만드는 냉혹한 독재 현실과 그로 인한 극도의 좌절감과 허무감에서 비롯된 행위)
　❷ 가능성(자유는 다른 곳이 아닌 이 땅에서 획득해야 할 문제라는 인식에서 비롯된 행위)

┃ 이해와 감상
이 시는 억압적인 현실에 대한 비판 의식과 자유에 대한 희구라는 주제 의식을 담고 있는 작품이다. 시적 화자
는 영화관에서 애국가가 나올 때 날아가는 새들의 모습을 보면서 자유로운 세상을 꿈꾸지만 애국가가 끝남과
동시에 자리에 무기력하게 주저앉는 모습을 보이고 있다. 이러한 모습을 통해서 억압적인 현실에 대해서 풍자
하고 자조하는 한편, 자유에 대한 갈망을 드러내고 있는 것이다.

01 「새들도 세상을 뜨는구나」는 억압
되고 경직된 사회를 비판하고 풍자
하는 작품이다. (○ / ×)

02 3행의 '삼천리 화려 강산'은 유구한
역사를 지닌 우리 민족의 자긍심을
상징한다. (○ / ×)

03 권력의 암묵적 강요에 대한 비판을
□□□인 어조를 통해 독자에게
전달하고 있다.

| 정답 | 01 ○ 02 ×(더 이상 아름답
지 않은 조국을 상징한다.) 03 냉소적

「열무 삼십 단을 이고

시장에 간 우리 엄마」
「 」: 엄마의 고단한 삶의 모습

안 오시네, 해는 시든 지 오래
시간적 배경으로 어둡고 무거운 분위기를 연출해 냄(활유법)

나는 찬밥처럼 방에 담겨
화자의 처지(가난 때문에 누구도 돌보지 않는 어린 시절 화자의 서글픈 모습)

아무리 천천히 숙제를 해도
외로움과 두려움을 잊기 위해 일부러 천천히 숙제를 하는 화자의 모습

엄마 안 오시네, 배춧잎 같은 발소리 타박타박
삶에 지치고 고단한 어머니의 모습을 시든 배춧잎에 비유함

안 들리네, 어둡고 무서워
화자의 무섭고 외로운 심리가 직접적으로 나타남

금 간 창틈으로 고요히 빗소리
화자의 외로운 정서를 고조하는 역할

빈방에 혼자 엎드려 훌쩍거리던
어린 시절의 구슬프고 애달픈 기억의 한 장면

▶1연: 어머니를 기다리던 어린 시절(과거)

아주 먼 옛날
화자가 과거를 떠올리고 있음을 알 수 있음

지금도 내 눈시울을 뜨겁게 하는
과거 기억에 대한 애상감

그 시절, 내 유년의 윗목
서럽고 외롭고 소외된 처지(차가운 이미지)

▶2연: 어린 시절에 대한 가슴 아픈 그리움(현재)

▌이해와 감상

이 시는 유년 시절에 시장에 가서 돌아오지 않는 엄마를 기다리던 마음을 형상화하고 있는 작품이다. 이를 위해서 가난한 어린 시절에 시장에 나간 어머니를 기다리며 찬밥처럼 방에 담겨 혼자 엎드려 훌쩍거리는 화자의 모습을 드러내고 있으며, 현재 어른이 된 지금 그때의 기억을 떠올리며 눈물짓는 화자의 모습을 드러내고 있다. 특히 어린아이의 목소리를 통하여 동시적 분위기를 형성한 점과 유사한 문장의 반복과 변조를 통해 리듬감을 형성함으로써 이러한 정서를 형상화하는 데 적절히 기여하고 있다.

단권화 MEMO

• 성격: 회상적, 감각적, 고백적
• 표현
  ① 어린아이의 목소리를 통해 동시적 분위기를 형성함
  ② 유사한 문장의 반복과 변조를 통해 리듬감을 형성함
  ③ 감각적 이미지를 사용하여 엄마의 고된 삶과 나의 정서를 생생하게 표현함
  ④ 각 행을 비종결 어미로 끝냄으로써, 내용상 마지막 행을 수식하는 구조가 됨(이러한 문장 구조는 유년기의 고통을 현재까지 연장하는 효과를 낳기도 함)
• 주제
  ① 시장에 간 엄마를 걱정하고 기다리는 애틋한 마음
  ② 외롭고 두려웠던 유년에 대한 회상

바로 확인문제

01 1연의 '찬밥'은 엄마의 고단한 삶을 상징한다. (○ / ×)
02 「엄마 걱정」의 화자는 성인으로, 과거를 회상하고 있다. (○ / ×)
03 「엄마 걱정」은 유사한 문장의 □□과 □□를 통해 리듬감을 형성하고 있다.

| 정답 | 01 ×(화자의 외로운 처지를 상징한다.) 02 ○ 03 반복, 변조

53 북어 | 최승호

• 성격: 풍자적, 비판적, 자조적
• 표현
① 감각적 이미지를 통해 '북어'를
감각적으로 묘사함
② 시적 대상과 화자의 관계를 전
도시켜서 현대인을 비판함
• 주제: 무기력한 현대인에 대한 비판

밤의 식료품 가게

케케묵은 먼지 속에
<u>부정적인 현실</u>
죽어서 하루 더 손때 묻고   □: 생명력을 상실한 모습

터무니없이 하루 더 기다리는

북어들,
❶ 화자가 부정적으로 바라보는 시적 대상
❷ 무기력한 현대인을 상징
북어들의 일 개 분대가

나란히 꼬챙이에 꿰어져 있었다.

나는 죽음이 꿰뚫은 대가리를 말한 셈이다.

「한 쾌의 혀가

자갈처럼 죄다 딱딱했다.

나는 말의 변비증을 앓는 사람들과

무덤 속의 벙어리를 말한 셈이다.

말라붙고 짜부라진 눈,

북어들의 빳빳한 지느러미,

막대기 같은 생각」
「 」: 해야 할 말을 하지 못하고 경직되어 있는 현대인의 모습
빛나지 않는 막대기 같은 사람들이

가슴에 싱싱한 지느러미를 달고

헤엄쳐 갈 데 없는 사람들이

불쌍하다고 생각하는 순간,   ▶무기력한 현대인의 모습

느닷없이
시상 전환
북어들이 커다랗게 입을 벌리고

거봐, 너도 북어지 너도 북어지 너도 북어지

귀가 먹먹하도록 부르짖고 있었다.   ▶북어와 같은 삶에 대한 자기반성

┃이해와 감상
이 시는 식료품 가게에 진열된 북어의 모습을 통해 무기력한 현대인의 삶을 그리고 있다. 나란히 꼬챙이에 꿰어져 있는 북어의 모습에서 획일화된 현대인의 모습을, 혀가 자갈처럼 딱딱했다는 것을 통해 현대인들의 침묵하는 모습을, 빳빳한 지느러미와 막대기 같은 생각을 통해 꿈을 상실한 현대인의 모습과 경직되고 획일화된 현대인의 사고를 그리고 있다. 다만, 마지막 20~23행에서 무기력하게 살던 스스로에 대한 비판의식을 가지며 시상을 마무리하고 있다.

01 '□□'는 무기력하고 경직된 현대
인을 상징한다.

02 화자가 비판의 주체에서 대상으로
변하는, 상황적 아이러니가 나타난
다. (○ / ×)

| 정답 | 01 북어 02 ○

성공은 우리가 생각하는
자신의 모습을 끌어올리는 것에서
시작한다.

– 덱스터 예거(Dexter Yager)

02 현대 소설

☐ 1 회독   월   일
☐ 2 회독   월   일
☐ 3 회독   월   일
☐ 4 회독   월   일
☐ 5 회독   월   일

단권화 MEMO

- **갈래**: 신소설
- **성격**: 교훈적, 계몽적
- **배경**
  ① 시간적: 청일 전쟁(1894)~광무 6년(1902)
  ② 공간적: 평양. 일본(오사카), 미국 (워싱턴)
- **시점**: 전지적 작가 시점
- **특징**
  ① 이전의 양식에서 벗어난 우리나라 최초의 신소설
  ② 역사적인 사건을 배경으로 현실성 확보
  ③ 언문일치의 시도가 있으나 '~라', '~더라'와 같은 문어체 잔존
  ④ 우연적 요소의 남발
- **주제**: 신교육 사상과 개화 의식 고취

1 혈의 누 | 이인직

일청전쟁(日淸戰爭)의 총소리는 평양 일경이 떠나가는 듯하더니, 그 총소리가 그치매 사람의 자취는 끊어지고 산과 들에 비린 티끌뿐이라.

평양성 외(外) 모란봉에 떨어지는 저녁 볕은 뉘엿뉘엿 넘어가는데, 저 햇빛을 붙들어 매고 싶은 마음에 붙들어 매지는 못하고 숨이 턱에 닿은 듯이 갈팡질팡하는 한 부인이 나이 삼십이 될락말락 하고, 얼굴은 분을 따고 넣은 듯이 흰 얼굴이나 인정 없이 뜨겁게 내리쪼이는 가을볕에 얼굴이 익어서 선 앵둣빛이 되고, 걸음걸이는 허둥지둥하는데 옷은 흘러내려서 젖가슴이 다 드러나고 치맛자락은 땅에 질질 끌려서 걸음을 걷는 대로 치마가 밟히니, 그 부인은 아무리 급한 걸음걸이를 하더라도 멀리 가지도 못하고 허둥거리기만 한다.

남이 그 모양을 볼 지경이면 저렇게 어여쁜 젊은 여편네가 술 먹고 한길에 나와서 주정한다 할 터이나, 그 부인은 술 먹었다 하는 말은 고사하고 미쳤다, 지랄한다 하더라도 그따위 소리는 귀에 들리지 아니할 만하더라.

무슨 소회가 그리 대단한지 그 부인더러 물을 지경이면 대답할 여가도 없이 옥련이를 부르면서 돌아다니더라.

"옥련아 옥련아, 옥련아 옥련아, 죽었느냐 살았느냐. 죽었거든 죽은 얼굴이라도 한번 다시 만나 보자. 옥련아 옥련아, 살았거든 어미 애를 그만 쓰이고 어서 바삐 내 눈에 보이게 하여라. 옥련아, 총에 맞아 죽었느냐, 창에 찔려 죽었느냐, 사람에게 밟혀 죽었느냐. 어리고 고운 살에 가시가 박힌 것을 보아도 어미 된 이내 마음에 내 살이 지겹게 아프던 내 마음이라. 오늘 아침에 집에서 떠나올 때에 옥련이가 내 앞에 서서 아장아장 걸어 다니면서, '어머니 어서 갑시다.' 하던 옥련이가 어디로 갔느냐."

하면서 옥련이를 찾으려고 골몰한 정신에, 옥련이보다 열 갑절 스무 갑절 더 소중하게 생각하는 사람을 잃고도 모르고 옥련이만 부르며 다니다가 목이 쉬고 기운이 탈진하여 산비탈 잔디풀 위에 털썩 주저앉았다가, 혼잣말로 옥련 아버지는 옥련이 찾으려고 저 건너 산 밑으로 가더니, '어디까지 갔누?' 하며 옥련이를 찾던 마음이 홀지에 변하여 옥련 아버지를 기다린다.

기다리는 사람은 아니 오고, 인간 사정은 조금도 모르는 석양은 제 빛 다 가지고 저 갈 데로 가니 산빛은 점점 먹장을 갈아 붓는 듯이 검어지고 대동강 물소리는 그윽한데, 전쟁에 죽은 더운 송장 새 귀신들이 어두운 빛을 타서 낱낱이 일어나는 듯 내 앞에 모여드는 듯하니, 규중에서 생장한 부인의 마음이라, 무서운 마음에 간이 녹는 듯하여 숨도 크게 쉬지 못하고 앉았는데, 홀연히 언덕 밑에서 사람의 소리가 들리거늘, 그 부인이 가만히 들은즉 길 잃고 사람 잃고 애쓰는 소리라.

"에그, 깜깜하여라. 이리 가도 길이 없고 저리 가도 길이 없으니 어디로 가면 길을 찾을까. 나는 사나이라, 다리 힘도 좋고 겁도 없는 사람이언마는 이러한 산비탈에서 이 밤을 새고 사람을 찾아다니려 하면 이 고생이 이렇게 대단하거든, 겁도 많고 다녀 보지 못하던 여편네가 이 밤에 나를 찾아다니느라고 오죽 고생이 될까."

하는 소리를 듣고 부인의 마음에 난리중에 피란 가다가 부부가 서로 잃고 서로 종적을 모르니 살아 생이별을 한 듯하더니, 하늘이 도와서 다시 만나 본다 하여 반가운 마음에 소리를 질렀더라.

▌줄거리
옥련은 청일 전쟁 중 피난길에서 부모를 잃고 일본군에게 구출되어 이노우에 군의관의 도움으로 일본에 건너간다. 그러나 이노우에 군의관이 전사하고 그 부인한테 구박을 당하게 되자 옥련은 갈 곳을 찾지 못하고 방황하던 중 구완서를 만나 함께 미국으로 건너간다. 워싱턴에서 공부하던 옥련은 극적으로 아버지를 만나게 되고, 구완서와 약혼한다.

▌이해와 감상
이 소설은 고전 소설과 현대 소설의 과도기에 나타난 최초의 신소설로 평가받는 작품으로, 청일 전쟁으로부터 시작하여 개화기의 시대상을 그리고 있다. 특히 자주독립, 신교육 사상, 자유 결혼관 등을 주제로 다루고 있으며, 형식에 있어서도 고전 소설의 격식에서 벗어나 서사와 묘사 중심의 서술 방식을 구사하는 현대 소설의 특성이 드러나 있다. 그러나 고전 소설의 문체를 완전히 벗어나지 못했고, 고전 소설의 영향을 받아 '편집자적 논평'이 작품에 종종 등장한다. 이는 '−더라'와 같은 문어체로 나타나는데, 작위적으로 인물의 성격을 부각하거나 갈등 구조를 형성하는 단점이 있다. 또한 구성이나 이야기의 전개 방법 등이 미숙하며 신문명에 대한 무비판적 수용과 노골적으로 친일 의식을 드러냈다는 비판을 받기도 한다.

단권화 MEMO

바로 확인문제

01 「혈의 누」는 우리나라 최초의 신소설로 알려져 있다. (○, ×)

02 「혈의 누」에는 고전 소설의 영향을 받은 '□□□□ □□'이 등장하는데, 이는 '−더라'와 같은 문어체로 나타난다.

03 「혈의 누」는 문명개화와 신교육, 자유 결혼이라는 근대적 계몽 이념을 담고 있으며, 노골적인 친청 의식을 엿볼 수 있다. (○, ×)

| 정답 | 01 ○ 02 편집자적 논평 03 ×(친청 의식 → 친일 의식)

• 갈래: 장편 소설, 계몽 소설
• 성격: 민족주의적, 근대적, 계몽적, 설교적
• 배경
　① 시간적: 1910년대 개화기
　② 공간적: 경성, 평양, 삼랑진
• 시점: 전지적 작가 시점
• 특징
　① 우리나라 최초의 근대 장편 소설
　② 민족의식 고취와 자유연애 사상이라는 계몽성과 대중성을 고루 갖춤
　③ 다양한 문체적 특징(순국문체, 산문체, 묘사체, 구어체, 만연체)
• 주제
　① 근대적 시민 사회의 탄생을 겨냥한 민족적 자각과 혁신
　② 신교육과 자유연애 사상의 고취 및 계몽

2 무정 | 이광수

　여학생은 영채의 신세 타령을 듣고,

　"그러면 지금도 그(형식)를 사랑하시오?"

　사랑하느냐 하는 말에 영채는 가슴이 뜨끔하였다. 과연 자기가 형식을 사랑하였는가. …… 알 수가 없다. 자기는 다만, 형식이란 사람은 자기가 찾아야 할 사람, 섬겨야 할 사람으로 알았을 뿐이요, 칠팔 년래로 일찍 형식을 사랑하는지 생각해 본 적도 없었다. 다만 어서 형식을 찾고 싶다, 어서 만나면 자기의 소원을 이루겠다, 만나면 기쁘겠다 하였을 뿐이다. 그러므로 영채는 멀거니 여학생을 보다가,

　"그런 생각은 해본 적도 없어요. 어려서 서로 떠났으니까 얼굴도 잘 기억하지 못하였는데……."

　"그러면 부친께서 너는 아무의 아내가 되어라 하신 말씀이 있으시니까 지금껏 찾으셨습니다 그려. 별로 사모하는 생각도 없었는데……."

　"녜, 그리고 어렸을 때에 정들었던 것이 아직도 기억이 되어요. 그때 일을 생각하면 어째 그리운 생각이 나요."

　"그것이야 그렇겠지요. 누구나 아잇적 생각은 안 잊히는 것이니깐. 그이뿐 아니라 다른 아이들 생각도 나시지요?"

　영채는 가만히 생각해 보더니,

　"녜, 여러 동무들의 생각도 나요. 그러나 그의 생각이 제일 정답게 나요. 그랬더니 일전에 정작 얼굴을 대하니깐 생각하던 바완 다릅데다. 어쩐지 이전에 정답던 것까지도 다 깨어지는 것 같애요. 왜 그런지 모르겠어요. 그래서 그날 저녁에 집에 돌아와서는 어떻게 마음이 섭섭한지 울었습니다."

　잘 알아들은 듯이 고개를 끄덕끄덕하더니 말하기 어려운 듯이,

　"그러면 지금은 그에게 대해서는 별로 사랑이 없습니다그려."

　영채는 저도 제 생각을 모르는 모양으로 한참이나 생각하더니,

　"글쎄요, 만나니깐 반갑기는 반가운데 어쩐지 기다리고 바라던 그 사람이 아닌 것 같애요. 내 마음속에 그려 오던 사람과는 딴사람 같애요. 저도 웬일인가 했어요. 또 그이도 그다지 저를 반가워하는 것 같지도 아니하고……."

　"알았습니다."

하고 여학생은 눈을 감는다. 무엇을 알았단 말인고 하고 영채도 눈을 감는다. 여학생이,

　"그런데 왜 죽을 결심을 하셨어요?"

　"아니 죽고 어떻게 합니까. 그 사람 하나를 바라고 지금껏 살아오던 것인데 일조에 정절을 더럽히고……."

　괴로운 빛이 얼굴에 나타나며,

　"다시 그 사람을 섬기지도 못하겠고…… 이제야 무엇을 바라고 사나요."

하고 절망하는 듯이 고개를 푹 숙인다.

　"나는 그것이 죽을 이유라고는 생각하지 아니합니다."

　"그러면 어찌하고요?"

　"살지요! 왜 죽어요?"

　영채는 깜짝 놀라 여학생을 본다. 여학생은 힘있는 목소리로,

　"첫째, 영채 씨는 속아 살아 왔어요. 이형식이란 사람을 사랑하지도 아니하면서 공연히 정절을 지켜 왔어요. 부친께서 일시 농담삼아 하신 말씀 한마디 때문에 영채 씨는 칠팔 년 헛된 절을 지킨 것이외다. 사랑하지 않는 사람을 위해서, 피차에 허락도 아니한 사람을 위해서 절을 지키는 것이 헛된 일이 아녜요? 마치 죽은 사람, 세상에 없는 사람을 위해서 절을 지키는 것이나 다름이 있어요? 영채 씨의 마음은 아름답지요, 절은 굳지요. 그러나 그뿐이외다. 그 아름다운 마음과 그 굳은 절을 바칠 사람이 따로 있지 아니할까요. 하니까 지금 영채 씨가 그이를 사랑하시거든 지금부터 그에게 몸과 마음을 바치실 것이요, 만일 그렇지 않거든 다른 남자 중에 구하실 것이지요. 그런데……."

"그러나 지금토록 마음을 허하여 오던 것을 어떡합니까. 고성(古聖)의 교훈도 있는데."

한다.

"아니오. 영채 씨는 지금까지 꿈을 꾸고 지내셨지요. 허깨비를 보고 지내셨지요. 얼굴도 잘 모르고 마음도 모르는 사람에게 어떻게 마음을 허합니까. 그것은 다만 그릇된 낡은 사상의 속 박이지요. 사람은 제 목숨으로 삽니다. 제가 사랑하지 않는 지아비가 어디 있겠어요. 하니깐 영채 씨의 과거사는 꿈입니다. 이제부터 참생활이 열리지요."

영채는 이 말을 듣고 놀랐다. 열녀라는 생각과 틀리는 것 같다. 그러나 그 말이 옳은 것 같다. 과연 지금토록 형식을 사랑한 적은 없었고, 다만 허깨비로 제 마음에 드는 사람을 만들어 놓고, 그 사람의 이름을 형식이라고 짓고, 그러고는 그 사람과 진정 형식과를 같은 사람으로 생각하고 그 사람을 찾는 대신 이형식을 찾다가, 이형식을 보매 그 사람이 아닌 줄을 깨닫고 실망하고 나서는, 아아, 이제는 영구히 형식을 보지 못하겠구나 하고 실망한 것이다. 이렇게 생각하매 영채는 잘못 생각하였던 것을 깨닫는 생각과 또 아주 절망하였던 중에 새로운 광명이 발하는 듯 하였다. 그래서 영채는,

"참생활이 열릴까요?"

하고 여학생을 보았다.

"참생활이 열리지요. 지금까지는 스스로 속아 왔으니깐 인제부터 참생활이 열리지요. 영채 씨 앞에는 행복이 기다립니다. 앞에 기다리고 있는 행복을 버리고 왜 귀한 목숨을 끊어요."

하고 이만하면 영채의 죽으려는 결심을 돌릴 수 있다 하는 생각이라,

"그러니까 울기를 그치고 웃읍시오. 자, 웃읍시다."

하고 자기가 먼저 웃는다. 영채도 따라서 빙그레 웃더니,

"행복이 기다릴까요? 그러나 의리는 어찌하리까. 의리는 어기고 행복을 찾을까요. 그것이 옳은가요?"

하며 마음을 정치 못하여 한다.

"의리? 영채 씨께서 죽으시는 것이 의리 같습니까?"

"의리가 아닐까요?"

"어찌해서 의릴까요?"

"어떤 사람에게 마음을 허하였다가 그 사람에게 몸을 바치기 전에 몸을 더럽혔으니 죽어 버리는 것이 의리가 아닐까요?"

옳다, 되었다 하는 듯이 여학생이,

"그러면 몇 가지를 물어보겠습니다. 첫째, 이씨에게 마음을 허하신 것이 영채 씨오니까. 다시 말하면 영채 씨가 당신의 생각으로 마음을 허한 것입니까, 또는 부친의 말씀 한마디가 허한 것입니까?"

"그게야 무론 아버지께서 허하신 게지요."

"그러면, 부친의 말씀 한마디로 영채 씨의 일생을 작정한 것이오그려."

"그렇지요. 그것이 삼종지도(三從之道)가 아닙니까?"

"흥, 그 삼종지도라는 것이 여러 천 년간, 여러 천만 여자를 죽이고, 또 여러 천만 남자를 불행하게 하였어요. 그 원수엣 글자 몇 자가, 흥."

영채는 놀라며,

"그러면 삼종지도가 그르단 말씀이야요?"

"부모의 말에 순종하는 것이 자식의 도리겠지요. 지아비의 말에 순종하는 것이 아내의 도리겠지요. 그러나 부모의 말보다도 자식의 일생이, 지아비의 말보다도 아내의 일생이 더 중하지 아니할까요? 다른 사람의 뜻을 위하여 제 일생을 결정하는 것은 저를 죽임이외다. 그야말로 인도(人道)의 죄라 합니다. 더구나 부사종자(夫死從子)라는 말은 참남자의 포학(暴虐)을 표함이외다. 여자의 인격을 무시하는 말이외다. 어머니는 아들을 가르치고 단속함이 마땅하외다. 어머니가 자식에게 복종하는 그런 비리(非理)가 어디 있어요."

하고 여학생은 얼굴이 붉게 되며 기운을 내어 구도덕(舊道德)을 공격하더니,

"영채 씨도 이러한 낡은 사상에 종이 되어서 지금껏 속절없는 괴로움을 맛보셨습니다. 그 속박을 끊읍시오. 그 꿈을 깨시오. 저를 위하여 사는 사람이 되시오. 자유를 얻읍시오!"

하는 여학생의 얼굴에는 아주 엄숙한 빛이 보인다.

"그러면 저는 어떻게 해요?"

하는 영채의 사상은 자못 혼란하게 되었다. 영채는 자연히 그 여학생의 손에 자기의 운명을 맡기게 된 것 같다. 여학생의 입으로서 나오는 말대로 자기의 일생이 결정될 것 같다. 그래서 영채는 여학생의 눈과 입을 바라본다. 여학생은,

"여자도 사람이지요. 사람일진대 사람의 직분이 많겠지요. 딸이 되고, 아내가 되고, 어머니가 되는 것도 여자의 직분이지요. 또 혹은 종교로, 혹은 과학으로, 혹은 예술로, 혹은 사회나 국가에 대한 일로 인생의 직분을 다할 길이 많겠지요. 그런데 고래로 우리나라에서는 남의 아내 되는 것만으로 여자의 직분을 삼았고 남의 아내가 되는 것도 남의 뜻대로, 남의 말대로 되어 왔어요. 지금까지 여자는 남자의 한 부속품, 한 소유물에 지나지 못하였어요. 영채 씨는 부친의 소유물이다가 이씨의 소유물이 되려 하였어요. 마치 어떤 물건이 이 사람의 손에서 저 사람의 손으로 옮겨 가는 모양으로…… 우리도 사람이 되어야 합니다. 여자도 되려니와 우선 사람이 되어야 합니다. 영채 씨께서 할 일이 많지요. 영채 씨는 결코 부친과 이씨만을 위하여 난 사람이 아니외다. 과거 천만대 조선과, 현재 십육억 동포와, 미래 천만대 자손을 위하여 나신 것이야요. 그러니깐 부친께 대한 의무 외에, 이씨께 대한 의무 외에도 조상께, 동포에게, 자손에게 대한 의무가 있어요. 그런데 영채 씨가 그 의무를 다하지 아니하고 죽으려 하는 것은 죄외다."

"그러면 어떻게 해요?"

여학생은 웃고,

"오늘부터 새로운 생활을 시작하시지요."

"어떻게 시작해요?"

"모든 것을 다 새로 시작하지요. 지나간 일을랑 온통 잊어버리고 새로 모든 것을 시작하지요. 이전에는 남의 뜻대로 살아왔거니와, 이제부터는……."

하고 여학생은 잠깐 말을 멈추고 영채를 바라본다. 영채는 얼굴이 붉게 되고 숨이 차며 여학생의 눈과 입에 매어달린 것 같다가,

"이제부터는 어떻게 해요?"

한다.

"이제부터는 제……뜻……대……로…… 살아간단 말이야요."

열차는 산 속을 벗어나서 서흥 벌판으로 달아난다. 맑은 냇물이 왼편에 있다가 오른편에 가다가 한다. 두 사람은 잠자코 바깥을 내다본다.

▌줄거리

이형식은 경성학교의 영어 교사로서 어느 날 자신의 과거 정혼자이자 은사의 딸이던 영채의 소식을 듣게 된다. 영채는 투옥된 애국지사인 아버지를 구하기 위해 기생이 되었으나, 딸이 기생이 되었다는 것을 안 아버지는 자살하고 말았다. 그러던 어느 날 영채는 배 학감에게 순결을 잃고, 형식의 집에 유서를 남기고 사라진다. 영채는 자살을 하려다가 기차에서 동경 유학생인 신여성 병욱을 만나게 된다. 영채는 병욱의 도움을 받아 자신의 삶을 살기로 결심하고, 춤과 음악을 배우기 위해 일본으로 유학을 떠나기로 결심한다. 한편, 형식은 결단을 내려 선형과 약혼을 하였으며 함께 미국 유학을 떠나다가 기차 안에서 병욱과 함께 가고 있던 영채와 재회한다. 그들은 이재민을 같이 도운 것을 계기로 해서 외국에서 학업을 마치면 고국에 돌아와 문명 발전에 힘쓸 것을 다짐한다.

▌이해와 감상

이 소설은 우리나라 최초의 근대적 장편 소설로 평가받는다. 내용적으로 보았을 때는 자유연애, 신교육의 계몽적 사상을 강조하고, 과학과 기술 문명에 대해 긍정적이며 개인보다는 민족 공동체를 중시하기 때문이고 형식적으로 보았을 때는 언문일치를 적극적으로 구현하며 전대 신소설의 문체적 한계를 극복하였고, 서술자의 편집자적 서술보다 산문적 서술을 중시했으며, 사건을 역순행적으로 배열하였고, 인물들의 내면 심리 묘사를 강조했기 때문이다.

01 제목인 '무정'은 봉건적 삶의 질곡에 갇힌 어두운 현실을 의미한다.
(O, X)

02 「무정」은 실제 언어생활에서 사용되지 않는 문어체를 사용하고 있다.
(O, X)

03 「무정」의 주제 의식은 '□□□'과 □□□□로 집약된다.

| 정답 | 01 O 02 X(언문일치의 구어체가 사용되었다.) 03 신교육, 자유연애

3 감자 | 김동인

단권화 MEMO

• 갈래: 단편 소설, 본격 소설
• 성격: 자연주의적, 사실주의적
• 배경
 ① 시간적: 1920년대
 ② 공간적: 평양 칠성문 밖 빈민굴
• 시점: 전지적 작가 시점
• 특징
 ① 평안도 사투리와 하층 사회의 비속어 구사
 ② 장면 중심적인 사건 전개의 집약적 효과
• 주제
 ① 환경으로 인하여 도덕적으로 피폐해 가는 인간의 모습
 ② 비참한 환경이 빚어낸 한 여인의 비극

어떤 날 송충이를 잡다가 점심때가 되어서, 나무에서 내려와서 점심을 먹고 다시 올라가려 할 때에 감독이 그를 찾았다.

"복네, 애 복네." / "왜 그릅네까?"

그는 약통과 집게를 놓은 뒤에 돌아섰다.

"좀 오나라."

그는 말없이 감독 앞에 갔다.

"애, 너, 음…… 데 뒤 좀 가 보디 않갔니?" / "뭘 하레요?"

"글쎄, 가야……." / "가디요, 형님."

그는 돌아서면서 인부들 모여 있는 데로 고함쳤다.

"형님두 갑세다가레."

"싫다 애. 둘이서 재미나게 가는데, 내가 무슨 맛에 가갔니?"

복녀는 얼굴이 새빨갛게 되면서 감독에게로 돌아섰다.

"가 보자."

감독은 저편으로 갔다. 복녀는 머리를 수그리고 따라갔다.

"복네 좋갔구나."

뒤에서 이러한 고함 소리가 들렸다. 복녀의 숙인 얼굴은 더욱 발갛게 되었다.

그날부터 복녀도 '일 안 하고 공전 많이 받는 인부'의 한 사람으로 되었다.

복녀의 도덕관 내지 인생관은 그때부터 변하였다.

그는 아직껏 딴 사내와 관계를 한다는 것을 생각하여 본 일도 없었다. 그것은 사람의 일이 아니요 짐승의 하는 짓쯤으로만 알고 있었다. 혹은 그런 일을 하면 탁 죽어지는지도 모를 일로 알았다.

그러나 이런 이상한 일이 어디 다시 있을까. 사람인 자기도 그런 일을 한 것을 보면, 그것은 결코 사람으로 못 할 일이 아니었었다. 게다가 일 안 하고 돈 더 받고, 긴장된 유쾌가 있고, 빌어먹는 것보다 점잖고…….

일본말로 하자면 '삼박자(三拍子)' 같은 좋은 일이 이것뿐이었었다. 이것이야말로 삶의 비결이 아닐까. 뿐만 아니라, 이 일이 있은 뒤부터, 그는 처음으로 한 개 사람이 된 것 같은 자신까지 얻었다.

그 뒤부터는, 그의 얼굴에는 조금씩 분도 바르게 되었다.

줄거리
복녀는 가난하지만 정직한 농가에서 자란 처녀였다. 그러나 열다섯 살 되던 해에 동네 홀아비에게 팔십 원에 팔려 시집을 갔다. 시집살이를 하는 동안 복녀는 게으르고 무능한 남편으로 인해서 빈민굴인 칠성문 밖까지 밀려나오게 된다. 그러던 중 복녀는 송충이 잡이 일을 하며 도덕적으로 타락하게 되고 중국인 왕 서방과의 부정한 관계로 돈을 벌게 되면서 도덕적 타락은 심해진다. 그러던 중 왕 서방은 새색시를 얻게 되고 이를 질투하여 왕 서방과 싸우던 복녀는 싸늘한 시신이 되어 집에 돌아온다. 그러나 왕 서방은 몇 푼의 돈으로 이를 무마한다.

이해와 감상
이 소설은 환경적 요인이 인간의 도덕성을 타락시킨다는 자연주의적인 색채가 잘 드러나는 작품이다. 이른바 '환경 결정론'이 드러나는 것이다. 즉, 도덕성을 지니고 있던 복녀의 파멸 과정을 통해서 환경이 인물의 삶과 운명에 어떤 영향을 미치고 있는지를 드러내고 있다. 또한 이러한 복녀와 도시 빈민층의 모습은 1920년대 일제 강점기하의 궁핍한 우리 민족의 삶의 모습을 반영하고 있다.

이 소설은 장면을 중심으로 사건을 전개하고 있는데 이는 인물의 심리나 내면의 묘사보다는 행위를 중심으로 사건을 전개함을 의미하는 것이기도 하다. 결말 부분에서는 분위기나 감정의 묘사 없이 왕 서방, 복녀 남편, 한방 의사가 돈을 주고받는 사실만을 객관적으로 서술하고 있는데, 이는 복녀의 죽음에 대한 어떠한 동정적 진술도 하지 않음으로써 복녀의 죽음을 더욱 비극적으로 강조하고 있다. 아울러 비참하고 추악한 현실 상황을 냉정하고 객관적으로 제시하는 효과를 얻게 된다.

바로 확인문제

01 「감자」는 '□□ □□□'을 바탕으로 '복녀'가 환경의 영향을 받아 타락해 가는 과정을 그린 작품이다.

02 「감자」는 단편적인 장면들을 배치하고 각각의 장면을 집약적으로 부각하는 장면 중심의 사건 전개 방식을 취하고 있다. (ㅇ, ×)

03 '복녀'의 이름은 '복이 있는 여자'라는 뜻으로, 이 이름은 역설적 성격을 띠고 있다. (ㅇ, ×)

| 정답 | 01 환경 결정론 02 ㅇ
03 ×(역설적 → 반어적)

- **갈래**: 단편 소설, 액자 소설
- **성격**: 낭만적, 유미주의적, 자연주의적
- **배경**
  ① 시간적: 일제 강점기
  ② 공간적: 평양, 영유
- **시점**
  ① 바깥 이야기: 1인칭 관찰자 시점
  ② 안 이야기: 전지적 작가 시점
- **특징**
  ① 방언과 비어의 사용 → 하층민의 생활상을 사실감 있게 드러내 주는 효과
  ② 구어체에 가까운 문체를 구사함
  ③ 문장이 간략하여 군더더기의 수사나 화려한 문장이 거의 없음
- **주제**
  ① 운명의 힘을 거역하지 못하는 인간의 비애
  ② 오해와 질투가 빚은 형제간의 비극

4 배따라기 | 김동인

그가 영유를 떠나기 반 년 전쯤 — 다시 말하자면 그가 거울을 사러 장에 갈 때부터 반 년 전쯤 그의 생일날이었다. 그의 집에서는 음식을 차려서 잘 먹었는데, 그에게는 괴상한 버릇이 있었으니, 맛있는 음식은 남겨 두었다가 좀 있다 먹고 하는 것이 습관이었다. 그의 아내도 이 버릇은 잘 알 터인데 그의 아우가 점심때쯤 오니까, 아까 그가 아껴서 남겨 두었던 그 음식을 아우에게 주려 하였다. 그는 눈을 부릅뜨고 '못 주리라'고 암호하였지만 아내는 그것을 보았는지 못 보았는지 그의 아우에게 주어 버렸다. 그는 마음속이 자못 편치 못하였다. '트집만 있으면 이년을……' 그는 마음먹었다.

그의 아내는 시아우에게 상을 준 뒤에 물러오다가 그만 그의 발을 조금 밟았다.

"이년!"

그는 힘껏 발을 들어서 아내를 냅다 찼다. 그의 아내는 상 위에 거꾸러졌다가 일어난다.

"이년, 사나이 발을 짓밟는 년이 어디 있어!"

"거 좀 밟아서 발이 부러졌쉐까?"

아내는 낯이 새빨개져서 울음 섞인 소리로 고함친다.

"이년! 말대답이……."

그는 일어서서 아내의 머리채를 휘어잡았다.

"형님! 왜 이리십니까."

아우가 일어서면서 그를 붙잡았다.

"가만있거라, 이놈의 자식."

하며 그는 아우를 밀친 뒤에 아내를 되는 대로 내리찧었다.

"죽일 년, 이년! 나가거라!"

"죽에라, 죽에라! 난, 죽어도 이 집에선 못 나가!"

"못 나가?"

"못 나가디 않구. 뉘 집이게……."

이때다. 그의 마음에는 그 '못 나가겠다'는 아내의 마음이 푹 들이박혔다. 그 이상 때리기가 싫었다. 우두커니 눈만 흘기고 있다가 그는,

"망할 년, 그럼 내가 나갈라."

하고 그만 문 밖으로 뛰어나와서,

"형님, 어디 갑니까."

하는 아우의 말에는 대답도 안 하고, 곁동네 탁주집으로 뒤도 안 돌아보고 가서, 거기 있는 술 파는 계집과 술상 앞에 마주 앉았다.

그날 저녁 얼근히 취한 그는 아내를 위하여 떡을 한 돈 어치 사 가지고 집으로 돌아왔다.

이리하여 또 서너 달은 평화가 이르렀다. 그러나 이 평화가 언제까지든 계속될 수가 없었다. 그의 아우로 말미암아 또 평화는 쪼개져 나갔다.

줄거리

'나'는 대동강으로 봄 경치를 구경 갔다가 '영유 배따라기'를 부르는 '그'를 만나 사연을 듣는다. '그'는 성품이 쾌활하고 친절한 자신의 젊은 아내가 미남인 동생에게 친절한 것을 못마땅해하며 질투심에 아내를 자주 괴롭힌다. 그러던 어느 날 아내에게 줄 거울을 장에서 사 들고 집에 들어오다가 아내와 동생이 방에서 옷매무새가 흐트러진 모습으로 있는 것을 보고 오해를 하여 아내를 내쫓는다. 다음 날 아내는 시체가 되어 바다 위에 떠오르고, 이 때문에 아우는 집을 나가 행방이 묘연하게 된다. 결국 형은 20년 동안 배따라기 노래를 부르는 뱃사람이 되어 떠돌아다닌다는 동생을 찾아 방랑 생활을 계속하게 된다.

이해와 감상

이 소설은 개인이 가진 열등의식이 삶을 파괴하는 모습을 형상화하고 있다. 즉, 형이 가진 의처증과 오해가 증오로 표출되면서, 평범하게 살아가던 사람들의 관계를 파괴하게 되는 것이다. 형식적 측면에서 볼 때 이 소설은 액자식 구성을 취하고 있으며 이를 통해 액자 안 이야기의 신빙성을 확보하는 모습을 보이고 있다.

그 여자는 자기보다 나이 두 살 위였는데, 한 이웃에 사는 탓으로 같이 놀기도 하고 싸우기도 하며 자라났다. 그가 열네 살 적부터 그들 부모들 사이에 혼인 말이 있었고 그도 어린 마음에 매우 탐탁하게 생각하였었다. 그런데 그 처녀가 열일곱 살 된 겨울에 별안간 간 곳을 모르게 되었다. 알고 보니, 그 아비 되는 자가 이십 원을 받고 대구 유곽에 팔아먹은 것이었다. 그 소문이 퍼지자 그 처녀 가족은 그 동리에서 못 살고 멀리 이사를 갔는데 그 후로는 물론 피차에 한 번 만나 보지도 못하였다. 이번에야 빈터만 남은 고향을 구경하고 돌아오는 길에 읍내에서 그 아내 될 뻔한 댁과 마주치게 되었다. 처녀는 어떤 일본 사람 집에서 아이를 보고 있었다. 궐녀는 이십 원 몸값을 십 년을 두고 갚았건만 그래도 주인에게 빚이 육십 원이나 남았었는데, 몸에 몹쓸 병이 들고 나이 늙어져서 산송장이 되니까 주인 되는 자가 특별히 빚을 탕감해 주고, 작년 가을에야 놓아준 것이었다.

궐녀도 자기와 같이 십 년 동안이나 그리던 고향에 찾아오니까, 거기는 집도 없고, 부모도 없고, 쓸쓸한 돌무더기만 눈물을 자아낼 뿐이었다. 하루 해를 울어 보내고 읍내로 들어와서 돌아다니다가, 십 년 동안에 한 마디 두 마디 배워 두었던 일본말 덕택으로 그 일본 집에 있게 되던 것이었다.

"암만 사람이 변하기로 어째 그렇게도 변하는기요? 그 숱 많던 머리가 훌렁 다 벗어졌더마. 눈은 폭 들어가고 그 이들이들하던 얼굴빛도 마치 유산을 끼얹은 듯하드마."

"서로 붙잡고 많이 우셨겠지요?"

"눈물도 안 나오더마. 일본 우동집에 들어가서 둘이서 정종만 한 열 병 따라 뉘고 헤어졌구마." 하고 가슴을 짜는 듯이 괴로운 한숨을 쉬더니만 그는 지난 슬픔을 새록새록이 자아내어 마음을 새기기에 지치었음이러라.

"이야기를 다하면 무얼 하는기요?" 하고 쓸쓸하게 입을 다문다. 나 또한 너무도 참혹한 사람살이를 듣기에 쓴물이 났다.

"자, 우리 술이나 마저 먹읍시다." 하고 우리는 서로 주거니 받거니 한 되 병을 다 말리고 말았다. 그는 취흥에 겨워서 우리가 어릴 때 멋모르고 부르던 노래를 읊조렸다.

볏섬이나 나는 전토는 신작로가 되고요―
말마디나 하는 친구는 감옥소로 가고요―
담뱃대나 떠는 노인은 공동묘지 가고요―
인물이나 좋은 계집은 유곽으로 가고요―

▌줄거리

'나'는 서울행 기차 안에서 기이한 얼굴의 '그'와 자리를 이웃해서 앉게 된다. '그'는 정처 없이 유랑하는 실향민이었으며, '나'는 '그'의 유랑의 동기와 내력을 듣는다. 대구 근교 평화로운 농촌의 농민이었던 '그'는 동양 척식 주식회사에 농토를 빼앗겼다. 이후 떠돌이가 되어 간도로 떠났으나 거기서 부모는 굶어 죽고, 구주 탄광을 거쳐 다시 폐허가 된 고향에 돌아왔다. 그러나 무덤과 해골을 연상하게 하는 고향에서 '그'는 이십 원에 유곽에 팔려 갔다가 질병과 부채만을 안고 돌아온 옛 연인과 재회한다. 이런 사연을 다 들은 '나'는 '그'에 대해서 연민의 마음을 가지게 된다.

▌이해와 감상

이 소설은 일제 식민지 시대에 우리 민족이 겪은 고통의 원인이 일제의 수탈에 있었음을 직·간접적으로 드러내고 있다. 특히 '그'라는 인물의 행적을 통해서 고향과 농촌 공동체의 해체 문제를 드러내고 있을 뿐만 아니라, '궐녀'를 통해서 식민지 시대 여성의 수난상도 드러내고 있다.

또한 이 소설은 액자식 구성의 이야기 전개를 통해 강렬한 현실 고발의 정신을 엿볼 수 있다. 사실주의 문학의 전형을 보여 주는데 기차 안에서 '그'와 대화를 나누게 된 '나'는 첫인상만으로는 '그'를 탐탁지 않게 여기지만, '그'의 이야기를 들으면서 짙은 동정과 연민의 정을 느끼게 된다. 이 두 인물이 서로에게 정서적으로 다가가는 과정을 통해 민족 동질성을 확인할 수 있다. 작품의 마지막에 제시된 노래는 당시의 사회상을 집약적으로 제시하여 주제 의식을 효과적으로 드러내고, 작품에 현실감을 더하며 인상적으로 마무리하는 장치로 활용되고 있다.

- **갈래**: 단편 소설, 액자 소설
- **성격**: 현실 고발적, 사실적
- **배경**
  ① 시간적: 일제 강점기
  ② 공간적: 대구발 서울행 열차 안
- **시점**: 1인칭 관찰자 시점
- **특징**
  ① 객관적이고 사실적인 문체
  ② 치밀한 묘사, 사투리의 적절한 사용
- **주제**: 일제의 수탈로 인한 우리 민족의 비참한 삶

바로 확인문제

01 「고향」은 한 인물의 인생을 통해 당대 조선의 농촌 공동체가 어떻게 파괴되었는지, 식민지 현실이 개인의 삶을 얼마나 짓밟았는지를 □□□으로 그리고 있다.

02 '그'에 대한 '나'의 인상은 이야기가 진행되는 동안 바뀌지 않는다.
(○, ×)

03 작품 끝의 '민요'는 일제의 수탈에 따른 우리 민족의 비참한 삶을 집약적으로 제시한다. (○, ×)

| 정답 | 01 사실적 02 ×('나'는 '그'를 탐탁지 않게 여겼다가 이야기가 진행되면서 동정과 연민을 느낀다.) 03 ○

- **갈래**: 단편 소설, 사실주의 소설
- **성격**: 사실적, 반어적, 비극적
- **배경**
  ① 시간적: 1920년대 일제 강점기
  ② 공간적: 서울 빈민가
- **시점**: 전지적 작가 시점이나 부분적으로 3인칭 관찰자 시점이 보임
- **특징**
  ① 대화의 기법을 적절히 활용하여 작중 인물을 구체적이고 현실감 있게 제시함
  ② 대화 속에 비속어나 욕설을 삽입하여 하층 노동자 계층의 삶을 사실적으로 그려 냄
- **주제**: 일제 강점기 하층민의 비참한 생활상

01 추적추적 내리는 비와 일 나가기를 만류하는 아내의 모습 등은 결말을 암시하는 복선 구실을 한다. (○, ×)

02 결말과 김 첨지의 행동, 제목, 배경은 의도적으로 구성된 반어적 상황으로, 특히 결말 부분의 '□□□ □□□□'는 이 소설의 비극성을 극대화한다.

03 '김 첨지'의 불안한 심리 상태는 특정 인물과의 대립적 갈등 때문이다. (○, ×)

| 정답 | 01 ○ 02 상황적 아이러니 03 ×('김 첨지'의 불안한 심리는 아픈 아내가 있는 내면적 불안의 공간인 '집'과 돈벌이의 공간이자 현실 도피의 공간인 '밖' 사이의 내적 갈등 때문이다.)

6 운수 좋은 날 | 현진건

　김 첨지는 화증을 내며 확신 있게 소리를 질렀으되, 그 소리엔 안 죽은 것을 믿으려고 애쓰는 가락이 있었다. 기어이 1원어치를 채워서 곱빼기 한 잔씩 더 먹고 나왔다. 궂은비는 의연히 추적추적 나린다.

　김 첨지는 취중에도 설렁탕을 사 가지고 집에 다다랐다. 집이라 해도 물론 셋집이요, 또 집 전체를 세든 게 아니라 안과 뚝 떨어진 행랑방 한 간을 빌려 든 것인데, 물을 길어 대고 한 달에 1원씩 내는 터이다. 만일 김 첨지가 주기를 띠지 않았던들 한 발을 대문 안에 들여놓을 제 그곳을 지배하는 무시무시한 정적 ─ 폭풍우가 지나간 뒤의 바다 같은 정적에 다리가 떨렸으리라. 쿨룩거리는 기침 소리도 들을 수 없다. 걸으렁거리는 숨소리조차 들을 수 없다. 다만 이 무덤 같은 침묵을 깨뜨리는 ─ 깨뜨린다느니보다 한층 더 침묵을 깊게 하고 불길하게 하는, 빡빡 하는 그윽한 소리 ─ 어린애의 젖 빠는 소리가 날 뿐이다. 만일 청각이 예민한 이 같으면 그 빡빡 소리는 빨 따름이요, 꿀떡꿀떡 하고 젖 넘어가는 소리가 없으니 빈 젖을 빠는 것도 짐작할는지 모르리라. 혹은 김 첨지도 이 불길한 침묵을 짐작했는지도 모른다. 그렇지 않으면 대문에 들어서자마자 전에 없이

　"이 난장맞을 년, 남편이 들어오는데 나와 보지도 안 해, 이 오라질 년."

이라고 고함을 친 게 수상하다. 이 고함이야말로 제 몸을 엄습해 오는 무시무시한 증을 좇아 버리려는 허장성세인 까닭이다.

　하여간 김 첨지는 방문을 왈칵 열었다. 구역을 나게 하는 추기 ─ 떨어진 삿자리 밑에서 올라온 먼지내, 빨지 않은 기저귀에서 나는 똥내와 오줌내, 가지각색 때가 켜켜이 앉은 옷내, 병인의 땀 썩은 내가 섞인 추기가 무딘 김 첨지의 코를 찔렀다.

　방 안에 들어서며 설렁탕을 한구석에 놓을 사이도 없이, 주정꾼은 목청을 있는 대로 다 내어 호통을 쳤다.

　"이런 오라질 년, 주야장천 누워만 있으면 제일이야? 남편이 와도 일어나지를 못해?"

라는 소리와 함께 발길로 누운 이의 다리를 몹시 찼다. 그러나 발길에 채이는 건 사람의 살이 아니고 나뭇등걸과 같은 느낌이 있었다. 이 때에 빡빡 소리가 응아 소리로 변하였다. 개똥이가 물던 젖을 빼어 놓고 운다. 운대도 온 얼굴을 찡그려 붙여서 운다는 표정을 할 뿐이라, 응아 소리도 입에서 나는 게 아니고 마치 뱃속에서 나는 듯하였다. 울다가 울다가 목도 잠겼고 또 울 기운조차 시진한 것 같다.

　발로 차도 그 보람이 없는 걸 보자, 남편은 아내의 머리맡으로 달겨들어 그야말로 까치집 같은 환자의 머리를 꺼들어 흔들며,

　"이년아, 말을 해, 말을! 입이 붙었어, 이 오라질 년!" / "……."

　"으응, 이것 봐, 아모 말이 없네." / "……."

　"이년아, 죽었단 말이냐, 왜 말이 없어?" / "……."

　"으응, 또 대답이 없네. 정말 죽었나 버이."

　이러다가 누운 이의 흰창이 검은창을 덮은, 위로 치뜬 눈을 알아보자마자,

　"이 눈깔! 이 눈깔! 왜 나를 바루 보지 못하고 천장만 보느냐, 응?"

하는 말끝엔 목이 메었다. 그러자 산 사람의 눈에서 떨어진 닭의 똥 같은 눈물이 죽은 이의 뻣뻣한 얼굴을 어룽어룽 적신다. 문득 김 첨지는 미친 듯이 제 얼굴을 죽은 이의 얼굴에 한데 부벼 대며 중얼거렸다.

　"설렁탕을 사다 놓았는데 왜 먹지를 못하니, 왜 먹지를 못하니……. 괴상하게도 오늘은 운수가 좋더니만……."

┃줄거리

비가 오는 어느 날, 인력거꾼 김 첨지는 아픈 아내의 만류에도 이를 뿌리치고 일을 나선다. 그런 그에게 그날따라 행운이 몰려온다. 이런저런 행운을 겪어 돈을 꽤나 벌게 된 것이다. 김 첨지는 오랜만에 얼큰히 술을 마시면서 아픈 아내에 대한 불길한 생각을 애써 떨치려 한다. 그러나 아픈 아내가 먹고 싶다던 설렁탕을 사 들고 집에 갔을 때 아내는 이미 죽어 있었다.

┃이해와 감상

이 소설은 1920년대 우리 민족의 궁핍한 현실을 반영한 사실주의 소설의 대표작으로 손꼽힌다. 즉, 김 첨지라는 인력거꾼의 하루 동안의 일과 그 아내의 비참한 죽음을 통해 일제 강점하의 궁핍한 생활상과 운명을 극적으로 보여 주고 있는 것이다. 특히나 결말 부분에서 드러나는 상황적 아이러니는 작품의 주제 의식을 극적이면서도 집약적으로 보여 주는 데 기여하고 있다.

7 물레방아 ┃ 나도향

> 덜컹덜컹 홈통에 들었다가 다시 쏟아져 흐르는 물이 육중한 물레방아를 번쩍 쳐들었다가 쿵 하고 확 속으로 내던질 제 머슴들의 콧소리는 허연 겻가루가 켜켜 앉은 방앗간 속에서 청승스럽게 들려 나온다.
>
> 쌀쌀쌀 구슬이 되었다가 은가루가 되고 댓줄기같이 뻗치었다가 다시 쾅쾅 쏟아져 청룡이 되고 백룡이 되어 용솟음쳐 흐르는 물이 저쪽 산모퉁이를 십리나 두고 돌고, 다시 이쪽 들 복판을 오리쯤 꿰뚫은 뒤에 이 방원이가 사는 동네 앞 기슭을 스쳐 지나가는데 그 위에 물레방아 하나가 놓여 있다.
>
> 물레방아에서 들여다보면 동북간으로 큼직한 마을이 있으니 이 마을에 가장 부자요, 가장 세력이 있는 사람으로 그 이름을 신치규라고 부른다. 이 방원이라는 사람은 그 집의 막실살이를 하여 가며 그의 땅을 경작하여 자기 아내와 두 사람이 그날그날을 지내 간다.
>
> 어떠한 가을 밤 유난히 밝은 달이 고요한 이 촌을 한적하게 비칠 때 그 물레방앗간 옆에 어떤 여자 하나와 어떤 남자 하나가 서서 이야기를 하는 소리가 들리었다. 그 여자는 방원의 아내로 지금 나이가 스물두 살, 한창 정열에 타는 가슴으로 가장 행복스러울 나이의 젊은 여자이요, 그 남자는 오십이 반이 넘어 인생으로서 살아올 길을 다 살고서 거의거의 쇠멸의 구렁이를 향하여 가는 늙은이다.
>
> 그의 말소리는 마치 그 여자를 달래는 것같이,
>
> "얘, 내 말이 조금도 그를 것이 없지? 쇤네 할멈에게도 자세한 말을 들었을 터이지만, 너 생각해 보아라. 네가 허락만 하면 무엇이든지 네가 하고 싶다는 것을 내가 전부 해 줄 터이란 말야. 그까짓 방원이 녀석하고 네가 몇 백 년을 살아야 언제든지 막실 구석을 면하지 못할 터이니…… 허허, 사람이란 젊어서 호강해 보지 못하면 평생 호강 한번 하여 보지 못하고 죽을 것이 아니냐. 내가 말하는 것이 조금도 잘못한 것이 없느니라! 대강 너의 말을 쇤네 할멈에게서 듣기는 들었으나 그래도 너에게 한번 바로 대고 듣는 것만 못해서 이리로 만나자고 한 것이다. 너의 마음은 어떠냐? 어디 허허, 내 앞이라고 조금도 어떻게 알지 말고 이야기해 봐, 응?"
>
> 이 늙은이는 두말할 것 없이 신치규다. 그는 탐욕스러운 눈으로 방원의 계집을 들여다보며 한 손으로 등을 두드린다.

┃줄거리

방원과 그의 아내는 신치규의 집에 막실살이(머슴살이)를 하면서 어렵게 사는 형편이다. 이러한 아내를 늙은 신치규는 물질로 유혹하고 아내는 여기에 넘어가 남편인 방원을 배신한다. 이러한 사실을 안 방원은 신치규를 때리고 감옥에 가게 되지만 아내의 태도는 변하지 않는다. 이러한 모습에 분개한 방원은 신치규와 아내를 해하기 위해서 담을 넘지만 마지막으로 아내에게 한 번 더 같이 도망갈 것을 제안한다. 그러나 아내는 거절하고 이에 분노한 방원은 아내를 찌르고 자신도 찌르게 된다.

┃이해와 감상

이 소설은 가난과 육체적 욕망이 어떤 처참한 사태로 삶을 몰아가는지 그 과정을 비교적 사실적으로 그리고 있는 작품이다. 또한 이 소설에서는 얼마간의 계층적인 갈등도 드러난다. 그러나 계층적 문제에 초점을 두기보다는 물질적 욕망과 육체적 욕망에 따른 인간성의 파괴에 더 초점을 두고 있다. 특히 이 작품의 제목이면서 주요 배경이 되는 '물레방아'는 성적인 상징이면서 동시에 운명의 굴레에 속박된 인간의 삶의 과정을 암시하는 역할을 하고 있다.

단권화 MEMO

- **갈래**: 단편 소설, 사실주의 소설
- **성격**: 낭만적, 사실주의적
- **배경**
  ① 시간적: 1920년대
  ② 공간적: 신치규의 집 물레방앗간
- **시점**: 전지적 작가 시점
- **특징**
  ① '물레방아'의 상징성을 활용(인생의 덧없음, 성적 충동)
  ② 본능적인 육욕(肉慾)과 물질적 탐욕을 원초적으로 그려 냄
- **주제**: 도덕성이 결여된 물질 만능주의와 하층민의 비극적 운명

바로 확인문제

01 「물레방아」는 욕망에 따른 인간성의 파괴보다 계층 간 갈등에 집중하고 있다. (○, ×)

02 '□□□□'는 '성적(性的) 충동'과 '인생의 덧없음'을 상징하는 소재이다.

┃ 정답 ┃ 01 ×(욕망에 따른 인간성의 파괴 ↔ 계층 간 갈등) 02 물레방아

8 삼대(三代) | 염상섭

- **갈래**: 장편 소설, 세태 소설
- **성격**: 사실주의적, 현실 비판적
- **배경**
  ① 시간적: 1930년대 일제 강점기
  ② 공간적: 서울 중산층의 집안
- **시점**: 전지적 작가 시점
- **특징**
  ① 가족 내부의 갈등: 세대의 가치관 및 재산권을 중심으로 한 삼대의 갈등
  ② 개인과 사회의 갈등(계층 간의 갈등): 타락한 부르주아와 급진적 사회주의 이념 사이의 갈등
- **주제**: 한 가족의 삶을 중심으로 나타나는 세대·계층 간의 갈등 및 현실 대응 방식

"누가 돈 쓰는 것을 아랑곳했나? 누가 저더러 돈을 쓰라니 걱정인가? 내 돈 가지고 내가 어떻게 쓰든지……."

"아버님께서 하시는 일에……."

조금 뜸하여지며 부친이 쌈지를 풀어서 담배를 담는 동안에 상훈이는 나직이 말을 꺼냈다.

"……돈 쓰신다고만 하는 것도 아닙니다마는 어쨌든 공연한 일을 만들어 내는 사람들이 첫째 잘못이란 말씀입니다."

"무에 어째 공연한 일이란 말이냐?"

부친의 어기는 좀 낮추어졌다.

"대동보소만 하더라도 족보 한 길에 오십 원씩으로 매었다 하니 그 오십 원씩을 꼭꼭 수봉하면 무엇하자고 삼사천 원이 가외로 들겠습니까?"

"삼사천 원은 누가 삼사천 원 썼다던?"

영감은 아들의 말이 옳다고는 생각하였으나, 실상 그 삼사천 원이란 돈이 족보 박는 데에 직접으로 들어간 것이 아니라, ○○ 조씨로 무후(無後)한 집의 계통을 이어서 일문일족에 끼려 한 즉 군식구가 늘면 양반의 진국이 묽어질까 보아 반대를 하는 축들이 많으니까 그 입을 씻기 위하여 쓴 것이다. 하기 때문에 난봉자식이 난봉 피운 돈 액수를 줄이듯이, 이 영감도 실상은 한 천 원 썼다고 하는 것이다. 중간의 협잡배는 이런 약점을 노리고 우려 쓰는 것이지만, 이 영감으로서는 성한 돈 가지고 이런 병신구실해 보기는 처음이다.

"그야 얼마를 쓰셨든지요, 그런 돈은 좀 유리하게 쓰셨으면 좋겠다는 말씀입니다."

'재하자 유구무언(在下者有口無言)'의 시대는 지났다 하더라도 노친 앞이라 말은 공손했으나 속은 달랐다.

"어떻게 유리하게 쓰란 말이냐? 너같이 오륙천 원씩 학교에 디밀고 제 손으로 가르친 남의 딸자식 유인하는 것이 유리하게 쓰는 방법이냐?"

아까부터 상훈이의 말이 화롯가에 앉아서 폭발탄을 만지작거리는 것 같아서 위태위태하더라니 겨우 간정되려던 영감의 감정에 또 불을 붙여 놓고 말았다. 상훈이는 어이가 없어서 얼굴이 벌개진다.

부친의 소실 수원집과 경애 모녀와는 공교히도 한 고향이다. 처음에는 감쪽같이 속여 왔으나 수원집만은 연줄연줄이 닿아서 경애 모녀의 코빼기라도 못 보았건마는 소문을 뻔히 알고, 따라서 아이를 낳은 뒤에는 집안에서 다 알게 되었던 것이다. 덕기 자신부터 수원집의 입에서 대강 들어 안 것이다. 그러나 상훈이 내외가 몇 번 싸움질이 있은 외에는 노 영감님도 이때껏 눈감아 버린 것이요, 경애가 들어 있는 북미창정 그 집에 대하여도 부친이 채근한 일은 없는 것이라서 지금 조인광좌(稠人廣座) 중에서 아들에게 대하여 학교에 돈 쓰고 제 손으로 가르친 남의 딸 유인하였다는 말을 터놓고 하는 것을 들으니 아무리 부친이 홧김에 한 말이라 하여도 듣기에 괴란쩍고 부자간이라도 너무 야속하였다.

"아버님께서는 너무 심한 말씀을 하십니다마는, 어쨌든 세상에 좀 할 일이 많습니까? 교육 사업, 도서관 사업, 그 외 지금 조선어 자전 편찬하는 데……."

상훈이는 조심도 하려니와 기를 눅이어서 차근차근히 이왕지사 말이 나왔으니 할 말을 다 하겠다는 듯이 말을 이어 나가려니까 또 벼락이 내린다.

"듣기 싫다! 누가 네게 그 따위 설교를 듣자던? 어서 가거라."

"하여간에 말씀입니다. 지난 일은 어쨌든 지금 이 판에 별안간 치산이란 당한 일입니까? 치산만 한대도 모르겠습니다마는, 서원을 짓고 유생들을 몰아다 놓으시렵니까? 돈도 돈이거니와 지금 시대에 당한 일입니까?"

상훈이는 아까보다 좀 어기를 높여서 반대를 하였다.

"잔소리 마라! 그놈 나가라니까 점점 더하고 섰구나. 내가 무얼 하든 네가 무슨 총찰이란 말이 냐? 내가 죽으면 동전 한 닢이라도 너를 남겨 줄 테니 걱정이란 말이냐? 너는 이후로는 아무리 굶어 죽는다 하여도 한 푼 막무가내다. 너는 없는 셈만 칠 것이니까⋯⋯, 너희들도 다아 들어 두어라."

하고 좌중을 돌려다 보며 말을 잇는다.

줄거리

방학을 맞아 고향에 돌아온 일본 유학생 '덕기'는 사회주의자인 친구 병화 등을 만나고, 자신의 집안에서 일어나고 있는 복잡한 일들과 갈등 등을 알게 된다. 덕기의 조부(祖父) 조의관의 소실 수원댁은 조의관의 재산을 빼돌릴 목적으로 계략을 짜고 조의관을 독살한다. 조부의 의문의 죽음 이후 덕기의 집안은 점점 몰락하고, 사회는 3·1 운동의 실패로 극도의 혼란에 빠지게 된다. 사회주의자들 간에 불신과 반발이 고조되고 테러 행위가 자행되는 가운데 '필순'의 아버지도 이에 희생되면서 그의 가족을 덕기에게 부탁하게 된다. 그리고 덕기는 앞으로 어떤 삶을 살아야 할 것인가를 생각한다.

이해와 감상

이 소설은 전통적 봉건주의자인 '조의관', 개화기에 개화 의식을 배웠지만 사회 진출의 좌절로 인해서 타락해 버린 '조상훈', 조상훈의 아들이자 일본 유학생인 '조덕기'라는 3대의 모습을 통해서 구한말에서 일제 강점기에 이르는 당대 조선의 현실을 아우르고 있는 작품이다. 특히 중심 인물인 조덕기는 할아버지 조의관이 가진 완강한 봉건 의식은 반대하면서도 필요한 전통은 잇고자 하며 아버지가 가진 비현실적 계몽 의식에는 동조하지 않는 현실주의자적인 모습을 보이는데, 이는 당대에 나타난 새로운 인간 유형을 보여 주고 있는 것이다.

단권화 MEMO

바로 확인문제

01 「삼대」의 사건 전개 과정에서 중심축을 담당하는 것은 조의관의 재산 상속 문제로, 이는 작가의 문제의식이 전근대적인 것이었음을 나타낸다. (○, ×)

02 교육 사업, 도서관 사업과 같은 의미 있는 일을 하는 인물이지만, 실상은 가르치던 제자와 정을 통하는 '조상훈'에 대한 평가로 적절한 한자 성어는 '☐☐☐☐'이다.

03 '덕기'와 '병화'는 새로운 세대에 대한 희망을 드러낸다. (○, ×)

| 정답 | 01 ×(전근대적 → 근대적)
02 표리부동 03 ○

- **갈래**: 단편 소설, 신경향파 소설
- **성격**: 사실주의적, 현실 고발적
- **배경**
  ① 시간적: 1920년대 어느 겨울
  ② 공간적: 중국 서간도 빼허[白河], 조선인 이주민 마을
- **시점**: 전지적 작가 시점
- **특징**
  ① 속도감과 강한 인상을 주는 간결체의 문장
  ② 사회주의 사상과 계급 사상을 기반으로 함
- **주제**
  ① 간도에 이주한 조선인들의 비참한 삶과 악덕 지주에 대한 그들의 저항
  ② 간도 이민 생활의 곤궁과, 지주에 대한 울분과 징계

01 「홍염」은 지주와 소작농, 공장주와 노동자 등 계급 간의 대립과 저항, 그리고 이에 대한 대안을 제시하고 있다. (○, ×)

02 「홍염」의 공간적 배경인 '□□'는 문 서방 가족의 빈궁을 드러낸다.

03 결말 부분에 집중적으로 나타나는 '문 서방'의 저항 행위는 하층민의 투쟁 의지와 새로운 세계에 대한 간절한 염원을 그려 낸 것이라고 볼 수 있다. (○, ×)

| 정답 | 01 ×(대안을 제시하고 있지는 않다.) 02 간도 03 ○

9 홍염 | 최서해

"여보! 저 인가가 또 오는구려!"

가을볕이 쨍쨍한 마당에서 깨를 떨던 아내는 남편 문 서방을 보면서 근심스럽게 말하였다.

"오면 어쩌누? 와도 허는 수 없지!"

뒤줏간 앞에서 옥수수 껍질을 바르던 문 서방은 기탄없이 말하였다.

"엑, 그 단련을 또 어찌 받겠소?" / 아내의 찌푸린 낯은 스르르 흐리었다.

"참 되놈이란 오랑캐……." / "여보 여기 왔소."

문 서방의 높은 소리를 주의시키던 아내는 뒤줏간 저편을 보면서,

"아, 오셨소!" / 하고 어색한 웃음을 웃었다.

"예 왔소! 장귀즈(주인) 있소?"

지주 인가는 어설픈 웃음을 지으면서 마당에 들어서다가 뒤줏간 앞에 앉은 문 서방을 보더니,

"응 저기 있소!"

하고 손가락질을 하면서 그 앞에 가 수캐처럼 쭈그리고 앉았다.

서천에 기운 태양은 인가의 이마에 번지르르 흘렀다.

"어디 갔다 오슈?"

문 서방은 의연히 옥수수를 바르면서 하기 싫은 말처럼 힘없이 끄집어내었다.

"문 서방! 그래 올에두 비들(빚을) 못 가프겠소?"

인가는 문 서방 말과는 딴전을 치면서 담뱃대를 쌈지에 넣는다.

"허허, 어제두 말했지만 글쎄 곡식이 안 된 거 어떡하오?"

"안 돼! 안 돼! 곡시기 잘 되구 모 되구 내가 알으오? 오늘은 받아 가지구야 가겠소!"

인가는 담배를 피우면서 버티려는 수작인지 땅에 펑덩 들어앉았다.

"내년에는 꼭 갚아 드릴게 올만 참아 주오! 장구재(주인)도 알지만 흉년이 되어서 되지두 않은 이것(곡식)을 모두 드리면 우리는 어떻게 겨울을 나우? 응! 자, 내년에는 꼭…… 하하."

인가를 보면서 넋없는 웃음을 치는 문 서방의 눈에는 애원하는 빛이 흘렀다.

"안 되우! 안 돼! 퉁퉁(모다) 디 주! 모두두 많이 많이 부족이오!"

"부족이 돼두 하는 수 없지. 글쎄 뻔히 보시면서 어떡하란 말이요! 휴."

"어째 어부소? 응 늬디 어째 어부소 마리해! 울리 쌀리디, 울리 소금이디, 울리 강냉이디…… 늬디 입이(그는 입을 가리키면서)디 안 먹어? 어째 어부소? 응."

인가는 낯빛이 거무락푸르락해서 소리를 고래고래 질렀다. 문 서방은 더 말이 나오지 않았다.

언제나 이놈의 소작인 노릇을 면하여 볼까? 경기도에서도 소작인 생활 십 년에 겨죽만 먹다가 그것도 자유롭지 못하여 남부여대로 딸 하나 앞세우고 이 서간도로 찾아들었더니 여기서도 그네를 맞아 주는 것은 지팡살이였다. 이름만 달랐지 역시 소작인이다. 들어오던 해는 풍년이었으나 늦게 들어와서 얼마 심지 못하였고 그 이듬해에는 흉년으로 말미암아 일 년내 꾸어 먹은 것도 있거니와 소작료도 못 갚아서 인가에게 매까지 맞고 금년으로 미뤘더니 금년에도 흉년이 졌다. 다른 사람들도 빚을 지지 않은 바가 아니로되 유독이 문 서방을 조르는 것은 음흉한 인가의 가슴속에 문 서방의 딸 용례(금년 열일곱)가 걸린 까닭이었다.

▌줄거리

경기도에서 소작을 하던 문 서방은 서간도로 이주하여 중국인 인가의 소작인이 된다. 그러나 간도에서의 삶 역시 이전에 비해 조금도 나아지지 않았으며, 오히려 빚까지 지게 된다. 인가는 빚 대신 문 서방의 딸 용례를 빼앗고, 이로 인해서 아내는 원통해하며 죽음을 맞는다. 아내도 죽고 딸도 빼앗긴 문 서방은 복수를 하기 위해서 인가의 집에 방화를 하고 인가를 죽인 후 딸을 되찾는다.

▌이해와 감상

이 소설은 간도를 배경으로 조선인 소작인과 중국인 지주 사이의 갈등을 그린 것으로, 신경향파의 대표적인 작품으로 손꼽힌다. 가혹한 중국인 지주에 대한 소작인의 저항과 투쟁이 작품의 주요 내용을 구성하고 있다. 그러나 결말을 방화와 살인으로 끝맺고 있는데, 이는 현실의 모순을 극복할 만한 대안을 제시하지 못하고 극단적인 방식만을 제시했다는 점에서 신경향파 문학의 한계로 지적되기도 하였다.

황금광(黃金狂) 시대.

저도 모를 사이에 구보의 입술엔 무거운 한숨이 새어 나왔다. 황금을 찾아, 그것도 역시 숨김 없는 인생의, 분명한, 일면이다. 그것은 적어도, 한 손에 단장과 또 한 손에 공책을 들고, 목적 없이 거리로 나온 자기보다는 좀더 진실한 인생이었을지도 모른다. 시내에 산재(散在)한 무수한 광무소(鑛務所). 인지대 백 원. 열람비 오 원. 수수료 십 원. 지도대 십팔 전…… 출원 등록된 광구(鑛區), 조선 전토의 칠 할. 시시각각으로 사람들은 졸부가 되고, 또 몰락해 갔다. 황금광 시대. 그들 중에는 평론가와 시인, 이러한 문인들조차 끼어 있었다. 구보는 일찍이 창작을 위하여 그의 벗의 광산에 가 보고 싶다 생각하였다. 사람들의 사행심(射倖心), 황금의 매력, 그러한 것들을 구보는 보고, 느끼고, 하고 싶었다. 그러나 고도의 금광열은 오히려 총독부 청사, 동측(東側) 최고층, 광무과 열람실에서 볼 수 있었다……

문득, 한 사내가 둥글넓적한, 그리고 또 비속(卑俗)한 얼굴에 웃음을 띠고, 구보 앞에 그의 모양 없는 손을 내민다. 그도 벗이라면 벗이었다. 중학 시대의 열등생. 구보는 그래도 약간 웃음에 가까운 표정을 지어 보이고, 그리고 단장 든 손을 그대로 내밀어 그의 손을 가장 엉성하게 잡았다. 이거 얼마만이야. 어디, 가나. 응, 자네는……

구보는 친하지 않은 사람에게 '자네' 소리를 들으면 언제든 불쾌하였다. '해라'는, 해라는 오히려 나았다. 그 사내는 주머니에서 금시계를 꺼내 보고, 다음에 구보의 얼굴을 쳐다보며, 저기 가서 차라도 안 먹으려나. 전당포 집의 둘째 아들. 구보는 그러한 사내와 자리를 같이해 차를 마실 생각은 없었다. 그러나 그러한 경우에 한 개의 구실을 지어, 그 호의를 사절할 수 있도록 구보는 용감하지 못하다. 그 사내는 앞장을 섰다. 자아 그럼 저리로 가지. 그러나 그것은 구보에게만 한 말이 아니었다.

구보는 자기 뒤를 따라오는 한 여성을 보았다. 그는 한번 흘낏 보기에도, 한 사내의 애인 된 티가 있었다. 어느 틈엔가 이런 자도 연애를 하는 시대가 왔나. 새삼스러이 그 천한 얼굴이 쳐다보였으나, 그러나 서정 시인조차 황금광으로 나서는 때이다.

의자에 가 가장 자신 있어 앉아, 그는 주문 들으러 온 소녀에게, 나는 가루삐스(칼피스), 그리고 구보를 향하여 자네두 그걸로 하지. 그러나 구보는 거의 황급하게 고개를 흔들고, 나는 홍차나 커피로 하지.

음료 칼피스를, 구보는, 좋아하지 않는다. 그것은 외설한 색채를 갖는다. 또, 그 맛은 결코 그의 미각에 맞지 않았다. 구보는 차를 마시며 문득 끽다점(喫茶店)에서 사람들이 취하는 음료를 가져, 그들의 성격, 교양, 취미를 어느 정도까지 알 수 있을 것이 아닌가, 하고 생각하여 본다. 그리고 그것은 동시에, 그네들의 그때, 그때의 기분조차 표현하고 있을 게다.

구보는 맞은편에 앉은 사나이의, 그 교양 없는 이야기에 건성 맞장구를 치며, 언제든 그러한 것을 연구해 보리라 생각한다.

┃줄거리

무명작가로 무위도식하면서 서울의 이곳저곳을 전전하는 식민지 시대의 지식인 구보는 펜과 종이를 들고 집에서 나와 '천변 길 → 종로 네거리 → 화신 상회 → 전차 안 → 조선은행 앞 → 다방 → 거리 → 경성역(대합실) → 조선은행 앞 → 다방 → 거리 → 술집 → 카페 → 종로 네거리'를 거쳐서 다시 집으로 귀가하게 된다. 이러한 여정 속에서 당대의 식민지 서울의 여러 모습과 인간 군상들을 관찰한다.

┃이해와 감상

이 소설은 소설가 구보가 하루 동안 서울 거리를 배회하며 느끼는 내면 의식의 변화를 보여 주고 있다. 구보는 물질 만능주의에 허덕거리는 천박한 인물들의 모습을 냉소적이고 자조적으로 표현하지만 자신도 이러한 상황에서 크게 벗어나지 못하는 무기력한 지식인일 뿐이다. 즉, 당시의 세태를 비판적으로는 인식하지만, 이에 대해 뚜렷한 해결책을 제시하거나 어떠한 행동도 하지 못하는 소심한 식민지 지식인의 모습을 형상화하고 있다. 이 소설은 구보가 떠올리는 생각들이 구보의 의식의 흐름을 따라 기술되고 있는데(의식의 흐름 기법), 이는 모더니즘 소설의 특징 중 하나이다. 또한 인물의 내면 의식이 단편적 사실들에 의해 두서없이 나타나는 몽타주 기법도 함께 드러나며, 이 소설에서 사건이나 행위, 갈등은 중요한 의미를 갖지 못한다. '의식의 흐름 기법'과 '몽타주 기법'은 모더니즘 소설에서 연관성 없는 내면 의식을 보여 주기 위한 효과적인 장치로 활용되고 있다.

단권화 MEMO

- **갈래**: 중편 소설, 세태 소설
- **성격**: 관찰적, 모더니즘적
- **배경**
  ① 시간적: 1930년대의 어느 날
  ② 공간적: 경성의 거리
- **시점**: 전지적 작가 시점
- **특징**
  ① 1일 동안의 여로 형식을 취함 (원점 회귀의 여로 구조)
  ② 전통적인 서사 구조(플롯 중심)는 약화되고, 과거에 대한 회상이나 의식의 흐름에 따른 회상의 구조가 강화되어 있음
  ③ 무기력한 지식인의 일상 묘사
  ④ 심리 묘사와 관찰의 조화
  ⑤ 만연체 문장
- **주제**
  ① 일상성의 회복에 대한 소망
  ② 1930년대 무기력한 소설가의 눈에 비친 일상과 세태
  ③ 식민지 현실을 살아가는 무기력한 소설가의 일상사와 자의식

바로 확인문제

01 「소설가 구보 씨의 일일」은 인물의 행위와 갈등에 의해 주제가 형상화된다. (○, ×)

02 '구보'는 생각과 고민이 많은 소심한 인물이다. (○, ×)

03 공간의 이동에 따라 인물의 내면 의식의 흐름을 기술하는 '□□□ □□ □□'이 사용되었다.

| 정답 | 01 ×(인물의 행위와 갈등 → 인물의 심리 묘사) 02 ○ 03 의식의 흐름 기법

11 천변 풍경 | 박태원

• 갈래: 장편 소설, 세태 소설
• 성격: 관찰적, 일화적
• 배경
  ① 시간적: 1930년대
  ② 공간적: 서울 청계천 주변
• 시점: 전지적 작가 시점이나 부분적으로 3인칭 관찰자 시점의 혼용
• 특징
  ① 시점의 자유로운 이동
  ② 카메라 아이 기법을 활용하여 인물의 모습을 객관적으로 그려 냄
  ③ 일반적인 소설의 구성 방식을 취하지 않고 파노라마식으로 전개함
• 주제
  ① 1930년대 서울 중산층과 하층민들의 삶의 애환
  ② 물질 만능주의와 도시인의 타락한 삶

소년이, 그렇게, 서울에서의 자기에 대하여, 눈곱만 한 자신도 가질 수 없을 때, 그러나, 아버지는, 단 하룻밤이라 같이 묵어 주는 일 없이, 그대로 무자비하게도 자기의 볼일만을 보러, 영등포나 어디라나로 떠나 버렸으므로, 어린 창수는, 대체, 혼자서, 이제, 어찌하여야 좋을지, 끝없는 불안에 사로잡히고 말았다. 그야, 아버지는, 내일 아침 가평으로 돌아가기 전에, 다시 한 번, 이 한약국를 들르마고, 그러한 말을 하였던 것이나, 그까짓 것이 그의 마음의 불안을 조금이라도 덜어 주는 것이 될 수는 없었다. 그래, 얼마 있다, 주인 영감이 '피존' 한 갑 사 오라고 한 장의 일 원 지폐를 내주었을 때, 담배 가게가 어디 가 붙어 있는지, 우선 그것부터 모르는 창수는 고만한 심부름에도 애가 쓰였다.

돈을 두 손으로 받아 들고 밖으로 나오는 그의 등에다 대고, 주인 영감은 생각난 듯이 한마디 하였다.

"너, 담배 파는 데, 아 — 니?"

"네 —."

얼떨결에 그렇게 대답하고, 또 얼굴을 붉히며, 천변에 나와, 대체, 어디로 발길을 향하여야 옳을지 분간을 못 하고 있을 때,

"너, 심부름 가니?"

개천 건너 이발소 창 앞에 가 그저 앉아 있는, 아까 그 아이가 말을 또 걸어, 그래,

"응."

하고 대답하니까,

"뭐어? 무슨 심부름?"

"담배."

하니까, 마음씨는 착한 아이인 듯싶어,

"저 — 기, 배다리 가게서 판다."

일러 주는 그 말이, 이 경우의 창수에게는 퍽 고마웠다.

창수는 한달음에 다리 모퉁이 반찬 가게로 뛰어갔다.

"담배 한 갑 주세요. 마코요…… 아 —니, 저어, 피존요."

아버지는 늘 마코만 태우신다. 구장 영감도 피존을 태우는 것을 못 보았다. '쥔 영감'은 참말 부잔가 보다…… 창수는 썩 지전을 내놓았다.

주인 영감이 일 원 지폐를 그에게 주었던 것은, 혹은, 따로 잔돈이 있었으면서도, 그러한 간단한 셈이라도 소년이 칠 줄 아나 어떤가 — 시험해 보려는 그러한 마음에서 나온 것일지도 모른다. 창수는, 그러나, 그러한 것에 서투르지 않다. 마침내, 그는, 한 갑의 담배와, 아홉 개의 백통전을, 주인 영감 책상머리에 갖다 놓고, 제 딴에는 무슨 크나큰 일이나 치른 듯이, 가만한 한숨조차 토하였던 것이나, 돈을 세어 보고 난 주인 영감이, 뜻밖에도 눈살을 잔뜩 찌푸리고서, 가장 못마땅한 듯이 그의 얼굴을 면구스럽게 치어다보며,

"너, 을마 거슬러 온 거냐?"

한마디 말에, 그만 창수의 얼굴은 어처구니없이 붉어지고,

"구십, 구십 전이죠, 왜, 저어……."

변변하지 못하게 말소리조차 더듬어지는 것을, 제 자신, 어쩌는 수 없이,

"그래, 이게 구십 전야?"

주인 영감이 거의 음성조차 높여 가지고, 그의 눈앞에 내보이는, 그 거슬러 온 돈을 다시 한 번 세어 보아도, 역시 틀림없이 아홉 푼이기는 하였으나, 성미 급하게 주인 영감이 마침내 집어서 보여 주는 그중의 한 푼은 둘레는 거의 십 전짜리만이나 하였어도, 역시 틀림없는 오 전짜리 백통전이 분명하였다.

창수는 얼굴이 무섭게까지 새빨개 가지고, 대체, 이제 어찌하여야 좋을 것인지, 어림이 도무지 서지 않았다. 이제까지 시골에 있어서도, 그는 이러한 경우를 당하여 본 일이 없었다. 그러한데, 이곳은 더구나, 누구라 하나 아는 사람을 가지지 못한 서울 한복판이 아니냐? 소년은 금방 울 것 같은 마음으로 오 전짜리 백통전을 내려다보며, 얼마 동안을 바보같이 그곳에 가 서 있었다. 아무리 어려운 일, 아무리 힘든 일이라도 좋았다. 대체, 이러한 경우에는 어떻게 하여야만 옳은 것인지, 우선 그것만 알아낼 수 있더라도 당장 살 것 같았다.

▌줄거리

1년 동안 청계천 주변에 사는 약 70여 명의 인물들이 벌이는 소소한 일상사를 주된 내용으로 삼고 있다.

▌이해와 감상

이 소설은 1930년대 청계천 주변을 중심으로 해서 다양한 인간 군상들의 모습을 형상화하고 있는 작품으로, 흔히 세태 소설로 평가되기도 한다. 그러나 청계천 주변을 중심으로 다양한 인간들의 모습을 관찰하고 묘사하고 서술하는 모더니즘 계열의 소설로 평가되는 것이 더 일반적이다. 이 소설은 대도시인 서울을 배경으로 1930년대 당시 서민층의 일상적인 생활 양상을 사실적이고 세밀하게 재현하였으며, 소설의 일반적인 구성법을 따르지 않고 다양한 등장인물을 주인공으로 하여 이들과 관련한 각각의 일화를 특별한 줄거리나 순서 없이 나열하는 삽화식 구성 방식을 취하고 있다. 또한 영화적 기법을 도입하고 있는데, 특정 대상을 확대해 보는 '클로즈업 기법'과 카메라가 이동하며 촬영하는 듯한 '카메라 아이 기법'이 사용되고 있다. 내용 면에서는 청계천변의 한약국에서 일하는 '창수'와 이발소에서 일하는 '재봉'의 시각에서 주변 풍경과 인물들의 모습을 그려낸 부분을 통해 물질주의에 경도되어 가는 도시인의 모습을 냉소적으로 전달하고 있다.

단권화 MEMO

바로 확인문제

01 「천변 풍경」은 전지적 작가 시점과 3인칭 관찰자 시점을 혼합하여 역동성을 더하고 있다. (○, ×)

02 인물의 시선 이동에 따라 펼쳐지는 도심의 풍경을 묘사할 때는 카메라가 이동하며 촬영하는 듯한 '□□ □□□□'이 사용되었다.

03 작가는 '창수'와 '재봉'의 시각에서 물질주의에 경도되어 가는 인물들의 모습을 연민스럽게 전달하고 있다. (○, ×)

| 정답 | 01 ○ 02 카메라 아이 기법
03 ×(연민스럽게 → 냉소적으로)

- 갈래: 단편 소설, 심리 소설
- 성격: 고백적, 상징적
- 배경
  ① 시간적: 1930년대
  ② 공간적: 경성(서울)의 거리
- 시점: 1인칭 주인공 시점
- 특징
  ① 내적 독백을 중심으로 주인공의 의식의 흐름에 따라 서술됨.
  ② 상징적 장치를 통해 식민지 지식인의 어두운 내면을 드러냄.
- 주제
  ① 분열된 자아를 하나로 통합하려는 과정에서 나타나는 자의식의 심화와 그 초극을 위한 몸부림
  ② 식민지 시대의 지식인의 분열된 자의식과 극복 의지

12 날개 | 이상

여러 번 자동차에 치일 뻔하면서 나는 그래도 경성역을 찾아갔다. 빈자리와 마주 앉아서 이 쓰디쓴 입맛을 거두기 위하여 무엇으로나 입가심을 하고 싶었다.

커피——. 좋다. 그러나 경성역 홀에 한 걸음을 들여놓았을 때 나는 내 주머니에는 돈이 한 푼도 없는 것을, 그것을 깜빡 잊었던 것을 깨달았다. 또 아뜩하였다. 나는 어디선가 그저 맥없이 머뭇머뭇하면서 어쩔 줄을 모를 뿐이었다. 얼빠진 사람처럼 그저 이리 갔다 저리 갔다 하면서…….

나는 어디로 어디로 들입다 쏘다녔는지 하나도 모른다. 다만 몇 시간 후에 내가 미쓰코시 옥상에 있는 것을 깨달았을 때는 거의 대낮이었다. 나는 거기 아무 데나 주저앉아서 내 자라 온 스물여섯 해를 회고하여 보았다. 몽롱한 기억 속에서는 이렇다는 아무 제목도 불거져 나오지 않았다.

나는 또 내 자신에게 물어보았다. 너는 인생에 무슨 욕심이 있느냐고. 그러나 있다고도 없다고도, 그런 대답은 하기가 싫었다. 나는 거의 나 자신의 존재를 인식하기조차도 어려웠다.

허리를 굽혀서 나는 그저 금붕어나 들여다보고 있었다. 금붕어는 참 잘들 생겼다. 작은 놈은 작은 놈대로 큰 놈은 큰 놈대로 다 싱싱하니 보기 좋았다. 내리비치는 오월 햇살에 금붕어들은 그릇 바탕에 그림자를 내려뜨렸다. 지느러미는 하늘하늘 손수건을 흔드는 흉내를 낸다. 나는 이 지느러미 수효를 헤어 보기도 하면서 굽힌 허리를 좀처럼 펴지 않았다. 등허리가 따뜻하다.

나는 또 회탁의 거리를 내려다보았다. 거기서는 피곤한 생활이 똑 금붕어 지느러미처럼 흐늑흐늑 허비적거렸다. 눈에 보이지 않는 끈적끈적한 줄에 엉켜서 헤어나지들을 못한다. 나는 피로와 공복 때문에 무너져 들어가는 몸뚱이를 끌고, 그 회탁의 거리 속으로 섞여 들어가지 않는 수도 없다 생각하였다.

나서서 나는 또 문득 생각하여 보았다. 이 발길이 지금 어디로 향하여 가는 것인가를…….

그때 내 눈앞에는 아내의 모가지가 벼락처럼 내려 떨어졌다. 아스피린과 아달린.

우리들은 서로 오해하고 있느니라. 설마 아내가 아스피린 대신에 아달린의 정량을 나에게 먹여 왔을까? 나는 그것을 믿을 수는 없다. 아내가 대체 그럴 까닭이 없을 것이니. 그러면 나는 날밤을 새우면서 도적질을, 계집질을 하였나? 정말이지 아니다.

우리 부부는 숙명적으로 발이 맞지 않는 절름발이인 것이다. 내가 아내나 제 거동에 로직을 붙일 필요는 없다. 변해할 필요도 없다. 사실은 사실대로 오해는 오해대로 그저 끝없이 발을 절뚝거리면서 세상을 걸어가면 되는 것이다. 그렇지 않을까?

그러나 나는 이 발길이 아내에게로 돌아가야 옳은가 이것만은 분간하기가 좀 어려웠다. 가야 하나? 그럼 어디로 가나?

이때 뚜 — 하고 정오 사이렌이 울었다. 사람들은 모두 네 활개를 펴고 닭처럼 푸드덕거리는 것 같고 온갖 유리와 강철과 대리석과 지폐와 잉크가 부글부글 끓고 수선을 떨고 하는 것 같은 찰나, 그야말로 현란을 극한 정오다.

나는 불현듯이 겨드랑이가 가렵다. 아하, 그것은 내 인공의 날개가 돋았던 자국이다. 오늘은 없는 이 날개. 머릿속에서는 희망과 야심의 말소된 페이지가 딕셔너리 넘어가듯 번뜩였다.

나는 걷던 걸음을 멈추고 그리고 어디 한번 이렇게 외쳐 보고 싶었다.

날개야 다시 돋아라.

날자. 날자. 날자. 한 번만 더 날자꾸나.

한 번만 더 날아 보자꾸나.

01 「날개」의 서술자는 작품 안에서 주인공의 행동을 객관적으로 관찰한다. (○, ×)

02 결말 부분의 ☐☐는 억압되고 폐쇄된 현실에서 벗어나 본래의 자아를 회복하려는 의지를 상징한다.

03 비윤리적이고 왜곡된 모습으로 살아가는 사람들의 모습을 통해 당대 현실 속의 여러 결함을 드러내고 있다. (○, ×)

| 정답 | 01 ×(작품 안에 등장하는 주인공 '나'이다.) 02 날개 03 ○

▌줄거리

'나'는 삶의 의욕 없이 아내와 둘이 살고 있으며 아내는 자주 외출을 하고 아내가 외출한 뒤에는 아내의 방에서 놀기도 한다. 아내는 내객이 올 때마다 나에게 은화를 주지만 나는 은화가 필요하지 않기 때문에 변소에 빠뜨리기도 한다. 어느 날 경성역에 외출했던 나는 비를 맞아 감기에 걸리고 이런 나에게 아내는 아스피린을 주지만 나중에 그것은 아스피린이 아닌 아달린(수면제)임을 알아낸다. 아내의 의도를 알 수 없는 나는 외출하여 미쓰코시 백화점 옥상에서 자신의 삶을 돌아보고 정오의 사이렌과 함께 날개가 돋기를 염원한다.

▌이해와 감상

이 소설은 이상의 대표작으로서 일제 강점기 지식인의 무의미한 삶과 자아 분열을 그려 낸 최초의 심리 소설로 평가받고 있다. 특징적인 점은 소설의 일반적 구성 방식을 따르지 않고 있을 뿐만 아니라 등장인물인 '나'와 아내의 관계가 보통의 남녀 관계와는 다른, 왜곡된 형태로 그려지고 있다는 점이다. 또한 하루 종일 방 안에서 빈둥대며 일제 강점기를 살아가는 무기력한 지식인이었던 '나'는 '아내'가 준 돈을 버리고 일종의 탈출과 같은 외출을 하면서 자아의 정체성을 의미하는 '날개'가 돋기를 염원하는데, 이는 생의 의미 찾기를 포기하지 않았음을 드러내는 것이다. 이러한 인물의 모습은 의식의 흐름 기법을 사용함으로써 더욱 효과적으로 형상화되고 있다.

단권화 MEMO

- **갈래**: 단편 소설, 세태 소설
- **성격**: 사실적, 현실 고발적
- **배경**
  ① 시간적: 1930년대
  ② 공간적: 서울
- **시점**: 전지적 작가 시점
- **특징**
  ① 궁핍한 시대인 구세대의 현실을 고발함
  ② 인간의 허황된 욕망과 그로 인한 파탄을 보여 줌
  ③ 신세대에 대한 비판 의식을 바탕에 깔고 있음
- **주제**
  ① 근대화의 물결 속에서 소외되어 가는 구세대들의 삶의 비애
  ② 은퇴한 노인들의 불투명한 미래와 꿈의 좌절

안경화는 엎드려 다시 울었다. 그러다가 나가려는 서 참의의 다리를 끌어안고 놓지 않았다. 그리고,

"절 살려 주세요."

소리를 몇 번이나 거듭하였다.

"그럼, 비밀은 내가 지킬 테니 나 하자는 대루 할까?"

"네."

서 참의는 다시 앉았다.

"부친 위해 보험 든 거 있지?"

"네, 간이 보험이야요."

"무슨 보험이든……. 얼마나 타게 되누?"

"사백팔십 원요."

"부친 위해 들었으니 부친 위해 다 써야지?"

"그럼요."

"에헴, 그럼……, 돌아간 이가 늘 속샤쓸 입구퍼 했어. 상등 털샤쓰를 사다 입히구, 그 위에 진견으로 수의 일습 구색 맞춰 짓게 허구…… 선산이 있나, 묻힐 데가?"

"웬걸요, 없어요."

"그럼 공동묘지라도 특등지루 널찍하게 사구…… 장례식을 장하게 해야 말이지 초라하게 해 버리면 내가 그저 안 있을 게야. 알아들어?"

"네에."

하고 안경화는 그제야 핸드백을 열고 눈물 젖은 얼굴을 닦았다.

안 초시의 소위 영결식이 그 딸의 연구소 마당에서 열리었다.

서 참의와 박희완 영감은 술이 거나하게 취해 갔다. 박희완 영감이 무얼 잡혀서 가져왔다는 부의 이 원을 서 참의가

"장례비가 넉넉하니 자네 돈 그 계집애 줄 거 없네."

하고 우선 술집에 들러 거나하게 곱빼기들을 한 것이다.

영결식장에는 제법 반반한 조객들이 모여들었다. 예복을 차리고 온 사람도 두엇 있었다. 모두 고인을 알아 온 것이 아니요, 무용가 안경화를 보아 온 사람들 같았다. 그중에는 고인의 슬픔을 알아 우는 사람인지, 덩달아 기분으로 우는 사람인지 울음을 삼키느라고 끽끽 하는 사람도 있었다. 안경화도 제법 눈이 젖어 가지고 신식 상복이라나 공단 같은 새까만 양복으로 관 앞에 나와 향불을 놓고 절하였다. 그 뒤를 따라 한 이십 명 관 앞에 와 꾸벅거리었다. 그리고 무어라고 지껄이고 나가는 사람도 있었다.

그들의 분향이 거의 끝난 듯하였을 때

"에헴."

하고 얼굴이 시뻘건 서 참의도 한마디 없을 수 없다는 듯이 나섰다. 향을 한 움큼이나 집어 놓아 연기가 시커멓게 올려 솟더니 불이 일어났다. 후— 후— 불어 불을 끄고, 수염을 한 번 쓰다듬고 절을 했다. 그리고 다시

"헴……."

하더니 조사를 하였다.

"나 서 참일세. 알겠나? 흥…… 자네 참 호살세 호사야……. 잘 죽었으니, 자네 살았으믄 이만 호살 해 보겠나? 인전 안경다리 고칠 걱정두 없구…… 아무튼지……."

하는데 박희완 영감이 들어서더니

"이 사람 취했네그려."

하며 서 참의를 밀어냈다.

박희완 영감도 가슴이 답답하였다. 분향을 하고 무슨 소리를 한마디 했으면 속이 후련히 트일 것 같아서 잠깐 멈칫하고 서 있어 보았으나,

"으흐윽……."

하고 울음이 먼저 터져 그만 나오고 말았다.

　서 참의와 박희완 영감도 묘지까지 나갈 작정이었으나 거기 모인 사람들이 하나도 마음에 들지 않아 도로 술집으로 내려오고 말았다.

▍줄거리

안 초시, 서 참의, 박희완 영감은 복덕방에서 소일하면서 살아가는 인물들이다. 그러던 중 부동산 개발 정보를 입수한 안 초시는 한몫 잡을 기대를 안고 딸에게 부동산 투기를 권한다. 그러나 부동산 투기에 실패하고 안 초시는 좌절하게 된다. 절망에 빠진 안 초시는 결국 자살하게 되고 안 초시를 발견한 서 참의는 딸 안경화에게 장사를 후하게 치러 줄 것을 당부한 후 안 초시의 장례식장에서 울분과 설움에 찬 눈물을 흘린다.

▍이해와 감상

이 소설은 1930년대 경성(서울) 외곽의 복덕방을 배경으로, 땅 투기와 그 음모에 빠져 파멸하는 한 노인을 통해 근대화 과정에서 소외된 세대의 궁핍함, 좌절 등을 형상화하고 있다. 부동산 투기로 딸의 재산을 탕진하자 안 초시는 스스로 목숨을 끊는데, 이는 소외된 계층들의 절망적인 상황을 극적으로 드러내고 있다. 또한 아버지의 죽음 앞에서도 자신의 사회적 명예가 훼손될 것만을 염려하는 딸은 새로운 세대의 부정적인 모습을 나타내고 있다.

이 소설의 주요 배경인 '복덕방'은 사회에서 소외되어 궁핍한 노년기를 보내고 있는 '서 참의', '안 초시', '박희완 영감'에게 위로의 장소이자 세 노인이 서로를 향한 애정과 연민을 갖고 지내는 공간이다. 또한 절망에 빠진 '안 초시'가 마지막으로 기댄 공간이라는 점에서 이들의 비참한 삶의 모습을 부각시키는 비극적 공간이기도 하다.

바로 확인문제

01 「복덕방」은 구세대와 신세대 간의 대립 양상이 갈등의 축을 이루고 있다. (○, ×)

02 '안경화'는 아버지를 온전히 추모하기 위해 장례식을 조용히 치르고자 한다. (○, ×)

03 '□□□'은 사회적으로 소외된 인물들이 위안을 받는 공간이자 사건의 비극성을 부각시키는 공간이다.

| 정답 | 01 ○ 02 ×('안경화'는 사람들이 딸이 아버지를 잘 모시지 못해서 자살했다고 여길까 봐 조용히 수습하고자 한다.) 03 복덕방

- **갈래**: 단편 소설
- **성격**: 서정적, 애상적
- **배경**
  ① 시간적: 일제 강점기
  ② 공간적: 서울 성북동
- **시점**: 1인칭 관찰자 시점
- **특징**
  ① 작가의 서정성과 인간미가 잘 드러남
  ② 섬세하고 감각적인 묘사를 통해 인물과 사건을 형상화함
- **주제**
  ① 각박한 현실에 부딪혀 아픔을 겪는 삶의 모습
  ② 모자라지만 순수한 황수건에 대한 연민과 사랑

　한데 황수건은 그의 말대로 노랑 수건이라면 온 동네에서 유명은 하였다. 노랑 수건 하면 누구나 성북동에서 오래 산 사람이면 먼저 웃고 대답하는 것을 나는 차츰 알았다.

　내가 잠깐씩 며칠 보기에도 그랬거니와 그에겐 우스운 일화도 한두 가지가 아니었다.

　삼산 학교에 급사로 있을 시대에 삼산 학교에다 남겨 놓고 나온 일화도 여러 가지라는데, 그 중에 두어 가지를 동네 사람들의 말대로 옮겨 보면, 역시 그때부터도 이야기하기를 대단 즐기어 선생들이 교실에 들어간 새, 손님이 오면 으레 손님을 앉히고는 자기도 걸상을 갖다 떡 마주 놓고 앉는 것은 물론, 마주 앉아서는 곧 자기류의 만담 삼매로 빠지는 것인데, 한번은 도 학무국에서 시학관이 나온 것을 이 따위로 대접하였다. 일본말을 못 하니까 만담은 할 수 없고 마주 앉아서 자꾸 일본말을 연습하였다.

　"센세이 히, 오하요 고자이마스카(선생님, 안녕하세요)? …… 히히, 아메가 후리마스(비가 옵니다). 유키가 후리마스카(눈이 옵니까)? 히히……."

　시학관도 인정이라 처음엔 웃었다. 그러나 열 번 스무 번을 되풀이하는 데는 성이 나고 말았다. 선생들은 아무리 기다려도 종소리가 나지 않으니까, 한 선생이 나와 보니 종 칠 것도 잊어버리고 손님과 마주 앉아서 '오하요 유키가 후리마스카…….' 하는 판이다.

　그날 수건이는 선생들에게 단단히 몰리고 다시는 안 그러겠노라고 했으나, 그 버릇을 고치지 못해서 그예 쫓겨 나오고 만 것이다.

　그는,

　"너의 색시 달아난다."

하는 말을 제일 무서워했다 한다. 한번은 어느 선생이 장난엣말로,

　"요즘 같은 따뜻한 봄날엔 옛날부터 색시들이 달아나기를 좋아하는데 어제도 저 아랫말에서 둘이나 달아났다니까 오늘은 이 동리에서 꼭 달아나는 색시가 있을걸……."

했더니 수건이는 점심을 먹다 말고 눈이 휘뻥그레졌다 한다. 그리고 그날 오후에는 어서 바삐 하학을 시키고 집으로 갈 양으로 오십 분 만에 치는 종을 이십 분 만에, 삼십 분 만에 함부로 다가서 쳤다는 이야기도 있다.

　하루는 거의 그를 잊어버리고 있을 때,

　"이 선생님 곕쇼?"

하고 수건이가 찾아왔다. 반가웠다.

　"선생님, 요즘 신문이 거르지 않고 잘 옵쇼?"

하고 그는 배달 감독이나 되어 온 듯이 묻는다.

　"잘 오, 왜 그류?"

한즉 또,

　"늦지도 않굽쇼, 일쯕이 제때마다 꼭꼭 옵쇼?"

한다.

　"당신이 돌를 때보다 세 시간은 일쯕이 오고 날마다 꼭꼭 잘 오."

하니 그는 머리를 벅적벅적 긁으면서,

　"하루라도 걸르기만 해라. 신문사에 가서 대뜸 일러바치지……."

하고 그 빈약한 주먹을 부르댄다.

　"그런뎁쇼, 선생님?"

　"왜 그류?"

　"삼산 학교에 말씀예요. 그 제 대신 들어온 급사가 저보다 근력이 세게 생겼습죠?"

　"나는 그 사람을 보지 못해서 모르겠소."

하니 그는 은근한 말소리로 히죽거리며,

"제가 거길 또 들어가 볼랴굽쇼, 운동을 합죠."

한다.

"어떻게 운동을 하오?"

"그까짓 거 날마당 사무실로 갑죠. 다시 써 달라고 졸라 댑죠. 아, 그랬더니 새 급사란 녀석이 저보다 크기도 무척 큰뎁쇼, 이 녀석이 막 불근댑니다그려. 그래 한번 쌈을 해야 할 턴뎁쇼, 그 녀석이 근력이 얼마나 센지 알아야 뎀벼들 턴뎁쇼…… 허."

▎줄거리

황수건은 신문 보조 배달원으로, 원배달원이 되는 것이 소원인 인물이다. 그러나 보조 배달마저 쫓겨나게 되자 황수건의 사정을 딱하게 생각한 '나'는 약간의 돈을 주어 참외 장사를 할 수 있도록 돕는다. 그러나 참외 장사는 실패하고 황수건의 아내는 가출한다. 하지만 이런 상황 속에서도 황수건은 좌절하지 않고 천연덕스럽게 삶을 이어 간다.

▎이해와 감상

이 소설은 모자라고 우둔하지만 천진한 황수건이라는 인물이 각박한 세상에 부딪히면서 실패를 거듭하며 아픔을 겪는 모습을 담고 있는 작품으로, 서술자이자 관찰자인 '나'가 학교 급사, 신문 보조 배달원, 참외 장사 등의 일을 하지만 계속 좌절하고 상처를 입는 황수건의 일화를 나열하여, 순박한 인물인 황수건이 사회와 일상에서 소외되는 상황을 그리고 있다. 하지만 이 소설은 비극적이거나 절망적인 분위기로 흐르지 않는데, 이는 어수룩한 황수건의 우스꽝스러운 행동들을 통해 웃음을 자아내는 한편, 서술자인 '나'는 황수건이 야박한 현실에 적응하지 못하고 상처를 입자 이를 안타깝게 생각하며 연민과 동정을 드러내고 있기 때문이다.

특히 결말 부분의 달밤 장면은 거듭된 실패를 경험한 황수건의 서글프고 울적한 상황을 강조하지만 평화롭고 서정적인 느낌을 통해 비극성을 심화시키지 않으면서 독자들에게 깊은 여운을 준다. 참고로 '달밤'은 황수건에 대한 '나'의 연민을 효과적으로 나타내는 역할을 한다.

01 「달밤」은 섬세하고 감각적인 묘사를 통해 인물과 사건을 형상화한 작품이다. (○, ×)

02 '황수건'은 계속된 실패에 좌절하는 인물이다. (○, ×)

03 '□□'은 황수건에 대한 '나'의 연민을 효과적으로 나타내는 시간적 배경이다.

┃정답┃ 01 ○ 02 ×(좌절하지 않고 삶을 이어 가는 인물이다.) 03 달밤

- **갈래**: 단편 소설, 순수 소설
- **성격**: 서정적, 낭만적
- **배경**
  ① 시간적: 어느 여름날의 낮부터 밤까지
  ② 공간적: 봉평 장터와 봉평 장터에서 대화 장터로 가는 길
- **시점**: 전지적 작가 시점
- **특징**
  ① 간결한 대화와 사실적인 문체
  ② 시처럼 부드러운 서정적 분위기
  ③ 치밀한 구성
  ④ 암시와 추리의 기법
  ⑤ '아버지 찾기'라는 원형을 지닌 작품
- **주제**: 떠돌이 삶의 애환 속에 펼쳐지는 인간 본연의 정

"어머니는 하는 수 없이 의부를 얻어 가서 술장사를 시작했죠. 술이 고주래서 의부라고 전망나니예요. 철들어서부터 맞기 시작한 것이 하룬들 편할 날 있었을까. 어머니는 말리다가 채이고 맞고 칼부림을 당하고 하니 집 꼴이 무어겠소. 열여덟 살 때 집을 뛰어나와서부터 이 짓이죠."

"총각 낫세론 심이 무던하다고 생각했더니 듣고 보니 딱한 신세로군."

물은 깊어 허리까지 채었다. 속 물살도 어지간히 센 데가, 발에 채이는 돌멩이도 미끄러워 금시에 훌칠 듯하였다. 나귀와 조 선달은 재빨리 거의 건넜으나 동이는 허 생원을 붙드느라고 두 사람은 훨씬 떨어졌다.

"모친의 친정은 원래부터 제천이었던가?"

"웬걸요. 시원스리 말은 안 해 주나, 봉평이라는 것만은 들었죠."

"봉평? 그래 그 아비 성은 무엇이구?"

"알 수 있나요. 도무지 듣지를 못했으니까."

"그, 그렇겠지."

하고 중얼거리며, 흐려지는 눈을 까물까물하다가 허 생원은 경망하게도 발을 빗디뎠다. 앞으로 고꾸라지기가 바쁘게 몸째 풍덩 빠져 버렸다. 허우적거릴수록 몸을 걷잡을 수 없어, 동이가 소리를 치며 가까이 왔을 때에는 벌서 퍽이나 흘렀었다. 옷째 쫄딱 젖으니 물에 젖은 개보다도 참혹한 꼴이었다. 동이는 물속에서 어른을 해깝게 업을 수 있었다. 젖었다고는 하여도 여윈 몸이라 장정 등에는 오히려 가벼웠다.

"이렇게까지 해서 안됐네. 내 오늘은 정신이 빠진 모양이야."

"염려하실 것 없어요."

"그래, 모친은 아비를 찾지는 않는 눈치지?"

"늘 한번 만나고 싶다고는 하는데요."

"지금 어디 계신가?"

"의부와도 갈라져 제천에 있죠. 가을에는 봉평에 모셔 오려고 생각 중인데요. 이를 물고 벌면 이럭저럭 살아갈 수 있겠죠."

"아무렴, 기특한 생각이야. 가을이랬다?"

동이의 탐탁한 등어리가 뼈에 사무쳐 따뜻하다. 물을 다 건넜을 때에는 도리어 서글픈 생각에 좀 더 업혔으면도 하였다.

"진종일 실수만 하니 웬일이오, 생원."

조 선달은 바라보며 기어코 웃음이 터졌다.

"나귀야. 나귀 생각하다 실족을 했어. 말 안 했던가? 저 꼴에 제법 새끼를 얻었단 말이지. 읍내 강릉집 피마에게 말일세. 귀를 쫑긋 세우고 달랑달랑 뛰는 것이 나귀 새끼같이 귀여운 것이 있을까? 그것 보러 나는 일부러 읍내를 도는 때가 있다네."

"사람을 물에 빠치울 젠 딴은 대단한 나귀 새끼군."

허 생원은 젖은 옷을 웬만큼 짜서 입었다. 이가 덜덜 갈리고 가슴이 떨리며 몹시도 추웠으나, 마음은 알 수 없이 둥실둥실 가벼웠다.

"주막까지 부지런히들 가세나. 뜰에 불을 피우고 훗훗이 쉬어. 나귀에겐 더운 물을 끓여 주고, 내일 대화 장 보고는 제천이다."

"생원도 제천으로……?"

"오래간만에 가 보고 싶어. 동행하려나, 동이?"

나귀가 걷기 시작하였을 때 동이의 채찍은 왼손에 있었다. 오랫동안 아둑시니같이 눈이 어둡던 허 생원도 요번만은 동이의 왼손잡이가 눈에 띄지 않을 수 없었다.

걸음도 해깝고 방울 소리가 밤 벌판에 한층 청청하게 울렸다.

달이 어지간히 기울어졌다.

01 「메밀꽃 필 무렵」은 단편 소설, 순수 소설, 농촌 소설이다. (ㅇ, ✕)

02 「메밀꽃 필 무렵」은 두 개의 사건이 서로 교차하면서 이야기가 진행된다. (ㅇ, ✕)

03 □□는 허 생원과 매우 흡사한, 허 생원과 동일시되는 소재이다.

| 정답 | 01 ✕(농촌 소설✕) 02 ㅇ
03 나귀

▌줄거리

장돌뱅이인 허 생원은 충줏집에 갔을 때 충줏댁과 수작을 하던 동이를 때려 쫓아 버리지만 그날 밤 동이와 동행을 하면서 화해한다. 한편, 허 생원은 밤길을 걸으면서 오래전 성 서방네 처녀와의 추억을 이야기한다. 그 후 동이는 자신의 내력을 이야기한다. 허 생원은 냇물을 건너던 중 물에 빠지자 동이의 도움을 받아 업혀 나오게 되고, 이 과정에서 허 생원은 동이가 자신과 같은 왼손잡이임을 발견한다.

▌이해와 감상

이 소설은 일생을 길 위에서 살아가는 장돌뱅이의 삶과 애환을 통해 인간의 근원적인 애정을 다루고 있다. 또한 메밀꽃이 흐드러지게 핀 달밤의 산길을 배경으로 설정하여, 토속적인 어휘 구사와 서정적이고도 낭만적인 묘사로 부자(父子) 상봉의 모티프를 구현해 내고 있다. 특히 허 생원에게 소중한 존재인 '나귀'는 허 생원과 정서적으로 동일한 존재로 나귀의 과거 내력이나 외모, 행동 양상이 허 생원과 흡사하며, 허 생원과 나귀의 연관성은 자연과 인간의 합일이라는 작가의 주제 의식과 밀접한 관련을 맺고 있다.

이 소설은 허 생원이 회상하는 과거의 추억과 등장인물들이 봉평 장에서 대화 장으로 옮겨 가는 과정과 관련된 현재의 사건을 메밀꽃이 흐드러지게 핀 달밤이라는 배경에 '달빛'을 매개체로 결합시키고 있는데, 허 생원의 과거를 통해 인간의 근원적인 유랑의 삶을 보여 주고, 등장인물들이 봉평 장에서 대화 장으로 옮겨 가는 과정을 통해 혈육에 대한 인간의 애정을 부각하고 있다.

• **갈래**: 단편 소설, 순수 소설
• **성격**: 무속적, 운명적, 토속적
• **배경**
  ① 시간적: 구체적이지 않음
  ② 공간적: 전라도와 경상도의 경계인 화개장터
• **시점**: 전지적 작가 시점
• **특징**
  ① 인간과 운명 간의 갈등(역마살을 극복하려는 인간의 노력과 운명적인 역마살과의 대결)
  ② 토속적이고 운명론적인 샤머니즘
• **주제**
  ① 떠돌이 인간의 삶과 역마살
  ② 한국적 운명관(역마살)에 순종하는 삶과 그에 따른 인간성의 구현

16 역마(驛馬) | 김동리

성기가 다시 자리에서 일어나게 된 것은 이듬해 우수(雨水)도 경칩(驚蟄)도 다 지나, 청명(淸明) 무렵의 비가 질금거릴 무렵이었다. 주막 앞에 늘어선 버들가지는 다시 실같이 푸르러지고 살구, 복숭아, 진달래 들이 골목 사이로 산기슭으로 울긋불긋 피고 지고 하는 날이었다.

아들의 미음상을 차려 들고 들어온 옥화는 성기가 미음 그릇 비우는 것을 보자, 이렇게 물었다. "아직도, 너, 강원도 쪽으로 가 보고 싶냐?" / "……." / 성기는 조용히 고개를 돌렸다.

"여기서 장가들어 나랑 같이 살겠냐?" / "……." / 성기는 역시 고개를 돌렸다.

― 그해 아직 봄이 오기 전, 보는 사람마다 성기의 회춘을 거의 다 단념하곤 하였을 때, 옥화는, 이왕 죽고 말 것이라면, 어미의 맘속이나 알고 가라고, 그래, 그 체 장수 영감은, 서른여섯 해 전 남사당을 꾸며 와 이 화개장터에 하룻밤을 놀고 갔다는 자기의 아버지임에 틀림이 없었다는 것과, 계연은 그 왼쪽 귓바퀴 위의 사마귀로 보아 자기 동생임이 분명하더라는 것을 통정하노라면서, 자기의 왼쪽 귓바퀴 위의 검정 사마귀까지를 그에게 보여 주었다.

"나도 처음부터 영감이 '서른여섯 해 전'이라고 했을 때 가슴이 섬찟하긴 했다. 그렇지만 설마 했지. 그렇게 남의 간을 뒤집어 놀 줄이야 알았나! 하도 아슬해서 이튿날 악양으로 가 명도까지 불러 봤더니, 요것도 남의 속을 빤히 들여다보는 듯이 재잘대는구나, 차라리 망신을 했지."

옥화는 잠깐 말을 그쳤다. 성기는 두 눈에 불을 켜듯이 형형한 광채를 띠고, 그 어머니의 얼굴을 쳐다보고 있었다.

"차라리 몰랐으면 또 모르지만 한번 알고 나서야 인륜이 있으니 어쩌겠냐?"

그리고 부디 에미 야속타고나 생각지 말라고, 옥화는 아들의 뼈만 남은 손을 눈물로 씻었다.

옥화의 이 마지막 하직같이 하는 통정 이야기에 의외로 성기는 도로 힘을 얻은 모양이었다. 그 불타는 듯한 형형한 두 눈으로 천장을 한참 바라보고 있던 성기는 무슨 새로운 결심이나 하듯 입술을 지그시 깨물고 있었다.

아버지를 찾아 강원도 쪽으로 가 볼 생각도 없다, 집에서 장가들어 살림을 할 생각도 없다, 하는 아들에게 그러나, 옥화는 이제 전과 같이 이제 고지식한 미련을 두는 것도 아니었다.

"그럼 어쩔라냐? 너 좋을 대로 해라."

"………." / 성기는 아무런 말도 없이 도로 자리에 드러누워 버렸다.

그러고 나서 한 달포나 넘어 지난 뒤였다.

성기가 좋아하는 여러 가지 산나물이 화갯골에서 연달아 자꾸 내려오는 이른 여름의 어느 장날 아침이었다. 두릅회에 막걸리 한 사발을 쭉 들이켜고 난 성기는 옥화에게,

"어머니, 나 엿판 하나만 맞춰 주." / 하였다. / "……."

옥화는 갑자기 무엇으로 머리를 얻어 맞은 듯이 성기의 얼굴을 멍하니 바라보고 있었다.

그런 지도 다시 한 보름이나 지나, 뻐꾸기는 또다시 산울림처럼 건드러지게 울고, 늘어진 버들가지엔 햇빛이 젖어 흐르는 아침이었다. 새벽녘에 잠깐 가는 비가 지나가고, 날은 다시 유달리 맑게 갠 화개장터 삼거리 길 위에서, 성기는 그 어머니와 하직을 하고 있었다. 갈아입은 옥양목 고의적삼에, 명주 수건까지 머리에 질끈 동여매고 난 성기는, 새로 맞춘 새하얀 나무 엿판을 걸빵해서 느직하게 엉덩이 즈음에다 걸었다. 윗목판에는 새하얀 가락엿이 반 넘어 들어 있었고, 아랫목판에는 팔다 남은 이야기책 몇 권과 간단한 방물이 좀 들어 있었다.

그의 발 앞에는, 물과 함께 갈리어 길도 세 갈래로 나 있었으나, 화갯골 쪽엔 처음부터 등을 지고 있었고, 동남으로 난 길은 하동, 서남으로 난 길이 구례, 작년 이맘때도 지나 그녀가 울음 섞인 하직을 남기고 체 장수 영감과 함께 넘어간 산모퉁이 고갯길은 퍼붓는 햇빛 속에 지금도 환히 장터 위를 굽이돌아 구례 쪽을 향했으나, 성기는 한참 뒤 몸을 돌렸다. 그리하여 그의 발은 구례 쪽을 등지고 하동 쪽을 향해 천천히 옮겨졌다.

한 걸음 한 걸음 발을 옮겨 놓을수록 그의 마음은 한결 가벼워져서, 멀리 버드나무 사이에서 그의 뒷모양을 바라보고 서 있을 그의 어머니와 주막이 그의 시야에서 완전히 사라져 갈 무렵해서는, 육자배기 가락으로 제법 콧노래까지 흥얼거리며 가고 있는 것이었다.

▌줄거리

화개장터에서 주막을 운영하는 옥화는 자신의 하나뿐인 아들 성기의 역마살을 없애려고 노력한다. 그러던 중 체 장수 영감이 딸 계연을 옥화에게 맡기고 떠난다. 옥화는 계연을 성기와 맺어 주어서 성기를 정착시키려고 하지만 계연의 왼쪽 귓바퀴에 난 사마귀를 발견하고 자신의 동생이 아닐까 의심한다. 그러던 중 체 장수 영감이 돌아와서 이야기함으로써 계연이 옥화의 동생임이 밝혀지고 계연과 성기의 사랑은 좌절된다. 그 일이 있은 이후 성기는 중병을 앓게 되고, 병이 나은 후에는 운명에 따라 떠돌이 인생을 택하며 화개장터를 떠나게 된다.

▌이해와 감상

이 소설은 자신의 운명에 순응하는 한 인간의 삶이라는 주제 의식을 형상화하고 있는 작품이다. 이를 위해서 역마살이라는 소재를 중심으로 화개장터에서 살아가고 모이는 인물들의 모습을 그려 내고 있다. 또한 성기가 길을 떠나면서 계연이 떠난 구례 쪽이 아닌 하동길을 택하는 모습은 자신의 운명에 순응하는 삶이라는 주제 의식을 극적으로 형상화하고 있는 부분이라고 할 수 있다. 이러한 이 소설의 내용과 주제에 대해서는 우리 민족의 전통적인 의식 세계를 잘 형상화했다는 평가를 받기도 하는 반면, 지나친 운명론적 사고방식에서 벗어나지 못하고 있다는 비판을 받기도 한다.

17 등신불 | 김동리

우리가 정원사 산문 앞에 닿았을 때는 이튿날 늦은 아침녘이었다. 경암은 푸른 수풀 속에 거뭇거뭇 보이는 높은 기와집들을 손가락질로 가리키며 자랑스런 얼굴로 무어라고 중얼거렸다. 나는 또 고개를 끄덕이며 "하오! 하오!"를 되풀이했다.

산문을 지나 정문을 들어서니 산무데기 같은 큰 다락이 정면에 버티고 섰다. 현판을 쳐다보니 태허루(太虛樓)라 씌어 있었다. 태허루 곁을 돌아 안마당 어귀에 들어서니 정면 한가운데 높직이 앉아 있는 가장 웅장한 건물이 법당이라고 짐작이 가나 그 양 옆으로 첩첩이 가로 세로 혹은 길쭉하게 높고, 혹은 높다랗게 서고 혹은 둥실하게 앉은 무수한 집들이 모두 무슨 이름에 어떠한 구실을 하는 것들인지 첫눈에 그저 황홀하고 얼떨떨할 뿐이었다.

경암은 나를 데리고, 그 첩첩이 둘러앉은 집들 사이를 한참 돌더니 청정실(淸淨室)이란 조그만 현판이 붙은 조용한 집 앞에 와서 기척을 했다. 방문이 열리더니 한 스무 살이나 될락말락한 젊은 중이 얼굴을 내밀며 알은체를 한다. 둘이서(젊은이는 방문 앞에 서고 경암은 뜰 아래 선 채) 한참 동안 말을 주고받고 한 끝에 경암이 나를 데리고 집 안으로 들어갔다.

방 안에는 머리가 하얗게 세고 키가 성큼하게 커 뵈는 노승이 미소 띤 얼굴로 경암과 나를 맞아 주었다. 나는 말이 통하지 않으므로 노승 앞에 발을 모으고 서서 정중히 합장을 올렸다. 어저께 진기수 씨 앞에서 연거푸 머리를 수그리던 것과는 달리 이번에는 한 번만 정중하게 머리를 수그려 절을 했던 것이다.

노승은 미소 띤 얼굴로 고개를 끄덕이며 나에게 자리를 가리킨 뒤 경암이 내어 드린 진기수 씨의 편지를 펴 보았다. / "불은(佛恩)이로다."

▌줄거리

학병인 '나'는 진기수의 도움으로 탈출하여 밤에 산길 백 리를 걸어 정원사에 도착하고, 살인을 면하기 위해서 불문에 귀의하고 싶다는 의사를 혈서를 통해서 드러낸다. 그 이후 정원사에서 생활하던 중, 금불각을 보고 화려한 외향에 반감과 저항심을 가지지만 등신불을 보고 나서는 충격과 전율을 느끼게 된다. 이런 등신불에 대한 의문을 원혜대사에게 묻게 되고, 원혜대사는 만적 선사의 소신 성불 과정을 들려준다. 이야기를 다 들은 '나'는 만적 선사의 소신과 자신의 단지에 대해서 다시 한번 생각해 보게 된다.

▌이해와 감상

이 소설은 인간의 고뇌에 대한 종교적 구원이라는 주제 의식을 형상화하고 있는 작품이다. 이를 위해서 학병에서 탈출한 인물인 '나'가 자신과 타인을 구원하기 위해서 등신불이 된 만적 선사의 이야기를 전해 듣는 액자형 소설 구조를 활용하고 있다. 또한 작품의 마지막에서 '나'가 자신의 손가락을 물어뜯은 행위와 만적의 소신 공양이 연결되고 있는데, 이는 인간이 가진 세속적 고뇌를 초탈하기 위해서는 자기희생이 필요하다는 생각을 드러내는 것이다.

• 갈래: 단편 소설, 액자 소설
• 성격: 불교적, 구도적
• 배경
  ① 시간적
    – 액자 외부: 1943년 초여름
    – 액자 내부: 당나라 때
  ② 공간적
    – 액자 외부: 중국의 양자강 북쪽 정원사
    – 액자 내부: 금릉
• 시점: 1인칭 주인공 시점
• 특징
  ① 액자식 구성
  ② 만연체의 문장
  ③ 설화성을 강조함으로써 전통적이고 신비로운 세계를 체험하게 함
• 주제: 인간의 세속적 고뇌의 종교적 구원

바로 확인문제

01 「등신불」은 한국적 운명론의 하나인 떠돌이의 삶을 형상화한 작품이다. (○, ×)

02 「등신불」은 주제를 효과적으로 드러내기 위해 '등신불'에 얽힌 만적(萬寂)의 불교 설화를 중간에 삽입한 액자 소설이다. (○, ×)

03 '나'가 손가락을 물어뜯은 것은, 인간이 세속적 고뇌를 초탈하기 위해 □□□□이 필요함을 드러낸다.

| 정답 | 01 ×(인간의 세속적 고뇌와 구원 문제를 다룬다.) 02 ○ 03 자기희생

18 태평천하(太平天下) | 채만식

• **갈래**: 중편 소설, 풍자 소설, 가족사
소설
• **성격**: 비판적, 풍자적
• **배경**
① 시간적: 1930년대
② 공간적: 서울
• **시점**: 전지적 작가 시점
• **특징**
① 비유, 과장, 반어, 희화화 등을 통
해 대상을 격하하고 독자의 웃음
을 유발
② 일제 강점기를 태평천하로 믿는
윤 직원을 통해 당시의 현실을
풍자
③ 경어체를 사용하여 판소리 창자
(唱者)와 같은 효과를 냄
• **주제**
① 일제 강점기 윤 직원 일가의 타
락한 삶과 몰락의 과정
② 부정적 인물을 통한 식민지 시대
의 타락한 삶에 대한 비판

"종학이가 사상 관계로, 경시청에 붙잽혔다는 뜻일 테지요!"

"사상 관계라니?"

"그놈이 사회주의에 참예를……."

"으엉?"

아까보다 더 크게 외치면서 벌떡 뒤로 나동그라질 뻔하다가 겨우 몸을 가눕니다.

윤 직원 영감은 먼저에는 몽치로 뒤통수를 얻어맞은 것같이 멍했지만, 이번에는 앉아 있는 땅이 지함을 해서 수천 길 밑으로 꺼져 내려가는 듯 정신이 아찔했습니다.

그러나 그것은 결단코 자기가 믿고 사랑하고 하는 종학이의 신상을 여겨서가 아닙니다.

윤 직원 영감은 시방 종학이가 사회주의를 한다는 그 한 가지 사실이 진실로 옛날의 드세던 부랑당패가 백 길 천 길로 침노하는 그것보다도 더 분하고, 물론 무서웠던 것입니다.

진(秦)나라를 망할 자 호(胡＝오랑캐)라는 예언을 듣고서 변방을 막으려 만리장성을 쌓던 진 시황, 그는 진나라를 망한 자 호(胡)가 아니요, 그의 자식 호해(胡亥)임을 눈으로 보지 못하고 죽었으니, 오히려 행복이라 하겠습니다.

"사회주의라니? 으응? 으응?"

윤 직원 영감은 사뭇 사람을 아무나 하나 잡아먹을 듯, 집이 떠나게 큰 소리로 포효(咆哮)를 합니다.

"으응? 그놈이 사회주의를 허다니! 으응? 그게, 참말이냐? 참말이여?"

"하긴 그놈이 작년 여름 방학에 나왔을 때버틈 그런 기미가 좀 뵈긴 했어요!"

"그러먼넌 참말이구나! 그러먼넌 참말이여, 으응!"

윤 직원 영감은 이마로, 얼굴로 땀이 방울방울 배어 오릅니다.

"……그런 쳐 죽일 놈, 깎어 죽여두 아깝잖을 놈! 그놈이 경찰서장 하라닝개루 생판 사회주의 허다가 뎁다 경찰서에 잽혀? 으응? …… 오—사 육시를 헐 놈이, 그놈이 그게 어디 당헌 것이라구 지가 사회주의를 하여? 부자 놈의 자식이 무엇이 대껴서 부랑당패에 들어?"

아무도 숨도 크게 쉬지 못하고, 고개를 떨어뜨리고 섰기 아니면 앉았을 뿐, 윤 직원 영감이 잠깐 말을 그치자 방 안은 물을 친 듯이 조용합니다.

"……오죽이나 좋은 세상이여? 오죽이나……."

윤 직원 영감은 팔을 부르걷은 주먹으로 방바닥을 땅— 치면서 성난 황소가 영각을 하듯 고함을 지릅니다.

"화적패가 있너냐아? 부랑당 같은 수령(守令)들이 있너냐?…… 재산이 있대야 도적놈의 것이요, 목숨은 파리 목숨 같던 말세(末世)넌 다 지내 가고오…… 자 부아라, 거리거리 순사요, 골골마다 공명헌 정사(政事), 오죽이나 좋은 세상이여……. 남은 수십만 명 동병(動兵)을 히여서, 우리 조선 놈 보호하여 주니, 오죽이나 고마운 세상이여? 으응……? 제것 지니고 앉어서 편안허게 살 태평 세상, 이걸 태평천하라구 허는 것이여, 태평천하! …… 그런디 이런 태평천하에 태어난 부자 놈의 자식이, 더군다나 왜 지가 떵떵거리구 편안허게 살 것이지, 어찌서 지가 세상 망쳐 놀 부랑당패에 참섭을 헌담 말이여, 으응?"

땅— 방바닥을 치면서 벌떡 일어섭니다. 그 몸짓이 어떻게도 요란스럽고 괄괄한지, 방금 발광이 되는가 싶습니다. 아닌 게 아니라 모여 선 가권들은 방바닥 치는 소리에도 놀랐지만, 이 어른이 혹시 상성이 되지나 않는가 하는 의구의 빛이 눈에 나타남을 가리지 못합니다.

"…… 착착 깎어 죽일 놈……! 그놈을 내가 핀지히여서, 백 년 지녁을 살리라구 헐걸! 백 년 지녁 살리라구 헐 테여……. 오냐, 그놈을 삼천 석 거리는 직분[分財]하여 줄라구 히였더니, 오냐, 그놈 삼천 석 거리를 톡톡 팔어서, 경찰서으다가 사회주의 허는 놈 잡어 가두는 경찰서으다가 주어 버릴 걸! 으응, 죽일 놈!"

마지막의 으응 죽일 놈 소리는 차라리 울음소리에 가깝습니다.

"……이 태평천하에! 이 태평천하에……."

쿵쿵 발을 구르면서 마루로 나가고, 꿇어앉았던 윤 주사와 종수도 따라 일어섭니다.

"……그놈이, 만석꾼의 집 자식이, 세상 망쳐 놀 사회주의 부랑당패에 참섭을 히여? 으응, 죽일 놈! 죽일 놈!"

연해 부르짖는 죽일 놈 소리가 차차로 사랑께로 멀리 사라집니다. 그러나 몹시 사나운 그 포효가 뒤에 처져 있는 가권들의 귀에는 어쩐지 암담한 여운이 스며들어, 가득히 어둔 얼굴들을 면면상고, 말할 바를 잊고, 몸 둘 곳을 둘러보게 합니다. 마치 장수의 죽음을 만난 군졸들처럼……

▎줄거리

윤 직원 집안은 별 볼 일 없는 집안이지만 아버지 때부터 돈을 벌어 모은 후 족보를 새로 만들고 향임을 돈 주고 사고 양반 집안과 혼인을 하면서 집안을 일으키고 꾸민다. 하지만 윤 직원 영감은 현재 자신의 집안에는 집안을 맡길 믿을 만한 자식이나 손자가 없다고 생각한다. 다만 그중 둘째 손자 종학에 대해서만은 기대를 가지고 있다. 그러던 어느 날 일본에 유학 중이던 종학이가 사상 관계로 일본 경시청에 피검되었다는 전보를 받게 되고 윤 직원 영감은 큰 충격에 빠진다.

▎이해와 감상

이 소설은 부정적 인물을 통해서 식민지 시대의 타락한 삶을 비판하고 풍자하는 작품이다. 윤 직원이라는 인물을 전면에 내세우고 판소리 창자의 목소리를 가진 서술자를 적극 활용하여 윤 직원의 부정적 행태와 사고 방식을 드러냄으로써 이와 같은 삶을 살고 있는 인물들을 비판·풍자하고 있다. 특히 결말 부분에서 일제 강점기를 '태평천하'라고 하며 부르짖는 상황적 아이러니는 부정적 인물인 윤 직원에 대한 비판·풍자 의식을 더욱 강조하여 드러내고 있다고 할 수 있다.

▎단권화 MEMO

▎바로 확인문제

01 서술자는 판소리 창자와 같은 역할을 하며 단순히 사건을 전달하고 있다. (○, ×)

02 '진나라를 망할 자, 호'는 윤 직원의 집안이 자손들에 의해 망하게 될 것임을 암시한다. (○, ×)

03 일제 강점기 현실을 '태평천하'라고 여기는 윤 직원을 □□적이고 □□적인 기법으로 묘사하고 있다.

| 정답 | 01 ×(서술자는 인물과 사건에 대한 자신의 생각을 이야기하는 평가자 역할을 한다.) 02 ○ 03 반어, 풍자

- **갈래**: 단편 소설
- **성격**: 사실적, 풍자적
- **배경**
  ① 시간적: 1930년대
  ② 공간적: 서울
- **시점**: 전지적 작가 시점
- **특징**
  ① 풍자적 문체를 사용
  ② 도시의 빈곤, 인텔리의 실직과 소외와 무능함을 냉소적으로 기술
- **주제**
  ① 물질주의 및 지식인 양산 체제에 대한 비판
  ② 일제의 우민화 정책으로 인한 실직 인텔리의 비애

일천 구백 삼십 사 년의 이 세상에도 기적이 있다.

그것은 P가 굶어 죽지 아니한 것이다. 그는 최근 일주일 동안 돈이 생긴 데가 없다. 잡힐 것도 없었고 어디서 벌이한 적도 없다. 그렇다고 남의 집 문 앞에 가서 밥 한술 주시오 하고 구걸한 일도 없고 남의 것을 훔치지도 아니하였다.

그러나 그동안 굶어 죽지 아니하였다. 야위기는 하였지만 그래도 멀쩡하게 살아 있다. P와 같은 인생이 이 세상에 하나도 없이 싹 치워진다면 근로하는 사람이 조금은 편해질지도 모른다.

P가 소부르주아지 축에 끼이는 인테리가 아니요 노동자였더라면 그동안 거지가 되었거나 비상 수단을 썼을 것이다. 그러나 그에게는 그러한 용기도 없다. 그러면서도 죽지 아니하고 살아 있다. 그렇지만 죽기보다도 더 귀찮은 일은 그를 잠시도 해방시켜 주지 아니한다는 것이다.

그의 아들 창선이를 올려 보낸다고 어제 편지가 왔고 오늘은 내일 아침에 경성역에 당도한다는 전보까지 왔다.

오정 때 전보를 받은 P는 갑자기 정신이 난 듯이 쩔쩔매고 돌아다니며 돈 마련을 하였다. 최소한도 이십 원은…… 하고 돌아다닌 것이 석양 때 겨우 십오 원이 변통되었다. 종로에서 풍로니 냄비니 양재기니 숟갈이니 무어니 해서 살림 나부랭이를 간단하게 장만하여 가지고 올라오는 길에 전에 잡지사에 있을 때 알은 ××인쇄소의 문선 과장을 찾아갔다.

월급도 일없고 다만 일만 가르쳐 주면 그만이니 어린아이 하나를 써 달라고 졸라댔다. A라는 그 문선 과장은 요리조리 칭탈을 하던 끝에─ 그는 P가 누구 친한 사람의 집 어린애를 천거하는 줄 알았던 것이다─ .

"보통학교나 마쳤나요?" / 하고 물었다.

"아─니요."

P는 솔직하게 대답하였다.

"나이 몇인데?"

"아홉 살."

"아홉 살?"

A는 놀래어 반문을 하는 것이다.

"기왕 일을 배울 테면 아주 어려서부터 배워야지요."

"그래도 너무 어려서 원, 뉘집 애요?"

"내 자식놈이랍니다."

P는 그래도 약간 얼굴이 붉어짐을 깨달았다. A는 이 말에 가장 놀라운 일을 보겠다는 듯이 입만 벌리고 한참이나 P를 물끄러미 바라다본다.

"왜? 내 자식이라고 공장에 못 보내란 법 있답디까?"

"아니 정말 그래요?"

"정말 아니고?"

"꽤─니 실없는 소리…… 자제라고 해야 들어줄 테니까 그러시지?"

"아니 그건 그렇잖어요. 내 자식놈야요."

"그럼 왜 공부를 시키잖구?"

"인쇄소 일 배우는 것도 공부지."

"그건 그렇지만 학교에 보내야지."

"학교에 보낼 처지가 못되고 또 보낸댔자 사람 구실도 못할 테니까……."

"거 참 모를 일이요. 우리 같은 놈은 이 짓을 해 가면서도 자식을 공부시키느라고 애를 쓰는데 되려 공부시킬 줄 아는 양반이 보통학교도 아니 마친 자제를 공장엘 보내요?"

"내가 학교 공부를 해 본 나머지 그게 못 쓰겠으니까 자식은 딴 공부시키겠다는 것이지요."

"글쎄 정 그러시다면 내가 내 자식 진배없이 잘 데리고 있으면서 일이나 착실히 가르쳐 드리리다마는 …… 원 너무 어린데 애처럽잖요?"

"애처러운 거야 애비 된 내가 더하지요만 그것이 제게는 약이니까……."

P는 당부와 치하를 하고 인쇄소를 나왔다. 한 짐 벗어 놓은 것같이 몸이 가뜬하고 마음이 느긋하였다. 그는 집으로 올라가는 길에 싸전에 쌀 한 말을 부탁하고 호배추도 몇 통 사들였다. 그렁저렁 오 원을 썼다. 십 원 남은 중에 주인 노인에게 육 원을 내어 주니 입이 귀밑까지 째어진다. 그 끝에 P가 사온 호배추를 내어 주며 김치를 담가 달라고 하니 선선히 응낙한다. 그리고 자식을 데리고 자취를 하겠다니까 깍두기야 간장이야 된장 같은 것을 아까운 줄 모르고 날라다 주곤 한다.

▎줄거리
P는 K 사장을 찾아가서 일자리를 부탁했다가 거절당하고 훈계까지 듣는다. 그러자 P는 자신과 같은 레디메이드 인생을 양산한 사회를 비난하고 M, H와 함께 법률책을 잡혀서 만든 돈으로 술을 마신다. 한편, 형의 집에 맡겨 놓은 아들 창선이가 서울로 올라오게 되자 생각 끝에 P는 아들을 인쇄소에 무료 견습공으로 취직시킨다.

▎이해와 감상
이 소설은 일제 강점기에 일본 유학까지 다녀왔지만 잉여 인력이 되어 일자리를 구하지 못하는 한 지식인의 비애와 좌절을 사실적으로 그리며, 소외된 지식인들의 현실적 좌절과 무능을 형상화하고 있다. 또한 주인공 P를 통해 지식인들이 일자리가 없어 취직하지 못하는 현실과 허위적인 농촌 계몽 운동을 비판하고 있다. 특히 P가 자신의 하나뿐인 아들을 교육시키지 않고 인쇄소에 취직시키는 결말 부분은 지식이 쓸모없게 된 식민지 사회에 대한 풍자이자 P 자신에 대한 비애 어린 풍자이며 동시에 일제 강점기의 교육 전체에 대한 비판과 저항 의식을 드러낸 것이라 볼 수 있다. 참고로 제목인 '레디메이드(ready-made) 인생'은 대량 생산되어 팔리기만을 기다리는 기성품처럼 일자리를 기다리는 지식인의 인생을 의미한다.

바로 확인문제

01 제목인 '레디메이드 인생'은 공장에서 대량으로 생산되어 팔리기를 기다리는 물건처럼 일자리를 기다리는 □□□의 인생을 의미한다.

02 작가는 체면과 허위에 찬 무능력한 지식인 계층인 주인공 P를 풍자한다. (○, ×)

03 주인공 P는 일제 강점기에 일본 유학을 다녀왔음에도 일자리를 구하지 못한 당시 지식인의 모습을 개성적으로 보여 주고 있다. (○, ×)

| 정답 | 01 지식인 02 ○
03 ×(개성적으로 → 전형적으로)

- **갈래**: 단편 소설. 풍자 소설
- **성격**: 풍자적, 비판적
- **배경**
  ① 시간적: 일제 강점기
  ② 공간적: 서울
- **시점**: 1인칭 관찰자 시점
- **특징**
  ① 판소리 사설과 같은 독백체와 대화체의 사용 → 전반부에서 '나'는 독백의 형식으로 자신의 가치관과 인생관을 보여 주는데, 이는 작가가 겉으로는 '나'를 긍정하면서도 실상은 '나'를 비판하는 것이며, 특히 후반부의 대화체는 설명이나 주관적인 해설 없이 오로지 '나'와 아저씨의 대화만 보여 줌으로써 인물에 대한 비판 의식을 드러냄
  ② 속어와 비어를 사용하여 사실성을 높이고 인물에 대한 독자의 이해를 도움
  ③ 풍자와 반어의 효과를 살림
  ④ 회상의 기법 사용(역순행적 구성)
  ⑤ 제목 '치숙'은 소설의 전체적 맥락에서 보면 '반어'에 해당함
- **주제**: 일제 강점기의 무능한 인텔리의 비극을 통한 현실 적응적 생활관과 사회주의 사상적 삶의 방식 간의 갈등

20 치숙(痴叔) | 채만식

　내 이상과 계획은 이렇거든요. / 우리 집 다이쇼가 나를 자별히 귀애하고 신용을 하니까 인제 한 십 년만 더 있으면 한밑천 들여서 따로 장사를 시켜 줄 그런 눈치거든요.

　그러거들랑 그것을 언덕 삼아 가지고 나는 삼십 년 동안 예순 살 환갑까지만 장사를 해서 꼭 십만 원을 모을 작정이지요. 십만 원이면 죄선 부자로 쳐도 천석꾼이니, 뭐 떵떵거리고 살 게 아니라구요?

　그리고 우리 다이쇼도 한 말이 있고 하니까, 나는 내지인 규수한테로 장가를 들래요. 다이쇼가 다 알아서 얌전한 자리를 골라 중매까지 서 준다고 그랬어요. 내지 여자가 참 좋지요.

　나는 죄선 여자는 거저 주어도 싫어요.

　구식 여자는 얌전은 해도 무식해서 내지인하구 교제하는 데 안됐고, 신식 여자는 식자가 들었다는 게 건방져서 못쓰고, 도무지 그래서 죄선 여자는 신식이고 구식이고 다 제바리여요.

　내지 여자가 참 좋지 뭐. 인물이 개개 일자로 이쁘겠다, 얌전하겠다, 상냥하겠다, 지식이 있어도 건방지지 않겠다, 좀이나 좋아!

　그리고 내지 여자한테 장가만 드는 게 아니라 성명도 내지인 성명으로 갈고 집도 내지인 집에서 살고 옷도 내지 옷을 입고 밥도 내지식으로 먹고, 아이들도 내지인 이름을 지어서 내지인 학교에 보내고……

　내지인 학교라야지 죄선 학교는 너절해서 아이를 버려 놓기나 꼭 알맞지요.

　그리고 나도 죄선말은 싹 걷어치우고 국어만 쓰고요.

　이렇게 다아 생활 법식부터도 내지인처럼 해야만 돈도 내지인처럼 잘 모으게 되거든요.

　내 이상이며 계획은 이래서 그 십만 원짜리 큰 부자가 바로 내다뵈고, 그리로 난 길이 환하게 트이고 해서 나는 시방 열심으로 길을 가고 있는데, 글쎄 그 미처 살미 든 놈들이 세상 망쳐 버릴 사회주의를 하러 드니, 내가 소름이 끼칠 게 아니라구요? 말만 들어도 끔찍하지!

　세상이 망해서 뒤집히면 그래 나는 어쩌란 말인고? 아무것도 다 허사가 될 테니 그런 억울할 데가 있더람? / 뭐, 참, 우리 집 다이쇼 말이 일일이 지당해요.

　여느 절도나 강도나 사기나 그런 죄는 도적이면 도적을 해 가는 그 당장, 그 돈만 축을 내니까 오히려 죄가 가볍지만, 그놈의 것 사회주의인지 지랄인지는 온 세상을 뒤죽박죽을 만들어 놓고 나라를 통째로 소란하게 하니까 도저히 용서할 수가 없어요.

　용서라니! 나 같으면 그런 놈들은 모조리 쓸어다가 마구 그저 그냥……

　그런 일을 생각하면, 털어놓고 말이지 우리 아저씨가 그 양반도 여간 불측스러 뵈질 않아요. 사실 아주머니만 아니면 내가 무슨 천주학이라고 나쁜 병까지 앓는 그 양반을 찾아다니나요. 죽는대도 코도 안 풀어 붙일 걸.

　그러나마 전자의 죄상을 다아 회개를 하고 못된 마음을 씻어 버렸으면 새 말이지. 뭐 헌 개꼬리 삼 년이라더냐, 종시 그 모양일걸요.

　그러니깐 그게 밉살머리스러워서, 더러 들렀다가 혹시 마주 앉아도 위정 뼈끝 저린 소리나 내쏘아 주고 말을 다잡아 가지골랑 꼼짝 못 하게시리 몰아세워 주곤 하지요.

　저번에도 한번 혼을 단단히 내 주었지요. 아, 그랬더니 아주머니더러 한다는 소리가, 그 녀석 사람 버렸더라고, 아무짝에도 못 쓰게 길이 들었더라고 그러더라나요.

　내 원, 그 소리 듣고 하도 어처구니가 없어서!

▌줄거리
화자인 '나'는 대학교까지 나와서 사회주의 운동을 하다가 전과자가 된 아저씨를 비웃으면서 이런 아저씨를 돌보는 아주머니를 안타깝게 생각한다. 반면에, 자신은 일본인의 상점에서 종업원 노릇을 하면서 미래에 대한 그럴듯한 계획까지 가지고 있다고 생각하며 아저씨 같은 사람은 빨리 없어지는 것이 좋다고 생각한다.

▌이해와 감상
이 소설은 신빙성 없는 화자인 조카 '나'의 시선을 통해 사회주의 운동을 하다가 옥살이를 하고 나온 아저씨를 비난하고 있는데, 이는 '나'의 생활 방식을 은근히 비판하면서 오히려 아저씨에 대해서는 동정심을 갖게 한다. 즉, 칭찬과 비난을 서로 역전시키는 방법을 통해 식민 통치에 협력하는 '나'를 비판하고 있는 것이다. 또한 이 소설은 함축적인 대화를 통해 서술되고 있으며, 대체로 풍자적이고 반어적인 문체를 사용하고 있다.

01 제목인 '치숙'은 '어리석은 아저씨'라는 뜻으로, 역설적 표현이다.
　　　　　　　　　　　　　(○, ×)

02 「치숙」에서는 독자의 동의를 구하는 듯한 어투의 의문형 문장을 사용하고 있다. (○, ×)

03 '나'는 미성숙, 무교양, 무지로 인해 자기가 서술하는 일들을 제대로 인식, 해석, 평가하지 못하는 □□□ 없는 화자이다.

▌**정답** ▌ 01 ×(역설 → 반어) 02 ○
03 신빙성

 우리 장인님이 딸이 셋이 있는데 맏딸은 재작년 가을에 시집을 갔다. 정말은 시집을 간 것이 아니라 그 딸도 데릴사위를 해 가지고 있다가 내보냈다. 그런데 딸이 열 살 때부터 열아홉, 즉 십 년 동안에 데릴사위 갈아들이기를, 동리에선 사위 부자라고 이름이 났지마는 열네 놈이란 참 너무 많다. 장인님이 아들은 없고 딸만 있는 고로 그 담 딸을 데릴사위를 해 올 때까지는 부려 먹지 않으면 안 된다. 물론 머슴을 두면 좋지만 그건 돈이 드니까, 일 잘하는 놈을 고르느라고 연방 바꿔 들였다. 또 한편, 놈들이 욕만 줄창 퍼붓고 심히도 부려 먹으니까 밸이 상해서 달아나기도 했겠지. 점순이는 둘째 딸인데, 내가 일테면 그 세 번째 데릴사위로 들어온 셈이다. 내 담으로 네 번째 놈이 들어올 것을 내가 일도 참 잘하구 그리고 사람이 좀 어수룩하니까 장인님이 잔뜩 붙들고 놓질 않는다. 셋째 딸이 인제 여섯 살, 적어두 열 살은 돼야 데릴사위를 할 터이므로 그동안은 죽도록 부려 먹어야 된다. 그러니 인제는 속 좀 채리고 장가를 들여 달라구 떼를 쓰고 나자빠져라 이것이다.

 나는 건성으로 '엉, 엉.' 하며 귓등으로 들었다. 뭉태는 땅을 얻어 부치다가 떨어져 나간 뒤로는 장인님만 보면 공연히 못 먹어서 으릉거린다. 그것두 장인님이 저 달라구 할 적에 제 집에서 위한다는 그 감투(예전에 원님이 쓰든 것이라나, 옆구리에 뽕뽕 좀먹은 걸레)를 선뜻 주었드면 그럴 리도 없었든 걸……

 그러나 나는 뭉태란 놈의 말을 전수이 곧이듣지 않았다. 꼭 곧이들었다면 간밤에 와서 장인님과 싸웠지 무사히 있었을 리가 없지 않은가. 그러면 딸에게까지 인심을 잃은 장인님이 혼자 나빴다.

 실토이지 나는 점순이가 아츰상을 가지고 나올 때까지는 오늘은 또 얼마나 밥을 담았나 하고 이것만 생각했다. 상에는 된장찌개하고 간장 한 종지, 조밥 한 그릇, 그리고 밥보다 더 수부룩하게 담은 산나물이 한 대접, 이렇다. 나물은 점순이가 틈틈이 해 오니까 두 대접이고 네 대접이고 멋대로 먹어도 좋으나 밥은 장인님이 한 사발 외엔 더 주지 말라고 해서 안 된다. 그런데 점순이가 그 상을 내 앞에 내려놓으며 제 말로 지껄이는 소리가

"구장님한테 갔다 그냥 온담 그래!"

하고 엊그제 산에서와 같이 되우 쫑알거린다. 딴은 내가 더 단단히 덤비지 않고 만 것이 좀 어리석었다, 속으로 그랬다. 나도 저쪽 벽을 향하여 외면하면서 내 말로

"안 된다는 걸 그럼 어떡한담!"

하니까,

"수염을 잡아채지 그냥 둬, 이 바보야!"

하고 또 얼굴이 빨개지면서 성을 내며 안으로 샐죽하니 튀들어가지 않느냐. 이때 아무도 본 사람이 없었게 망정이지 보았다면 내 얼굴이 에미 잃은 황새 새끼처럼 가여웁다 했을 것이다.

▌줄거리

'나'는 점순이와의 혼례를 조건으로 머슴살이를 하고 있으나 심술 사나운 장인이 이 핑계 저 핑계대며 혼례를 미루자 구장에게 찾아가 중재를 요구한다. 그러나 구장은 장인의 편을 든다. 결국 참을 수 없었던 나는 장인과 몸싸움을 벌이지만 나의 편을 들어 줄 거라고 생각했던 점순이는 뜻밖에도 장인의 편을 든다. 이런 모습에 맥이 풀린 나는 그저 장인에게 맞기만 했으나 이번 가을에는 혼례를 올려 준다는 장인의 약속을 믿고 또다시 일을 하러 나가게 된다.

▌이해와 감상

이 소설은 김유정의 작품 중에서 가장 해학성이 넘치는 작품으로, 마름인 장인이 '나'와 딸인 점순의 결혼을 빌미로 '나'에게 임금도 주지 않고 고된 일을 시키고, 우직하고 어리석은 '나'는 장인에게 불만을 가지고 있으면서도 번번이 반복되는 장인의 회유에 넘어간다. 즉, 농촌에서 마름이라는 강자가 머슴이라는 약자를 착취하고 있는 심각한 수탈의 상황을 '데릴사위'라는 소재를 통해 해학적으로 그려 내고 있다. 참고로 이 소설의 제목이자 계절적 배경은 '봄'으로, 매년 봄마다 반복되는 '나'와 장인의 갈등과 화해, 즉 '나'가 장인에게 성례를 요구하지만 결국 장인의 회유책에 넘어가는 구조의 순환을 상징한다.

- **갈래**: 단편 소설, 농촌 소설, 순수 소설
- **성격**: 향토적, 해학적
- **배경**
  ① 시간적: 1930년대 봄
  ② 공간적: 어느 산골 마을
- **시점**: 1인칭 주인공 시점
- **특징**
  ① 아이러니의 구조, 육감적인 언어의 사용, 노골적인 표현과 거칠고 서투른 행동 묘사
  ② 토속어, 방언, 비속어 등을 사용하여 향토성과 현장감을 느낄 수 있음
  ③ 사건의 시간과 서술의 순서가 일치하지 않는 역순행적 구성을 취함
  ④ 1930년대 농촌의 현실을 인물 간의 갈등을 중심으로 해학적으로 풀어 냄
- **주제**: '나'(어수룩함)와 장인(교활하고 의뭉스러움) 사이의 해학적 갈등과 일시적 화해

바로 확인문제

01 「봄·봄」은 어수룩한 '나'가 독자에게 사건을 보고하게 함으로써 강한 풍자성을 띤다. (O, X)

02 제목인 '봄·봄'은 또다시 동일한 갈등을 유발하게 될 것임을 암시한다. (O, X)

03 「봄·봄」은 절정 부분을 소설의 끝에 제시한 '□□□□ □□'으로 긴장감과 해학성을 높이고 여운의 효과를 살린다.

| 정답 | 01 X(풍자성 → 해학성)
02 O 03 역순행적 구성

22 동백꽃 | 김유정

• 갈래: 단편 소설, 농촌 소설
• 성격: 해학적, 토속적, 향토적
• 배경
 ① 시간적: 1930년대
 ② 공간적: 강원도 산골의 농촌 마을
• 시점: 1인칭 주인공 시점
• 특징
 ① 토속적 어휘, 사투리, 비속어, 의
 성어와 의태어 등을 사용하여 생
 동감 있게 표현
 ② '현재 → 과거 → 현재'의 역순행
 적 구성으로 전개
 ③ 우스꽝스런 인물의 행동으로 해
 학적인 분위기를 조성함
• 주제: 산골 마을 남녀의 순박한 사랑

나흘 전 감자 쪼간만 하더라도 나는 저에게 조금도 잘못한 것은 없다.

계집애가 나물을 캐러 가면 갔지, 남 울타리 엮는데 쌩이질을 하는 것은 다 뭐냐. 그것도 발소리를 죽여 가지고 등 뒤로 살며시 와서,

"애! 너 혼자만 일하니?"

하고 긴치 않은 수작을 하는 것이었다.

어제까지도 저와 나는 이야기도 잘 않고 서로 만나도 본척만척하고 이렇게 점잖게 지내던 터이런만 오늘로 갑작스레 대견해졌음은 웬일인가. 항차 망아지만 한 계집애가 남 일하는 놈보구…….

"그럼 혼자 하지 떼루 하디?"

내가 이렇게 내배앝는 소리를 하니까

"너 일하기 좋니?"

또는

"한여름이나 되거든 하지 벌써 울타리를 하니?"

잔소리를 두루 늘어놓다가 남이 들을까 봐 손으로 입을 틀어막고는 그 속에서 깔깔댄다. 별로 우스울 것도 없는데 날씨가 풀리더니 이놈의 계집애가 미쳤나 하고 의심하였다. 게다가 조금 뒤에는 제 집께를 할금할금 돌아다보더니 행주치마의 속으로 꼈던 바른손을 뽑아서 나의 턱 밑으로 불쑥 내미는 것이다. 언제 구웠는지 아직도 더운 김이 홱 끼치는 굵은 감자 세 개가 손에 뿌듯이 쥐었다.

"느 집엔 이거 없지?"

하고 생색 있는 큰소리를 하고는 제가 준 것을 남이 알면은 큰일 날 테니 여기서 얼른 먹어 버리란다. 그리고 또 하는 소리가

"너 봄 감자가 맛있단다."

"난 감자 안 먹는다. 너나 먹어라."

나는 고개도 돌리려 하지 않고 일하던 손으로 그 감자를 도로 어깨 너머로 쓱 밀어 버렸다.

그랬더니 그래도 가는 기색이 없고, 뿐만 아니라 쌔근쌔근하고 심상치 않게 숨소리가 점점 거칠어진다. 이건 또 뭐야 싶어서 그때에야 비로소 돌아다보니 나는 참으로 놀랐다. 우리가 이 동네에 들어온 것은 근 삼 년째 되어 오지만 여태껏 가무잡잡한 점순이의 얼굴이 이렇게까지 홍당무처럼 새빨개진 법이 없었다. 게다가 눈에 독을 올리고 한참 나를 요렇게 쏘아보더니 나중에는 눈물까지 어리는 것이 아니냐. 그리고 바구니를 다시 집어 들더니 이를 꼭 악물고는 엎더질 듯 자빠질 듯 논둑으로 힝허케 달아나는 것이다.

어쩌다 동리 어른이,

"너 얼른 시집을 가야지?"

하고 웃으면,

"염려 마서유, 갈 때 되면 어련히 갈라구…….."

이렇게 천연덕스레 받는 점순이었다. 본시 부끄럼을 타는 계집애도 아니거니와 또한 분하다고 눈에 눈물을 보일 얼병이도 아니다. 분하면 차라리 나의 등어리를 바구니로 한번 모지게 후려 쌔리고 달아날지언정.

그런데 고약한 그 꼴을 하고 가더니 그 뒤로는 나를 보면 잡아먹으려 기를 복복 쓰는 것이다.

설혹 주는 감자를 안 받아먹는 것이 실례라 하면, 주면 그냥 주었지 "느 집엔 이거 없지."는 다 뭐냐. 그렇잖아도 저희는 마름이고 우리는 그 손에서 배재를 얻어 땅을 부치므로 일상 굽신거린다. 우리가 이 마을에 처음 들어와 집이 없어서 곤란으로 지낼 제, 집터를 빌리고 그 위에 집을 또 짓도록 마련해 준 것도 점순네의 호의였다. 그리고 우리 어머니 아버지도 농사 때 양식이 달리면 점순이네한테 가서 부지런히 꾸어다 먹으면서 인품 그런 집은 다시 없으리라고 침이 마르도록 칭찬하곤 하는 것이다. 그러면서도 열일곱씩이나 된 것들이 수군수군하고 붙어 다니

면 동네의 소문이 사납다고 주의를 시켜 준 것도 또 어머니였다. 왜냐하면 내가 점순이하고 일을 저질렀다가는 점순네가 노할 것이고, 그러면 우리는 땅도 떨어지고 집도 내쫓기고 하지 않으면 안 되는 까닭이었다.

그런데 이놈의 계집애가 까닭 없이 기를 복복 쓰며 나를 말려 죽이려고 드는 것이다.

▌줄거리

점순이는 '나'의 씨암탉을 때리고 배냇병신이라고 놀리는 등 나를 괴롭힌다. 어느 날 나에게 점순이는 감자를 건네지만 자존심이 상한 나는 이를 거절한다. 그러자 점순이는 매우 분해하며 이후 자신의 닭과 우리 집 닭을 매번 싸움을 붙여서 거의 죽을 지경에 처하게 한다. 그러던 어느 날 점순이는 또 닭싸움을 붙이고 이런 모습을 본 나는 점순이네 닭을 때려죽인다. 얼결에 일을 저질렀지만 무서웠던 나에게 점순이는 위로와 위협을 하고 나와 점순이는 동백꽃 속으로 함께 쓰러지면서 화해를 이룬다.

▌이해와 감상

이 소설은 농촌을 배경으로 순박한 소년, 소녀의 사랑을 해학적이면서 서정적으로 형상화한 작품으로, 짧고 간결한 문장과 속도감 있는 사건 전개, 토속적인 어휘 구사 등이 특징적이다. 주인공 '나'는 어수룩하면서도 눈치가 없는 순박한 농촌 청년이고, 점순은 집요하고 억척스러운 편인데 점순의 이러한 성격이 '나'의 성격과 대조되어 남녀의 애정을 소재로 하면서도 남녀의 역할이 뒤바뀌어 웃음을 유발하고 있다.

이 소설에서 감자, 닭싸움 등은 '나'에 대한 점순의 관심과 애정을 매개하는 소재이며, 작품의 후반에 등장하는 동백꽃은 그 알싸한 향기를 통해 작품의 서정적 분위기를 고조시키는 한편, 두 남녀의 풋풋한 애정을 승화시켜 준다. 이러한 서정적 장치들로 인해 이 작품은 소작농과 마름 사이의 계층적 갈등을 넘어서서 사춘기 두 남녀가 사랑에 눈뜨는 과정을 해학적으로 묘사하고 있다.

단권화 MEMO

바로 확인문제

01 서술자는 작품 안에서 등장인물을 관찰하고 있다. (ㅇ, ×)

02 중심인물의 성격을 대조적으로 설정하여 해학적 분위기를 조성하고 있다. (ㅇ, ×)

03 □□□은 '나'와 점순의 갈등을 표출하는 매개물이자 '나'에 대한 점순의 애정을 반어적으로 표현하는 소재이다.

| 정답 | 01 ×(서술자가 작품 안의 주인공인 1인칭 주인공 시점이다.) 02 ㅇ 03 닭싸움

단권화 MEMO

• 갈래: 단편 소설
• 성격: 사실적, 비판적
• 배경
  ① 시간적: 해방을 전후한 1~2년
  ② 공간적: 서울, 철원
• 시점: 전지적 작가 시점
• 특징
  ① '한 작가의 수기'라는 부제가 붙어 있음
  ② 해방을 전후한 문단의 상황은 물론, 이태준의 행적을 알 수 있는 작품
• 주제: 해방 후 지식인의 이념적 갈등

동대문서 고등계의 현의 담임인 쓰루다 형사는 과히 인상이 험한 사나이는 아니다. 저의 주임만 없으면 먼저 조선말로 '별일은 없습니다만 또 오시래 미안합니다'쯤 인사도 하군 하는데 이날은 되빡 이마에 옴팍눈인 주임이 딱 뻗치고 앉아 있어 쓰루다까지도 현의 한참씩이나 수그리는 인사는 본 체 안 하고 눈짓으로 옆에 놓인 의자만 가리켰다.

현은 모자가 아직 그들과 같은 국방모 아님을 민망히 주무르면서 단정히 앉았다. 형사는 무엇쓰던 것을 한참 만에야 끝내더니 요즘 무엇을 하느냐 물었다. 별로 하는 일이 없노라 하니 무엇을 할 작정이냐 따진다. 글쎄요 하고 없는 정을 있는 듯이 웃어 보이니 그는 힐끗 저의 주임을 돌아보았다. 주임은 무엇인지 서류에 도장 찍기에 골몰해 있다. 형사는 그제야 무슨 뚜껑 있는 서류를 끄집어내어 뚜껑으로 가리고 저만 들여다보면서 이렇게 물었다.

"시국을 위해 왜 아무것도 안 하십니까?"

"나 같은 사람이 무슨 힘이 있습니까?"

"그러지 말고 뭘 좀 하십시오. 사실인즉 도 경찰부에서 현 선생 같으신 몇 분에게 시국에 협력하는 무슨 일 한 것이 있는가? 또 하면서 있는가? 장차 어떤 방면으로 시국 협력에 가능성이 있는가? 생활비가 어디서 나오는가? 이런 걸 조사해 올리라는 긴급 지시가 온 겁니다."

"글쎄올시다."

하고 현은 더욱 민망해 쓰루다의 얼굴만 쳐다보는 수밖에 없었다.

"그래도 뭘 하신다고 보고가 돼야 좋을 걸요? 그 하기 쉬운 창씬[創氏] 왜 안 하시나요?"

수속이 힘들어 못하는 줄로 딱해하는 쓰루다에게 현은 역시 이것에 관해서도 대답할 말이 없었다.

"우리 따위 하층 경관이야 뭘 알겠습니까만 인전 누구 한 사람 방관적 태도는 용서되지 않을 겁니다."

"잘 보신 말씀입니다."

현은 우선 이번의 호출도 그 강압 관념에서 불안해하던 구금(拘禁)이 아닌 것만 다행히 알면서 우물쭈물하던 끝에,

"그렇지 않아도 쉬 뭘 한 가지 해 보려던 차입니다. 좋도록 보고해 주십시오."

하고 물러나왔고 나오는 길로 그는 어느 출판사로 갔다. 그 출판사의 주문이기보다 그곳 주간(主幹)을 통해 나온 경무국의 지시라는, 그뿐만 아니라 문인 시국 강연회 때 혼자 조선말로 했고 그나마 마지못해 「춘향전」 한 구절만 읽은 것이 군(軍)에서 말썽이 되니 이것으로라도 얼른 한 가지 성의를 보여야 좋으리라는 「대동아전기」의 번역을 현은 더 망설이지 못하고 맡은 것이다.

심란한 남편의 심정을 동정해 아내는 어느 날보다도 정성들여 깨끗이 치운 서재에 일본 신문의 '기리누끼'를 한 뭉텡이 쏟아 놓을 때 현은 일찍 자기 서재에서 이처럼 지저분함을 느껴 본 적이 없었다.

'철 알기 시작하면서부터 굴욕만으로 살아온 인생 사십, 사랑의 열락도 청춘의 영광도 예술의 명예도 우리에겐 없었다. 일본의 패전기라면 몰라 일본에 유리한 전기(戰記)를 내 손으로 주무르는 건 무엇 때문인가?'

현은 정말 살고 싶었다. 살고 싶다기보다 살아 견디어 내고 싶었다. 조국의 적일 뿐 아니라 인류의 적이요 문화의 적인 나치스의 타도를 오직 사회주의에 기대하던 독일의 한 시인은 모로토프가 히틀러와 악수를 하고 독소 중립 조약이 성립되는 것을 보고는 그만 단순한 생각에 절망하고 자살하였다 한다.

'그 시인의 판단은 경솔하였던 것이다. 지금 독소는 싸우며 있지 않은가? 미·영·중(美英中)도 일본과 싸우며 있다. 연합군의 승리를 믿자! 정의와 역사의 법칙을 믿자! 정의와 역사의 법칙이 인류를 배반한다면 그때는 절망하여도 늦지 않을 것이다!'

바로 확인문제

01 「해방 전후」의 부제 '한 작가의 수기'는 이 작품이 자전적 소설임을 의미한다. (○, ×)

02 '현'은 일제에 협력하는 것을 피하기 위해 왕정복고를 꿈꾸는 인물이다.
(○, ×)

| 정답 | 01 ○   02 ×('현' → 김 직원)

▍줄거리

일제 강점기 말, 통지를 받고 서에 출두한 현은 시국을 위해 일할 것을 강요당한다. 그러나 현은 강원도 철원으로 집을 옮긴 후 낚시로 소일하던 중 김 직원을 만나 그와 교우하며 위로를 얻는다. 그 후 해방이 되고 해방 직후 친구의 연락을 받고 서울로 올라온 현은 좌익 계열의 '조선 문화 건설 중앙 협의회'에 관여하게 된다. 그러던 중, 김 직원이 서울로 올라오자 김 직원과 대화를 하지만 이미 이념적으로 서로 달라져 있음을 확인하고 둘은 헤어지게 된다.

▍이해와 감상

이 소설은 일제 강점기 말 일제의 사상적 탄압과, 해방 후 지식인의 이데올로기 선택을 보여 주고 있는 작품이다. 이를 위해서 일제에 협력하는 것을 되도록 피하려는 '현'이라는 문학가와 시골의 선비인 '김 직원'이라는 인물을 설정한 후, 당대를 비판하고 개탄하게 한다. 그러나 해방 후 '현'은 좌익 문단 계열에 가담하고 '김 직원'은 왕정복고라는 생각으로 기울어지면서 서로 헤어지게 된다. 특히 '현'은 이데올로기 선택을 통해서 일제 강점기 말의 무기력에서 벗어나고자 하는 모습을 보이면서 임금에 대한 충성을 추구하는 김 직원의 모습을 시대에 뒤처진 것으로 인식한다. 이는 당대의 지식인들이 당시의 상황을 어찌 인식했는지를 알 수 있는 단서가 된다. 참고로 이 소설에는 '한 작가의 수기'라는 부제가 붙었는데, 이는 작가 자신이 투영된 인물인 주인공 현을 통해 해방 전과 후의 상황과 작가 자신의 사상적 변모 과정을 그린 것으로 볼 수 있다.

단권화 MEMO

- **갈래**: 단편 소설
- **성격**: 사실적, 비판적
- **배경**
  ① 시간적: 해방 직후
  ② 공간적: 남한
- **시점**: 전지적 작가 시점
- **특징**
  ① 객관적인 산문 문장이라기보다는 주관적인 영탄에 가까운 표현의 문장이 빈번함
  ② 일상어와 방언을 사용하여 사실성을 높임
  ③ 시대적 배경 묘사를 통해 주인공의 내면의식을 표출
- **주제**
  ① 해방 공간에 있는 실향민의 고난과 지식인의 내면 풍경
  ② 광복 직후의 혼란한 사회상과 전재민들의 고달픈 삶

잠바 흥정이 붙었다. 친구는 양복 위에다 잠바를 입었다. 물건 주인은 값이 맞지 않는 모양으로 어서 벗으라고 잠바 앞섶을 한손으로 붙들고 당긴다. 조금도 다라진 맛이 없는 것 같은 스물다섯이 채 됐을까 한 청년이다.

"안 팔다니! 팔백 원이면 제 시센데 시세를 다 줘두 안 팔아? 이건 누굴 히야까시루 가지구 나와서?"

친구는 눈을 매섭게 부릅뜨고 팔을 뿌리친다.

"글쎄, 그르켄 못 팔아요. 이천 원 다 줘야 돼요."

청년의 손은 다시 잠바로 건너간다. 친구의 눈은 좀 더 매섭게 모로 빗기더니,

"받아요."

지전 묶음을 청년의 호주머니 속에 억지로 넣어 주고 돌아선다.

넣어 준 돈을 청년은 다시 드러내 부르쥐고 뒤를 쫓는다.

"여보!"

친구의 옷자락을 붙든다.

"누구야! 왜, 붙들어? 바쁜 사람을……."

"인 줘요."

"주다니, 멀 줘?"

"잠바 말이에요."

"당신 정신 있소? 물건을 팔구 돈까지 지갑에 넣구 다니다가 딴생각을 허구선…… 이건 누굴 바지저고리만 다니는 줄 알아? 맘대루 물건을 팔았다 물렀다……."

몸부림을 쳐 청년의 붙든 손을 떨구고 떨어진 손을 와락 붙들어 이마빼기가 맞닿으리만치 정면으로 딱 당기어 세우고 눈을 흘기며 가슴을 밀어젖힌다.

"이러단 좋지 못해 괜히……."

밀어젖힌 대로 물러난 청년은 더 맞잡이를 할 용기를 잃는다. 멍하니 친구를 바라보고만 섰더니 어처구니없는 듯이 뭐라고 혼자 중얼거리며 그대로 쥐고 있던 돈을 세어 보고 집어넣는다.

무서운 판이었다. 총소리 없는 전쟁 마당이다. 친구는 이 마당의 이러한 용사였던가. 만나기조차 무서워진다. 여기 모여 웅성이는 이 많은 사람들은 다 그러한 소리 없는 총들을 마음속에 깊이들 지니고 있는 것일까. 빗맞을까 봐 곁이 바르다.

"아, 여 여보!"

어서 이 자리를 떠나고 싶어 자기를 찾는 듯이 살피는 친구를 꾹 질러 부른다.

"지금 왔소?"

"나 좀 바빠 먼저 가얄까 봐. 기다리겠기에 들렀지."

"바쁘긴 내 다 아는 걸…… 글쎄 그래 가지군 백만 날 돌아다녀야 집 못 얻는달밖에. 난 아직 아침도 못 먹구…… 우리 점심 같이 허구 잠깐 집에 들러 옷 좀 갈아입고 나가세."

"아니, 정말 난……."

"글쎄 이리 와요."

손목을 잡아끌어 앞세운다. 강박히 부딪칠 수가 없다.

점심이라기보다 술이었다. 실로 얼마 만에 쇠고기 찜을 실컷 하고 확확 다는 얼굴을 느끼며 남산 밑을 돌아 후암동으로 따라간다. 어느 커다란 회사의 중역이 살던 숙사인 듯 빨간 기와집이다.

"이 집도 그렇게 얻었거든."

친구는 전령의 단추를 누른다.

꼭 같은 알몸으로 보퉁이 한 개씩을 등에 걸머진 채 인천에서 내려서 헤어진 지 일 년, 친구의 살림은 벌써 틀이 잡혔다. 가구의 준비까지도 완비가 된 듯 장롱이니 의걸이니 놓아야 할 건 제대로 다 들여놓았다는 데 놀랐다.

"팔백 원 참 싸구나! 이건."

들고 온 잠바를 다다미 위에 내던진다.

"거긴 하루 한때만 들러두 밥벌인 되거든. 일자린 없것다, 쌀값은 비싸것다. 그대로 댕그라니 들앉아서 배겨날 장사가 있다. 전재민이 가지구 나오는 물건이 여간 많은 게 아니야. 능지에서 자라난 풀대 모양으루 희멀쑥한 얼굴이 물건을 제대루 내놓지두 못허구 옆에다 끼구선 비실비실 주변으로만 도는 걸 붙들기만 하면 그건 그저 얻는 폭이지. 저 잠바도 만주 건가 봐. 가죽이니 좀 좋아? 작자가 어리숭해 가지구 그래두 첫마디엔 안 놓아 주구 제법 쫓아오던데? 글쎄 외투루부터 저구리, 바지 차례루 다들 팔아 자시군 쪽 발가벗구들 눈이 멀뚱멀뚱하여 누워서 천장에 파리똥만 세구 있는 사람두 있대나? 하하……. 자네도 이런 데 눈뜨지 않으면 파리똥 세게 되네, 괜히……."

"파리똥두 집이 있어야 헤지. 난 별만 헤네."

농으로 받기는 하였으나 친구의 상식과는 대재비가 되지 않는다. 기만 막히는 소리뿐이다.

"난 가겠네."

"아, 이 사람아! 같이 나가! 내 정말 한 놈 내쫓구 집 들게 해 준달밖에."

"우리 단 두 식구 살 집 그리 커선 뭘 하나. 난 방이나 한칸 얻을까 봐."

"방은 그래 얻을 듯싶어? 보증금이 만 원두 넘는다네."

"방두 못 얻으면 이북으루 가지."

"저런! 이북선 누가 그저 집 주나? 다 저 헐 나름이라구. 여기서 못 살면 거기 가두 못 살아."

▍줄거리

해방 후 어머니와 함께 고국으로 돌아온 '나'는 고향인 북으로 가려고 했지만 이미 38선이 그어져 있어 가지 못한다. 그러나 서울에도 역시 그들이 정착할 곳이 없고, 겨울이 다가오자 38선을 넘어서 북으로 가야겠다는 결심을 굳히고 서울역으로 향한다. 그러나 서울역에서 북에서 온 고향 사람들을 만나고 그들에게 북쪽 역시 살 곳이 못 된다는 얘기를 듣게 된다. 그러자 어머니와 '나'는 허무함과 암담함을 느끼게 된다.

▍이해와 감상

이 소설은 해방이 되었지만 다시 고향을 잃은 실향민의 모습을 형상화하고 있는 작품이다. '나(그)'는 식민지 시대를 사는 양심적이지만 소심한 인물로 주어진 현실을 과감하게 헤쳐 나가려는 의지가 부족한 인물이고, '친구'는 고향을 상실한 유랑민으로서 남을 속여서라도 자신의 삶을 안락한 것으로 만들어 가는 현실적인 인물이다. 특히 '나'는 해방 후 고국으로 돌아오지만 고국 어디에도 자신들이 거처할 곳은 없는 상황에 빠지게 된다. 이러한 모습은 해방 후 또다시 분단으로 이어지는 시대상을 보여 주는 것이지만, 한편으로는 자신의 이익을 챙길 줄 모르는 양심 있는 지식인이 살아갈 수 없는 해방 공간의 혼란한 시대상을 보여 주는 것이기도 하다. 참고로 이 소설에서 별을 헤는 행위는 집이 없어 노숙을 하는 사람이 하는 일이다. 따라서 제목인 '별을 헨다'는 해방 직후 혼란기를 겪으며 집도 없이 불안정하고 궁핍하게 사는 주인공 '나'의 삶을 상징한다고 볼 수 있다.

바로 확인문제

01 「별을 헨다」는 해방 공간에 있는 □□□의 고난과 지식인의 내면을 드러내고 있다.

02 '나'와 '친구'는 북에서 내려왔다는 공통점이 있으나 삶의 태도는 대조적이다. (○, ×)

25 목넘이 마을의 개 | 황순원

• 갈래: 단편 소설, 액자 소설
• 성격: 사실적, 우화적, 설화적
• 배경
  ① 시간적: 일제 강점기
  ② 공간적: 평안도 어느 산간 목넘
    이 마을
• 시점: 전지적 작가 시점이나 결말의
  에필로그는 1인칭 관찰자 시점
• 특징
  ① 서두에 역사적 사실과 관련된
    '프롤로그(prologue)'를 두어 사
    실성을 더해 줌
  ② 이야기의 신뢰성을 확보하고자
    결미 부분에 '내가 직접 들은 이
    야기'라고 말함
  ③ 섬세한 묘사나 직접적 대화의 사
    용을 절제하고 서술적으로 진술함
  ④ 문체가 액자식 구성과 어울려져
    '설화적 분위기'를 조성함
• 주제:
  ① 신둥이로 상징된 한민족의 수난
    과 강인한 생명력
  ② 생명에 대한 경외감

절가가 남포등을 내다 밤나무 가지에 걸었다. 남포 불빛 아래서 개기름 땀과 귄돌 동장의 포마드 바른 머리가 살아나 번질거렸다. 그리고 겔겔이 풀어진 눈들을 하고 둘러앉아 잔을 돌리고 고기를 뜯고 그러다가 모기라도 와 물면 각각 제 목덜미며 가슴패기를 철썩철썩 때리는 것이란 흡사 무슨 짐승들이 모여 앉았는 것 같기도 했다. 귄돌 동장이 소리를 한번 하자고 하며, 제가 먼저 혀 굳은 소리로 노랫가락을 꺼냈다. 작은 동장이 그래도 꽤 온전한 목소리로 받았다. 박 초시는 그저 혼자 조용히 무릎장단만 쳤다. 첫여름 밤 희미한 남폿불 밑에서 이러는 것이 또 흡사 무슨 짐승들이 한데 모여 앉아 울부짖는 것과도 같았다.

그러지 않아도 서쪽 산 밑 차손이네 마당귀에 모여 앉았던 사람들 가운데, 김 선달은 전부터 개고기를 먹고 하는 소리란 에누리 없이 그때 잡아먹는 개가 살아서 짖던 청으로 나온다는 말을 해 모두 웃겨 오던 터인데, 이 날 밤도 귄돌 동장과 작은 동장의 주고받는 소리를 두고, 저것은 검둥이 목소리, 저것은 바둑이 목소리 하여 사람들을 웃기는 것이었다. 그러고는 웃긴 김 선달이나 웃는 동네 사람들이나 모두 한결같이 그까짓 건 어찌 됐든 언제 대 보았는지 모르는 비린 것을 한번 입에 대 보았으면 하는 생각뿐이었다. 이 날 밤 큰 동장네 뒤꼍 밤나무 가지에는 밤 깊도록 남포등이 또한 무슨 짐승의 눈알이나처럼 매달려 있었다.

다음 날 크고 작은 동장은 서쪽 산 밑으로 와서 자기네 개 외에 다른 개도 한 마리 미친개를 따라다니는 걸 보았다니, 대체 누구네 개인지 하루바삐 처치해 버리라고 했다. 그리고 만일 자기네 개가 미친개 따라갔던 걸 알면서도 감추어 두었다가 이후에 드러나는 날이면, 그 사람은 이 동네에서 다 사는 날인 줄 알라는 말까지 하는 것이었다.

물론 간난이 할아버지는 누렁이를 그냥 두었다. 닷새가 지나고 열흘이 지나도 미쳐 나가지 않았다. 그새 서산 밑 사람들은 오래간만에 방앗간 먼지를 쓸고 보리방아를 찧었다. 신둥이는 밤에 틈을 타 가지고 와서는 방앗간 주인이 다 쓸어 가지고 간 나머지 겨를 핥곤 했다. 이런 데 비기면 이제 와서는 바구미 생기는 철이라고 동장네 두 집이, 조금씩 자주자주 찧어 가는 방앗간의 쌀겨란 말할 수 없이 훌륭한 것이었다.

두 달이 지나도 누렁이는 미쳐 나가지 않았다. 서쪽 산 밑 사람들은 오조 갈을 해들였다. 방아를 찧었다. 가난한 사람들은 일 년 중에 이 오조밥 해 먹는 일이 큰 즐거움의 하나였다. 어떻게 그렇게 밥맛이 고소하고 단 것일까. 그리고 가난한 사람들은 이런 오조밥을 먹으면서 옛말에, 오조밥에 열무김치를 먹으면 처녀가 젖이 난다는 말이 있는 것도 딴은 그럴 만하다고 늘 생각하는 것이었다.

이즈음 신둥이는 밤 틈을 타서 먹을 것을 찾아 먹고는 이 서산 밑 방앗간에 와 자곤 했다. 그동안 누구한테도 눈에 띄지 않아 얼만큼 마음이 놓이는 모양이었다. 그러나 다음 날은 사뭇 일찍이 그곳을 나와 산으로 올라가는 것을 잊지 않았다. 간난이나 할아버지의 눈에도 띄지 않게스레.

이러한 어떤 날, 동네에는 이전의 그 미친개가 서산 밑 방앗간에 와 잔다는 소문이 났다. 차손이 아버지가 보았다는 것이다. 아직 어두운 새벽 달구지 걸댓감을 하나 꺾으러 서산에를 가는 길에 방앗간에서 무엇이 나와 달아나기에, 유심히 보니 그게 이전의 미친개더라는 것이다. 그리고 이 미친개는 어두운 속에서도 홑몸이 아니더라는 것이다. 밤눈이 밝은 차손이 아버지의 말이라 모두 곧이들었다.

언덕 위 크고 작은 동장이 이 말을 듣고 서산 밑 동네로 내려왔다. 오늘 밤에 그 산개―지금에 와서는 크고 작은 동장도 그 개를 미친개라고는 하지 않았다. 그것은 그 개가 정말 미친개였더라면, 벌써 아무것도 먹지 못하고 나중에 제가 제 다리를 물어뜯고 죽었을 것이라는 걸 알기 때문에―를 지켰다가 때려잡자는 것이었다. 홑몸이 아니고 새끼를 뱄다면 그게 승냥이와 붙어 된 것일 테니 그렇다면 그 이상 없는 보양제라고 하며, 때려잡아 가지고는 새끼만 자기네가 차지하고 다른 고길랑 전부 동네에서 나눠 먹으라는 것이었다.

밤이 되기를 기다려 크고 작은 동장은 서쪽 산 밑 동네로 와, 차손이네 마당에 사람들을 모아 가지고 제각기 몽둥이 하나씩을 장만해 들게 했다. 그 속에 간난이 할아버지도 끼어 있었다. 간난이 할아버지는 물론 그 신둥이 개가 전과 달라졌다고는 생각지 않았으나 이 개가 그 동안도 자기네 집 옆 방앗간에 와 자곤 했으면 으레 자기네 귀한 뒷간의 거름을 축냈을 것만은 틀림없는 일이니, 그대로 내버려 둘 수는 없다는 생각으로 이 기회에 때려잡아 버리리라는 마음을 먹은 것이었다. 한편 동네 사람 누구나가 그렇듯이 이런 때 비린 것이라도 좀 입에 대어 보리라는 생각도 없지 않아서.

밤이 퍽이나 깊어 망을 보러 갔던 차손이 아버지가 지금 막 산개가 방앗간으로 들어갔다는 걸 알렸다. 동네 사람들은 벌써 제각기 입 안에 비린내 맛까지 느끼며 발소리를 죽여 방앗간으로 갔다. 크고 작은 동장은 이 동네 사람들과는 꽤 먼 사이를 두고 떨어져 서서 방앗간 쪽을 지켜보고 있었다.

동네 사람들이 방앗간의 터진 두 면을 둘러쌌다. 그리고 방앗간 속을 들여다보았다. 과연 어둠 속에 움직이는 게 있었다. 그리고 그게 어둠 속에서도 흰 짐승이라는 걸 알 수 있었다. 분명히 그놈의 신둥이 개다. 동네 사람들은 한 걸음 한 걸음 죄어들었다. 점점 뒤로 움직여 쫓기는 짐승의 어느 한 부분에 불이 켜졌다. 저게 산개의 눈이다. 동네 사람들은 몽둥이 잡은 손에 힘을 주었다. 이 속에서 간난이 할아버지도 몽둥이 잡은 손에 힘을 주었다. 한 걸음 더 죄어들었다. 눈앞의 새파란 불이 빠져나갈 틈을 엿보듯이 휙 한 바퀴 돌았다. 별나게 새파란 불이었다. 문득 간난이 할아버지는 이런 새파란 불이란 눈앞에 있는 신둥이 개 한 마리의 몸에서 나오는 것이 아니고 여럿의 몸에서 나오는 것이 합쳐진 것이라는 생각이 들었다. 말하자면 지금 이 신둥이 개의 뱃속에 든 새끼의 몫까지 합쳐진 것이라는. 그러자 간난이 할아버지의 가슴속을 흘러 지나가는 게 있었다. 짐승이라도 새끼 밴 것을 차마?

이때에 누구의 입에선가, 때려라! 하는 고함 소리가 나왔다. 다음 순간 간난이 할아버지의 양옆 사람들이 욱 개를 향해 달려들며 몽둥이를 내리쳤다. 그와 동시에 간난이 할아버지는 푸른 불꽃이 자기 다리 곁을 빠져나가는 것을 느꼈다. 뒤이어 누구의 입에선가, 누가 빈틈을 냈어? 하는 흥분에 찬 목소리가 들렸다. 그리고 저마다, 거 누구야? 거 누구야? 하고 못마땅해하는 말소리 속에 간난이 할아버지의 턱 밑으로 디미는 얼굴이 있어,

"아즈바니웨다레(아주버님이시군요)."

하는 것은 동장네 절가였다. 그러자 저편 어둠 속에서 궁금한 듯 큰 동장의,

"어떻게들 됐노?" / 하는 소리가 들렸다.

"파투웨다." / 절가의 말에 크고 작은 동장이 한꺼번에 지르는 목소리로,

"파투라니?" / 하는 소리에 이어 큰 동장의 이리로 걸어오는 목소리로,

"틈새를 낸 놈이 누구야?"

하는 결난 소리가 들려왔다. 간난이 할아버지는 옆의 자기 집으로 들어갔다.

좀 뒤에 역시 큰 동장의 결난 목소리로,

"늙은 것은 뒈데야 해, 뒈데야 해." / 하는 소리가 집 안까지 들려왔다.

┃줄거리

목넘이 마을에 유이민들과 함께 개 신둥이가 나타난다. 신둥이는 큰 동장네 검둥이와 작은 동장네 바둑이의 구유를 핥아 먹으면서 어렵게 삶을 이어 나가게 된다. 그러던 중 신둥이는 미친개로 오해를 받게 되고 동장 형제를 중심으로 해서 신둥이를 잡아 죽이려고 하게 된다. 그러나 신둥이가 미친개가 아니고 더욱이 홀몸이 아니라는 것을 안 간난이 할아버지는 신둥이가 궁지에 몰렸을 때 일부러 포위를 허술하게 하여 살려 준다. 이 일이 있은 후 간난이 할아버지는 신둥이가 낳은 새끼들을 마을 사람들에게 나눠 주게 된다.

┃이해와 감상

이 소설은 신둥이로 표현된 우리 민족의 고난, 또는 생명에 대한 존중 의식을 형상화하고 있는 작품이다. 즉, 매우 어려운 상황 속에서 살아가고 있을 뿐만 아니라 생명을 위협하는 폭력에 노출되어 살아가고 있던 신둥이가 새끼를 낳게 되고, 이 새끼들이 결국 마을 사람들의 손에서 키워지며 생명력이 이어지는 모습을 보여 주고 있다. 이는 수많은 고난 속에서도 끈질기게 살아가고 있는 우리 민족의 모습을 형상화한 것으로 볼 수 있으며, 생명에 대한 경외와 존중 의식을 드러낸 것이라고 볼 수 있다.

01 강인한 생명력을 보이는 '신둥이'는 우리 민족을 상징하는 것으로 볼 수 있다. (○, ×)

02 「목넘이 마을의 개」는 □□□과 □□□을 확보하기 위한 장치들이 있다.

03 작가는 묘사와 대화를 활용하여 설화적 분위기를 조성한다. (○, ×)

┃ 정답 ┃   01 ○   02 사실성, 신뢰성
03 ×(묘사와 대화 → 서술적 진술)

단권화 MEMO

- **갈래**: 단편 소설
- **성격**: 사실적, 자조적, 반성적, 비판적
- **배경**
  ① 시간적: 6·25 전쟁 전후
  ② 공간적: 부산, 서울
- **시점**: 전지적 작가 시점
- **특징**
  ① 사실주의적 경향
  ② 자조적이고 반성적인 어조
- **주제**
  ① 지식인의 좌절과 방황 그리고 새 인간형의 탐구
  ② 전쟁으로 인한 삶의 회의와 새로운 길로의 자기 성찰

나는 다방을 하나 차려 줄 것에 생각이 미치었네. 이것이면 내 힘으로 자금 유통도 되고, 미이의 명랑성도 센스도 살릴 수 있고, 수입 면도 문제없다고 생각했네. 이 계획을 말했더니, 처음에는 그럴싸하게 듣고, 얼굴에 희망의 불그레한 홍조까지 떠올리던 미이였으나, 다음 날 오 일간의 생각할 여유를 달라는 것이었네. 더 생각할 여지도 없는 일일 터인데 망설이는 것이 수상쩍었으나, 그러마 하고 나는 동아 극장 옆에 있는 마침 물려주겠다는 다방 하나를 넘겨 맡기로 이야기가 다 되었었네. 그 닷새 되는 날이 오늘이고 정한 시간에 연락 장소인 다방에 갔더니, 레지가 내민 것이 이 종이 꾸러미었네. 펴 보고 놀라지 않을 수 없었네. 다른 길과 달라 간호 장교이고 보니, 생활 방편을 위한 것이 아님이 대뜸 짐작이 갔고, 더욱 나의 뒤통수를 때린 것이 검정 넥타이였네. 그러면 미이가 첫날 다방에서 사명 운운했던 것은 그 길을 말함이었던가? 나는 부끄럽기 짝이 없었네. 검정 넥타이를 들고, 나는 비로소 삼 년 동안 내가 정신적으로 타락의 길을 걷고 있었다는 것을 뼈아프게 느끼었네. 미이가 말하는 그 사명을 찾는 길, 사명을 다하는 일을 나는 사변이라는 외적인 격동 때문에 포기하고 만 것일세. 가장 잘 생각하는 척하던 나는 가장 바보같이 생각했고, 부박하다고 세상을 모른다고 여기었던 미이는 사변에서 키워졌고 굳세어졌고, 올바른 사람이 된 것일세. 이렇게 생각하자 나는 천야만야한 낭떠러지를 굴러 떨어지는 듯했네. 구르면서 걷어잡으려고 한 것이 친구의 구원이었네. 자네를 찾은 것은 이 때문일세.

조운의 긴 이야기를 들고 난 석은, 여기 올 때까지 그렇게 호기심을 끌었고 기대의 대상이 되었던 그에게는 이젠 아무런 흥미도 가지지 않았다. 더욱이 그의 고민 같은 것은 문제도 아니었다.

석의 뇌와 마음은 강렬한 미이의 인상으로 꽉 차 있었다.

그리고 미이가 조운의 마음에 던져 준 충격 이상의 충격을 석도 받지 않을 수 없었다.

안주가 좋아서만이 아니었다. 그 강렬한 배갈도 석을 취하게 하지 못했다.

역시 마음이 미이로 말미암아 팽팽 차 있었기 때문이었다.

조운의 차로 집에 돌아와서도 석은 큰 소리를 탕탕 치거나 울거나 하지 않았다. 얌전하게 자리로 들어가 가족들을 들볶지 않았다.

그의 엄숙한 태도에 가족들은 또 술을 먹었다고 잔소리를 할 수 없었다.

자리에 드러누워 그는 생각하였다.

조운의 말대로 조운은 사변의 압력으로 그의 사명을 포기했고, 사변을 통하여 미이는 용감하게 시대적 요구에 응할 수 있는 사람으로 변하였다. 그러면 나는?

눈을 감았다가 뜨며 석은 중얼거렸다.

'사명을 포기치도 그것에 충실치도 못 하고 말라 가는 나는? 나도 사변이 빚어낸 한 타입이라고 할까?'

▌줄거리

석은 피난지 부산에서 작가로서의 일을 하지 못하고 생계를 위해 교사로 일하면서 안일과 나태에 빠진 삶을 산다. 그러던 중 친구인 작가 조운이 방문하여 그간의 사정 이야기를 나누게 되고, 특히 문학소녀였던 미이라는 여성의 이야기를 들려준다. 석은 조운이 들려준 미이의 이야기를 통해서 자신의 삶을 반성하고 자신 역시 사변이 만들어 낸 또 하나의 인간형이 아닐지를 생각하게 된다.

▌이해와 감상

이 소설은 전쟁으로 인해서 변해 버린 삶의 모습에 대한 비판과 반성, 새로운 인간형의 제시라는 주제 의식을 담고 있는 작품이다. 이를 위해서, 전란 후의 현실을 살아가기 위해서 교편을 잡고 있는 석, 순수함을 잃어버리고 세속에 물들어 버린 작가 조운, 어린 문학소녀에 불과했지만 전란으로 인해 단련되어 자신의 삶을 스스로 개척하고자 하는 미이라는 인물을 설정하고 있다. 이들 중 긍정적인 인물은 전쟁 상황에서 용감하게 시대적 요구에 응하는 미이이며, 조운은 전쟁 상황에서 인생을 까다롭게 살아가지 않기 위해 글쓰기를 포기한다. 이들을 제1, 제2인간형이라 한다면 사명에 충실하지 못하는 석은 제3인간형이라 할 수 있다. 특히나 시대 상황 속에서 이러지도 못하고 저러지도 못하는 석의 모습은 당대 지식인들의 전형을 보여 준다고 할 수 있다. 이 소설은 석의 자신에 대한 반성적 성찰이 드러나며, 이는 한국 전쟁을 겪으면서 자기의 진정성을 찾지 못했던 한 작가의 자기반성과 자의식적 고백으로 볼 수 있다.

바로 확인문제

01 「제3인간형」은 인간을 세 개의 유형으로 구분하는 등 공상적 경향이 강하다. (○, ×)

02 '석'의 반성적 성찰은 곧 □□□을 찾지 못한 작가의 자기반성으로 볼 수 있다.

03 '미이'와 '조운'은 같은 상황에서 다른 성향을 보이는 다른 인간형이다.
(○, ×)

| 정답 | 01 ×(공상적 → 사실주의적)
02 진정성　03 ○

27 비 오는 날 | 손창섭

낡은 목조 건물이었다. 한 귀퉁이에 버티고 있는 두 개의 통나무 기둥이 모로 기울어지려는 집을 간신히 지탱하고 있었다. 기와를 얹은 지붕에는 두세 군데 잡초가 반 길이나 무성해 있었다. 나중에 들어 알았지만 왜정 때는 무슨 요양원(療養院)으로 사용되어 온 건물이라는 것이었다. 전면(前面)은 본시 전부가 유리 창문이었는데 유리는 한 장도 남아 있지 않았다. 들이치는 비를 막기 위해서 오른편 창문 안에는 가마니때기가 드리워 있었다.

이 폐가(廢家)와 같은 집 앞에 우두커니 우산을 받고 선 채, 원구는 한동안 움직이지 않았다. 이런 집에도 대체 사람이 살고 있을까? 아이들 만화책에 나오는 도깨비집이 연상됐다. 금시 대가리에 뿔이 돋은 도깨비들이 방망이를 들고 쏟아져 나올 것만 같았다. 이런 집에 동욱과 동옥이가 살고 있다니 원구는 다시 한번 쪽지에 그린 약도를 펴 보았다. 이 집임에 틀림없었다. 개천을 끼고 올라오다가 그 개천을 건너선 왼쪽 산비탈에는 도대체 집이라고는 이 집 한 채뿐이었다.

원구는 몇 걸음 다가서며 말씀 좀 묻겠습니다 하고 인기척을 냈다. 안에서는 아무런 응답이 없었다. 원구는 같은 말을 또 한 번 되풀이했다. 그래도 잠잠하다. 차차 거세 가는 빗소리와 도랑물 소리뿐, 황폐한 건물 자체가 그대로 죽음처럼 고요했다. 원구는 좀 더 큰 소리로 안녕하십니까? 하고 불러 보았다. 원구는 제 소리에 깜짝 놀랐다. 목에 엉켰던 가래가 풀리며 탁 터져 나오는 음성이 예상 외로 컸던 탓인지, 그것은 마치 무슨 비명처럼 들리었기 때문이다.

그러자 문 안에 친 거적 귀퉁이가 들썩하며, 백지에 먹으로 그린 초상화 같은 여인의 얼굴이 나타난 것이다. 살결이 유달리 희고 눈썹이 남보다 검은 그 여인은 원구를 내다보며 좀처럼 입을 열지 않았다. 저게 동옥인가 보다고 속으로 생각하며 여기가 김동욱 군의 집이냐는 원구의 물음에 여인은 말없이 약간 고개를 끄덕여 보였을 뿐이다. 눈썹 하나 까딱하지 않는 그 태도는 거만해 보이는 것이었다. 동욱 군 어디 나갔습니까? 하고 재차 묻는 말에도 여인은 먼저처럼 고개만 끄덕했다. 그러고 나서 원구를 노려보는 듯하는 그 눈에는 까닭 모를 모멸(侮蔑)과 일종의 반항적 태도까지 서리어 있는 것이었다. 여인이 혹시 자기를 오해하고 있지 않나 싶어 정원구라는 이름을 밝히고 나서 동욱과는 소학교에서 대학까지 동창이었다는 것과, 특히 소학 시절에는 거의 날마다 자기가 동욱이네 집에 놀러 가거나 동욱이가 자기네 집에 놀러 왔다는 것을 설명해 주었다.

그래도 여인의 표정에는 별다른 변화가 없었다. 원구는 한층 더 부드러운 음성으로 혹시 동욱 군의 여동생이 아니십니까? 동옥이라구…… 하고 물었다. 여인은 세 번째 고개를 끄덕여 보인 것이다. 그리고 비로소 그 얼굴에 조소를 품은 우울한 미소가 약간 어리는 것이었다. 동욱이 어디 갔느냐니까, 그제야 모르겠는데요 하고 입을 열었다. 꽤 맑은 음성이었다. 그러면 언제 들어올지 모르겠군요 하니까, 이번에도 동옥은 머리를 끄덕이는 것이었다. 무례한 동옥의 태도에 불쾌한 후회를 느끼면서 원구는 발길을 돌이키는 수밖에 없었다. 동욱이가 돌아오거든 자기가 다녀갔다는 말을 전해 달라고 이르고 돌아서는 원구에게 동옥은 아무러한 인사도 하지 않았다.

▌줄거리

전쟁 후 폐허의 상황 속에서 원구는 우연히 동욱을 만나고 동욱의 집을 방문하여 그의 누이동생 동옥도 만나게 된다. 그러던 중 동욱은 유일한 일이던 초상화 작업을 못 하게 되고 설상가상으로 세 들어 살던 노파에게 돈을 떼여, 살던 집에서마저 쫓겨난다. 이후 원구가 동욱의 집을 방문하지만 그들이 어디로 갔는지는 알 수 없었다. 원구는 특히 동옥의 사라짐에 대해서 자책감을 느끼게 된다.

▌이해와 감상

이 소설은 전후의 황폐함과 부조리함, 무기력한 삶을 살아가는 사람들의 우울한 내면 심리와 허무 의식을 형상화하고 있는 작품이다. 이를 위해서 동욱과 장애를 가진 동옥이라는 남매를 설정하고, 이들이 당대의 현실로 인해서 사라지게 되는 모습을 그리고 있다. 특히 이 작품의 제목이자 배경인 '비 오는 날'은 전쟁 중이라는 사회적 배경과 상황적 배경, 시간적 배경과 공간적 배경을 적절히 배합한 것으로, 작품 전체에 어두운 분위기를 형성하고 있을 뿐만 아니라 전후의 현실 그 자체를 암시하고 보여 주는 것이라고 할 수 있다. 참고로 이 소설의 결말 부분에는 문제점에 대한 해결이 부재(不在)한다. 원구의 관심으로도 동욱 남매의 삶을 구제하지 못한 것이다. 이러한 결말은 전후의 상황을 보다 사실적으로 보여 주면서 절망적인 삶의 모습을 드러내고, 인간의 무기력함과 허무 의식을 더욱 강조하는 효과를 거두고 있다.

단권화 MEMO

• 갈래: 단편 소설, 전후 소설
• 성격: 허무적, 실존적, 사실적
• 배경
  ① 시간적: 6·25 전쟁 직후의 어느 장마철
  ② 공간적: 부산의 변두리 마을
• 시점: 전지적 작가 시점
• 특징
  ① 비 오는 날과 동욱 남매의 비극을 냉소적이고 허무적으로 간결하게 그림
  ② 소외된 인간상을 욕설, 피학적 어조로 묘사
  ③ 객관적 묘사가 거의 없고, 작중 인물의 제한된 시점에서 내면 심리 중심으로 서술
  ④ 종결 어미 '~것이었다'를 반복적으로 사용하여 무기력한 원구의 눈을 통해 사건을 간접적으로 제시
• 주제
  ① 전쟁이 가져다준 인간의 무기력한 삶과 허무 의식
  ② 전후 사회의 절망적 분위기와 파탄된 삶의 모습

바로 확인문제

01 「비 오는 날」의 결말은 인간의 □□□□과 □□ □□을 강조한다.

02 배경이자 제목인 '비 오는 날'은 우울하고 음산한 배경을 조성하고, 원구가 과거를 회상하게 하며 동욱 남매의 비참한 삶을 상징한다. (○, ×)

03 '~것이었다'와 같은 어미를 활용하여 사건을 직접적으로 전달하고 있다. (○, ×)

| 정답 | 01 무기력함, 허무 의식
02 ○ 03 ×(직접적 → 간접적)

- **갈래**: 단편 소설, 전후 소설
- **성격**: 휴머니즘적, 행동주의적, 실존주의적
- **배경**
  ① 시간적: 3·1 운동부터 한국 전쟁까지
  ② 공간적: 삼팔선 부근의 마을
- **시점**: 전지적 작가 시점
- **특징**
  ① 내적 독백, 의식의 흐름 기법을 활용
  ② 짧은 형식 속에 장편 소설적 구성을 담고 있어서 사건의 속도감이 한층 강화되어 문장의 흐름이 빠르게 전개됨
  ③ 간결체 문장이 돋보이고, 체언 종지를 통해 감정의 응축을 꾀함
  ④ 거친 호흡의 역동성을 보이는 문장을 구사함
- **주제**
  ① 한국 근대사의 비극적 갈등을 극복하고 자기 개혁을 실천하는 한 인간의 결의
  ② 부정한 이념에 대한 행동적 저항으로의 결의

경찰서 가까운 싸전 가게 앞에 군중들이 밀려갔을 때 목에서 찢어진 만세 소리는 마치 울음처럼 들렸다. 경찰서의 담장 위에는 밀물 같은 이 군중들을 기다리는 싸늘한 총구가 햇볕에 번득이고 있었다. 싸전 가게에서 이 군중의 선두에 선 키 큰 젊은이를 발견한 혹부리 주인은 '악' 하고 경악의 비명을 질렀다. 목에 달린 혹이 부르르 경련을 일으켰다. 손발이 떨리고 눈앞에 확! 검은 장막이 내리는 듯했다.

"저 녀석이, 저 녀석이."

하고 외쳤으나 그 소리는 목구멍 안에서 굴고 있었다. 무거운 덩어리가 머리 위를 꽉 짓누르는 것 같았다. 어이쿠, 주인은 그 자리에 털썩 주저앉았다.

그러자 비명 같은 만세 소리에 뒤섞여 뛰는 듯한 총소리가 요란하게 들려왔다.

"집안이 망했구나!"

주인은 가슴을 쥐어뜯었다. 뿌 하면서 뜯겨진 옷고름이 떨리는 손아귀에 남았다. 또 콩을 볶는 듯한 총소리가 들려왔다. 만세 소리는 멎고 날카로운 비명과 함께 우르르 흩어져 달아나는 어지러운 신발 소리가 들려왔다. 주인의 눈에 총을 맞고 피를 흘리며 저편 가게와 골목으로 뛰어드는 군중들이 보였다. 총알이 그 뒤를 쫓았다. 주인이 버쩍 정신을 차렸다. 벌떡 일어나 버선발로 뛰어나가자 가게 문에 덥석 손을 대었다. 그리고 미친 듯이 문짝을 뜯어 밖으로 내동댕이치기 시작했다. 마지막 한 장을 밀어 던지고 몸을 날려서 방 안으로 통하는 문짝에 손을 대었을 때 덩그래진 가게 안에 총에 몰린 몇 사람이 뛰어들었다.

경악에 눈꼬리가 찢긴 주인은 쌀되는 글대를 들고 개액 하고 짐승 같은 소리를 지르며 덤벼들었다.

"나가아, 썩 나가아."

고함이 목젖에 걸려 비켜 나갔다. 이 주인의 기세에 그들은 다시 밖으로 뛰어나갔다. 그중 한 명이 가게 문턱을 나서자 총에 맞아 시궁창에 몸을 처박았다. 주인은 펄쩍 가게 한가운데 다리를 걸고 황급히 도사리더니 떨리는 손으로 담뱃대를 끌어당겨 불을 그어 댔다. 그리고는 눈을 꾹 감고 빽빽 담배를 빨았다. 군중을 쫓아 총질하며 가게 앞까지 이른 경찰들은 사납게 이그러진 얼굴로 힐끗 안을 들여다보고는 그대로 달려가 버렸다. 그때마다 한편 눈을 지그시 뜬 주인은 '허우' 하고 한숨을 내쉬었다. 한 시간 후 피투성이의 시체가 늘어진 도로를 줄줄이 묶인 군중들이 개새끼처럼 끌려가기 시작했다. 경찰은 절름거리는 상한 다리를 총대로 후려갈겼다. 공포와 죽음의 그림자가 며칠 이 고을 위에 무겁게 뒤덮고 있었다. 여덟 명이 죽고 이십여 명이 상했다. 팔십여 명은 경찰서 유치장과 복도에, 그러고도 모자라 마구간에까지 꾸역꾸역 수용되었다. 그 안에서 밤새 무던 신음 소리가 들려 나왔다. 일행의 선두에서 만세를 절규하던 젊은이는 총에 맞은 다리를 간신히 끌며 친구 두 명의 부축으로 그곳서 사십 리 떨어진 부엉산 산마루 동굴 속에 몸을 감췄다. 출혈이 심했다. 사십 리 길에 염증이 생겼다. 몽롱한 정신 속에 고통을 견디는 젊은이의 얼굴에는 차차 죽음의 빛이 짙어 갔다. 한밤을 신음으로 지낸 젊은이는 날이 밝자 친구가 떠다 준 골짜구니의 얼음같이 찬 물을 마시고 죽었다. 다음 날은 비가 내렸다. 살아남은 두 명은 이 동굴까지 뻗친 경찰의 손에 잡혀가고 젊은이의 시체는 그의 부친에게 인도되었다. 싸전 주인인 젊은이의 부친은 눈물 한 방울 없이 아들의 시체를 공동묘지에 묻었다.

01 「불꽃」은 당시 발표된 소설들과 달리 서사성을 회복하고 있다. (○, ×)

02 「불꽃」은 '□□ □□'을 활용하여 인물의 의식을 드러내고 있다.

03 제목인 '불꽃'은 주인공 '현'의 마지막 삶의 불꽃을 의미한다. (○, ×)

| 정답 | 01 ○ 02 내적 독백
03 ×('불꽃'은 '현'의 새로운 생명 의식, 자기 개혁 등을 의미한다.)

288 · PART Ⅳ 주요 문학 작품

▌줄거리

현의 아버지는 기독교 신자로서 3·1 운동 때 총을 맞아 죽었고, 현의 할아버지는 손자 현에게 지극한 관심을 쏟는다. 그리고 현의 어머니는 기독교에 귀의하여 아들을 보살핀다. 현은 일본 유학 후 귀국했다가 학병으로 끌려가지만 탈영하고, 해방 후에는 학교에서 교사로 살아간다. 그러나 전쟁이 터지자 공산주의자가 되어 돌아온 연호와 대립한다. 그러던 어느 날 연호가 이끄는 인민재판을 보던 현은 연호와 보안서원들에게 총을 쏜 후 달아나고, 연호는 현의 할아버지를 인질 삼아 현을 추격하지만 현의 할아버지는 연호에게 죽임을 당하고 연호는 현에게 죽임을 당한다. 그 과정에서 총을 맞은 현은 흐려져 가는 의식 속에서 생명의 불꽃을 느끼며 앞으로 당당히 살아갈 것을 결심한다.

▌이해와 감상

이 소설은 부정적 상황에 대한 저항과 실존적 자각이라는 주제 의식을 담고 있는 작품이다. 즉, 현이라는 인물을 설정한 후 일제 강점과 한국 전쟁이라는 시대 상황 속에서도 현실을 외면하면서 살아왔지만 결국 피할 수 없는 위기의 상황에 맞닥뜨리자 실존적 자각을 얻게 되는 모습을 그리고 있다. 이 소설은 제1부와 제2부로 나뉘어 있는데, 서사적 내용은 제1부에서 거의 끝나고, 의식의 흐름으로 전개되는 제2부는 '현'과 '연호'의 마지막 대결로 절정을 이룬다. 특히 결말 부분에서 '현'은 공산주의자 '연호'에게 방아쇠를 당겼을 때, 자신의 행동에 주저하지 않으며 '생명의 불꽃'을 느끼는데, 여기서 '불꽃'은 '현'의 새로운 생명 의식, 즉 현실 참여로 자기 개혁을 시도하는 새로운 행동의 제시라 할 수 있다. 참고로 1950년대 후반 대부분의 단편 소설이 내면의 심리 묘사에 기운 데 비하여 이 소설은 역사적 사실을 과감하게 수용하여 서사성을 회복하고 있으며 할아버지와 아버지, 두 인간형을 제시하고 그 갈등 속에서 방황하는 과도기적 인간형인 '현'을 설정하여 전후 문단에서 전쟁과 분단의 문제를 실존주의적으로 접근하고 한국의 젊은이들이 어떻게 살아야 하는가를 제시한 작품으로 평가받고 있다.

단권화 MEMO

- **갈래**: 단편 소설, 전후 소설
- **성격**: 현실 고발적, 비판적, 사실적
- **배경**
  ① 시간적: 한국 전쟁 직후
  ② 공간적: 서울 해방촌 일대
- **시점**: 3인칭 관찰자 시점(부분적으로 전지적 작가 시점)
- **특징**
  ① 전후 한국 사회의 암담한 현실을 고발
  ② 전후의 허무주의를 사상적 배경으로 함
- **주제**
  ① 전후의 비참한 사회 속에서 정신적 지표를 잃은 불행한 소시민의 비극적 혼란상
  ② 부조리한 사회 구조 속에서 패배하는 양심적 인간의 비애

저만치 골목 막다른 곳에, 누런 시멘트 부대 종이를 흰 실로 얼기설기 문살에 얽어맨 철호네 집 방문이 보였다. 철호는 때에 절어서 마치 가죽끈처럼 된 헝겊이 달린 문걸쇠를 잡아 당겼다. 손가락이라도 드나들 만치 엉성한 문이면서 찌걱찌걱 집혀서 잘 열리지를 않았다. 아래가 잔뜩 잡힌 채 비틀어진 문틈으로 그의 어머니의 소리가 새어나왔다.

"가자! 가자!" / 미치면 목소리마저 변하는 모양이었다. 그것은 이미 그의 어머니의 조용하고 부드럽던 그 목소리가 아니고, 쨍쨍하고 간사한 게 어떤 딴 사람의 목소리였다.

문을 열고 들어서는 철호의 얼굴에 걸레 썩는 냄새 같은 것이 확 풍겨 왔다. 철호는 문안에 들어선 채 우두커니 아랫목을 내려다보고 있었다.

중학교 시절에 박물관에서 미라를 본 일이 있었다. 그건 꼭 솜 누더기에 싸놓은 미라였다. 흰 머리카락은 한 오리도 제대로 놓인 것이 없었다. 그대로 수세미였다. 그 어머니는 벽을 향해 돌아누워서 마치 딸꾹질처럼 어떤 일정한 사이를 두고, 가자 가자 하는 외마디 소리를 지르고 있었다. 그 해골 같은 몸에서 어떻게, 그런 쨍쨍한 소리가 나오는지 이상하였다.

철호는 윗방으로 올라가 털썩 벽에 기대어 앉아 버렸다. 가슴에 커다란 납덩어리를 올려놓은 것 같았다. 정말 엉엉 소리를 내어 울고 싶었다. 눈을 꼭 내리감으며 애써 침을 삼켰다.

두 달 전까지만 해도 철호는 저녁 때 일터에서 돌아오면 어머니야 알아듣건 말건 그래도 '어머니 지금 돌아왔습니다.' 하고 인사를 하곤 하였다. 그러나 요즈음은 그것마저 안 하게 되었다. 그저 한참 물끄러미 굽어보고 섰다가 그대로 윗방으로 올라와 버리는 것이었다.

컴컴한 구석에 앉아 있던 철호의 아내가 슬그머니 일어섰다. 담요 바지 무릎을 한쪽은 꺼멍, 또 한쪽은 회색으로 기웠다. 만삭이 되어서 꼭 바가지를 엎어 놓은 것 같은 배를 안은 아내는 몽유병자처럼 철호의 앞을 지나 나갔다. 부엌으로 나가는 것이었다. 분명 벙어리는 아닌데 아내는 말이 없었다.

"아버지." / 철호는 누가 꼭대기를 쿡 쥐어박기나 한 것처럼 흠칫했다.

바로 옆에 다섯 살 난 딸애가 눈을 동그랗게 뜨고 철호를 쳐다보고 있었다. 철호는 어린 것에게로 얼굴을 돌렸다. 웃어 보이려는 철호의 얼굴이 도리어 흉하게 이지러졌다.

"나아, 삼촌이 나이롱 치마 사 준댔다." / "응."

"그리구 구두두 사 준댔다." / "응."

"그러면 나 엄마하고 화신 구경 간다." / "……."

철호는 그저 어린것의 노랗게 뜬 얼굴을 바라보고 있을 뿐이었다. 철호의 헌 셔츠 허리통을 잘라서 위에 끈을 꿰어 스커트로 입은 딸애는 짝짝이 양말 목달이에다 어디서 주운 것인지 가는 고무줄을 끼었다.

"가자! 가자!" / 아랫방에서 또 어머니의 그 저주 같은 소리가 들려왔다. 벌써 칠 년을 두고 들어 와도 전연 모를 그 어떤 딴사람의 목소리.

┃줄거리

계리사 사무실 서기인 철호는 음대 출신의 아내, 군대에서 나온 동생 영호, 그리고 양공주가 된 여동생 명숙, 전쟁 통에 정신 이상이 된 어머니와 함께 피난지에서 어렵게 살고 있다. 그러던 어느 날 영호가 집에 오자 철호는 영호가 성실하지 못하다면서 나무라지만, 영호는 오히려 철호가 양심을 지키느라 가족들을 힘들게 살게 한다며 반발한다. 그러던 영호는 권총 강도 행위를 하다 경찰에 붙잡히고, 만삭인 철호의 아내는 난산 끝에 사망한다. 거듭된 충격으로 혼란에 빠진 철호는 배회한다. 의사의 만류에도 불구하고 오래 앓던 충치를 모두 뽑고 택시를 탄다. 그러나 갈 방향을 몰라 어머니처럼 '가자'만을 외친다. 철호는 자신을 조물주의 오발탄이라고 생각하다 의식을 잃는다.

┃이해와 감상

이 소설은 궁핍하고 부조리한 전후의 현실을 형상화한 작품이다. 이를 위해서 피난민인 철호네 가족을 설정하여 이들이 현실에서 겪는 어려움을 드러내고 있다. 특히 어머니는 정신 이상이 와서 '가자'라는 말을 반복하는데, 이는 고향에 대한 그리움, 평화와 안정적인 것에 대한 희망을 나타내는 것으로, 전쟁으로 인한 상처와 부조리한 현실을 드러내는 역할을 한다. 또한 잘못 쏜 탄환이라는 의미의 '오발탄'이라는 제목은 자신이 의도하지 않았음에도 결과적으로 뒤틀리고 왜곡된 삶을 살아갈 수밖에 없는 현실 상황을 상징적으로 드러내면서 동시에 방향성 있는 삶, 양심을 지키고 살 수 있는 삶을 간절히 염원하는 작가의 정신을 의미한다고 볼 수 있다.

바로 확인문제

01 제목인 '오발탄'은 왜곡된 삶을 살아갈 수밖에 없는 현실 상황을 반어적으로 표현한 것이다. (○, ×)

02 '어머니'의 '□□'라는 대사는 고향에 대한 그리움, 평화와 안정에 대한 희망을 나타낸다.

03 서술자는 주인공으로, 주인공이 타인의 삶을 관찰하며 서술하고 있다.
(○, ×)

┃ 정답 ┃　01 ×(반어적 → 상징적)
02 가자　03 ×(서술자는 작품 밖에서 사건을 전개한다.)

단권화 MEMO

방 안 생김새는, 통로보다 조금 높게 설득자들이 앉아 있고, 포로는 왼편에서 들어와서 바른 편으로 빠지게 돼 있다. 네 사람의 공산군 장교와, 국민복을 입은 중공 대표가 한 사람, 합쳐서 다섯 명. 그들 앞에 가서, 걸음을 멈춘다. 앞에 앉은 장교가, 부드럽게 웃으면서 말한다.

"동무, 앉으시오."

명준은 움직이지 않았다.

"동무는 어느 쪽으로 가겠소?"

"중립국."

그들은 서로 쳐다본다. 앉으라고 하던 장교가, 윗몸을 테이블 위로 바싹 내밀면서, 말한다.

"동무, 중립국도, 마찬가지 자본주의 나라요. 굶주림과 범죄가 우글대는 낯선 곳에 가서 어쩌 자는 거요?"

"중립국."

"다시 한 번 생각하시오. 돌이킬 수 없는 중대한 결정이란 말요. 자랑스러운 권리를 왜 포기하 는 거요?"

"중립국."

이번에는, 그 옆에 앉은 장교가 나앉는다.

"동무, 지금 인민 공화국에서는 참전 용사들을 위한 연금 법령을 냈소. 동무는 누구보다도 먼 저 일터를 가지게 될 것이며, 인민의 영웅으로 존경받을 것이오. 전체 인민은 동무가 돌아오 기를 기다리고 있소. 고향의 초목도 동무의 개선을 반길 거요."

"중립국."

그들은 머리를 모으고 소곤소곤 상의를 한다.

처음에 말하던 장교가, 다시 입을 연다.

"동무의 심정도 잘 알겠소. 오랜 포로 생활에서, 제국주의자들의 간사한 꼬임수에 유혹을 받 지 않을 수 없었다는 것도 용서할 수 있소. 그런 염려는 하지 마시오. 공화국은 동무의 하찮은 잘못을 탓하기보다도, 동무가 조국과 인민에게 바친 충성을 더 높이 평가하오. 일체의 보복 행위는 없을 것을 약속하오. 동무는……."

"중립국."

중공 대표가, 날카롭게 무어라 외쳤다. 설득하던 장교는, 증오에 찬 눈초리로 명준을 노려보 면서, 내뱉었다.

"좋아."

눈길을, 방금 도어를 열고 들어서는 다음 포로에게 옮겨 버렸다.

▮줄거리

철학과 3학년 이명준은 월북한 아버지가 대남 방송에 나왔다는 이유로 경찰서에서 심한 폭행을 당하게 되고, 이를 계기로 애인인 윤애도 버리고 월북한다. 월북한 명준은 아버지의 주선으로 노동 신문의 기자가 되어 일 하나, 공산주의 사회의 현실에 매우 실망한다. 이후 발레리나 은혜를 만나 삶의 보람을 느끼게 되지만 은혜가 모스크바 공연을 떠나게 됨으로써 헤어지게 된다. 이후 전쟁이 일어나고 인민군 장교로 참전한 명준은 간호병 으로 나와 있는 은혜를 다시 만나게 되지만 은혜는 전사하고 명준은 포로가 된다. 전쟁이 끝난 후 포로 교환 시 명준은 남한과 북한을 모두 거부하고 제3국인 중립국을 택한다. 그러나 명준은 배를 타고 제3국인 인도에 거의 도착할 무렵, 배에서 투신자살을 한다.

▮이해와 감상

이 소설은 남북 간의 이데올로기 대립을 전면에 내세우고 형상화한 작품이다. 이를 위해서 남한과 북한의 현 실을 광장과 밀실이라는 개념을 활용하여 비판하고 있으며, 이를 통해 남한과 북한 모두에게 진정한 의미의 광장은 존재하지 않음을 드러내고 있다. 이러한 진정한 광장의 부재는 주인공이 중립국행을 선택하는 것으로 이어지지만, 중립국 역시 이상 실현을 위한 실천으로서의 적극적 선택이 아닌 절망 속에서의 체념이라는 소극 적·부정적 선택이었고, 미래에 대한 긍정적 전망을 발견하지 못한 주인공은 결국 자살로 끝을 맺는다. 이 소설 은 4·19 혁명 이후 그동안 쉽게 다룰 수 없었던 남북 간의 이데올로기 대립 문제를 정면으로 다룬 작품이라는 점에서 의의가 있다.

• 갈래: 장편 소설, 사회 소설
• 성격: 관념적, 회고적
• 배경
  ① 시간적: 해방 직후부터 6·25 종 전 사이
  ② 공간적: 남한, 북한, 타고르호 안
• 시점: 전지적 작가 시점
• 특징
  ① 독백체와 관념적 문체를 사용
  ② 관념적이고 철학적인 성격
  ③ 주인공의 심리적 갈등을 간결하 면서도 사실적인 문장으로 표현
• 주제
  ① 분단 이데올로기 속에서 존재에 대한 근원적 의미 추구
  ② 분단의 과정과 비극 속에서 고뇌 하는 지식인의 모습

바로 확인문제

01 실제 일어난 일과 인물이 상상한 일 을 병치하여 인물의 내면을 드러내 고 있다. (○, ×)

02 '□□'은 사회적 삶의 공간을, '□□' 은 개인적 삶의 공간을 의미한다.

03 '중립국'은 이념의 갈등이 없는 공 간으로, 명준이 적극적으로 선택한 공간이다. (○, ×)

▮정답▮ 01 ○(실제 일어난 일[북한 측의 설득을 거절]과 상상한 일[남한 측 의 설득을 거절]을 병치하여 어느 곳도 선택할 수 없는 명준의 내면을 드러낸다) 02 광장, 밀실 03 ×(적극적 → 소극적)

• 갈래: 단편 소설, 전후 소설
• 성격: 암시적, 상징적, 현실 고발적
• 배경
  ① 시간적: 1960년대 5월의 어느 날 저녁에서 열두 시까지
  ② 공간적: 어느 실향민의 가정
• 시점: 전지적 작가 시점
• 특징
  ① 월남할 때 두고 온 맏딸을 매일 기다리는 아버지를 중심으로 이야기가 전개됨
  ② '기다림 → 기다림의 좌절 → 기다림을 재촉하는 쇳붙이 소리'의 반복으로 기다림의 행위가 결코 끝나지 않을 것임을 암시
  ③ 제목인 '닳아지는 살들'은 가족 간의 유대감 상실을 의미함
• 주제
  ① 전후의 현실에 적응하지 못하는 한 가족의 권태와 비극
  ② 전쟁이 가져온 가족의 내면적 파탄

31 닳아지는 살들 | 이호철

살그머니 부엌문을 열었다.

"하필이면 밤 12시야. 낮 12시면 어때서, 미쳐두 좀 곱게나 미치지."

식모가 혼자 푸념을 하고 있었다. 영희는 흠칫했다.

"뭐? 뭐야? 너, 이제, 뭐라 그랬어?"

식모는 돌아보곤 키들대며 웃기부터 했다.

"너, 이제 뭐라 그랬느냐 말야?" / "아무것도 아니에유." / 식모가 말했다.

"너두 이 집에 살면 이 집 식구 아니냐? 좀 어울려 들면 못 쓰니, 못 써? 못 써? 누군 너만큼 몰라서 이러는 줄 아니?"

영희의 눈에서는 드디어 눈물이 비어져 나왔다.

"누가 어쨌시유? 그저 혼자 해 본 얘긴 걸유."

오빠는 가는 흰 테 안경을 쓰고 여전히 신문을 보고 있었다. 한 손에는 코카콜라 통을 들고 있었다. 걷어 올린 파자마 밑으로 심줄이 내솟은 하얀 살결의 여윈 다리에 털이 무성했다.

아버지는 그냥 전의 자세 그대로였다. 오빠와 한자리에 앉으면 으레 그렇듯 정애의 아름다운 얼굴엔 우수가 서려 있었다. 머리를 갸웃이 바깥쪽으로 돌리고, 되도록 오빠와 시선이 마주치는 것을 피하고 있었다. 참 알 수 없는 일이었다. 시집살이의 가장 요긴한 사람인 제 남편을 외면하고 피하면서도 어떻게 시아버지나 시누이에게는 그토록 충실할 수 있는지 영희로서는 납득이 가지 않았다.

마침 큰 벽시계가 10시를 치고 있었다. 그 여운이 긴 시계 치는 소리는 방 안을 이상하게 술렁술렁하게 만들었다. 사방의 벽이 부풀었다 수축했다 서서한 운동을 하였다. 늙은 주인의 허한 눈길이 시계 쪽으로 향해 있었다. 시계 치는 소리가 들리지 않을 텐데 기묘한 일이었다. 영희는 풀썩 올케 앞에 앉아 머리를 올케 무릎에 파묻고 그 신묘한 아버지의 시선이 우습다는 셈인지 키들키들 웃다가 시계 치는 소리가 멎자 잠시 조용했다. 머리를 들고 잠긴 목소리의 조용한 어조로 차츰 격해지면서,

"언니, 언닌 정말 늘 이러구 있을 참이유? 답답허잖우? 오빠란 사람은 저렇게 밍물이구, 대낮에두 파자마나 입구 뒹굴구, 코카콜라나 빨구 앉았구."

순간 정애와 성식이 머리를 동시에 들었다. 성식의 손에서 스르르 신문이 빠져나가며 또 안경알이 불빛에 번쩍했다. 정애는 제 남편과 눈이 마주치자 차디차게 외면을 했다. 미간을 찡그리며,

"아니, 왜 또 이러우?"

영희는 맨 마룻바닥에 무릎을 꿇고 올케의 손을 더욱 힘주어 잡았다.

"아버진 이렇게 병신이 되구, 대체 우리가 이토록 지키고 있는 게 뭐유? 난 스물아홉이 아니유? 올켄 내가 스물아홉 먹은 노처녀라는 것을 언제 한 번이나 새겨 둔 일이 있수? 올케가 이젠 이 집안의 주인 아니유? 이 집안의 가문과 가풍과…… 언니, 언니, 언닌 대관절 무슨 명분으루 이 집을 이토록 지키고 있는 거유?"

성식이 코카콜라 통을 놓았다. 담배를 꺼냈다. 이런 일엔 익숙해진 듯하였다. 그러나 가느다랗게 긴 손가락이 가늘게 떨고 있었다. 정애의 남편이나 영희의 오빠는 없고 찬 안경알만이 있었다.

"아니, 정말 왜 또 이러우?"

시계를 쳐다보던 노인도 말귀는 못 알아들어도 눈을 크게 벌려 뜨고 영희를 건너다보았다. 그러나 여전히 허한 눈길이었다.

줄거리

5월 어느 날 저녁 영희네 가족들은 열두 시에 돌아온다는, 북에 두고 온 맏딸을 기다린다. 그러는 와중 집 안 전체에는 불안감을 조성하는 쇳소리가 들리고 열두 시를 알리는 종소리가 들리자 복도를 통하는 문이 열리지만 들어온 것은 맏딸이 아닌 식모였다. 이때 영희는 식모를 가리키며 언니라고 소리를 치고 백치가 된 아버지는 허우적거린다. 하지만 이 일이 있은 후에도 가족들은 계속 맏딸을 기다린다.

┃이해와 감상

이 소설은 어느 실향민 가족이 북에 두고 온 가족(가장의 맏딸)을 매일 밤 기다린다는 이야기로, 단순한 구성과 사건, 행위의 반복과 제한된 공간 배경, 불길하면서도 음산한 분위기 등을 특징으로 하고 있다. 이 소설의 공간적 배경은 한 가정의 폐쇄된 집으로, 의사소통이 단절된 채 무기력한 모습으로 살아가는 가족들의 모습을 보여 준다. 그리고 '문'은 잠재적으로는 이 가정을 외부와 연결해 주지만 현실적으로는 단절의 상태를 극명하게 부각시킨다. 즉, 열릴 수 있음에도 불구하고 닫혀 있기에 그 폐쇄성이 더 강해지는 것이다. 또한 '쇠붙이 두드리는 소리'는 불안감과 긴장감을 고조시키며 가족들의 정신적 고뇌를 상징한다.

32 모래톱 이야기 | 김정한

바로 어제 있은 일이었다. 하단서 들은 대로 소위 배짱들이 만들어 둔 엉터리 둑을 허물어 버린 얘기였다.

— 비는 연사흘 억수로 쏟아지지, 실하지도 않은 둑을 그대로 두었다가 물이 더 불었을 때 갑자기 터진다면 영락없이 온 섬이 떼죽음을 했을 텐데, 마침 배에서 돌아온 갈밭새 영감이 선두를 해서 미리 무너뜨렸기 때문에 다행히 인명에는 피해가 없었다는 것이다.

"그런데 와 건우 할아버진 끌고 갔느냐고요?"

윤춘삼 씨는 그제야 소주를 한 잔 훅 들이켜고 다음을 계속했다.

섬사람들이 한창 둑을 파헤치고 있을 무렵이었다 한다. 좀 더 똑똑히 말한다면, 조마이섬 서쪽 강둑길에 검정 지프차가 한 대 와 닿은 뒤라 한다. 웬 깡패같이 생긴 청년 두 명이 불쑥 현장에 나타나더니, 둑을 허물어뜨리는 광경을 보자, 이내 노발대발 방해를 하기 시작하더라고. 엉터리 둑을 막아 놓고 섬을 통째로 집어삼키려던 소위 유력자의 앞잡인지 뭔지는 모르되, 아무리 타일러도,

"여보, 당신들도 보다시피 물이 안팎으로 이렇게 불어나는데 섬사람들은 어떻게 하란 말이오?"

해 봐도, 들어주긴커녕 그중 힘깨나 있어 보이는, 눈이 약간 치째진 친구가 되레 갈밭새 영감의 괭이를 와락 뺏더니 물속으로 핑 집어 던졌다는 거다.

그리곤 누굴 믿고 하는 수작일 테지만 후욕 패설을 함부로 뇌까리자, 순간 화가 머리끝까지 치밀었을 갈밭새 영감도,

"이 개 같은 놈아, 사람의 목숨이 중하냐, 네놈들의 욕심이 중하냐?"

말도 채 끝내기 전에 덜렁 그자를 들어 물속에 태질을 해 버렸다는 것이다. 상대방은 '아이고' 소리도 못 해 보고 탁류에 휘말려 가고, 지레 달아난 녀석의 고자질에 의해선지 이내 경찰이 둘이나 달려왔더라고.

"내가 그랬소!"

갈밭새 영감은 서슴지 않고 두 손을 내밀었다는 거다. 다행히도 벌써 그때는 둑이 완전히 뭉개지고, 섬을 치덮던 탁류도 빙 에워 돌며 뭉그적뭉그적 빠져 나가고 있었다는 것이다.

┃줄거리

중학교 교사였던 '나'는 조마이섬에서 나룻배로 통학하던 건우의 집에 가정 방문을 가게 되고 그곳에서 건우네의 사정을 알게 된다. 또한 갈밭새 영감으로부터 조마이섬의 내력을 듣게 된다. 그러던 중 그해 처서 무렵 조마이섬은 홍수의 위기를 맞는다. 하지만 일부러 홍수를 내서 마을 사람들을 쫓아내려던 유력자의 하수인들이 둑을 트지 않자 화가 난 갈밭새 영감은 한 명을 탁류에 집어 던지고 만다. 갈밭새 영감 덕분에 홍수를 면하게 된 조마이섬에는 군대가 정주한다는 소문이 들리게 된다.

┃이해와 감상

이 소설은 낙동강 하류의 모래톱 조마이섬을 배경으로 하여 일제시대부터 1960년대에 이르기까지 그곳 주민들의 삶의 역사를 조명한 작품이다. 외세의 압제와 제도의 불합리성으로 말미암아 피땀으로 토지를 일구면서도 한 번도 그 땅을 소유하지는 못했던 민중들의 원한은 핍박하는 자에 대한 갈밭새 영감의 살인 행위를 통해 극대화된다. 조마이섬은 작가가 소설 속에서 창조해 낸 공간으로, 작가는 '선조들 → 선조로부터 물려받은 갈밭새 영감 등 → 일제가 강제로 불하한 동척 → 국회의원 등 유력자'로 이어지는 조마이섬의 소유권 변천 과정을 통해 당시 우리나라가 처한 부조리한 현실을 압축적으로 보여 준다.

• **갈래**: 단편 소설, 농촌 소설
• **성격**: 사실적, 저항적, 현실 고발적
• **배경**
  ① 시간적: 일제 강점기부터 1960년대
  ② 공간적: 낙동강 하류 조마이섬
• **시점**: 1인칭 관찰자 시점
• **특징**
  ① '나'는 서술자이자 관찰자이면서 조마이섬 사람들이 겪는 부조리에 대한 고발자의 역할을 함
  ② '둑을 허무는 행위'는 생존권을 지키기 위한 조마이섬 사람들의 노력이자 유력자들의 부당함에 대한 저항임
  ③ 비극적 결말이지만 조마이섬 사람들의 힘과 저항 의식이 후예인 '건우'에게 전해질 것임을 암시함
  ④ '갈밭새 영감'을 통해 부조리한 현실에 맞서는 정의로운 인간상을 창조함
• **주제**
  ① 개발이라는 명목으로 삶의 터전을 잃어야만 하는 사람들의 생활상
  ② 소외된 사람들의 비극적 삶과 부조리한 현실에 대한 저항

바로 확인문제

01 서술자는 '나'로, 조마이섬 주민들의 삶의 내력을 관찰하고 독자에게 보고한다. (○, ×)

02 조마이섬 주민들의 둑을 허무는 행위는 유력자들의 횡포로부터 자신의 생존권을 포기함을 의미한다. (○, ×)

03 '□□□ □□'은 부당한 권력에 맞서 싸우는 용감한 삶을 보여 주는 대표적인 인물로, 부조리한 현실에 맞서 싸우는 정의로운 인물이다.

┃ 정답 ┃ **01** ○ **02** ×(둑을 허무는 행위는 생존권을 지키기 위한 노력이자 부당한 권력에 대한 저항이다.) **03** 갈밭새 영감

- **갈래**: 중편 소설, 가족사 소설
- **성격**: 회고적, 고발적
- **배경**
  ① 시간적: 일제 강점기부터 한국 전쟁이 발발할 때까지
  ② 공간적: 낙동강 유역 농촌 마을
- **시점**: 3인칭 관찰자 시점. 부분적으로 전지적 작가 시점의 혼합
- **특징**
  ① 불의와 부조리에 대해 굳은 의지로 저항했던 작가의 세계관이 잘 반영됨
  ② 당당하고 강건한 문체를 통해 가야 부인의 덕행과, 시할아버지와 시아버지의 지사혼(志士魂)을 찬양
  ③ 할머니 가야 부인의 임종을 지켜보는 손녀 분이가 할머니 생애의 여러 사건을 회고하는 형식
  ④ 3인칭 서술을 통해 독자들에게 직접 이야기하는 듯한 태도를 취하기도 함
  ⑤ 인물들의 역경 극복 방식을 드러내는 데 중점을 두면서 일본에 협력한 사람들에 대해 비판적으로 서술
- **주제**
  ① 선비의 애국 충절 정신
  ② 현모양처의 인고의 미덕과 종교적 초월 의지

33 수라도 | 김정한

> "그러이칸에 우리 분이의 고조할배나 징조할배는 참 훌륭했었지. 더구나 고조할배는 진사 급제꺼정 해서도 베실을랑 하시지 않고서……."
>
> 오히려 그렇게 된 것을 자랑인 양 이야기한 적도 있었다.
>
> "고조할배는 머 한다고 간도란 데로 가셨덩강요?"
>
> "그건 니가 좀더 크야 안다." 해 놓고서도 이내 덧붙였다.
>
> "왜놈들이 우리나라를 뺏고서 미안새김 겸 입이라도 틀어막고 보겠다고 베실아치나 이름 있는 양반네들에게 '합방 은사금'이란 걸 내주었는데 그 고조할배는 그 돈을 더럽다고 그 자리에서 되돌려 주었더란다. 그러니 그놈들이 좋다캤겠나. 그 길로 밋비이다가 할 수 없이 그만 조선 땅을 떠났다고 안 하나!"
>
> 아직 철이 안 든 분이는 간도란 데가 어딘지, 또 무슨 뜻인지 자세히는 몰랐었지만, 아무튼 고조할아버지는 조금 무서운 어른이거나 보다 생각하였다.
>
> 시아버지 오봉 선생은 그러한 아버지를 찾기 위해 몇 번이나 만주 땅을 헤매었다지만 찾은 뒤에도 결국 모셔 오지는 못하고 돈만 작살을 내었다고 한다. 요컨대 이것이 일본의 식민지가 됨으로 해서 허 진사 집이 겪은 첫 번째 수난이었다.
>
> "하지만, 그란다고 누구 하나 감히 참견할 사람도 없었지!"
>
> 할머니의 말을 들으면, 할머니의 시아버지 —— 그러니까 분이의 증조할아버지 오봉 선생도 고조할아버지 못지않게 무서운 어른이라고 느껴졌다. 아닌 게 아니라 분이의 아득한 어릴 적 기억 속에도 증조할아버지의 파르스름한 눈빛이 유달리 얼어붙어 있었다.
>
> 그러나 오봉 선생이 되고 보니, 왜놈들이나 그들의 앞잡이들의 비위에 맞을 리 없었다. 게다가 소위 합방 이후 낙동강 연안 일대의 그 질펀한 갈밭들이 모조리 동척의 손아귀에 들어가고, 이내 그들의 논밭이 되어 가는 꼴을 보고는, 당신은 당신대로 더욱 참을 수가 없는 듯이, 툭하면 구두덜거리며 어디론지 핑 떠나기가 일쑤였다. 그러자니 사실 살림이라고는 깍듯이 돌아볼 경황도 생각도 없었던 것이다. 따라서 집안 식구들도 자연 그렇게 된 어른에게 기댈 도리가 없어지고 도리어 세상을 등진 듯 새침하게 세월을 보내는 그의 비위나 거슬릴까 조마조마할 따름이었다.

|줄거리

가야 부인은 일제 감점기에 김해의 명문가에 시집을 왔으나 시아버지 오봉 선생의 대쪽같은 성품으로 인해서 일제와 불화를 겪게 되어 여러 고난과 고초를 겪는다. 이런 상황에서 가야 부인은 스스로 나서서 집안을 건사하며 살아가지만 오봉 선생은 일제에 의해서 옥고를 겪다가 사망하고 막내아들은 학병을 피해서 숨어 다니는 등 어려움은 계속된다. 그러던 중 해방을 맞게 되지만 가야 부인의 집안은 해방의 덕을 보지 못하고 가야 부인은 조용히 죽음을 맞게 된다.

|이해와 감상

이 소설은 가야 부인의 삶의 모습을 통해서 우리 민족이 겪어야 했던 아픔과 고난, 인고의 미덕을 형상화하고 있는 작품이다. '수라도'란 불교에서 아수라(阿修羅)라는 악마들이 살고 있는 곳으로서, 제목의 '수라도'는 이 소설 속 세상이 전쟁과 파괴로 이어지는 어둠의 세계임을 의미한다. 즉, 우리 민족이 겪은 고난과 고통을 보여 주는 것이다. 이러한 수라도의 현실 속에서 이 소설은 가족의 수난과 이에 대응하는 가야 부인과 오봉 선생의 인고, 지절, 초월의 정신을 보여 주고 있다.

34 서울, 1964년 겨울 | 김승옥

> "몹시 춥군요." / 라고 사내는 우리를 염려한다는 음성으로 말했다.
>
> "추운데요. 빨리 여관으로 갑시다." / 안이 말했다.
>
> "방을 한 사람씩 따로 잡을까요?" / 여관에 들어갔을 때 안이 우리에게 말했다.
>
> "그게 좋겠지요?"
>
> "모두 한방에 드는 게 좋겠어요." / 라고 나는 아저씨를 생각해서 말했다.

아저씨는 그저 우리 처분만 바란다는 듯한 태도로 또는 지금 자기가 서 있는 곳이 어딘지도 모른다는 태도로 멍하니 서 있었다. 여관에 들어서자 우리는 모든 프로가 끝나 버린 극장에서 나오는 때처럼 어찌할 바를 모르고 거북스럽기만 했다. 여관에 비한다면 거리가 우리에게는 더 좋았던 셈이었다. 벽으로 나누어진 방들, 그것이 우리가 들어가야 할 곳이었다.

"모두 같은 방에 들기로 하는 것이 어떻겠어요?" / 내가 다시 말했다.

"난 지금 아주 피곤합니다." / 안이 말했다.

"방은 각각 하나씩 차지하고 자기로 하지요."

"혼자 있기가 싫습니다." / 라고 아저씨가 중얼거렸다.

"혼자 주무시는 게 편하실 거예요." / 안이 말했다.

우리는 복도에서 헤어져 사환이 지적해 준, 나란히 붙은 방 세 개에 각각 한 사람씩 들어갔다.

"화투라도 사다가 놉시다." / 헤어지기 전에 내가 말했지만,

"난 아주 피곤합니다. 하시고 싶으면 두 분이나 하세요."

하고 안은 말하고 나서 자기의 방으로 들어가 버렸다.

"나도 피곤해 죽겠습니다. 안녕히 주무세요."

라고 나는 아저씨에게 말하고 나서 내 방으로 들어갔다. 숙박계엔 거짓 이름, 거짓 주소, 거짓 나이, 거짓 직업을 쓰고 나서 사환이 가져다 놓은 자리끼를 마시고 나는 이불을 뒤집어썼다. 나는 꿈도 안 꾸고 잘 잤다.

다음 날 아침 일찍이 안이 나를 깨웠다.

"그 양반, 역시 죽어 버렸습니다." / 안이 내 귀에 입을 대고 그렇게 속삭였다.

"예?" / 나는 잠이 깨끗이 깨어 버렸다.

"방금 그 방에 들어가 보았는데 역시 죽어 버렸습니다."

"역시……." / 나는 말했다.

"사람들이 알고 있습니까?"

"아직까진 아무도 모르는 것 같습니다. 우선 빨리 도망해 버리는 게 시끄럽지 않을 것 같습니다."

"자살이지요?"

"물론 그것이겠죠."

나는 급하게 옷을 주워 입었다. 개미 한 마리가 방바닥을 내 발이 있는 쪽으로 기어 오고 있었다. 그 개미가 내 발을 붙잡으려고 하는 것 같은 느낌이 들어서 나는 얼른 자리를 옮겨 디디었다.

줄거리

대학원생인 '나'와 '안'은 포장마차에서 만나 무의미한 대화를 즐긴다. 그러던 중 30대 중반의 낯선 사내가 말을 걸어오며 자신의 불행을 말하고 동행해도 좋으냐고 청을 한다. 이렇게 만난 세 사람은 자기들의 신분을 이야기하고, 무의미한 대화를 나누면서 부질없이 거리를 방황하다가 부질없는 불구경을 나선다. 화재가 난 곳에서 사내는 아내의 시체를 판 돈을 불 속에 던지고는 불안에 빠진다. 이렇게 밤을 보내던 세 사람은 여관에 들기로 하고, '사내'는 같은 방에 들자고 했으나 '안'의 거절로 각기 다른 방에 투숙한다. 다음 날 아침, 사내의 자살이 밝혀지고, '나'와 '안'은 무덤덤한 표정으로 그곳에서 헤어진다.

이해와 감상

이 소설은 현대인의 소외된 삶, 연대 의식의 상실을 형상화하고 있는 작품이다. 이 소설의 등장인물은 '나', '안', '사내' 등으로 익명화되어 있는데 이는 현대인의 익명성을 드러냄과 동시에, 이들의 모습이 현대 도시인의 보편적 모습임을 드러내려고 한 장치로 볼 수 있다. 또한 이 작품의 공간(포장마차, 여관)은 서민들의 공간이자 타인들이 일시적으로 모이는 장소라는 점에서 작품의 주제 의식을 강화하는 수단으로서의 의미를 지닌다. 참고로 제목 '서울, 1964년 겨울'에서 알 수 있듯이 이 소설의 시대적 배경은 1964년이며, 공간적 배경은 서울, 계절적 배경은 겨울이다. 작가가 이처럼 구체적인 배경을 제목으로 사용한 이유는 1964년 도시 서울의 사람들이 정치적으로 혼란한 사회 현실로 인해 자유를 박탈당한 채 우울하고 단절된 인간관계 속에서 살아가고 있던 사회적 현실을 혹독하고 차디찬 계절인 겨울로 표현한 것이다.

단권화 MEMO

• 갈래: 단편 소설
• 성격: 현실 고발적, 사실적
• 배경
  ① 시간적: 1964년 어느 겨울밤
  ② 공간적: 포장마차 → 서울의 어느 거리 → 여관방
• 시점: 1인칭 주인공 시점
• 특징
  ① 현대 도시인의 개인주의, 의사소통의 단절, 개성 상실 등을 나타내기 위해 등장인물을 익명화하여 제시
  ② '벽으로 나누어진 방', '개미' 등과 같은 상징적, 비유적 표현 사용
  ③ 참신하고 인상적인 어휘를 사용
  ④ 호흡이 긴 문장과 짧고 경쾌한 문장이 교차됨
• 주제
  ① 뚜렷한 가치관을 갖지 못한 도시인들의 심리적 방황과 인간적 연대감의 상실
  ② 현실에 적응하지 못한 세 사람의 소외된 삶과 허무 의지

바로 확인문제

01 「서울, 1964년 겨울」은 당시 사회 현실을 반영하여 구체적인 배경을 제목으로 사용하였다. (o, ×)

02 '안'은 셋이 한 방에 묵자고 제안했으나 '나'는 이를 거부하였다. (o, ×)

03 '나'에게 다가오는 '□□'는 자살한 사내의 분신이자 '나'의 양심을 상징한다.

| 정답 | 01 o   02 ×('안'↔'나')
03 개미

단권화 MEMO

- **갈래**: 단편 소설, 귀향 소설
- **성격**: 회고적, 상징적, 서정적
- **배경**
  ① 시간적: 1970년대 어느 겨울
  ② 공간적: 시골
- **시점**: 1인칭 주인공 시점
- **특징**
  ① 회상과 대화를 통해 과거의 사실을 드러내는 역순행적 구성 방식
  ② 상징적 의미를 가진 소재들을 활용하여 주제를 효과적으로 드러냄
  ③ 작가의 자전적 소설
- **주제**
  ① 눈길에서의 추억을 통한 인간적인 화해
  ② 어머니의 무한한 사랑에 대한 깨달음

바로 확인문제

01 '아내'는 '나'와 노인 사이의 중재자로, '나'에 대해 연민을 느끼고 '노인'의 태도에 불만을 가진다. (○, ×)

02 '나'는 집안의 몰락으로 인한 피해 의식으로 어머니를 외면하였으나 어머니의 사랑을 깨닫고 어머니와 화해하게 된다. (○, ×)

03 '□□'은 어머니가 앞으로 혼자 겪어야 할 시련과 아들에 대한 헌신적인 사랑을 상징한다.

| 정답 | 01 ×(아내는 '노인'에 대해 연민을 느끼고 '나'의 태도에 불만을 가진다.) 02 ○ 03 눈길

　　아내의 성화를 견디다 못해 노인은 결국 마지못한 어조로 그날 밤 일을 돌이키고 있었다. 어조에는 아직도 그날 밤의 심사가 조금도 실려 있지 않은 채였다.

　　"그래 저를 나무래서 냉큼 집 안으로 데리고 들어갔더니라. 그리고 더운 밥 지어 먹여서 그 집에서 하룻밤을 재워 가지고 동도 트기 전에 길을 되돌려 떠나보냈더니라."

　　"그래 그때 어머님 마음이 어떠셨어요?"

　　"마음이 어떻기는야. 팔린 집이나마 거기서 하룻밤 저 아그를 재워 보내고 싶어 싫은 골목 드나들며 마당도 쓸고 걸레질도 훔치며 기다려 온 에미였는디, 더운밥 해 먹이고 하룻밤을 재우고 나니 그만 해도 한 소원은 우선 풀린 것 같더구나."

　　"그래, 어머님은 흡족한 기분으로 아들을 떠나보내셨다는 그런 말씀이시겠군요. 하지만 정말로 그게 그렇게 될 수가 있었을까요? 어머님은 정말로 그렇게 흡족한 마음으로 아들을 떠나보내실 수 있으셨을까 말씀이에요. 아들은 다시 학교로 돌아가는 길이었다 하더라도 어머님 자신은 그때 변변한 거처 하나 마련해 두시질 못하셨을 처지에 말씀이에요."

　　"나더러 또 무슨 이야길 더 하라는 것이냐?"

　　"그때 아들을 떠나보내실 때 어머님 심경을 듣고 싶어요. 객지 공부 가는 어린 아들을 그런 식으로 떠나보내시면서 어머님 자신도 거처가 없이 떠도셔야 했던 그때 처지에서 어머님이 겪으신 심경을 말씀이에요."

　　"그만두거라. 다 쓸데없는 노릇이니라. 이야기를 한들 그때 마음이야 네가 어찌 다 알아들을 수가 있었겠냐."

　　노인은 다시 이야기를 사양했다. 그러나 그 체념기가 완연한 노인의 어조에는 아직도 혼자 당신의 맘속으로만 지녀 온 어떤 이야기가 남아 있을 것 같았다.

　　나는 이제 더 이상 기다리고 있을 수가 없었다. 아내는 그런 나의 기미를 눈치채고 있었다 하더라도 노인만은 아직 그걸 알지 못하고 있었다. 노인의 말을 그쯤에서 그만 중단시켜야 했다. 아내가 어떻게 나온다 하더라도 내게까지 그것을 알게 하고 싶지는 않을 노인이었다. 내 앞에선 더 이상 노인의 이야기가 계속될 수가 없었다.

　　나는 이윽고 헛기침을 한 번 하고서 그 노인의 눈길이 닿고 있는 장지문 앞으로 모습을 불쑥 드러내고 나섰다.

│줄거리

모처럼 휴가를 얻은 '나'는 아내와 함께 시골에 계신 노모를 찾아간다. 집에는 노모와 형수, 그리고 조카들만이 조그만 집에서 살고 있었다. 부모로부터 아무런 도움을 받지 않고 자수성가했다고 늘 생각해 왔던 '나'는 어머니의 사랑을 애써 외면하려 한다. 학생 시절 형으로 인해서 가산이 탕진되었다는 소식을 듣고 고향에 찾아왔을 때, 어머니는 새 주인의 양해를 얻어 남의 집이 되어 버린 그 시골집에서 '나'를 예전처럼 하룻밤 편안히 쉬어 갈 수 있게 해 주고 차부까지 새벽 눈길을 동행하고, 그렇게 자식을 보내고 시린 눈을 가라앉히고자 당신 홀로 아침에 뒷산에 한참을 앉아 있었던 과거사를 아내에게 들려준다. 결국, 노모와 아내가 잠자리에서 나누는 과거의 옛이야기를 들으며 '나'는 애써 눈물을 참고 외면하려 하지만, 어머니의 무한한 사랑을 깨닫고 눈물을 흘린다.

│이해와 감상

이 소설은 어머니에 대한 책임을 회피하려는 아들과 아들에게 물질적 도움을 주지 못한 것을 미안해하는 어머니 사이의 갈등과 화해를 형상화하고 있는 작품이다. 이 소설은 일인칭 서술자인 '나'를 설정하고 어머니에게 진 빚이 없다고 생각하는 인물의 내면을 계속 전달하지만, 결국 학생 시절 자신을 배웅했던 어머니의 이야기를 들음으로써 어머니에 대한 인간적 화해가 일어나게 한다. 결말 부분의 '나'의 눈물은 '나'와 어머니의 화해를 암시하는 한편, 분명한 결론을 제시하지 않음으로써 여운을 주고 있다. 또한 '옷궤', '눈길' 등의 상징적 의미를 지닌 소재를 활용하여 주제를 효과적으로 전달하고 있다. 참고로 '옷궤'는 '나'에게 잊고 싶은 과거를 떠오르게 하는 물건이자 빚문서(어머니의 사랑)와 같은 불편함을 주는 존재이고, '어머니'에게는 집을 지켜 온 흔적이자 아들에 대한 애정이며 어머니의 마지막 자존심이다. 또한 '아내'에게는 어머니의 이야기를 이끌어 내는 수단이자 남편과 어머니를 화해시킬 매개체를 상징한다. 더불어 '눈길'은 '나'에게는 기억하고 싶지 않은 과거의 쓰라린 추억이자 자수성가해야 하는 자신의 운명을 의미하지만, '어머니'에게는 자식에 대한 사랑과 자신이 겪어야 하는 시련을 의미한다.

36 병신과 머저리 | 이청준

형은 그다음 날부터 소설을 쓰기 시작했고, 그러자 나는 그림에 손을 댈 수 없게 되어 버린 것이었다.

형의 이야기의 본 줄거리는 대강 다음과 같은 것이었다. 그것은 6·25 사변 전의 국군부대 진중에서부터 시작되었다.

진중 생활에서 형은 두 사람에 대해 이야기의 초점을 맞추고 있었다. 한 사람은 오관모라고 하는 이등중사(당시 계급)였는데, 그는 언제나 대검(帶劍)을 한 손에 들고 영내를 돌아다니는 습관이 있었다. 키가 작고 입술이 푸르며 화가 나면 눈이 세로로 이그러지는 독 오른 배암 같은 인상의 사내였다. 그는 부대에 신병이 들어오기만 하면 다짜고짜 세모눈을 해 가지고 대검을 코밑에다 꼬나 대며 〈내게 배를 내미는 놈은 한 칼에 갈라 놓는다〉고 부술 듯이 위협을 하여 기를 꺾어 놓는 것이었다. 그리고 그 날 밤으로 가엾은 신병들은 관모가 낮에 배를 내밀지 말라던 말의 뜻을 괴상한 방법으로 이해하게 되곤 하였다. 관모에게 배를 내미는 사람이 몇이나 되었는진 알 수가 없지만 그러던 어느 날, 관모네 중대에 또 한 사람의 신병이 왔다. 그가 바로 형의 이야기에서 초점을 맞추고 있는 다른 한 사람인데, 그는 김 일병이라고만 불리고 있었다. 얼굴의 선이 여자처럼 곱고 살이 두꺼운 편이었는데, 〈콧대가 좀 고집스럽게 높았다〉는 점을 제외하면 김 일병은 관모가 세모눈을 지을 필요도 없을 만큼 유순한 얼굴을 하고 있었다. 그런데 어떻게 된 셈인지 바로 다음 날부터 관모는 꼬리 밟힌 독사처럼 약이 바짝 올라서 김 일병을 두들겨 패기 시작했다. 〈나〉는 김 일병의 코가 제 값을 하나 보다고 생각했으나 그런 장난스런 생각은 잠깐뿐이었다.

〈내가 뒷산에서 의무대의 들것 조립에 쓸 통나무를 베어 들고 관모네 중대의 변소 뒤를 돌아오고 있을 때였다. 관모가 김 일병을 엎드려 놓고 빗자루를 거꾸로 쥐고 서투른 백정 개 잡듯 정신없이 매질을 하고 있었다. 관모는 나를 보자 빗자루를 버리고 대뜸 나에게서 통나무를 나꿔 갔다. 미처 어찌할 사이도 없이 관모의 세찬 숨소리와 함께 김 일병의 엉덩이 살을 파고드는 통나무의 둔중한 타격음이 산골을 퍼져 나갔다. 그러나 김 일병은 무서울 정도로 가지런한 자세로 관모의 매를 맞고 있었다. 김 일병이 관모의 매질에 한 번도 굴복한 적이 없다는 소문이 있었고, 그것이 더욱 관모를 약오르게 한다고는 했으나, 나는 당장 눈앞에 숙연해 있는 김 일병의 자세를 믿을 수가 없었다. 김 일병의 자세는 절대로 흐트러지지 않았다. 관모는 괴상한 울음소리 같은 것을 입에 물며 땀을 뻘뻘 흘리고 있었다. 끔찍스러운 광경이었다. 그것은 마치 김 일병이 그만 굴복해 주기를 관모가 애원하고 있는 형국이었다. 그러자 나는 마침내 이상한 것을 보고 말았다. 내가 관모와 김 일병 사이로 끼어들어 내내 그 기이한 싸움의 구경꾼이 되어 버린 동기는 아마 내가 그것을 보게 된 데 있었던 것 같았다. 언제까지나 자세를 허물어뜨리지 않을 것 같던 김 일병이 마침내는 천천히 머리를 들어 나를 올려다 보았는데, 그때 나는 갑자기 호흡이 멈추어 버린 것처럼 긴장이 되고 말았다.〉

그때 〈내〉가 김 일병에게서 보았던 것은 김 일병의 눈빛이었다. 허리 아래에서 타격이 있을 때마다 김 일병의 눈에서는 〈파란 불꽃〉 같은 것이 지나갔다는 것이었다.

▌줄거리

나는 화가 지망생으로서 무기력하게 살아가는 인물이며 의사인 형은 전쟁 당시에 아픈 기억을 가지고 살아가는 인물이다. 형의 아픈 기억은 어린 소녀의 수술에 실패함으로써 되살아나게 된다. 그러자 형은 전쟁 기억을 바탕으로 소설을 쓰게 되고, 우연히 그 소설을 본 나는 형이 김 일병을 쏘아 죽이는 것으로 결말을 맺는다. 그러나 형은 내가 쓴 결말을 찢고 형이 김 일병 대신 오관모를 쏘는 것으로 결말을 맺는다. 이후 형은 혜인의 결혼식에 다녀오다 오관모를 만나고, 이후 일상으로 돌아와 병원 일을 계속하지만 나는 나의 아픔이 어디서 오는지를 자문하게 된다.

▌이해와 감상

이 소설은 서로 다른 방식의 삶을 살아가는 형과 동생의 아픔과 그 극복 과정을 형상화하고 있는 작품이다. 이를 위해서 형과 동생이 지닌 아픔이 무엇이고 그 원인은 무엇인지에 대해서 추리해 나가는 방식을 사용하고 있다. 여기서 '병신'은 6·25 전쟁의 체험으로 실존적 방황을 하지만 자신이 겪는 아픔을 능동적으로 극복하려는 형을, '머저리'는 구체적 체험에 근거하지 않고 관념적 혼돈을 보이는 4·19 세대이자 패배적 사고로 소극적 대응 태도를 보이는 '동생'을 의미한다. 형식적으로는 액자식 구조와 논리적이고 객관적인 문체를 활용하여 주제 의식을 형상화하는 데 기여하고 있다.

- **갈래**: 단편 소설, 액자 소설, 전후 소설
- **성격**: 논리적, 회상적, 비판적
- **배경**
  ① 시간적
    - 바깥 이야기: 1960년대
    - 안 이야기: 6·25 전쟁 중
  ② 공간적
    - 바깥 이야기: 어느 도시
    - 안 이야기: 북한 강계 지역
- **시점**
  ① 바깥 이야기: 1인칭 주인공 시점
  ② 안 이야기: 1인칭 주인공 시점과 관찰자 시점의 혼용
- **특징**
  ① 추리 소설적 기법을 사용하여 관념이나 사건을 추적하는 집요함이 나타남
  ② 나와 형의 외적 갈등과 나 자신의 내적 갈등이 잘 표현됨
  ③ 이야기 속에 이야기가 있는 액자식 구성
  ④ 작가의 감정 개입이 거의 없음
- **주제**
  ① 자기 정체성을 찾지 못하는 내적 갈등
  ② 삶의 방식이 서로 다른 두 형제의 '아픔'의 원인과 그 극복 의지

바로 확인문제

01 「병신과 머저리」는 사건 전개 과정에서 인물과 사회의 갈등이 부각되고 있다. (○, ×)

02 「병신과 머저리」는 □□□ □□을 통해 주인공들의 고통과 그 극복 과정을 입체적으로 형상화한다.

03 '형'과 '동생'이 아픔에 대응하는 태도는 대조적이다. (○, ×)

▌정답 ▌ 01 ×(형과 동생 사이의 인물 간 갈등이 부각되고 있다.)
02 액자식 구성 03 ○

단권화 MEMO

• 갈래: 중편 소설, 액자 소설
• 성격: 실존적, 상징적
• 배경
　① 시간적: 1960년대~1970년대
　② 공간적: 어느 도시
• 시점
　① 바깥 이야기: 1인칭 관찰자 시점
　② 안 이야기: 전지적 작가 시점
• 특징
　① 액자식 구성에 따른 이야기 진행
　② 서술자가 다른 액자식 구성으로 이루어짐
　　– 바깥 이야기: '나'가 박준의 이야기를 전달(1인칭 관찰자 시점)
　　– 안 이야기: 박준의 G의 이야기를 서술(전지적 작가 시점)
• 주제: 자기 진술의 욕망을 억압당한 한 인간의 정신적 상처

박준의 소설은 이를테면 그런 식이었다. 좀 더 자세히 이야기하자면, 이것은 소설의 주인공인 G가 그의 환상 속에 나타난 심문관에게 자신의 과거를 고백하고 있는 대목의 하나인데, G가 그런 식으로 환상의 심문관 앞에 자신의 과거를 고백하게 된 경위는 이러했다.

어떤 청년 운동 단체의 간부 직원인 G는 어느 날 저녁 하루의 일과를 끝내고 집으로 돌아오다 문득 이상한 환상에 빠져든다. 집으로 돌아오는 좌석 버스 속에는 한결같이 무겁게 입을 다문 시민들이 피곤한 어깨를 기대고 앉아 있다. 그런데 G는 그 무거운 침묵과 얼굴이 보이지 않은 사람들의 어깨 뒤에서 갑자기 무시무시한 공포를 느끼기 시작한다. 그는 문득 그 모든 사람들이 서로 무엇인가 침묵으로 이야기를 하고 있음을 느낀다. G는 물론 그 침묵의 대화가 무슨 내용인지는 말할 수가 없다. 그러나 G 자신도 그들과 함께 그 침묵의 대화를 나누고 있음을 분명히 느낀다. 그 느낌 속에서는 대화의 내용도 제법 확실한 것 같다. 한데 G는 한동안 그런 환각에 빠져 들어가다가 느닷없이 어떤 불온스런 음모의 피의자로 체포당해 있는 자신을 발견한다. 그는 그 음모 사건에 관해 심문관의 취조를 받기 시작한다. 그러나 심문관은 G에게 구체적으로 어떤 음모 사건이 모의되고 있었으며, 그것과는 G가 어떻게 관련되고 있는지를 직접적으로 추궁하지는 않는다. G는 다만 자신의 생애에 관해 그가 기억해 낼 수 있는 모든 것을 진술할 것을 심문관으로부터 요구받는다. 그 음모 사건이라는 것과 상관이 있거나 없거나, 또는 자신이 중요하다고 생각하고 있거나 말거나 기억해 낼 수 있는 모든 것을 가식 없이 진술하라는 것이다. 심문관은 G의 그런 진술로부터 그가 어떤 식으로 그 음모 사건과 관련되어 있으며, 그것이 어떤 가공할 범죄인지를 가려낼 참이라는 것이다. G 역시 그 요구를 수락한다. 그는 자신이 어떤 음모를 꾸미고 있었는지 전혀 기억이 없다. 심문관 앞에 서고 보니 잠깐 그런 기분이 들고 있었던 것은 사실이었다. 하지만 그건 막연한 기분뿐이다. 그리고 그런 기분마저도 아주 옛날에나 그런 일이 있었던 것처럼 까마득하다. 분명히 음모를 꾸민 사실이 없었다. 그렇다면 심문관의 요구를 기피할 이유가 없다. 진술한 진술이 자신의 혐의 유무를 가장 정확하게 가려내 줄 수 있다면 이야말로 자기 쪽에서 먼저 바라고 나서야 할 바였다.

▎줄거리

잡지사 편집장인 '나'는 누군가에게 쫓기고 있다는 박준을 만났고 그가 정신 병원에서 도망친 환자임을 알고 놀란다. 또한 그는 원래 소설가였으나 일종의 진술 거부증에 걸려 있으며 그것의 원인이 전짓불에 있었음을 알아낸다. 그리하여 전짓불에 대한 자초지종을 알게 된 나는 정신 병원 의사인 김 박사에게 이야기를 하지만 김 박사는 자신의 방법을 포기하지 않고 박준에게 전짓불을 들이대는 치료법을 사용하게 된다. 그리고 그날 밤 박준은 병실을 도망친다. 이 일이 있은 후 나와 김 박사는 박준에 대해서 죄책감을 느끼게 된다.

▎이해와 감상

이 소설은 역사적 경험을 바탕으로 억압과 감시 속에서 자신의 생각을 강제로 진술해야 하는 상황과 소설 쓰기에 대한 성찰을 형상화한 작품이다. 소설 속에서 미친 척하는 박준의 행동은 진술을 하고 싶다는 의지와 욕망의 우회적 표출로 볼 수 있으며 거짓이 넘쳐흐르는 시대 상황에 대한 역설적 저항이라 할 수 있다. 이 소설에서 '전짓불'은 사회와 권력의 폭력성과 그로 인한 공포를 형상화하는 소재로 박준이 느끼는 공포감의 원인이며 6·25 전쟁 당시 박준의 경험과 상처를 상기시킨다. 또한 '심문관'은 진술을 강요하는 존재로 개인의 삶을 파괴하는 권력과 억압을 상징한다. 또한 제목인 '소문의 벽'은 무형의 벽으로 전짓불의 공포와 간섭으로 이루어진 벽이며, 사람들을 억압하는 벽이기도 하다. 결국 '소문의 벽'은 정체를 밝히지 않고 소문에 숨어 있는 사회적 폭력을 의미한다고 볼 수 있다.

바로 확인문제

01 「소문의 벽」은 액자식 구성으로, 액자 바깥 이야기와 안 이야기의 시점은 모두 1인칭 관찰자 시점이다. (o, ×)

02 '□□□'은 박준이 느끼는 공포감의 원인이며 시대적 폭력과 억압을 상징하는 소재이다.

03 박준에 대해 알아보기 위해 신문사까지 찾아가 인터뷰 기사를 보려고 했던 '나'의 시각은 문학 작품 감상 방법 중 '표현론적 관점'과 상통한다. (o, ×)

| 정답 | 01 ×(바깥 이야기의 시점은 1인칭 관찰자 시점, 안 이야기의 시점은 전지적 작가 시점으로 다르다.)
02 전짓불 03 ○

단권화 MEMO

"쉬이! 쉬어이!"

외할머니의 쉰 목청을 뒤로 받으며 그것은 우물 곁을 거쳐 넓은 뒤란을 어느덧 완전히 통과했다. 다음은 숲이 우거진 대밭이었다.

"고맙네, 이 사람! 집안일은 죄다 성님한티 맽기고 자네 혼잣 몸띵이나 지발 성혀서 먼 걸음 펜안히 가소. 뒷일은 아모 염려 말고 그저 펜안히 가소. 증말 고맙네, 이 사람아."

장마철에 무성히 돋아난 죽순과 대나무 사이로 모습을 완전히 감추기까지 외할머니는 우물 곁에 서서 마지막 당부의 말로 구렁이를 배웅하고 있었다.

이웃 마을 용상리까지 가서 진구네 아버지가 의원을 모시고 왔다. 졸도한 지 서너 시간 만에야 겨우 할머니는 의식을 회복할 수 있었다. 그 서너 시간이 무의식의 세계에서는 서너 달에 해당되는 먼 여행이었던 듯 할머니는 방 안을 휘이 둘러보면서 정말 오래간만에 집에 돌아온 사람 같은 표정을 지었다.

"갔냐?"

이것이 맑은 정신을 되찾고 나서 맨 처음 할머니가 꺼낸 말이었다. 고모가 말뜻을 재빨리 알아 듣고 고개를 끄덕였다. 인제는 안심했다는 듯이 할머니는 눈을 지그시 내리깔았다. 할머니가 까무러친 후에 일어났던 일들을 고모가 조용히 설명해 주었다. 외할머니가 사람들을 내쫓고 감나무 밑에 가서 타이른 이야기, 할머니의 머리카락을 태워 감나무에서 내려오게 한 이야기, 대밭 속으로 사라질 때까지 시종일관 행동을 같이하면서 바래다준 이야기……, 간혹가다 한 대목씩 빠지거나 약간 모자란다 싶은 이야기는 어머니가 옆에서 상세히 설명을 보충해 놓았다. 할머니는 소리 없이 울고 있었다. 두 눈에서 하염없이 솟는 눈물방울이 홀쭉한 볼 고랑을 타고 베갯잇으로 줄줄 흘러내렸다. 이야기를 다 듣고 나서 할머니는 사돈을 큰방으로 모셔 오도록 아버지한테 분부했다. 사랑채에서 쉬고 있던 외할머니가 아버지 뒤를 따라 큰방으로 건너왔다. 외할머니로서는 벌써 오래전에 할머니하고 한 다래끼 단단히 벌인 이후로 처음 있는 큰방 출입이었다.

"고맙소."

정기가 꺼진 우묵한 눈을 치켜 간신히 외할머니를 올려다보면서 할머니는 목이 꽉 메었다.

"사분도 별시런 말씀을 다…….." / 외할머니도 말끝을 마무르지 못했다.

"야한티서 이야기는 다 들었소. 내가 당혀야 헐 일을 사분이 대신 맡었구랴. 그 험헌 일을 다 치르노라고 얼매나 수고시렀으꼬?"

"인자는 다 지나간 일이닝게 그런 말씀 고만두시고 어서어서 맘이나 잘 추시리기라우."

"고맙소, 참말로 고맙구랴."

할머니가 손을 내밀었다. 외할머니가 그 손을 잡았다. 손을 맞잡은 채 두 할머니는 한동안 말을 잇지 못했다. 그러다가 할머니 쪽에서 먼저 입을 열어 아직도 남아 있는 근심을 털어놓았다.

"탈없이 잘 가기나 혔는지 몰라라우."

┃줄거리

장마가 계속되던 시기에 국군으로 나간 외삼촌의 전사 소식이 들려온다. 이에 외할머니는 빨갱이는 다 죽으라고 소리를 치고, 이를 본 빨치산 아들('나'의 삼촌)을 둔 할머니는 분노한다. 한편, 할머니는 아들이 어느 날 어느 시에 돌아온다는 점쟁이의 말을 믿고 아들을 기다리는데, 막상 그날에 나타난 것은 한 마리의 구렁이였다. 이를 본 할머니는 충격을 이기지 못하고 쓰러지고 외할머니는 할머니를 대신하여 구렁이를 달래어 보내게 된다. 이 일이 있은 후 할머니와 외할머니는 화해를 하고 결국 할머니가 세상을 떠나면서 지리한 장마도 끝나게 된다.

┃이해와 감상

이 소설은 한 가족의 갈등과 화해 과정을 통해서 남북 간의 대립과 갈등 극복이라는 주제 의식을 드러내고 있다. 이를 위해서 빨치산 자식을 둔 할머니와 국군 자식을 둔 외할머니를 등장시킨 후 이들의 화해 과정을 보여 주고 있다. 특히 구렁이는 기다리던 삼촌의 화신으로 여겨지며 갈등을 해소하는 장치이자 상처 입은 우리 민족의 모습을 상징한다. 결말 부분에서는 여운을 남기며 마무리되고 있는데, '지루한'이라는 말에서 장마가 실제 겪은 시간보다 더 길게 느껴진 힘든 시간이었음을 암시하고, 과거형 문장으로 표현하여 장마가 끝났고, 이념의 대립으로 인한 전쟁도 종결되었음을 나타낸다. 형식적으로는 어린 서술자를 활용하고 있는데, 이는 남북 간의 갈등과 대립이라는 주제를 지나치게 첨예하게 만들지 않으면서 주제 의식을 전달하는 데 기여하고 있다.

- **갈래**: 중편 소설, 전후 소설
- **성격**: 상징적, 사실적
- **배경**
  ① 시간적: 6·25 전쟁 중 장마철
  ② 공간적: 어느 시골
- **시점**: 1인칭 관찰자 시점
- **특징**
  ① 무속 신앙을 바탕으로 분단과 전쟁의 상처를 극복하려 함
  ② 어린 화자를 등장시켜 전쟁과 이데올로기로 인한 비극을 효과적으로 보여 줌
- **주제**
  ① 화해의 과정을 통한 분단 현실의 극복
  ② 전쟁 중에 빚어진 한 가족의 비극과 그 극복

바로 확인문제

01 서술자는 나이 어린 서술자로, □□□□□의 문제를 객관적으로 다루는 효과를 거둔다.

02 「장마」는 결말 부분에서 이념의 대립이 지속될 것을 암시하고 있다. (O, X)

03 '구렁이'는 친할머니와 외할머니의 갈등을 심화시키는 소재이다. (O, X)

┃정답┃ 01 이데올로기 02 X(지속→종결) 03 X(심화→해소)

단권화 MEMO

- **갈래**: 단편 소설, 사실주의 소설
- **성격**: 사실적, 현실 비판적
- **배경**
  ① 시간적: 1970년대 겨울
  ② 공간적: 공사장에서 삼포로 가는 길
- **시점**: 전지적 작가 시점
- **특징**: 중심 시점의 이동
  - 영달이라는 3인칭 인물의 제한적 시점으로 이루어져 있으나, 폐가에서 백화의 과거가 고백되는 부분은 전지적 시점이 되어 시선의 중심이 백화에게로 옮겨 감
  - 결말에 이르러 계속 주변에 머물러 있던 정 씨의 시점이 중심 시점으로 변함
- **주제**
  ① 고향 상실과 소외로 인한 쓸쓸한 삶
  ② 급속한 산업화 속에서 고향을 상실하고 떠돌아다니는 뜨내기 인생의 애환

그들은 일곱 시쯤에 감천 읍내에 도착했다. 마침 장이 섰었는지 파장된 뒤인데도 읍내 중앙은 흥청대고 있었다. 전 부치는 냄새, 고기 굽는 냄새, 곰국 냄새가 풍겨 왔다. 영달이는 이제 백화를 옆에서 부축하고 있었다. 발을 디딜 때마다 여자가 얼굴을 찡그렸다. 정씨가 백화에게 물었다.

"어느 방향이오?"

"전라선이에요."

"나는 호남선 쪽인데, 여비는 있소?"

"군용차를 사정해서 타구 가면 돼요."

그들은 장터 모퉁이에서 아직도 따뜻한 온기가 남아 있는 팥시루떡을 사 먹었다. 백화가 자기 몫에서 절반을 떼어 영달에게 내밀었다.

"더 드세요. 날 업구 왔으니 기운이 배나 들었을 텐데."

역으로 가면서 백화가 말했다.

"어차피 갈 곳이 정해지지 않았다면 우리 고향에 함께 가요. 내 일자리를 주선해 드릴게."

"내야 삼포루 가는 길이지만, 그렇게 하지?"

정씨도 영달이에게 권유했다. 영달이는 흙이 덕지덕지 달라붙은 신발 끝을 내려다보며 아무 말이 없었다. 대합실에서 정씨가 영달이를 한쪽으로 끌고 가서 속삭였다.

"여비 있소?"

"빠듯이 됩니다. 비상금이 한 천 원쯤 있으니까."

"어디로 가려우?"

"일자리 있는 데면 어디든지……."

스피커에서 안내하는 소리가 웅얼대고 있었다. 정씨는 대합실 나무 의자에 피곤하게 기대어 앉은 백화 쪽을 힐끗 보고 나서 말했다.

"같이 가시지. 내 보기엔 좋은 여자 같군."

"그런 거 같아요."

"또 알우? 인연이 닿아서 말뚝 박구 살게 될지. 이런 때 아주 뜨내기 신셀 청산해야지."

영달이는 시무룩해서 역사 밖을 멍하니 내다보았다. 백화는 뭔가 쑤군대고 있는 두 사내를 불안한 듯이 지켜보고 있었다. 영달이가 말했다.

"어디 능력이 있어야죠."

"삼포엘 같이 가실라우?"

"어쨌든……."

영달이가 뒷주머니에서 꼬깃꼬깃한 오백 원짜리 두 장을 꺼냈다.

"저 여잘 보냅시다."

영달이는 표를 사고 삼립빵 두 개와 찐 달걀을 샀다. 백화에게 그는 말했다.

"우린 뒷 차를 탈 텐데…… 잘 가슈."

영달이가 내민 것들을 받아 쥔 백화의 눈이 붉게 충혈되었다.

그 여자는 더듬거리며 물었다.

"아무도…… 안 가나요."

"우린 삼포루 갑니다. 거긴 내 고향이오."

영달이 대신 정씨가 말했다. 사람들이 개찰구로 나가고 있었다. 백화가 보퉁이를 들고 일어섰다.

"정말, 잊어버리지…… 않을게요."

백화는 개찰구로 가다가 다시 돌아왔다. 돌아온 백화는 눈이 젖은 채 웃고 있었다.

"내 이름 백화가 아니에요. 본명은요……이점례예요."

여자는 개찰구로 뛰어나갔다. 잠시 후에 기차가 떠났다.

바로 확인문제

01 「삼포 가는 길」은 등장인물들 간의 갈등에 초점을 맞추어 내용을 전개하고 있다. (○, ×)

02 「삼포 가는 길」에는 □□□와 □□□의 흐름 속에서 고향을 잃은 사람들이 등장한다.

03 '삼포'는 과거에 떠도는 자들의 포근한 안식처였으나 현재에는 그 가치가 훼손되었다. (○, ×)

| 정답 | 01 ×(등장인물들의 정서적 유대에 초점을 맞추고 있다.)
02 산업화, 근대화 03 ○

┃줄거리

막노동꾼 영달은 공사판의 공사가 중단되자 밥값을 떼어 먹고 도망치던 중, 삼포로 가는 정씨를 만나 동행하게 된다. 두 사람은 찬샘이라는 마을에 있는 국밥집에 들르고, 월출 가는 길이 험할 것 같아 감천 방면으로 가던 중 자신들이 들른 국밥집에서 도망친 작부 백화를 만나 동행이 된다. 길을 가던 중 몸을 녹이기 위해 폐가에 들어가서 쉬게 되고, 그곳에서 백화는 과거에 자신이 지내 온 이야기를 들려주고 영달에게 자기 고향으로 함께 가자는 제안을 한다. 그러나 영달은 백화를 떠나보낸다. 백화를 떠나보내고 삼포 가는 기차를 기다리던 영달과 정씨는 대합실에서 만난 어느 노인에게서 삼포에 대한 소식을 듣게 된다. 삼포에도 공사판이 벌어졌다는 사실을 알게 되자 영달은 일자리가 생겼다고 좋아하지만 정씨는 풀이 죽는다.

┃이해와 감상

이 소설은 1970년대 이후 급속하게 진행되었던 농촌의 해체와 근대화 과정에서 고향을 잃고 떠도는 사람들의 삶의 모습을 형상화한 작품이다. 소설 속의 인물들은 막노동자, 술집 작부 등 산업화 과정에서 생겨난 소외 계층으로, 삶의 터전을 상실하고 계속 떠돌아다녀야 하는 신세로 전락해 버린 인물들이다. 이 소설은 우연히 만난 세 인물들의 여정을 그리고 있는데, 처음 만났을 때 대립하는 모습을 보였던 영달과 백화는 여정이 진행되는 과정에서 서로의 진실한 모습을 파악하고 정서적 유대감을 형성하게 된다. 이런 의미에서 '길'을 배경으로 한 일종의 '여로 소설'이라고 볼 수 있는데 여기서 '길'은 등장인물들의 정서적 교감을 빚어내는 공간을 상징한다. 참고로 제목 '삼포'는 '바닷가의 숲이 울창한 마을'이라는 뜻으로 가공의 지명이지만, 등장인물들에게는 고달픈 삶에서 벗어나 정신적 안식을 누릴 수 있는 영원한 마음의 고향을 상징한다. 결말 부분에서 등장인물들은 삼포가 본래의 모습을 잃고 공사판으로 변했다는 소식을 듣게 되는데, 이는 산업화로 인해 바뀐 농어촌을 상징하며 당시의 시대 상황을 말해 준다.

- **갈래**: 중편 소설, 연작 소설
- **성격**: 사실적, 사회 고발적, 비판적
- **배경**
  ① 시간적: 1970년대
  ② 공간적: 서울의 무허가 판자촌
- **시점**: 1인칭 주인공 시점
- **특징**
  ① 제목의 상징적 의미
    - '난쟁이'는 신분적 열세를 의미하며, '공'은 비상의 꿈을 상징함
    - 구조적 불평등에 시달리고 있는 하층민이 품은 낭만적 열망을 표출한 말임
  ② 반어법의 사용('낙원구 행복동': 그들이 사는 이 땅은 '낙원', '행복'과는 완전히 대칭적인, 지옥과 불행의 삶이라는 것을 냉소적으로 드러냄)
- **주제**
  ① 도시 빈민의 가난한 삶과 처참한 패배의 한
  ② 소외된 사람들의 성실한 삶과 철거 대책에 대한 문제점

　　형은 점심을 굶었다. 점심 시간이 삼십 분밖에 안 되었다. 우리는 한 공장에서 일했지만 격리된 생활을 했다. 공원들 모두가 격리된 상태에서 일만 했다. 회사 사람들은 우리의 일 양과 성분을 하나하나 조사해 기록했다. 그들은 점심 시간으로 삼십 분을 주면서 십 분 동안 식사하고 남은 이십 분 동안은 공을 차라고 했다. 우리 공원들은 좁은 마당에 나가 죽어라 공만 찼다. 서로 어울리지 못하고 간격을 둔 채 땀만 뻘뻘 흘렸다. 우리는 제대로 쉬지도 못하고 일했다. 공장은 우리에게 일방적으로 원하기만 했다. 탁한 공기와 소음 속에서 밤중까지 일을 했다. 물론 우리가 금방 죽어 가는 상태는 아니었다. 그러나 작업 환경의 악조건과 흘린 땀에 못 미치는 보수가 우리의 신경을 팽팽하게 잡아당겼다. 그래서 자랄 나이에 제대로 자라지 못하는 발육 부조 현상을 우리는 나타냈다. 회사 사람들과 우리의 이해는 늘 상반되었다. 사장은 종종 불황이라는 말을 사용했다. 그와 그의 참모들은 우리에게 쓰는 여러 형태의 억압을 감추기 위해 불황이라는 말을 이용하고는 했다. 그러지 않을 때는 힘껏 일한 다음 자기와 공원들이 함께 누리게 될 부에 대해 이야기했다. 그러나 그가 말하는 희망은 우리에게 아무 의미를 주지 못했다. 우리는 그 희망 대신 간이 알맞은 무말랭이가 우리의 공장 식탁에 오르기를 더 원했다. 변화는 없었다. 나빠질 뿐이었다. 한 해에 두 번 있던 승급이 한 번으로 줄었다. 야간 작업 수당도 많이 줄었다. 공원들도 줄었다. 일 양은 많아지고, 작업 시간은 늘었다. 돈을 받는 날 우리 공원들은 더욱 말조심을 했다. 옆에 있는 동료도 믿기 어려웠다. 부당한 처사에 대해 말한 자는 아무도 모르게 밀려났다. 공장 규모는 반대로 커 갔다. 활판 운전기를 들여오고, 자동 접지 기계를 들여오고, 옵셋 윤전기를 들여 왔다. 사장은 회사가 당면한 위기를 말했다. 적대 회사들과의 경쟁에서 지면 문을 닫을 수밖에 없다고 말했다. 이것은 우리 공원들이 제일 무서워하는 말이었다. 사장과 그의 참모들은 그것을 알고 있었다.

　　그것은 생각만 해도 무서운 일이었다. 큰 공장이 문을 닫으면 수많은 공원들은 갈 곳이 없었다. 작은 공장들이 채용할 인원은 한정이 되어 있다. 나는 돈도 못 벌고 놀게 될지도 모른다. 새로운 일터를 찾는다고 해도 낯선 곳이다. 작은 공장이라 작업장은 더 나쁘고 돈도 오르지 않은 채 받는 액수보다 훨씬 적을 수가 있다. 생각만 해도 끔찍한 일이다. 공원들 대부분이 어린 나이에 들어와 중요한 성장기의 삼사 년을 이 공장에서 보냈다. 익힌 기술을 빼놓으면 성장의 기반이랄 것이 없다. 우리 공원들은 우리가 아는 것만큼밖에는 사물을 이해하지 못했다. 아무도 땀으로 다진 기반을 잃고 싶어 하지 않았다. 회사 사람들은 우리가 생각하는 것을 싫어했다. 공원들은 일만 했다. 대다수 공원들이 변화가 일어날 수 없는 상태를 인정했다. 무엇 하나 일깨워 줄 사람도 없었다. 어른들도 자기들의 경험을 들려줄 것이 없었다. 마음속에서는 옳은 것이 실제에서는 반대 방향으로 움직여지는 것만을 그들은 보았었다. 우리는 너무나 모르는 것이 많았다. 사장에게는 다행한 일이었다. 그 집 식구들은 정원 잔디를 기계로 밀어서 깎았다. 그 집 정원에서는 손질이 잘된 나무들이 밝은 햇빛을 받아 무럭무럭 자랐다. 그 집 나무들은 '나무 종합 병원'에서 나온 나무 의사들이 돌보았다. 나도 나무 병원 앞을 지나가 본 적이 있다. 간판에 '귀댁의 나무는 건강합니까?'라고 씌어 있었다. 그 밑에는 작은 글씨로 '병충해 구제 진단·생리적 피해 진단·외과 수술·건강 유지 관리'라고 씌어 있었다. 함께 지나던 어린 조역이 말했다.

　　"우리 집에는 나무가 없습니다. 나는 건강하지 못합니다."

　　우리는 허리를 잡고 웃었다. 무엇이 그렇게 우스웠는지 모른다. 어린 조역은 그때 거의 날마다 코피를 흘렸다.

▌줄거리

난쟁이인 아버지와, 어머니, 영수, 영호, 영희는 낙원구 행복동에서 힘겹게 살아가는 도시 빈민 가족이다. 이들은 재개발 사업으로 인해서 집이 철거될 위기에 처하는데, 이러한 위기의 상황 속에서 주민 대부분은 입주권을 팔고 떠나지만 난쟁이네 가족은 끝까지 버티려고 한다. 그러나 결국 난쟁이네 가족도 집이 철거당한 뒤 거리로 나서야 할 처지가 된다. 한편, 난쟁이네 가족으로부터 입주권을 사 간 투기업자에게 찾아간 영희는 업자에게 순결을 빼앗기지만 금고 안의 입주권과 돈을 들고 나오게 된다. 하지만 현실의 어려움을 이기지 못한 난쟁이 아버지는 결국 자살한다.

▌이해와 감상

이 소설은 1970년대의 급격한 산업화의 물결 속에서 삶의 기반을 빼앗기고 몰락해 가는 도시 빈민들의 삶을 형상화한 작품으로, 노동자를 착취하고 투기를 일삼는 부도덕한 부유층과 최저 생활비에도 못 미치는 임금을 받으며 살아가는 빈민층의 삶을 대립적으로 그리고 있다. '난쟁이'로 설정된 주인공, 환상적인 성격을 지닌 공간의 도입, 단문(短文) 중심의 문장 등으로 동화적인 분위기를 형성하지만 동화와는 달리, 결말이 주인공의 패배로 끝나게 됨으로써 동화의 일반성을 벗어난다. 작품에 등장하는 인물들은 하나같이 현실에서 상처를 입고 패배에 이르는 과정을 밟는 인물로, 특히 주인공인 '난쟁이'는 사회적으로 결핍되어 있는 가난하고 소외된 인물들, 하층민들의 삶을 지배하고 있는 경제적 빈곤과 무력감을 상징하고, 거대 자본을 상징하는 '거인'과 의미상 대립 구조를 형성한다. '거인'과의 대결에서 '난쟁이'들은 패배하는데, 결말 부분에 제시된 영희의 대결 의지를 통해 이것이 영원한 패배가 되지 않을 것임을 암시한다.

41 엄마의 말뚝 | 박완서

- **갈래**: 단편 소설, 연작 소설, 성장 소설
- **성격**: 회고적, 사실적
- **배경**
  ① 시간적: 1940년대부터 6·25 전쟁 당시, 1980년대
  ② 공간적: 서울
- **시점**: 1인칭 주인공 시점
- **특징**
  ① 제목이 지니는 상징적 의미
    – '나'가 엄마에게 느끼는 정신적 구속감
    – 오빠의 죽음을 가슴에 말뚝처럼 박고 살아온 엄마의 한
  ② 시대의 흐름에 따른 세 편의 연작 소설로 각 편마다 동일한 인물이 등장하며 유사한 성격의 사건이 일관된 흐름을 형성하면서 전개(엄마와 '나'의 관계를 중심으로 서술)
  ③ 한 개인의 일생이 정치사, 민족사의 차원으로까지 복잡하게 얽혀 있음을 보여 줌
- **주제**
  ① 엄마의 억척스러운 생활 의지에 대한 성찰
  ② 6·25 전쟁의 비극과 극복 의지

기차가 움직이기 시작했다. 창 밖에 전송객들도 따라 움직였지만 할머니는 그냥 서 계셨기 때문에 곧 보이지 않게 됐다. 나는 휴우 하고 안도의 한숨을 쉬고 나서 엉덩이를 들까불러서 의자의 신기한 탄력을 시험해 보기도 하고 손으로 등받이를 만져 보고 쓸어 보기도 했다.

그것도 이른 봄의 보리밭처럼 푸르렀고, 병아리의 솜털처럼 부드러웠다.

기차가 정거를 할 때마다 엄마는 내 손을 끌어다가 서울까지 몇 정거장 남았나를 꼽게 했다. 개성역에서 경성역까지는 정거장이 열 개 있었기 때문에 손가락으로 꼽기에 편했다. 서울이 가까워질수록 나는 엄마가 서울이라는 거대한 대궐의 안주인처럼 우러러 뵈었다.

엄마는 또 내 귓가에 소곤소곤 내가 서울 가서 앞으로 되어야 하는 신여성에 대해 얘기해 주기도 했다.

"신여성이 뭔데?"

"신여성은 서울만 산다고 되는 게 아니라 공부를 많이 해야 되는 거란다. 신여성이 되면 머리도 엄마처럼 이렇게 쪽을 찌는 대신 히사시까미로 빗어야 하고, 옷도 종아리가 나오는 까만 통치마를 입고 뾰족구두 신고 한도바꾸 들고 다닌단다."

내가 히사시까미, 한도바꾸에 전혀 무지하다는 걸 아는 엄마는 기찻간을 한번 골고루 휘둘러 보고 나서 저기 저 여자의 머리가 히사시까미, 조기 조 여자가 무릎 위에 놓고 있는 게 한도바꾸 하는 식으로 실물을 견학까지 시켜 가며 열성스럽게 신여성이 뭔가를 나에게 주입시키려고 했다. 이상하게도 그 기찻간에 한 몸에 그 여러 가지 신여성의 구색을 갖춘 여자가 없었다. 그러나 그 여러 가지 구색을 갖춘 신여성이라는 걸 상상하긴 어렵지 않았다. 나는 엄마가 나에게 바라는 것에 실망했다. 내가 되고 싶은 건 그런 게 아니었다. 나는 긴 머리꼬리에 금박을 한 다홍 댕기를 드리고 싶었고 같은 빛깔의 꼬리치마를 버선코가 보일락말락하게 길게 입고 그 위에 자주 고름이 달린 노랑저고리를 받쳐 입고 꽃신을 신고 싶었다. 나는 한창 고운 물색에 현혹돼 있었기 때문에 신여성의 구색인 검정치마, 검정구두, 검정 한도바꾸가 도시 마음에 들지 않았다.

"신여성은 뭐 하는 건데?"

나는 내가 고운 물색으로 차려입고 꼭 하고 싶은 게 널이나 그네뛰기였기 때문에 이렇게 물었다. 엄마는 얼른 대답하지 않았다. 엄마의 얼굴은 몹시 난처해 보였다. 어른들은 가끔 그런 얼굴을 잘 했다. 아픈데도 안 아픈 척할 때라든가, 슬픈데도 안 슬픈 척할 때 어른들은 그런 얼굴을 한다는 걸 나는 알고 있었다. 나는 엄마가 모르면서도 아는 척하려 하고 있다고 짐작하고 생글거리면서 쳐다보고 있었다. 엄마는 더듬거리면서 말했다.

▍줄거리
'나'의 어린 시절 아빠가 죽고 엄마는 오빠와 나를 서울로 데려와 서대문 밖에서 삯바느질로 생계를 유지했다. 어려운 상황 속에서도 어머니는 자식들의 교육에 열을 올렸고 우리를 서대문 안의 학교로 진학시켰다. 그 이후 5남매의 어머니로 평범하게 살아가던 나는 어머니가 사고로 다쳤다는 소식을 듣고 어머니를 돌보지만 어머니는 사고로 정신 착란을 일으키며 전쟁 중 죽은 아들을 떠올린다. 그러던 중 잠시 정신이 돌아온 어머니는 자신을 묘지가 아닌 북쪽의 고향이 보이는 강화도에 뿌려 달라고 하지만 어머니가 죽은 후 사회적 체면을 중시한 조카의 고집으로 강화도에 뼈를 뿌리지 않고 서울 근교 공원 묘지에 묻게 된다.

▍이해와 감상
이 소설은 세 편의 연작 소설로, 1편은 남편을 잃은 한 여성이 자식들과 함께 서울에 삶의 공간을 마련하기까지의 과정을, 2편은 6·25 전쟁의 고통과 오빠의 참혹한 죽음을, 3편은 어머니가 돌아가신 뒤 어머니의 소망과는 달리 서울 근교의 공원묘지에 묻히는 과정을 그리고 있다. 일제 강점기부터 해방, 6·25 전쟁 등 민족의 수난기를 배경으로 하여 이로 인해 한 가족이 겪어야 했던 비극적 상황을 형상화하고 있으며, 어머니와 딸이 나누는 인간적 교감을 잘 보여 준다. '어머니'는 전쟁으로 죽은 아들의 유골을 자신의 손으로 강화도 앞바다에 뿌리는데, 이는 분단으로 인해 갈 수 없는 고향에 아들을 보내고자 하는 마음을 의미한다. 즉, 이러한 행위는 분단 상황을 향한 어머니의 도전이며 분단 현실의 극복 의지가 드러나 있다고 볼 수 있다. 후에 '어머니'는 자신 역시 아들이 뿌려진 곳으로 가 아들의 곁을 지키고자 강화도에 뼈를 뿌려 달라고 유언한다. 참고로 서술자는 현재의 관점에서 엄마의 과거를 회상하는 동시에, 엄마의 과거에 존재하는 '나'의 시선에서 엄마를 바라보기도 하고, 엄마의 모습과 동시에 과거의 '나'의 모습도 바라보는데, 이러한 서술자의 다양한 태도는 작품의 주제 의식을 복합적으로 형상화하는 효과를 거둔다.

우리 집에서 숙제하지 않을래?

집 앞에 이르러 치옥이가 이불과 담요가 널린 이 층의 베란다를 올려다보며 나를 끌었다. 베란다에 이불이 널린 것은 매기 언니가 집에 없다는 표시였다. 매기 언니는 집에 있을 때면 늘 담요를 씌운 침대 속에 들어가 있었다.

나는 맞은편의 우리 집을 흘긋거리며 망설였다. 할머니나 어머니는 치옥이네를 양갈보집이라고 불렀다. 그러나 이 거리의 적산 가옥들 중 양갈보에게 방을 세주지 않은 것은 우리 집뿐이었다. 그네들은 거리로 면한 문을 활짝 열어 놓고 거리낌 없이 미군에게 허리를 안겼으며 볕 잘 드는 베란다에 레이스가 달린 여러 가지 빛깔의 속옷들과 때 묻은 담요를 널어 지난밤의 분방한 습기를 말렸다. 여자의 옷은 더욱이 속엣 것은 방 안에 줄을 매고야 너는 것으로 알고 있는 할머니는, 천하의 망종들이라고 고개를 돌렸다.

치옥이의 부모는 아래층을 쓰고 위층의 큰방은 매기 언니가 검둥이와 함께 세 들어 있었다. 치옥이는 큰 방을 거쳐 가야 하는 협실과도 같은 좁고 긴 방을 썼다. 때문에 나는 아침마다 치옥이를 부르러 가면 그때까지도 침대 속에 머리칼을 흘뜨리고 누워 있는 매기 언니와 화장대의 의자에 거북스럽게 몸을 구부리고 앉아 조그만 은빛 가위로 콧수염을 가다듬는 비대한 검둥이를 만났다. 매기 언니는 누운 채 손을 까닥거려 들어오라는 시늉을 했으나 나는 반쯤 열린 문가에 비켜서서 방 안을 흘끔거리며 치옥이를 기다렸다. 나는 검둥이는 우울한 남자라고 생각했다. 맥없이 늘어진, 두꺼운 가슴팍의 살, 잿빛 눈, 또한 우물거리는 말투와 내게 한 번도 웃어 보인 적이 없다는 것이 그러한 느낌을 갖게 한 것이다.

학교 갈 때는 길에서 불러라. 검둥이는 네가 아침에 오는 게 싫대.

치옥이가 말했으나 나는 매일 아침 삐걱대는 층계를 밟고 올라가 매기 언니의 방문 앞을 서성이며 치옥이를 불렀다.

매기 언니는 밤에 온다고 그랬어. 침대에서 놀아도 괜찮아.

입덧이 심한 어머니는 매사가 귀찮다는 얼굴로 안방에 드러누워 있을 것이고 오빠는 땅강아지를 잡으러 갔을 것이다. 할머니는 기다렸다는 듯 막 젖이 떨어진 막냇동생을 업혀 내쫓을 것이었다.

│줄거리

열두 살 먹은 '나'는 아버지의 일자리 때문에 인천 외곽에 있는 중국인 거리로 이주한다. 그곳에서 단짝 치옥이와 양공주 매기 언니를 만난다. 또한 나를 보는 중국인 남자의 시선에서 자신의 욕망을 자각하게 된다. 한편, 매기 언니는 미군 흑인 병사에게 죽임을 당하고 어머니는 여덟 번째 출산을 한다. 나는 어머니의 출산을 보면서 절망감과 막막함을 느끼면서 초경을 하게 된다.

│이해와 감상

이 소설은 전후의 중국인 거리를 배경으로 한 여자아이의 성장 과정을 그린 성장 소설이다. 아직 철이 들지 않은 소녀가 전후의 중국인 거리에서 비극적인 체험을 하고 이를 통해 성인으로 성장해 가는 모습을 보인다. 특히 결말에서 주인공의 초경은 소녀에서 여성으로 변모해 가는 모습을 함축하는 것이며, 또 다른 세계로 나아감을 보여 주고 있는 것이다.

- **갈래**: 단편 소설, 성장 소설
- **성격**: 회고적, 서정적, 자전적
- **배경**
  ① 시간적: 6·25 전쟁 직후
  ② 공간적: 항구 도시의 중국인 거리
- **시점**: 1인칭 주인공 시점
- **특징**
  ① 감각적인 문체를 통해 주인공의 예민하고도 섬세한 감각을 느낄 수 있음
  ② 대화와 독백 등이 화자의 서술과 형식적으로 구분되지 않은 채 사용됨
- **주제**: 주인공의 유년 시절의 체험과 정신적·육체적 성장

바로 확인문제

01 「중국인 거리」는 한 여자아이의 성장 과정을 그린 □□ □□이다.

02 공간적 배경인 '중국인 거리'는 주인공 '나'가 태어난 공간이다.

(○, ×)

03 서술자 '나'는 작품 안에서 자신의 이야기를 독자에게 전달하고 있다.

(○, ×)

| 정답 | 01 성장 소설 02 ×(태어난 → 이주한) 03 ○

03 현대 희곡과 수필

단권화 MEMO

- **갈래**: 희곡, 사실주의 극, 장막극(2막)
- **성격**: 현실 고발적, 비판적, 사실적
- **배경**
  ① 시간적: 1920년대
  ② 공간적: 어느 가난한 농촌
- **특징**
  ① 사실주의 희곡의 전형임
  ② 상징적인 배경의 설정
  ③ 제목 '토막'은 일제의 수탈로 인해 피폐해진 우리 농촌(조국)을 상징함
  ④ 효과음 '바람 소리'는 극의 분위기를 스산하고 침울하게 만들며 비극적인 상황을 강조
- **주제**: 일제의 가혹한 억압과 수탈의 참상과 현실 고발

01 현대 희곡

1 토막 | 유치진

명서 처: (신문지를 내 뵈며) 참, 이것 좀 봐 주구려. 정말 우리 명수 같은지…….

이웃 여자: 뭔데?

명서 처: 여기 우리 명수 화상허구 이름이 백혔다나. 그래두 난 믿질 못하겠어. 어찌 보문 내 자식 같기두 허지만, 자세히 뜯어보문 볼수록 눈만 어섬푸레해지고…….

명서: (다 먹고 나앉으며) 또 시작이군.

명서 처: 자네는 그 애 얼굴을 알지? 그 애 날 때 몸도 풀어 주구, 그 애 클 땐 업어두 주구 했으니…….

이웃 여자: 허지만, 그 애 못 본 지가 이럭저럭 예닐곱 해가 됐으니, 그새 좀 변했겠나.

명서 처: 그래두 그 애 피색은 없지? 그렇지?

이웃 여자: 왜 이렇게 사진이 희미해?

명서 처: 내가 늘 지니고 다녀서 손때가 묻어 그럴 거야.

이웃 여자: 내 눈으로두 어찌 보문 같은 피색이 있기도 헌데, 어찌 보문 아주 달르기두 허구……. 대체 이걸루는 이렇다 저렇단 말은…….

명서 처: 암, 그렇구 말구! 나 역시 믿을 수 없어. 하늘이 무너진다는 소릴 믿으문 믿었지, 어떻게 이걸 믿는담. 머리끝이 바로 서는 이 무서운 사연을…….

이웃 여자: 무서운 사연이라니?

명서 처: 맙소사! 당치도 않은! 이 조선 천지에 그런 일이 있어서 어쩔려구.

이웃 여자: 어찌 됐어? 내게 좀 들려주구랴.

명서 처: …… 뭐라던가? 애그, 정신 봐! 애 금녀야, 그 뭐라더라, 네 오빠 했다는 것 말야.

금녀: 또 그런 얘길…….

이웃 여자: 한 이웃에 살면서, 피차에 기울 게 뭐냐?

명서 처: 애, 갑갑하다. 이 애미한테 한 번만 더 들려주렴. 그 구장이 하구 간 소리 말야.

금녀: 그건 맹탕 거짓말이래두.

명서 처: 뭐?

금녀: 윗마을 오빠의 친구에게 알아봤더니, 오빠 헌 일은 정말 훌륭한 일이래요. 우리두 이런 토막살이에서 죽지 말구, 좀 더 잘 살아 보자는…….

명서 처: 그럼 그렇지. 그래, 종신 징역을 산다는 건 정말이라디?

이웃 여자: 종신 징역?

명서 처: 거짓말야! 거짓말야! (미친 듯이 부르짖는다.)

금녀: 암, 거짓말이죠!

명서 처: 종신 징역이란 감옥에서 죽어 나온단 말 아냐? 젊어서 새파란 걔가! 금지옥엽 내 자식이! 내겐 아무래두 믿을 수 없는 일야! 그런 청천에 벼락 같은 일이 우리 명수의 신상에 있어 어쩔랴구! 신문에만 난 걸 보구 그걸 우리 명수라지만 그런 멀쩡한 소리가 어딨어? 이 넓은 팔도 강산에 얼굴 같은 사람이 없구, 최명수란 이름 석 자 가진 사람이 어디 우리 자식 하나뿐일 거라구? 이건 누가 뭐래두 난 안 믿어.

금녀: 어머니, 이러시다가 병이나 나시문 어떻게 해유? 설사 오빠가 죽어 나온대두 조금도 서러울 건 없어유. 외려 우리의 자랑이에유. 오빠는 우릴 위해서 싸웠어유. 이런 번듯한 일이 또 있겠수? 더구나 이런 토막에서 자란 오빠는, 결단코 이 토막을 잊지 않을 거유. 병드신 아버지를 구하시려구, 늙으신 아버지를 섬기시려구, 그리구 이 철부지 나를 불쌍히 여기셔서, 오빠는 장차 큰 성공을 해 가지고 꼭 한 번 이 토막에 찾아오셔유. 전보다 몇 배나 튼튼한 장부가 되어 오실 거야. 여기를 떠날 때만 해두, 오빠는 나무를 하거나 끌밭을 매거나 남의 두 몫은 했었는데, 지금쯤은 어머니, 오빠 얼마나 대장부가 됐겠수?

명서 처: …… 옳아! 그놈은 몸도 크구 기상도 좋았겠다! 그놈이 지금은 얼마나 훌륭한 장골이 됐겠니? 제 어미도 몰라보게 됐을 거야. …… 아아, 명수야! 이제 명수가 저 사립문에 나타나서 장부다운 우렁찬 목소리로 이 어미를 부르고, 떠벅떠벅 내 앞으로 걸어와서 그 억센 손으로 이 여윈 팔목을 덜컥 붙잡을 것이다. …… 그러면 이 토막에도 서기(瑞氣)가 날 거야.

금녀: 아무렴, 서기가 나구 말구! 이 어두운 땅도 환해질 거예유…… 그러면 어머니는 똬리 파느라구 거리거리로 떨고 다니실 필요두 없을 거구…….

이웃 여자: 나는 암탉 궁둥이만 들여다보구 맘을 졸이잖아두 좋구…….

명서 처: 아이구 금녀야! 우린 이런 형상으루 어떻게 우리 명수를 만나니? 이렇게 찌들어진 형상으루! 너의 오빠를 맞이하기엔 이 집은 너무 누추하구나. 금녀야, 우리는 집안을 치우구 몸을 단속하자. 이런 꼬락서니로 우리 명수를 만나서는 안 된다. 얘야, 이리 와서 머리를 빗어라. 기름두 남았지? 사립문에는 불을 켜구……. 귀한 사람이 들어올 때 집안이 컴컴해선 못 쓰느니라.

금녀: (어머니의 미친 듯이 서두는 양을 바라보고 있는 금녀의 눈에는 일종의 공포의 빛이 감돈다)

(바람 소리!)

명서 처: 금녀야, 뭘 하니? 빨리 머리를 풀어라. 에미는 불을 킬 테니까.

금녀: (불안한 듯이 어머니만 꼭 바라보고 섰다.)

이웃 여자: 좀 답답해서 저러겠지? 보고 있는 나까지 속이 졸이는구나.

금녀: 오빠 생각만 나문 저러신대유. 그러던 중에두 오늘은 유달리 심허신 걸유. 난 어쩐지…….

이웃 여자: 당찮어! 무슨 그런 엉뚱한 생각을! 그러지 말구 네가 어머니 위로를 잘 해 드려라. 위로해 드릴 사람이래야 너밖에 더 있냐?

줄거리
가난한 명서네 가족은 일본으로 돈을 벌러 간 아들 명수가 유일한 희망이다. 명수가 곧 돈을 벌어 가족들에게 보내 주리라는 희망으로 가족들은 살아가고 있다. 하지만 명수는 독립운동을 하다 투옥이 되고 그 소식을 들은 가족들은 절망에 빠진다. 특히 명서의 처는 정신 이상 증세를 일으킨다. 얼마 후 명수의 백골이 담긴 상자가 가족들에게 전달되고 명서네 가족은 오열한다.

이해와 감상
이 작품은 극예술연구회를 주도한 유치진이 창작한 희곡으로 1920년대 식민지 조선의 농촌을 배경으로 농민들이 처한 고통과 가난을 사실적으로 형상화하고 있다. 이 작품의 제목이자 배경이 되는 '토막'은 단순히 한 가족이 살아가는 어려운 환경만을 드러내는 것이 아니라, 식민지 현실하에서 살아가고 있는 우리 민족의 모습을 상징적으로 드러내는 것이라고 볼 수 있다. 또한 작자는 비극적 상황 속에서도 희망을 버리지 않는 강한 의지를 드러내는데, 이는 금녀의 마지막 대사에서 확인할 수 있다. 이 작품은 우리 현대 희곡사에서 본격적인 희곡으로서의 첫 작품이자, 사실주의 희곡의 첫 작품으로 평가받고 있다.

01 「토막」의 중심인물은 역사적 비극 때문에 꿈을 잃어버린 청년이다.
(o / ×)

02 「토막」은 1920년대 일제 강점기의 현실을 그대로 보여 주는 □□□ □ 극이다.

03 '바람 소리'는 금세라도 불행한 사건이 벌어질 것 같은 느낌을 주는 효과음이다. (o / ×)

| 정답 | 01 ×(중심인물은 역사적 비극 때문에 비참한 삶을 사는 한 가족이다.) 02 사실주의 03 o

2 파수꾼 | 이강백

• **갈래**: 희곡, 단막극, 풍자극
• **성격**: 현실 풍자적, 교훈적, 상징적, 우화적
• **배경**
  ① 시간적: 근대
  ② 공간적: 어느 마을의 황야에 있는 망루
• **특징**
  ① '양치기 소년과 이리'라는 우화 형식을 빌려, 당대의 정치 상황을 풍자하고 권력의 위선과 허위를 폭로함
  ② 1970년대 암울한 정치적 현실을 상징적이고 우화적으로 표현함
  ③ '이리 떼'는 '가상의 적'을 상징하고, '흰 구름'은 '진실과 평화'를 상징함
  ④ '해설자–촌장–운반인'은 모두 매개자의 역할을 하기 때문에 1인 다역으로 설정
  ⑤ 희곡은 무대 상연을 전제로 하기 때문에 대규모의 군중 장면 등을 그대로 보여 주기 어려움: 무대 앞에 마을 사람들이 있다고 가정하고 촌장이 관객들을 향해 연설함으로써 희곡의 제약을 극복
• **주제**: 진실이 통하지 않는 사회의 비극과 진실에 대한 열망

촌장: 이것, 네가 보낸 거니?

다: 네. 촌장님.

촌장: 나를 이곳에 오도록 해서 고맙다. 한 가지 유감스러운 건, 이 편지를 가져온 운반인이 도중에서 읽어 본 모양이더라. '이리 떼는 없구, 흰 구름뿐.' 그 수다쟁이가 사람들에게 떠벌리고 있단다. 조금 후엔 모두들 이곳으로 몰려올 거야. 물론 네 탓은 아니다. 넌 나 혼자만을 와 달라구 하지 않았니? 몰려오는 사람들은 말하자면 불청객이지. 더구나 그들은 화가 나서 도끼라든가 망치를 들고 올 거다.

다: 도끼와 망치는 왜 들고 와요?

촌장: 망루를 부수려 그러겠지. 그 성난 사람들만 오지 않는다면 난 너하구 딸기라도 따러 가고 싶다. 난 어디에 딸기가 많은지 알고 있거든. 이리 떼를 주의하라는 푯말 밑엔 으레히 잘 익은 딸기가 가득하단다.

다: 촌장님은 이리가 무섭지 않으세요?

촌장: 없는 걸 왜 무서워하겠냐?

다: 촌장님도 아시는군요?

촌장: 난 알고 있지.

다: 아셨으면서 왜 숨기셨죠? 모든 사람들에게, 저 덫을 보러 간 파수꾼에게, 왜 말하지 않은 거예요?

촌장: 말해 주지 않는 것이 더 좋기 때문이다.

다: 거짓말 마세요, 촌장님! 일생을 이 쓸쓸한 곳에서 보내는 것이 더 좋아요? 사람들도 그렇죠! '이리 떼가 몰려온다.' 이 헛된 두려움에 시달리고 사는 게 그게 더 좋아요?

촌장: 애야, 이리 떼는 처음부터 없었다. 없는 걸 좀 두려워한다는 것이 뭐가 그렇게 나쁘다는 거냐? 지금까지 단 한 사람도 이리에게 물리지 않았단다. 마을은 늘 안전했어. 그리고 사람들은 이리 떼에 대항하기 위해서 단결했다. 난 질서를 만든 거야. 질서, 그게 뭔지 넌 알기나 하니? 모를 거야, 너는. 그건 마을을 지켜 주는 거란다. 물론 저 충직한 파수꾼에겐 미안해. 수천 개의 쓸모없는 덫들을 보살피고 양철 북을 요란하게 두들겼다. 허나 말이다. 그의 일생이 그저 헛되다고만 할 순 없어. 그는 모든 사람들을 위해 고귀하게 희생한 거야. 난 네가 이러한 것들을 이해하여 주기 바란다. 만약 네가 새벽에 보았다는 구름만을 고집한다면, 이런 것들은 모두 허사가 된다. 저 파수꾼은 늙도록 헛북이나 친 것이 되구, 마을의 질서는 무너져 버린다. 애야, 넌 이렇게 모든 걸 헛되게 하고 싶진 않겠지?

다: 왜 제가 헛된 짓을 해요? 제가 본 흰 구름은 아름답고 평화로웠어요. 저는 그걸 보여 주려는 겁니다. 이제 곧 마을 사람들이 온다죠? 잘 됐어요. 저는 망루 위에 올라가서 외치겠어요.

촌장: 뭐라구? (잠시 동안 굳은 표정으로 침묵) 사실 우습기도 해. 이리 떼? 그게 뭐냐? 있지도 않는 그걸 이 황야에 가득 길러 놓구, 마을엔 가시 울타리를 둘렀다. 망루도 세웠구, 양철 북도 두들기구, 마을 사람들은 무서워서 떨기도 한다. 아하, 언제부터 내가 이런 거짓 놀이에 익숙해졌는지 모른다만, 나도 알고는 있지. 이 모든 것이 잘못되어 있다는 걸 말이다.

다: 그럼 촌장님, 저와 같이 망루 위에 올라가요. 그리구 함께 외치세요.

촌장: 그래, 외치마.

다: 아, 이젠 됐어요!

촌장: (혼잣말처럼) …… 그러나 잘 될까? 흰 구름, 허공에 뜬 그것만 가지구 마을이 잘 유지될까? 오히려 이리 떼가 더 좋은 건 아닐지 몰라.

다: 뭘 망설이시죠?

촌장: 아냐, 아무것두…… 난 아직 안심이 안 돼서 그래. 사람들은 망루를 부순 다음엔 속은 것에 더욱 화를 낼 거야! 아마 날 죽이려고 덤빌지도 몰라. 아니 꼭 그럴 거다. 그럼 뭐냐? 지금까진 이리에게 물려 죽은 사람은 단 한 명도 없었는데, 흰 구름의 첫날 살인이 벌어진다.

다: 살인이라구요?

촌장: 그래, 살인이지. (난폭하게) 생각해 보렴, 도끼에 찍히고 망치로 얻어맞은 내 모습을, 살은 찢기고 피가 샘솟듯 흘러내릴 거다. 끔찍해. 애, 너는 내가 그런 꼴이 되길 바라고 있지?

다: 아니예요, 그건!

촌장: 아니라구? 그렇지만 내가 변명할 시간이 어디 있니? 난 마을 사람들에게 왜 이리 떼를 만들었던가, 그걸 충분히 설명해 줘야 해. 그럼 그들도 날 이해할 거야.

다: 네, 그렇게 말씀하세요.

촌장: 허나 내가 말할 틈이 없다. 사람들이 오면, 넌 흰 구름이라 외칠거구, 사람들은 분노하여 도끼를 휘두를 테구, 그럼 나는, 나는…… (은밀한 목소리로) 애, 네가 본 그 흰 구름 있잖니, 그건 내일이면 사라지고 없는 거냐?

다: 아뇨. 그렇지만 난 오늘 외치구 싶어요.

촌장: 그것 봐. 넌 내가 끔찍하게 죽는 것을 보고 싶은 거야. 더구나 더 나쁜 건, 넌 흰 구름을 믿지도 않아. 내일이면 변할 것 같으니까, 오늘 꼭 외치려고 그러는 거지. 아하, 넌 네가 본 그 아름다운 걸 믿지도 않는구나!

다: (창백해지며) 그건, 그건 아니에요!

촌장: 그래? 그럼 너는 내일까지 기다려야 해. (괴로워하는 파수꾼 다를 껴안으며) 오늘은 나에게 맡겨라. 그러면 나도 내일은 너를 따라 흰 구름이라 외칠 테니.

다: 꼭 약속하시는 거죠?

촌장: 물론 약속하지.

▌줄거리

이리 떼가 마을을 습격할지도 모른다는 생각에 이 마을은 세 명의 파수꾼이 망루에서 들판을 지키고 있다. 새로 파견된 파수꾼 '다'는 이리 떼가 없다는 것을 발견하게 되고 이 사실을 마을 사람들에게 알리려 한다. 이때 마을의 촌장이 나타나 이리 떼는 없지만 마을의 질서 유지를 위해 어쩔 수 없는 일이라고 소년을 설득한다. 소년은 촌장에게 설득당하고, 결국 촌장의 거짓말에 동조하게 된다.

▌이해와 감상

이 작품은 진실이 통하지 않는 사회 현실을 비판하고 진실에 대한 열망을 담고 있는 희곡이다. 특히 이 작품은 '양치기 소년'이라는 유명한 이야기를 모티프로, 우화적인 기법을 적용하여 권력층의 위선을 간접적으로 폭로하고 있다. 즉, 1970년대 남북한의 이념 대립이라는 상황 속에서 체제 유지를 위해 위기를 조장하고 진실을 왜곡하는 권력층의 행태를 폭로·비판하고 있는 것이다. 이를 위해서 이리 떼로부터 마을을 지키고 있다고 믿는 파수꾼 '가·나', 진실을 숨기면서 자신의 이익을 챙기는 '촌장', 진실을 알게 됐지만 이를 밝히지 못하는 파수꾼 '다'를 등장시키고 있다.

단권화 MEMO

바로 확인문제

01 「파수꾼」은 상징적 소재를 통해 주제 의식을 드러내고 있다. (○ / ×)

02 촌장은 진실을 알게 된 파수꾼 '다'를 회유하며 진심으로 미안해하고 있다. (○ / ×)

03 「파수꾼」은 □□□ 기법을 활용하여 시간과 공간을 초월한 보편성과 상징성을 획득하였다.

| 정답 | 01 ○ 02 ×(촌장은 진실을 은폐하기 위해 파수꾼 '다'를 협박한다.) 03 우화적

- **갈래**: 희곡, 단막극, 비극, 낭만주의극
- **성격**: 낭만적, 비극적
- **배경**
  ① 시간적: 초겨울
  ② 공간적: 깊은 산속의 어느 절
- **특징**
  ① 등장인물의 심리 묘사에 치중함
  ② 인간적 숙명과 극복 의지 사이의 대립을 잘 보여 줌
  ③ 도념을 사이에 둔 주지승과 미망인의 태도가 대조됨
- **주제**
  ① 자유와 꿈, 모정을 향한 인간미 추구
  ② 인간적 사랑과 불교적 가르침 사이의 갈등

3 동승 | 함세덕

> 도념, 고깔을 쓰고 바랑을 걸머쥐고, 깽매기를 들고 나온다.

초부: (지게를 지고 일어서며) 지금 그 종 네가 쳤니?

도념: 그럼은요. 언젠 내가 안 치구 다른 이가 쳤나요?

초부: 밤낮 나무해 가지구 비탈 내려가면서 듣는 소리지만 오늘은 왜 그런지 유난히 슬프구나. (일어서다가 도념의 옷차림을 발견하고) 아니, 너 갑자기 바랑은 왜 걸머지구 나오니?

도념: 이번 가면 다시 안 올지 몰라요.

초부: 왜? 스님이 동냥 나가라구 하시든?

도념: 아, 아니요. 몰래 나가려구 해요.

초부: 이렇게 눈이 오는데, 잘 데두 없을 텐데. 어딜 간다구 이러니? 응, 갈 곳이나 있니?

도념: 조선 팔도 다 돌아다닐 걸요, 뭐.

초부: 하 얘, 그런 생각 말구, 어서 가서 스님 말씀 잘 듣구 있거라.

도념: 벌써 언제부터 나가려구 별렀는데요? 그렇지만 스님을 속이고 몰래 도망가기가 차마 발이 떨어지지 않아서 못 갔어요.

초부: 어머니 아버질 찾기나 했으면 좋겠지만 찾지두 못하면 다시 돌아올 수도 없구, 거지밖에 될 게 없을 텐데 잘 생각해서 해라.

도념: 꼭 찾을 거예요. 내가 동냥 달라구 하니까 방문 열구 웬 부인이 쌀을 퍼 주며 나를 한참 바라보구 있더니 별안간 '도념아, 내 아들아, 이게 웬일이냐.' 하구 맨발바닥으로 뛰어 내려오던 꿈을 여러 번 꾸었어요.

초부: 가려거든 빨리 가자. 퍽퍽 쏟아지기 전에. 이 길루 갈 테니?

도념: 비탈길루 가겠어요.

초부: 그럼 잘—가라, 난 이 길루 가겠다.

도념: 네. 안녕히 가세요.

> 초부, 나무를 지고 내려간다. 도념, 두어 걸음 나갈 때 법당에서의 주지의 독경 소리. 발을 멈추고, 생각난 듯이 바랑에서 표주박을 꺼내 잣을 한 움큼 담아서 산문 앞에 놓는다.

도념: (무릎을 꿇고) 스님, 이 잣은 다람쥐가 겨울에 먹으려구 등걸 구멍에다 모아 둔 것을 제가 아침에 몰래 꺼내 뒀었어요. 어머니 오시면 드리려구요. 동지섣달 긴긴 밤 잠이 안 오시어 심심하실 때 깨무십시오. (산문에 절을 한 후) 스님, 안녕히 계십시오.

> 멀리 동리를 내려다보고 길—게 한숨을 쉰다. 정적. 원내에서는 목탁과 주지의 염불 소리만 청청히 들릴 뿐. 눈은 점점 펑펑 내리기 시작한다. 도념, 산문을 돌아다보며 비탈길을 내려간다.

| 줄거리

도념의 어머니는 여승이었으나 사냥꾼인 아빠를 만나 파계를 하고 절을 떠났고, 열네 살의 동승*도념은 자기를 버린 어머니를 그리워하며 절에서 지내고 있다. 그러던 어느 날 아들을 잃은 슬픔 때문에 절을 찾아온 서울 사는 미망인에게 도념은 마음이 끌리고 미망인 또한 도념을 수양아들로 삼고자 한다. 하지만 도념을 타락한 속세에 보내고 싶지 않은 주지승은 이를 반대하고 결국 도념은 홀로 절을 떠나게 된다.

| 이해와 감상

이 작품은 동승인 도념의 어머니를 향한 간절한 그리움과 절망, 좌절을 매우 간결하고 긴밀하게 그리고 있는 희곡이다. 도념과 미망인은 서로 마음의 상처를 감싸 줄 수 있는 상대로서 서로를 원한다. 즉, 미망인은 잃어버린 아들의 모습을 도념에게서 찾고, 도념은 미망인을 통해 자신이 경험하지 못한 어머니의 사랑을 느낀다. 그러나 이러한 둘의 관계는 일련의 사건과 주지 스님의 반대로 이루어지지 않고, 결국 도념은 절을 떠나게 된다. 도념이 어머니를 찾기 위해 절을 떠나 속세로 향하는 장면을 통해, 도념에게 필요한 것은 종교의 계율이 아닌 인간적 온정이라는 작자의 생각을 짐작할 수 있다. 그러나 작가는 이와 같은 감상적 결말에 그치지 않고 작품 전반에 도념을 도와주는 초부, 엄격하면서도 도념을 사랑하는 주지, 죽은 아이 대신 도념을 양자로 삼으려는 미망인 등을 설정하고 있다. 이를 통해 작가는 독자에게 '과연 무엇이 참된 사랑인가?'라는 질문을 던지고 있는 것이라고 할 수 있다.

＊동승
나이가 어린 승려 ≒동자승

01 「동승」의 배경은 깊은 산속의 절로, 비현실적인 공간을 표현하고 있다.
(○ / ×)

02 '도념'이 잣을 두고 가는 행동은 어머니를 만나러 가겠다는 의지를 보여 주는 것이다. (○ / ×)

03 '도념'의 종교적 삶을 살아야 하는 □□과 그 □□ 의지 사이의 대립이 잘 드러난다.

| 정답 | 01 ×(비현실적인 공간 → 현실적인 공간) 02 ○ 03 숙명, 극복

02 현대 수필

1 구두 | 계용묵

[가] 구두 수선(修繕)을 주었더니, 뒤축에다가 어지간히는 큰 징을 한 개씩 박아 놓았다. 보기가 흉해서 빼어 버리라고 하였더니, 그런 징이래야 한동안 신게 되고, 무엇이 어쩌구 하며 수다를 피는 소리가 듣기 싫어 그대로 신기는 신었으나, 점잖지 못하게 저벅저벅, 그 징이 땅바닥에 부딪치는 금속성 소리가 심히 귓맛에 역(逆)했다. 더욱이, 시멘트 포도(鋪道)의 딴딴한 바닥에 부딪쳐 낼 때의 그 음향(音響)이란 정말 질색이었다. 또그닥 또그닥, 이건 흡사 사람이 아닌 말발굽 소리다. ▶ 구두 소리가 귀에 거슬림

[나] 어느 날 초어스름이었다. 좀 바쁜 일이 있어 창경원(昌慶苑) 곁담을 끼고 걸어 내려오노라니까, 앞에서 걸어가던 이십 내외의 어떤 한 젊은 여자가 이 이상히 또그닥거리는 구두 소리에 안심이 되지 않는 모양으로, 슬쩍 고개를 돌려 또그닥 소리의 주인공을 물색*하고 나더니, 별안간 걸음이 빨라진다.

그러는 걸 나는 그저 그러는가 보다 하고, 내가 걸어야 할 길만 그대로 걷고 있었더니, 얼마쯤 가다가 이 여자는 또 뒤를 한 번 힐끗 돌아다본다. 그리고 자기와 나와의 거리가 불과 지척(咫尺) 사이임을 알고는 빨라지는 걸음이 보통이 아니었다. 뛰다 싶은 걸음으로 치맛귀가 옹이하게* 내닫는다. 나의 그 또그닥거리는 구두 소리는 분명 자기를 위협하느라고 일부러 그렇게 따악딱 땅바닥을 박아 내며 걷는 줄로만 아는 모양이다.

그러나 이 여자더러, 내 구두 소리는 그건 자연(自然)이요, 인위(人爲)가 아니니 안심하라고 일러 드릴 수도 없는 일이고 해서, 나는 그 순간 좀 더 걸음을 빨리하여 이 여자를 뒤로 떨어뜨림으로 공포(恐怖)에의 안심을 주려고 한층 더 걸음에 박차를 가했더니, 그럴 게 아니었다. 도리어 이것이 이 여자로 하여금 위협이 되는 것이었다.

내 구두 소리가 또그닥 또그닥, 좀 더 재어지자* 이에 호응하여 또각또각, 굽 높은 뒤축이 어쩔 바를 모르고 걸음과 싸우며 유난히도 몸을 일어 내는 그 분주함이란, 있는 마력(馬力)은 다 내 보는 동작에 틀림없다. 그리하여 한참 석양 놀이 내려 퍼지기 시작하는 인적 드문 포도(鋪道) 위에서 또그닥 또그닥, 또각또각 하는 이 두 음향의 속 모르는 싸움은 자못 그 절정에 달하고 있었다.

나는 이 여자의 뒤를 거의 다 따랐던 것이다. 2, 3보(步)만 더 내어 디디면 앞으로 나서게 될 그럴 계제였다. 그러나 이 여자 역시 힘을 다하는 걸음이었다. 그 2, 3보라는 것도 그리 용이히 따라지지 않았다. 한참 내 발뿌리에도 풍진(風塵)*이 일었는데, 거기서 이 여자는 뚫어진 옆 골목으로 살짝 빠져 들어선다. 다행한 일이었다. 한숨이 나간다. 이 여자도 한숨이 나갔을 것이다. 기웃해 보니, 기다랗고 내뚫린 골목으로 이 여자는 횡하니 내닫는다. 이 골목 안이 저의 집인지, 혹은 나를 피하느라고 빠져 들어갔는지 그것을 알 바 없었으나, 나로선 이 여자가 나를 불량배로 영원히 알고 있을 것임이 서글픈 일이다. ▶ 구두 소리로 인한 '나'와 여자 사이의 오해

[다] 여자는 왜 그리 남자를 믿지 못하는 것일까. 여자를 대하자면 남자는 구두 소리에까지도 세심한 주의를 가져야 점잖다는 대우를 받게 되는 것이라면, 이건 이성(異性)에 대한 모욕이 아닐까 생각을 하며, 나는 그다음으로 그 구두 징을 뽑아 버렸거니와 살아가노라면 별(別)한 데다가 다 신경을 써 가며 살아야 되는 것이 사람임을 알았다. ▶ 세상살이의 어려움

▌이해와 감상
이 작품은 구두 수선공이 박아 준 구두의 징 소리로 인해서 오해를 받았던 경험을 쓴 수필이다. 특히 일상사에서 겪은 짧은 이야기를 희곡적으로 써 놓은 것이 특징이며 이를 통해서 인간관계가 왜곡된 현대 사회에 대한 비판 의식과 세심한 곳까지 신경 쓰며 살아야 하는 세태에 대한 비판 의식을 드러내고 있다. 형식적으로는 '체험 – 깨달음 – 주제'라는 3단 구조를 활용하고 있는 것이 특징이다.

단권화 MEMO

• 갈래: 경수필
• 성격: 희곡적, 서사적, 신변잡기적
• 특징
  ① 체험한 사실을 서사적으로 전개
  ② 의성어 사용으로 극적 긴장감 고조
  ③ 글의 앞부분과 끝부분에 프롤로그와 에필로그를 제시하여 자신의 견해(깨달음)를 밝힘
• 주제
  ① 세심한 곳까지 신경을 써야 하는 세상사의 어려움 개탄
  ② 현대 사회의 왜곡된 인간관계 풍자

*물색
어떤 기준으로 거기에 알맞은 사람이나 물건, 장소를 고르는 일

*옹이하게
'바람소리를 일으킬 정도로'란 뜻. 방언인 듯함

*재어지자
몹시 빨라지자

*풍진(風塵)
바람에 날리는 티끌

바로 확인문제

01 「구두」는 '주제-체험-깨달음'의 짜임으로 된 '기-서-결' 3단 구성의 수필이다. (○, ×)

02 사건을 중간에 두고 앞뒤의 □□□□와 □□□□를 통해 사건의 배경과 작가의 깨달음을 진술하고 있다.

03 인간관계가 왜곡된 현대 사회에 대한 비판 의식이 드러난다. (○, ×)

| 정답 | 01 ×('체험-깨달음-주제'의 짜임이다.) 02 프롤로그, 에필로그 03 ○

2 낙엽을 태우면서 | 이효석

• 갈래: 경수필
• 성격: 주관적, 감각적, 사색적
• 특징
　① 의문형으로 끝을 맺어 여운을 남
　　기고 있음
　② 이국적이고 낭만적인 개인적 취
　　향이 드러남
　③ 대조적 이미지를 지닌 소재를 통
　　해 삶의 본질을 밝히고 있음
　④ 관찰과 표현이 뛰어나며, 은유와
　　직유, 점층법을 적절히 구사함
• 주제: 낙엽을 태우면서 느끼는 생활
　의 보람

[가] 가을이 깊어지면, 나는 거의 매일 뜰의 낙엽을 긁어모으지 않으면 안 된다. 날마다 하는 일이건만, 낙엽은 어느새 날아 떨어져서, 또 다시 쌓이는 것이다. 낙엽이란 참으로 이 세상의 사람의 수효보다도 많은가 보다. 삼십여 평에 차지 못하는 뜰이건만 날마다의 시중이 조련치 않다. 벚나무, 능금나무 — 제일 귀찮은 것이 담쟁이이다. 담쟁이란 여름 한철 벽을 온통 둘러싸고, 지붕과 굴뚝의 붉은 빛만 남기고, 집안을 통째로 초록의 세상으로 변해 줄 때가 아름다운 것이지, 잎을 다 떨어뜨리고 앙상하게 드러난 벽에 메마른 줄기를 그물같이 둘러칠 때쯤에는, 벌써 다시 거들떠볼 값조차 없는 것이다. 귀찮은 것이 그 낙엽이다. 가령, 벚나무 잎같이 신선하게 단풍이 드는 것도 아니요, 처음부터 칙칙한 색으로 물들어 재치 없는 그 넓은 잎은 지름길 위에 떨어져 비라도 맞고 나면 지저분하게 흙 속에 묻히는 까닭에, 아무래도 날아 떨어지는 족족 그 뒷시중을 해야 한다.

　벚나무 아래에 긁어모은 낙엽의 산더미를 모으고 불을 붙이면, 속엣것부터 푸슥푸슥 타기 시작해서, 가는 연기가 피어오르고, 바람이나 없는 날이면, 그 연기가 낮게 드리워서, 어느덧 뜰 안에 자욱해진다. 낙엽 타는 냄새같이 좋은 것이 있을까? 갓 볶아 낸 커피의 냄새가 난다. 잘 익은 개암 냄새가 난다. 갈퀴를 손에 들고는 어느 때까지든지 연기 속에 우뚝 서서, 타서 흩어지는 낙엽의 산더미를 바라보며 향기로운 냄새를 맡고 있노라면, 별안간 맹렬한 생활의 의욕을 느끼게 된다. 연기는 몸에 배서 어느 결엔지 옷자락과 손등에서도 냄새가 나게 된다.

　나는 그 냄새를 한없이 사랑하면서 즐거운 생활감에 잠겨서는, 새삼스럽게 생활의 제목을 진귀한 것으로 머릿속에 띄운다. 음영과 윤택과 색채가 빈곤해지고, 초록이 전혀 그 자취를 감추어 버린, 꿈을 잃은 허전한 뜰 한복판에 서서, 꿈의 껍질인 낙엽을 태우면서 오로지 생활의 상념에 잠기는 것이다. 가난한 벌거숭이의 뜰은 벌써 꿈을 꾸기에는 적당하지 않은 탓일까? 화려한 초록의 기억은 참으로 멀리 까마득하게 사라져 버렸다. 벌써 추억에 잠기고 감상에 젖어서는 안 된다.

　가을이다. 가을은 생활의 계절이다. 나는 화단의 뒷자리를 깊게 파고, 다 타 버린 낙엽의 재를 —— 죽어 버린 꿈의 시체를 —— 땅 속에 깊이 파묻고, 엄연한 생활의 자세로 돌아서지 않으면 안 된다. 이야기 속의 소년같이 용감해지지 않으면 안 된다.

▶ 낙엽을 태우면서 느끼는 생활의 의욕

[나] 전에 없이 손수 목욕물을 긷고, 혼자 불을 지피게 되는 것도, 물론 이런 감격에서부터다. 호스로 목욕통에 물을 대는 것도 즐겁거니와, 고생스럽게, 눈물을 흘리면서 조그만 아궁이에 나무를 태우는 것도 기쁘다. 어두컴컴한 부엌에 웅크리고 앉아서, 새빨갛게 피어오르는 불꽃을 어린아이의 감동을 가지고 바라본다. 어둠을 배경으로 하고 새빨갛게 타오르는 불은, 그 무슨 신성하고 신령스런 물건 같다. 얼굴을 붉게 태우면서 긴장된 자세로 웅크리고 있는 내 꼴은, 흡사 그 귀중한 선물을 프로메테우스에게서 막 받았을 때, 태곳적 원시의 그것과 같을는지 모른다.

▶ 목욕물을 데우면서 느끼는 기쁨

[다] 나는 새삼스럽게 마음속으로 불의 덕을 찬미하면서, 신화 속의 영웅에게 감사의 마음을 바친다. 좀 있으면 목욕실에는 자욱하게 김이 오른다. 안개 깊은 바다의 복판에 잠겼다는 듯이 동화 감정으로 마음을 장식하면서, 목욕물 속에 전신을 깊숙이 잠글 때, 바로 천국에 있는 듯한 느낌이 난다. 지상 천국은 별다른 곳이 아니라, 늘 들어가는 집 안의 목욕실이 바로 그것인 것이다. 사람은 물에서 나서 결국 물속에서 천국을 구하는 것이 아닐까?

　물과 불 —— 이 두 가지 속에 생활은 요약된다. 시절의 의욕이 가장 강렬하게 나타나는 것은 이 두 가지에 있어서다. 어느 시절이나 다 같은 것이기는 하나, 가을부터의 절기가 가장 생활적인 까닭은 무엇보다도 이 두 가지의 원소의 즐거운 인상 위에 서기 때문이다. 난로는 새빨갛게 타야 하고, 화로의 숯불은 이글이글 피어야 하고, 주전자의 물은 펄펄 끓어야 된다. 백화점 아래층에서 커피의 알을 찧어 가지고는 그대로 가방 속에 넣어 가지고, 전차 속에서 진한 향기를 맡으면서 집으로 돌아온다. 그러는 내 모양을 어린애답다고 생각하면서, 그 생각을 또 즐기면서 이것이 생활이라고 느끼는 것이다.　　　▶ 불과 물에서 생활의 의미를 느낌

[라] 싸늘한 넓은 방에서 차를 마시면서, 그제까지 생각하는 것이 생활의 생각이다. 벌써 쓸모 적어진 침대에는 더운 물통을 여러 개 넣을 궁리를 하고, 방구석에는 올 겨울에도 또 크리스마스 트리를 세우고 색전등으로 장식할 것을 생각하고, 눈이 오면 스키를 시작해 볼까 하고 계획도 해 보곤 한다. 이런 공연한 생각을 할 때만은 근심과 걱정도 어디론지 사라져 버린다. 책과 씨름하고, 원고지 앞에서 궁싯거리던 그 같은 서재에서, 개운한 마음으로 이런 생각에 잠기는 것은 참으로 유쾌한 일이다.　　　▶ 유쾌한 생활의 상념에 잠김

[마] 책상 앞에 붙은 채, 별일 없으면서도 쉴 새 없이 궁싯거리고, 생각하고, 괴로워하면서, 생활의 일이라면 촌음을 아끼고, 가령 뜰을 정리하는 것도 소비적이니, 비생산적이니 하고 멸시하던 것이, 도리어 그런 생활적 사사에 창조적, 생산적인 뜻을 발견하게 된 것은 대체 무슨 까닭일까?

시절의 탓일까? 깊어 가는 가을, 이 벌거숭이의 뜰이 한층 산 보람을 느끼게 하는 탓일까?　　　▶ 하찮은 일에서도 창조적이고 생산적인 뜻을 발견함

▌이해와 감상

이 작품은 낙엽을 태우면서 느끼게 된 감상을 감각적으로 표현한 수필이다. 낙엽을 태우는 일을 통해 생활의 활력을 느끼고 목욕물을 데우면서 행복감에 빠지게 된다는 간단한 내용이지만 이러한 내용을 감각적인 표현과 비유적인 표현, 서정적인 문체를 통해 드러냄으로써 작자 특유의 가을에 대한 감성을 형상화하고 있는 것이다. 참고로 이 작품이 창작된 시기가 일제 강점기라는 점을 감안하면, '백화점에서 원두커피를 찧어 오고, 크리스마스 트리를 세우고 색전등으로 장식하고, 스키를 시작해 볼까' 계획하는 작자의 생활은 일반 사람들과는 너무 멀리 있는 비현실적인 것으로 비칠 수 있다. 문학의 순수성을 지향하며 현실과 괴리된 삶을 사는 지식인의 모습은 우리에게 진정한 순수가 무엇인지 생각해 보게 하지만, 생활 속의 사소한 일에 뛰어드는 것에서부터 창조적, 생산적 의미를 찾아내는 그의 발견은 반세기가 넘게 지난 지금에도 여전히 가치 있는 것이라고 할 수 있다.

3 무소유(無所有) | 법정

[가] "나는 가난한 탁발승(托鉢僧)*이오. 내가 가진 거라고는 물레와 교도소에서 쓰던 밥그릇과 염소젖 한 깡통, 허름한 요포(腰布)* 여섯 장, 수건 그리고 대단치도 않은 평판(評判) 이것뿐이오."

마하트마 간디가 1931년 9월 런던에서 열린 제 2차 원탁회의(圓卓會議)에 참석하기 위해 가던 도중 마르세이유 세관원에게 소지품을 펼쳐 보이면서 한 말이다. K. 크리팔라니가 엮은 『간디 어록(語錄)』을 읽다가 이 구절을 보고 나는 몹시 부끄러웠다. 내가 가진 것이 너무 많다고 생각되었기 때문이다. 적어도 지금의 내 분수로는.

▶ 『간디 어록』을 읽으며 느낀 부끄러움

[나] 사실, 이 세상에 처음 태어날 때 나는 아무것도 갖고 오지 않았다. 살 만큼 살다가 이 지상의 적(籍)에서 사라져 갈 때에도 빈손으로 갈 것이다. 그런데 살다 보니 이것저것 내 몫이 생기게 된 것이다. 물론 일상에 소용되는 물건들이라고 할 수도 있다. 그러나 없어서는 안 될 정도로 꼭 긴요한 것들만일까? 살펴볼수록 없어도 좋을 만한 것들이 적지 않다.

우리들이 필요에 의해서 물건을 갖게 되지만, 때로는 그 물건 때문에 적잖이 마음이 쓰이게 된다. 그러니까 무엇인가를 갖는다는 것은 다른 한편 무엇인가에 얽매인다는 것이다. 필요에 따라 가졌던 것이 도리어 우리를 부자유하게 얽어맨다고 할 때 주객이 전도되어 우리는 가짐을 당하게 된다는 말이다. 그러므로 많이 갖고 있다는 것은 흔히 자랑거리로 되어 있지만, 그만큼 많이 얽히어 있다는 측면도 동시에 지니고 있는 것이다.   ▶ '소유'에 대한 생각

[다] 나는 지난 해 여름까지 이름 있는 난초(蘭草) 두 분(盆)을 정성스레 정말 정성을 다해 길렀다. 3년 전 거처를 지금의 다래헌(茶來軒)으로 옮겨 왔을 때 어떤 스님이 우리 방으로 보내 준 것이다. 혼자 사는 거처라 살아 있는 생물이라고는 나하고 그 애들뿐이었다. 그 애들을 위해 관계 서적을 구해다 읽었고, 그 애들의 건강을 위해 하이포넥스가 하는 비료를 바다 건너가는 친지들에게 부탁하여 구해 오기도 했다. 여름철이면 서늘한 그늘을 찾아 자리를 옮겨 주어야 했고, 겨울에는 필요 이상으로 실내 온도를 높이곤 했다.

이런 정성을 일찍이 부모에게 바쳤더라면 아마 효자 소리를 듣고도 남았을 것이다. 이렇듯 애지중지 가꾼 보람으로 이른 봄이면 은은한 향기와 함께 연둣빛 꽃을 피워 나를 설레게 했고, 잎은 초승달처럼 항시 청청했었다. 우리 다래헌을 찾아온 사람마다 싱싱한 난(蘭)을 보고 한결같이 좋아라 했다.

지난해 여름 장마가 갠 어느 날 봉선사로 운허 노사(雲虛老師)를 뵈러 간 일이 있었다. 한낮이 되자 장마에 갇혔던 햇볕이 눈부시게 쏟아져 내리고 앞개울 물소리에 어울려 숲속에서는 매미들이 있는 대로 목청을 돋우었다.

아차! 이때에야 문득 생각이 난 것이다. 난초를 뜰에 내놓은 채 온 것이다. 모처럼 보인 찬란한 햇볕이 돌연 원망스러워졌다. 뜨거운 햇볕에 늘어져 있을 난초 잎이 눈에 아른거려 더 지체할 수가 없었다. 허둥지둥 그 길로 돌아왔다. 아니나 다를까. 잎은 축 늘어져 있었다. 안타까워하며 샘물을 길어다 축여 주고 했더니 겨우 고개를 들었다. 하지만 어딘지 생생한 기운이 빠져나간 것 같았다.

나는 이때 온몸으로, 그리고 마음속으로 절절히 느끼게 되었다. 집착이 괴로움인 것을. 그렇다, 나는 난초에게 너무 집념해 버린 것이다. 이 집착에서 벗어나야겠다고 결심했다. 난을 가꾸면서는 산철* ── 승가(僧家)의 유행기(遊行期) ── 에도 나그네길을 떠나지 못한 채 꼼짝을 못했다. 밖에 볼일이 있어 잠시 방을 비울 때면 환기가 되도록 들창문을 조금 열어 놓아야 했고, 분(盆)을 내놓은 채 나가다가 뒤미처 생각하고는 되돌아와 들여놓고 나간 적도 한두 번이 아니었다. 그것은 정말 지독한 집착이었다.

며칠 후, 난초처럼 말이 없는 친구가 놀러 왔기에 선뜻 그의 품에 분을 안겨 주었다. 비로소 나는 얽매임에서 벗어난 것이다. 날 듯 홀가분한 해방감. 삼 년 가까이 함께 지낸 '유정(有情)'

• 갈래: 경수필
• 성격: 사색적, 철학적, 교훈적, 체험적
• 특징
① 고백적인 말하기로 자신의 체험을 서술함
② 역설적 표현을 통해 진리를 전달함
③ 인용과 예시, 불교적 세계관, 역설적 어조
④ '예화 제시 → 체험 소개 → 깨달음 제시'의 짜임으로 구성됨
⑤ 글쓴이는 '난초에 대한 애착 → 집착에 따른 괴로움 → 집착에서 벗어남'의 과정을 통해 소유욕을 버릴 때 진정한 자유와 평안을 얻을 수 있음을 깨달음
• 주제: 무소유의 참된 의미와 진정한 자유

＊탁발승(托鉢僧)
시주승. 집집마다 시주를 얻으러 다니는 중

＊요포(腰布)
(인도나 아라비아 사람들의 복장에서) 허리에 매는 넓은 띠

＊산철
안거(安居)를 끝내고 산사(山寺)를 떠나 세속을 다니면서 수행하는 기간

을 떠나보냈는데도 서운하고 허전함보다 홀가분한 마음이 앞섰다. 이때부터 나는 하루 한 가지씩 버려야겠다고 스스로 다짐을 했다. 난을 통해 무소유의 의미 같은 걸 터득하게 됐다고나 할까? ▶ 난초를 통해 무소유의 의미를 깨달음

[라] 인간의 역사는 어떻게 보면 소유사(所有史)처럼 느껴진다. 보다 많은 자기네 몫을 위해 끊임없이 싸우고 있는 것 같다. 소유욕(所有慾)에는 한정도 없고 휴일도 없다. 그저 하나라도 더 많이 갖고자 하는 일념으로 출렁거리고 있는 것이다. 물건만으로는 성에 차질 않아 사람까지 소유하려 든다. 그 사람이 제 뜻대로 되지 않을 경우는 끔찍한 비극도 불사(不辭)하면서. 제 정신도 갖지 못한 처지에 남을 가지려 하는 것이다.

소유욕은 이해(利害)와 정비례한다. 그것은 개인뿐 아니라 국가 간의 관계도 마찬가지다. 어제의 맹방(盟邦)*들이 오늘에는 맞서게 되는가 하면, 서로 으르렁대던 나라끼리 친선 사절을 교환하는 사례를 우리는 얼마든지 보고 있다. 그것은 오로지 소유에 바탕을 둔 이해관계 때문이다. 만약 인간의 역사가 소유사에서 무소유사로 그 향을 바꾼다면 어떻게 될까? 아마 싸우는 일은 거의 없을 것이다. 주지 못해 싸운다는 말은 듣지 못했다.
▶ 소유에 바탕을 둔 인간의 역사와 소유의 부정적 측면

[마] 간디는 또 이런 말도 하고 있다.

"내게는 소유가 범죄처럼 생각된다……."

그가 무엇인가를 갖는다면 같은 물건을 갖고자 하는 사람들이 똑같이 가질 수 있을 때 한한다는 것, 그러나 그것은 거의 불가능한 일이므로 자기 소유에 대해서 범죄처럼 자책하지 않을 수 없다는 것이다. 우리들의 소유 관념이 때로는 우리들의 눈을 멀게 한다. 그래서 자기의 분수까지도 돌볼 새 없이 들뜨게 되는 것이다. 그러나 우리는 언젠가 한 번은 빈손으로 돌아갈 것이다. 내 이 육신마저 버리고 훌훌히 떠나갈 것이다. 하고많은 물량(物量)일지라도 우리를 어떻게 하지 못할 것이다.

크게 버리는 사람만이 크게 얻을 수 있다는 말이 있다. 물건으로 인해 마음이 상하고 있는 사람들에게는 한 번쯤 생각해 볼 말씀이다. 아무것도 갖지 않을 때 비로소 온 세상을 갖게 된다는 것은 무소유의 역리(逆理)이니까. ▶ 소유의 본질과 무소유의 역리

| 이해와 감상

이 작품은 난초에 얽힌 이야기를 통해서 무소유의 의미를 밝히고 있는 수필이다. 이를 위해서 작자는 난을 기르면서 느끼는 애착과 집착이 얼마나 자신에게 굴레가 되었는지에 대해서 체험한 내용을 제시하고 있으며 이를 통해서 독자들을 공감의 세계로 이끌고 있다. '아무것도 갖지 않을 때'는 소유에 대한 욕심을 모두 버릴 때를 의미한다. 즉, 소유욕에서 벗어나야 비로소 세상을 바로 볼 수 있고, 그것을 통해 마음의 참된 자유와 평안을 얻을 수 있다는 역설적 진리를 말하고 있는 것이다.

단권화 MEMO

*맹방(盟邦)
동맹국

바로 확인문제

01 작자는 일상의 사건에서 인생의 교훈을 깨닫고 있다. (○, ×)

02 제목인 '무소유'는 소유욕에서 벗어났을 때 마음의 참된 자유와 평안을 얻을 수 있다는 □□□ 진리를 의미한다.

03 「무소유」는 '체험 소개 → 예화 제시 → 깨달음 제시'의 짜임으로 구성된다. (○, ×)

| 정답 | 01 ○ 02 역설적 03 ×
('예화 제시 → 체험 소개 → 깨달음 제시'의 짜임)

• 갈래: 경수필
• 성격: 서사적, 극적, 체험적, 회고적
• 특징
  ① 대화 형식을 사용하여 콩트식 구성을 취함
  ② 간결한 문체와 속도감 있는 전개로 사건이 구성됨
  ③ 결말에 글쓴이의 소감 없이 인물(거지)의 대사만을 제시하여 독자의 상상력을 자극하고 깊은 여운을 줌
• 주제
  ① 소망을 이루려는 노력과 그 성취의 기쁨
  ② 인간의 맹목적인 소유욕과 집착에 대한 연민

＊전장
중국에서, 환전을 업으로 하던 상업 금융 기관

＊황망히
마음이 몹시 급하여 당황하고 허둥지둥하는 면이 있게

＊각전(角錢)
예전에, 1전이나 10전 따위의 잔돈을 이르던 말

＊다양[大洋]
청나라 시대 때 돈(은전)을 헤아리는 단위

01 「은전 한 닢」은 대화체의 직접 화법을 주로 사용하여 속도감 있게 서술하고 있다. (○, ×)

02 은전 한 닢을 만든 '늙은 거지'의 상황에 적절한 속담은 '말 타면 경마 잡힌다'이다. (○, ×)

03 「은전 한 닢」은 간절한 소망을 위한 노력과 성취의 기쁨을 전하는 한편, 인간의 □□□인 소유욕에 대해 생각해 보게 한다.

| 정답 | 01 ○ 02 ×('티끌 모아 태산'이다.) 03 맹목적

4 은전 한 닢 | 피천득

　내가 상해에서 본 일이다. 늙은 거지 하나가 전장＊에 가서 떨리는 손으로 일 원짜리 은전 한 닢을 내놓으면서,
　"황송하지만 이 돈이 못 쓰는 것이나 아닌지 좀 보아 주십시오."
하고 그는 마치 선고를 기다리는 죄인과 같이 전장 사람의 입을 쳐다본다. 전장 주인은 거지를 물끄러미 내려다보다가, 돈을 두들겨 보고
　"좋소."
하고 내어 준다. 그는 '좋소'라는 말에 기쁜 얼굴로 돈을 받아서 가슴 깊이 집어 놓고 절을 몇 번이나 하며 간다. 그는 뒤를 자꾸 돌아다보며 얼마를 가더니 또 다른 전장을 찾아 들어갔다. 품속에 손을 넣고 한참을 꾸물거리다가 그 은전을 내어 놓으며,
　"이것이 정말 은으로 만든 돈이오니까?"
하고 묻는다. 전장 주인도 호기심 있는 눈으로 바라다보더니,
　"이 돈을 어디서 훔쳤어?"
　거지는 떨리는 목소리로
　"아닙니다, 아니에요."
　"그러면 길바닥에서 주웠다는 말이냐?"
　"누가 그렇게 큰돈을 빠뜨립니까? 떨어지면 소리는 안 나나요? 어서 도로 주십시오."
　거지는 손을 내밀었다. 전장 사람은 웃으면서
　"좋소." / 하고 던져 주었다.
　그는 얼른 집어서 가슴에 품고 황망히＊ 달아난다. 뒤를 흘끔흘끔 돌아다보며 얼마를 허덕이며 달아나더니 별안간 우뚝 선다. 서서 그 은전이 빠지지나 않았나 만져 보는 것이다. 거친 손가락이 누더기 위로 그 돈을 쥘 때 그는 다시 웃는다. 그리고 또 얼마를 걸어가다가 어떤 골목 으슥한 곳으로 찾아 들어가더니 벽돌담 밑에 쭈그리고 앉아서 돈을 손바닥에 놓고 들여다보고 있었다. 그가 어떻게 열중해 있었는지 내가 가까이 선 줄도 모르는 모양이었다.
　"누가 그렇게 많이 도와줍디까?"
하고 나는 물었다. 그는 내 말소리에 움찔하면서 손을 가슴에 숨겼다. 그리고는 떨리는 다리로 일어서서 달아나려고 했다.
　"염려 마십시오. 뺏어가지 않소."
하고 나는 그를 안심시키려 하였다.
　한참 머뭇거리다가 그는 나를 쳐다보고 이야기를 하였다.
　"이것은 훔친 것이 아닙니다. 길에서 얻은 것도 아닙니다. 누가 저 같은 놈에게 일 원 짜리를 줍니까? 각전(角錢)＊ 한 닢을 받아 본 적이 없습니다. 동전 한 닢 주시는 분도 백에 한 분이 쉽지 않습니다. 나는 한 푼 한 푼 얻은 돈에서 몇 닢씩 모았습니다. 이렇게 모은 돈 마흔 여덟 닢을 각전 닢과 바꿨습니다. 이러기를 여섯 번을 하여 겨우 이 귀한 '다양[大洋]＊' 한 푼을 갖게 되었습니다. 이 돈을 얻느라고 여섯 달이 더 걸렸습니다."
　그의 뺨에는 눈물이 흘렀다. 나는
　"왜 그렇게까지 애를 써서 그 돈을 만들었단 말이오? 그 돈으로 무엇을 하려오?"
하고 물었다. 그는 다시 머뭇거리다가 대답했다.
　"이 돈 한 개가 갖고 싶었습니다."

┃이해와 감상

이 작품은 한 인간의 소박한 소망과 집념, 또는 집념에 대한 연민의 정서를 드러내고 있는 수필이다. 이를 위해서 거지를 등장시키고 이 인물의 행동과 말을 최대한 객관적으로 그려 내고 있다. 즉, 거지가 자신의 은전을 이리저리 확인하러 다니는 모습, 작자의 질문에 머뭇거리며 답하는 모습을 사실적으로 그려 내고 있는 것이다. 이러한 모습은 수필임에도 불구하고 이 작품을 소설적으로 느끼게 하는 이유가 된다.

5 부끄러움(소녀) | 윤오영

[가] 고개 마루턱에 방석소나무가 하나 있었다. 예까지 오면 거진 다 왔다는 생각에 마음이 홀 가분해진다. 이 마루턱에서 보면 야트막한 산 밑에 올망졸망 초가집들이 들어선 마을이 보이고 오른쪽으로 넓은 마당 집이 내 진외가로 아저씨뻘 되는 분의 집이다.

▶ 아저씨뻘 되는 분의 집(배경 설명)

[나] 나는 여름 방학이 되어 집에 내려오면 한 번씩은 이 집을 찾는다. 이 집에는 나보다 한 살 아래인, 열세 살 되는 누이뻘 되는 소녀가 있었다. 실상 촌수*를 따져 가며 통내외*까지 할 절척(切戚)*도 아니지만 서로 가깝게 지내는 터수*라, 내가 가면 여간 반가워하지 아니했고, 으레 그 소녀를 오빠가 왔다고 불러내어 인사를 시키곤 했다. 소녀가 몸매며 옷매무새는 제법 색시꼴이 박히어 가기 시작했다. 그때만 해도 시골서 좀 범절 있다는 가정에서는 열 살만 되면 벌써 처녀로서의 예모를 갖추었고 침선이나 음식 솜씨도 나타내기 시작했다. 집 문 앞에는 보리가 누렇게 패어 있었고, 한편 들에서는 일꾼들이 보리를 베기 시작했다. 나는 사랑에 들어가 어른들을 뵙고 수인사 겸 이런 이야기 저런 이야기로 얼마 지체한 뒤에, 안 건넌 방으로 안내를 받았다. 점심 대접을 하려는 것이다. 사랑방은 머슴이며, 일꾼들이 드나들고 어수선했으나, 건넌방은 조용하고 깨끗했다. 방도 말짱히 치워져 있고, 돗자리도 깔려 있었다. 아주머니는 오빠에게 나와 인사하라고 소녀를 불러냈다.

▶ 가깝게 지내는 사이인 누이뻘 되는 소녀의 성장해 가는 모습

[다] 소녀는 미리 준비를 차리고 있었던 모양으로 옷도 갈아입고 머리도 곱게 매만져 있었다. 나도 옷고름을 매만지며 대청으로 마주 나와 인사를 했다. 작년보다는 훨씬 성숙해 보였다. 지금 막 건넌방에서 옮겨 간 것이 틀림없었다. 아주머니는 일꾼들을 보살피러 나가면서 오빠 점심 대접하라고 딸에게 일렀다. 조금 있다가 딸은 노파에게 상을 들려 가지고 왔다. 닭국에 말은 밀국수*다. 오이소박이와 호박 눈썹 나물*이 놓여 있었다. 상차림은 간소하고 정결하고 깔밋했다*. 소녀는 촌이라 변변치는 못하지만 많이 들어 달라고 친숙하고 나직한 목소리로 짤막한 인사를 남기고 곱게 문을 닫고 나갔다.

남창으로 등을 두고 앉았던 나는 상을 받느라고 돗자리 길이대로 자리를 옮겨야 했다. 맞은편 벽 모서리에 걸린 분홍 적삼*이 비로소 눈에 띄었다. 곤때*가 묻은 소녀의 분홍 적삼이.

▶ 소녀와의 만남과 소녀의 분홍 적삼 발견

[라] 나는 야릇한 호기심으로 자꾸 쳐다보지 아니할 수 없었다. 밖에서 무엇인가 수런수런하는 기색이 들렸다. 노파의 은근한 웃음 섞인 소리도 들렸다. 괜찮다고 염려 말라는 말 같기도 했다. 그러더니 노파가 문을 열고 들어왔다. 밀국수도 촌에서는 별식이니 맛없어도 많이 먹으라느니 너스레*를 놓더니, 슬쩍 적삼을 떼어 가지고 나가는 것이었다.

상을 내어 갈 때는 노파 혼자 들어오고, 으레 따라올 소녀는 나타나지 아니했다. 적삼 들킨 것이 무안하고 부끄러웠던 것이다. 내가 올 때 아주머니는 오빠가 떠난다고 소녀를 불렀다. 그러나 소녀는 안방에 숨어서 나타나지 아니했다. 아주머니는 "갑자기 수줍어졌나, 얘도 새롭기는." 하며 미안한 듯 머뭇머뭇 기다렸으나 이내 소녀는 나오지 아니했다. 나올 때 뒤를 흘낏 훔쳐본 나는 숨어서 반쯤 내다보는 소녀의 뺨이 확실히 붉어 있음을 알았다. 그는 부끄러웠던 것이다.

▶ 부끄러워하는 소녀와 부끄러움의 멋과 의미

┃이해와 감상

이 작품은 소녀의 사춘기적 감수성인 부끄러움의 의미를 넘어서, 가장 한국적인 정서로서의 부끄러움의 멋을 이야기하고 있는 수필이다. 작가는 어린 시절 겪었던 체험을 이야기의 형태로 서술하고 있다. 특히 마지막 부분에 나오는 소녀의 얼굴에 띤 홍조는 우리 민족의 멋스러운 모습을 잘 드러내 주고 있다. 작가의 은은하고 담담한 시선이 이러한 고전적 부끄러움을 표상화하는 데 기여하였고, 별다른 부연 설명이나 감정의 표출 없이, 사춘기적 감수성을 통해 발견한 한국적인 정서와 감수성을 표현하고 있는 것이다.

단권화 MEMO

- **갈래**: 경수필
- **성격**: 회상적, 서정적, 일화적
- **특징**
  ① 추보식 구성
  ② 감정의 노출이 없는 깔끔한 문체 구사
  ③ 작자 자신의 경험을 바탕으로 '부끄러움'의 정서를 한국적 정조와 여백의 미(美)로 표현
- **주제**: 가장 한국적 정서인 고전적 부끄러움의 멋

*촌수(寸數)
친족 사이의 멀고 가까운 정도를 나타내는 수

*통내외(通內外)
두 집 사이에 남녀가 내외 없이 지냄

*절척(切戚)
동성동본이 아닌 가까운 친척

*터수
서로 사귀는 사이

*밀국수
밀가루로 만든 국수

*호박 눈썹 나물
호박 껍질을 벗기지 않고 채 썰어 만든 나물

*깔밋하다
모양이나 차림새 따위가 아담하고 깔끔하다. 또는 손끝이 야물다.

*적삼
윗도리에 입는 홑옷

*곤때
보기에 흉하지 아니할 정도로 옷 따위에 조금만 묻은 때

*너스레
수다스럽게 떠벌려 늘어놓는 말이나 짓

바로 확인문제

01 '곤때가 묻은 소녀의 분홍 적삼'은 소녀의 □□□□을 의미한다.

02 사춘기적 감성을 통해 발견한 한국적인 정서는 우리 민족 특유의 은은함과 멋스러움으로 연결된다.

(ㅇ, ×)

| 정답 | 01 부끄러움 02 ㅇ

6 딸깍발이 | 이희승

• 갈래: 중수필
• 성격: 교훈적, 비판적, 해학적, 설득적
• 특징
  ① 한문 투의 어휘를 구사함으로써 전통적인 선비상을 부각하고, 예스러운 분위기를 드러냄
  ② 음성 상징어를 활용하여 상황을 실감나게 표현
  ③ 생생하고 개성적인 표현으로 대상을 해학적으로 표현
  ④ 선비의 외모와 그 정신을 대비적으로 나열함으로써, 현대인이 본받아야 할 선비 정신을 부각함
• 주제: 현대인들이 배워야 할 선비들의 미덕과 정신 자세

＊손방
아주 할 줄 모르는 솜씨

＊삼순구식(三旬九食)
삼십 일 동안 아홉 끼니밖에 먹지 못한다는 뜻으로, 몹시 가난함을 이르는 말

＊대우
갓모자

＊모지라지고
물건의 끝이 닳아서 없어지고

＊중치막
예전에, 벼슬하지 아니한 선비가 소창옷 위에 덧입던 웃옷

＊행전
바지나 고의를 입을 때 정강이에 감아 무릎 아래 메는 물건

＊폐포파립(弊袍破笠)
헤어진 옷과 부서진 갓이란 뜻으로, 초라한 차림새를 비유적으로 이르는 말

＊취대(取貸)
돈을 돌려서 꾸어 주거나 꾸어 씀

[가] '딸깍발이'란 것은 '남산(南山)골 샌님'의 별명이다. 왜 그런 별호(別號)가 생겼느냐 하면, 남산골 샌님은 지나 마르나 나막신을 신고 다녔으며, 마른 날은 나막신 굽이 굳은 땅에 부딪쳐서 딸깍딸깍 소리가 유난하였기 때문이다. 요새 청년들은 아마 그런 광경을 못 구경하였을 것이니, 좀 상상하기에 곤란할는지 알 수 없다. 그러나 일제 시대에 일인들이 '게다'를 끌고 콘크리트 길바닥을 걸어 다니던 꼴을 기억하고 있다면, '딸깍발이'라는 명칭이 붙게 된 까닭도 이해할 수 있을 것이다.　▶ '딸깍발이'란 별명의 유래

[나] 그런데 이 남산골 샌님이 마른 날 나막신 소리를 내는 것은 그다지 얘깃거리가 될 것도 없다. 그 소리와 아울러, 그 모양이 퍽 초라하고, 궁상이 다닥다닥 달려 있는 것이 문제인 것이다.

인생으로서 한 고비가 겨워서 머리가 희끗희끗할 지경에 이르기까지 변변하지 못한 벼슬이나마 한 자리 얻어 하지 못하고, (그 시대에는 소위 양반으로서 벼슬 하나 얻어 하는 것이 유일한 욕망이요, 영광이요, 사업이요, 목적이었던 것이다.) 다른 일, 특히 생업에는 아주 손방＊이어서, 아예 손을 댈 생각조차 아니하였기 때문에, 경제적으로는 극도로 궁핍한 구렁텅이에 빠져서, 글자 그대로 삼순구식(三旬九食)＊의 비참한 생활을 해 가는 것이다. 그 꼬락서니라든지 차림차림이야 여간 장관(壯觀)이 아니다.

두 볼이 야월 대로 야위어서, 담배 모금이나 세차게 빨 때에는 양 볼의 가죽이 입안에서 서로 맞닿을 지경이요, 콧날은 날카롭게 오똑 서서 꾀와 이지(理智)만이 내발릴 대로 발려 있고, 사철 없이 말간 콧물이 방울방울 맺혀 떨어진다. 그래도 두 눈은 개가 풀리지 않고, 영채(映彩)가 돌아서, 무력(無力)이라든지 낙심의 빛을 나타내지 않고 있다. 아래윗입술이 쪼그라질 정도로 굳게 다문 입은 그 의지력을 더욱 두드러지게 나타내고 있다. 많지 않은 아랫수염이 뾰족하니 앞으로 향하여 휘어 뻗쳤으며, 이마는 대개 툭 소스라져 나오는 편보다 메뚜기 이마로 좀 편편하게 버스러진 것이 흔히 볼 수 있는 타입이다.

이러한 화상이 꿰맬 대로 꿰맨 헌 망건(網巾)을 도토리같이 눌러 쓰고, 대우＊가 조금조글한 헌 갓을 좀 뒤로 젖혀 쓰는 것이 버릇이다. 서리가 올 무렵까지 베 중의 적삼이거나, 복(伏)이 들도록 솜바지 저고리의 거죽을 벗겨서 여름살이를 삼는 것은 그리 드문 일이 아니다. 그리고 자락이 모지라지고＊ 때가 꾀죄죄하게 흐르는 도포(道袍)나 중치막＊을 입은 후, 술이 다 떨어지고 몇 동강을 이은 띠를 흉복통에 눌러 띠고, 나막신을 신었을망정 행전＊은 잊어버리는 일이 없이 치고 나선다. 걸음을 걸어도 일인(日人)들 모양으로 경망스럽게 발을 옮기는 것이 아니라 느럭느럭 갈 지(之) 자 걸음으로, 뼈대만 엉성한 호리호리한 체격일망정, 그래도 두 어깨를 턱 젖혀서 가슴을 뻐기고, 고개를 휘번덕거리기는커녕 곁눈질 하는 법 없이 눈을 내리깔아 코끝만 보고 걸어가는 모습, 이 모든 특징이 '딸깍발이'란 말 속에 전부 내포되어 있다.

그러나 이런 샌님들은 그다지 출입하는 일이 없다. 사랑이 있든지 없든지 방 하나를 따로 차지하고 들어 앉아서 폐포파립(弊袍破笠)＊이나마 의관(衣冠)을 정제(整齊)하고, 대개는 꿇어 앉아서 사서오경(四書五經)을 비롯한 수많은 유교 전적(儒教典籍)을 얼음에 박 밀듯이 백 번이고 천 번이고 내리 외는 것이 날마다 그의 과업이다. 이런 친구들은 집안 살림살이와는 아랑곳없다. 게다가 굴뚝에 연기를 내는 것도, 안으로서 그 부인이 전당을 잡히든지 빚을 내든지, 이웃에서 꾸어 오든지 하여 겨우 연명이나 하는 것이다. 그러노라니 쇠털같이 허구한 날 그 실내(室內)의 고심이야 형용할 말이 없을 것이다. 이런 샌님의 생각으로는, 청렴 개결(清廉介潔)을 생명으로 삼는 선비로서 재물을 알아서는 안 된다. 어찌 감히 이해를 따지고 가릴 것이냐. 오직 예의, 염치(廉恥)가 있을 뿐이다. 인(仁)과 의(義) 속에 살다가 인과 의를 위하여 죽는 것이 떳떳하다. 백이(伯夷)와 숙제(叔齊)를 배울 것이요, 악비(岳飛)와 문천상(文天祥)을 본받을 것이다. 이리하여 마음에 음사(淫邪)를 생각하지 않고, 입으로 재물을 말하지 않는다. 어디 가서 취대(取貸)＊하여 올 주변도 못 되지마는, 애초에 그럴 생각을 염두에 두는 일이 없다.

겨울이 오니 땔나무가 있을 리 만무하다. 동지 설상(雪上) 삼척 냉돌에 변변치도 못한 이부 자리를 깔고 누웠으니, 사뭇 뼈가 저려 올라오고 다리팔 마디에서 오도독 소리가 나도록 온몸이 곧아 오는 판에, 사지를 웅크릴 대로 웅크리고 안간힘을 꽁꽁 쓰면서 이를 악물다 못해 박박 갈면서 하는 말이,

"요놈, 요 괘씸한 추위란 놈 같으니, 네가 지금은 이렇게 기승을 부리지마는, 어디 내년 봄에 두고 보자."

하고 벼르더란 이야기가 전하지마는, 이것이 옛날 남산골 '딸깍발이'의 성격을 단적(端的) 으로 가장 잘 표현한 이야기다. 사실로는 졌지마는 마음으로 안 졌다는 앙큼한 자존심, 꼬장꼬 장한 고지식, 양반은 얼어 죽어도 겻불은 안 쬔다는 지조(志操), 이 몇 가지가 그들의 생활 신조였다.
▶ 남산골 샌님의 모습과 차림새, 생활 신조

[다] 실상, 그들은 가명인(假明人)*이 아니었다. 우리나라를 소중화(小中華)로 만든 것은 어쭙지 않은 관료들의 죄요, 그들의 허물이 아니었다. 그들은 너무 강직하였다. 목이 부러져도 굴하지 않는 기개(氣槪), 사육신(死六臣)도 이 샌님의 부류요, 삼학사(三學士)도 '딸깍발이'의 전형(典型)인 것이다. 올라가서는 포은(圃隱) 선생도 그요, 근세로는 민충정(閔忠正)도 그다.

국호(國號)와 왕위 계승에 있어서 명(明), 청(淸)의 승낙을 얻어야 했고, 역서(曆書)의 연호를 그들의 것으로 하지 않으면 안 되었지마는, 역대 임금의 시호(諡號)를 제대로 올리고, 행정 면에 있어서 내정의 간섭을 받지 않은 것은 그래도 이 샌님 혼(魂)의 덕택일 것이다. 국사에 통탄할 사태가 벌어졌을 적에, 직언(直言)으로써 지존(至尊)에게 직소(直訴)한 것도 이 샌님의 족속(族屬)인 유림(儒林)에서가 아니고 무엇인가. 임란(壬亂) 당년에 국가의 운명이 단석(旦夕)*에 박도(迫到)*되었을 때, 각지에서 봉기(蜂起)한 의병의 두목(頭目)들도 다 이 '딸깍발이' 기백의 구현(具現)인 것이 의심 없다.

구한국 말엽에 단발령(斷髮令)이 내렸을 적에, 각지의 유림들이 맹렬하게 반대의 상서(上書)를 올리어서,

"이 목은 잘릴지언정 이 머리는 깎을 수 없다[此頭可斷此髮不可斷]."

라고 부르짖으며 일어선 일이 있었으니, 그 일 자체는 미혹(迷惑)하기 짝이 없었지마는, 죽음도 개의하지 않고 덤비는 그 의기야말로 본받음 직하지 않은 바도 아니다.

이와 같이 '딸깍발이'는 온통 못생긴 짓만 하고 있었던 것이 아니라, 훌륭한 점도 적잖이 가지고 있었던 것이다. 쾌쾌한 샌님이라고 넘보고 깔보기만 하기에는 너무도 좋은 일면을 지니고 있었던 것이다.
▶ 남산골 샌님의 의기와 선비 정신

[라] 현대인은 너무 약다. 전체를 위하여 약은 것이 아니라, 자기중심, 자기 본위로만 약다. 백년대계(百年大計)를 위하여 영리한 것이 아니라, 당장 눈앞의 일, 코앞의 일에만 아름아름하는 고식지계(姑息之計)*에 현명하다. 염결(廉潔)*에 밝은 것이 아니라, 극단의 이기주의에 밝다. 이것은 실상은 현명한 것이 아니요, 우매(愚昧)하기 짝이 없는 일이다. 제 꾀에 제가 빠져서 속아 넘어갈 현명이라고나 할까.

우리 현대인도 '딸깍발이'의 정신을 좀 배우자. 첫째, 그 의기(義氣)를 배울 것이요, 둘째, 그 강직(剛直)을 배우자. 그 지나치게 청렴한 미덕은 오히려 분간을 하여 가며 배워야 할 것이다.
▶ 현대인이 배워야 할 딸깍발이의 정신

│ 이해와 감상

이 작품은 옛 선비의 정신과 삶의 모습을 예로 들어 현대인의 태도를 깨우치고자 하는 수필이다. '딸깍발이'라는 별명을 지닌 남산골 샌님은 비록 가난하여 겉모습은 남루하기 짝이 없지만, 옛 성현의 가르침을 좇아 예의와 염치를 지키고 인과 의를 위해 목숨까지 바쳤으며 청렴결백의 정신을 실천하였다. 또한 자주적 정신으로 사대주의를 배격하고, 지조를 중히 여겨 변절하지 않았다. 글쓴이는 이런 딸깍발이의 정신과 강직한 삶의 태도를 생생하게 묘사하며 현대인들에게 자신을 반성하도록 촉구하고 있다. 특히 글의 끝 부분에서 딸깍발이와 대비되는 이해타산적인 현대인들을 비판하고 옛 선비의 의기와 강직을 계승해야 함을 강조하고 있다.

단권화 MEMO

＊가명인(假明人)
사대주의에 물들어 명나라 사람인 듯이 행세하는 사람

＊단석(旦夕)
시기나 상태 따위의 위급함이 절박한 모양

＊박도(迫到)
가까이 닥쳐옴

＊고식지계(姑息之計)
우선 당장 편한 것만을 택하는 꾀나 방법. 한때의 안정을 얻기 위하여 임시로 둘러맞추어 처리하거나 이리저리 주선하여 꾸며 대는 계책 ≒ 임시방편, 미봉책, 언 발에 오줌 누기

＊염결(廉潔)
청렴하고 결백함

바로 확인문제

01 의성어를 통해 상황을 실감 나게 표현하고 있다. (O, ×)

02 작가는 '딸깍발이'를 통해서 '□□'와 '□□'의 정신을 배우자고 이야기하고 있다.

│ 정답 │ 01 ○ 02 의기, 강직

당신을 사랑합니다.

있는 그대로의 당신뿐 아니라,
당신과 함께 있는 나도 사랑합니다.

당신이 당신을 만들어 가는 것뿐 아니라
당신이 만들어가는 나의 모습 때문에
당신을 사랑합니다.

– 로이 크로츠(Roy Crotts)

04 고전 운문

단권화 MEMO

- **갈래**: 고대 가요, 한역시
- **성격**: 개인적, 서정적, 체념적, 애상적
- **표현**: 시적 화자의 정서(이별로 인한 한)를 직설적으로 표현
- **의의**
  ① 현전하는 최고(最古)의 서정 시가
  ② 집단 가요에서 개인적 서정시로 넘어가는 과도기적 작품
- **주제**: 임과 사별한 슬픔과 한(恨)

바로 확인문제

01 「공무도하가」는 집단적 서사성이 두드러지는 작품이다. (ㅇ, ✕)

02 화자의 정서는 '초조 → 애원 → 절망 → 슬픔, 체념'의 순서로 변화한다. (ㅇ, ✕)

03 1구의 '물'은 '사랑'을, 2구의 '물'은 '이별'을, 3구의 '물'은 '☐☐'을 상징한다.

01 고대 가요

1 공무도하가(公無渡河歌) | 백수광부의 처

公無渡河
공 무 도 하

公竟渡河
공 경 도 하

墮河而死
타 하 이 사

當柰公何
당 내 공 하

임이여 물을 건너지 마오. → 임을 만류함(애원)
사랑 ┐
　　　├ 임과의 이별
임은 그예 물을 건너시네. → 임이 물을 건넘(초조) ┘
이별

물에 휩쓸려 돌아가시니 → 임이 죽음(절망)
죽음 ┐
　　　├ 임을 잃은 슬픔
가신 임을 어이할꼬. → 화자의 탄식(슬픔, 체념) ┘
❶ 체념과 한탄과 애상의 정서
❷ 여인의 정렬(貞烈)
❸ 화자의 정서가 집약됨

│배경 설화
조선에 '곽리자고'라는 뱃사공이 있었다. 그가 어느 날 새벽에 일어나 배를 정비하고 있을 때, 머리가 새하얀 미치광이 사나이가 머리를 풀어 헤치고, 술병을 들고 비틀거리면서 강물을 건너는 것이었다. 뒤쫓아 온 그의 아내가 그를 말리려 했으나 이미 때는 늦어 그 미치광이는 결국 죽고 말았다. 이를 본 그의 아내는 남편을 안타깝게 불렀으나 소용이 없었다. 울다 문득 갖고 있던 공후를 타며, 자신의 심정을 노래했는데, 그 소리가 아주 슬펐다. 노래를 다 부른 후 아내도 물에 뛰어들어 스스로 목숨을 끊었다.
뜻밖의 광경을 목격한 곽리자고는 집에 돌아와 아내 '여옥'에게 그 이야기를 하며, 마디마디 구슬펐던 노래를 들려주었다. 이야기를 들은 여옥은 어느새 눈물을 흘리며 벽에 걸렸던 공후를 끌어안고 그 노래를 바탕으로 연주를 하니 듣는 모두가 심히 슬퍼하며 눈물을 흘렸다. 여옥은 이웃에 사는 아낙네 '여용'에게도 이 노래를 가르쳐 주었고, 이런 방식으로 이 노래가 점차 세상에 알려졌다.

│이해와 감상
이 노래는 서정적 성격을 지니는 고대 가요로서 고조선 때 백수광부의 처가 물에 빠져 죽은 남편을 애도하면서 부른 것을 뱃사공 곽리자고가 보고 아내 여옥한테 전하자 여옥이 공후를 뜯으며 노래 불렀다고 전해진다. 내용상으로는 사랑하는 임을 여읜 시적 화자의 애절한 정서와 한을 담고 있는데, 이러한 이별의 정한은 후대의 우리 시가 작품에 면면히 이어져 내려오게 된다.

2 황조가(黃鳥歌) | 유리왕

翩翩黃鳥 편 편 황 조	훨훨 나는 저 꾀꼬리 시적 화자의 처지와 대비되는 자연물 (객관적 상관물)
雌雄相依 자 웅 상 의	암수 정답게 노니는데
念我之獨 염 아 지 독	외로울사 이 내 몸은 화자의 정서가 직접 표출됨
誰其與歸 수 기 여 귀	뉘와 함께 돌아갈꼬. 화자의 외로움의 정서가 집약됨

선경 / 후정 / 대조

배경 설화

고구려 제2대 유리왕은 송씨를 왕비로 맞았으나 송씨는 1년 후 세상을 떠났다. 이후 왕은 두 여자를 계비로 맞는데, 우리나라 골천 사람의 딸 '화희'와 중국 한나라 사람의 딸인 '치희'였다. 두 여인은 왕의 사랑을 두고 서로 다투어 사이가 좋지 않았다. 왕은 하는 수 없이 양곡의 동서에 두 궁전을 지어 두 여인을 따로 살게 하였다.

어느 날, 왕이 기산(箕山)으로 사냥을 나가 이레 동안 돌아오지 않았는데, 그 사이에 두 여인이 심하게 다투게 되었다. 이때, 화희가 치희를 꾸짖으며 말하기를, "너는 한나라의 천한 계집의 몸으로 어찌 이렇게 무례한가?" 라고 하니, 치희는 부끄럽고 분하여 제 집으로 돌아갔다. 왕이 돌아와 이 말을 듣고 곧 말을 달려 쫓아갔으나, 치희는 노여워 돌아오지 않았다. 돌아오는 길에 왕이 나무 그늘 아래서 쉬고 있을 때, 때마침 쌍을 지어 노니는 꾀꼬리를 보고 왕이 느끼는 외로움을 노래했는데, 이 노래가 「황조가」이다.

이해와 감상

이 노래는 기원전 17년에 고구려 유리왕이 창작한 것으로, 개인의 서정을 다룬 고대 가요로 평가를 받는 작품이다. 특히나 자신의 외로운 처지를 꾀꼬리의 상황과 대비하여 파악한 것은 꾀꼬리를 객관적 상관물로 사용한 것으로 높은 서정성을 구현하는 데 기여하고 있다. 한편으로는 '화희와 치희'라는 두 왕비의 질투와 싸움으로 치희와 헤어져 홀로 돌아와야 하는 유리왕 자신의 처지를 노래하고 있다는 점에서는 서사시로 보려는 견해도 있다.

단권화 MEMO

- 갈래: 고대 가요, 한역시
- 성격: 서정적, 애상적
- 표현
  ① 자연물(꾀꼬리=객관적 상관물)에 의탁하여 화자의 심정을 우의적으로 표현
  ② 대조를 통한 강조의 기법
  ③ 선경 후정의 시상 전개 방식
- 의의
  ① 작가가 구체적으로 알려진 고대 가요
  ② 집단 가요에서 개인적 서정시로 넘어가는 과도기적 작품
  ③ 사랑을 주제로 한 최초의 개인적 서정시
- 주제: 사랑하는 임(짝)을 잃은 슬픔과 외로움(고독)

바로 확인문제

01 '꾀꼬리'는 화자의 처지와 동일시되는 감정 이입의 대상이다. (○, ×)

02 「황조가」는 앞에서 자연물에 의지하여 시상을 일으킨 후 뒤에 자신의 감회를 펴는 '□□ □□'의 방식을 구사한다.

| 정답 | 01 ×(꾀꼬리: 화자의 처지와 대비되는 객관적 상관물) 02 선경후정

- **갈래**: 고대 가요, 집단 무가, 노동요
- **성격**: 집단적, 주술적, 제의적, 명령적
- **표현**
  ① 직설적 표현
  ② 명령 어법
- **의의**
  ① 현전하는 최고(最古)의 집단 무요(巫謠)
  ② 주술성을 지닌 노동요
- **주제**: 수로왕의 강림(降臨) 기원

바로 확인문제

01 「구지가」는 '부름-가정-위협-명령'의 순서로 전개된다. (ㅇ, ×)

02 「구지가」의 화자는 청자에게 말을 건네는 방식으로 의도를 드러내고 있다. (ㅇ, ×)

03 2행의 '□□'는 '최고, 으뜸'을 가리키므로 '임금'을 뜻한다고 볼 수 있다.

③ 구지가(龜旨歌) | 구간 등

▌배경 설화

후한 광무제 때, 가락국의 수도 김해에서 일어났던 일이다. 가락국에는 아직까지 국호도, 군신의 칭호도 없었다. 구간(九千: 가락국 아홉 마을 추장)이 있어 백성을 다스리니, 그 수가 일백 호, 칠만 오천 명이었다. 사람들은 산과 들에 모여 살며, 우물을 파서 물을 마시고, 밭을 경작하며 살고 있었다.

그러던 어느 날, 마을 북쪽에 있는 구지봉에서 마치 누군가를 부르는 것과 같은 이상한 소리가 들려왔다. 마을 사람 3백여 명이 그곳에 모이니, 사람의 소리가 나는 것 같은데 소리를 내는 사람은 전혀 보이지 않았다. 또 다시 소리만 들리는데, "여기에 사람이 있느냐?"라는 말이었다. 그 마을 구간들은 "우리들이 여기 와 있습니다."라고 대답하였다. 그러자 또 이르되, "내가 와 있는 곳이 어디냐?" 하고 물으니, "여기는 구지봉입니다."라고 대답하였다. 다시 이르되, "하늘이 내게 이와 같이 명하시니, 이곳에 나라를 세우고 너희들의 임금이 되라 하시어 내가 이곳에 왔다. 너희는 이 봉우리의 흙을 파면서 노래(구지가)를 부르며 춤을 추어라. 그러면 곧 하늘에서 오는 왕을 맞게 될 것이니, 너희들은 매우 기뻐하며 즐거워하리라." 그 말에 따라, 마을 구간들과 사람들이 모두 함께 기뻐하며 노래를 부르고 춤을 추었다.

얼마 후, 보랏빛 줄이 하늘에서 내려와 땅에 닿았다. 줄 끝을 살펴보니 붉은 보자기에 금합자가 싸여 있었다. 금합자를 열어 보니 둥근 황금 알 여섯 개가 가지런히 놓여 있었다. 그것을 그대로 두었다가 이튿날 새벽에 다시 열어 보니 황금 알 여섯 개가 여섯 동자로 나타났다. 그들은 나날이 성장해 10여 일이 지나자 키가 9척이나 되었다. 그들은 모두 용모가 빼어났으며, 그달 보름에 왕위에 올랐다. 세상에 처음 나왔다 하여 왕의 이름을 '수로(首露)'라 하고 나라를 '대가락' 또는 '가야국'이라고 불렀다. 이렇게 여섯 사람이 각각 가야의 왕이 되었으니, 이것이 바로 여섯 가야국이다.

▌이해와 감상

집단적·제의적 성격의 주술요 또는 노동요이다. 이 노래를 집단적 성격의 주술요로 보는 것은 신령한 대상인 거북에게 머리로 표현된 생명, 또는 우두머리를 내놓을 것을 요구하고 있기 때문이다. 또한 후대의 작품인 「해가」와의 관련성을 보더라도 주술요로 볼 수 있다. 한편, 이 노래와 함께 전하는 설화에서 흙을 파면서 불렀다고 했으므로 노동요로도 볼 수 있다. 형식적으로는 '부름-명령-가정-위협'의 구조로 되어 있는데, 이는 이 노래를 부르던 이들이 가진 소망이 간절한 것임을 강조하기 위한 것으로 볼 수 있다.

4 정읍사(井邑詞) | 어느 행상인의 아내

<table>
<tr><td>前腔
전강</td><td>┌소망, 기원의 원형적 이미지
둘하 노피곰 도두샤
└'곰'은 강세 접미사
어긔야 머리곰 비취오시라.</td><td>달님이시여, 높이높이 돋으시어

멀리멀리 비춰 주소서.</td></tr>
<tr><td></td><td>「어긔야 어강됴리</td><td>(후렴구)</td></tr>
<tr><td>小葉
소엽</td><td>아으 다롱디리」
「 」: 음악의 가락을 맞추기 위한 후렴구</td><td></td></tr>
</table>

▶ 기: '달'에게 남편의 무사함을 기원함

<table>
<tr><td>後腔全
후강전</td><td>져재 녀러신고요.
어긔야 즌 딕룰 드딕욜셰라.
위험한 곳(↔돌)
어긔야 어강됴리</td><td>시장에 가 계신가요?
진 데를 디딜까 두렵습니다.

(후렴구)</td></tr>
</table>

▶ 서: 남편에게 나쁜 일이 생길까 염려함

<table>
<tr><td>過篇
과편

金善調
금선조</td><td>어느이다 노코시라.
┌'나'이면서 '임'을 지칭하는 말.
│시적 화자와 임과의 거리감이
│없는 표현(부부 일심동체)
어긔야 내 가논 딕 졈그룰 셰라.
└주제 의식이 담긴 구절로, 화
 자의 간절한 마음이 엿보임
어긔야 어강됴리</td><td>어느 곳에나 (짐을) 놓으십시오.

내 임이 가시는 곳에 (날이) 저물까 두렵습니다.

(후렴구)</td></tr>
</table>

❶ 남편(임)의 귀갓길 ❷ '나'의 마중길 ❸ 부부의 인생길

<table>
<tr><td>小葉
소엽</td><td>아으 다롱디리</td><td></td></tr>
</table>

▶ 결: 남편이 무사히 귀가하기를 기원함

▌배경 설화
전주(全州)의 속현(屬縣)인 정읍(井邑)에 한 장사꾼이 있었다. 어느 날, 그가 행상을 떠난 뒤 오랜 기간이 지났음에도 돌아오지 않자, 그의 아내가 산 위에 있는 바위에 올라, 달빛 아래로 뻗친 길을 바라보며, 남편이 밤에 다니다가 해를 입을까 하는 걱정스러운 마음을 진흙에 빠지는 것에 비유해 노래한 것이다. 이는 '망부가'의 하나로, 남편의 무사를 기원하는 노래이다. 전해지는 바에 따르면 정읍 등점산에 망부석이 있다고 한다.

▌이해와 감상
이 노래는 행상 나간 남편의 안녕을 기원하는 여인의 정서를 형상화한 백제의 노래이다. 그러나 고려 시대에 속악으로서 불리다가 조선 시대에 와서 한글로 정착된 점을 들어서 고려 가요로 분류할 수도 있다. 내용상으로는 행상 나간 남편의 안녕을 '달'에 기원하고 있으며, 형식적으로는 후렴구를 제외했을 때 3장 6구 형식으로 볼 수 있어서 시조 형식의 연원으로 보기도 한다.

단권화 MEMO

- 갈래: 고대 가요, 백제 가요, 서정시, 망부가
- 성격: 서정적, 기원적
- 표현
  ① 의인법, 돈호법
  ② 대조적 이미지: 달(광명) ↔ 즌 딕(어둠)
  ③ 강세 접미사, 의구형 어미를 활용해서 전통적 정한의 정서를 잘 부각함
- 의의
  ① 현재 전해지고 있는 유일한 백제 가요(2000년 부여 능산리 고분 옆 절터에서 발견된 목간에 기록된 「숙세가」를 가장 오래된 백제 가요로 보기도 함)
  ② 국문으로 기록되어 전하는 최고(最古)의 시가
  ③ 후렴구를 제외하면 3장 6구의 시조 형식의 연원이 됨
- 주제: 행상 떠난 남편의 무사 귀가를 기원하는 마음

바로 확인문제

01 「정읍사」는 현전하는 유일한 신라 노래로, 한글로 기록되어 전하는 고대 가요 중 가장 오래된 작품이다.
(○, ×)

02 '☐'은 밤에 임을 지켜줄 수 있는 대상이자 광명의 상징으로, '☐ ☐'와 대조되는 소재이다.

03 「정읍사」는 후렴구를 제외하면 평시조의 3장 6구 형식과 그 형태가 유사하다. (○, ×)

| 정답 | 01 ×(신라 → 백제) 02 돌, 즌 딕 03 ○

CHAPTER 04 고전 운문 • **325**

02 향가

1 서동요(薯童謠) | 서동

양주동 해독

善化公主主隱 [선화공주(善化公主)니믄]
선 화 공 주 주 은

他密只嫁良置古 (눕 그스지 얼어 두고)
타 밀 지 가 량 치 고   정을 통하여 두고

薯童房乙 (맛둥방올)
서 동 방 을

夜矣卯乙抱遣去如 (바미 몰 안고 가다.)
야 의 묘 을 포 견 거 여

선화 공주님은

남 몰래 정을 통해 두고

맛둥 도련님을

밤에 몰래 안고 간다.

┃배경 설화

백제 제30대 무왕의 이름은 '장(璋)'이다. 그 모친이 남편을 여의고 과부가 되어 백제의 수도 남쪽 못가에 살면서 연못의 용과 정을 통하여 아들을 낳았다. 그 아들은 재주와 도량이 커서 장차 큰일을 할 바탕을 갖추고 있었는데, 마를 캐는 것이 생업이었기에 사람들은 그를 '서동'이라 불렀다. 그는 신라 진평왕의 셋째 딸 '선화 공주'가 절세 미녀라는 소문을 듣고 그녀를 아내로 맞이하고자 머리를 깎아 중의 모습을 한 채 신라의 수도로 들어갔다. 서동은 서울 근방의 아이들에게 마를 나누어 주었고, 아이들이 서동과 친해지고 따르자 자신이 지은 동요를 가르쳐 그것을 부르게 하였다. 이 노래가 「서동요」이다.

이 노래의 내용이 신라의 왕궁에 알려져 왕이 노하고, 공주는 먼 곳으로 귀양을 가게 되었다. 귀양길에 오르는 공주의 애처로운 모습에 왕후는 순금 한 말을 노자로 주었고, 공주가 귀양처로 가는 도중에 서동이 나타나 맞이하며 호위하여 가고자 하였다. 공주는 그가 어디서 온 누구인지는 모르나 외로운 귀양길에 친구가 되리라 생각하고 그를 따르게 되었다. 공주는 서동에게 호감을 느껴 그와 결혼했는데, 그 후에야 서동의 이름을 알고, 동요의 영험함도 알았다.

선화 공주는 백제로 와서 어머니가 준 금을 내어 생계를 꾸리려 하였는데, 서동이 크게 웃으며, "이것이 무엇이냐?" 하였다. 공주가 "이것은 황금이니 가히 백 년의 부를 이룰 것이다." 하니, 서동은 "이것을 내가 어려서부터 마를 캐던 곳에 흙과 같이 쌓아 놓았다." 하였다. 공주가 이 말을 듣고 크게 놀라 "그것은 천하의 중요한 보배이니 지금 그 소재를 알거든 그 보물을 가져다 부모님 궁전에 보내는 것이 어떠하냐."고 하였다. 서동이 좋다 하여 금을 모아 구릉과 같이 쌓아 놓고 용화산 사자사의 지명 법사에게 가서 금을 옮길 방책을 물었다. 법사는 "나의 신력으로 보낼 터이니 금을 가져오라." 하였다. 공주가 편지를 써서 금과 함께 사자사 앞에 갖다 놓으니 법사가 신력으로 하룻밤 사이에 신라 궁중에 갖다 두었다. 진평왕이 그 신비한 변화를 이상히 여겨 항상 편지를 보내어 안부를 물었다. 서동이 이로부터 인심을 얻어 백제의 왕이 된다.

┃이해와 감상

이 노래는 4구체 향가로서 작자는 서동(백제 무왕)이라고 전하지만 민요에서 정착된 것으로 보이는 노래이다. 함께 전하는 설화를 고려했을 때 서동이 지어서 아이들에게 퍼뜨린 이 노래를 통해서 서동과 선화 공주가 실제로 맺어지므로 미래 일을 예언하는 참요적 성격을 가진다고 볼 수 있다. 형식적 측면에서 이 노래는 일반적인 서정시와는 달리 서동이 시적 화자가 되어 직접 자신의 마음을 이야기하는 1인칭 형식이 아니라, 제삼자(아이들)가 서동과 선화 공주의 이야기를 하는 3인칭 형식을 취하고 있다. 그리고 서동이 선화 공주를 사랑한다는 게 아니라, 선화 공주가 서동을 사랑하여 남몰래 만난다는 식으로 주객을 바꾸어 놓았다.

- **갈래**: 4구체 향가
- **성격**: 참요적, 민요적, 주술적
- **표현**
  ① 노골적이고 직설적인 표현으로 시적 대상의 행위를 전달함
  ② 신분이 높은 시적 대상을 아내로 삼기 위해 만든 노래로, 2행을 통해 음해의 강도를 높임
- **의의**
  ① 현전하는 향가 중 가장 오래된 작품
  ② 민요가 4구체 향가로 정착한 작품
- **주제**
  ① 표면적: 선화 공주의 은밀한 사랑
  ② 이면적: 선화 공주에 대한 연정. 선화 공주를 아내로 얻기 위한 계략

바로 확인문제

01 「서동요」는 서동이 선화 공주와 결혼하기 위해 부른 구애의 노래로, 1인칭의 형식이다. (ㅇ, ×)

02 「서동요」는 무왕과 관련된 신화의 한 부분이라 할 수 있으나 위기 극복의 과정이 없다는 점에서 온전한 신화라 볼 수 없다. (ㅇ, ×)

03 「서동요」는 아직 일어나지 않은 일을 이미 일어난 일처럼 서술하여 실제로 그 일이 일어나게 하려는 □□□ 성격이 있다.

2 풍요(風謠) | 작자 미상

양주동 해독

來如來如來如 (오다 오다 오다) 래 여 래 여 래 여	오다 오다 오다
來如哀反多羅 (오다 셔럽다라) 래 여 애 반 다 라	오다 셔럽더라.
哀反多矣徒良 (셔럽다 의내여) 애 반 다 의 도 량　인생의 무상함	셔럽다 우리들이여
功德修叱如良來如 (공덕 닷ᄀ라 오다.) 공 덕 수 질 여 량 내 여　착한 일을 하여 쌓은 업적과 어진 덕	공덕 닦으러 오다.

└ 불교에 귀의하는 것을 유일한 희망으로 여기는 민심이 드러남

▌배경 설화
석양지(신라 선덕여왕 때의 사람)가 석장(중의 지팡이) 위에 베 주머니를 걸어 두면, 지팡이가 저절로 날아서 시주의 집에 가서 흔들며 소리를 내었다. 그러면 그 집에서 알고 제사에 드는 비용을 넣는데, 베 주머니가 차면 다시 날아서 돌아왔다. 그래서 그가 있는 절을 '석장사(錫杖寺)'라고 하였고, 그의 헤아릴 수 없는 기묘한 일들은 모두 이와 같았다.

또한 그는 예술에도 뛰어나 영묘사의 장륙삼존상(丈六三尊像), 사천왕상, 전탑의 기와, 사천왕사 탑의 팔부신장을 만들었다. 그는 영묘사와 법림사의 현판을 썼으며 또한 일찍이 벽돌을 조각하여 하나의 작은 탑을 만들고, 거기에 3천불(三千佛)을 새겨서 그 탑을 절 가운데 안치해 두고 모셨다.

그가 영묘사 장륙삼존상을 만들 때 입정(入定: 선정에 들어감)에서 정수(正受: 삼매의 경지)의 태도로 진흙을 주무르고 문질렀기에, 성중의 사녀(寺女)들이 다투어 진흙을 날랐다 한다.

▌이해와 감상
이 노래는 4구체 향가로서 양지 스님이 불상을 만들 때 성내의 주민들이 흙을 나르며 부른 노래라고 알려져 있다. 기본적으로는 불교적 신앙심을 담고 있는 노래로 볼 수 있으며, 흙을 나르며 불렀으므로 노동요적 성격을 지닌 향가로 볼 수 있다.

단권화 MEMO

• 갈래: 4구체 향가
• 성격: 민요적, 불교적
• 표현
　① 반복적 리듬의 효과
　② 제3구의 시상 전환
　③ 직설적 표현
• 주제: 노동하면서 부르는 불교적인 염원

바로 확인문제

01 「풍요」는 반복적 리듬이 두드러지는 □구체 향가이다.

02 「풍요」의 화자는 비유적 표현으로 인생의 무상감을 드러내고 있다.
(O, ×)

3 헌화가(獻花歌) | 어느 노인

김완진 해독

紫布岩乎邊希 (지뵈 바회 ᄀ새) 자 포 암 호 변 희	자줏빛 바위 가에
執音乎手母牛放教遣 (자ᄇ 몬손 암쇼 노히시고) 집 음 호 수 모 우 방 교 견	잡고 있는 암소 놓게 하시고,
吾肸不喻慚肸伊賜等 (나를 안디 붓그리샤ᄃᆞᆫ) 오 힐 불 유 참 힐 이 사 등	나를 아니 부끄러워하시면
花肸折叱可獻乎理音如 (고ᄌᆞᆯ 것거 바도림다.) 화 힐 절 질 가 헌 호 리 음 여 └ 꽃: ❶ 아름다움	꽃을 꺾어 바치오리다.

❷ 수로 부인에 대한 노인의 흠모의 정

▌배경 설화
신라 성덕왕 때, 순정공이 강릉 태수로 부임하는 길에 바닷가에 머물러 점심을 먹었다. 그 옆에는 높은 바위 봉우리가 병풍처럼 바다를 두르고 있었고, 그 꼭대기 위에는 철쭉꽃이 만발했다. 순정공의 부인인 수로 부인이 그것을 보고 아름답게 여기며 주위 사람들에게 말하였다. "저 꽃을 꺾어다 내게 바칠 사람이 그 누구인가?"라고 하니, 사람들이 이르되, "저곳은 사람의 발길이 닿지 않는 곳입니다." 하며 위험하여 모두 불가능하다고 말하였다. 그때 곁으로 암소를 끌고 지나가던 노인이 수로 부인의 말을 듣고, 그 꽃을 꺾어 오고 또한 노래를 지어서 바쳤다. 그 노옹이 어떤 사람인지는 알 수 없었다.

▌이해와 감상
수로 부인에 대한 연모의 정을 노래한 4구체 향가로서 순정공의 부인인 수로 부인이 벼랑가의 꽃을 원하자 지나가던 노인이 꽃을 꺾어 바치면서 불렀다는 노래이다. 이 노인을 범상치 않은 신비의 인물로 보는 견해도 있으며 굿을 하면서 부른 노래로 보는 견해도 있다.

단권화 MEMO

• 갈래: 4구체 향가
• 성격: 민요적, 서정적
• 표현: 가정법과 연모의 정을 담은 소재(꽃)를 활용해 화자의 심리를 드러냄
• 주제: 수로 부인에 대한 연모의 정

바로 확인문제

03 '□'은 아름다움을 상징하는 소재이자 수로 부인에 대한 노인의 마음이 담겨 있는 소재이다.

04 '노인'은 높은 절벽을 올라 꽃을 꺾어 왔다는 점에서 비범한 인물임을 알 수 있다. (O, ×)

| 정답 | 01 4 　02 ×(비유적 → 직설적)　03 꽃(곳)　04 ○

- 갈래: 8구체 향가
- 성격: 찬양적, 추모적, 흠모적
- 표현
  ① 주술성이나 종교적 색채 없이 순수한 감정을 표현
  ② '과거−현재−미래'의 시간적 순서에 따라 시상을 전개하여 추모의 정을 극대화함
- 주제: 화랑 죽지랑에 대한 추모의 정

4 모죽지랑가(慕竹旨郞歌) | 득오

양주동 해독

去隱春皆理米 (간 봄 그리매) 거 은 춘 개 리 미 죽지랑이 살아 있을 때		간 봄을 그리워함에
毛冬居叱沙哭屋尸以憂音 (모든 것사 우리 시름) 모 동 거 질 사 곡 옥 시 이 우 음		모든 것이 서러워 시름하는구나
▶ 기: 죽지랑과 함께했던 과거를 그리워함		
阿冬音乃叱好支賜烏隱 (아름 나토샤온) 아 동 음 내 질 호 지 사 오 은		아름다움을 나타내신
兒史年數就音墮支行齊 (즈싀 살쯈 디니져) 모 사 년 수 취 음 타 지 행 제		얼굴이 주름살을 지으려고 하는구나
▶ 승: 살아 생전의 죽지랑을 회상함		
目煙廻於尸七史伊衣 (눈 돌칠 스이예) 목 연 회 어 시 칠 사 이 의		눈 깜빡할 사이에
逢烏支惡知作乎下是 (맛보웁디 지소리) 봉 오 지 오 지 작 호 하 시		만나 뵈올 기회를 지으리이다
▶ 전: 죽지랑과 다시 만나기를 바람		
郞也慕理尸心未行乎尸道尸 [낭(郞)이여 그릴 ᄆᄉᄆᆡ 녀올 길] 랑 야 모 리 시 심 미 행 호 시 도 시		낭이여, 그리운 마음의 가는 길에
蓬次叱巷中宿尸夜音有叱下是 (다봇 ᄆᄉᆞᆯ히 잘 밤 이시리) 봉 차 질 항 중 숙 시 야 음 유 질 하 시 무덤, '저세상'을 의미		다북쑥 우거진 마을에서 잘 밤인들 있으리이까
▶ 결: 죽지랑을 만나지 못함에 대한 한탄과 저세상에서 만날 것에 대한 확신		

01 「모죽지랑가」는 '과거 → 현재 → 미래'의 순서에 따라 시상을 전개하고 있다. (○, ×)

02 죽은 죽지랑을 다음 생에서 다시 만나고자 하는 주술적 성격이 드러난다. (○, ×)

▌배경 설화

신라 제32대 효소왕 때, 화랑 죽지랑의 무리 가운데 '득오(得烏)'라는 급간(級干: 신라 관등의 제9위)이 있었다. 화랑도의 명부에 이름을 올려놓고 매일 출근하더니, 한 열흘 동안 보이지 않았다. 죽지랑이 그의 어미를 불러 아들이 어디에 갔느냐고 물어보았다. 그의 어머니는 "당전(幢典: 오늘날의 부대장에 해당하는 신라 때의 군직)으로 있는 모량부의 익선 아간(益宣阿干: 아간은 신라 관등의 제6위)이 제 아들을 부산성(富山城) 창직(倉直: 곡식 창고를 지키는 직책)으로 임명하였고, 급히 가느라고 낭께 알리지 못하였습니다."라고 대답했다. 죽지랑은 이 말을 듣고, "그대의 아들이 만일 사사로운 일로 그곳에 갔다면 찾아볼 필요가 없지만 나랏일로 갔다니 마땅히 찾아가서 위로하고 대접해야겠다."라고 하였다. 죽지랑은 익선의 밭으로 찾아가, 가지고 간 떡과 술을 득오에게 먹인 후, 익선에게 휴가를 청하였으나 이를 거부하고 허락하지 않았다.

그때 마침 '간진'이라는 사람이 추화군(지금의 밀양) '능절(能節)'의 조 30석을 거두어 성 안으로 싣고 가다가, 죽지랑이 부하를 존대하는 모습을 아름답게 여기고, 익선의 변통성 없는 것을 품위가 없고 천하게 생각해, 가지고 가던 조 30석을 익선에게 주면서 득오를 보내 주기를 요청하였으나 허락하지 않았다. 그래서 또 진절 사지(珍節舍知: 사지는 신라 관등의 제13위)가 쓰는 말안장을 더 주었더니 드디어 허락하였다.

조정의 화주(花主: 신라에서 화랑을 관장하는 관직)가 이 이야기를 듣고 익선을 잡아다가 그의 더럽고 추한 마음을 씻어 주고자 하였는데, 도망쳐 버렸으므로 그의 아들을 대신 잡아갔다. 동짓달 성 안의 못에서 목욕을 하게 하여 얼어 죽게 하였다. 대왕이 이 말을 듣고 모량리 출신을 모두 관직에서 쫓아냈고, 승복을 입지 못하게 하였다. 반면, 간진의 자손에게는 상을 내렸다. 결국 죽지랑은 부산성 창직에서 고생하는 부하 득오를 구하게 된 것이다.

▌이해와 감상

죽은 '죽지랑'에 대한 사모와 애도의 정서를 담은 8구체 향가이다. 작자인 '득오'가 원래 '죽지랑'의 낭도였다가 '익선'에게 매여 고난을 겪던 중, 죽지랑이 이끌고 온 무리들이 득오를 구해 냈다는 이야기가 이 노래의 배경 설화로 전한다. 이로 볼 때 젊은 시절 은혜를 입은 죽지랑이 죽자 그에 대한 안타까움과 추모의 정서를 담아 지은 노래임을 알 수 있다.

東京明期月良 (ᄉᆡᄫᆞᆯ ᄇᆞᆰ긔 ᄃᆞ래)
동 경 명 기 월 량   시간적, 공간적 배경   동경 밝은 달에

夜入伊遊行如可 (밤 드리 노니다가)
야 입 이 유 행 여 가   ─ 화자가 본 현장의 상황(역신의 침범)   밤들이 노닐다가

入良沙寢矣見昆 (드러사 자리 보곤)
입 량 사 침 의 견 곤   들어와 자리를 보니

脚烏伊四是良羅 (가ᄅᆞ리 네히어라.)
각 오 이 사 시 량 라   역신과 아내의 동침 상황   다리가 넷이어라.

二肹隱吾下於叱古 (둘흔 내해엇고)
이 힐 은 오 하 어 질 고   아내의 다리   둘은 내 것이었고

二肹隱誰支下焉古 (둘흔 뉘해언고.)
이 힐 은 수 지 하 언 고   역신의 다리   ─ 상황에 대한 화자의 입장과 해석   둘은 누구 것인고.
                                          (처용의 관용)

本矣吾下是如馬於隱 (본ᄃᆡ 내해다마ᄅᆞᆫ)
본 의 오 하 시 여 마 어 은   본디 내 것이다마는

奪叱良乙何如爲理古 (아ᅀᅡ늘 엇디ᄒᆞ릿고.)
탈 질 량 을 하 여 위 리 고   관용과 체념의 정서   빼앗긴 것을 어찌하리오.

▌배경 설화

신라 제49대 헌강왕 때, 수도에서 지방까지 집과 담이 이어져 있었고, 초가집은 하나도 없었다. 길거리에 풍악이 그치지 않았고, 사계절 풍우도 순조로웠다. 어느 날, 왕이 개운포에 놀러 나갔다가 곧 돌아오려고 잠시 물가에서 쉬는 중에, 문득 짙은 구름과 안개가 끼어 길을 분간하기 어려웠다. 괴이하게 여겨 수행자들에게 무슨일인지 물으니, "이는 동해 용왕의 힘이므로, 용왕을 위해 좋은 일을 하여 그 마음을 풀어 주셔야 합니다."라고 하였다. 왕은 곧 용왕을 위하여 근처에 절을 세우도록 명하였다. 왕명이 떨어지자 안개가 걷히고 구름이 개었으므로 그곳을 '개운포(開雲浦)'라고 명하였다.

이윽고, 동해 용왕이 기뻐하여 일곱 아들을 데리고 헌강왕 앞에 나타나 춤을 추며 용궁 음악을 아뢰게 했다. 그때 용왕의 아들 하나가 헌강왕을 따라 수도에 와서 정사(政事)를 도왔는데, 그의 이름이 '처용'이다. 왕은 미녀를 골라 아내를 삼게 하고 벼슬을 주었다. 그의 아내가 절세 미인이기에, 역신(疫神)이 그녀를 흠모하여 밤에 처용의 집에 사람의 모습으로 몰래 들어와 동침했고 밖에서 놀다가 밤늦게 돌아온 처용은 그 광경을 보고 노래(「처용가」)를 부르고 춤을 추며 물러났다. 그러자 역신이 감복하여 형체를 눈앞에 드러내 앞에 꿇어 앉아 "내가 공의 아내를 흠모하여 지금 죄를 저질렀거늘, 노하지 않으시니 감격하여 아름답게 여기는 바입니다. 이후로는 맹세코 공의 모습을 그린 그림만 보아도 그 집에는 들어가지 않겠습니다."라고 말했다. 이로 말미암아 나라 사람들은 처용의 모습을 그려 문에 붙여 사귀(邪鬼)를 쫓고 경사(慶事)를 맞는 표시로 삼았다.

▌이해와 감상

이 노래는 벽사진경(나쁜 귀신을 쫓고 경사스러운 일로 나아감)의 성격을 지닌 주술적인 노래이다. 신라 헌강왕 때에 왕정을 보좌하던 처용이 밤늦도록 놀다가 집에 돌아오니 역신이 그의 아내를 범함을 보고 지어 불렀다는 설화와 함께 전한다. 자신의 아내를 범한 역신에 대해서 처용은 관용과 포용의 정신을 통해서 용서하고 극복하는 모습을 보여 준다. 이러한 「처용가」는 고려 속요로도 이어졌으며 조선 시대에는 궁중의 의식무로 연결되기도 한다.

01 향가 「처용가」는 한역되어 전해지다가 고려 가요 「처용가」의 모태가 되었다. (○, ×)
02 '처용'은 관용, 달관, 체념의 태도로 자기 절제와 초극을 통해 역신과의 갈등을 해소한다. (○, ×)
03 「처용가」는 귀신을 물리쳐 내쫓는 □□□□의 성격을 지닌 '무가(巫歌)'로 볼 수 있다.

6 원왕생가(願往生歌) | 광덕

양주동 해독

月下伊低亦 (둘하 이뎨)
월 하 이 저 역   초월적 대상

달님이시여, 이제

西方念丁去賜里遣 [서방(西方)신장 가샤리고.]
서 방 염 정 거 사 리 견

서방 정토까지 가시렵니까?

無量壽佛前乃 [무량수불(無量壽佛) 전(前)에]
무 량 수 불 전 내

(가시거든) 무량수불 앞에

惱叱古音多可支白遣賜立 (닛곰다가 숣고샤셔.)
뇌 질 고 음 다 가 지 백 견 사 립

일러 사뢰옵소서.

誓音深史隱尊衣希仰支 [다딤 기프샨 존(尊)어히 울워러]
서 음 심 사 은 존 의 희 앙 지

맹세 깊으신 부처님께 우러러

兩手集刀花乎白良 (두손 모도호 솔봐)
양 수 집 도 화 호 백 량

두 손을 모아

願往生願往生 [원왕생(願往生) 원왕생(願往生)]
원 앙 생 원 왕 생   화자의 염원

왕생을 원하며 왕생을 원하며

慕人有如白遣賜立 (그릴 사름 잇다 숣고샤셔.)
모 인 유 여 백 견 사 립

그리워하는 사람 있다고 사뢰소서.

阿耶此身遺也置遣 (아으「이몸 기텨 두고)
아 야 차 신 유 야 치 견

아아, 이 몸 남겨 두고

四十八大願成遣賜去 [사십팔대원(四十八大願) 일고샬까.」]
사 십 팔 대 원 성 견 사 거

마흔여덟 가지 큰 소원을 이루실까.

「」: 표면적으로는 염려가, 내면적으로는 극락왕생하겠다는 강한 의지가 드러남

배경 설화

신라 문무왕 때, 사문(沙門)에 '광덕(廣德)과 엄장(嚴莊)'이라는 막역지간(莫逆之間)이 있었다. 그들은 극락으로 가게 될 때에는 먼저 서로에게 알리자고 약속하였다. '광덕'은 분황사 서쪽 마을에 은거하며 신을 삼는 것을 생업으로 처자를 데리고 살고 있었다. 한편, '엄장'은 남악에 암자를 짓고 농사를 지으며 살았다.
어느 날, 해그림자는 붉은빛을 띠고 소나무 그림자가 고요히 저물었을 때 창밖에서 "나는 벌써 서방으로 가니 그대는 잘 있다가 빨리 나를 따라오게." 하는 광덕의 소리가 들렸다. 엄장이 문을 열고 나가 보니 구름 밖에서 하늘의 음악 소리가 들리고 광명이 땅에 뻗쳐 있었다. 다음 날, 엄장이 광덕의 집에 찾아가 보니 과연 광덕이 죽어 있었다.
이에, 광덕의 아내와 함께 장례를 마치고 나서 엄장이 그녀에게 이르기를, "남편이 죽었으니 나와 함께 사는 것이 어떠하오?" 하였다. 그 아내가 허락하여 마침내 함께 살게 되었다. 밤에 잠자리에 들어 엄장이 광덕의 아내와 정을 통하려 하자 그녀가 말하기를, "그대가 서방정토에 가기를 바라는 것은 나무에 올라가 물고기를 얻으려는 것과 같습니다." 하였다. 엄장이 놀라며, "광덕도 이미 동거했거늘 난들 어찌 안 되겠소?" 하였다. 그녀가 말하기를, "광덕이 나와 십여 년을 동거하였으되 아직 단 하룻밤도 잠자리를 같이하지 않았거늘, 어찌 더러운 짓을 하리오? 다만, 밤마다 단정히 앉아 일념으로 아미타불의 이름을 부르고, 십육관(十六觀)을 지어서, 이미 진리에 달관하여 명월이 창에 비치면 그 빛에 정좌하였소. 그 정성이 이와 같았으니 비록 서방정토에 가지 않으려고 해도 달리 어디로 가리오. 무릇 천리를 가는 자는 그 첫걸음으로써 규정할 수 있으니, 지금 그대의 신앙은 동으로 가고 있는 것은 아닙니다." 하였다. 엄장이 부끄러운 마음으로 물러나와 곧 원효 대사에게로 가서 진요(津要)를 간구하니, 원효 대사는 정관법(淨觀法)을 지어 엄장을 지도하였다. 그제서야 엄장이 회개하고, 전심으로 불도를 닦아 그도 극락정토에 가게 되었다.

이해와 감상

이 노래는 극락왕생에 대한 간절한 염원을 담은 불교적 성격의 10구체 향가이다. 이 노래에는 화자, 달, 무량수불이 등장하는데, 1차적·표면적 청자는 달이지만 궁극적으로 화자가 자신의 뜻을 전하고자 하는 본질적인 청자는 무량수불이라 할 수 있다. 즉, '달'은 화자의 소원을 무량수불에게 전하는 매개체이자 차안(此岸: 이 세상)과 피안(彼岸: 인간 세계 저쪽에 있는 깨달음의 세계)을 연결하는 사자인 것이다. 화자는 이러한 달에게 자신의 소망을 의탁함으로써 현세의 고난을 초극하여 내세에 극락왕생하겠다는 강한 의지를 드러낸다.
내용 면에서 보면 화자는 1~4구에서 먼저 달에게 자신의 소원을 서방 세계에 있는 무량수불에게 전해 주기를 간접적으로 부탁한다. 그리고 5~8구에서는 바로 경건하고 간절한 자세로 자신의 소망이 바로 극락왕생임을 직접적으로 표현하고 있다. 마지막으로 9~10구에서는 자신의 소망이 실현되지 않을 것을 염려하여, 무량수불이 소원을 이루기 위해선 자신의 소망을 들어주어야 한다는 점을 제시하며 소망 성취에 대하여 강하게 청원하고 있다.

生死路隱 [생사(生死) 길흔] 생 사 로 은	삶과 죽음의 길은
此矣有阿米次肹伊遣 (이에 이샤매 머뭇그리고,) 차 의 유 아 미 차 힐 이 건 이승	여기 있으매 머뭇거리고,
吾隱去內如辭叱都 (나는 가ᄂᆞ다 말ㅅ도) 오 은 거 내 여 사 질 도 죽은누이	나는 간다는 말도
毛如云遣去內尼叱古 (몯다 니르고 가ᄂᆞ닛고.) 모 여 운 견 거 내 니 질 고 죽었는가	못 다 이르고 어찌 갑니까?
於內秋察早隱風未 (어느 ᄀᆞ슬 이른 ᄇᆞᄅᆞ매) 어 내 추 찰 조 은 풍 미 ❶ 시적 대상(누이)이 요절하였음을 암시 ❷ '바람'은 인간의 운명을 지배하는 초자연적인 힘을 상징	어느 가을 이른 바람에
此矣彼矣浮良落尸葉如 (이에 뎌에 ᄠᅳ러딜 닙ᄀᆞᆫ.) 차 의 피 의 부 량 락 시 엽 여 죽은 누이를 나타냄(직유법)	여기저기에 떨어질 잎처럼,
一等隱枝良出古 (ᄒᆞ든 가지라 나고) 일 등 은 지 량 출 고 ❶ 시적 화자와 대상과의 관계가 동기지간(同氣之間)임을 암시 ❷ 같은 부모를 뜻하는 말	같은 나뭇가지에 나고서도
去如隱處毛冬乎丁 (가논 곧 모ᄃᆞ론뎌.) 거 여 은 처 모 동 호 정 인간이 사는 현세와 죽어서 가는 내세와의 아득한 거리감	(네가) 가는 곳 모르겠구나.

阿也彌陀刹良逢乎吾 「아야 미타찰(彌陀刹)아 맛보올 나
아 야 미 타 찰 량 봉 호 오 ❶ 낙구의 감탄사로, 극한적인 고뇌를 ┐
    분출하고 종교적 초극이 이루어지는 전환점 ┴ 극락세계
    ❷ 깨달음의 감탄사
	아아, 극락 세계에서 만날 나는

道修良待是古如 [도(道) 닷가 기드리고다.」]
도 수 량 대 시 고 여 「❶ 승려로서의 작자의 면모가 드러나며,
    삶의 무상함을 뛰어넘어 슬픔의 종교적
    승화를 이룸
    ❷ 인간적인 고뇌와 슬픔이 종교적 믿음으로
    극복되어 시상의 전환을 이루고 있음
	불도(佛道)를 닦으며 기다리겠노라.

단권화 MEMO

• 갈래: 10구체 향가
• 성격: 추모적, 애상적, 종교적
• 표현: 비유(직유)법, 상징법
• 주제: 죽은 누이를 추도함

│ 배경 설화

신라 서라벌의 사천왕사(四天王寺)에는 피리를 잘 부는 '월명'이라는 스님이 있었다. 그는 문예에 뛰어나 일찍이 죽은 누이를 위한 재(齋)를 올릴 때 향가를 지어 제사를 지냈다. 노래를 부르며 제사를 지냈더니, 문득 광풍이 불어 지전(紙錢)이 서쪽으로 날아가 사라졌다.

한편, 피리의 명수인 월명이 일찍이 달 밝은 밤에 피리를 불며 문 앞의 큰길을 지나가니, 달이 그를 위해 가기를 멈추었다. 그래서 그곳의 이름을 '월명리'라 하고, 그의 이름인 '월명' 또한 여기서 유래했다.

│ 이해와 감상

이 노래는 죽은 누이에 대한 슬픔과 안타까움을 종교적으로 극복하고자 하는 의지를 담은 10구체 향가이다. 단순히 죽음을 감상적으로 표현하는 데 그치지 않고 삶과 죽음의 문제를 깊이 성찰하고, 누이의 죽음을 '이른 바람에 떨어지는 잎'에 비유하거나, 화자와 누이의 관계를 '한 가지에서 난 잎'으로 비유하는 등 뛰어난 문학성과 고도의 서정성을 지니고 있다.

내용 면에서 보면 화자는 1~4구에서는 누이의 죽음을 계기로 생사의 갈림길에서 느끼는 두려움과 안타까움을 표출하고, 5~8구에서는 생사의 문제를 나무와 낙엽에 견주어 말하며, 9~10구에서는 화자는 혈육의 죽음으로 인한 슬픔을 불교적 믿음으로 극복, 승화하며 수용하고 있다.

바로 확인문제

01 「제망매가」의 화자는 누이의 부재로 인한 슬픔을 기다림으로 극복하고 있다. (○, ×)

02 'ᄠᅳ러딜 닙'은 죽은 누이를 의미하는 은유적 표현이다. (○, ×)

03 '□□'는 누이와 이별한 '이승'을, '□□□'은 누이와 재회할 '극락세계'를 의미한다.

│ 정답 │ 01 ○ 02 ×(은유적 → 직유적) 03 이에, 미타찰

・**갈래**: 10구체 향가
・**성격**: 유교적, 교훈적
・**표현**
　① 은유법을 통한 내용 전개
　② 논리적 내용 전개
・**의의**: 현전 유일의 유교 사상을 담
　은 향가
・**주제**: 치국안민(治國安民)의 도(道)
　와 이상

君隱父也 [군(君)은 어비여] 군 은 부 야	임금은 아버지며,
臣隱愛賜尸母史也 [신(臣)은 ᄃᄉ샬 어ᅀᅵ여,] 신 은 애 사 시 모 사 야	신하는 사랑하실 어머니며,
民焉狂尸恨阿孩古爲賜尸知 [민(民)은 얼흔아히고 ᄒ샬디] 민 언 광 시 한 아 해 고 위 사 시 지　　　　가정법	백성은 어린아이라고 한다면,
民是愛尸知古如 [민(民)이 ᄃ술 알고다.] 민 시 애 시 지 고 여	백성이 사랑받음을 알 것입니다.
窟理叱大肹生以支所音物生 [구믈ㅅ다히 살손 물생(物生)] 굴 리 질 대 힐 생 이 지 소 음 물 생　주어진 여건에 순응하며 살아가는 백성	구물거리며 살아가는 백성들
此肹喰惡支治良羅 (이흘 머기 다ᄉ라) 차 힐 식 악 지 치 량 라　실질적이고 경제적인 것이 중요하다는 생각을 드러냄	이들을 먹여 다스리어
此地肹捨遣只於冬是去於丁爲尸知 (이 ᄯᅡ흘 ᄇ리곡 어듸 갈뎌 ᄒᆞᆯ디) 차 지 힐 사 견 지 어 동 시 거 어 정 위 시 지　　　가정법	이 땅을 버리고 어디로 갈 것인가 한다면
國惡支持以支如古如 (나라악 디니디 알고다) 국 악 지 지 이 지 여 고 여	나라 안이 유지될 것을 알 것입니다.
後句君如臣多支民隱如爲內尸等焉 [아으, 군(君)다이 신(臣)다이 후 구 군 여 신 다 지 민 은 여 위 내 시 등 언　　민(民)다이 ᄒᄂᆯ돈] 國惡太平恨音叱如 [나라악 태평(太平)ᄒ니잇다.]」 국 악 태 평 한 음 실 여　「」: 유교 질서의 강조라는 주제를 직접적으로 제시	아아, 임금답게 신하답게 백성답게 한다면 나라 안이 태평할 것입니다.

01 「안민가」는 향가 중 유일하게 도교
　적 이념에 기반한 노래이다. (○, ×)

02 「안민가」는 임금과 신하, 백성의 관
　계를 □□ □□에 빗대어 표현하
　였다.

03 「안민가」는 예술성보다 목적성, 교
　훈성이 두드러진다. (○, ×)

배경 설화

신라 경덕왕 때, 3월 삼짇날 왕이 귀정문 누각에 나와 주위 사람에게 이르되 "누가 길에 나서서 훌륭하게 차린 중 하나를 데려올 수 있겠느냐?" 하였다. 마침 높은 지위에 있는 한 중이 점잖고 깨끗이 차리고 술렁술렁 오는 것을 주위 사람들이 발견하고, 왕께 데려왔다. 왕이 "내가 훌륭하게 차렸다고 말한 것은 이런 것이 아니다."라고 하니, 그만 돌려보냈다.

또 다른 중이 옷을 기워 입고 앵초풀로 만든 통을 지고 남쪽으로부터 오고 있었다. 왕이 기쁘게 대하면서 문루 위로 맞아들였다. 그 통 속을 들여다보니 차 달이는 제구가 들어 있을 뿐이다. 왕이 묻기를, "그대는 누구인가?"라고 하니 중이 말하기를, "충담이라 합니다." 하였다. 또 묻기를, "어디서 오는 길인가?" 하니 중이 말하기를, "소승이 매년 3월 삼짇날과 9월 9일은 차를 달이어 남산 삼화령에 계신 부처님께 올립니다. 지금도 차를 올리고 막 돌아오는 길입니다."라고 하였다. 왕이 말하기를, "나도 그 차 한 잔을 얻어 마실 연분이 있겠는가?" 하자 중이 차를 달이어 올렸는데, 차 맛이 희한하고, 기묘한 향기가 났다.

왕이 말하기를 "내가 일찍이 듣건대 대사의 기파랑을 찬양한 사뇌가는 그 뜻이 심히 높다고 하던데 과연 그런가?"라고 하니 대답하기를, "네, 그렇습니다." 하였다. 왕이 말하기를, "그러면 나를 위해서 백성을 편안히 살도록 다스리는 노래를 지으라." 하니 충담이 즉시 노래를 지어 바치었다. 그러자 왕이 잘 지었다고 칭찬하고 벼슬을 내렸다. 하지만 충담은 왕께 두 번 절한 다음 그 벼슬을 사양하고 받지 않았다.

이해와 감상

이 노래는 신라 경덕왕 때 승려인 충담사가 경덕왕을 위해서 지은 치국안민의 10구체 향가이다. 이 노래에서는 국가적 관계를 가족 관계에 빗대어 왕을 아버지에, 신하를 어머니에, 백성을 자식에 비유하는 은유적 관계를 형성하고 있으며, 각자 자신의 본분을 다하는 것이 치국의 도리라는 유교의 사상을 담고 있다. 즉, 「안민가」는 예술성보다는 목적성과 교훈성이 강한 노래라고 할 수 있다.

내용 면에서 보면 1~4구에서는 임금, 신하, 백성의 관계를 아버지, 어머니, 자식의 관계에 빗대어, 자식을 보살피듯 백성을 돌봐야 함을 강조하고, 5~8구에서는 민본주의에 입각하여 백성의 기본적인 어려움을 해결해줄 때 나라가 잘 유지될 것이라고 하며, 9~10구에서는 나라가 태평하기 위해서는 임금, 신하, 백성이 각각 맡은 바 본분을 다 해야 한다는 점을 제시하고 있다. 특히 9구는 「논어」의 '君君臣臣父父子子(임금은 임금답고 신하는 신하답고 아비는 아비답고 자식은 자식다워야 한다.)'라는 구절을 원용한 것으로 명분과 실제가 일치해야 한다는 유교적 정명 사상(正名思想)에 바탕을 두고 있다.

咽鳴爾處米 (열치매)
열 오 이 처 미
└ 돌: 광명과 영원, 기파랑의 고결한 모습

露曉邪隱月羅理 (나토얀 드리)
로 효 사 은 월 라 리

白雲音逐于浮去隱安支下 (힌 구룸 조초 뻐가는 안디하.)
백 운 음 축 간 부 거 은 안 지 하
└ 기파랑의 깨끗한 성품

沙是八陵隱汀理也中 (새파른 나리여히)
사 시 팔 릉 은 정 리 야 중

耆郎矣皃史是史藪邪 [기랑(耆郎)이 즈싀 이슈라.]
기 랑 의 모 사 시 사 수 사
└ 기파랑의 원만한 인격

逸烏川理叱磧惡希 (일로 나리ㅅ 직벽히)
일 오 천 리 질 적 오 희

郎也持以支如賜烏隱 [낭(郎)이 디니다샤온]
낭 야 지 이 지 여 사 오 은

心未際叱肹逐內良齊 (무스미 ᄀᆞᆾ 훌 좇누아져.)
심 미 제 질 힐 축 내 량 제   기파랑에 대한 흠모가 가장 잘 나타난 부분

阿耶栢史叱枝次高支好 (아으 잣ㅅ가지 노파)
아 야 백 사 질 지 차 고 지 호
└ 기파랑의 고고한 절개, 드높은 기상

雪是毛冬乃乎尸花判也 [서리 몯누올 화반(花判)이여.]
설 시 모 동 내 호 시 화 판 야   속세의 시련이나 유혹의 상징

□□ : 시적 대상(기파랑)의 인품을 암시하는 말

(구름 장막을) 열어 젖히매

나타난 달이

흰 구름 따라 (서쪽으로) 떠가는 것 아니냐?

새파란 냇가에

기파랑의 모습이 있구나.

이로부터 냇가 조약돌에

기파랑이 지니시던

마음의 끝을 따르련다.

아아, 잣나무 가지 높아

서리조차 모르실 화랑의 우두머리여.

- 갈래: 10구체 향가
- 성격: 추모적, 예찬적
- 표현
  ① 문답법(달과의 문답을 통해 대상을 예찬함)
  ② 비유법, 상징법, 의인법
  ③ 서경성과 서정성의 조화
- 주제: 화랑 기파랑의 고매한 인격을 기림

배경 설화

신라 경덕왕 때, 3월 삼짇날 왕이 귀정문 누각에 나와 주위 사람에게 이르되 "누가 길에 나서서 훌륭하게 차린 중 하나를 데려올 수 있겠느냐?" 하였다. 마침 높은 지위에 있는 한 중이 점잖고 깨끗이 차리고 슬렁슬렁 오는 것을 주위 사람들이 발견하고, 왕께 데려왔다. 왕이 "내가 훌륭하게 차렸다고 말한 것은 이런 것이 아니다."라고 하니, 그만 돌려보냈다.

또 다른 중이 옷을 기워 입고 앵초풀로 만든 통을 지고 남쪽으로부터 오고 있었다. 왕이 기쁘게 대하면서 문루 위로 맞아들였다. 그 통 속을 들여다보니 차 달이는 제구가 들어 있을 뿐이다. 왕이 묻기를, "그대는 누구인가?"라고 하니 중이 말하기를, "충담이라 합니다." 하였다. 또 묻기를, "어디서 오는 길인가?" 하니 중이 말하기를, "소승이 매년 3월 삼짇날과 9월 9일은 차를 달이어 남산 삼화령에 계신 부처님께 올립니다. 지금도 차를 올리고 막 돌아오는 길입니다."라고 하였다. 왕이 말하기를, "나도 그 차 한 잔을 얻어 마실 연분이 있겠는가?" 하자 중이 차를 달이어 올렸는데, 차 맛이 희한하고, 기묘한 향기가 났다. 왕이 말하기를 "내가 일찍이 듣건대 대사의 기파랑을 찬양한 사뇌가는 그 뜻이 심히 높다고 하던데 과연 그런가?"라고 하니 대답하기를, "네, 그렇습니다." 하였다. 왕이 말하기를, "그러면 나를 위해서 백성을 편안히 살도록 다스리는 노래를 지으라." 하니 충담이 즉시 노래를 지어 바치었다. 그러자 왕이 잘 지었다고 칭찬하고 벼슬을 내렸다. 하지만 충담은 왕께 두 번 절한 다음 그 벼슬을 사양하고 받지 않았다.

이해와 감상

이 노래는 신라 경덕왕 때 승려인 충담사가 기파랑을 추모하기 위해서 기파랑의 고매한 인품을 찬양한 10구체 향가로, 사뇌가의 대표작이다. 3단 구성을 취하고 있으며, 낙구의 첫머리에 '아아'라는 감탄사를 통해 시상을 집약하여 10구체 향가의 전형적인 모습을 보여 준다. 기파랑의 인품을 열거하거나 모습을 직접 묘사하는 대신 고도의 비유와 상징을 사용하였는데, 흰색(눈)과 푸른색(잣나무)의 색채 대비를 통해 기파랑의 인품을 강조하였고, '달, 냇물, 조약돌, 잣가지' 등의 비유를 통하여 기파랑의 훌륭한 인품을 예찬하고 숭고미를 자아내고 있다.

내용 면에서 보면 1~5구에서는 기파랑의 부재에 대한 안타까움을, 6~8구에서는 기파랑의 고매한 인품을 따르고 싶은 마음을 표현하였고, 9~10구에서는 시상을 전환하여 기파랑의 고고한 절개를 예찬하고 있다.

03 향가계 여요

1 정과정(鄭瓜亭) | 정서

• **갈래**: 향가계 여요, 고려 가요
• **성격**: 연군가, 유배 문학
• **표현**
  ① 비분절체(비연시)
  ② 형식 면에서 향가의 전통을 이음
  ③ 내용 면에서 신충의 「원가(怨歌)」와 통함
  ④ 자연물에 감정을 이입하여 정서를 표현(산 접동새)하거나, 억울함을 호소(잔월효성)함
  ⑤ 임금을 그리는 신하의 충정을 임과 이별한 여성의 사랑에 빗대어 노래함
• **의의**
  ① 고려 가요 중 유일하게 작가가 밝혀진 작품
  ② 유배 문학의 효시
  ③ 향가의 잔영이 엿보임
• **주제**: 임금에 대한 충절(연군지정)

내 님믈 그리ᄉ와 우니다니	내가 임을 그리워하며 울고 지내더니,
임(고려 의종)	
산(山) 접동새 난 이슷ᄒ요이다.	산 접동새와 나는 처지가 비슷합니다.
감정 이입의 대상, 동병상련	
아니시며 거츠르신 ᄃᆞᆯ 아으	(참소가 진실이) 아니며 거짓인 줄을 아!
잔월효성(殘月曉星)이 아ᄅᆞ시리이다.	천지신명이 아실 것입니다.
화자의 결백을 알고 있는 초월적 존재	

▶ 기: 자신의 고독한 처지와 결백 토로

넉시라도 님은 ᄒᆞᆫᄃᆡ 녀져라 아으	넋이라도 임과 함께 살아가고 싶어라. 아!
화자의 소망을 직접 표출하는 구절	
벼기더시니 뉘러시니잇가.	(내게 허물이 있다고) 우기던 이는 누구였습니까?
우기던 이(화자 자신을 모함한 자) → 원망의 대상	
과(過)도 허믈도 천만(千萬) 업소이다.	(나에겐) 잘못도 허물도 전혀 없습니다.
믈힛마리신뎌	(모두 다) 뭇사람들의 모함입니다.
슬읏븐뎌 아으	슬프도다. 아!
니미 나ᄅᆞᆯ ᄒᆞ마 니ᄌᆞ시니잇가	임께서 벌써 나를 잊으셨습니까?
화자 자신을 잊은 듯한 임에 대한 원망	

▶ 서: 결백의 해명(직접적 진술)

| 아소 님하, 도람 드르샤 괴오쇼셔. | 아아, 임이여! (마음을) 돌려 (내 말을) 들으시어 사랑해 주소서. |
| 화자의 궁극적 소망 | |

▶ 결: 임에게 다시 사랑해 주기를 간절히 애원함

｜배경 설화

정서는 고려 인종의 총애를 받았으나, 인종의 아들 의종이 왕위에 즉위한 후 궁중을 둘러싼 외척과 권신들의 세력 다툼으로 권력 싸움이 표면화되던 상황에서 비난의 대상이 되어 버렸다.
의종 5년(1151년)에 정서를 그의 고향인 동래로 귀양을 보내며 의종이 이르되, "지금은 과인이 조정의 뜻에 따라 부득이 그대를 보내나, 오래지 않아 다시 부르겠노라."라고 약속했다. 그러나 그 말을 믿은 정서는 유배지에서 아무리 기다려도 다시 부르는 기별이 없기에, 무고한 모함으로 귀양 생활을 하는 슬픔과 임금을 그리는 정을 거문고에 붙여 노래했다.

｜이해와 감상

이 노래는 임금에게 자신의 억울함을 호소하고 임금에 대한 사랑과 충성의 마음을 형상화하고 있는, 충신연주지사의 시초로 불리는 작품이다. 내용상으로는 군신 관계를 남녀 관계에 비유하면서 자신이 처한 억울한 상황을 간절히 호소하고 있으며, 형식상으로는 8구와 9구를 합치면 10구체 향가와 유사한 모습을 보이지만 차사(감탄사)의 위치가 달라서 완전한 향가로 볼 수는 없다. 즉, 향가 갈래가 해체되어 가는 양상을 반영하고 있는 작품으로 평가된다.

04 고려 가요(고려 속요)

1 사모곡(思母曲) | 작자 미상

호미도 놀히언마르는 아버지의 사랑	호미도 날이 있지마는
낟ㄱ티 들 리도 업스니이다. 어머니의 사랑	낫같이 들 리가 없습니다.
아바님도 어이어신마르는	아버님도 어버이시지마는
위 덩더둥셩 장구 소리의 의성어	(후렴구)
어마님ㄱ티 괴시리 업세라.	어머님같이 사랑하실 분이 없습니다.
아소 님하 감탄 어구	아서라, 사람들이여
어마님ㄱ티 괴시리 업세라.	어머님같이 사랑하실 분이 없습니다.

▌이해와 감상
이 노래는 어머니의 사랑을 예찬한 고려 가요로, 고려 가요의 특성인 3음보 율격, 여음구가 나타나지만 고려 가요의 일반적인 형태와 달리 단연시로, 여음구를 제외하면 형식상 시조와 유사하며, '아소 님하'라는 감탄 어구는 향가의 낙구와 유사하다. 어머니의 사랑이 아버지의 사랑보다 더 깊고 넓음을 호미와 낫에 비유하여 강조하고 있다.

2 상저가(相杵歌) | 작자 미상

듥긔동 방해나 디허 히애, 의성어(방아 찧는 소리)	덜커덩 방아나 찧어,
게우즌 바비나 지서 히예,	거친 밥이나마 지어서,
아바님 어마님씌 받줍고 히야해,	아버님 어머님께 드리옵고,
남거시든 내 머고리, 히야해 히야해, 영탄법	남거든 내가 먹으리.

❶ 민요의 후렴 연상 → 노동요의 성격
❷ 동일한 구절의 반복을 통한 운율 형성

▌이해와 감상
이 노래는 민요에서 유래한 짧은 형식의 고려 가요로서 가난한 생활이지만 방아를 찧어 부모를 봉양하겠다는 효심을 노래하고 있다. 고려 가요 중 유일한 노동요로 평가받는 작품이다. 또한 현전하는 고려 가요 중 「사모곡」과 더불어 효를 노래한 작품으로, 「사모곡」과 비교할 때 좀 더 직설적이며 정감 어린 느낌을 준다.

01 「유구곡」은 함축적이며 풍자적인 성격이 뚜렷이다. (○, ×)
02 '버곡댱'은 임금에게 아첨하는 말을 하는 신하를 상징한다. (○, ×)

3 유구곡(維鳩曲) | 작자 미상

비두로기 새는	비둘기는
비두로기 새는	비둘기는
우르믈 우루디	울음을 울되
버곡댱이사	뻐꾸기야말로
난 됴해	나는 좋아라
버곡댱이사	뻐꾸기야말로
난 됴해	나는 좋아라

원래 '비두로기(鳩)'는 의성어로, 비둘기 울음소리에서 나온 '비둘'에 명사형 접미사가 결합해 명사화된 표현임

버곡댱이사 — 바른말 잘해 줄 사람

이해와 감상
이 노래는 짧은 형식의 노래로서 임금의 잘못을 지적하는 간관들이 뻐꾸기처럼 울어 주기를 바랐지만 비둘기처럼 울고 말았다는 의미를 담고 있는 노래이다. 즉, 겁이 많은 간관들을 풍자하고 있는 노래로 볼 수 있다.

4 청산별곡(靑山別曲) | 작자 미상

살어리 살어리랏다 청산(靑山)애 살어리랏다.	살겠노라 살겠노라. 청산에서 살겠노라.
멀위랑 드래랑 먹고 청산(靑山)애 살어리랏다.	머루와 다래를 먹고, 청산에서 살겠노라.
얄리얄리 얄랑셩 얄라리 얄라	(후렴구)

청산 — 현실 도피처, 이상향
멀위랑 드래랑 — 소박한 음식
얄리얄리 얄랑셩 얄라리 얄라 — 의미는 없으나 경쾌한 리듬감 형성
▶ 청산에 대한 동경

우러라 우러라 새여 자고 니러 우러라 새여.	우는구나 우는구나 새여. 자고 일어나 우는구나 새여.
널라와 시름 한 나도 자고 니러 우니노라.	너보다 근심이 많은 나도 자고 일어나 울며 지내노라.
얄리얄리 얄라셩 얄라리 얄라	(후렴구)

'명령형(울어라)' 또는 '감탄형(우는구나)'으로 볼 수 있음
새여 — 감정 이입의 대상, 동병상련
▶ 삶의 고독과 비애

가던 새 가던 새 본다 믈 아래 가던 새 본다.	가던 새 가던 새 보았느냐? 물 아래 (들판으로) 가던 새 보았느냐?
잉 무든 장글란 가지고, 믈 아래 가던 새 본다.	이끼 묻은 쟁기를 가지고, 물 아래 (들판으로) 가던 새 보았느냐?
얄리얄리 얄라셩 얄라리 얄라	(후렴구)

가던 새 — ❶ 갈던 밭고랑 ❷ 날아가는 새
믈 아래 — 속세에 대한 미련
속세(↔ 청산)
잉 무든 장글란 — ❶ 쟁기 ❷ 병기 ❸ 은장도
▶ 속세에 대한 미련과 번민

| 정답 | 01 ○ 02 ×(버곡댱 → 비두로기 새, '버곡댱'은 임금의 잘못을 잘 지적해 주는 신하를 의미한다.)

336 • PART Ⅳ 주요 문학 작품

이링공 뎌링공 ᄒᆞ야 나즈란 디내와숀뎌,

오리도 가리도 업슨 바ᄆᆞ란 ᄯᅩ 엇디 호리라.
　　　　　　고독과 절망의 시간

　　얄리얄리 얄라셩 얄라리 얄라

▶ 절망적인 고독과 비탄

이럭저럭하여 낮은 지내 왔지만

올 사람도 갈 사람도 없는 밤은 또 어찌하리오.

　　(후렴구)

　　　　　　❶ 시적 화자의 의지와 무관한 운명
　　　　　　❷ 시적 화자의 비애를 야기하는 매개체
어듸라 더디던 돌코 누리라 마치던 돌코.

믜리도 괴리도 업시 마자셔 우니노라.
운명에 대한 체념

　　얄리얄리 얄라셩 얄라리 얄라

▶ 운명에 대한 체념

어디에다 던지던 돌인가? 누구를 맞히려던
돌인가?
미워할 사람도 사랑할 사람도 없이 (그 돌에)
맞아서 울고 있노라.
　　(후렴구)

살어리 살어리랏다 바ᄅᆞ래 살어리랏다.
　　　　　　현실 도피처, 이상향 = 청산
ᄂᆞᄆᆞ자기 구조개랑 먹고, 바ᄅᆞ래 살어리랏다.
소박한 음식 = 멀위랑 다래

　　얄리얄리 얄라셩 얄라리 얄라

▶ 바다(자연)에 대한 동경

살겠노라 살겠노라. 바다에서 살겠노라.

나문재(해초)와 굴과 조개를 먹고 바다에서
살겠노라.
　　(후렴구)

가다가 가다가 드로라 에졍지 가다가 드로라.
　　　　　　속세와 단절된 공간
사스미 짒대에 올아서 히금(奚琴)을 혀거를 드로라.
문제 해결의 불가능함과 기적에 대한 기대

　　얄리얄리 얄라셩 얄라리 얄라

▶ 기적을 바라는 절박한 삶

가다가 가다가 듣노라. 외딴 부엌을 지나가다
가 듣노라.
사슴(사슴으로 분장한 광대)이 장대에 올라가
서 해금을 켜는 것을 듣노라.
　　(후렴구)

가다니 빅브른 도긔 설진 강수를 비조라.
　　　　　　현실적 고통을 잊게 하는 매개체
조롱곳 누로기 ᄆᆡ와 잡ᄉᆞ와니, 내 엇디 ᄒᆞ리잇고.
　　　　　　　　　　체념의 태도

　　얄리얄리 얄라셩 얄라리 얄라

▶ 술을 통한 고뇌 해소

가더니(가다 보니) 배부른 독에 독한 술을 빚
는구나.
조롱박꽃 같은 누룩이 매워 붙잡으니 내 (안
마시고) 어찌하리오.
　　(후렴구)

이해와 감상

이 노래는 현실적·세속적 공간으로부터의 도피처인 '청산', '바다'를 동경하나 현실의 문제에 부딪혀 결국은 술로 시름을 달래거나 체념할 수밖에 없었던 당시 고려인의 삶의 고뇌와 비애를 형상화한 고려 가요이다. 1~4연과 5~8연이 '청산'과 '바다'를 중심으로 대칭 구조를 보인다. 그리고 화자의 비애와 같은 심리를 '새'와 같은 구체적인 형상으로 전달하고 있으며 '이상향, 도피처'를 '청산, 바ᄅᆞᆯ'로, '운명적 삶, 삶의 비애'를 '돌'로 표현하여 함축성을 높이고 있다. 또한 이 노래는 3·3·2조의 3음보 율격과 'a−a−b−a' 구조, 후렴구를 통해 음악성을 살리고 있다. 특히 각 연을 구분하면서 반복되는 후렴구는 노래의 정서를 강조하고 작품 전체에 통일성을 부여한다. 이 노래에 나타나는 이러한 형상성, 함축성, 음악성은 이 노래의 문학적 아름다움을 형성하고 있다. 참고로 이 노래의 화자와 주제에 대한 다양한 해석이 있는데 첫째로 화자를 '유랑민'으로 설정하여 난리로 인해 삶의 터전을 잃고 떠도는 유랑민들의 고통과 비애를 읊은 노래로 보는 해석, 둘째로 화자를 '실연한 사람'으로 보고 실연 또는 이별의 상황에서 슬픔을 이기지 못하고 속세를 떠나 살고자 하는 마음을 나타낸 노래로 보는 해석, 마지막으로 화자를 '좌절한 지식인'으로 보고 무신 정권의 횡포나 외세의 침략 등으로 인해 속세를 떠나 사는 지식인의 염세적 노래로 보는 해석이 있다.

01 「청산별곡」에는 현실의 문제에 부딪힌 화자의 고뇌와 극복 의지가 드러나 있다. (○, ×)

02 3·3·2조의 □음보 율격과 'a−a−b−a' 구조, □, □ 음의 사용에서 음악성이 두드러진다.

03 '청산'과 '믈 아래', '바ᄅᆞᆯ'은 화자가 동경하는 이상향이자 도피처이다.
　　　　　　　　　　(○, ×)

| 정답 |　01 ×(극복 의지×, 체념의 태도가 드러난다.)　02 3, ㄹ, ○　03 ×('믈 아래'는 속세로, '청산', '바ᄅᆞᆯ'과 대비되는 소재이다.)

• **갈래**: 고려 가요
• **성격**: 서정적, 민요적, 애상적
• **표현**
  ① 3·3·2조의 3음보의 운율
  ② 1연이 2구로 이루어진 전 4연의 분절체 형식
  ③ 각 연에 후렴구 삽입
  ④ 기승전결의 완결된 구조
  ⑤ 소박하고 간결한 시어 및 시형
  ⑥ 반복법 사용
• **주제**: 이별의 정한

5 가시리 | 작자 미상

┌ 악곡상의 호흡을 맞추기 위해 삽입된, 뜻 없는 조음구

가시리 가시리잇고 나눈   가시렵니까? 가시렵니까?
'가시리잇고'의 생략형(음수율이 고려된 표현)

브리고 가시리잇고 나눈   (나롤) 버리고 가시렵니까?

위 증즐가 대평셩디(大平盛代)   (후렴구)
     의미 없는 여음구, 악기의 소리를 흉내 낸 의성어로 보기도 함
▶ 기: 뜻밖의 이별에 대한 안타까움과 하소연

날러는 엇디 살라 ᄒ고   나는 어찌 살라 하고

브리고 가시리잇고 나눈   (나롤) 버리고 가시렵니까?

위 증즐가 대평셩디(大平盛代)   (후렴구)

▶ 승: 하소연(원망)의 고조

잡스와 두어리마ᄂᆞᆫ   (당신을) 붙잡아 둘 일이지마는
      ┌ 올까 두렵구나(-ㄹ셰라: 의구형 어미)
선ᄒ면 아니 올셰라   서운하면 아니 오실까 두렵습니다.
          문헌상 용례가 없어 정확한 의미를 알 수 없음
위 증즐가 대평셩디(大平盛代) ❶ 선뜻   (후렴구)
                   ❷ 서운하면
                   ❸ 시틋하면, 귀찮아 마음이 거칠어지면
▶ 전: 감정의 절제와 체념   ❹ 두렵고 겁나면

「 」: 화자의 소극적·자기희생적 태도
「셜온 님 보내ᅌᅩ노니 나눈   서러운 님을 보내 드리오니

가시ᄂᆞᆫ듯 도셔 오쇼셔 나눈」 ❶ 주체가 '임'이면 이별을 서러워하는 임   가시자마자 돌아서서 오소서.
   소망을 직접 표출   을 의미함
                   ❷ 주체가 '화자'이면 화자를 서럽게 하는
위 증즐가 대평셩디(大平盛代)   임을 의미함   (후렴구)

▶ 결: 이별 후 재회를 소망(기원)

이해와 감상

이 노래는 사랑하는 사람을 떠나보내는 화자의 슬프고도 애절한 마음과 애이불비(哀而不悲: 슬프지만 겉으로 슬픔을 나타내지 아니함.)의 태도가 잘 형상화되어 있는 작품으로, 이별의 상황에서 임을 보내고 싶지 않지만 임을 서운하게 하면 다시 돌아오지 않을까 두려워서 어쩔 수 없이 보낸다는 이별의 정한을 드러내고 있다. 형식적으로는 작품의 내용과 어울리지 않는 '위 증즐가 대평셩대(大平盛大)'라는 후렴구가 반복적으로 사용되고 있는데, 이는 궁중의 속악으로 채택되어 국왕 앞에서 불리면서 태평성대의 즐거움을 노래한 정치적 내용이 첨가된 것으로 보기도 한다.

01 「가시리」는 '기 - 서 - 결'의 완결된 구조를 보이고 있다. (ㅇ, ×)

02 「가시리」의 태도로 가장 적절한 한자 성어는 □□□□이다.

03 '나눈', '위 증즐가 대평성대(大平盛大)'와 같은 특별한 의미가 없는 여음구를 사용하고 있다. (ㅇ, ×)

6 서경별곡(西京別曲) | 작자 미상

서경(西京)이 아즐가 서경(西京)이 셔울히마르는   서경(평양)이 서울이지만
      감탄사, 악률을 맞추기 위한 조율음
위 두어렁셩 두어렁셩 다링디리   (후렴구)
     북소리의 의성어로, 경쾌한 리듬감을 더해 주는 후렴구
닷곤딕 아즐가 닷곤딕 쇼셩경 고외마른   중수(重修) 곳인 소성경(서경)을 사랑하지마는
      송도에 대하여 서경(평양)을 이르는 말 └ 사랑하지마는, '괴외마른'의
위 두어렁셩 두어렁셩 다링디리   잘못된 표기   (후렴구)

여히므론 아즐가 여히므론 질삼 뵈 브리시고   (임과) 이별하기보다는 길쌈하던 베를 버리고
              화자의 생업, 화자가 여자임을 알 수 있음   서라도
위 두어렁셩 두어렁셩 다링디리   (후렴구)

괴시란ᄃᆡ 아즐가 괴시란ᄃᆡ 우러곰 좃니노이다.
　　　　　이별을 거부하는 화자의 적극적 태도

　　위 두어렁셩 두어렁셩 다링디리

(저를) 사랑만 해 주신다면 울면서 (임을) 따르겠습니다.

(후렴구)

▶ 서경과 길쌈베를 모두 버릴지언정 임과는 이별할 수 없음(이별을 적극적으로 거부)

구스리 아즐가 구스리 바회예 디신ᄃᆞᆯ
　사랑　　　　　　　　　　시련, 장애물

　　위 두어렁셩 두어렁셩 다링디리

구슬이 바위 위에 떨어진들

(후렴구)

긴히ᄯᅟᅩᆫ 아즐가 긴힛ᄯᅩᆫ 그츠리잇가 나ᄂᆞᆫ
　　　　　　　　　　　설의적 표현　　의미 없는 여음구

　　위 두어렁셩 두어렁셩 다링디리

끈이야 끊어지겠습니까?

(후렴구)

즈믄 ᄒᆡ를 아즐가 즈믄 ᄒᆡ를 외오곰 녀신ᄃᆞᆯ

　　위 두어렁셩 두어렁셩 다링디리

(임과 헤어져) 천 년을 외로이 살아간들

(후렴구)

신(信)잇ᄃᆞᆫ 아즐가 신(信)잇ᄃᆞᆫ 그츠리잇가 나ᄂᆞᆫ

　　위 두어렁셩 두어렁셩 다링디리

(임을 향한) 믿음이야 끊어지겠습니까?

(후렴구)

▶ 구슬과 끈에 빗대어 임에 대한 사랑과 믿음을 맹세함

대동강(大同江) 아즐가 대동강(大同江) 너븐디 몰라셔
임과 이별하는 공간　　　　　　화자와 임 사이의 공간적·심리적 거리감

　　위 두어렁셩 두어렁셩 다링디리

대동강이 넓은 줄을 몰라서

(후렴구)

ᄇᆡ 내여 아즐가 ᄇᆡ 내여노ᄒᆞ다 샤공아
　　　　　　　원망의 대상, 이별의 매개

　　위 두어렁셩 두어렁셩 다링디리

배를 내어놓았느냐, 사공아.

(후렴구)

네 가시 아즐가 네 가시 럼난디 몰라셔
　　　　　　　　　　❶음란한 줄을 ❷과욕한 줄을
임을 실은 사공에게 시적 화자가 애꿎은 원망을 하는 것으로 봄　　❸도리에 벗어난 행위를 하는 줄을

　　위 두어렁셩 두어렁셩 다링디리

네 아내가 바람난 줄도 몰라서

(후렴구)

녈 ᄇᆡ예 아즐가 녈 ᄇᆡ예 연즌다 샤공아

　　위 두어렁셩 두어렁셩 다링디리

떠나는 배에 몸을 실었느냐, 사공아.

(후렴구)

대동강(大同江) 아즐가 대동강(大同江) 건넌편 고즐여
　　　　　　　　　　　　　　　새로운 여인을 비유

　　위 두어렁셩 두어렁셩 다링디리

(나의 임은) 대동강 건너편 꽃을

(후렴구)

ᄇᆡ 타 들면 아즐가 ᄇᆡ 타 들면 것고리이다 나ᄂᆞᆫ
　　　　　　　임이 다른 여인을 만나는 것에 대한 화자의 두려움 암시

　　위 두어렁셩 두어렁셩 다링디리

배를 타면 꺾을 것입니다.

(후렴구)

▶ 떠나는 임에 대한 불안과 사공에 대한 원망

▍이해와 감상

이 노래는 애절한 사랑과 이별의 정한(情恨)을 노래하고 있는 고려 가요이다. 화자가 이별을 강하게 거부하거나 임이 다른 여자를 만나는 것에 대한 걱정과 떠나는 임을 태운 사공에 대한 원망의 감정을 숨기지 않고 드러내는 등 사랑을 쟁취하려는 적극적인 삶의 태도와 현실적 감정을 표현했다는 점에서 다른 작품과 구별되는 독특한 면을 보이기도 한다. 이 노래는 이별을 슬퍼하며 임의 뒤를 따르겠다는 애절한 연모(戀慕)의 정을 노래한 1연, 사랑의 정(情)은 끊어지지 않으리라는 다짐을 노래한 2연, 임을 배에 싣고 떠나는 사공을 원망하는 내용이 담긴 3연으로 구성되어 있고, 2연은 고려 가요 「정석가」의 6연과 일치하는데 이는 구전되는 과정에서 덧붙여진 것이 그대로 채록된 것으로 보인다.

• 갈래: 고려 가요
• 성격: 이별가, 남녀상열지사
• 표현
　① 반복법, 설의법, 비유법, 대구법
　② 함축적 시어를 통해 화자의 정서를 표현함
　③ 매 구 끝에 후렴구를 두어 리듬감을 살림
　④ 상징적 시어의 사용으로 화자가 처한 이별의 상황을 드러냄
　⑤ 2연이 「정석가」와 겹치는데, 이는 당시 이와 같은 구절이 널리 유행했거나 후대 구전 중에 첨삭·중복되었을 것으로 추정함
• 주제: 이별의 정한

01 「서경별곡」의 화자는 떠나는 임을 원망하고 있다. (○, ×)

02 임과의 사랑을 맹세하는 화자의 정서를 효과적으로 드러내기 위해 설의적 표현을 사용하였다. (○, ×)

03 '□□□'은 임과의 단절감을 드러내며 임과 이별하는 공간을, '□'은 임이 만날 새로운 여인을 상징한다.

| 정답 | 01 ×(임을 태운 사공을 원망하고 있다.) 02 ○ 03 대동강, 꽃(곳)

7 정석가(鄭石歌) | 작자 미상

• 갈래: 고려 가요
• 성격: 서정적, 민요적
• 표현
① 과장법, 설의법, 완곡어법
② 반복 구문을 통한 리듬감 형성
③ 불가능한 상황 설정을 통한 역설적 표현으로 영원한 사랑을 노래함
• 주제
① 변함없는 영원한 사랑의 기원
② 태평성대의 기원

딩아 돌하 당금(當今)에 계샹이다.

딩아 돌하 당금(當今)에 계샹이다.

션왕셩ᄃᆡ(先王聖代)예 노니ᄋᆞ와지이다.

❶ '딩'은 징(鉦), '돌'은 돌(石) 또는 경(磬)
❷ 금석 악기인 '정경(鉦磬: 정과 경쇠라는 악기)'에 은유하여 연정의 대상 인물인 "정석(鄭石)"을 나타냄

징이여 돌이여 (임금님이) 지금 계십니다.

징이여 돌이여 (임금님이) 지금 계십니다.

이 좋은 태평성대에 놀고 싶습니다.

삭삭기 셰몰애 별헤 나는
바삭바삭 소리   의미 없는 여음구

「삭삭기 셰몰애 별헤 나는

구은 밤 닷 되를 심고이다.

그 바미 우미 도다 삭나거시아」
「 」: 불가능한 상황 설정, 역설적 표현 ❶
그 바미 우미 도다 삭나거시아

유덕(有德)ᄒᆞ신 님믈 여히ᄋᆞ와지이다.
후렴구, 반어적 표현

바삭바삭한 가는 모래 벼랑에

바삭바삭한 가는 모래 벼랑에

구운 밤 닷 되를 심습니다.

그 밤이 움이 돋아 싹이 나야만

그 밤이 움이 돋아 싹이 나야만

덕 있는 임과 이별하고 싶습니다.

옥(玉)으로 련(蓮)ㅅ고즐 사교이다.

「옥(玉)으로 련(蓮)ㅅ고즐 사교이다.

바회 우희 접듀(接柱)ᄒᆞ요이다.

그 고지 삼동(三同)이 퓌거시아」
「 」: 불가능한 상황 설정, 역설적 표현 ❷
그 고지 삼동(三同)이 퓌거시아

유덕(有德)ᄒᆞ신 님 여히ᄋᆞ와지이다.

옥으로 연꽃을 새깁니다.

옥으로 연꽃을 새깁니다.

(그 꽃을) 바위 위에 접을 붙입니다.

그 꽃이 세 묶음이 피어야만

그 꽃이 세 묶음이 피어야만

덕 있는 임과 이별하고 싶습니다.

므쇠로 텰릭을 ᄆᆞᆯ아 나는
융복(戎服), 옛 무관의 공복(公服)의 한 가지임
「므쇠로 텰릭을 ᄆᆞᆯ아 나는

텰ᄉᆞ(鐵絲)로 주름 바고이다.

그 오시 다 헐어시아」
「 」: 불가능한 상황 설정, 역설적 표현 ❸
그 오시 다 헐어시아

유덕(有德)하신 님 여히ᄋᆞ와지이다.

무쇠로 철릭을 재단하여

무쇠로 철릭을 재단하여

철사로 주름을 박습니다.

그 옷이 다 헐어야만

그 옷이 다 헐어야만

덕 있는 임과 이별하고 싶습니다.

므쇠로 한쇼를 디여다가

「므쇠로 한쇼를 디여다가

텰슈산(鐵樹山)애 노호이다.
쇠로 된 나무가 있는 산
그쇠 텰초(鐵草)를 머거아」
「 」: 불가능한 상황 설정, 역설적 표현 ❹
그쇠 텰초(鐵草)를 머거아

유덕(有德)ᄒᆞ신 님 여히ᄋᆞ와지이다.

무쇠로 큰 소(황소)를 지어다가

무쇠로 큰 소(황소)를 지어다가

쇠로 된 나무가 있는 산에 놓습니다

그 소가 쇠로 된 풀을 다 먹어야만

그 소가 쇠로 된 풀을 다 먹어야만

덕 있는 임과 이별하고 싶습니다.

구스리 바회예 디신둘	구슬이 바위에 떨어진들
구스리 바회예 디신둘	구슬이 바위에 떨어진들
긴힛둔 그츠리잇가	끈이야 끊어지겠습니까?
즈믄 히룰 외오곰 녀신둘	천 년을 외로이 살아간들
즈믄 히룰 외오곰 녀신둘	천 년을 외로이 살아간들
신(信)잇둔 그츠리잇가.	(임 향한) 믿음이야 끊어지겠습니까?

─「서경별곡」과 유사

외따로, 홀로('곰'은 강세 접사)

▌이해와 감상

이 노래는 임에 대한 영원한 사랑을 꿈꾸는 화자의 애절한 정서를 역설법, 반어법을 사용하여 표현한 고려 가요이다. 다만, 임을 임금으로 볼 경우에는 임금에 대한 축수의 송축가로 볼 수 있다. 시적 화자는 불가능한 상황을 다양하게 설정한 후 이러한 일이 일어나야만 임과 이별하겠다는 반어적인 태도를 보임으로써 임에 대한 사랑을 절실히 드러내고 있다. 이 노래의 1연은 3행으로 1행만 한 번 반복하고 있어 2연과 형식적인 차이를 보이고 있다. 또 '션왕셩티예 노니오와지이다.'는 태평성대를 기원한 것으로 임과의 사랑을 갈구하는 작품 전반의 내용과 무관해 보인다. 조선 건국 이후 고려 가요 작품 중 상당수는 '남녀상열지사'라 하여 불타 없어지고 그나마 남은 작품들이 궁중 연희에서 불렸는데, 민요로 구전되던 이 노래 또한 궁중 음악으로 수용되면서 1연이 덧붙여진 것이라 볼 수 있다. 또한 일부는 「서경별곡」과 유사한데, 이는 당시에 이러한 구절이 유행했거나 후대에 전승되는 과정에서 첨삭·중복되었을 가능성을 보여 준다.

단권화 MEMO

바로 확인문제

01 후렴구 '유덕호신 님 여희오와지이다.'는 특별한 의미가 없이 운율 형성을 위해 사용되었다. (○, ×)

02 「정석가」의 화자는 불가능한 상황을 □□□으로 표현하여 임과 이별하지 않겠다는 강한 소망을 드러낸다.

03 '임'을 '임금'으로 보면 태평성대를 기원하는 '송축가'로, '연인'으로 보면 임과의 영원한 사랑을 꿈꾸는 '연정가'로 볼 수 있다. (○, ×)

| 정답 | 01 ×(임과 이별하기 싫은 화자의 강한 의지를 드러낸다.) 02 역설적 03 ○

8 동동(動動) | 작자 미상

• 갈래: 고려 가요
• 성격: 연가적, 민요적, 송도가
• 표현
① 영탄법, 직유법, 은유법
② 분절체 형식으로 서사인 1연과 본사인 12개 연으로 구성
③ 계절에 따른 심리적 변화가 세시 풍속과 연결되어 잘 표현됨
④ 자연물에 화자와 임을 각각 비유 하여 대조함
⑤ 북소리를 흉내 낸 '동동'과 악기 소리를 흉내 낸 '다리' 같은 후렴 구를 사용함
• 주제: 이별한 임에 대한 송도와 연 모의 정

덕(德)으란 곰비예 받줍고, 복(福)으란 림비예 받줍고,
　　　　　신령님　　　　　　　　　　임금님
덕(德)이여 복(福)이라 호늘 나수라 오소이다.

　　아으 동동(動動)다리
　　여음구, 북소리를 흉내 낸 의성어
▶ 서사: 임에 대한 송도(송축) – 임(임금)의 덕과 복을 빎

덕은 뒤에(뒷잔에, 신령님께) 바치옵고, 복은 앞(앞잔에, 임금님께)에 바치오니 덕이며 복이라 하는 것을 드리러 오십시오.
　　(후렴구)

　　　　　　┌ 객관적 상관물
정월(正月)ㅅ 나릿므른 아으, 어져 녹져 ㅎ논되,
　　　　　　중의적, 우의적 표현
누릿 가온되 나곤 몸하 ㅎ올로 녈셔.

　　아으 동동(動動)다리
▶ 정월령: 고독과 그리움 – 홀로 사는 외로움

정월 냇물은 아아, 얼려 녹으려 하는데

세상에 태어나서 이 몸이여, 홀로 살아 가는구나.
　　(후렴구)

이월(二月)ㅅ 보로매 아으 노피 현 등(燈)ㅅ블 다호라.
　　　　　　　　　　연등절의 연등을 임의 고매한 인품에 비유함
만인(萬人) 비취실 즈싀샷다.

　　아으 동동(動動)다리
▶ 이월령: 임에 대한 송축 – 빼어난 임의 모습(등불), 내면적 아름다움 표현

2월 보름에 아아, 높이 켠 등불 같구나.

만인을 비추실 모습이시도다.
　　(후렴구)

삼월(三月) 나며 개(開)혼 아으 만춘(滿春) 둘욋고지여.
　　　　　　　　　　　　진달래꽃을 임의 아름다운 모습에 비유함
ᄂ미 브롤 즈슬 디녀 나샷다.

　　아으 동동(動動)다리
▶ 삼월령: 임에 대한 송축 – 아름다운 임의 모습(꽃), 외면적 아름다움 표현

3월 지나며 핀 아아, 늦봄의 진달래꽃 이여.
남이 부러워할 모습을 지니고 태어나셨 구나.
　　(후렴구)

　　　　　　　　　　　　　┌ 객관적 상관물: 꾀꼬리는 잊지 않고
　　　　　　　　　　　　　　찾아왔으나 임은 소식이 없음
사월(四月) 아니 니저 아으 오실셔 곳고리새여.

므슴다 녹사(錄事)니ᄆ 녯 나를 닛고신뎌.
　　　　　　고려 때 벼슬의 이름
　　아으 동동(動動)다리
▶ 사월령: 슬프고 외로운 사랑(애련) – 오지 않는 임에 대한 원망

4월 잊지 않고 아아, 오는구나, 꾀꼬리 새여!
무엇 때문에(어찌하여) 녹사님은 옛날의 나를 잊고 계시는가.
　　(후렴구)

오월(五月) 오일(五日)애 아으 수릿날 아ᄎᆷ 약(藥)은,

즈믄 힐 장존(長存)ㅎ샬 약(藥)이라 받줍노이다.

　　아으 동동(動動)다리
▶ 오월령: 임의 장수 기원(송축)

5월 5일(단오)에 아아, 단옷날 아침 약은

천 년을 오래 사시게 할 약이기에 바치 옵니다.
　　(후렴구)

유월(六月)ㅅ 보로매 아으 별해 ᄇᆞ룐 빗 다호라.
　　　　　　　　　　버림받은 화자의 처지를 비유함
도라보실 니믈 젹곰 좃니노이다.

　　아으 동동(動動)다리
▶ 유월령: 임에게 버림받은 신세 한탄(빗)

6월 보름(유두일)에 아아, 벼랑에 버린 빗 같구나.
돌아보실 임을 잠시나마 따르겠습니다.
　　(후렴구)

칠월(七月)ㅅ 보로매 아으 백종(百種) 배(排)호야 두고,

니믈 흔 딕 녀가져 원(願)을 비숩노이다.

　　아으 동동(動動)다리

▶ 칠월령: 임과 함께 살고자 하는 소망

7월 보름(백중일)에 아아, 여러 제물을 벌여 놓고,
임과 함께 살고자 하는 소원을 비옵니다.
　　(후렴구)

팔월(八月)ㅅ 보로몬 아으 가배(嘉俳) 나리마론,

니믈 뫼셔 녀곤 오늘낤 가배(嘉俳)샷다.

　　아으 동동(動動)다리

▶ 팔월령: 임 없이 보내는 한가위의 쓸쓸함과 그리움

8월 보름(한가위)은 아아, 한가윗날이지마는,
임을 모시고 지내야만 오늘이 뜻있는 한가윗날입니다.
　　(후렴구)

구월(九月) 구일(九日)애 아으 약(藥)이라 먹논

황화(黃花)고지 안해 드니, 새셔 가만ㅎ얘라.
객관적 상관물　　　　　　임이 없는 적막한 집을 묘사
　　아으 동동(動動)다리

▶ 구월령: 임이 없는 고독과 한

9월 9일(중양절)에 아아, 약이라고 먹는
노란 국화꽃이 (집) 안에 드니 초가집이 적막하구나.
　　(후렴구)

시월(十月)애 아으 져미연 ㅂ롯 다호라.
　　　　　　화자의 처지를 비유함
것거 ㅂ리신 후(後)에 디니실 흔 부니 업스샷다.

　　아으 동동(動動)다리

▶ 시월령: 임에게 버림받은 서글픔(보리수)

10월에 아아, 잘게 썬 보리수나무 같구나.
꺾어 버리신 후에 (보리수나무를) 지니실 한 분이 없으시도다.
　　(후렴구)

십일월(十一月)ㅅ 봉당 자리예 아으 한삼(汗衫) 두퍼 누워
　　　　　　　　　　　　　화자의 초라한 처지
슬홀ᄉ라온뎌 고우닐 스싀옴 녈셔.

　　아으 동동(動動)다리

▶ 십일월령: 임 없이 홀로 살아가는 서글픔과 상사의 괴로움

11월 봉당 자리에 아아, 홑적삼 덮고 누워
슬픈 일이로다. 고운 임과 (헤어져) 제각기 살아가는구나.
　　(후렴구)

십이월(十二月)ㅅ 분디남ᄀ로 갓곤 아으 나ᄉᆯ 반(盤)잇 져 다호라.
　　　　　　　　　　　　소반에 있는 젓가락을
　　　　　　　　　　　　화자의 처지에 비유함
니믜 알픠 드러 얼이노니 소니 가재다 므르ᄋᆸ노이다.
　　　　　　　　　　　　이루어지지 않는 사랑
　　아으 동동(動動)다리

▶ 십이월령: 임과 맺어질 수 없는 운명에 대한 한탄

12월 분지(산초)나무로 깎은 아아, (임께) 차려 올릴 소반 위의 젓가락 같구나.
임 앞에 들어 가지런히 놓으니, 손님이 가져다가 뭅니다.
　　(후렴구)

┃이해와 감상

이 노래는 달마다 달라지는 세시 풍속과 임(임금)에 대한 연모의 정을 형상화하고 있는 고려 가요이다. 이 노래는 고려 가요 중 유일하게 월령체 형식으로 되어 있는데, 월별로 달라지는 계절감이나 세시 풍속을 표현하고 그에 따른 화자의 정서를 드러내고 있다. 그러나 각 연의 시상이 일관된 흐름을 보이고 있지는 않다. 이 노래의 월령체 형식은 후대에 가사 작품으로까지 이어진다.

01 「동동」은 고려 가요 중 유일한 □□□ 형식으로, 서사를 제외한 나머지 12연이 1년 열두 달로 구성되었다.

02 '돌욋곳', '부론 빗', '져미연 ㅂ롯'은 화자를 비유하는 소재들이다.
　　　　　　　　　　　　　(ㅇ, ×)

03 악기 소리를 본뜬 의성어를 통해 흥취를 고조하고 있다. (ㅇ, ×)

┃정답┃　01 월령체　02 ×('돌욋곳'은 임(임금)을 의미하는 소재이다.)
03 ㅇ

9 쌍화점(雙花店) | 작자 미상

쌍화점(雙花店)에 쌍화(雙花) 사라 가고신된
<small>적극적인 구애의 행동</small>

회회(回回) 아비 내 손모글 주여이다
<small>서남아시아의 이슬람 교도를 부르던 호칭.
당시 고려 시대에 서역과의 교류가 활발했음을 짐작할 수 있음</small>

이 말스미 이 점(店) 밧긔 나명들명

다로러거디러 죠고맛간 삿기 광대 네 마리라 호리라
<small>□: 의미 없는 여음</small>

더러둥셩 다리러디러 다리러디러 다로러거디러 다로러

긔 자리예 나도 자라 가리라

위 위 다로러거디러 다로러

긔 잔 디マ티 덦거츠니 업다
<small>❶ '우울하고 답답한 것'으로서 화자의 심리 상태를 나타내는 것
❷ '거칠고 지저분한 것'으로서 동침한 자리를 형용한 것
❸ '무성한 것, 울창한 것'</small>

▶ 회회 아비와의 밀회

만둣집에 만두를 사러 갔더니만

회회 아비가 내 손목을 쥐더이다.

이 소문이 이 가게 밖에 나며 들며 하면

조그마한 새끼 광대(심부름하는 아이) 네 말이라 하리라.
(후렴구)

그 잠자리에 나도 자러 가리라
(후렴구)

그 잔 데같이 난잡한 곳이 없다.

삼장사(三藏寺)애 브를 혀라 가고신된

그 뎔 사쥬(社主)ㅣ 내 손모글 주여이다
<small>적극적인 구애의 행동</small>
<small>절 주지는 성도덕을 가장 잘 지켜야 할 위치에 있는 사람의 대표체로, 이는 세상이 얼마나 어지러운가를 알게 함</small>

이 말스미 이 뎔 밧긔 나명들명

다로러거디러 죠고맛간 삿기 (샹좌)上座ㅣ 네 마리라 호리라

더러둥셩 다리러디러 다리러디러 다로러거디러 다로러

긔 자리예 나도 자라 가리라

위 위 다로러거디러 다로러

긔 잔 디マ티 덦거츠니 업다

▶ 절의 지주와의 밀회

삼장사에 불을 켜러 갔더니만

그 절 주지승이 내 손목을 쥐더이다.

이 소문이 이 절 밖에 나며 들며 하면

조그마한 새끼 상좌 네 말이라 하리라.

(후렴구)

그 잠자리에 나도 자러 가리라

(후렴구)

그 잔 데같이 난잡한 곳이 없다.

드레 우므레 므를 길라 가고신된

우뭇용(龍)이 내 손모글 주여이다
<small>적극적인 구애의 행동</small>
<small>왕궁을 '우물'로, 임금을 '용'으로 은유</small>

이 말스미 이 우믈 밧긔 나명들명

다로러거디러 죠고맛간 드레바가 네 마리라 호리라

더러둥셩 다리러디러 다리러디러 다로러거디러 다로러

긔 자리예 나도 자라 가리라

위 위 다로러거디러 다로러

긔 잔 디マ티 덦거츠니 업다

▶ 우물 속 용과의 밀회

두레 우물에 물을 길러 갔더니만

우물 용이 내 손목을 쥐더이다.

이 소문이 이 우물 밖에 나며 들며 하면

조그마한 두레박아 네 말이라 하리라.

(후렴구)

그 잠자리에 나도 자러 가리라

(후렴구)

그 잔 데같이 난잡한 곳이 없다.

술 풀 지븨 수를 사라 가고신된	술 파는 집에 술을 사러 갔더니만
그 짓 아비 내 손모글 주어이다	그 집 아비 내 손목을 쥐더이다.
<u>적극적인 구애의 행동</u>	
이 말수미 이 집 밧긔 나명들명	이 소문이 이 집 밖에 나며 들며 하면
다로러거디러 죠고맛간 싀구비가 네 마리라 호리라	조그마한 술 바가지야 네 말이라 하리라.
더러둥셩 다리러디러 다리러디러 다로러거디러 다로러	(후렴구)
긔 자리예 나도 자라 가리라	그 잠자리에 나도 자러 가리라
위 위 다로러거디러 다로러	(후렴구)
긔 잔 듸 フ티 덦거츠니 업다	그 잔 데같이 난잡한 곳이 없다.

▶ 술집 아비와의 밀회

▍이해와 감상

이 노래는 당시의 자유로운 성(性) 윤리를 노골적으로 희화화하여 표현하면서 상징과 은유, 풍자적 표현으로 형상화하고 있는 고려 가요이다. 전 4연으로 구성된 이 노래는 노골적인 표현 때문에 조선 시대에 '남녀상열지사(男女相悅之詞)'라고 지목되기도 하였으나 상징법과 은유법을 사용하여 문학성을 발휘하고 있다. 이 노래의 공간적 배경은 '쌍화점(만두가게)', '삼장사(절)', '우물(왕궁)', '술집'으로 다양한데, 이들은 그 시대의 대표적인 사회 공간을 망라한 것이다.

단권화 MEMO

바로 확인문제

01 「쌍화점」은 조선 시대에 '남녀상열지사'라 하여 배척되었으나 상징법과 제유법을 적절히 사용하여 문학성을 인정받았다. (○, ×)

02 '□□ □□'는 고려 시대에 서역과의 교류가 활발했음을 보여 주는 시어이다.

03 '내 손모글 주여이다'는 화자에 대한 시적 대상들의 적극적인 구애를 의미한다. (○, ×)

| 정답 | 01 ×(제유법 → 은유법)
02 회회 아비 03 ○

• 갈래: 고려 가요
• 성격: 남녀상열지사, 연가, 향락적
• 표현
  ① 비유와 상징
  ② 2연과 5연의 4음보 율격이 시조
     의 기원으로 여겨지기도 함
  ③ 과장법과 반복법을 통해 화자의
     정서를 강조함
  ④ 연과 연 사이에 고려 가요의 특
     징인 후렴구가 삽입되지 않음
• 주제
  ① 대담하고 노골적인 남녀 간 사랑
  ② 변치 않는 사랑에 대한 소망

10 만전춘별사(滿殿春別詞) | 작자 미상

<u>어름 우희 댓닙자리 보와</u> 님과 나와 어러 주글만뎡
❶ 극단적 상황 설정 ❷ 차가움과 뜨거움의 역설적 표현
어름 우희 댓닙자리 보와 님과 나와 어러 주글만뎡

情(정) 둔 오눐밤 더듸 새오시라 더듸 새오시라

얼음 위에 댓잎 자리를 펴서 임과 나와 얼어
죽을지언정
얼음 위에 댓잎 자리를 펴서 임과 나와 얼어
죽을지언정
정을 준 오늘 밤 더디 새어라. 더디 새어라.

<u>耿耿(경경) 孤枕上(고침상)</u>애 어느 주미 오리오
근심 때문에 잠을 이루지 못함 = 전전반측 ────┐ 객관적 상관물
西窓(서창)을 여러ᄒ니 <u>桃花(도화)ㅣ 發(발)</u>ᄒ두다
                              화자의 정서·상황과 상반됨
도화난 시름 업서 <u>笑春風(소춘풍)</u>ᄒ느다 笑春風(소춘풍)
                  버림받은 자신에 대한 비웃음, 의인법
ᄒ느다

뒤척뒤척 외로운 침상에서 어찌 잠이 오리오.

서쪽 창문을 여니 복숭아꽃이 피어나는구나.

복숭아꽃은 걱정 없이 봄바람에 웃는구나. 봄
바람에 웃는구나.

넉시라도 님을 ᄒ 딕 녀닛 景(경) 너기다니
넉시라도 님을 ᄒ 딕 녀닛 景(경) 너기다니
<u>벼기더시니 뉘러시니잇가 뉘러시니잇가</u>
임에 대한 원망

넋이라도 임과 한곳에 남의 경황이라고 여겼
더니
넋이라도 임과 한곳에 남의 경황이라고 여겼
더니
우기던(어기던) 이가 누구였습니까? 누구였
습니까?

올하 올하 아련 <u>비올하</u>
              사랑하는 임
<u>여흘란</u> 어듸 두고 <u>소</u>해 자라온다
 ❶화자 자신 ❷본처   ❶다른 여자 ❷후처
소콧 얼면 여흘도 됴ᄒ니 여흘도 됴ᄒ니

오리야 오리야 어리석은 비오리야

여울일랑 어디 두고 소(늪)에 자러 오는가?

소(늪)가 곧 얼면 여울도 좋습니다. 여울도 좋
습니다.

▭ : 임과 함께 거처할 따뜻한 보금자리, 과장법
<u>南山(남산)</u>애 자리 보와 <u>玉山(옥산)</u>을 벼여 누어

<u>錦繡山(금수산)</u> 니블 안해 麝香(사향) 각시를 아나 누어

南山(남산)애 자리보와 옥산(玉山)을 벼어 누어

錦繡山(금수산) 니블 안해 麝香(사향) 각시를 아나 누어

<u>藥(약)든 가슴</u>을 맛초옵사이다 맛초옵사이다
          상상으로 임과 함께하기를 소망함

남산에 자리 보아 옥산을 베고 누워

금수산 이불 안에 사향 각시(아름다운 여인)
를 안고 누워
남산에 자리 보아 옥산을 베고 누워

금수산 이불 안에 사향 각시(아름다운 여인)
를 안고 누워

약(사향)이 든 가슴을 맞춥시다. 맞춥시다.

<u>아소 님하</u>
감탄사
<u>遠代平生(원대평생)</u>애 여힐ᄉ 모ᄅᆞᆸ새
이별 없는 세상에 대한 화자의 동경, 과장법

마소서, 임이시여

평생토록 헤어지지 말고 지냅시다.

┃이해와 감상

이 노래는 궁중에서 잔치를 벌일 때 불렸던 것으로, 임과 이별하지 않고 계속 사랑하고자 하는 소망을 드러내는 고려 가요이다. 따로 구분된 채 1∼5연을 아우르면서 종결짓는 6연을 독립된 장으로 보면, 이 노래는 모두 6연으로 이루어져 있다고 볼 수 있다. 1연은 얼어 죽더라도 정을 나눈 오늘밤이 더디게 가기를 바라는 소망을 노래한 부분으로 극한 상황을 통해 임에 대한 뜨거운 사랑을 부각했다. 2연에서는 자신의 처지를 복숭아꽃과 대비하여 한탄하고 있고, 3연에서는 넋이라도 함께하자고 맹세하던 임을 원망하고 있다. 4연에서는 임의 방탕한 생활을 풍자하고 있고, 5연에서는 임과의 해후를 그리며 변치 않는 사랑을 다짐하여 한국 여인의 끈질긴 사랑을 보여 주고 있다. 이처럼 각 연은 순차적으로 되어 있지 않고, 사랑의 여러 모습을 보여 주고 있는데, 이는 이 노래가 여러 사설을 모아서 만들어졌을 가능성을 나타낸다. 또한 이 노래는 2연과 5연이 3장이라는 분장 형태, 4음보 율격을 보인다는 점에서 시조의 기원으로 보기도 하는데, 이는 고려 가요가 붕괴되면서 시조의 형식이 형성된 것으로 보는 근거가 된다.

01 '남산', '옥산', '금수산'은 임과 함께
   거처할 따뜻한 보금자리를 의미한
   다. (O, X)
02 '도화'는 화자의 정서를 대변해 주
   는 감정 이입의 대상이다. (O, X)
03 「만전춘별사」는 2연과 5연이 ▢장
   의 분장 형태와 ▢음보의 율격을
   보인다는 점에서 시조의 기원으로
   보기도 한다.

┃정답┃ 01 O 02 X(화자의 정서와
상반된 객관적 상관물이다.) 03 3, 4

1 한림별곡(翰林別曲) | 한림 제유

[제1장]

元淳文 仁老詩 公老四六
원슌문 인노시 공노사륙 ┐
李正言 陳翰林 雙韻走筆   ├─ 문인들의 명문장 나열
니정언 딘한림 솽운주필
沖基對策 光鈞經義 良鏡詩賦
튱긔의칙 광균경의 량경시부 ┘
위 試場ㅅ 景 긔 엇더ᄒ니잇고. □□□ : '경기체가'라는 명칭의 유래
   시 댱   경 자신들의 능력과 삶의 방식에 대한 자부심을 표현. 반복법·설의법
(葉)琴學士의 玉笋文生 琴學士의 玉笋文生
(엽) 금혹ᄉ 옥슌문생 금혹ᄉ 옥슌문생
위 날조차 몃부니잇고.
신흥 문벌의 자만에 찬 의욕과 권세. 설의법

유원순의 문장, 이인로의 시, 이공로의 사륙변려문
이규보와 진화의 쌍운을 맞추어 써 내려간 글
유충기의 대책문, 민광균의 경서 해석, 김양경의 시와 부
아, 과거 시험장의 광경, 그것이 어떠합니까? (참으로 굉장합니다.)
금의가 배출한 뛰어난 많은 제자, 금의 많은 제자
아, 나까지 모두 몇 분입니까?

[제2장]

唐漢書 莊老子 韓柳文集
당한서 장로즈 한류문집 ┐
李杜集 蘭臺集 白樂天集   ├─ 명저, 명서의 나열
니두집 난ᄃ〮집 빅락텬집
毛詩尚書 周易春秋 周戴禮記
모시샹셔 쥬역츈츄 주ᄃ〮례긔 ┘
위 註조쳐 내 외옹 景 긔 엇더ᄒ니잇고.
   주 └─중국 소설집   경
太平廣記 四百餘券 大平廣記 四百餘券
태 평 광 긔 ᄉ〮 빅 여 권 태 평 광 긔 ᄉ〮 빅 여 권
위 歷覽ㅅ 景 긔 엇더ᄒ니잇고.
   력 남   경

당서와 한서, 장자와 노자, 한유와 유종원의 문집
이백과 두보의 시집, 난대영사들의 시문집, 백거이의 문집
시경과 서경, 주역과 춘추, 예기(대대례와 소대례)를
아, 주석(註)마저 줄곧 외우는 광경, 그것이 어떠합니까?
태평광기 400여 권, 태평광기 400여 권
아, 두루 읽는 광경, 그것이 어떠합니까?

[제8장]

          ┌─음수율을 맞추기 위해 의도적으로 반복함
唐唐唐 唐楸子 皀莢남긔
당 당 당 당 츄 즈 조 협
紅실로 紅글위 ᄆ〮요이다.
홍   홍
혀고시라 밀오시라 鄭少年하.
              뎡 소 년 ┌─중의적 표현
위 내 가논 ᄃ〮 ᄂ〮 갈셰라.   ❶ 내가 가는 데 남이 갈까 두렵다(경계)
              ❷ 그네 뛰는 광경을 사실적으로 표현
(葉)削玉纖纖 雙手ㅅ 길헤 削玉纖纖 雙手ㅅ 길헤
   삭 옥 셤 셤 솽 슈   삭 옥 셤 셤 솽 슈
위 携手同遊ㅅ 景 긔 엇더ᄒ니잇고.
   휴 수 동 유   경 귀족들의 풍류 생활을 찬양. 설의법

호두나무, 쥐엄나무에
붉은 실로 붉은 그네를 맵니다.
당기시라 미시라, 정소년이여.
아, 내가 가는 곳에 남이 갈까 두렵습니다.
옥을 깎은 듯이 고운 두 손길에, 옥을 깎은 듯 고운 두 손길에
아, 그네를 타는 여인들과 손잡고 노니는 광경, 그것이 어떠합니까?

이해와 감상

이 노래는 현전하는 최고(最古)의 경기체가 작품으로, 고려 시대 신진 사대부들의 문학적 경지와 자긍심, 귀족 문인들의 풍류적 삶의 태도를 드러내는 대표적인 귀족 문학이라 할 수 있다. 전체 8장의 분장체로, 제1장에서 제7장까지는 한문 어구와 한문에 토를 단 듯한 문장을 사용하여 시부, 서적, 명필과 관련된 사물들을 나열하고 있는 데 반해, 제8장은 우리말의 아름다움을 살려 그네를 타는 즐거움과 귀족의 풍류를 표현함으로써 문학성을 인정받고 있다. 또 한자어를 연결하여 우리말 율격인 3음보에 맞추어 음수율을 형성하였으며, 각 연의 규칙적 반복, 후렴구 등에서 음악적 효과가 드러난다. 참고로 '경기체가'라는 명칭은 후렴구인 '景 긔 엇더ᄒ니잇고'에서 유래되었는데 분장체(각 장은 2단 구성)이며, 3·3·4조의 3음보 율격을 지니고 있다. 내용상 귀족 문학이고, 작가의 감정을 직서적으로 나타내지 않고 객관적으로 묘사한다는 점에서 교술시라 할 수 있다.

- 갈래: 경기체가
- 성격: 과시적, 풍류적, 향락적, 귀족적
- 표현
  ① 한자어를 우리말 운율에 맞춰 노래함
  ② 분연체로 전 8장으로 구성되어 있으며 각 장은 전대절과 후소절로 나뉨
  ③ 열거법, 영탄법, 설의법, 반복법 등이 사용됨
- 주제
  ① 귀족들의 사치, 향락, 퇴폐적인 기풍
  ② 신진 사대부들의 의욕적 기개

바로 확인문제

01 '경기체가'는 외부보다 내면에 치중하며, 귀족층의 생활상과 흥취를 노래한다. (○, ×)

02 후렴구 '景 긔 엇더ᄒ니잇고'는 신흥 사대부들이 자신들의 능력과 삶의 방식에 대한 자부심을 강조한 표현으로, □□□이 사용되었다.

03 제8장은 그네를 타는 즐거움과 귀족들의 풍류를 과시하며, 감각적이고 동적인 묘사가 돋보인다. (○, ×)

| 정답 | 01 ×(내면보다 외부에 치중한다.) 02 설의법 03 ○

06 악장

1 용비어천가(龍飛御天歌) | 정인지, 권제, 안지 등

[제1장]

해동(海東) 육룡(六龍)이 ᄂᆞᄅᆞ샤 일마다 천복(天福)이
시니.
　　'발해의 동쪽'이라는 뜻으로, 우리나라의 별칭임
　　하늘의 뜻을 받은 여섯 분. 즉,　조선의 건국
　　목조, 익조, 도조, 환조, 태조,
　　태종의 여섯 임금

고성(古聖)이 동부(同符)ᄒᆞ시니.
　　　　　　　서로 부합하여 차이가 없이 일치함
　　　　중국의 옛 훌륭한 임금[天子]을 가
▶ 제1장: 조선 건국의 정당성　리키는 말. 특별히 중국의 역대 건
　　　　　　　　　　　　　국자를 가리킴

우리나라의 여섯 용(임금)이 나시어, 하시는 일
마다 모두 하늘이 내리신 복이시니.

(이것은) 중국의 옛 성군(聖君)이 하신 일들과
꼭 맞으시니.

[제2장]

불휘 기픈 남ᄀᆞᆫ ᄇᆞᄅᆞ매 아니 뮐씨, 곳 됴코 여름 하ᄂᆞ니.
　　　　　　　　내우외환(內憂外患)
ᄉᆡ미 기픈 므른 ᄀᆞᄆᆞ래 아니 그츨씨, 내히 이러 바ᄅᆞ
래 가ᄂᆞ니.
　　기초가 튼튼하고 유서 깊은 나라를 의미

▶ 제2장: 조선 왕조의 무궁한 발전 염원

뿌리가 깊은 나무는 바람에 흔들리지 아니하
므로, 꽃이 좋고 열매가 많이 열리니.
샘이 깊은 물은 가뭄에 그치지 아니하므로,
내가 이루어져 바다에 가나니.

[제4장]
　　　　　북쪽 오랑캐. '북적'에 해당
적인(狄人)ㅅ 서리예 가샤 적인(狄人)이 ᄀᆞᆯ외어늘 기
　　　　　　여럿 있는 가운데의 그 사이　　덤비다. 적대하다, 침범하다
산(岐山) 올ᄆᆞ샴도 하ᄂᆞᆳ 뜨디시니.

야인(野人)ㅅ 서리예 가샤 야인(野人)이 ᄀᆞᆯ외어늘 덕
　　　　여진족
원(德源) 올ᄆᆞ샴도 하ᄂᆞᆳ 뜨디시니.

▶ 제4장: 조상 때부터 천명이 내림

(주나라 태왕 고공단보가) 북쪽 오랑캐들이
모여 사는 가운데에 가시어, (사실 때에) 오랑
캐들이 침범하므로 기산으로 옮기신 것도 하
늘의 뜻이시니.
(익조가) 여진족들이 모여 사는 가운데에 가
시어, (사실 때에) 여진족들이 침범하므로 덕
원으로 옮기신 것도 하늘의 뜻이시니.

[제125장]

천세(千世) 우희 미리 정(定)ᄒᆞ샨 한수(漢水) 북(北)에
　　　　　　　주체: 하늘
누인개국(累仁開國)ᄒᆞ샤 복년(卜年)이 ᄀᆞᆺ 업스시니.
어진 덕을 쌓아 나라를 여시어　　점차서 정한 왕조의 운수
성신(聖神)이 니ᅀᅳ샤도 경천근민(敬天勤民)ᄒᆞ샤ᅀᅡ,
　　성자신손(聖子神孫)의 준말. 위대한 후대 왕들을 지칭하는 말
더욱 구드시리이다.

님금하, 아ᄅᆞ쇼셔. 낙수(洛水)예 산행(山行) 가 이셔

하나빌 미드니잇가.

▶ 제125장: 후왕들에게 경천근민을 권계함

천 년 전에(먼 옛날에) 미리 정하신 한강의 북
쪽 땅(한양)에, (육조께서) 여러 대에 걸쳐 어
진 덕을 쌓아 나라를 여시어, 왕조의 운수가
끝없으시니.
성자신손(성군의 자손)이 대를 이으셔도 하늘
을 공경하고 백성을 다스리는 데에 힘쓰셔야,
나라가 더욱 굳건해질 것입니다.

후대 임금님이시여, (역사적 사실을) 아소서.
(하나라 태강왕이) 낙수에 사냥 가서 (백일이
되도록 돌아오지 않아, 결국 폐위를 당하였으
니, 태강왕은) 할아버지(우왕의 공덕)만을 믿
었던 것입니까?

■ 이해와 감상
이 노래는 조선 건국의 정당성과 후대 왕에 대한 권계의 내용을 담은 악장이다. 전체는 125장으로 구성되어
있으며, 주로 중국 역대 왕들과 육조의 사적을 비교하면서 조선 건국의 정당성을 밝히고 있고 후대 왕들에 대
한 교훈이나 당부를 전달하고 있다.
창작 동기는 다음과 같다.
① 조선 건국의 정당성과 합리성을 널리 밝히기 위해서
② 훈민정음의 문자로서의 가능성과 실용성을 시험해 보기 위해서
③ 후대 왕들을 훈계하기 위해서

- 갈래: 악장
- 성격: 송축적, 예찬적, 서사적, 설득적
- 표현
  ① 2절 4구체의 연장체 → 1절(전
  절)은 중국의 고사, 2절(후절)은
  조선 창업의 주역들에 대한 내용
  으로 대구가 이루어짐
  ② '우리말 노래(국문 가사) → 한역
  시 → 한문 주해(역사적 사실이나
  전설에 대해서)' 순서로 이루어짐
  ③ 전 10권 5책, 총 125장의 연장체
- 의의
  ① 한글로 쓰인 우리나라 최초의 문
  헌(한글이 반포되기 1년 전에 지
  은 것임)
  ② 15세기 국어의 표기법이나 옛말
  연구에 매우 귀중한 자료로서의
  가치
  ③ 「월인천강지곡」과 더불어 악장
  문학의 대표작이며, 역사 연구의
  보조 자료로서의 가치가 있음
- 주제: 조선 건국과 왕조 창업의 정
  당성

바로 확인문제

01 「용비어천가」는 조선 건국의 □□
　□을 널리 알려 민심을 수습하고 왕
　권을 공고히 하기 위해 창작되었다.

02 2절 4구의 형식에서 1절은 조선 왕
　조에 대한 내용, 2절은 중국의 고사
　로 대구가 이루어진다. (ㅇ, ×)

03 제125장은 후왕에 대한 권계의 내
　용으로, 경천근민을 강조하고 있다.
　　　　　　　　　　　　　(ㅇ, ×)

| 정답 | 01 정당성 02 ×(1절은 중
국의 고사, 2절은 조선 왕조에 대한 내
용이다.) 03 ㅇ

2 신도가(新都歌) | 정도전

「녜는 양쥬(楊州)ㅣ 고올히여 「 」:제목과 관련하여 창작 동기가 드러남   옛날에는 양주 고을이었도다.

디위예 신도형승(新都形勝)이샷다.
<u>새 도읍의 아름다운 경치</u>

긔국셩왕(開國聖王)이 셩딕(聖代)를 니르어샷다.」   경계에 새로운 도읍지로서의 빼어난 모습을 갖추었구나.
<u>태조의 성덕</u>   나라를 세우신 위대한 임금(태조)께서 태평성대를 이루어 놓으셨구나.

잣다온뎌 당금경(當今景) 잣다온뎌   도성답구나! 지금의 경치, 도성답구나!

셩슈만년(聖壽萬年)ㅎ샤 만민(萬民)의 함락(咸樂)이   임금께서 만수무강하시어 온 백성이 즐거움을 누리는구나.
샷다.

▶ 새 도읍의 아름다운 경치와 임금의 공덕 찬양

아으 다롱다리   (여음구)
<u>여음구, 고려 가요의 흔적</u>

알픈 한강슈(漢江水)여 뒤흔 삼각산(三角山)이여   앞에는 한강물이여, 뒤에는 삼각산이여.
<u>새 도읍의 지리적 조건(배산임수)</u>

덕듕(德重)ㅎ신 강산(江山) 즈으메 만셰(萬歲)를 누리   많은 덕을 쌓으신 이 강산에서 영원토록 사십시오.
<u>임금의 만수무강 기원</u>
쇼셔.

▶ 새 도읍의 지세 예찬 및 태조의 만수무강 기원

▌이해와 감상
이 노래는 새롭게 수도가 된 한양의 모습을 찬양하고 건국주인 태조의 만수무강을 기원한 악장이다. 즉, 조선이 개국하고 곧이어 송도에서 한양으로 천도하였는데, 이 새 도읍에 대한 환희와 희망을 노래한 것이며, 이를 통해 조선 건국의 정당성을 드러내려고 한 것으로 볼 수 있다. 형식적으로는 고려 가요와 비슷한 3음보로 되어 있다. 또한 여음구 '아으 다롱다리'를 중심으로 전대절(前大節)과 후소절(後小節)로 구분하는데, 전후절로 구분한 점은 경기체가와 비슷하며, 앞의 절은 길이가 길고 뒤의 절은 길이가 짧다. 표현 방법 및 후렴에서는 고려 가요의 형식을 취하였고 조선 초기의 시가에 흔히 쓰인 '―이샷다', '―이여', '―뎌', '―쇼셔' 등의 감탄형 어미를 사용하여 '속요체 악장'으로 분류되며, 조선 초 대표적인 송축가의 하나로 꼽힌다.

단권화 MEMO

• 갈래: 고려 가요체 악장
• 성격: 예찬적, 송축가
• 표현
  ① 8구체 비연시
  ② 악장체
  ③ 고려 가요의 3음보 율격과 후렴구 사용
• 주제
  ① 태조의 덕과 한양의 지세를 찬양하고, 태조의 만수무강을 기원함
  ② 한양 천도에 대한 환희와 송축

바로 확인문제

01 「신도가」에서 3음보와 여음구를 사용한 것은 □□ □□의 영향을 받은 것이다.

02 전대절에서 태조의 만수무강을 기원하고 후소절에서 태조의 공덕을 찬양하였다. (○, ×)

03 조선 왕조 창업 초기의 민심을 수습하고 건국의 정당성을 홍보하려는 목적의식이 뚜렷하다. (○, ×)

| 정답 | 01 고려 가요 02 ×(전대절에서 태조의 공덕을 찬양하고 후소절에서 태조의 만수무강을 기원한다.) 03 ○

단시조: 고려 시대의 시조

1 혼 손에 막디 잡고 ∼ | 우탁

<table>
<tr><td>

혼 손에 막디 잡고 쏘 혼 손에 가싀 쥐고,
 └─ 백발(늙음)을 막으려 함
늙는 길 가싀로 막고 오는 백발(白髮) 막디로 치려터니,
 └─ 추상적 관념인 '세월'을 구체화
<u>백발(白髮)이 제 몬져 알고 즈럼길로 오더라</u>
 └─ 백발(늙음)을 막지 못함

</td><td>

한 손에 막대를 잡고 또 한 손에는 가시를 쥐고,

늙는 길을 가시로 막고 오는 백발을 막대로
치려고 했더니,
백발이 제가 먼저 알고 지름길로 오더라.

</td></tr>
</table>

| 이해와 감상
늙음을 의인화하여 늙음을 가시와 막대로 막아 보겠다는 모습을 보임으로써 늙음을 한탄하고 있는 작품이다.

2 춘산(春山)에 눈 노기는 부람 ∼ | 우탁

<table>
<tr><td>

<u>춘산(春山)</u>에 눈 노기는 부람 건듯 불고 간 듸 업다.
 └─ '청춘'을 상징
겨근덧 비러다가 무리 우희 불니고져.
 └─ 다시 젊어지고 싶은 의욕
귀 밋틔 <u>희무근 셔리</u>를 녹여 볼가 ᄒ노라.
 └─ 백발

</td><td>

봄 산에 쌓인 눈을 녹이는 바람이 잠깐 불고
어디론지 간 곳 없다.
잠시 동안 (그 바람을) 빌려다가 머리 위에 불
게 하고 싶구나.
귀 밑에 여러 해 묵은 서리(백발)를 (다시 검은
머리가 되게) 녹여 볼까 하노라.

</td></tr>
</table>

| 이해와 감상
자신의 흰머리를 '서리'에 비유하여 늙음을 막고 싶다는 정서를 담은 작품이다.

3 오백 년 도읍지를 ∼ | 길재

<table>
<tr><td>

오백 년(五百年) 도읍지(都邑地)를 <u>필마(匹馬)</u>로 도라
 └─ 벼슬을 하지 않은 신세를 비유
드니,

산천(山川)은 의구(依舊)ᄒ되 인걸(人傑)은 간 듸 업다.

<u>어즈버,</u> <u>태평연월(太平烟月)</u>이 <u>쑴이런가</u> ᄒ노라.
 └─ 감탄사 └─ 고려의 전성기 └─ '무상감'의 비유적 표현

</td><td>

오백 년이나 이어 온 (고려의) 옛 도읍지를 한
필의 말로 돌아보니.

산과 물은 예전 그대로인데 당대의 훌륭한 인
재들은 간 데 없구나.
아아, (고려의) 태평했던 시절이 꿈처럼 허무
하구나.

</td></tr>
</table>

| 이해와 감상
이 작품은 고려의 옛 도읍지를 돌아보면서, 변함없는 산천과 달리 인간과 세상이 달라졌음을 노래함으로써
지난 왕조에 대한 회고와 무상함을 드러내고 있다.

단권화 MEMO

• 갈래: 평시조
• 성격: 탄로가
• 주제: 탄로(歎老: 늙음을 한탄함)

바로 확인문제

01 추상적 관념인 '세월'과 '늙음'을 각
 각 □과 □□로 구체화하였다.
02 화자는 인생무상의 서글픔을 여유
 롭게 받아들이는 달관의 자세를 보
 인다. (○, ×)

단권화 MEMO

• 갈래: 평시조
• 성격: 탄로가
• 주제: 탄로(歎老: 늙음을 한탄함)

바로 확인문제

03 '젊음'을 상징하는 '□□'과, '늙음'을
 상징하는 '□, □□'의 색채 대비가
 두드러진다.

단권화 MEMO

• 갈래: 평시조
• 성격: 회고적, 감상적
• 주제
 ① 망국의 한과 인생무상
 ② 고려 왕조에 대한 회고

바로 확인문제

04 화자는 고려 왕조에 대해 회고하나
 이미 망한 나라의 흥망을 물어 무엇
 하겠느냐며 현실에 충실해야 함을
 드러내고 있다. (○, ×)
05 감탄사 '□□□'는 시상을 전환하
 고 화자의 정서를 집약하는 기능을
 한다.

| 정답 | 01 길, 백발 02 ○ 03 춘
산, 눈, 서리(셔리) 04 ×(고려 왕조에
대해 회고하며 망국의 슬픔과 역사의
무상감을 느낀다.) 05 어즈버

4 흥망(興亡)이 유수(有數)하니 ~ | 원천석

흥망(興亡)이 유수(有數)하니 만월대(滿月臺)도 추초 (秋草)ㅣ로다. ▢ : 흥망성쇠의 무상함을 형상화

오백 년(五百年) 왕업(王業)이 목적(牧笛)에 부쳐시니,

석양(夕陽)에 지나는 객(客)이 눈물계워 ᄒ노라.
❶ 저무는 해(표면적 의미)   화자
❷ 고려의 멸망(이면적 의미)

흥하고 망함이 다 정해진 순서가 있으니, 만 월대도 가을 풀만 우거져 있다.

오백 년 왕업이 목동의 피리 소리에 담겨 있 으니,
석양에 지나는 객이 눈물겨워 하노라.

│이해와 감상
이 작품은 고려의 옛 궁궐터를 보면서 지난 왕조에 대한 회상과 슬픔의 정서를 담고 있는 시조이다. 특히 '추 초'와 '목적'이라는 시각적 심상과 청각적 심상을 활용하여 회고와 슬픔의 정서를 더욱 절실히 표현하고 있다.

5 백설(白雪)이 ᄌ자진 골에 ~ | 이색

백설(白雪)이 ᄌ자진 골에 구루미 머흐레라.
고려 유신   신흥세력
반가온 매화(梅花)는 어ᄂᆡ 곳에 픠엿는고.
      고려의 국운을 되살릴 우국지사
석양(夕陽)에 홀로 셔 이셔 갈 곳 몰라 ᄒ노라.
쇠퇴하는 고려의 국운   지식인의 고뇌와 안타까움

백설이 잦아진 골짜기에 구름이 험하구나.

(나를) 반겨 줄 매화는 어느 곳에 피어 있는 가?
석양에 홀로 서서 갈 곳을 몰라 하노라.

│이해와 감상
이 작품은 고려 왕조의 국운이 점점 쇠해 가는 모습에 대한 안타까움의 정서를 드러내고 있는 시조이다. 특히 구름으로 표현된 부정적 상황이나 간신들이 횡행하는 상황 속에서 '매화'로 표현된 충신이나 새로운 기운을 불러올 인재의 출현을 기대하고 있다. 그러나 정작 시적 화자는 이러한 상황 속에서 어찌해야 할지를 몰라서 방황하는 심정을 드러내고 있다.

6 구룸이 무심(無心)튼 말이 ~ | 이존오

┌ 구룸이 무심(無心)튼 말이 아마도 허랑(虛浪)ᄒ다.
│   간신들의 횡포 풍자
└ 중천(中天)에 ᄯᅥ 이셔 임의(任意)로 ᄃᆞ니면셔
                 신돈의 횡포
구ᄐᆡ야 광명(光明)ᄒ 날빗츨 ᄯᅡ라가며 덥ᄂᆞ니.
          인금의 총명

구름이 욕심 없다는 말이 아마도 허무맹랑 하다.
하늘 가운데 떠 있어 마음대로 다니면서

구태여 밝은 햇빛을 따라가며 덥는구나.

│이해와 감상
이 작품은 고려 말 어지러운 시대 상황에 대한 염려와 근심의 정서를 담고 있는 시조이다. 초장의 '구름'은 간 신 신돈을 가리키며, 종장의 '광명'은 임금님의 덕을 비유한 것으로, 시대를 혼란하게 하는 신돈의 횡포를 개 탄하고 있다.

단권화 MEMO

- 갈래: 평시조
- 성격: 회고적, 감상적
- 주제: 고려의 패망과 역사의 허무함 (망국의 한과 회고의 정)

바로 확인문제

01 '▢▢'는 흥망성쇠의 무성함을 시 각적으로, '▢▢'은 청각적으로 형 상화한 시어이다.

02 '객'은 주제를 효과적으로 드러내는 중의적 표현이다. (ㅇ, ×)

단권화 MEMO

- 갈래: 평시조
- 성격: 우국적, 우의적
- 주제: 기울어 가는 고려 왕조에 대 한 한탄과 우국충정

바로 확인문제

03 '▢▢'과 '매화'는 대조적인 의미의 시어이다.

04 화자는 고려 말의 혼란스러운 상황 을 안타까워하고 있다. (ㅇ, ×)

단권화 MEMO

- 갈래: 평시조
- 성격: 풍자적, 우의적
- 주제: '신돈'의 횡포 풍자

바로 확인문제

05 공명왕의 총명을 '광명ᄒ 날빗'에, 간신 신돈을 '구룸'에 빗대어 ▢▢ ▢으로 표현하였다.

│ 정답 │ 01 추초, 목적 02 ×('객'은 주관적 정서를 객관화하여 드러내는 표 현이다.) 03 구룸(구름) 04 ㅇ
05 우의적

1 말 업슨 청산(靑山)이오 ~ | 성혼

「말 업슨 청산(靑山)이오, 태(態) 업슨 유수(流水)ㅣ로다.
    (의인법)
갑 업슨 청풍(淸風)이오, 임자 업슨 명월(明月)이라.」
「」: 대구, 운율감 형성
이 중(中)에 병(病) 업슨 이 몸이 분별(分別) 업시 늙
                    (초월과 달관, 자연 속에서 살
으리라.   고 싶은 마음)

말이 없는 것은 청산이요, 모양이 없는 것은 흐르는 물이로다.
값이 없는 것은 맑은 바람이요, 주인이 없는 것은 밝은 달이로다.
이러한 가운데에, 병 없는 이 몸이 걱정 없이 늙으리라.

이해와 감상

이 작품은 자연과 하나가 되어 살고자 하는 정서를 담은 시조이다. 즉, 자연과 물아일체가 되어 세속을 멀리하고 유유자적하는 정서를 소박하게 드러내고 있다.

2 대쵸 볼 불근 골에 ~ | 황희

대쵸 볼 불근 골에 밤은 어이 뜻드르며,
'통통한 대추'를 의인화
벼 뷘 그르헤 게는 어이 느리는고,   ┐ 가을 농촌의 풍요로운
                                          ┘ 모습(선경)
술 닉쟈 체 쟝스 도라가니 아니 먹고 어이리. ─ 금상첨화의
                                            흥취(후정)

대추가 붉게 익은 골짜기에 밤이 어찌 (익어) 떨어지며,
벼를 벤 그루터기에 게는 어찌 내려와 기어다니는가?
술이 익자 체 장수가 (체를 팔고) 돌아가니 (술을) 먹지 않고 어찌하리.

이해와 감상

이 작품은 농촌에서 사는 삶의 모습을 유유자적하게 형상화하고 있는 시조이다. 초장, 중장은 늦가을 추수가 끝난 농촌의 풍경을 그려 내고, 종장은 작자의 풍류를 드러내고 있다.

3 추강(秋江)에 밤이 드니 ~ | 월산 대군

추강(秋江)에 밤이 드니 물결이 차노매라.
낚시 드리치니 고기 아니 무노매라.
무심(無心)흔 달빛만 싣고 빈 배 저어 오노라.
 욕심이 없는 자연   세속적 욕망을 버린 화자의 무욕의 심리

가을 강에 밤이 찾아오니 물결이 차구나.
낚시를 해도 고기가 물지 않는구나.
무심한(욕심이 없는) 달빛만 싣고 빈 배 저어 오노라.

이해와 감상

이 작품은 자연에서 즐기는 강호 한정의 정서를 형상화한 시조이다. 초장은 가을 달밤 강의 모습을 서경적으로 묘사하고 있고, 중장에서는 조용히 낚시를 즐기는 유유자적한 한가로움이 나타난다. 그리고 종장에서는 고기 대신 달빛만 빈 배에 싣고 돌아오는 풍류를 드러내고 있다.

4 두류산(頭流山) 양단수(兩端水)를 ～ | 조식

두류산(頭流山) 양단수(兩端水)를 녜 듯고 이제 보니,

도화(桃花) 쁜 묽은 물에 산영(山影)조초 잠겼셰라.

「아희야, 무릉(武陵)이 어디오, 나는 옌가 ᄒ노라.」
「 」: 문답법을 통해 화자의 감흥을 부각

지리산의 두 갈래로 흐르는 물을 옛날에 듣고
이제 와 보니.
복숭아꽃이 떠내려가는 맑은 물에 산그림자
까지 잠겨 있구나.
아이야. 무릉도원이 어디냐? 나는 여기인가
하노라.

이해와 감상
이 작품은 두류산 양단수의 절경과 함께 이상향에 대한 동경을 드러내고 있는 시조이다. 즉, 현실의 세계인 두류산을 '무릉'이라는 동양적 이상 세계로 인식하고 있으며, 이를 감각적 심상을 활용하여 생생하게 드러내고 있다.

단권화 MEMO

• 갈래: 평시조
• 성격: 한정가, 예찬적
• 주제: 지리산 양단수의 절경 예찬

바로 확인문제

01 자연에 귀의하여 유유자적한 삶을 누리는 사대부들의 자세가 잘 드러난다. (○, ×)
02 종장에서 설의법을 사용하여 주제를 표현하고 있다. (○, ×)

5 지당(池塘)에 비 쑤리고 ～ | 조헌

지당(池塘)에 비 쑤리고 양류(楊柳)에 닉 씨인 제,

사공(沙工)은 어듸 가고 [빈 빅]만 믜엿는고.
[   ]: 객관적 상관물

석양(夕陽)에 짝 일흔 [굴며기]는 오락가락 ᄒ노매.

연못에 비 뿌리고 버드나무에 안개 끼었는데.

사공은 어디 가고 빈 배만 매여 있는고?

석양에 짝 잃은 갈매기는 오락가락하는구나.

이해와 감상
이 작품은 봄날에 느끼는 애상감을 형상화하고 있는 시조이다. 전체적으로 서경적이면서도 '사공이 없는 배'나 '짝 잃은 갈매기'의 모습은 쓸쓸한 서정적인 분위기를 자아내고 있다.

단권화 MEMO

• 갈래: 평시조
• 성격: 애상적, 전원적
• 주제: 자연에서 느끼는 적막함과 고독

바로 확인문제

03 '□ □'는 외로운 분위기를 조성하는, '□□□'는 화자의 외로움의 정서를 심화하는 객관적 상관물이다.

6 짚방석(方席) 내지 마라 ～ | 한호

짚방석(方席) 내지 마라, 낙엽(落葉)엔들 못 안즈랴.

솔불 혀지 마라, 어제 진 둘 도다 온다.

아히야, 박주산채(薄酒山菜)ㄹ망졍 업다 말고 내여라.

짚으로 만든 방석을 내오지 마라, 낙엽엔들
못 앉겠느냐.
솔불도 켜지 마라, 어제 진 달이 다시 떠오르
고 있구나.
아이야, 막걸리와 산나물로 족하니 없다 말고
내어 오너라.

이해와 감상
이 작품은 자연에서 즐기는 풍류와 안빈낙도(安貧樂道)의 정서를 형상화하고 있는 시조이다. 특히 초장의 '짚방석'은 인위적인 물건으로 자연의 '낙엽'과 대조를 이루고 있으며, 초장과 대구를 이루고 있는 중장 역시 '솔불'은 인위적 소재이고 '달'은 자연적 소재로, 화자는 인위적 소재를 멀리하고 자연 친화적인 자세를 보이고 있다. 마지막 종장의 '막걸리와 산나물'은 초·중장의 '낙엽', '달'과 함께 속세를 벗어난 작자의 풍류를 보여 준다.

단권화 MEMO

• 갈래: 평시조
• 성격: 한정가, 풍류적, 전원적
• 주제: 산촌 생활에서의 안빈낙도

바로 확인문제

04 자연에서 즐기는 풍류와 □□□□의 태도가 드러나는 시조이다.
05 '짚방석'과 '솔불'. '박주산채'는 의미가 유사한 시어이다. (○, ×)

| 정답 | 01 ○ 02 ×(설의법 → 문답법) 03 빈 빅, 굴며기 04 안빈낙도 05 ×('짚방석, 솔불'은 인위적인 소재이고, '박주산채'는 자연 친화적 소재로 둘과 대조적인 시어이다.)

7 ᄆᆞᆷ이 어린 후(後) l 니 ~ | 서경덕

ᄆᆞᆷ이 어린 후(後) l 니 ᄒᆞᄂᆞᆫ 일이 다 어리다. ─ 일반적 진술

만중운산(萬重雲山)에 어ᄂᆞ 님 오리마ᄂᆞᆫ ┐
임과의 만남의 장애물, 과장법

지ᄂᆞᆫ 닙 부ᄂᆞᆫ ᄇᆞ람에 ᄒᆡᆼ여 귄가 ᄒᆞ노라. ─ 구체적 진술 (이유 제시)
착각을 유발하는 소재

연역적 방식으로 시상 전개

마음이 어리석으니 하는 일이 모두 어리석구나.
구름이 겹겹이 쌓여 험난한 이 산중으로 어찌 임이 나를 찾아오겠느냐마는,
떨어지는 나뭇잎 소리와 바람부는 소리에 혹시 임이 오는 소리가 아닌가 하노라.

┃ 이해와 감상
이 작품은 임을 기다리는 심정을 그리고 있는 시조이다. 서경덕이 황진이를 그리워하며 지은 시조로 알려져 있다. 초장에서는 어리석은 자신을 고백하며 후회하고 있고, 종장에서는 임에게로 향한 그리움 때문에 낙엽 소리와 바람 소리를 임의 발소리로 착각하는 모습을 보이고 있다. 이는 화자의 애틋하고 간절한 마음을 드러낸 것이라고 할 수 있다.

01 일반적 진술로부터 구체적 진술을 이끌어 내는 귀납적 방식으로 시상을 전개하고 있다. (○, ×)

02 '□□□□'은 화자와 임의 만남을 방해하는 장애물로, 과장법이 사용되었다.

8 묏버들 갈히 것거 ~ | 홍랑

┌ 도치법
묏버들 갈히 것거 보내노라 님의손ᄃᆡ,
❶ 화자의 분신 ❷ 화자의 사랑을 전하는 매개체

자시ᄂᆞᆫ 창(窓) 밧긔 심거 두고 보쇼셔.

밤비예 새닙곳 나거든 날인가도 너기쇼셔.
자신을 잊지 말라는 화자의 간절한 당부

산버들을 골라 꺾어 보내노라, 임에게.

주무시는 (방의) 창문 밖에 심어 두고 보소서.

밤비에 새 잎이라도 나거든 나를 본 것처럼 여겨 주소서.

┃ 이해와 감상
이 작품은 이별의 아쉬움과 임에 대한 간절한 사랑을 드러내고 있는 시조이다. 시적 화자는 이별의 상황에서 묏버들 가지를 꺾어서 임에게 보내는데, 이때 묏버들은 시적 화자의 분신이며 임과 나를 연결해 주는 매개체로서의 의미를 담고 있다고 볼 수 있다.

03 '□□□'은 화자의 심경을 말해 주는 대상이면서 임을 그리워하는 화자의 분신이다.

04 표현 효과를 높이기 위해 점층법을 사용하였다. (○, ×)

9 동지(冬至)ㅅ ᄃᆞᆯ 기나긴 밤을 ~ | 황진이

동지(冬至)ㅅ ᄃᆞᆯ 기나긴 밤을 한 허리를 버혀 내여,
부정적 시간(임의 부재)

춘풍(春風) 니불 아릭 서리서리 너헛다가,
┌ 대조

어론 님 오신 날 밤이여든 구뷔구뷔 펴리라.
긍정적 시간(임과 함께 함)   □□: 우리말의 묘미를 살린 의태어

동짓달 기나긴 밤의 한가운데를 잘라 내어,

봄바람 같은 이불 아래 서리서리 넣었다가,

고운 임 오신 밤이 되거든 굽이굽이 펴리라.

┃ 이해와 감상
이 작품은 황진이가 지은 시조로서 임에 대한 사랑과 그리움의 정서를 드러내고 있다. 특히 추상적인 시간을 물리적인 대상처럼 표현한 점과 '서리서리, 구뷔구뷔' 등의 의태어를 사용한 점이 특징적이다.

05 추상적 개념인 '시간'을 구체적으로 형상화한 발상이 특징적이다. (○, ×)

06 '□□□□', '□□□□'와 같은 우리말 의태어를 절묘하게 구사하고 있다.

10 청산리(靑山裏) 벽계수(碧溪水) l 야 ~ | 황진이

청산리(靑山裏) 벽계수(碧溪水) ㅣ야 수이 감을 자랑 마라. (벽계수(碧溪水) — 중의적 표현: ❶ 푸른 시냇물 ❷ 시적 대상의 이름)	청산에 흐르는 푸른 시냇물아, 빨리 흘러간다고 자랑하지 마라.
일도 창해(一到滄海)ᄒᆞ면 도라오기 어려오니,	한번 넓은 바다에 이르고 나면 다시 돌아오기 어려우니,
명월(明月)이 만공산(滿空山)ᄒᆞ니 수여 간들 엇더리. (명월(明月) — 중의적 표현: ❶ 밝은 달 ❷ 시적 화자의 이름)	밝은 달이 빈 산에 가득히 찼을 때 쉬어가면 어떠하리.

| 이해와 감상

이 작품은 황진이의 시조로서 겉으로는 인생의 덧없음을 드러내고 있는 것으로 볼 수 있다. 그러나 '벽계수'가 흐르는 물과 왕족인 벽계수(碧溪水)를, '명월'이 달과 황진이 자신을 동시에 의미한다고 보면, 풍류나 향락에 대한 권유의 의미를 지닌다고 볼 수도 있다.

단권화 MEMO

- 갈래: 평시조
- 성격: 감상적, 낭만적, 중의적
- 주제: 인생의 덧없음과 향락의 권유

바로 확인문제

01 비유적 표현을 활용하여 덧없는 인생을 즐기자고 권유하고 있다. (○, ×)

02 당대 사대부들의 관념적 자연관과 다른 독창적 자연관으로 솔직한 감정을 표현하고 있다. (○, ×)

11 삼동(三冬)에 뵈옷 닙고 ~ | 조식

삼동(三冬)에 뵈옷 닙고 암혈(巖穴)에 눈비 마자	한겨울에 베옷을 입고, 바위 굴에서 눈비를 맞고 있으며 (벼슬한 적 없이 산중에 은거하면서)
구름 낀 볏뉘도 쐰 적이 업건마ᄂᆞᆫ,	구름 사이로 비치는 햇살도 쬔 적이 없지만 (임금으로부터 작은 은혜도 입은 바 없지만)
서산(西山)에 ᄒᆡ지다 ᄒᆞ니 눈물겨워 ᄒᆞ노라.	서산에 해가 졌다는 소식을 들으니 눈물이 나는구나. (임금께서 승하하셨다 하니 눈물이 나는구나.)

| 이해와 감상

이 작품은 군신유의(君臣有義)의 유교 이념을 상징과 비유의 표현 방법을 사용하여 드러내고 있는 시조이다. 초장은 벼슬하지 않고 청빈낙도의 생활을 하는 모습을 나타내고 있으며, 중장은 임금의 작은 은혜조차 받은 적이 없다는 내용을 드러내고 있고, 종장에서는 임금의 승하를 '서산에 해가 지다'라는 말로 은유적으로 표현하면서 비록 벼슬을 하지는 못했지만 임금의 죽음에 대한 슬픔을 드러내고 있다.

단권화 MEMO

- 갈래: 평시조
- 성격: 유교적, 연군적
- 주제: 임금의 승하에 대한 애도

바로 확인문제

03 상징과 비유를 적절하게 사용하여 오륜 중 '군위신강'의 정신을 드러내고 있다. (○, ×)

12 풍상(風霜)이 섯거 친 날에 ~ | 송순

풍상(風霜)이 섯거 친 날에 ᄀᆞᆺ 픠온 황국화(黃菊花)를 (풍상(風霜) — 시련 / 황국화(黃菊花) — 지조와 절개를 지키는 신하)	바람 불고 서리가 내린 날에 갓 피어난 노란 국화꽃을
금분(金盆)에 ᄀᆞ득 담아 옥당(玉堂)에 보ᄂᆡ오니,	(명종 임금께서) 좋은 화분에 담아 홍문관에 보내 주시니,
도리(桃李)야, 곳이온 양 마라, 님의 ᄠᅳᆺ을 알괘라. (도리(桃李) — 쉽게 변절하는 신하)	복숭아꽃과 자두꽃은 너 꽃인 체도 하지 마라, 국화를 보내신 임금의 뜻을 알겠구나.

| 이해와 감상

이 작품은 임금에 대한 변함없는 절개와 충성의 정서를 드러내고 있는 시조이다. 즉, 절개를 상징하는 '국화'와 금방 지고 마는 꽃인 '복숭아꽃과 자두꽃'을 대조하여 임금에 대한 절개와 충성에 대한 의지를 드러내고 있다.

단권화 MEMO

- 갈래: 평시조
- 성격: 의지적, 유교적
- 주제: 임금에 대한 변함없는 절개를 맹세함

바로 확인문제

04 '□□□'는 역경 속에서도 절개를 지키는 충신을, '□□'는 지조가 없는 변절자를 의미한다.

| 정답 | 01 ×(비유적 → 중의적) 02 ○ 03 ×(군위신강 → 군신유의, 군위신강은 '삼강' 중 하나이다.) 04 황국화, 도리

13 천만 리(千萬里) 머나먼 길히 ~ | 왕방연

바로 확인문제

01 '천만 리'는 '고은 님'과 화자 사이의
   물리적 거리감을 의미한다. (ㅇ, ×)

02 '믈'은 화자가 자신과 동일시하여
   괴로운 심정을 느끼는 듯이 표현한
   □□ □□의 대상이다.

천만 리(千萬里) 머나먼 길히 고은 님 여희웁고
정서적 거리감, 슬픔의 깊이

ᄂᆡ ᄆᆞ음 둘 ᄃᆡ 업서 냇ᄀᆞ의 안쟈시니,
충절과 연군의 정

져 믈도 ᄂᆡ 안 ᄀᆞᆺᄒᆞ여 우러 밤길 녜놋다.
감정 이입의 대상   의인법   └ 화자의 암담한 심경

천만 리 머나먼 곳에서 고운 임을 이별하고
돌아와
나의 (슬픈) 마음을 둘 데가 없어서 냇가에 앉
았더니
(흘러가는) 저 시냇물도 내 마음 같아서 울면
서 밤길을 흘러가는구나.

▋이해와 감상

이 작품은 어린 임금을 두고 오는 비통한 심정을 드러내고 있는 시조이다. '고운 임'은 어린 단종을 가리키며,
'물'은 작자의 감정이 이입된 객관적 상관물로서 시적 화자의 절실한 감정을 생생히 드러내고 있다.

1 훈민가(訓民歌) | 정철

[제3수]

형아 아이야 네 술흘 몬져 보와.

뉘손듸 타나관듸 양직조차 フ트순다.

호 졋 먹고 길러나이셔 닷 무 음을 먹디 마라.
　　　　　　　　　　　　단정적 표현 → 실천 강조

▶ 제3수: 형우제공(兄友弟恭) – 형제간의 우애를 강조함

형아, 아우야. 네 살을 만져 보아라.

누구에게서 태어났길래 모습조차 같은 것인가?

같은 젖을 먹고 자랐으니 딴 마음을 먹지 마라.

[제4수]

어버이 사라신 제 셤길 일란 다ᄒᆞ여라.
　　　　　　　　　단정적 표현 → 실천 강조
디나간 후면 애둛다 엇디ᄒᆞ리.
풍수지탄
평싱(平生)애 고텨 못홀 일이 이뿐인가 ᄒᆞ노라.

▶ 제4수: 자효(子孝) – 부모님에 대한 효도를 권유함

어버이 살아 계실 때 섬기는 일일랑 다하여라.

돌아가신 후면 애달파한들 어찌하리.

평생에 다시 못 할 일이 이뿐인가 하노라.

[제10수]

늠으로 삼긴 듕의 벗ᄀᆞ티 유신(有信)ᄒᆞ랴.

내의 왼 이를 다 닐오려 ᄒᆞ노매라.

이 몸이 벗님곳 아니면 사름 되미 쉬올가.

▶ 제10수: 붕우유신(朋友有信) – 벗과의 바른 관계(나의 잘못을 바로잡아 줌)를 강조함

남(타인)으로 태어난 중에 벗처럼 믿음이 있는 이 있으랴.

나의 잘못된 일을 다 말하려(충고하려) 하는구나.

이 몸이 벗이 아니었다면 사람 되기 쉬울 것인가?

[제13수]

오늘도 다 새거다, 호ᄆᆡ 메고 가쟈ᄉᆞ라.
　　　　　　　　　　청유형 표현 → 실천 권유
내 논 다 믜여든 네 논 졈 믜여 주마.
상부상조
올 길헤 뽕 ᄯᅡ다가 누에 머겨 보쟈ᄉᆞ라.
　　　　　　　　　　청유형 표현 → 실천 권유
▶ 제13수: 무타농상(無惰農桑) – 농사일에 근면과 상부상조를 권함

오늘도 날이 밝았다. 호미 메고 가자꾸나.

내 논 다 매거든 네 논도 좀 매어 주마.

오는 길에 뽕 따다가 누에 먹여 보자꾸나.

[제14수]

비록 못 니버도 ᄂᆞ믜 오슬 앗디 마라.
　　　　　　　　　단정적 표현 → 실천 강조
비록 못 먹어도 ᄂᆞ믜 밥을 비디 마라.
　　　　　　　　　단정적 표현 → 실천 강조
호 적곳 ᄯᅢ 시른 휘면 고텨 씻기 어려우리.

▶ 제14수: 무작도적(無作盜賊) – 남의 물건을 탐내지 말 것을 강조함

비록 못 입어도 남의 옷을 빼앗지 마라.

비록 못 먹어도 남의 밥을 빌어먹지 마라.

한 번이라도 때가 묻은 후면 다시 씻기 어려우리.

- 갈래: 평시조, 연시조(전16수)
- 성격: 계몽적, 교훈적, 설득적, 유교적
- 특징
  ① 평이하고 정감 있는 어휘를 사용하여 내용을 효과적으로 전달
  ② 순우리말을 사용하여 이해하기 쉬움
  ③ 청유 어법을 활용하여 설득력을 높임
  ④ 연시조의 형태를 취하고 있으나 각 수가 독립되어 있음
  ⑤ '경민가(警民歌)', '권민가(勸民歌)'로 불리기도 하는 일종의 목적 문학
- 주제: 유교 윤리의 실천 권장

[제15수]

쌍륙 장기(雙六將碁) ㅎ지 마라. 송사(訟事) 글월 ㅎ
단정적 표현 → 실천 강조
지 마라.
단정적 표현 → 실천 강조

집 빈야 무슴 ㅎ며 남의 원수(怨讐) 될 줄 엇지

나라히 법(法)을 세오사 죄 잇는 줄 모르는다.

▶ 제15수: 무학도박(無學賭博), 무호쟁송(無好爭訟) - 도박과 송사를
금함

쌍륙 장기 하지 마라. 송사 글을 올리지 마라.

집을 망쳐 무엇할 것이며 남의 원수 될 줄 어
찌 알겠는가?
나라가 법을 만들었는데 죄 있는 줄 모르느냐?

[제16수]

이고 진 뎌 늘그니 짐 프러 나를 주오.

나는 졈엇써니 돌히라 므거울가.

늘거도 셜웨라커든 지믈조차 지실가.

▶ 제16수: 반백자불부대(班白者不負戴) - 노인에 대한 공경의 마음
(경로사상)을 강조함

(짐을 머리에) 이고 (등에) 진 저 노인이여, 짐
풀어 나를 주오.
나는 젊었으니 돌인들 무거울까?

늙기도 서러운데 짐까지 지실까?

01 「훈민가」는 백성들을 계몽하고 □
□□으로 교화하기 위해 지은 작품
이다.

02 「훈민가」는 풍부한 문학적 상상력
을 바탕으로 하여 문학성이 돋보이
는 작품이다. (○, ×)

03 유교 윤리의 가르침 관련 내용일 때
에는 청유형 어미를, 도우며 살아가
는 미덕 관련 내용일 때에는 명령형
어미를 사용하여 전달 효과를 극대
화한다. (○, ×)

이해와 감상

이 작품은 유교적 가치와 도덕의 실천을 강조하고 권유하는 연시조이다. 「훈민가」라는 제목 자체가 강한 교훈
성을 담고 있음을 보여 주지만, 이 작품은 강한 설득력을 지녔을 것으로 평가된다. 왜냐하면 지배층이 피지배
층에게 일방적으로 교훈을 전달하는 방식을 사용하고 있는 것이 아니라 농촌 공동체의 일원이 또 다른 농촌
공동체의 일원에게 말하는 방식을 사용하고 있기 때문이다. 또한 일상어를 대폭 활용한 점도 설득력을 높이
는 요인이 되고 있다.

• 갈래: 평시조, 연시조(전 12수)
• 성격: 교훈적, 회고적
• 특징
  ① 도학자의 자연 관조적 자세와 학
  문 정진에 대한 의지가 잘 나타남
  ② 어려운 한자어가 많이 사용되었
  으며, 반복법, 설의법, 대구법 등
  을 통해 주제를 부각함
• 주제
  ① 前(1~6) - 언지(言志): 자연에
  대한 감흥
  ② 後(7~12) - 언학(言學): 학문
  수양의 자세

2 도산십이곡(陶山十二曲) | 이황

[제1곡: 언지(言志) 1]

이런들 엇더ㅎ며 뎌런들 엇더ㅎ료.
달관적 태도
초야우생(草野愚生)이 이러타 엇더ㅎ료.

ㅎ믈며 천석고황(泉石膏肓)을 고텨 므슴ㅎ료.
= 연하고질
▶ 제1곡: 자연에 살고 싶은 마음

이런들 어떠하며 저런들 어떠하겠는가?

시골에 묻혀 사는 어리석은 사람이 이렇게 산
들 어떠하겠는가?
하물며 자연을 사랑하는 병을 고쳐 무엇 하겠
는가?

[제2곡: 언지(言志) 2]

연하(煙霞)로 지블 삼고 풍월(風月)로 버들 사마

태평성대(太平聖代)에 병(病)으로 늘거가뇌.

이 듕에 ㅂ라는 이른 허므리나 업고쟈.

▶ 제2곡: 허물 없는 삶의 추구

안개와 노을을 집으로 삼고 바람과 달을 친구
로 삼아
태평성대에 병으로 늙어 가는구나.

이 중에 바라는 일은 허물이나 없었으면 하는
것이구나.

[제3곡: 언지(言志) 3]

　순풍(淳風)이 죽다ᄒᆞ니 진실(眞實)로 거즈마리

　인성(人性)이 어지다ᄒᆞ니 진실(眞實)로 올ᄒᆞᆫ마리

　천하(天下)애 허다영재(許多英才)를 소겨 말ᄉᆞᆷ홀가.

▶ 제3곡: 순박한 풍습과 어진 인성

순수한 풍습이 줄어 없어졌다고 하니 이것은 참으로 거짓이다.
인간의 성품은 본디부터 어질다고 하니 참으로 옳은 말이다.
(그러므로 착한 성품으로 순수한 풍습을 이룰 수 있는 것을 그렇지 않다고) 많은 슬기로운 사람(영재)을 속여서 말할 수 있을까?

[제4곡: 언지(言志) 4]

　유란(幽蘭)이 재곡(在谷)ᄒᆞ니 자연(自然)이 듯디됴해

　백운(白雲)이 재산(在山)ᄒᆞ니 자연(自然)이 보디됴해

　이듕에 피미일인(彼美一人)을 더옥 닛디 몯ᄒᆞ얘.

▶ 제4곡: 연군

그윽한 난초가 골짜기에 피어 있으니 자연이 듣기 좋아
흰 구름이 산에 가득하니 자연이 보기 좋아

이 중에 저 아름다운 한 사람을 더욱 잊지 못하네.

[제5곡: 언지(言志) 5]

　산전(山前)에 유대(有臺)ᄒᆞ고 대하(臺下)애 유수(有水)ㅣ로다.

　떼 만ᄒᆞᆫ 골며기는 오명가명 ᄒᆞ거든

　엇다다 교교백구(皎皎白駒)는 머리 ᄆᆞᄉᆞᆷ ᄒᆞ논고.
　　　　인재

▶ 제5곡: 자연을 등지고 있는 현실 개탄

산 앞에 높은 대가 있고, 대 아래에 물이 흐르는구나.

갈매기는 떼를 지어 오락가락 하는데

어찌하여 희고 깨끗한 말은 나로부터 멀리 마음을 두는고.

[제6곡: 언지(言志) 6]

　춘풍(春風)에 화만산(花滿山)ᄒᆞ고 추야(秋夜)애 만월대(滿月臺)라.

　사시가흥(四時佳興)ㅣ 사ᄅᆞᆷ과 ᄒᆞᆫ가지라.

　ᄒᆞᄆᆞᆯ며 어약연비(漁躍鳶飛) 운영천광(雲影天光)이아 어늬 그지 이슬고.

▶ 제6곡: 영원히 아름다운 자연

봄바람이 부니 산에 꽃이 만발하고 가을밤이 되니 달빛이 누대에 가득하구나.

사계절의 아름다운 흥취가 사람과 마찬가지로다.
하물며 물고기가 뛰고 솔개가 날며, 구름이 그늘을 짓고 태양이 빛나는 이러한 자연의 아름다움이 어찌 다함이 있겠는가?

[제7곡: 언학(言學) 1]

　천운대(天雲臺) 도라드러 완락재 소쇄(瀟灑)ᄒᆞ듸

　만권생애(萬卷生涯)로 낙사(樂事)ㅣ 무궁(無窮)ᄒᆞ얘라.

　이 듕에 왕래풍류(往來風流)를 닐어 므슴 홀고.

▶ 제7곡: 학문하는 즐거움

천운대를 돌아 들어간 곳에 있는 완락재는 깨끗한 곳이니.
거기에서 많은 책에 묻혀 사는 즐거움이 무궁하구나.
이런 가운데 이따금 바깥을 거니는 재미를 말해 무엇 하겠는가?

[제8곡: 언학(言學) 2]

  뇌정(雷霆)이 파산(破山)ᄒ야도 농자(聾者)는 몯 듯ᄂ니

  백일(白日)이 중천(中天)ᄒ야도 고자(瞽者)는 몯 보ᄂ니

  우리는 이목총명남자(耳目聰明男子)로 농고(聾瞽) ᄀ디 마로리.

▶ 제8곡: 학문 수양의 중요성

우레 소리가 산을 깨뜨릴 듯이 심하게 울어도 귀머거리는 못 듣네.
밝은 해가 하늘 높이 올라도 눈먼 사람은 보지 못하네.
우리는 귀와 눈이 밝은 남자로서 귀머거리나 장님은 되지 말아라.

[제9곡: 언학(言學) 3]

  고인(古人)도 날 몯 보고 나도 고인(古人) 몯 뵈.

  고인(古人)을 몯 봐도 녀던 길 알ᄑ 잇ᄂ.

  녀던 길 알ᄑ 잇거든 아니 녀고 엇뎔고.

_{학문 수양의 길}

▶ 제9곡: 성현들의 삶을 따르려는 의지

성현도 날 못 보고 나 또한 성현을 뵙지 못하네.
성현을 못 뵈어도 그분들이 가던 길이 앞에 있네.
가던 길이 앞에 있는데 아니 가고 어찌할 것인가?

[제10곡: 언학(言學) 4]

  「당시(當時)예 녀던 길흘 몃 ᄒ를 ᄇ려 두고,

「 」: 긴 세월 동안 벼슬길에서 바쁘게 살아온 자신의 과거를 회상함

  어듸 가 ᄃ니다가 이제아 도라온고.」

_{벼슬길}

  이제아 도라오나니 년 ᄃ ᄆ음 마로리.

_{벼슬길}

▶ 제10곡: 벼슬을 버리고 학문에 정진함

당시에 가던 길(학문 수양에 힘쓰던 길)을 몇 해 동안 버려 두고,
어디 가 다니다가(벼슬길을 헤매다가) 이제야 돌아왔는가?
이제 돌아왔으니 다른 데 마음 두지 않으리라.

[제11곡: 언학(言學) 5]

  청산(靑山)은 엇뎨ᄒ야 만고(萬古)애 프르르며,

_{청산의 불변성 예찬}

  유수(流水)ᄂ 엇뎨ᄒ야 주야(晝夜)애 긋디 아니ᄂ고.

_{유수의 영원성 예찬}

  우리도 그치디 말아 만고상청(萬古常靑)호리라.

_{변함없는 학문 수양의 태도}

대구법

▶ 제11곡: 학문 수양의 의지

푸른 산은 어찌하여 오랫동안 푸르며,
흐르는 물은 어찌하여 밤낮으로 그치지 아니하는가?
우리도 그치지 말아 영원히 푸르리라.

[제12곡: 언학(言學) 6]

  우부(愚夫)도 알며 ᄒ거니 긔 아니 쉬운가

  성인(聖人)도 못다 ᄒ시니 긔 아니 어려운가

  쉽거나 어렵거낫둥에 늙ᄂ 주를 몰래라.

▶ 제12곡: 영원한 학문 수행의 길

어리석은 자도 알아서 행하니 (학문의 길이) 그 얼마나 쉬운가.
(그러나) 성인도 다하지 못하시니 그것이 얼마나 어려운가.
쉬운 어렵든 간에 (학문을 닦는 생활 속에) 늙는 줄을 모르겠다.

┃이해와 감상

이 작품은 자연과 하나가 되는 삶과 학문 정진에 대한 의지를 드러내고 있는 연시조이다. 전체 12수로 이루어져 있으며 크게 두 부분으로 나누어진다. 자연에 접하여 일어나는 감흥을 읊은 전 6곡은 '언지(言志)'이고, 학문과 수양의 자세를 노래한 후 6곡은 '언학(言學)'이다.

3 고산구곡가(高山九曲歌) | 이이

[서곡]

고산구곡담(高山九曲潭)을 살름이 몰으든이,

주모복거(誅茅卜居)ᄒ니 벗님네 다 오신다.

어즙어, 무이(武夷)를 상상(想像)ᄒ고 학주자(學朱子)를 ᄒ리라.

고산의 아홉 굽이 계곡의 아름다움을 세상 사람들이 모르더니
내가 풀을 베고 터를 닦아 집을 짓고 사니 (그때야) 벗들이 찾아오는구나.
아, 무이산을 생각하고 주자를 배우리라.

▶ 서사: 고산에 정사를 짓고 주자학을 배우고자 하는 열의

[제1곡] 「　」: 매 곡마다 '~곡은 어디미고, ~다'를 반복 → 형식적 통일성 유지

「일곡(一曲)은 어디미고 관암(冠巖)에 ᄒᆡ 빗췬다.」
　　　　　갓바위(공간적 배경) 시간적 배경 → 아침
평무(平蕪)에 ᄂᆡ 거든이 원근(遠近)이 글림이로다.

송간(松間)에 녹준(綠樽)을 녹코 벗 온 양 보노라.

일곡은 어디인가? 갓바위(갓머리처럼 우뚝 솟은 바위)에 아침 해가 비쳤도다.
잡초 무성한 들판에 안개가 걷히니, 먼 곳 가까운 곳이 그림 같구나.
소나무 숲속에 술동이를 놓고 벗이 찾아온 것처럼 바라보노라.

▶ 제1곡: 관암의 아침 경치

[제2곡]

이곡(二曲)은 어드미고 화암(花巖)에 춘만(春滿)커다.
　　　　　꽃바위(공간적 배경) 늦봄(계절적 배경)
벽파(碧波)에 곳츨 ᄯᅴ워 야외(野外)에 보내노라.

살름이 승지(勝地)를 몰온이 알게 ᄒᆞᆫ들 엇더리.

이곡은 어디인가? 화암의 늦봄 경치로다.

푸른 물결에 꽃을 띄워 들판으로 보내노라.

사람들이 명승지를 모르니 알게 한들 어떠리.

▶ 제2곡: 화암의 늦봄 경치

[제3곡]

삼곡(三曲)은 어디메오 취병(翠屏)에 잎 퍼졌다.
　　　　　여름(계절적 배경)
녹수(綠樹)에 춘조(春鳥)는 하상기음(下上其音)ᄒ는데

반송(盤松)이 바람을 받으니 여름 경(景)이 없세라.

삼곡은 어디인가? (푸른 병풍을 둘러친 듯한 절벽인) 취병에 녹음이 짙어졌도다.
푸른 숲속에서 산새들은 높으락 낮추락 노래를 부르는 때에
작고 가로퍼진 소나무가 맑은 바람에 흔들리고 있으니 여름 같지 않게 시원스럽구나.

▶ 제3곡: 취병의 시원한 여름 경치

[제4곡]

사곡(四曲)은 어디메오 송애(松崖)에 해 넘는다.
　　　　　저녁(시간적 배경)
담심암영(潭心巖影)은 온갖 빛이 잠겼세라.

임천(林泉)이 깊도록 좋으니 흥을 겨워 하노라.

사곡은 어디인가? 소나무가 선 물가의 낭떠러지인 송애에 해가 진다.
깊은 물 한가운데에 비친 바위 그림자는 온갖 빛과 함께 잠겨 있구나.
숲속의 샘물은 깊을수록 좋으니 흥을 이기지 못하겠구나.

▶ 제4곡: 송애의 황혼 무렵 경치

[제5곡]

오곡(五曲)은 어디메오 은병(隱屏)이 보기 좋의.

수변정사(水邊精舍)는 소쇄(瀟灑)함도 가이없다.

이 중에 강학(講學)도 하려니와 영월음풍(詠月吟風)하오리라.

오곡은 어디인가? (으슥한 절벽 같은) 은병이 보기도 좋구나.
물가에 지어 놓은 정사는 맑고 깨끗하기가 더할 나위 없구나.
이 중에 글도 가르치고 연구하려니와 시를 짓고 읊으면서 풍류도 즐기리라.

▶ 제5곡: 수변정사에서의 강학과 영월음풍

[제6곡]

육곡(六曲)은 어디메오 조협(釣峽)에 물이 넓다.

나와 고기와 뉘야 더욱 즐기는고.

황혼(黃昏)에 낚대를 메고 대월귀(帶月歸)를 하노라.

▶ 제6곡: 조협의 야경

육곡은 어디인가? 낚시질하기에 좋은 골짜기에 물이 많이 고여 있구나.
나와 고기와 어느 쪽이 더 즐기는가?

해가 저물거든 낚싯대를 메고 달빛을 받으면서 집으로 돌아가리라.

[제7곡]

칠곡(七曲)은 어디메오 풍암(楓巖)에 추색(秋色) 좋다.
　　　　　　　　　　　　　　　　　가을(계절적 배경)

청상(淸霜)이 엷게 치니 절벽(絕壁)이 금수(錦繡)] 로다.

한암(寒巖)에 혼자 앉아 집을 잊고 있노라.

▶ 제7곡: 단풍으로 덮인 풍암에서의 흥취

칠곡은 어디인가? 단풍으로 둘러싸인 바위에 가을빛이 좋구나.
맑은 서리가 엷게 내리니 단풍에 둘러싸인 바위가 비단처럼 아름답구나.
차가운 바위에 혼자 앉아 집(속세)의 일을 잊어버리고 있도다.

[제8곡]

팔곡(八曲)은 어드믹고 금탄(琴灘)에 들이 붉다.
　　　　　　　　　　　　　　　　밤(시간적 배경)

옥진금휘(玉軫金徽)로 수삼곡(數三曲)을 노론 말이,

고조(古調)를 알리 업쓴이 혼자 즑여 ᄒ노라.

▶ 제8곡: 금탄의 흥거운 물소리

팔곡은 어디인가? 악기를 연주하며 흐르는 시냇가에 달이 밝구나.
아주 좋은 거문고로 몇 곡조를 연주했지만

옛 가락을 알 사람이 없으니 혼자 즐기노라.

[제9곡]

구곡(九曲)은 어드믹고 문산(文山)에 세모(歲慕)커다.

기암괴석(奇巖怪石)이 눈 쏙에 뭇쳤셰라.
　　　　　　　　　　　겨울(계절적 배경)

유인(遊人)은 오지 안이ᄒ고 볼 껏 업다 ᄒ드라.

▶ 제9곡: 문산의 아름다움과 세속의 경박함

구곡은 어디인가? 문산에 한 해가 저무는구나.
기이하게 생긴 바위와 돌인 기암괴석이 눈 속에 묻혀 버렸구나.
놀러 다니는 사람은 오지 아니하고 볼 것 없다 하더라.

이해와 감상

이 작품은 학문의 즐거움과 고산의 아름다운 자연의 모습을 형상화하고 있는 연시조이다. 율곡 이이가 43세 때(선조 11년) 해주에 은거하면서 고산구곡을 경영하여 은병정사를 짓고 후진 양성에 힘쓰고 있을 때, 주희의 「무이도가」를 모방해서 지은 작품이라고 전한다. 작품 전반에 걸쳐 학문에의 의지와 자연 친화적 성격이 드러나는데, 여기서 나타난 지명은 경관의 아름다움을 묘사할 뿐만 아니라 학문 수양과 풍류를 의미하는 중의적 표현이다. 즉 경관의 묘사를 넘어 학문에 임하는 자세를 언급한 것이 특징적이다. 또한 각 연의 이미지를 시간의 순서와 연관시켜, 아침(1곡)에서 달밤(8곡)에 이르는 하루의 시간적 순환과 봄(2곡)에서 겨울(9곡)에 이르는 한 해의 질서에 따라 변화하는 태도가 유기적으로 잘 형상화되어 있다. 이는 모든 것에서 조화와 질서를 추구하고자 했던 이이의 철학적 태도가 작품에도 반영된 것이라 할 수 있다.

바로 확인문제

01 「고산구곡가」는 주자의 「무이도가」를 본떠 지은 시조로, 단순히 자연의 흥취를 노래하였다. (○, ×)

02 「고산구곡가」는 구산 구곡담에서 바라본 사계절과 하루의 시간 경과에 따른 경관 묘사가 □□□으로 이루어져 있다.

03 아름다운 자연 경관도 함께 즐길 때에 즐거움이 배가 된다는 '여민동락(與民同樂)'의 인식이 담겨 있다.
(○, ×)

| 정답 | 01 ×(학문에 정진하는 생활의 정취를 노래하였다.) 02 유기적
03 ○

산수간 바회 아래 쮜집을 짓노라 ᄒ니, ☐ : 화자의 소박한 삶
속세를 초탈한 곳

그 몰론 눕들은 웃는다 ᄒ다마ᄂᆞᆫ,

어리고 햐얌의 뜻듸ᄂᆞᆫ 내 분(分)인가 ᄒ노라.
화자가 자기 자신을 겸손하게 이르는 말

▶ 제1수: 분수를 지키며 자연 속에서 살아감 – 안분지족

산수 간 바위 아래에 띠풀로 이은 초가집을
지으려 하니,
그것(나의 뜻)을 모르는 남들은 비웃는다지만.

어리석고 시골에 사는 세상 물정 모르는 내
생각에는 (이것이) 내 분수인가 하노라.

보리밥 풋ᄂᆞ 믈을 알마초 머근 후(後)에,

바횟긋 믉ᄀᆞ의 슬ᄏᆞ지 노니노라.

그나믄 녀나믄 일이야 부ᄅᆞᆯ 줄이 이시랴.

▶ 제2수: 소박한 삶 속에서 즐거움을 찾음 – 안빈낙도

보리밥, 풋나물을 알맞게 먹은 후.

바위 끝 물가에서 실컷 노니노라.

그 나머지 다른 일이야 부러워할 것이 있으랴.

잔 들고 혼자 안자 먼 뫼흘 ᄇᆞ라보니,

그리던 님이 오다 반가옴이 이리ᄒ랴.

말ᄉᆞᆷ도 우움도 아녀도 몯내 됴하ᄒ노라.
산과 화자가 하나가 됨. 물아일체
▶ 제3수: 자연과 함께 살아가는 삶을 기뻐함 – 물아일체

잔 들고 혼자 앉아 먼 산을 바라보니,

그리워하던 임이 온다고 한들 반가움이 이러
하랴(이 정도이랴).
말도 웃음도 아니하지만 마냥 좋아하노라.

누고셔 삼공(三公)도곤 낫다 ᄒ더니 만승(萬乘)이 이
만ᄒ랴.

이제로 헤어든 소부허유(巢父許由) ㅣ 냑돗더라.

아마도 임천 한흥(林泉閑興)을 비길 곳이 업세라.
자연 속에서 느끼는 한가한 흥취
▶ 제4수: 자연 속에서의 그윽한 흥취

누가 (자연이) 삼정승보다 낫다더니 만승천자
가 이만 하겠는가?

이제 생각해 보니 소부와 허유가 영리하도다.

아마도 자연 속에서 노니는 한가운 흥취는 비
할 데가 없으리라.

내 셩이 게으르더니 하ᄂᆞᆯ히 아ᄅᆞ실샤,

인간만사(人間萬事)를 ᄒ일도 아니 맛뎌,

다만당 ᄃᆞ토리 업슨 강산(江山)을 딕회라 ᄒ시도다.

▶ 제5수: 자연과 더불어 사는 즐거움

내 천성이 게으른 것을 하늘이 아셔서.

세상의 많은 일 가운데 하나도 맡기지 않으시고,

다만 다툴 상대가 없는 자연을 지키라고 하셨
도다.

강산(江山)이 됴타 ᄒᆞᆫ들 내 분(分)으로 누얻ᄂᆞ냐.

님군 은혜(恩惠)를 이제 더욱 아노이다.

아므리 갑고쟈 ᄒ야도 ᄒ올 일이 업세라.

▶ 제6수: 임금의 은혜에 감읍함

강산이 좋다고 한들 나의 분수로 (이렇게 편안
히) 누워 있겠는가.
(이 모두가) 임금 은혜인 것을 이제 더욱 알겠
도다.
(하지만) 아무리 갚고자 해도 내가 할 수 있는
일이 없구나.

이해와 감상

이 작품은 자연 속에 묻혀 사는 강호한정, 안빈낙도의 정서를 형상화한 연시조로, 세속과 떨어져 자연 경치를
완상하며 살아가는 은거자의 삶이, 부귀공명을 추구하며 살아가는 것에 비해 월등히 낫다는 가치관과 자부심
을 드러내고 있다. 형식적으로는 한문 투가 전혀 드러나지 않고 우리말의 묘미를 잘 살리고 있다.

• 갈래: 평시조, 연시조(전 6수)
• 성격: 한정가(閑情歌), 자연 친화적
• 특징
  ① 화자의 안분지족하는 삶의 자세
     와 물아일체의 자연 친화적 태도
     가 잘 드러남
  ② 세속적인 것과 자연을 대비시켜
     주제를 드러냄
• 주제
  ① 자연에 묻혀 사는 은사(隱士)의
     한정(閑情)
  ② 자연 속에서 사는 삶에 대한 자
     부심과 만족감

바로 확인문제

01 화자가 지향하는 공간인 자연과, 좌
   절감을 준 벼슬길인 속세의 대립을
   통해 주제를 드러낸다. (○, ×)
02 「만흥」의 주제를 가장 잘 나타내는
   한자 성어는 ☐☐☐☐와 ☐☐☐
   ☐이다.
03 '쮜집, 보리밥, 풋ᄂᆞ 믈'은 세속적인
   것으로 화자의 소망과 대비되는 시
   어이다. (○, ×)

| 정답 | 01 ○ 02 안빈낙도, 물아일
체 03 ×(화자의 소박한 삶을 드러내
는 시어이다.)

5 견회요(遣懷謠) | 윤선도

슬프나 즐거오나 옳다 하나 외다 하나

내 몸의 해올 일만 닦고 닦을 뿐이언정
　　　우국충정
그 밧긔 여남은 일이야 분별(分別)할 줄 이시랴

▶ 제1수: 자신의 신념에 따라 행동하려는 소신과 강직한 의지

슬프나 즐거우나 옳다 하나 그르다 하나

내 몸의 할 일만 닦고 닦을 뿐이언정

그 밖의 다른 일이야 걱정할 일이 있으랴.

내 일 망녕된 줄 내라 하여 모랄 손가.
권신 이이첨의 횡포를 고발하는 상소를 올린 일
이 마음 어리기도 님 위한 탓이로세.

아뫼 아무리 일러도 임이 혜여 보소서.

▶ 제2수: 충성심을 알아주지 않는 데 대한 원망과 결백의 호소

나의 일이 잘못된 줄 나라고 하여 모르겠는가.

이 마음 어리석은 것도 모두 임(임금)을 위하기 때문일세.
아무개가 아무리 헐뜯더라도 임이 헤아려 살피소서.

　　　　　　　　　　　　　　 감정 이입의 대상
추성(楸城) 진호루(鎭湖樓) 밧긔 울어 예는 저 시내야.
화자가 유배된 곳　　　　　　 자신의 마음을 몰라주는 임금에
무음 호리라 주야(晝夜)에 흐르는다.　 대한 안타까움

님 향한 내 뜻을 조차 그칠 뉘를 모르다.

▶ 제3수: 임금을 향한 변함없는 충성에 대한 의지

경원성 진호루 밖에서 울며 흐르는 저 시냇물아!
무엇을 하려고 밤낮으로 흐르느냐?

임 향한 내 뜻을 따라 그칠 줄을 모르는구나.

　　　　　 화자와 어버이 사이의 장애물
뫼흔 길고 길고 물은 멀고 멀고.

어버이 그린 뜻은 많고 많고 하고 하고.

어디서 외기러기는 울고 울고 가느니.
　　　 어버이를 그리워하는 마음
▶ 제4수: 부모(임금)에 대한 간절하고 애달픈 그리움

산은 길고 길고 물은 멀고 멀고.

어버이 그리워하는 뜻은 많기도 많다.

어디서 외기러기는 슬피 울며 가는가.

어버이 그릴 줄을 처엄부터 알아마는

님군 향한 뜻도 하날이 삼겨시니

진실로 님군을 잊으면 긔 불효(不孝)인가 여기노라.

▶ 제5수: 충과 효의 일치에 대한 깨달음과 연군의 의지 확인

어버이를 그리워할 줄은 처음부터 알았지만

임금 향한 뜻도 하늘이 만들어 주셨으니

진실로 임금을 잊으면 그것이 불효인가 하노라.

이해와 감상

이 작품은 임금에 대한 사랑과 충성의 정서를 드러내고 있는 연시조이다. 임금을 향한 변함없는 충성심과 부모님에 대한 간절한 그리움을 절실히 형상화하고 있다. 이 시의 제목에 포함된 '견회(遣懷)'란 '시름을 쫓다' 또는 '마음을 달래다'라는 뜻이므로, 「견회요」라는 제목은 '마음을 달래는 노래'로 해석할 수 있다. 이러한 제목은 유배를 온 작가의 상황과 정서를 반영한 것으로 볼 수 있다. 이 작품의 시상 전개 방식을 보면 제1수~제3수는 '충(忠)'을, 제4수는 '효(孝)'를 이야기하고 제5수에서 '충(忠)'과 '효(孝)'가 일치함을 이야기하고 있는데, 이는 '연군'에 대한 화자의 확고한 의지를 나타내기 위해 '충(忠)'과 '효(孝)'에 대한 개별 진술 뒤에 이를 통합하는 전개 방식을 취한 것으로 볼 수 있다. 특히 '효(孝)'와 '충(忠)'을 동일시하는 '군사부일체(君師父一體)'는 조선 시대의 보편적인 인식이었다.

01 「견회요」의 화자는 임금과 부모의 은혜를 예찬하고 있다. (○, ×)

02 '□□'와 '□□□□'는 화자의 감정을 드러내는 감정 이입의 대상이다.

03 제1수~제3수에는 '충(忠)'을, 제4수에는 '효(孝)'를 이야기하고 '충(忠)'을 '효(孝)'보다 강조하며 마무리하고 있다. (○, ×)

| 정답 | 01 ×(임금에 대한 충성심과 부모에 대한 그리움을 노래할 뿐, 예찬하고 있지는 않다.) 02 시내, 외기러기 03 ×('효(孝)'와 '충(忠)'을 동일시하며 마무리하고 있다.)

6 어부사시사(漁父四時詞) | 윤선도

[춘사(春詞) 8]

취(醉)ᄒᆞ야 누얻다가 여흘 아래 ᄂᆞ리려다.

　비 미여라 비 미여라

락홍(落紅)이 흘러오니 도원(桃源)이 갓갑도다.
이상향

　지국총(至匊悤) 지국총(至匊悤) 어사와(於思臥)

인세(人世) 홍딘(紅塵)이 언메나 ᄀᆞ렷ᄂᆞ니.

▶ 춘사 8: 속세를 떠난 자연에서의 삶

취하여 누웠다가 여울 아래 내려가려다가

　(후렴구) 배 매어라. 배 매어라.

떨어진 붉은 꽃잎이 흘러오니 무릉도원이 가깝도다.
　(후렴구)

속세의 붉은 먼지가 얼마나 가렸는가.

[하사(夏詞) 2]

년닙희 밥 싸 두고 반찬으란 쟝만 마라.
안분지족, 단사표음 – 검소하고 소박한 생활

　닫 드러라 닫 드러라

청약립(靑蒻笠)은 써 잇노라, 녹사의(綠蓑衣) 가져오냐.

　지국총(至匊悤) 지국총(至匊悤) 어사와(於思臥)

무심(無心)ᄒᆞᆫ 백구(白鷗)ᄂᆞᆫ 내 좃ᄂᆞᆫ가, 제 좃ᄂᆞᆫ가.
물아일체, 물심일여, 자연 친화

▶ 하사 2: 물아일체의 즐거움

연잎에 밥 싸 두고 반찬은 준비하지 마라.

　(후렴구) 닻 올려라. 닻 올려라.

삿갓은 쓰고 있노라. 도롱이 가져왔느냐?

　(후렴구)

무심한 갈매기는 내가 제(갈매기)를 쫓는가, 제(갈매기)가 나를 쫓는가?

[추사(秋詞) 3]

백운(白雲)이 니러나고 나모 긋티 흐ᄂᆞ낀다.

　돋 ᄃᆞ라라 돋 ᄃᆞ라라

밀믈의 서호(西湖)ㅣ오 혈믈의 동호(東湖) 가쟈.

　지국총(至匊悤) 지국총(至匊悤) 어사와(於思臥)

백빈홍료(白蘋紅蓼) 난 곳마다 경(景)이로다.

▶ 추사 3: 배를 타며 즐기는 풍경

흰 구름이 일어나고 나무 끝이 흔들린다.

　(후렴구) 돛 달아라. 돛 달아라.

밀물 때에는 서쪽 호수로 가고 썰물 때에는 동쪽 호수로 가자.
　(후렴구)

흰 마름꽃과 붉은 여뀌꽃은 어디에서나 좋은 경치를 이루었구나.

[동사(冬詞) 8]

믉ᄀᆞ의 외로온 솔 혼자 어이 싁싁ᄒᆞᆫ고.

　비 미여라 비 미여라

머흔 구룸 한(恨)티 마라 셰샹(世上)을 ᄀᆞ리온다.

　지국총(至匊悤) 지국총(至匊悤) 어사와(於思臥)

파랑셩(波浪聲)을 염(厭)티 마라 딘훤(塵喧)을 막ᄂᆞᆫ쏘다

▶ 동사 8: 속세와 단절된 자연 속에서의 삶

물가에 외로운 소나무 혼자 어찌 씩씩한가.

　(후렴구) 배 매어라. 배 매어라.

험한 구름을 원망하지 마라 인간 세상을 가리는구나.
　(후렴구)

파도 소리 싫어하지 마라 속세의 시끄러운 소리를 막는도다.

▌이해와 감상

이 작품은 1651년에 윤선도가 자신이 은거하던 보길도의 사계절을 배경으로 읊은 40수의 연시조이다. 즉, 춘하추동의 각 계절에 따라 10수씩을 배정하고 계절의 변화에 따른 사물의 변화 내지 어부의 생활을 차례대로 형상화하고 있다. 형식적으로는 일반적 평시조와 다르게 여음구가 삽입되어 있으며, 초장과 중장 사이의 여음은 출항에서 귀항까지의 과정을 보여 주고, 중장과 종장 사이의 여음(지국총(至匊悤) 지국총(至匊悤) 어사와(於思臥))은 노 젓는 소리와 노 저을 때 외치는 소리를 나타내는 의성어이다. 또한 [하사(夏詞) 3]에서는 종장의 첫 음보가 2음절, [추사(秋詞) 1]에서는 종장의 첫 음보가 4음절로 일반적인 평시조(종장의 첫 음보가 3음절로 고정)와는 다른 모습을 보이고 있다.

• 갈래: 평시조, 연시조(춘하추동 각 10수씩 전 40수)
• 성격: 자연 친화적, 전원적, 풍류적, 강호한정가
• 특징
① 초장과 중장, 중장과 종장 사이에 고려 가요처럼 여음(후렴구)이 있음
② 대구법, 반복법, 원근법, 의성어의 사용 등 다양한 표현법을 사용함
• 주제: 철따라 펼쳐지는 자연의 경치와 어부 생활의 흥취

바로 확인문제

01 「어부사시사」의 화자는 계절에 따라 변하는 자연의 아름다움에 대한 감탄과 자연에서 풍류를 즐기는 어부의 모습을 노래하고 있다. (○, ×)
02 초장과 중장 사이의 후렴구는 의성어로 시상 전개에 사실감을 부여하고, 중장과 종장 사이의 후렴구는 출항에서 귀항까지의 과정을 보여준다. (○, ×)
03 「어부사시사」는 전 40수로 구성된 연시조로, 각 수에서 후렴구를 빼면 모두 초장, 중장, 종장 형태의 3장 6구 평시조 형식을 지닌다. (○, ×)

| 정답 | 01 ○ 02 ×(초장과 중장 ↔ 중장과 종장) 03 ×([하사(夏詞) 3]과 [추사(秋詞) 1]은 평시조 형식과 일치하지 않는다.)

7 오우가(五友歌) | 윤선도

내 버디 멋치나 ᄒ니 수석(水石)과 송죽(松竹)이라.

동산(東山)의 ᄃᆞᆯ 오르니 긔 더옥 반갑고야.

두어라, 이 다ᄉᆞᆺ 밧긔 ᄯᅩ 더ᄒᆞ야 머엇ᄒᆞ리.

└─ 수(水), 석(石), 송(松), 죽(竹), 월(月)

동양적 체관

▶ 제1수: 다섯 벗의 소개

내 벗이 몇인가 하니 물과 바위와 소나무와 대나무이다.

동산에 달이 떠오르니 그 더욱 반갑구나.

두어라, 이 다섯밖에 또 더하여 무엇하리.

구룸 비치 조타 ᄒ나 검기를 ᄌᆞ로 ᄒ다.

└─ [구룸]: 가변성

ᄇᆞ람 소릭 ᄆᆞᆰ다 ᄒ나 그칠 적이 하노매라.

조코도 그칠 뉘 업기는 믈뿐인가 ᄒ노라.

└─ 불변성

▶ 제2수: 깨끗하고 그치지 않는 물

구름의 빛깔이 깨끗하다고는 하나 검기를 자주 한다.

바람 소리가 맑다고는 하나 그칠 때가 많도다.

깨끗하고도 그칠 때가 없기는 물뿐인가 하노라.

고즌 므스 일로 퓌며셔 쉬이 디고,

└─ [고즌]: 순간성

플은 어이ᄒᆞ야 프르ᄂᆞᆫ 듯 누르ᄂᆞ니,

아마도 변티 아닐순 바회뿐인가 ᄒ노라.

└─ 영원성

▶ 제3수: 변하지 않는 바위

꽃은 무슨 일로 피자마자 곧 쉽게 지고,

풀은 어찌하여 푸르러지자 곧 누른 빛을 띠는가?

아마도 변하지 않는 것은 바위뿐인가 하노라.

더우면 곳 퓌고 치우면 닙 디거늘,

솔아, 너ᄂᆞᆫ 엇디 눈서리를 모ᄅᆞᄂᆞ다.

└─ 지조와 절개 상징   └─ 고난, 시련

구천(九泉)의 불휘 고ᄃᆞᆫ 줄을 글로 ᄒᆞ여 아노라.

└─ 저승

▶ 제4수: 추운 계절에도 변치 않는 소나무의 절개

더우면 꽃 피고 추우면 잎 지거늘,

소나무여, 너는 어찌 눈서리를 모르느냐?

깊은 땅 속까지 뿌리가 곧은 줄을 그것으로 인해 알겠구나.

나모도 아닌 거시, 플도 아닌 거시,

곳기ᄂᆞᆫ 뉘 시기며, 속은 어이 뷔연ᄂᆞᆫ다.

뎌러코 ᄉᆞ시(四時)예 프르니 그를 됴하ᄒᆞ노라.

└─ 대나무 → 지조와 절개 상징

▶ 제5수: 곧고 겸허한 대나무의 푸른 절개

나무도 아닌 것이 풀도 아닌 것이,

곧기는 누가 시켰으며, 속은 어찌 비었느냐?

저러고도 사시사철 푸르니 그를 좋아하노라.

쟈근 거시 노피 써서 만믈(萬物)을 다 비취니,

밤듕의 광명(光明)이 너만ᄒ니 ᄯᅩ 잇ᄂᆞ냐.

└─ 달 → 절대적 위치에서 어둠을 밝혀 주는 광명의 존재

보고도 말 아니ᄒ니 내 벋인가 ᄒ노라.

└─ 달의 과묵한 모습을 예찬

▶ 제6수: 달의 광명과 과묵함

작은 것이 높이 떠서 만물을 다 비추니

밤중에 밝은 빛이 너만 한 것이 또 있겠느냐?

보고도 말을 하지 않으니 내 벗인가 하노라.

｜이해와 감상

이 작품은 '물, 바위, 소나무, 대나무, 달'이라는 자연물이 가진 모습과 덕성을 예찬하고 있는 연시조이다. 즉, 유교에서 강조하는, 인간이 지녀야 하는 덕성을 지닌 존재로 자연물을 설정하고 이를 예찬하고 있다. 형식적으로는 우리말의 어휘와 어미, 문장 등을 잘 다듬어 사용하여 우리말의 아름다움이 잘 드러난다.

01 「오우가」에서 '오우(五友)'는 '물, 바위, 소나무, 대나무, 태양'이다.
   (○, ×)

02 제1수의 'ᄯᅩ 더ᄒᆞ야 머엇ᄒᆞ리'는 '분수'와 '만족'을 이르는 표현으로, 물아일체의 경지를 드러낸다.
   (○, ×)

03 제2수~제4수에서는 □□□을 사용하여 리듬감을 살리고, □□□을 사용하여 대상의 속성을 강조하며 예찬하고 있다.

｜정답｜ 01 ×(태양 → 달) 02 ○
03 대구법, 대조법

사설시조

1 두터비 ᄑ리를 물고 ~ | 작자 미상

단권화 MEMO

두터비 ᄑ리를 물고 두험 우희 치ᄃ라 안자
탐관오리, 부패한 양반

「컷넌 산(山) 바ᄅ보니 백송골(白松鶻)이 써 잇거늘 가
상부의 중앙 관리, 외세

슴이 금즉ᄒ여 풀덕 쒸여 내ᄃᆺ다가 두험 아래 쟛바지

거고.」
「 」: 약자(파리)에게 강하고 강자(백송골)에게 약한 양반(두꺼비)을
풍자, 희화화

모쳐라 놀랜 낼싀만정 에헐질 번 ᄒ괘라.
두꺼비의 자화자찬, 허장성세 자기 합리화

두꺼비가 파리를 물고 두엄 위에 뛰어올라 앉아
건너편 산을 바라보니 흰 송골매가 떠 있거늘 가슴이 섬뜩하여 펄쩍 뛰어 내닫다가 두엄 아래 자빠졌구나.

마침 날랜 나였기에 망정이지 (하마터면) 피멍들 뻔했구나.

이해와 감상

이 작품은 탐관오리들의 횡포와 허장성세를 풍자하고 있는 사설시조로, 인간의 계층 관계와 비리를 동물의 약육강식으로 풍자하고 있다. 즉, 두꺼비는 약자에게는 군림하고 강자에게는 비굴한 존재로 그려지고 있는데, 이는 지배층의 횡포를 드러내면서도 더 높은 지배층에게는 비굴한 모습을 보이는 이들에 대한 풍자 의식을 드러내고 있는 것이다.

- **갈래**: 사설시조
- **성격**: 풍자적, 우의적, 해학적
- **특징**: 의인법, 상징법 등을 사용하여 대상(두꺼비)을 희화화함
- **주제**: 약자에게는 강한 체 뽐내고, 강자 앞에서는 비굴한 양반 계층 풍자

바로 확인문제

01 □□□는 탐관오리나 양반을, '□□'는 힘없는 백성을, □□□은 상부의 중앙 관리를 상징한다.

02 이 시조에는 해학과 풍자의 기법을 통해 익살 속에서 교훈을 주는 골계미가 두드러진다. (ㅇ, ×)

2 개야미 불개야미 ~ | 작자 미상

단권화 MEMO

「개야미 불개야미 준등 부러진 불개야미,
「 」: 반복과 확장을 통한 의미 강화, 극단적 과장

압발에 정종 나고 뒷발에 종귀 난 불개야미,」광릉(廣陵)

십재 너머 드러 가람의 허리를 ᄀ르 무러 추혀들고 북

해(北海)를 건너닷 말이 이셔이다. 님아 님아.

온 놈이 온 말을 ᄒ여도 님이 짐쟉ᄒ쇼셔.

개미 불개미. 잔등 부러진 불개미.

앞발에 피부병 나고 뒷발에 종기가 난 불개미가, 광릉 샘고개를 넘어 들어가서 호랑이의 허리를 가로 물어 추켜들고, 북해를 건너갔다는 말이 있습니다. 임이시여, 임이시여.

모든 사람이 온갖 말을 하더라도 임께서 짐작하소서.

이해와 감상

이 작품은 근거 없는 참소에 대한 경계와 자신의 결백을 드러내는 사설시조이다. '개야미(개미)'는 화자 자신을 의미하기도 하는데, 성치 않은 불개미가 호랑이의 허리를 물고 북해를 건너갔다는 불가능한 상황을 설정하여 자신의 결백을 주장하였다. 종장에 제시된 '온 놈의 온 말'은 다른 사람의 참언(讒言: 거짓으로 꾸며서 남을 헐뜯어 윗사람에게 고하여 바치는 말)을 의미하고, '님(임)'은 임금으로 볼 수 있다.

전개 방식 측면에서 보면 초장에서 반복과 확장을 통해 의미 강화를 강화하고, 중장에서 현실에서는 있을 수 없는 허황된 상황을 점층적으로 제시하며, 종장에서 자신의 결백함을 호소하며 남들의 비방·참언을 임이 이성적으로 수용·판단하기를 바라고 있다.

- **갈래**: 사설시조
- **성격**: 과장적, 교훈적
- **특징**: 반복법, 점층법, 과장법 등의 다양한 표현법이 쓰임
- **주제**: 다른 사람의 모함(참언)이 근거 없음

바로 확인문제

03 화자는 초장에서 불가능한 상황을 점층적으로 제시하고, 중장에서 반복과 확장을 통해 의미를 강화하며, 종장에서 자신의 결백함을 호소하고 있다. (ㅇ, ×)

04 자신의 결백함을 호소하며 자신을 모함하는 말에 현혹되지 말라는 내용을 □□□, □□□으로 형상화하고 있다.

| 정답 | 01 두터비(두꺼비), ᄑ리(파리), 백송골 02 ㅇ 03 ×(초장 ↔ 중장) 04 해학적, 풍자적

- **갈래**: 사설시조
- **성격**: 연정가, 연모가
- **특징**
  ① 대상에 감정을 이입하여 화자의 외로움을 표현함
  ② 반어법을 통해 화자의 감정을 효과적으로 드러냄
- **주제**: 독수공방의 외롭고 쓸쓸한 마음

01 화자는 자신의 외로운 심정을 아는 존재는 귀뚜라미뿐이라고 하면서 □□□□을 느끼고 있다.

02 화자는 '여윈 줌을 솔쓰리도 씨오는고야'라고 말하며 잠을 깬 귀뚜라미에 대한 원망을 직접적으로 표현하고 있다. (○, ×)

- **갈래**: 사설시조
- **성격**: 연정가, 과장적, 해학적
- **주제**: 임을 애타게 기다리는 초조한 마음

03 화자는 '주추리 삼대'를 임으로 착각하고 그 실망감을 감추지 못하고 있다. (○, ×)

04 임을 애타게 그리워하는 여성 화자의 마음을 행동으로 구체화하여 보여 줌으로써 사설시조의 특징인 진지함과 솔직함을 드러낸다. (○, ×)

05 '□□□□ □□□□', '□□□□ □□□□', '□□□□'은 애타게 임을 기다리는 화자의 모습을 해학적으로 표현한 구절이다.

| 정답 | 01 동병상련 02 ×(직접적 → 반어적) 03 ×(화자는 실망감을 느끼기보다 남을 웃길 뻔했다고 겸연쩍어하고 있다.) 04 ○ 05 겻븨님븨 님븨곰븨, 천방지방 지방천방, 위령충창

---

3 귀쏘리 져 귀쏘리 ~ | 작자 미상

귀쏘리 져 귀쏘리 여엿부다 져 귀쏘리
　　동병상련의 대상, 감정 이입의 대상

어인 귀쏘리 지는 둘 새는 밤의 긴 소리 쟈른 소리

절절(節節)이 슬픈 소리 제 혼자 우러 녜어 사창(紗窓)

여윈 줌을 슬쓰리도 씨오는고야.
귀뚜라미에 대한 원망을 반어적으로 표현

「두어라, 제 비록 미물(微物)이나 무인동방(無人洞房)
「　」: 귀뚜라미에서 동병상련을 느끼는 화자의 심정

에 내 뜻 알리는 너뿐인가 ᄒ노라.」

귀뚜라미, 저 귀뚜라미, 불쌍하다 저 귀뚜라미

어찌 된 귀뚜라미가 지는 달, 새는 밤에 긴 소리 짧은 소리, 마디마디 슬픈 소리로 저 혼자 계속 울어, 비단 창문 안의 얕은 잠을 알뜰히도 깨우는구나.

두어라, 제가 비록 미물이지만 독수공방하는 나의 뜻을 아는 이는 저 귀뚜라미뿐인가 하노라.

이해와 감상
이 작품은 임을 그리워하는 여인의 마음을 드러내고 있는 사설시조이다. 임을 그리워하는 마음을 귀뚜라미에 감정 이입하여 노래한 것으로, 순수한 평민 감정이 그대로 노출된 작품이라 할 수 있다. 사랑하는 임을 그리워하며 밤을 외로이 지새우는 여인의 섬세한 마음이 잘 형상화되어 있다.

---

4 님이 오마 ᄒ거늘 ~ | 작자 미상

님이 오마 ᄒ거늘 져녁밥을 일지어 먹고

중문(中門) 나서 대문(大門) 나가 지방(地方) 우희 치

드라 안자 이수(以手)로 가액(加額)ᄒ고 오는가 가는가

건넌 산(山) 브라보니 거머횟들 셔 잇거늘 져야 님이로

다. 보선 버서 품에 품고 신 버서 손에 쥐고 겻븨님븨
　　　　　　　　　　　　　□□□: 애타게 기다리는 모습을 해학적으로 표현

님븨곰븨 천방지방 지방천방 즌 듸 ᄆᄅᆫ 듸 굴희지 말

고 위령충창 건너가셔 정(情)엣말 ᄒ려 ᄒ고 겻눈을 흘

긋 보니 상년(上年) 칠월(七月) 사흔날 굴가벅긴 주추
　　　　　　　　　　　　　　　　　　착각을 일으킨 소재

리 삼대 슐드리도 날 소겨거다.

「모쳐라 밤일싀만졍 ᄒᆡᆼ혀 낫이런들 ᄂᆞᆷ 우일 번ᄒᆞ괘라.」
❶ 마침 ❷ 그만 두어라　「　」: 실망감<멋쩍음 → 화자의 낙천적 성격이 드러남

임이 온다고 하기에 저녁밥을 일찍 지어 먹고,

중문을 나와서 대문으로 나가 문지방 위에 달려가 앉아서 손을 이마에 대고 임이 오는가 하여 건너편 산을 바라보니, 거무희뜩한 것이 서 있기에 저것이야말로 임이로구나. 버선 벗어 품에 품고 신 벗어 손에 쥐고, 엎치락뒤치락 휘둘거리며 진 곳 마른 곳 가리지 않고 우당탕퉁탕 건너가서 정이 넘치는 말을 하려고 곁눈으로 흘깃 보니, 작년 7월 3일날 껍질 벗긴 삼대(씨를 받느라고 그냥 밭머리에 세워 둔 삼의 줄기)가 알뜰히도 나를 속였구나.

마침 밤이기에 망정이지 행여 낮이었다면 남 웃길 뻔했구나.

이해와 감상
이 작품은 임을 기다리는 애타는 마음을 드러내고 있는 사설시조이다. 초장에서는 임을 기다리는 초조한 마음이 드러나고, 중장에서는 그러한 마음을 행동으로 구체화하는데, 언어유희를 사용하여 과장되게 묘사하고 있다. 종장에서는 실망감보다는 임을 기다리는 마음이 너무 간절한 나머지 착각을 하게 된 데에 대한 겸연쩍음을 드러내고 있는데, 여기서 해학성과 화자의 낙천적인 성격이 잘 드러난다.

5 싀어마님 며ᄂ라기 낫바 ~ | 작자 미상

싀어마님 며ᄂ라기 낫바 벽 바흘 구루지 마오.

빗에 바든 며ᄂ린가 갑세 쳐 온 며ᄂ린가.「밤나모 석은

등걸에 휘초리 나니ᄀᆞᆺ치 앙살픠신 싀아버님, 볏 뵌 쇳동

ᄀᆞᆺ치 되죵고신 싀어마님, 삼 년(三年) 겨론 망태에 새 송

곳부리ᄀᆞᆺ치 쌰죡ᄒᆞ신 싀누의님.」「당(唐)피 가론 밧틔 돌피
「　」: 시집 식구들에 대한 비판적 태도
나니ᄀᆞᆺ치 시노란 읫곳 ᄀᆞᆺ튼 핏똥 누ᄂ 아ᄃᆞᆯ」ᄒᆞ나 두고,
「　」: 어린 남편, 병든 남편
건 밧틔 메곳 ᄀᆞᆺ튼 며ᄂ리를 어듸를 낫바 ᄒᆞ시ᄂ고.

시어머니 며늘아기 미워하며 부엌 바닥을 구르지 마오.
빚에 받은 며느리인가, 물건값에 쳐 온 며느리인가. 밤나무 썩은 등걸에 회초리 난 것같이 매서우신 시아버님, 볕 쬔 쇠똥같이 말라빠진 시어머님. 삼 년 동안 엮은 망태에 새 송곳 부리같이 뾰족하신 시누이님. 좋은 곡식 갈아 놓은 밭에 나쁜 곡식 난 것같이 샛노란 오이꽃 같은 피똥 누는 아들 하나 두고.

기름진 밭에 메꽃 같은 며느리를 어디를 미워하시는고?

이해와 감상
이 작품은 시집살이에 대한 며느리의 원망과 푸념을 보여 주고, 이를 해학적으로 표현한 사설시조이다. 시아버지, 시어머니, 시누이 등의 가족을 생활과 밀착된 소재를 활용하여 비유적으로 표현한 것이 인상적이다.

6 댁들에 동난지이 사오 ~ | 작자 미상

댁들에 동난지이 사오. 저 장사야, 네 황화 그 무엇이라 웨는다 사자.

외골내육(外骨內肉), 양목(兩目)이 상천(上天), 전행후행(前行後行), 소(小)아리 팔족(八足), 대(大)아리 이족(二足), 청장(淸醬) 아스슥하는 동난지이 사오.

장사야, 하 거북이 웨지 말고 게젓이라 하렴은.

사람들아, 동난젓 사오. 저 장수야, 네 물건 그 무엇이라 외치느냐? 사자.

밖은 단단하고 안은 물렁하며, 두 눈은 위로 솟아 하늘을 향하고, 앞뒤로 기는 작은 발 여덟 개, 큰 발 두 개, 푸른 장이 아스슥하는 동난젓 사오.

장수야, 그렇게 거북하게(장황하게) 말하지 말고 게젓이라 하려무나.

이해와 감상
이 작품은 서민들의 삶의 모습, 상행위를 드러내고 있는 사설시조이다. 게장을 파는 장사꾼과 손님 사이의 대화가 익살스럽고 해학적으로 그려져 있다. 한편으로는 쉬운 우리말을 사용하지 않고 어려운 한자어인 '동난지이'를 사용하는 장사꾼의 현학적인 태도에 대한 비판과 풍자의 의식을 드러내기도 한다.

7 붉가버슨 아해(兒孩) ~ | 이정신

붉가버슨 아해(兒孩)ㅣ들리 거믜쥴 테를 들고 기쳔
꾀를 써서 남을 해치려는 사람
(川)으로 왕래(往來)ᄒᆞ며,
　　┌ 동음이의어: ❶ 고추잠자리 ❷ 남에게 속아 넘어가는 사람
「붉가숭아 붉가숭아, 져리 가면 죽ᄂ니라. 이리 오면
감언이설　　「　」: 붉가숭이를 속여 잡으려고 하
스ᄂ니라. 부로나니 붉가숭이로다.」는 붉가버슨 아해 → 역설적
　　　　　　　　　　　　　상황. 동음이의어, 언어유희
아마도 세상(世上)일이 다 이러ᄒᆞᆫ가 ᄒᆞ노라.」
　　❶ 꾀를 써서 남에게 해를 끼치는 세태 ❷ 약육강식의 세태

발가벗은 아이들이 거미줄 테를 들고 개천을 왕래하며,

"발가숭아 발가숭아, 저리 가면 죽고 이리 오면 산다."고 부르는 것이 발가숭이(발가벗은 아이)로다.

아마도 세상일이 모두 이런 것인가 하노라.

이해와 감상
이 작품은 서로를 속이는 실태에 대한 풍자를 드러내고 있는 사설시조이다. 어린아이들이 고추잠자리를 잡기 위해 거짓으로 유인하는 모습은 약육강식의 세태 또는 서로 이익을 차지하기 위해 모해하는 세태를 의미한다.

단권화 MEMO

• 갈래: 사설시조
• 성격: 비유적, 해학적, 원부가(怨婦歌)
• 특징: 일상생활과 밀접한 소재에 시집 식구들의 성품과 모습을 비유, 나열하여 해학적으로 묘사
• 주제: 시집살이의 고충을 한탄

바로 확인문제

01 화자는 □□□인 사물을 나열하여 시집 식구들의 특징과 성격을 묘사하며 해학성을 높이고 있다.

02 '핏똥 누는 아들'은 화자의 어린 아들을 의미하는 시어이다. (○, ×)

단권화 MEMO

• 갈래: 사설시조
• 성격: 풍자적, 해학적
• 특징: 돈호법, 의성어, 대화체를 사용하여 생동감을 유발함
• 주제
　① 현학적 태도 비판
　② 서민들의 상거래 장면

바로 확인문제

03 사람들의 잘난 척하는 현학적 태도를 게젓 장수가 빈정거리며 비판하고 있다. (○, ×)

04 서민적인 생활 용어와 대화 형식으로 상거래 장면을 익살스럽게 표현하고 있다. (○, ×)

단권화 MEMO

• 갈래: 사설시조
• 성격: 풍자적
• 주제: 서로 모해(謀害)하는 세상사

바로 확인문제

05 서로가 서로를 속이는 세상 사람들의 태도를 □□한 사설시조이다.

| 정답 | 01 일상적 02 ×(어린 아들 → 남편) 03 ×(사람들 ↔ 게젓 장수) 04 ○ 05 풍자

08 가사

1 상춘곡(賞春曲) | 정극인

- **갈래**: 양반 가사, 은일 가사
- **성격**: 서정적, 예찬적, 묘사적
- **표현**
① 39행 79구 4음보(단, 제12행은 6음보)의 정형 가사로, 4음보 연속체 율문의 형태로 이루어짐
② 설의법, 의인법, 대구법, 직유법 등의 여러 표현 기교를 사용하고, 고사를 많이 인용하면서 작품 전체를 유려하게 이끌고 있음
③ 화자의 시선이 이동함에 따라 시상이 전개되고 있으며, 시선은 공간의 이동을 따르는데 공간이 이동할수록 좁은 공간에서 점점 넓은 공간으로(수간모옥 → 정자 → 시냇가 → 봉두) 확대되는 양상을 보임
④ 표기법은 창작 당대(15세기)의 것이 아니고, 후손에 의해 『불우헌집』이 간행된 18세기의 음운과 어법을 따르고 있음
⑤ 주객전도된 표현을 통해 공명이나 부귀와 같은 세속적인 욕망을 멀리하고자 하는 화자의 태도를 드러냄
- **주제**: 봄 경치의 완상(玩賞)과 안빈낙도

[가] <u>홍진(紅塵)</u>에 뭇친 분네 이 내 생애(生涯) 엇더ᄒᆞ고.
　　속세
　　넷 사ᄅᆞᆷ <u>풍류(風流)</u>를 미츨가 못 미츨가.
　　　　　　화자 자신의 풍류가 더 낫다는 자부심
　　천지간(天地間) 남자(男子) 몸이 날만ᄒᆞᆫ 이 하건마ᄂᆞᆫ,
　　<u>산림(山林)</u>에 뭇쳐 이셔 지락(至樂)을 ᄆᆞ를 것가.
　　안빈낙도의 공간, 이상향
　　수간 모옥(數間茅屋)을 벽계수(碧溪水) 앏픠 두고,
　　송죽(松竹) 울울리(鬱鬱裏)예 풍월 주인(風月主人)
되여셔라.

　　▶ 서사: 풍류 생활을 즐기는 은일지사의 기상

속세에 묻혀 사는 사람들이여, 이 나의 생활이 어떠한가?
옛 사람들의 풍류에 미치겠는가, 못미치겠는가?
세상에 남자의 몸으로 태어나 나와 비슷한 사람이 많건마는,
(그들은 왜) 자연에 묻혀 지내는 지극한 즐거움을 모른단 말인가?
작은 초가집을 푸른 시냇물 앞에 두고,
(나는) 소나무와 대나무가 울창한 속에서 자연의 주인이 되어 살고 있구나.

[나] 엇그제 겨을 지나 새봄이 도라오니,
　　「도화 행화(桃花杏花)ᄂᆞᆫ 석양리(夕陽裏)예 퓌여 잇고,
　　「 」: 봄의 아름다운 경치를 사실적으로 묘사
　　녹양 방초(綠楊芳草)ᄂᆞᆫ 세우 중(細雨中)에 프르도다.」
　　칼로 ᄆᆞᆯ아 낸가, 붓으로 그려 낸가.
　　조화 신공(造化神功)이 물물(物物)마다 헌ᄉᆞ룹다.
　　수풀에 우ᄂᆞᆫ <u>새</u>ᄂᆞᆫ 춘기(春氣)를 ᄆᆞᆺ내 계워 소ᄅᆡ마
　　　　　　　　감정 이입의 대상
다 교태(嬌態)로다.

　　▶ 본사 1: 봄의 아름다운 경치

엇그제 겨울 지나고 새봄이 돌아오니,
복숭아꽃과 살구꽃은 석양 속에 피어 있고,
푸른 버드나무와 향기로운 풀은 가랑비 속에 푸르구나.
칼로 마름질해 내었는가, 붓으로 그려 내었는가?
조물주의 신비한 재주가 사물마다 야단스럽구나.
수풀에서 우는 새는 봄기운을 끝내 못 이기어 소리마다 교태로구나.

[다] 물아일체(物我一體)어니, 흥(興)이이 다를소냐.
　　시비(柴扉)예 거러 보고, 정자(亭子)애 안자 보니,
　　소요음영(逍遙吟詠)ᄒᆞ야, 산일(山日)이 적적(寂寂)
ᄒᆞ듸,
　　한중진미(閒中眞味)를 알 니 업시 호재로다.

　　▶ 본사 2: 봄의 흥취

자연과 내가 한 몸이 되니 흥겨움이 다르겠는가?
사립문 앞을 걸어도 보고, 정자 위에 앉아도 보니.
천천히 거닐며 시를 읊조리니 산속의 하루하루가 적적한데,
한가로움 속에서 느끼는 참다운 맛을 알 사람 없이 나 혼자로구나.

[라] 이바 니웃드라, 산수(山水) 구경 가쟈스라.
　　답청(踏靑)으란 오늘 ᄒᆞ고, 욕기(浴沂)란 내일(來日) ᄒᆞ새.
　　아ᄎᆞᆷ에 채산(採山)ᄒᆞ고, 나조ᄒᆡ 조수(釣水)ᄒᆞ세.

　　▶ 본사 3: 산수 구경을 권유함

여보게 이웃 사람들아, 산수 구경 가자꾸나.
풀 밟기는 오늘 하고, 개울에 멱 감기는 내일 하세.
아침에 산나물 캐고, 저녁에 낚시하세.

[마] ᄀᆞᆺ 괴여 닉은 술을 갈건(葛巾)으로 밧타 노코,

곳나모 가지 것거, 수 노코 먹으리라.

화풍(和風)이 건 듯 부러 녹수(綠水)를 건너오니,

청향(淸香)은 잔에 지고, 낙홍(落紅)은 옷새 진다.

준중(樽中)이 뷔엿거ᄃᆞ 날ᄃᆞ려 알외여라.

소동(小童) 아ᄒᆡ ᄃᆞ려 주가(酒家)에 술을 믈어,

얼운은 막대 집고, 아ᄒᆡᄂᆞᆫ 술을 메고,

<u>미음완보(微吟緩步)</u>ᄒᆞ야 시냇ᄀᆞ의 호자 안자,
＝소요음영

명사(明沙) 조흔 믈에 잔 시어 부어 들고, 청류(淸

流)를 굽어보니, 써오ᄂᆞ니 도화(桃花)ㅣ로다.

무릉(武陵)이 갓갑도다, 져 ᄆᆡ이 긘 거인고.

▶ 본사 4: 술을 마시며 즐기는 풍류

[바] 송간(松間) 세로(細路)에 두견화(杜鵑花)를 부치 들고,

봉두(峰頭)에 급피 올나 구름 소기 안자 보니,

천촌만락(千村萬落)이 곳곳이 버러 잇ᄂᆡ.

연하일휘(煙霞日輝)ᄂᆞᆫ 금수(錦繡)를 재폇ᄂᆞᆫ 듯.

엇그제 검은 들이 봄빗도 유여(有餘)ᄒᆞ샤.

▶ 본사 5: 산봉우리에서 조망한 봄의 정경

[사] <u>공명(功名)도 날 ᄭᅴ우고, 부귀(富貴)도 날 ᄭᅴ우니,</u>
주객전도

청풍명월(淸風明月) 외(外)예 엇던 벗이 잇ᄉᆞ올고.

단표누항(單瓢陋巷)에 <u>흣튼 혜음</u> 아니 ᄒᆞᄂᆡ.
속세에 대한 미련(공명, 부귀)

아모타, 백년행락(百年行樂)이 이만ᄒᆞᆫ ᄃᆞᆯ 엇지ᄒᆞ리.
3·5·4·3의 음수율 └ 만족감과 자부심이 드러남.
설의법
▶ 결사: 안빈낙도의 생활에 만족함

이제 막 익은 술을 칡베로 만든 두건으로 걸러 놓고
꽃나무 가지 꺾어 술잔을 세어 가며 마시리라.

화창한 봄바람이 문득 불어 푸른 물을 건너오니,

맑은 향기는 잔에 스미고 붉은 꽃잎은 옷에 떨어진다.
술동이가 비었거든 나에게 알리어라.

심부름하는 아이에게 술집에 술이 있는지 물어.
어른은 지팡이 짚고 아이는 술동이 메고.

시를 나직이 읊조리며 천천히 걸어가 시냇가에 혼자 앉아,
고운 모래 맑은 물에 잔 씻어 부어 들고 맑은 물을 바라보니 떠오는 것이 복숭아꽃이로구나.

무릉도원이 가까운 듯하다. 저 들이 그곳인가?

소나무 숲 사이로 난 좁은 길에 진달래꽃을 붙들고.
산봉우리에 급히 올라 구름 속에 앉아 보니.

수많은 촌락이 곳곳에 벌여져 있네.

안개와 노을, 빛나는 햇살은 수놓은 비단을 펼쳐 놓은 듯
엊그제까지만 하여도 거뭇거뭇했던 들에 이제 봄빛이 흘러 넘치는구나.

공명도 날 꺼리고, 부귀도 날 꺼리니.

맑은 바람과 밝은 달 외에 어떤 벗이 있겠는가?
소박한 시골 생활에도 헛된 생각 아니하네.

아무튼 평생 누리는 즐거움이 이 정도면 만족스럽지 않은가?

이해와 감상

이 작품은 속세를 떠나 자연에 몰입하여 봄을 완상하고 인생을 즐기는 강호 한정의 정서를 노래한 가사이다. 조선 시대 사대부 가사의 첫 작품이자, 속세를 떠나 자연에 은거하는 은일지사의 모습을 형상화한 첫 작품으로 주목되면서 후대 가사 작품에 많은 영향을 미쳤다. 또한 이 작품은 송순과 정철로 이어지는 호남 가단 형성의 계기가 되는 작품으로도 평가되고 있다.

01 화자의 시선(공간) 이동에 따라 시상을 전개하는데, '수간모옥'에서 출발하여 '봉두'로 이동하며 넓은 공간에서 좁은 공간으로 공간을 축소하였다. (O, ×)

02 '□□'은 관직에 나아가 정치에 참여하며 부귀와 공명을 누리는 공간으로, 학문을 닦고 수양하며 풍류를 즐기는 공간인 '산림(자연)'과 대비된다.

03 '공명(功名)도 날 ᄭᅴ우고, 부귀(富貴)도 날 ᄭᅴ우니'는 행동의 대상(객체)이 되는 '공명'과 '부귀'를 주체로, 행동의 주체인 '나'를 객체로 표현한 □□□□의 표현이 드러난다.

| 정답 | 01 ×(좁은 공간에서 넓은 공간으로 공간을 확대하였다.) 02 홍진 03 주객전도

2 면앙정가(俛仰亭歌) | 송순

• 갈래: 양반 가사, 은일 가사, 서정 가사
• 성격: 서정적, 묘사적, 강호 한정가
• 특징
① 운문체, 가사체
② 4·4(3·4)조를 기조로 한 4음보 연속체
③ 비유·대구·반복 등의 다양한 표현 방법 사용
④ 사계절의 변화에 따라 내용을 전개
• 주제: 대자연 속에서의 풍류 생활과 임금의 은혜에 대한 감사

[가] 무등산(无等山) 흔 활기 뫼히 동다히로 버더 이셔

　　　멀리 쎄쳐 와 제월봉(霽月峯)이 되여거늘

　　　무변대야(無邊大野)의 므슴 짐쟉 ᄒᆞ노라

　　　일곱 구비 홈되 움쳐 므득므득 버려ᄂᆞᆫ 덧.

　　　가온대 구비ᄂᆞᆫ 굼긔 든 늘근 뇽이

　　　선줌을 ᄀᆞᆺ 씌야 머리를 안쳐시니.

　　　▶ 서사1: 제월봉의 형세

　　무등산의 한 줄기 산이 동쪽으로 뻗어 있어,

　　(무등산을) 멀리 떼어 버리고 나와 제월봉이 되었거늘.

　　끝없는 넓은 들판에서 무슨 생각을 하느라고

　　일곱 굽이가 한데 움츠려 우뚝우뚝 벌여 놓은 듯하다.

　　그 가운데 굽이는 구멍에 든 늙은 용이

　　선잠을 막 깨어 머리를 얹어 놓은 듯하다.

[나] 너ᄅ바회 우히

　　　송죽(松竹)을 헤혀고 정자(亭子)를 안쳐시니

　　　구름 툰 청학(靑鶴)이 천 리(千里)를 가리라
　　　　　　　면앙정을 비유한 표현

　　　두 ᄂᆞᆯ릐 버렷ᄂᆞᆫ 덧.
　　　면앙정의 지붕을 비유한 표현
　　　▶ 서사 2: 면앙정의 모습

　　넓고 평평한 바위 위에

　　소나무와 대나무를 헤치고 정자를 앉혀 놓았으니,

　　마치 구름을 탄 푸른 학이 천 리를 가려고

　　두 날개를 벌린 듯하다.

[다] 옥천산(玉泉山) 용천산(龍泉山) ᄂᆞ린 믈히

　　　정자(亭子) 압 너븐 들히 올올(兀兀)히 펴진 드시

　　　넙거든 기노라 프르거든 희지마니
　　　　「관동별곡」에 영향을 준 표현

　　　쌍룡(雙龍)이 뒤트ᄂᆞᆫ 덧 긴 깁을 치 펏ᄂᆞᆫ 덧
　　　　　　　└ 시냇물을 비유한 표현 ┘

　　　어드러로 가노라 므슴 일 빈얏바

　　　닷ᄂᆞᆫ 덧 ᄯᆞ로ᄂᆞᆫ 덧 밤눗즈로 흐르ᄂᆞᆫ 덧

　　　▶ 본사 1-①: 면앙정 앞 시냇물의 모습

　　옥천산, 용천산에서 내리는 물이

　　정자 앞 넓은 들에 끊임없이 (잇달아) 퍼져 있으니,

　　넓으면서도 길며 푸르면서도 희다.

　　쌍룡이 몸을 뒤트는 듯, 긴 비단을 가득 펼쳐 놓은 듯,

　　어디로 가려고 무슨 일이 바빠서

　　달리는 듯, 따르는 듯, 밤낮으로 흐르는 듯하다.

[라] 므조친 사정(沙汀)은 눈ᄀᆞᆺ치 펴졋거든

　　　이즈러온 기러기ᄂᆞᆫ 므스거슬 어르노라

　　　안즈락 ᄂᆞ리락 모드락 흐트락

　　　노화(蘆花)를 ᄉᆞ이 두고 우러곰 좃ᄂᆞᆫ고.

　　　▶ 본사 1-②: 물가의 기러기가 교태 부리는 모습

　　물을 따라 모래밭은 눈같이 펼쳐져 있는데

　　어지럽게 나는 기러기는 무엇을 통정(通情)＊하려고

　　앉았다 내렸다가, 모였다 흩어졌다 하며

　　갈대꽃을 사이에 두고 울면서 서로 쫓아다니는고?

[마] 너븐 길 밧기요 긴 하ᄂᆞᆯ 아릐

　　　「두로고 쏘즌 거슨 뫼힌가 병풍(屛風)인가 그림가

　　　아닌가.」「 」: 산봉우리가 마치 병풍을 둘러 놓은 듯함

　　　「노픈 덧 ᄂᆞᆽ은 덧 긋ᄂᆞᆫ 덧 닛ᄂᆞᆫ 덧

　　　숨거니 뵈거니 가거니 머물거니」
　　　「 」: 산의 다양한 모습

　　　이츠러온 가온ᄃᆡ 일홈ᄂᆞᆫ 양ᄒᆞ야 하ᄂᆞᆯ도 젓치 아녀

　　　웃득이 셧ᄂᆞᆫ 거시 추월산(秋月山) 머리 짓고

　　　용귀산(龍歸山) 봉선산(鳳旋山)

　　넓은 길 밖, 긴 하늘 아래

　　두르고 꽂은 것은 산인가, 병풍인가, 그림인가 아닌가.

　　높은 듯 낮은 듯, 끊어지는 듯 잇는 듯,

　　숨기도 하고 보이기도 하며, 가기도 하고 머물기도 하며,

　　어지러운 가운데 유명한 체하여 하늘도 두려워하지 않고

　　우뚝 선 것이 추월산을 머리로 삼고,

　　용구산, 봉선산,

불대산(佛臺山) 어등산(魚燈山)

불대산, 어등산,

용진산(湧珍山) 금성산(錦城山)이

용진산, 금성산이

허공(虛空)의 버려거든

허공에 늘어서 있는데.

원근(遠近) 창애(蒼崖)의 머믄 것도 하도 할샤.

멀고도 가까운 푸른 벼랑에 머문 것도 많기도 많구나.

▶ 본사 1 – ③: 면앙정에서 바라본 산의 모습

[바] 흰 구름 브흰 연하(煙霞) 프르니 <u>산람(山嵐)</u>이라.
　　　　　　　　　　　　　　　　계절감을 드러내는 소재

흰 구름과 뿌연 안개와 노을, 푸른 것은 산 아지랑이로구나.

천암(千巖) 만학(萬壑)을 제집으로 사마 두고

수많은 바위와 골짜기를 제집처럼 삼아 두고.

나명성 들명성 일히도 구는지고.

나며 들며 아양도 떠는구나.

오르거니 노리거니

오르기도 하고 내리기도 하며

장공(長空)의 써나거니 광야(廣野)로 거너거니

공중으로 떠갔다가 넓은 들판으로 건너갔다가.

프르락 블그락 여트락 지트락

푸르락 붉으락, 옅으락 짙으락

사양(斜陽)과 섯거디어 세우(細雨)조츠 쑈린다.

석양과 섞여 가랑비마저 뿌리는구나.

▶ 본사 2 – ①: 면앙정의 봄 경치

[사] 남여(籃輿)를 비야 트고

뚜껑 없는 가마를 재촉해 타고

솔 아릭 구븐 길로 오며 가며 하는 적의

소나무 아래 굽은 길로 오며 가며 하는 때에.

<u>녹양(綠楊)</u>의 우는 <u>황앵(黃鶯)</u> 교태(嬌態) 겨워 하는괴야.
계절감을 드러내는 소재　감정 이입의 대상

푸른 버드나무에서 지저귀는 꾀꼬리는 흥에 겨워하는구나.

나모 새 즈즈지여 수음(樹陰)이 얼린 적의

나무 사이가 우거져서 녹음이 울창한 때에

백 척(百尺) 난간(欄干)의 긴 조으름 내여 펴니

긴 난간에서 긴 졸음을 내어 펴니,

수면(水面) 양풍(涼風)이야 긋칠 줄 모르는가.

물 위의 서늘한 바람이 그칠 줄 모르는구나.

▶ 본사 2 – ②: 면앙정의 여름 경치

[아] 즌 서리 쌔진 후의 산 빗치 <u>금슈(錦繡)</u>로다.
　계절감을 드러내는 소재　　　　수놓은 비단 → 단풍

된서리 걷힌 후에 산 빛이 수놓은 비단 같구나.

<u>황운(黃雲)</u>은 쏘 엇지 만경(萬頃)의 펴거긔오.
누런 구름 → 가을 들판

누렇게 익은 곡식은 또 어찌 넓은 들에 퍼져 있는고?

<u>어적(漁笛)</u>도 흥을 계워 둘를 쏘라 브니는다.
감정 이입의 대상

어부의 피리도 흥에 겨워 달을 따라 부는 것인가?

▶ 본사 2 – ③: 면앙정의 가을 경치

[자] 초목(草木) 다 진 후의 강산(江山)이 미몰커늘

초목이 다 떨어진 후에 강산이 묻혔거늘

조물(造物)리 헌스호야 빙설(氷雪)노 쑤며 내니
　　　　　　계절감을 드러내는 소재

조물주가 야단스러워 얼음과 눈으로 꾸며 내니.

경궁요대(瓊宮瑤臺)와 <u>옥해은산(玉海銀山)</u>이 안저
　　　　　　　　　옥 같은 바다, 은 같은 산 → 눈 덮인 자연
(眼低)의 버러셰라.

경궁요대와 옥해은산 같은 설경이 눈 아래 펼쳐져 있구나.

건곤(乾坤)도 가음 열샤 간 대마다 경이로다.

천지가 풍성하구나, 가는 곳마다 아름다운 경치로다.

▶ 본사 2 – ④: 면앙정의 겨울 경치

[차] 인간(人間)를 써나와도 내 몸이 겨를 업다.

인간 세상을 떠나와도 내 몸이 (한가로울) 겨를이 없다.

니것도 보려 하고 져것도 드르려코

이것도 보려 하고, 저것도 들으려 하고,

브룸도 혀려 하고 둘도 마즈려코

바람도 쐬려 하고, 달도 맞이하려고 하니,

봄 으란 언제 줍고 고기란 언제 낙고 | 밤은 언제 줍고 고기는 언제 낚으며,
시비(柴扉)란 뉘 다드며 딘 곳츠란 뉘 쓸려뇨. | 사립문은 누가 닫고 떨어진 꽃은 누가 쓸 것인가?
아츰이 낫브거니 나조히라 슬흘소냐. | 아침이 (자연을 완상하느라고) 부족한데 저녁이라고 싫을쏘냐?
오늘리 부족(不足)커니 내일(來日)리라 유여(有餘)ᄒ랴. | 오늘도 (완상할 시간이) 부족한데 내일이라고 넉넉하랴?
이 뫼히 안자 보고 져 뫼히 거러 보니 | 이 산에 앉아 보고 저 산에 걸어 보니
번로(煩勞)ᄒ ᄆᆞᆷ의 ᄇᆞ릴 일리 아조 업다. | 번거로운 마음이면서도 버릴 것이 전혀 없다.
쉴 ᄉᆞ이 업거든 길히나 젼ᄒ리야. | 쉴 사이도 없는데 (이곳에 오는) 길을 전할 틈이 있으랴.
다만 흔 청려장(靑藜杖)이 다 므듸여 가노미라. | 다만 하나의 지팡이가 다 무디어져 가는구나.

▶ 결사 1: 속세를 떠나 자연 속에서 즐김

[카] 술이 닉엇거니 벗지라 업슬소냐. | 술이 익었는데 벗이 없을 것인가.
블ᄂᆞ며 ᄐᆞ이며 혀이며 이아며 | (노래를) 부르게 하며, (악기를) 타게 하며, 켜게 하며, 흔들며
온가지 소ᄅᆡ로 취흥(醉興)을 ᄇᆡ야거니 | 온갖 소리로 취흥을 재촉하니,
근심이라 이시며 시름이라 브터시랴. | 근심이라 있으며 시름이 붙어 있으랴.
누으락 안즈락 구브락 져츠락 | 누웠다가 앉았다가 굽혔다가 젖혔다가,
을프락 ᄑᆞ람ᄒ락 노혜로 노거니 | (시를) 읊었다가 휘파람을 불었다가 하여 마음 놓고 노니,
천지(天地)도 넙고넙고 일월(日月)도 ᄒ가ᄒ다. | 천지도 넓고 넓으며 세월도 한가하다.
희황(羲皇)을 모ᄅᆞᆯ너니 이 적이야 긔로고야. | 복희씨의 태평성대를 모르고 지냈는데, 이때야말로 그것이로구나.
신선(神仙)이 엇더턴지 이 몸이야 긔로고야. | 신선이 어떠하던지 이 몸이야말로 그것이로구나.

▶ 결사 2: 취흥을 즐김

강산 풍월(江山風月) 거ᄂᆞᆯ리고 내 백 년(百年)을 다 누리면 | 강산풍월 거느리고 내 평생을 다 누리면
악양루상(岳陽樓上)의 이태백(李太白)이 사라 오다 | 악양루 위의 이태백이 살아온다 한들
호탕정회(浩蕩情懷)야 이예서 더홀소냐. | 넓고 끝없는 정다운 회포야말로 이보다 더할 것인가.

▶ 결사 3: 호탕한 정회

이 몸이 이렁 굼도 역군은(亦君恩)이샷다.
유교적 충효 | 이 몸이 이렇게 지내는 것도 역시 임금의 은혜이시도다.
▶ 결사 4: 임금의 은혜

바로 확인문제

01 「면앙정가」는 □음보 연속체 형식으로, 시구 전체가 □□를 이루면서 규칙적인 운율을 형성한다.
02 면앙정 주변의 아름다운 자연에서 얻은 흥취를 공간의 변화에 따라 서술하였다. (○, ×)
03 '이 몸이 이렁 굼도 역군은이샷다'는 자연 친화적 태도에 유교의 충의(忠義) 사상을 결합하여 자연과 임금을 동일한 대상으로 여기는 가치관을 보여 준다. (○, ×)

│ 이해와 감상

이 작품은 자연 속에서의 풍류 생활과 임금의 은혜에 대한 감사의 정서를 담은 가사이다. 작가인 송순이 면앙정이라는 정자를 짓고 자신의 은일 생활을 노래한 것으로, 자연을 즐기는 마음을 사계절의 변화에 따라 읊고 있다. 또한 이 작품은 전대의 「상춘곡」의 영향을 받은 한편, 뒤에 창작된 「성산별곡」에 영향을 줌으로써 강호가도를 확립하는 데 기여했다고 평가받는다.

│ 정답 │　01 4. 대구　02 ×(공간 → 사계절)　03 ○

3 관동별곡(關東別曲) | 정철

[가] 江강湖호애 病병이 깁퍼 竹듁林님의 누엇더니
  _{연하고질, 천석고황}

  關관東동 八팔百빅 里니에 方방面면을 맛디시니

  어와 聖셩恩은이야 가디록 罔망極극ᄒ다.

  延연秋츄門문 드리ᄃ라 慶경會회 南남門문 ᄇ라
  보며

  下하直직고 믈너나니 玉옥節졀이 알ᄑ 셧다.

  平평丘구驛역 ᄆᆯ을 ᄀ라 黑흑水슈로 도라드니

  蟾셤江강은 어듸메오 雉티岳악이 여긔로다.
  ▶ 서사 1: 관찰사 부임의 여정

  昭쇼陽양江강 ᄂ린 믈이 어드러로 든단 말고.
  _{연군지정}

  孤고臣신 去거國국에 白빅髮발도 하도 할샤.
  _{우국지정}

  東동州쥐 밤 계오 새와 北북寬관亭뎡의 올나ᄒ니

  三삼角각山산 第뎨一일峰봉이 ᄒ마면 뵈리로다.
  _{연군지정}

  弓궁王왕 大대闕궐 터희 烏오鵲쟉이 지지괴니
  _{감정 이입의 대상}

  千쳔古고 興흥亡망을 아ᄂ다 몰ᄋᄂ다.
  _{인생무상, 맥수지탄}

  「淮회陽양 녜 일홈이 마초아 ᄀ틀시고.

  汲급長댱儒유 風풍彩치를 고텨 아니 볼 게이고.」
  _{「　」: 선정에 대한 포부}
  ▶ 서사 2: 관내 순시와 선정의 포부

[나] 營영中듕이 無무事ᄉᄒ고 時시節졀이 三삼月월인 제

  花화川쳔 시내길히 楓풍岳악으로 버더 잇다.

  行ᄒᆼ裝장을 다 썰티고 石셕逕경의 막대 디퍼

  百빅川쳔洞동 겨ᄐᆡ 두고 萬만瀑폭洞동 드러가니

  銀은 ᄀ튼 무지게 玉옥 ᄀ튼 龍룡의 초리
  _{폭포의 모습 묘사}

  셧돌며 쑴ᄂ 소리 十십 里리의 ᄌ자시니

  들을 제ᄂ 우레러니 보니ᄂ 눈이로다.
  ▶ 본사 1-①: 만폭동 폭포의 장관

  金금剛강臺ᄃᆡ 믠 우層층의 仙션鶴학이 삿기 치니

  春츈風풍 玉옥笛뎍聲셩의 첫ᄌᆷ을 ᄭᆡ돗던디

  縞호衣의玄현裳샹이 半반空공의 소소 쓰니
  _{학의 모습 묘사}

  西셔湖호 녯 主쥬人인을 반겨셔 넘노ᄂ 둣.
  _{화자 자신}
  ▶ 본사 1-②: 금강대의 선학

자연을 사랑하는 마음이 병처럼 깊어 은거지(창평)에서 지내고 있었는데,
(임금께서) 팔백 리나 되는 관동 지방 관찰사의 직분을 맡겨 주시니.
아아, 임금의 은혜야말로 갈수록 끝이 없다.

(경복궁의 서문인) 연추문으로 달려들어가 경회루 남문을 바라보며,

(임금께) 하직하고 물러나니 (관찰사의 신표인) 옥절이 앞에 있다.
평구역(양주)에서 말을 갈아 타고 흑수(여주)로 돌아드니,
섬강(원주)은 어디인가? 치악산(원주)이 여기로구나.

소양강 흘러내리는 물이 어디로 흘러간단 말인가?
임금 곁을 떠나는 외로운 신하가 걱정이 많기도 많구나.
동주(철원)에서 밤을 겨우 새워 북관정에 오르니,
(임금 계신 한양의) 삼각산 제일봉이 웬만하면 보일 것도 같구나.
궁예 왕의 대궐 터였던 곳에 까막까치가 지저귀니
한 나라의 흥하고 망함을 알고 우는가? 모르고 우는가?
회양이라는 이곳의 이름이 (중국 한나라에 있던 회양이라는) 옛날 이름과 공교롭게도 같구나.
(한나라 회양 태수로 선정을 베풀었다는) 급장유의 풍채를 다시 펼쳐야 할 것이 아닌가?

감영 안이 별일 없고 시절이 삼 월일 때에

화천의 시냇길이 금강산으로 뻗어 있다.

행장을 간편히 하고 돌길에 지팡이를 짚고,

백천동을 지나서 만폭동 계곡으로 들어가니,

은 같은 무지개, 옥 같은 용의 꼬리처럼

(폭포가) 섞여 돌며 뿜어내는 소리가 십 리 밖까지 퍼졌으니,
(멀리서) 들을 때에는 우렛소리 같더니 (가까이서) 바라보니 눈과 같구나.

금강대 맨 꼭대기에 학이 새끼를 치니,

봄바람에 들려오는 옥피리 소리에 첫 잠을 깨었던지,
흰 저고리와 검은 치마로 단장한 학이 공중에 솟아 뜨니,
서호의 옛 주인이었던 임포를 (반기듯 나를) 반겨서 넘노는 듯하는구나!

- 갈래: 양반 가사, 기행 가사, 정격 가사(마지막 구가 시조의 종장과 유사)
- 성격: 서경적, 유교적, 도교적
- 표현
  ① 3(4)·4조, 4음보의 율격 사용, 결사의 마지막은 시조의 종장과 같은 3·5·4·3의 음수율이 사용됨
  ② 표기는 숙종 때의 표기이며, 우리말의 아름다움을 잘 활용함
  ③ 공간의 이동에 따라 화자의 정서 변화가 보이며, 작자의 호탕한 기상이 드러남
  ④ 영탄법과 대구법의 묘미를 살렸고, 적절한 생략법의 구사로 문장의 멋을 살림
  ⑤ 경치의 객관적 묘사에 그치지 않고, 작가 자신이 자연에 몰입하여 새로운 시경과 시상을 창조함
  ⑥ 자연물을 인간의 삶에 적용시켜 주관적으로 변용함
- 주제: 관동 지방의 절경과 풍류 및 연군·애민의 정

小쇼香향爐노峰봉 大대香향爐노峰봉 눈 아래 구버보고

正경陽양寺수 眞진歇헐臺딕 고텨 올나 안존마리

廬녀山산 眞진面면目목이 여긔야 다 뵈ᄂ다.

어와 造조化화翁옹이 헌ᄉᆞ토 헌ᄉᆞ홀샤.

<u>놀거든 뛰디 마나 셧거든 솟디 마나.</u>
송순의 「면앙정가」의 영향을 받은 부분

芙부蓉용을 고잣ᄂᆞ 듯 白ᄇᆡ玉옥을 믓것ᄂᆞ 듯

東동溟명을 박ᄎᆞᄂᆞ 듯 北북極극을 괴왓ᄂᆞ 듯.
임금 상징

놉흘시고 <u>望망高고臺딕</u>, 외로올샤 <u>穴혈望망峰봉</u>이
충신 상징　　　　　　　　　충신 상징

하ᄂᆞᆯ의 추미러 무ᄉᆞ 일을 ᄉᆞ로리라
임금 상징

千쳔萬만劫겁 디나ᄃᆞ록 구필 줄 모ᄅᆞᄂᆞ다.

어와 너여이고 너 ᄀᆞᄐᆞ니 ᄯᅩ 잇ᄂᆞᆫ가.

▶ 본사 1 – ③: 진헐대에서 바라본 금강산

開기心심臺딕 고텨 올나 衆듕香향城셩 ᄇᆞ라보며

萬만二이千쳔 峯봉을 歷녁歷녁히 혀여ᄒᆞ니

峰봉마다 ᄆᆡᆺ쳐 잇고 긋마다 서린 긔운

<u>ᄆᆞᆰ거든 조티 마나 조커든 ᄆᆞᆰ디 마나.</u>
송순의 「면앙정가」의 영향을 받은 부분

뎌 긔운 흐터 내야 人인傑걸을 ᄆᆞᆫᄃᆞᆯ고쟈.
우국지정

形형容용도 그지업고 體톄勢셰도 하도 할샤.

天텬地디 삼기실 제 自ᄌᆞ然연이 되연마ᄂᆞᆫ

이제 와 보게 되니 有유情졍도 有유情졍ᄒᆞ샤.
영탄법

毗비盧로峰봉 上샹上샹頭두의 올라 보니 긔 뉘신고.

東동山산 泰태山산이 어ᄂᆞ야 놉돗던고.

魯노國국 조븐 줄도 우리ᄂᆞ 모ᄅᆞ거든

넙거나 넙은 天텬下하 엇찌ᄒᆞ야 젹닷 말고.

어와 뎌 디위를 어이ᄒᆞ면 알 거이고.

오ᄅᆞ디 못ᄒᆞ거니 ᄂᆞ려가미 고이홀가.

▶ 본사 1 – ④: 개심대에서의 중향성, 비로봉 조망

圓원通통골 ᄀᆞᄂᆞ 길로 獅ᄉᆞ子ᄌᆞ峰봉을 ᄎᆞ자가니

그 알ᄑᆡ 너러바회 化화龍룡쇠 되여셰라.

<u>千쳔年년 老노龍룡</u>이 구비구비 서려 이셔
화자 자신

晝듀夜야의 흘녀 내여 滄창海ᄒᆡ예 니어시니

風풍雲운을 언제 어더 <u>三삼日일雨우</u>를 디련ᄂᆞᆫ다.
백성에게 베푸는 선정

소향로봉과 대향로봉을 눈 아래 굽어보고,

정양사 진헐대에 다시 올라 앉으니,

중국의 여산과도 같이 아름다운 금강산의 참모습
이 여기서야 다 보이는구나.
아아, 조물주의 솜씨가 야단스럽기도 야단스
럽구나.
(수많은 봉우리들은) 나는 듯하면서도 뛰는 듯
하고, 우뚝 서 있는 듯하면서도 솟은 듯하다.
연꽃을 꽂아 놓은 듯, 백옥을 묶어 놓은 듯,

동해를 박차는 듯, 북극을 괴어 놓은 듯하구나.

높기도 높은 망고대, 외롭기도 외로운 혈망
봉이
하늘에 치밀어 무슨 일을 아뢰려고

오랜 세월이 지나도록 굽힐 줄 모르느냐?

아아, 너로구나. (망고대, 혈망봉) 너같이 높은
지조를 지닌 것이 또 있겠는가?

개심대에 다시 올라 중향성을 바라보며

일만 이천 봉을 똑똑히 헤아려 보니,

봉마다 맺혀 있고 끝마다 서려 있는 기운

맑거든 깨끗하지나 말고, 깨끗하거든 맑지나
말지
저 (맑고 깨끗한) 기운을 흩어 내어 뛰어난 인
재를 만들고 싶구나.
(산의) 생김새도 끝이 없고, 형세도 다양하기
도 하구나.
천지가 생겨날 때에 저절로 이루어진 것이지
마는
이제 와 보게 되니 조물주의 뜻이 담겨 있기
도 하구나.
(금강산 가장 높은 봉우리인) 비로봉 정상에
올라 본 사람이 그가 누구인가?
동산과 태산 중 어느 것이 비로봉보다 높던
가?
노나라가 좁은 줄도 우리는 모르거든,

(하물며) 넓고도 넓은 천하를 (공자는) 어찌하
여 작다고 했는가?
아아, (공자의 높고 넓은) 저 경지를 어찌하면
알 수 있겠는가?
오르지 못하는데 내려감이 이상하랴?

원통골의 좁은 길로 사자봉을 찾아가니,

그 앞의 넓은 바위가 화룡소가 되었구나.

천 년 묵은 늙은 용이 굽이굽이 서려 있는 것
같이
밤낮으로 물이 흘러내려 넓은 바다까지 이어
있으니,
(저 용은) 바람과 구름을 언제 얻어 흡족한 비
를 내리려 하느냐?

「陰음崖애예 이온 플을 다 살와 내여 스라.」
고통받은 백성   「 」: 선정의 포부, 애민 정신

▶ 본사 1-⑤: 화룡소의 감회

그늘에 시든 풀들을 다 살려 내려무나.

磨마訶하衍연 妙묘吉길祥샹 雁안門문재 너머 디여

마하연, 묘길상, 안문재 넘어 내려가

외나모 써근 드리 佛블頂뎡臺딕 올라ᄒᆞ니

외나무 썩은 다리를 건너 불정대에 오르니,

千쳔尋심絶졀壁벽을 半반空공애 셰여 두고

천 길이나 되는 절벽을 공중에 세워 두고

銀은河하水슈 한 구비를 촌촌이 버혀 내여
폭포

은하수 큰 굽이를 마디마디 잘라 내어

실ᄀᆞ티 플텨이셔 뵈ᄀᆞ티 거러시니
폭포의 모습 묘사

실같이 풀어서 베처럼 걸어 놓았으니

圖도經경 열두 구비 내 보매는 여러히라.

도경에는 열두 굽이라 하였으나, 내 보기에는
그보다 더 많아 보이는구나.

李니謫뎍仙션 이제 이셔 고텨 의논ᄒᆞ게 되면

(만일,) 이백이 지금 있어서 다시 의논하게 되면,

廬녀山산이 여긔도곤 낫단 말 못ᄒᆞ려니.

여산 폭포가 여기보다 낫다는 말은 못 할 것
이다.

▶ 본사 1-⑥: 불정대에서 바라본 십이 폭포의 장관

[다] 山산中듕을 미양 보랴 東동海히로 가쟈 스라.

내금강의 경치만 항상 보겠는가? 이제는 동
해로 가자꾸나.

藍남輿여 緩완步보ᄒᆞ야 山산映영樓누의 올나ᄒᆞ니

뚜껑 없는 가마를 타고 천천히 걸어서 산영루
에 오르니,

「玲녕瓏롱 碧벽溪계와 數수聲셩 啼뎨鳥됴는 離니
　　└ 감정 이입의 대상 ┘
別별을 怨원ᄒᆞᄂᆞ 듯.」
「 」: 주객전도

눈부시게 반짝이는 맑은 시냇물과 갖가지 소
리로 우짖는 새는 나와의 이별을 원망하는 듯
하다.

旌졍旗긔를 ᄭᅥᆯ티니 五오色식이 넘노는 듯

깃발을 휘날리니 갖가지 색이 넘실거리는 듯
하며,

鼓고角각을 섯부니 海히雲운이 다 것ᄂᆞ 듯.

북과 나발을 섞어 부니 바다의 구름이 다 걷
히는 듯하다.

鳴명沙사길 니근 믈이 醉취仙션을 빗기 시러
　　　　　　　　자신을 신선에 비유함

모랫길에 익숙한 말이 취한 신선을 비스듬히
태우고

바다 홀 겻틱 두고 海히棠당花화로 드러가니

바다를 곁에 두고 해변의 해당화 핀 꽃밭으로
들어가니,

白빅鷗구야 ᄂᆞ디 마라 네 버딘 줄 엇디 아ᄂᆞ.
물아일체, 자연 친화 의식

갈매기야, 날지 마라. 내가 네 벗인 줄 어찌 아
느냐?

▶ 본사 2-①: 동해로 가는 감회

金금蘭난窟굴 도라드러 叢총石셕亭뎡 올라ᄒᆞ니

금난굴 돌아들어 총석정에 올라가니,

白빅玉옥樓누 남은 기동 다만 네히 셔 잇고야.

(옥황상제가 거처하던) 백옥루의 기둥이 네
개만 서 있는 듯하구나.

工공垂슈의 성녕인가 鬼귀斧부로 다듬ᄆᆞ가.

(옛날 중국의 명장인) 공수가 만든 작품인가,
귀신의 도끼로 다듬었는가?

구틱야 六뉵面면은 므어슬 象상톳던고.

구태여 육면으로 된 돌기둥은 무엇을 본떴는
가?

▶ 본사 2-②: 총석정에서 바라본 사선봉

高고城셩을란 뎌만 두고 三삼日일浦포를 ᄎᆞ자가니

고성을 저만큼 두고 삼일포를 찾아가니,

丹단書셔는 宛완然연ᄒᆞ딕 四ᄉᆞ仙션은 어딕 가니,

(신라의 국선이었던 영랑의 무리가 남석으로
갔다는) 붉은 글씨는 뚜렷한데, (이 글을 쓴)
사선은 어디로 갔는가?

예 사흘 머믄 後후의 어딕 가 쏘 머믈고.

여기서 사흘 동안 머무른 뒤에 어디에 가서
또 머물렀던고?

仙션遊유潭담 永영郎낭湖호 거긔나 가 잇는가.

선유담, 영랑호에 거기에 가 있는가?

淸청澗간亭뎡 萬만景경臺딕 몃 고딕 안돗던고.

청간정, 만경대 몇 곳에 앉았던가?

▶ 본사 2-③: 삼일포에서 사선 추모

梨니花화는 불셔 디고 접동새 슬피 울 제
계절적 배경 → 늦봄

배꽃은 벌써 지고 접동새 슬피 울 때에,

洛낙山산 東동畔반으로 義의相샹臺디예 올라 안자

낙산사 동쪽 언덕으로 의상대에 올라앉아

日일出츌을 보리라 밤듕만 니러ᄒᆞ니
해: 임금을 상징

해돋이를 보려고 한밤중에 일어나니.

祥샹雲운이 집픠는 동 六뉵龍뇽이 바퇴는 동
충신을 상징

상서로운 구름이 피어나는 듯, 여섯 마리 용이 해를 떠받치는 듯.

바다ᄒᆡ 써날 제는 萬만國국이 일위더니

바다에서 솟아오를 때에는 온 세상이 일렁이는 듯하더니.

天텬中듕의 티쓰니 毫호髮발을 혜리로다.

하늘에 치솟아 뜨니 가는 터럭도 헤아릴 만큼 밝도다.

아마도 녈구름 근쳐의 머믈셰라.
간신을 상징

혹시나 지나가는 구름이 (해) 근처에 머무를까 두렵구나.

詩시仙션은 어ᄃᆡ 가고 咳ᄒᆡ唾타만 나맛ᄂᆞ니.

이백은 어디 가고 시구만 남았느냐?

天텬地디間간 壯장훈 긔별 ᄌᆞ셔히도 훌셔이고.

천지간 굉장한 소식이 자세히도 표현되었구나.

▶ 본사 2-④: 의상대에서의 일출

斜샤陽양 峴현山산의 躑텩躅튝을 므니불와

저녁 햇빛이 비껴드는 현산의 철쭉꽃을 잇달아 밟아

羽우蓋개芝지輪륜이 鏡경浦포로 ᄂᆞ려가니

신선이 탄다는 수레를 타고 경포로 내려가니.

十십 里리 氷빙紈환을 다리고 고텨 다려
호수의 잔잔한 수면을 비유(은유법)

십 리나 뻗어 있는 얼음같이 흰 비단을 다리고 다시 다린 (것 같은 맑고 잔잔한 호숫물이)

長댱松숑 울흔 소개 슬ᄏᆞ장 펴뎌시니

큰 소나무숲으로 둘러싼 속에 한껏 펼쳐져 있으니.

믈결도 자도 잘샤 모래를 혜리로다.

물결도 잔잔하기도 잔잔하구나. 모래알까지도 헤아릴 만하다.

孤고舟쥬 解ᄒᆡ纜람ᄒᆞ야 亭뎡子ᄌᆞ 우희 올나가니

한 척의 배를 띄워 정자 위에 올라가니.

江강門문橋교 너믄 겨틱 大대洋양이 거긔로다.

강문교 넘은 곁에 동해 바다가 거기로구나.

從둉容용훈댜 이 氣긔像샹 闊활遠원훈댜 뎌 境경界계

조용하구나 이 (경포의) 기상이여, 넓고 아득하구나 저 (동해의) 경계여.

이도곤 ᄀᆞ준 ᄃᆡ 쏘 어듸 잇닷 말고.

이곳보다 아름다운 경치를 갖춘 곳이 또 어디 있단 말인가?

紅홍粧장 古고事사를 헌ᄉᆞ타 ᄒᆞ리로다.
고려 때 강원 감사 박신과 기생 홍장이 경포에서 사랑을 나눴다는 고사

과연 고려 우왕 때 박신과 홍장의 이야기가 야단스럽다 하리로다.

江강陵능 大대都도護호 風풍俗쇽이 됴흘시고.

강릉 대도호부의 풍속이 좋기도 하구나.

節결孝효旌졍門문이 골골이 버러시니

충신. 효자. 열녀를 표창하기 위하여 세운 정문이 동네마다 널렸으니

比비屋옥可가封봉이 이제도 잇다 훌다.

(즐비하게 늘어선 집마다 모두 벼슬을 줄 만하다는) 요순시절의 태평성대가 이제도 있다고 하겠도다.

▶ 본사 2-⑤: 경포의 장관과 강릉의 미풍양속

眞진珠쥬館관 竹듁西서樓루 五오十십川쳔 ᄂᆞ린 믈이

진주관(삼척) 죽서루 아래 오십천에서 흘러내리는 물이

太태白빅山산 그림재를 東동海히로 다마 가니

태백산 그림자를 동해까지 담아가니

출하리 漢한江강의 木목覓멱의 다히고져.
연군지정

차라리 (그 물줄기를) 임금 계신 한강의 남산에 닿게 하고 싶구나.

「王왕程뎡이 有유限훈ᄒᆞ고 風풍景경이 못 슬믜니

관원의 여정은 유한하고, 풍경은 싫증나지 않으니

幽유懷회도 하도 할샤 客긱愁수도 둘 ᄃᆡ 업다.」
「 」: 위정자로서의 책임감과 자연인으로서의 욕망 간의 갈등

그윽한 회포가 많기도 많고 나그네의 시름도 달랠 길 없구나.

仙선槎사룰 씌워 내여 斗두牛우로 向향ᄒᆞ살가
仙션人인을 ᄎᆞᄌᆞ려 丹단穴혈의 머므살가.
▶ 본사 2 - ⑥ : 죽서루에서의 객수

天텬根근을 못내 보와 望망洋양亭뎡의 올은말이
바다 밧근 하늘이니 하늘 밧근 므서신고.
ᄀᆞᆺ득 노한 고래 뉘라셔 놀내관ᄃᆡ
　　　　　파도를 상징
블거니 씀거니 어즈러이 구ᄂᆞᆫ디고.
銀은山산을 것거 내여 六뉵合합의 ᄂᆞ리ᄂᆞᆫ 듯
파도를 상징
五오月월 長댱天텬의 白빅雪셜은 므ᄉᆞ 일고.
　　　　　　파도의 모말
▶ 본사 2 - ⑦ : 망향정에서의 파도 조망

[라] 져근덧 밤이 드러 風풍浪낭이 定뎡ᄒᆞ거늘
　　　　　시간적 배경
扶부桑상 咫지尺척의 明명月월을 기ᄃᆞ리니
瑞셔光광 千쳔丈댱이 뵈ᄂᆞᆫ 듯 숨ᄂᆞᆫ고야.
珠쥬簾렴을 고텨 것고 玉옥階계룰 다시 쓸며
啓계明명星셩 돗도록 곳초 안자 ᄇᆞ라보니
白빅蓮년花화 ᄒᆞᆫ 가지룰 뉘라셔 보내신고.
❶ 달 ❷ 임금의 은혜
일이 됴흔 世세界계 ᄂᆞᆷ대되 다 뵈고져.
애민 정신
流뉴霞하酒쥬 ᄀᆞ득 부어 ᄃᆞᆯ ᄃᆞ려 무론 말이
英영雄웅은 어ᄃᆡ 가며 四ᄉᆞ仙션은 긔 뉘러니
아미나 맛나 보아 녯 긔별 뭇쟈 ᄒᆞ니,
仙션山산 東동海ᄒᆡ예 갈 길히 머도 멀샤.
▶ 결사 1 : 망양정에서의 월출

松숑根근을 볘여 누어 풋ᄌᆞᆷ을 얼픗 드니
　　　┌신선
ᄭᅮᆷ애 ᄒᆞᆫ 사ᄅᆞᆷ이 날ᄃᆞ려 닐온 말이
화자의 갈등을 해소하는 매개체
그ᄃᆡ룰 내 모ᄅᆞ랴 上샹界계예 眞진仙션이라.
「黃황庭뎡經경 一일字ᄌᆞ룰 엇디 그릇 닐거 두고,
「 」: 자신을 선계에서 잘못을 저질러 인간 세상에 내려온 신선으로 표현
人인間간의 내려와셔 우리룰 ᄯᆞ로ᄂᆞᆫ다.」
져근덧 가디 마오 이 술 ᄒᆞᆫ 잔 머거 보오.
北븍斗두星셩 기우려 滄챵海ᄒᆡ水슈 부어 내여
저 먹고 날 머겨늘 서너 잔 거후로니
和화風풍이 習습習습ᄒᆞ야 兩냥腋익을 추혀드니
九구萬만 里리 長댱空공애 져기면 ᄂᆞᆯ리로다.

신선이 타는 뗏목을 띄워 내어 북두칠성과 견우성으로 향해 버릴까?
신선을 찾으러 단혈에 머무를까?

하늘 끝을 끝내 못 보고 망양정에 오르니,
바다 밖은 하늘인데 하늘 밖은 무엇인가?
가뜩이나 성난 고래(파도)를 누가 놀라게 하였기에,
(물을) 불거니 뿜거니 하면서 어지럽게 구는 것인가?
은산을 꺾어 내어 온 세상에 흩뿌려내리는 듯,
오월의 드높은 하늘에 백설(물보라)은 무슨 일인가?

잠깐 사이에 밤이 되어 바람과 물결이 가라앉기에,
해 뜨는 동해 가까이에서 밝은 달을 기다리니,
상서로운 달빛이 보이는 듯하다가 숨는구나.
구슬을 꿰어 만든 발을 다시 걷어 올리고 옥 같은 섬돌을 다시 쓸며
샛별이 돋아 오를 때까지 꼿꼿이 앉아 바라보니,
흰 연꽃 같은 달덩이를 누가 보내셨는가?
이렇게 좋은 세상을 남들에게 모두 보이고 싶구나.
신선주 가득 부어 달에게 묻는 말이,
"옛날의 영웅은 어디 갔으며, 신라 때 사선은 누구더냐?"
아무나 만나 보아(영웅과 사선에 관한) 옛 소식을 묻고자 하니,
선산이 있다는 동해로 갈 길이 멀기도 하구나.

소나무 뿌리를 베고 누워 선잠이 얼핏 들었는데
꿈에 한 사람(신선)이 나에게 이르는 말이,
"그대를 내가 모르랴? (그대는) 하늘 나라의 참신선이라.
황정경 한 글자를 어찌 잘못 읽고
인간 세상에 내려와서 우리를 따르는가?
잠시 가지 마오. 이 술 한 잔 먹어 보오."
북두칠성과 같은 국자를 기울여 동해물 같은 술을 부어 내어
자기 먹고 나에게도 먹이거늘 서너 잔을 기울이니,
온화한 봄바람이 산들산들 불어 양 겨드랑이를 추켜드니,
아득히 높고 먼 하늘도 웬만하면 날 것 같은 기분이구나.

「이 술 가져다가 四ᄉ海ᄒ희예 고로 ᄂᆞ화

億억萬만 蒼창生ᄉᆡᆼ을 다 醉취케 밍근 後후의

그제야 고텨 맛나 ᄯᅩ ᄒᆞᆫ 잔 ᄒᆞ쟛고야.」
「　」: 갈등의 해소 − 애민 정신, 선우후락의 정신

말 디쟈 鶴학을 ᄐᆞ고 九구空공의 올나가니

空공中듕 玉옥簫쇼 소ᄅᆡ 어제런가 그제런가.

나도 ᄌᆞᆷ을 ᄭᆡ여 바다ᄒᆞᆯ 구버보니

기픠ᄅᆞᆯ 모ᄅᆞ거니 ᄀᆞ인들 엇디 알리.

明명月월이 千쳔山산萬만落낙의 아니 비췬 ᄃᆡ 업다.
임금의 은총(중의적 표현)
▶ 결사 2: 꿈속에서 신선을 만난 후의 감회

"이 술 가져다가 온 세상에 고루 나눠

온 백성을 다 취하게 만든 후에

그때에야 다시 만나 또 한 잔 하자꾸나."

말이 끝나자 (신선은) 학을 타고 높은 하늘에 올라가니.
공중의 옥피리 소리가 어제던가 그제던가.

나도 잠을 깨어 바다를 굽어보니.

깊이를 모르는데 하물며 끝인들 어찌 알겠는가.
밝은 달빛이 온 세상에 아니 비친 곳이 없다.

이해와 감상

이 작품은 금강산을 비롯한 관동팔경을 감상하고 선정에 대한 포부를 드러낸 가사이다. 송강 정철이 강원도 관찰사로 부임하여 관동팔경을 두루 유람하고서 산수·풍경·고사·풍속 등을 읊은 가사이다. 구체적으로는 서사에서는 관찰사로 임명되어 여행에 오르는 동기를 밝히고, 본사에서는 관내를 순행하기 위해 길을 떠나 금강산 내외를 구경한 감상이 드러난다. 결사에서는 동해의 달맞이와 꿈속에서 만난 신선과의 풍류를 형상화하고 있다.

01 「관동별곡」은 유배 가사이자 기행 가사로, 화자는 가벼운 차림으로 금강산을 여행하고 있다. (○, ×)

02 생략과 비약에 의한 내용 전개, 역동적인 움직임의 포착에 의한 박진감 있는 경치 묘사가 특징적이다. (○, ×)

03 '□□'에서 '□□'로 공간이 이동하면서 화자의 심리도 사회의 기대에 부응하고자 열망하다가 인간 본연의 모습을 드러내고 있다.

| 정답 |　01 ×(유배 가사×)　02 ○
03 산, 바다

4 사미인곡(思美人曲) | 정철

[가] 이 몸 삼기실 제 님을 조차 삼기시니
　흔 ᄉᆞᆼ 연분(緣分)이며 하ᄂᆞᆯ 모ᄅᆞᆯ 일이런가.
　나 ᄒᆞ나 졈어 잇고 님 ᄒᆞ나 날 괴시니
　이 ᄆᆞᄋᆞᆷ 이 ᄉᆞ랑 견졸 ᄃᆡ 노여 업다.

　▶ 서사 1: 임금과의 인연

평ᄉᆡᆼ(平生)애 원(願)ᄒᆞ요ᄃᆡ ᄒᆞᆫ ᄃᆡ 녜쟈 ᄒᆞ얏더니
　늙거야 므ᄉᆞ 일로 외오 두고 글이ᄂᆞᆫ고.
　엇그제 님을 뫼셔 광한뎐(廣寒殿)의 올낫더니
　그 더ᄃᆡ 엇디ᄒᆞ야 하계(下界)예 ᄂᆞ려오니
　올 적의 비슨 머리 얼키연 디 삼 년(三年)이라.

　연지분(臙脂粉) 잇ᄂᆡ마ᄂᆞᆫ 눌 위ᄒᆞ야 고이 홀고.
　ᄆᆞᄋᆞᆷ의 ᄆᆡ친 실음 텹텹(疊疊)이 ᄡᅡ혀 이셔
　짓ᄂᆞ니 한숨이오 디ᄂᆞ니 눈믈이라.

　▶ 서사 2: 이별과 임에 대한 그리움

인ᄉᆡᆼ(人生)은 유ᄒᆞᆫ(有限)ᄒᆞᆫ ᄃᆡ 시름도 그지업다.
　무심(無心)ᄒᆞᆫ 셰월(歲月)은 믈 흐르ᄃᆞᆺ ᄒᆞᄂᆞᆫ고야.
　염냥(炎涼)이 ᄲᅢ를 아라 가는 ᄃᆞᆺ 고텨 오니
　듯거니 보거니 늣길 일도 하도 할샤.

　▶ 서사 3: 세월의 무상함

[나] 동풍(東風)이 건듯 부러 젹셜(積雪)을 헤텨 내니
　창(窓) 밧긔 심근 ᄆᆡ화(梅花) 두세 가지 픠여셰라.
　ᄀᆞ득 닝담(冷淡)ᄒᆞᆫ ᄃᆡ 암향(暗香)은 므ᄉᆞ 일고.
　황혼(黃昏)의 ᄃᆞᆯ이 조차 벼마틔 빗최니
　늣기ᄂᆞᆫ ᄃᆞᆺ 반기ᄂᆞᆫ ᄃᆞᆺ 님이신가 아니신가.
　뎌 ᄆᆡ화(梅花) 것거 내여 님 겨신 ᄃᆡ 보내오져.
　님이 너를 보고 엇더타 너기실고.

　▶ 본사 1: 춘원(春怨) – 매화를 꺾어 임에게 보내 드리고 싶음

[다] ᄭᅩᆺ 디고 새 닙 나니 녹음(綠陰)이 ᄭᆞᆯ렷ᄂᆞᆫᄃᆡ
　나위(羅幃) 젹막(寂寞)ᄒᆞ고 슈막(繡幕)이 뷔여 잇다.
　부용(芙蓉)을 거더 노코 공쟉(孔雀)을 둘러 두니
　ᄀᆞ득 시름 한ᄃᆡ 날은 엇디 기돗던고.
　원앙금(鴛鴦錦) 버혀 노코 오ᄉᆡ션(五色線) 플터 내여

이 몸이 태어날 때 임을 따라 태어났으니,
한평생 함께 살아갈 인연임을 하늘이 (어찌) 모를 일이던가?
나는 오직 젊어 있고 임은 오직 나만을 사랑하시니,
이 마음과 이 사랑을 비교할 데가 전혀 없다.

평생에 원하기를 임과 함께 살아가고자 하였더니,
늙어서 무슨 일로 외로이 떨어져 그리워하는고.
엊그제까지만 해도 임을 모시고 광한전에 올라 있었는데,
그동안에 어찌하여 속세에 내려왔느냐.

내려올 때 빗은 머리가 헝클어진 지도 3년이구나.
연지분이 있지마는 누구를 위하여 곱게 단장할 것인가.
마음에 맺힌 근심이 겹겹으로 쌓여 있어,
짓는 것은 한숨이요, 떨어지는 것은 눈물이라.

인생은 유한한데 근심은 끝이 없다.
무심한 세월은 물 흐르듯 흘러가는구나.
더위와 추위가 계절이 바뀔 때를 알아 지나갔다가 다시 돌아오니,
듣고 보고 하는 가운데 느낄 일이 많기도 하구나.

봄바람이 문득 불어 쌓인 눈을 헤쳐 내니,
창밖에 심은 매화가 두세 가지 피었구나.
가뜩이나 날이 쌀쌀한데 그윽히 풍겨 오는 향기는 무슨 일인고.
황혼에 달이 따라와 베갯머리에 비치니,
흐느껴 우는 듯도 하고 반가워하는 듯도 하니 (이 달이 바로) 임이신가 아니신가?
저 매화를 꺾어 내어 임 계신 곳에 보내고 싶구나.
임께서 너를 보고 어떻다 생각하실꼬?

꽃이 지고 새 잎이 나니 녹음이 우거졌는데,
비단 휘장은 쓸쓸히 걸렸고, 수놓은 장막만이 텅 비어 쓸쓸하다.
연꽃 무늬 휘장을 걷어 놓고 공작을 수놓은 병풍을 둘러 두니,
가뜩이나 근심은 많은데 날은 어찌 이리도 길단 말인가?
원앙새를 수놓은 비단을 잘라 놓고 오색실을 풀어 내어

금자히 견화이셔 님의 옷 지어 내니
_{화자의 정성과 사랑}
슈품(手品)은 ▷니와 졔도(制度)도 ▽줄시고.
_{자화자찬}
산호슈(珊瑚樹) 지게 우히 빅옥함(白玉函)의 다마
두고

님의게 보내오려 님 겨신 ▷ ▷라보니

산(山)인가 구롬인가 머흐도 머흘시고.
_{간신}
쳔 리(千里) 만 리(萬里) 길흘 뉘라셔 ᄎ자갈고.

니거든 여러 두고 날인가 반기실가.

▶ 본사 2: 하원(夏怨) – 임에 대한 알뜰한 정성

금으로 만든 자로 재단해서 임의 옷을 만들어
내니,
솜씨는 물론이거니와 격식도 잘 갖추었구나.
산호수로 만든 지게 위의 백옥함에 (옷을) 담
아 두고,

임에게 보내려고 임 계신 곳을 바라보니.

산인지 구름인지 험하기도 험하구나.

천 리 만 리나 되는 먼 길을 누가 찾아갈까.

가거든 (이 함을) 열어 놓고 나를 보신 듯이
반가워하실꼬.

[라] ᄒ ᄅ밤 서리김의 기러기 우러녤 졔
_{계절적 배경 – 가을} _{감정 이입}
위루(危樓)에 혼자 올나 슈졍념(水晶簾)을 거든말이

동산(東山)의 ᄃᆞᆯ이 나고 븍극(北極)의 별이 뵈니
_{임(임금)}
님이신가 반기니 눈믈이 절로 난다.

「청광(淸光)을 쥐여 내여 봉황누(鳳凰樓)의 븟티
_{화자의 정성과 사랑} _{임금이 있는 곳}
고져.」「 」: 연군지정, 선정을 베풀어 주기를 바라는 신하의 소망

누(樓) 우히 거러 두고 팔황(八荒)의 다 비최여

심산(深山) 궁곡(窮谷) 졈낫▽티 ᄆᆡᆼ그쇼셔.
❶ 어렵게 사는 백성 ❷ 화자가 있는 곳
▶ 본사 3: 추원(秋怨) – 선정을 갈망함

하룻밤 사이 서리 내릴 무렵에 기러기가 울며
날아갈 때.
높은 누각에 혼자 올라 수정으로 만든 발을
걷으니.
동산에 달이 떠오르고 북극성이 보이므로

임이신가 하여 반가워하니 눈물이 절로 난다.

맑은 달빛을 쥐어 내어 임 계신 궁궐에 부쳐
보내고 싶구나.

(그러면 임께서는 그것을) 누각 위에 걸어 두
고 온 세상에 다 비추어
깊은 산골까지도 대낮같이 환하게 만드소서.

[마] 건곤(乾坤)이 폐식(閉塞)ᄒ야 빅셜(白雪)이 ᄒᆞᆫ 비
친 졔
_{계절적 배경 – 겨울}

사름은 ▷니와 ᄂᆞᆯ새도 긋쳐 잇다.

쇼상 남반(瀟湘南畔)도 치오미 이러커든

옥누 고쳐(玉樓高處)야 더욱 닐너 므슴ᄒ리.

양츈(陽春)을 부쳐 내여 님 겨신 ᄃᆡ 쏘이고져.
_{화자의 정성과 사랑} 「 」: 임(임금)의 안위를 걱정하는 신하의 마음
「모쳠(茅簷) 비쵠 ᄒᆡᄅᆞᆯ 옥누(玉樓)의 올리고져.」
_{화자의 정성과 사랑}
홍샹(紅裳)을 니믜ᄎ고 취슈(翠袖)를 반(半)만 거더
_{화자가 여자임을 알려 줌}
일모 슈듁(日暮脩竹)의 혬가림도 하도 할샤.

댜ᄅᆞᆫ 히 수이 디여 긴 밤을 고초 안자

청등(靑燈) 거른 겻틱 뎐공후(鈿箜篌) 노하 두고

ᄭᅮᆷ의나 님을 보려 ᄐᆞᆨ 밧고 비겨시니

앙금(鴦衾)도 ᄎ도 출샤 이 밤은 언제 샐고.

▶ 본사 4: 동원(冬怨) – 임에 대한 염려

천지가 추위에 얼어붙어 생기가 막히고 흰 눈
으로 온통 덮여 있을 때.

사람은 물론이거니와 날아다니는 새도 자취
를 감추었도다.
소상강 남쪽 언덕같이 따뜻하다는 이곳(전남
창평)도 추위가 이와 같거늘.
(하물며) 임 계신 북쪽이야 더욱 말해 무엇하랴.

따뜻한 봄볕을 부쳐 내어 임 계신 곳에 쏘이
게 하고 싶구나.
초가집 처마에 비친 따뜻한 햇볕을 임 계신
궁궐에 올리고 싶구나.
붉은 치마를 여며 입고 푸른 소매를 반쯤 걷어

해는 저물 무렵에 긴 대나무에 기대어 서니 잡
념이 많기도 많구나.
짧은 (겨울) 해가 이내 넘어가고 긴 밤을 꼿꼿
이 앉아.
청사초롱을 걸어 둔 옆에 자개로 수놓은 공후
(악기)를 놓아 두고.
꿈에서라도 임을 보려 턱을 괴고 기대어 있
으니.
원앙새를 수놓은 이불이 차기도 차구나. (홀
로 외로이 지내는) 이 밤은 언제나 샐꼬.

[바] ᄒᆞ 로도 열두 ᄠᅢ ᄒᆞᆫ ᄃᆞᆯ도 셜흔 날

져근덧 ᄉᆡᆼ각 마라 이 시름 닛쟈 ᄒᆞ니

ᄆᆞᆷ의 ᄆᆡ쳐 이셔 골슈(骨髓)의 ᄢᅦ텨시니

편쟉(扁鵲)이 열히 오나 이 병을 엇디ᄒᆞ리.

어와 내 병이야 이 님의 타시로다.

출하리 싀어디여 범나븨 되오리라.

화자의 분신

곳나모 가지마다 간 ᄃᆡ 죡죡 안니다가

향 므든 ᄂᆞᆯ애로 님의 오시 올므리라.

화자의 변함없는 사랑, 충성심

님이야 날인 줄 모ᄅᆞ셔도 내 님 조ᄎᆞ려 ᄒᆞ노라.

일편단심

▶ 결사: 변함 없는 충성심

하루도 열두 때, 한 달도 서른 날,

잠시라도 (임) 생각을 말아 이 시름을 잊으려 하여도

마음속에 맺혀 있어 뼛속까지 사무쳤으니.

편작과 같은 명의가 열 명이 온다 한들 이 병을 어떻게 하리.

아아, 내 병이야 임의 탓이로다.

차라리 죽어서 범나비가 되리라.

꽃나무 가지마다 가는 곳마다 앉아 있다가

향기가 묻은 날개로 임의 옷에 옮기고 싶구나.

임께서야 나인 줄 모르셔도 나는 임을 따르려 하노라.

이해와 감상
이 작품은 임에 대한 변함없는 사랑, 또는 임금에 대한 변함없는 충성을 드러내고 있는 가사이다. 특히 군신 관계를 남녀 관계로 표현하여 자신의 처지와 마음을 절실히 전달하고 있으며 계절 변화에 따른 임에 대한 염려와 걱정을 드러냄으로써 자신의 변하지 않는 마음을 강조하고 있다. 이러한 작품의 주제 의식은 「정과정」에서도 볼 수 있었던 것으로, 후대의 작품들에도 많은 영향을 미친다.

단권화 MEMO

바로 확인문제

01 「사미인곡」의 화자는 초월적 존재인 '하늘'에 자신의 소망을 기원하고 있다. (○, ×)

02 '미화, 님의 옷, 청광, 양춘'은 계절에 따른 소재로 임(임금)에 대한 사랑(충정)을 형상화한 객관적 상관물이다. (○, ×)

03 ☐☐☐는 죽음을 불사하고서라도 임을 향한 일편단심을 보이는 화자의 분신이라 할 수 있다.

| 정답 | 01 ×('하늘'은 임과 화자의 인연이 깊음을 나타내는 소재이다.)
02 ○ 03 범나븨(범나비)

5 속미인곡(續美人曲) | 정철

[가] 뎨 가는 뎌 각시 본 듯도 흔뎌이고.
　　　　_{을녀 – 중심적 인물}
　　텬샹(天上) 빅옥경(白玉京)을 엇디ᄒᆞ야 니별(離別)ᄒᆞ고

　　히 다 뎌 져믄 날의 눌을 보라 가시는고.

　　▶ 서사 1: 갑녀 – 백옥경을 떠난 이유를 물음

저기 가는 저 각시 (어디서) 본 듯도 하구나.	
임이 계시는 궁궐을 어찌하여 이별하고,	
해 다 저문 날에 누구를 만나러 가시는가?	

　　어와 네여이고 내 ᄉᆞ셜 드러 보오.
　　_{갑녀 – 보조적 인물}
　　내 얼굴 이 거동이 님 괴얌즉 흔가마는

　　엇딘디 날 보시고 네로다 녀기실ᄉᆡ

　　나도 님을 미더 군ᄯᅳ디 전혀 업서

　　이리야 교ᄐᆡ야 어ᄌᆞ러이 구돗ᄯᅥᆫ디
　　_{과유불급 – 을녀가 생각하는 이별의 이유}
　　반기시는 ᄂᆞᆺ비치 녜와 엇디 다ᄅᆞ신고.

　　누어 싱각ᄒᆞ고 니러 안자 혜여ᄒᆞ니

　　내 몸의 지은 죄 뫼ᄀᆞ티 ᄡᅡ혀시니

　　하ᄂᆞᆯ히라 원망ᄒᆞ며 사ᄅᆞᆷ이라 허믈ᄒᆞ랴.

　　셜워 플뎌 혜니 조믈(造物)의 타시로다.

　　▶ 서사 2: 을녀 – 자책과 체념의 대답

아아, 너로구나. 내 이야기 좀 들어 보오.	
내 모습과 이 행동이 임에게 사랑을 받을 직한가마는	
어찌된 일인지 나를 보시고 너로구나 하며 (특별히) 여겨 주시기에	
나도 임을 믿어 딴 생각이 전혀 없어	
아양도 부리고 교태도 떨며 어지럽게 굴었던지	
반기시는 얼굴빛이 옛날과 어찌 달라졌는가?	
누워 생각하고 일어나 앉아 생각해 보니	
내 몸의 지은 죄가 산같이 쌓였으니	
하늘을 원망하며 사람을 탓할 수 있으랴.	
서러워 여러 가지를 풀어 내어 생각해 보니 조물주의 탓이로구나.	

[나] 글란 싱각 마오.

　　▶ 본사 1: 갑녀 – 위로의 말

그렇게 생각하지 마오.

　　ᄆᆡ친 일이 이셔이다.

　　님을 뫼셔 이셔 님의 일을 내 알거니

　　믈 ᄀᆞᄐᆞᆫ 얼굴이 편ᄒᆞᆯ 적 몃 날일고.

　　츈한고열(春寒苦熱)은 엇디ᄒᆞ야 디내시며

　　츄일동텬(秋日冬天)은 뉘라셔 뫼셧ᄂᆞᆫ고.

　　쥭조반(粥早飯) 죠셕(朝夕) 뫼 녜와 ᄀᆞᆺ티 셰시ᄂᆞᆫ가.

　　기나긴 밤의 ᄌᆞ믄 엇디 자시ᄂᆞᆫ고.

　　▶ 본사 2: 을녀 – 임에 대한 염려를 담은 하소연

내 마음속에 맺힌 일이 있습니다.	
예전에 임을 모시어서 임의 일을 내가 잘 알거니,	
물같이 연약한 몸이 편하실 때가 몇 날일꼬?	
이른 봄날의 추위와 여름철의 무더위는 어떻게 지내시며	
가을날과 겨울날은 누가 모셨는가?	
아침밥을 드시기 전에 드시는 죽과 아침 저녁 진지는 예전과 같이 잡수시는가?	
기나긴 밤에 잠은 어떻게 주무시는가?	

[다] 님다히 쇼식(消息)을 아므려나 아쟈 ᄒᆞ니

　　오늘도 거의로다. 닉일이나 사ᄅᆞᆷ 올가.

　　내 ᄆᆞᄋᆞᆷ 둘 ᄃᆡ 업다. 어드러로 가쟛 말고.

　　잡거니 밀거니 놉픈 뫼ㅎ히 올라가니
　　　　　　　　_{소망 성취를 위한 공간}
　　구롬은 ᄏᆞ니와 안개는 므스일고.
　　└───_{장애물, 간신}───┘
　　산천(山川)이 어둡거니 일월(日月)을 엇디 보며
　　　　　　　　　　　　　　_{임(임금)}

임 계신 곳의 소식을 어떻게라도 알려고 하니	
오늘도 날이 거의 저물었구나. 내일이나 되어야 (임의 소식을 전해 줄) 사람이 올까?	
내 마음 둘 곳이 없다. 어디로 가잔 말인가?	
(나무와 바위 등을) 잡기도 하고 밀기도 하면서 높은 산에 올라가니	
구름은 물론이거니와 안개는 또 무슨 일로 끼어 있는고?	
산천이 어두운데 일월을 어찌 바라보며,	

지쳑(咫尺)을 모르거든 쳔 리(千里)를 바라보랴.

    바로 앞도 분간할 수 없는데 천 리나 되는 곳을 바라볼 수 있으랴.

츨하리 믈ㄱ의 가 비 길히나 보쟈 ㅎ니

소망 성취를 위한 공간

    차라리 물가에 가서 뱃길이나 보려고 하니

ㅂ람이야 믈결이야 어둥졍 된뎌이고.

장애물, 간신

    바람과 물결 때문에 어수선하게 되었구나.

샤공은 어듸 가고 빈 빈만 걸렷ㄴ니.

화자의 외로움을 부각하는 객관적 상관물

    뱃사공은 어디 가고 빈 배만 걸려 있는가?

강텬(江天)의 혼쟈 셔셔 디ㄴ 히룰 구버보니

    강가에 혼자 서서 지는 해를 굽어보니

님다히 쇼식(消息)이 더욱 아득ᄒᆞ뎌이고.

    임 계신 곳 소식이 더욱 아득하기만 하구나.

▶ 본사 3: 을녀 – 임에 대한 그리움과 안타까움

[라] 모쳠(茅簷) 츤 자리의 밤듕만 도라오니

    초가집 찬 잠자리에 한밤중이 돌아오니

<u>반벽쳥등(半壁靑燈)</u>은 눌 위ᄒᆞ야 볼갓ᄂᆞ고.

화자의 외로움을 부각하는 객관적 상관물

    벽 가운데 걸려 있는 청사초롱은 누구를 위하여 밝혀 놓았는가?

오르며 ᄂᆞ리며 헤쓰며 바니니

    (산을) 오르내리며 (강가를) 헤매며 방황하니

져근덧 녁진(力盡)ᄒᆞ야 풋ᄌᆞᆷ을 잠간 드니

    잠깐 사이에 힘이 다해 풋잠을 잠깐 드니

졍셩(精誠)이 지극ᄒᆞ야 ᄭᅮᆷ의 님을 보니

임(임금)과 만날 수 있는 매개체

    정성이 지극했던지 꿈에 임을 보니

옥(玉) ᄀᆞ튼 얼굴이 반(半)이나마 늘거셰라.

    옥같이 곱던 얼굴이 반도 넘게 늙어 있구나.

ᄆᆞᄋᆞᆷ의 머근 말ᄉᆞᆷ 슬ᄏᆞ장 ᄉᆞᆲ쟈 ᄒᆞ니

    마음속에 품은 생각을 실컷 사뢰려 하니

눈믈이 바라 나니 말인들 어이 ᄒᆞ며

    눈물이 계속 쏟아져 말도 하지 못하고

졍(情)을 못다ᄒᆞ야 목이조차 몌여ᄒᆞ니

    정회도 못 다 풀어 목조차 메니.

오뎐된 계셩(鷄聲)의 ᄌᆞᆷ은 엇디 ᄭᆡ돗던고.

화자의 소망을 방해하는 장애물, 간신의 의미는 없음

    방정맞은 닭 울음소리에 잠은 왜 깬단 말인가?

▶ 본사 4: 을녀 – 꿈속에서 임을 만남

[마] 어와, 허ᄉᆞ(虛事)로다. 이 님이 어듸 간고.

    아아, 헛된 일이로다. 이 임이 어디 갔는가?

결의 니러 안자 창(窓)을 열고 ㅂ라보니

    잠결에 일어나 앉아 창문을 열고 바라보니

어엿븐 그림재 날 조ᄎᆞᆯ ᄲᅮᆫ이로다.

    불쌍한 그림자만이 나를 따를 뿐이로다.

츨하리 싀여디여 <u>낙월(落月)</u>이나 되야이셔

화자의 분신 – 소극적 사랑

    차라리 죽어서 지는 달이나 되어

<u>님 겨신 창(窓) 안히 번드시 비최리라.</u>

변함없는 사랑

    임 계신 창 안에 환하게 비치리라.

▶ 결사 1: 을녀 – 죽어서라도 이루고 싶은 임을 향한 간절한 사모의 정

각시님 ᄃᆞᆯ이야ᄏᆞ니와 <u>구즌비나 되쇼셔.</u>

화자의 분신 – 적극적 사랑

    각시님, 달은커녕 궂은비나 되십시오.

▶ 결사 2: 갑녀 – 위로의 말

｜이해와 감상

이 작품은 임에 대한 변함없는 사랑, 임금에 대한 변함없는 충성을 드러내고 있는 가사이다. 특히 이 작품은 두 여인의 대화체로 구성되어 있으며, 이를 통해 여인의 정서를 절실하면서도 극적으로 전달하고 있다. 구체적으로는 갑녀의 경우 작품의 전개와 종결을 위한 기능적 역할을 하고 을녀는 주제 의식을 전달하는 역할을 맡고 있다. 또한 「사미인곡」의 속편에 해당하는 작품이지만 「사미인곡」이 임에 대한 소극적 태도를 보이는 반면, 이 작품에서는 "각시님 ᄃᆞᆯ이야ᄏᆞ니와 구즌비나 되쇼셔"에서 임에 대한 보다 적극적인 태도가 드러나고 있다.

단권화 MEMO

6 규원가(閨怨歌) | 허난설헌

- **갈래**: 내방 가사(규방 가사)
- **성격**: 원망적, 한탄적, 체념적
- **표현**
  ① 3·4(4·4)조의 4음보 가사체
  ② 설의법, 의인법, 대구법, 직유법, 문답법 등의 여러 표현 기교를 사용하고 고사를 많이 인용하면서 유려한 느낌을 줌
  ③ 여인의 애절하고 안타까운 심리 묘사가 잘 나타남
  ④ 감정 이입과 객관적 상관물을 통해 화자의 정서를 잘 드러냄
- **주제**: 봉건 사회에서의 규방 부녀자의 원정(怨情)

[가] 엊그제 저멋더니 ㅎ마 어이 다 늘거니.

　　소년 행락(小年行樂) 생각ㅎ니 일러도 속졀업다.

　　늘거야 서른 말슴 ㅎ자니 목이 멘다.
　　<small>화자의 현재 처지를 표현</small>

　　부생모육(父生母育) 신고(辛苦)ㅎ야 이내 몸 길러 낼 제

　　공후 배필(公侯配匹) 못 바라도 군자 호구(君子好逑) 원(願)ㅎ더니

　　삼생(三生)의 원업(怨業)이오 월하(月下)의 연분
　　<small>윤회 사상</small>
(緣分)으로

　　장안 유협(長安遊俠) 경박자(輕薄子)를 꿈ᄀᆞ치 만나 잇서

　　당시(當時)의 용심(用心)ㅎ기 살어름 디듸는 듯

　　삼오 이팔(三五二八) 겨오 지나 천연여질(天然麗質) 절로 이니

　　이 얼골 이 태도(態度)로 백년 기약(百年期約) ㅎ얏더니

　　연광(年光) 훌훌ㅎ고 조물(造物)이 다시(多猜)ㅎ야

　　봄바람 가을 믈이 뵈오리 북 지나듯
　　<small>세월이 빠르게 지나감, 직유법</small>

　　설빈 화안(雪鬢花顔) 어듸 두고 면목가증(面目可憎) 되거고나.

　　내 얼골 내 보거니 어느 님이 날 괼소냐.

「　」: 자신의 처지에 대한 한탄과 자책 → 체념적 태도
「스스로 참괴(慚愧)ㅎ니 누구를 원망(怨望)ㅎ리.」
　　<small>수원수구</small>

▶ 기: 과거 회상과 늙고 초라한 자신의 신세 한탄

엊그제 젊었더니 벌써 어찌 다 늙었는가.

어린 시절 즐겁게 지내던 일을 생각하니 말하여도 소용없다.

늙어서 서러운 사연을 말하자니 목이 멘다.

부모님께서 날 낳아 몹시 고생하여 이내 몸 길러 내실 때

높은 벼슬아치의 짝은 바라지 않아도 군자의 좋은 짝이 되기를 바랐더니.

삼생(전세, 현세, 내세)의 원망스러운 업보이자 부부의 인연으로,

서울 거리의 호탕한 풍류객이면서 경박한 사람을 꿈같이 만나서

(시집갈) 당시에 마음 쓰기를 살얼음 디디는 듯하였다.

열다섯, 열여섯 살을 겨우 지나 타고난 고운 모습이 저절로 나타나니,

이 모습 이 태도로 평생을 기약하였더니.

세월이 빨리 지나가고 조물주가 시기함이 많아서,

봄바람 가을 물(세월)이 베틀의 올에 북 지나가듯 쏜살같이 지나더니.

아름다운 얼굴은 어디에 두고 보기 싫은 얼굴이 되었구나.

내 얼굴 내 보거니 어느 임이 날 사랑할 것인가.

스스로 부끄럽거늘 누구를 원망하겠는가.

[나] 삼삼오오(三三五五) 야유원(冶遊園)의 새 사람이 나단 말가.

　　곳 피고 날 저물 제 정처(定處) 업시 나가 잇어

　　백마 금편(白馬金鞭)으로 어듸어듸 머무는고.
　　<small>집에 돌아오지 않는 남편에 대한 원망</small>

　　원근(遠近)을 모르거니 소식(消息)이야 더욱 알랴.

　　인연(因緣)을 긋처신들 싱각이야 업슬소냐.

　　얼골을 못 보거든 그립기나 마르려믄

　　열두 째 김도 길샤 설흔 날 지리(支離)ㅎ다.

삼삼오오 다니는 기생집에 새 기생이 나타났다는 말인가.

꽃 피고 날 저물 때 정처 없이 나가 있어,

호사스러운 행장을 차리고 어디 어디 머무르시는고.

멀고 가까움을 모르거늘 소식이야 더욱 어찌 알랴.

인연을 끊으려고 한들 (임에 대한) 생각까지 없을 것인가.

얼굴을 못 보거든 그립지나 말지.

열두 때(하루)가 길기도 길고, 서른 날(한 달) 지루하다.

옥창(玉窓)에 심근 매화(梅花) 몃 번이나 픠여 진고.

「겨울 밤 차고 찬 제 자최눈 섯거 치고
└ 화자의 쓸쓸한 감정을 심화하는 객관적 상관물

여름날 길고 길 제 구즌비는 므스 일고.」
「」: 대구법, 설의가상

삼춘 화류(三春花柳) 호시절(好時節)의 경물(景物)이 시름업다.

가을 둘 방(房)에 들고 실솔(蟋蟀)이 상(床)에 울 제
└ 감정 이입의 대상

긴 한숨 디는 눈물 속절업시 혬만 만타.

아마도 모진 목숨 죽기도 어려울사.

▶ 승: 임에 대한 원망과 자신의 애달픈 심정

규방 앞에 심은 매화는 몇 번이나 피었다 졌던가.

겨울밤 차고 찬 때 자국눈 섞어 내리고

여름날 길고 긴 때 궂은비는 무슨 일로 내리는고.
봄날 온갖 꽃 피고 버들잎이 돋아나는 좋은 시절에 아름다운 경치를 보아도 아무 생각이 없다.

가을 달이 방에 들고 귀뚜라미가 침상에서 울 때,
긴 한숨 떨어지는 눈물에 속절없이 생각만 많다.

아마도 모진 목숨 죽기조차 어렵구나.

[다] 도로혀 풀쳐 혜니 이리ᄒ여 어이ᄒ리.

청등(靑燈)을 돌라 노코 녹기금(綠綺琴) 빗기 안아
└ 화자의 외로움을 표현하는 객관적 상관물

벽련화(碧蓮花) 한 곡조를 시름 조차 섯거 타니

소상 야우(瀟湘夜雨)의 댓소리 섯도는 듯,

화표(華表) 천 년(千年)의 별학(別鶴)이 우니는 듯

옥수(玉手)의 타는 수단(手段) 녯 소래 잇다마는

부용장(芙蓉帳) 적막(寂寞)ᄒ니 뉘 귀에 들리소니.

간장(肝腸)이 구곡(九曲) 되야 구븨구븨 끈쳐서라.

▶ 전: 거문고에 의탁한 외로움과 한

돌이켜 풀어 생각하니 이렇게 살아서 어찌할 것인가?
청사초롱을 돌려 놓고 푸른빛 거문고를 비스듬히 안아.
벽련화 한 곡조를 시름에 섞어 타니.

소상강 밤비에 대나무 소리가 함께 나는 듯.

(묘 앞에 세워 둔) 망주석에 천 년 만에 돌아온 이별의 학이 울고 다니는 듯
아름다운 손가락으로 타는 솜씨는 옛 노래 그대로이건만,
연꽃 무늬 휘장을 친 방이 텅 비어 있으니 누구의 귀에 들릴 것인가.
시름이 쌓인 마음속이 굽이굽이 끊어졌도다.

[라] 출하리 잠을 드러 꿈의나 임을 보려 ᄒ니
└ 심리적 보상의 공간

바람의 디는 닢과 풀 속에 우는 즘생
└ 잠을 방해하는 장애물. 화자의 원망스러운 마음 표현

므스 일 원수로서 잠조차 쌔오는다.

「천상(天上)의 견우 직녀(牽牛織女) 은하수(銀河水) 막혀서도
└ 만남을 방해하는 장애물

칠월 칠석(七月七夕) 일년 일도(一年一度) 실기(失期)치 아니거든,

우리 님 가신 후는 무슨 약수(弱水) 가렷관듸
└ 만남을 방해하는 장애물

오거니 가거니 소식(消息)조차 끄쳣는고.」
「」: 대조적인 상황을 제시하여 남편에 대한 원망 표현

난간(欄干)의 비겨 셔서 님 가신 듸 바라보니,

초로(草露)는 맷쳐 잇고 모운(暮雲)이 디나갈 제
└ 화자의 쓸쓸함을 강조하는 객관적 상관물

죽림(竹林) 푸른 고딕 새소리 더욱 설다.
└ 감정 이입의 대상

차라리 잠이 들어 꿈에나 보려고 했더니.

바람에 떨어지는 잎과 풀 속에서 우는 짐승(벌레),
무슨 일로 원수라서 잠조차 깨우는가?

하늘의 견우직녀는 은하수가 막혔어도,

칠월 칠석 일 년에 한 번씩은 때를 놓치지 않고 만나는데,

우리 임 가신 후는 무슨 이별의 강이 가로막았는지,
오거나 가거나 소식조차 끊겼는가.

난간에 기대어 서서 임 가신 데 바라보니,

풀에 이슬은 맺혀 있고 저녁 구름이 지나갈 때,

대나무 숲 푸른 곳에 새소리가 더욱 슬프게 들리는구나.

세상의 서룬 사람 수업다 ᄒ려니와,

박명(薄命)ᄒᆫ 홍안(紅顔)이야 날 가ᄐ니 ᄯ 이실가.

아마도 이 님의 지위로 살동말동ᄒ여라.

▶ 결: 임에 대한 기다림과 자신의 운명에 대한 한탄

세상에 서러운 사람 수없이 많다고 하려니와.

운명이 기구한 젊은 여자야 나 같은 이 또 있을까?
아마도 이 임의 탓으로 살 듯 말 듯 하여라.

┃이해와 감상

이 작품은 조선 시대 규방의 부녀자가 느끼는 남편에 대한 원망의 정서를 드러내고 있는 규방 가사이다. 이 작품의 화자는 유교 사회의 남존여비(男尊女卑), 여필종부(女必從夫)라는 인습과 규범 속에서 자신을 찾지 않는 남편을 원망하기도 하고, 세월의 흐름 속에서 속절없이 늙어 가는 자신의 운명을 원망하기도 한다. 조선 시대라는 봉건적 사회 속에서 여성이 겪어야 했던 아픔을 절실히 드러내고 있다.

7 누항사(陋巷詞) | 박인로

단권화 MEMO

[가] 어리고 우활(迂闊)홀산 이닉 우히 더니 업다.

　길흉화복(吉凶禍福)을 하날긔 부쳐 두고

　누항(陋巷) 깁푼 곳의 초막(草幕)을 지어 두고
　누추한 곳 – 자신이 사는 곳을 겸손하게 이르는 말

　풍조우석(風朝雨夕)에 석은 딥히 셥히 되야

　셔 홉 밥 닷 홉 죽(粥)에 연기(煙氣)도 하도 할샤.
　초라한 음식

　설 데인 숙냉(熟冷)애 뷘 배 쇡일 뿐이로다.

　생애 이러ᄒᆞ다 장부(丈夫) 뜻을 옴길넌가.

　안빈 일념(安貧一念)을 적을망정 품고 이셔
　가난하지만 편안히 즐기며 살려고 함

　수의(隨宜)로 살려 ᄒᆞ니 날로조차 저어(齟齬)ᄒᆞ다.

　▶ 서사: 길흉화복을 하늘에 맡기고 누항에서 안빈 일념으로 살려는 심정

어리석고 세상 물정에 어둡기로는 나보다 더한 사람이 없다.
길흉화복을 하늘에 맡겨 두고
누추한 목 깊은 곳에 초가를 지어 놓고
고르지 못한 날씨에 썩은 짚이 땔감이 되어
세 홉 밥 다섯 홉 죽을 만드는 데 연기가 많기도 많구나.
덜 데운 숭늉으로 고픈 배를 속일 뿐이로다.
생활이 이렇게 구차하다고 한들 대장부의 뜻을 바꿀 것인가?
안빈 일념하겠다는 생각을 적을망정 품고 있어서.
옳은 일을 좇아 살려 하니 날이 갈수록 뜻대로 되지 않는다.

[나] ᄀᆞ 올히 부족(不足)거든 봄이라 유여(有餘)ᄒᆞ며

　주머니 뷔엿거든 병(瓶)이라 담겨시랴.

　빈곤(貧困)ᄒᆞᆫ 인생(人生)이 천지간(天地間)의 나쑨이라.

　기한(飢寒)이 절신(切身)ᄒᆞ다 일단심(一丹心)을 이질ᄂᆞᆫ가.
　안빈 일념

　분의망신(奮義忘身)ᄒᆞ야 죽어야 말녀 너겨

　우탁우낭(于橐于囊)의 줌줌이 모아 녀코

　병과(兵戈) 오재(五載)예 감ᄉ심(敢死心)을 가져 이셔

　이시섭혈(履尸涉血)ᄒᆞ야 몃 백전(百戰)을 지닉연고.

　▶ 본사 1: 임진왜란에 참전했던 과거를 회상

가을에도 부족한데 봄이라고 (생활이) 여유가 있겠으며,
주머니가 비었는데 술병에 (술이) 담겨 있으랴.
가난한 인생이 천지간에 나뿐이로다.
배고픔과 추위가 몸을 괴롭힌다고한들 (안빈 일념의) 일편단심을 잊을 것인가?
분발하여 제 몸을 돌보지 않고 죽어서 그만두겠노라고 마음먹어,
전대와 망태에 한 줌 한 줌 식량을 모아 넣고,
(전란) 5년 동안에 용감하게 죽고 말리라는 마음을 가지고 있어
주검을 밟고 피를 건너 몇백 전쟁을 치렀던가.

[다] 일신(一身)이 여가(餘暇) 잇사 일가(一家)를 도라보랴.

　일노장수(一老長鬚)ᄂᆞᆫ 노주분(奴主分)을 이젓거든

　고여춘급(告余春及)을 어닉 사이 싱각ᄒᆞ리.

　경당문로(耕當問奴)인들 눌ᄃᆞ려 물ᄅᆞᆯᄂᆞᆫ고.

　궁경가색(躬耕稼穡)이 닉 분(分)인 줄 알리로다.

　신야경수(莘野耕叟)와 농상경옹(壟上耕翁) 천(賤)타 ᄒᆞ리 업건마ᄂᆞᆫ

　아므려 갈고젼들 어닉 쇼로 갈로손고.

　▶ 본사 2: 전란 후 빈궁한 삶 속에서 직접 농사를 짓는 궁핍한 삶

내 몸이 겨를이 있어서 집안을 돌보겠는가?
늙은 종은 종과 주인의 분수를 잊어버렸는데,
봄이 왔다고 나에게 일러 줄 것을 어떻게 기대할 수 있겠는가?
밭 가는 일은 마땅히 종에게 물어야 한다지만 (나는) 누구에게 물을 것인가?
몸소 농사를 짓는 것이 내 분수에 맞는 줄을 알겠도다.
잡초 많은 들에서 밭 갈던 늙은이(은나라의 이윤)와 밭두둑 위에서 밭 갈던 늙은이(진나라의 진승)를 천하다고 할 사람이 없지마는,
아무리 몸 갈려고 한들 어느 소로 갈겠는가?

단권화 MEMO

• 갈래: 양반 가사
• 성격: 사실적, 전원적, 사색적
• 표현
　① 3·4조의 음수율, 대구법, 설의법, 과장법, 열거법 등을 사용함
　② 사실적 묘사를 통해 가난한 현실 생활을 생생하게 표현함(조선 후기 가사의 특징)
　③ 대화를 삽입하여 현실감과 현장감을 살림
　④ 안빈낙도의 이상적 삶과 궁핍한 현실 생활 사이의 갈등이 잘 드러남
　⑤ 농촌의 일상생활과 관련된 어휘와 어려운 한자어가 많이 쓰임
• 주제: 가난한 생활 속에서도 자연을 즐기며 안분지족하려는 심정

[라] 한기태심(旱旣太甚)ᄒ야 시절(時節)이 다 느즌 제 · 가뭄이 몹시 심하여 농사철이 다 늦은 때에

서주(西疇) 놉흔 논애 잠깐 긴 널비예 · 서쪽 두둑 높은 논에 잠깐 갠 지나가는 비에,

도상(道上) 무원수(無源水)를 반만깐 되혀 두고 · 길 위에 근원 없이 흐르는 물을 반쯤 대어 놓고,

쇼 ᄒᆫ 적 듀마 ᄒ고 엄섬이 ᄒᄂᆫ 말삼 · '소 한 번 빌려 주마.' 하고 엉성하게 하는 말을 듣고,

친절(親切)호라 너긴 집의 달 업슨 황혼(黃昏)의 · 친절하고 여긴 집에 달 없는 저녁에 허둥지둥 달려가서,

<u>허위허위</u> 다라가셔
의태어, 산촌의 궁핍한 생활 표현

구디 다둔 문(門) 밧긔 어득히 혼자 서셔 · 굳게 닫은 문 밖에 우두커니 혼자 서서

큰 기춤 아함이를 양구(良久)토록 ᄒ온 후(後)에 · '에헴.' 하는 인기척을 꽤 오래도록 한 후에,

어화 긔 뉘신고 염치(廉恥) 업산 뇌옵노라. · "어, 거기 누구신가?" (묻기에) "염치없는 저올시다."

▶ 본사 3: 농사를 지으려고 소를 빌리러 감

[마] <u>초경(初更)</u>도 거읜되 긔 엇지 와 겨신고. · "초경도 거의 지났는데 무슨 일로 와 계신고?"
초저녁

연년(年年)에 이러ᄒ기 구차(苟且) ᄒᆫ 줄 알건마ᄂᆫ · "해마다 이러기가 구차한 줄 알지마는,

쇼 업슨 궁가(窮家)애 혜염 만하 왓삽노라. · 소 없는 궁핍한 집에서 걱정 많아 왔소이다."

공ᄒ니나 갑시나 주엄즉도 ᄒ다마ᄂᆫ · "공짜로나 값을 치거나 간에 빌려줌 직도 하다마는,

다만 어제 밤의 거넨 집 져 사ᄅᆷ이 · 다만 어젯밤에 건넛집에 사는 사람이

목 불근 수기치(稚)를 옥지읍(玉脂泣)게 ᄉᆞ어 뇌고 · 목이 붉은 수꿩을 구슬 같은 기름에 구워 내고,

간 이근 삼해주(三亥酒)를 취(醉)토록 권(勸)ᄒᄒ거든 · 갓 익은 좋은 술을 취하도록 권하였는데,

이러ᄒᆫ 은혜를 어이 아니 갑흘넌고. · 이러한 은혜를 어떻게 갚지 않겠는가?

내일(來日)로 주마 ᄒ고 큰 언약(言約) ᄒ야거든 · 내일 (소를 빌려) 주마 하고 굳게 약속을 하였기에,

실약(失約)이 미편(未便)ᄒ니 사셜이 어려왜라. · 약속을 어기기가 편하지 못하니 (당신에게 빌려주겠다는) 말하기가 어렵구료."

실위(實爲) 그러ᄒ면 혈마 어이ᄒᆯ고. · 사실이 그렇다면 설마 어쩌겠는가?

헌 먼덕 수기 스고 측 업슨 집신에 설피설피 믈러오니 · 헌 모자를 숙여 쓰고 축 없는 짚신을 신고 맥없이 물러나오니,

풍채(風彩) 저근 형용(形容)애 긔 즈칠 쑨이로다. · 풍채 보잘것없는 내 모습에 개가 짖을 뿐이로다.
화자의 서글픈 심정을 고조시킴

▶ 본사 4: 소를 빌리러 갔다가 수모만 당하고 돌아옴

[바] 와실(蝸室)에 드러간들 잠이 와사 누어시랴. · 누추한 집에 들어간들 잠이 와서 누워 있겠는가?

북창(北窓)을 비겨 안자 식비를 기다리니 · 북쪽 창에 기대앉아 새벽을 기다리니

무정(無情)ᄒᆫ 대승(戴勝)은 이ᄂᆫ 한(恨)을 도우ᄂᆫ다. · 무정한 오디새는 나의 한을 북돋우는구나.

종조추창(終朝惆悵)ᄒ며 먼 들흘 바라보니 · 아침이 끝날 때까지 서글퍼하며 먼 들을 바라보니.

즐기ᄂᆫ 농가(農歌)도 흥(興) 업서 들리ᄂᆫ다. · 즐거워 부르는 농부들의 노래도 흥 없이 들리는구나.

<u>세정(世情) 모른 한숨은 그칠 줄을 모르ᄂᆫ다.</u> · 세상 물정 모르는 한숨은 그칠 줄을 모른다.
야박한 인심에 대한 한탄

아ᄉᆡ온 져 소뷔는 벗보님도 됴흘셰고. · 아까운 저 쟁기는 쟁기의 날도 좋구나.

가시 엉긘 묵은 밧도 용이(容易)케 갈련마ᄂᆫ · (소만 있다면) 가시 엉킨 묵은 밭도 쉽게 갈 수 있으련마는.

허당반벽(虛堂半壁)에 슬듸업시 걸려고야.

춘경(春耕)도 거의거다 후리쳐 더뎌 두쟈.

▶ 본사 5: 각박한 인정을 한탄하며, 밭갈이할 생각을 그만둠

빈 집 벽 가운데에 쓸데없이 걸려 있구나!

봄갈이도 거의 다 지났다. (농사일은) 던져 버리자.

[사] 강호(江湖) 흔 숨을 꾸언 지도 오릭러니

구복(口腹)이 위루(爲累)호야 어지버 이져써다.

「첨피기욱(瞻彼淇澳)혼듸 녹죽(綠竹)도 하도 할샤.

유비군자(有斐君子)들아 낙듸 호나 빌려스라.

노화(蘆花) 깁픈 곳애 명월청풍(明月淸風) 벗이

되야

님지 업슨 풍월강산(風月江山)애 절로절로 늘그리라.

무심(無心)흔 백구(白鷗)야 오라 호며 말라 호랴.

다토리 업슬슨 다문 인가 너기로라.」
「　」: 안빈낙도, 유유자적, 자연 친화적 태도
▶ 결사 1: 자연을 벗 삼아 대자연 속에서 늙어 가기를 소망함

자연과 더불어 살겠다는 꿈을 꾼 지도 오래더니.

먹고사는 것이 누가 되어, 아아 잊었도다.

저 물가를 보니 푸른 대나무가 많기도 하구나.

교양 있는 선비들아, 낚싯대 하나 빌리자꾸나.

갈대꽃 깊은 곳에서 밝은 달과 맑은 바람의 벗이 되어.

임자가 없는 자연 속에서 근심 없이 늙으리라.

욕심 없는 갈매기야, (나더러) 오라고 하며 말라고 하랴?

다툴 이가 없는 것은 다만 이뿐인가 생각하노라.

[아] 무상(無狀)흔 이 몸애 무슨 지취(志趣) 이스리마는

두세 이렁 밧논을 다 무겨 더뎌 두고

이시면 죽(粥)이오 업시면 굴물망졍

남의 집 남의 거슨 전혀 부러 말럿노라.

늬 빈천(貧賤)을 슬히 너겨 손을 헤다 물러가며

남의 부귀(富貴)를 불리 너겨 손을 치다 나아오랴.

인간(人間) 어늬 일이 명(命) 밧긔 삼겨시리.

빈이무원(貧而無怨)을 어렵다 호건마는
＿＿＿: 화자가 긍정적으로 생각하는 것들

늬 생애(生涯) 이러호듸 설온 뜻은 업노왜라.

단사표음(簞食瓢飮)을 이도 족(足)히 너기로라.

평생(平生) 흔 뜻이 온포(溫飽)애는 업노왜라.

태평천하(太平天下)애 충효(忠孝)를 일을 삼아

화형제(和兄弟) 신붕우(信朋友) 외다 흐리 뉘 이시리.

그 밧긔 남은 일이야 삼긴 듸로 살럿노라.

▶ 결사 2: 빈이무원과 안분지족의 삶

보잘것없는 이 몸이 무슨 뜻과 취향이 있으랴마는,

두어 이랑의 밭과 논을 다 묵혀 던져 두고,

있으면 죽이요, 없으면 굶을망정

남의 집, 남의 것은 전혀 부러워하지 않겠노라.

내 가난과 천함을 싫게 여겨 손을 내젓는다고 물러가겠으며,

남의 부귀를 부럽게 여겨 손짓을 한다고 오겠는가?

인간의 어느 일이 운명과 상관없이 생겼으랴?

가난하지만 원망하지 않는 것을 어렵다고 하지마는

내 삶이 이렇다 해서 서러운 뜻은 없노라.

가난한 생활이지만, 이것도 만족스럽게 여기고 있노라.

평생의 한 뜻이 따뜻하게 입고 배불리 먹는 데에는 없노라.

태평천하에 충효를 일삼아.

형제간에 화목하고 친구와 신의 있게 사귀는 것을 그르다 할 사람이 누가 있겠는가?

그 밖의 나머지 일이야 타고난 대로 살겠노라.

┃이해와 감상
이 작품은 가난한 생활 속에서도 안분지족하려는 태도를 드러내고 있는 조선 후기의 가사이다. 임진왜란이 끝난 후 시골에 초막을 지어 가난하게 생활하는 어려움이 크지만, 그래도 자연을 벗 삼아서 안빈낙도하고 충효와 형제간의 우애, 친구 간의 신의를 저버리지 않겠다는 모습을 보인다. 사대부와 농부 중 어느 쪽에도 속하지 못하는 자신의 모습을 일상어를 대폭 수용한 표현을 통하여 해학적으로 드러내 놓고 있기도 하다.

8 선상탄(船上嘆) | 박인로

• 갈래: 양반 가사, 전쟁 가사
• 성격: 우국적, 비판적
• 표현
  ① 3(4)·4조, 4음보 연속체
  ② 인용법, 대구법, 은유법 등을 사용함
  ③ 표현상 예스러운 한자 성어와 고사가 지나치게 많음
• 주제: 우국지정과 태평성대 기원

[가] 늘고 병(病)든 몸을 주사(舟師)로 보닉실식

　　을사(乙巳) 삼하(三夏)애 진동영(鎭東營) 느려오니

　　<u>관방중지(關防重地)</u>예 병(病)이 깁다 안자실랴.
　　우국충정

　　일장검(一長劍) 비기 추고 병선(兵船)에 구테 올나

　　<u>여기 진목(勵氣瞋目)</u>ᄒ야 대마도(對馬島)을 구어
　　왜에 대한 적개심
보니

　　브람 조친 <u>황운(黃雲)</u>은 원근(遠近)에 사혀 잇고
　　　　　　전쟁의 기운

　　아득훈 창파(滄波)는 긴 하늘과 훈 빗칠쇠.

　　▶ 서사: 수군으로 종군함

(임금께서) 늙고 병든 몸을 수군으로 보내시므로,
을사년(선조 38년, 1605) 여름에 부산진에 내려오니,
변방의 요새지에서 병이 깊다고 앉아만 있겠는가?
한 자루 긴 칼을 비스듬히 차고 병선에 굳이 올라
기운을 떨치고 눈을 부릅떠 대마도를 굽어보니,

바람을 따르는 누런 구름은 멀고 가까운 곳에 쌓여 있고,
아득한 푸른 물결은 긴 하늘과 같은 빛이로다.

[나] 선상(船上)에 배회(徘徊)ᄒ며 고금(古今)을 사억(思憶)ᄒ고

　　어리미친 회포(懷抱)애 <u>헌원씨(軒轅氏)</u>를 애둑노라.
　　　　　　　　　　　원망의 대상

　　대양(大洋)이 망망(茫茫)ᄒ야 천지(天地)예 둘려시니

　　진실로 빅 아니면 풍파만리(風波萬里) 밧긔

　　어닉 사이(四夷) 엿볼넌고.

　　무슴 일ᄒ려 ᄒ야 빅 못기를 비롯ᄒ고.

　　만세천추(萬世千秋)에 ᄀ업슨 큰 폐(弊) 되야

　　보천지하(普天之下)애 만민원(萬民怨) 길우ᄂ다.

　　▶ 본사 1: 배를 처음 만든 이(헌원씨)에 대한 원망

배 위에서 서성거리며 옛날과 오늘을 생각하고,

어리석고 미친 듯한 마음에 (배를 처음 만든) 헌원씨를 원망하노라.
큰 바다가 아득히 넓어 천지에 둘러 있으니,

참으로 배가 없었다면 풍파가 이는 바다 만리 밖에서
어느 오랑캐가 우리나라를 엿볼 것인가?

무슨 일을 하려고 배 만들기를 시작하였던가?

장구한 세월에 끝없는 큰 폐단이 되어,

온 세상 만백성의 원한을 길렀는가?

[다] 어즈버 씨ᄃ라니 <u>진시황(秦始皇)</u>의 타시로다.
　　　　　　　　　원망의 대상

　　빅 비록 잇다 ᄒ나 왜(倭)를 아니 삼기던들

　　일본(日本) 대마도(對馬島)로 뷘 빅 절로 나올넌가.

　　뉘 말을 미더 듯고

　　동남동녀(童男童女)를 그딕도록 드려다가

　　해중(海中) 모든 섬에 난당적(難當賊)을 기쳐 두고

　　통분(痛憤)훈 수욕(羞辱)이 화하(華夏)애 다 밋나다.

　　장생(長生) 불사약(不死藥)을 얼믜나 어더 닉여

　　만리장성(萬里長城) 놉히 사고 몃만 년(萬年)을 사
도썬고.

　　ᄂᆷ딕로 죽어 가니 유익(有益)훈 줄 모르로다.

　　어즈버 싱각ᄒ니 <u>서불(徐市)</u> 등(等)이 이심(已甚)
　　　　　　　　　　원망의 대상
ᄒ다.

아, 깨달으니 진시황의 탓이로다

배가 비록 있더라도 왜적이 생기지 않았더라면,
일본 대마도로부터 빈 배가 저절로 나올 것인가?
누구의 말을 곧이듣고,

어린아이들을 그토록 많이 데려다가,

바다의 모든 섬에 감당하기 어려운 도적을 만들어,
원통하고 분한 수치와 모욕이 중국에까지 미치게 하였느냐?
장생불사한다는 약을 얼마나 얻어 내어

만리장성 높이 쌓고 몇만 년을 살았던가?

(진시황도) 남과 같이 죽어 가니, (사람들을 보낸 일이) 유익한 줄을 모르겠다.
아, 돌이켜 생각하니 서불의 무리들이 매우 매우 지나친 일을 하였다.

인신(人臣)이 되야셔 망명(亡命)도 ᄒᆞᄂᆞᆫ 것가.

신선(神仙)을 못 보거든 수이나 도라오면

주사(舟師) 이 시럼은 전혀 업게 삼길럿다.

▶ 본사 2: 진시황과 서불로 인한 왜국 형성을 개탄함

[라] 두어라 기왕불구(既往不咎)라 일너 무엇ᄒᆞ로소니.

속졀업슨 시비(是非)를 후리쳐 더뎌 두쟈.

잠사각오(潛思覺悟)ᄒᆞ니 내 ᄯᅳᆺ도 고집(固執)고야.

황제 작주거(皇帝作舟車)ᄂᆞᆫ 왼 줄도 모ᄅᆞ로다.

장한(張翰) 강동(江東)애 추풍(秋風)을 만나신들

편주(扁舟) 곳 아니 타면 천청해활(天淸海闊)ᄒᆞ다

어ᄂᆡ 흥(興)이 졀로 나며 삼공(三公)도 아니 밧골

제일강산(第一江山)애

부평(浮萍) ᄀᆞᆺ ᄒᆞᆫ 어부 생애(漁父生涯)을

일엽주(一葉舟) 아니면 어ᄃᆡ 부쳐 ᄃᆞᆫ힐ᄂᆞᆫ고.
자연을 즐기는 일에 중요한 역할을 하는 배(舟)
▶ 본사 3: 배의 이점에 대해 생각함

[마] 일언 닐 보건ᄃᆡᆫ 비 삼긴 제도(制度)야
배가 풍류의 수단으로 쓰이는 일
지묘(至妙)ᄒᆞᆫ 덧ᄒᆞ다마ᄂᆞᆫ 엇디ᄒᆞᆫ 우리 물은

ᄂᆞᄂᆞᆫ 듯ᄒᆞᆫ 판옥선(板屋船)을 주야(晝夜)의 빗기
전쟁의 현실
ᄐᆞ고

임풍영월(臨風咏月)호ᄃᆡ 흥(興)이 전혀 업ᄂᆞᆫ 게오.
전쟁 상황에 대한 한탄
석일(昔日) 주중(舟中)에ᄂᆞᆫ 배반(杯盤)이 낭자(狼

藉)터니

금일(今日) 주중(舟中)에ᄂᆞᆫ 대검장창(大劍長槍)ᄲᅢᆫ
전쟁, 대유법
이로다.

ᄒᆞᆫ 가지 비언마ᄂᆞᆫ 가진 비 다ᄅᆞ니

기간(期間) 우락(憂樂)이 서로 ᄀᆞᆺ지 못ᄒᆞ도다.

▶ 본사 4: 옛날과 달리 전운이 감도는 배

[바] 「시시(時時)로 멀이 드러 북신(北辰)을 ᄇᆞ라보며,
북극성 – 임금이 계신 곳
상시노루(傷時老淚)를 천일방(天一方)의 디이ᄂᆞ다」
「 」: 우국충정
오동방(吾東方) 문물(文物)이 한당송(漢唐宋)애 디

랴마ᄂᆞᆫ

국운(國運)이 불행(不幸)ᄒᆞ야 해추 흉모(海醜兇

謀)애

신하의 몸으로 망명도주한 것인가?

신선을 못 만나 (불로초를 얻는 일을 못 하였거든) 얼른 돌아왔더라면,
(섬나라 오랑캐의 씨가 퍼지지 않아) 통주사(나)의 이 근심은 생기지 않았을 것이다.

그만두어라. 이미 지난 일을 탓해서 무엇하겠는가?
공연한 시비는 던져두자.

곰곰이 생각하여 깨달으니 내 뜻도 고집스럽구나.
황제가 배와 수레를 만든 것은 그릇된 줄도 모르겠구나.
(진나라 때) 장한이 강동으로 돌아가 가을바람을 만났다고 해도,
만일 작은 배를 타지 않았다면, 하늘이 맑고 바다가 넓다고 한들,
무슨 흥이 저절로 나겠으며, 삼공(영의정, 좌의정, 우의정)과도 바꾸지 않을 만큼
경치 좋은 곳에서

물에 떠다니는 어부의 생활이

한 조각의 작은 배가 아니면 무엇에 의탁하여 다닐 것인가?

이런 일을 보면, 배를 만든 제도야

매우 묘한 듯하지만, 어찌하여 우리 무리들은

나는 듯한 판옥선을 밤낮으로 비스듬히 타고,

풍월을 읊되 흥이 전혀 없는 것인가?

옛날 배에는 술상이 어지럽게 흩어졌더니,

오늘날 배에는 큰 칼과 긴 창뿐이로다.

같은 배이건마는 가진 바가 다르니,

그 사이 근심과 즐거움이 서로 같지 못하도다.

때때로 머리를 들어 임금 계신 곳을 바라보며,
시국을 근심하는 늙은이의 눈물을 하늘 한 모퉁이에 떨어뜨린다.
우리나라의 문물이 한나라·당나라·송나라에 뒤지랴마는,

나라의 운수가 불행하여 왜적들의 흉악한 꾀에 빠져

만고수(萬古羞)를 안고 이셔	영원히 씻을 수 없는 부끄러움을 안고서
백분(百分)에 흔 가지도 못 시셔 ㅂ려거든	그 백분의 일이라도 못 씻어 버렸거든,
이 몸이 무상(無狀)흔들 신자(臣子)ㅣ 되야 이셔다가	이 몸이 변변하지 못하지만 신하가 되어 있다가,
궁달(窮達)이 길이 달라 몬 뫼옵고 늘거신들	신하와 임금의 신분이 서로 달라 모시지 못하고 늙은들
<u>우국 단심(憂國丹心)</u>이야 어닉 각(刻)애 이즐넌고. 나라에 대한 걱정과 임금을 향한 충성	나라를 걱정하는 충성스러운 마음이야 어느 때라고 잊을 수 있겠는가?

▶ 본사 5: 왜적에 당한 수치심과 우국충정

[사] 강개(慷慨) 계운 장기(壯氣)는 노당익장(老當益壯) 흐다마는

	분히 여기는 마음을 이기지 못하는 건장한 기운은 늙을수록 더욱 씩씩하다마는
됴고마는 이 몸이 병중(病中)에 드러시니	조그마한 이 몸이 병중에 들었으니,
설분신원(雪憤伸寃) 어려올 듯 흐건마는	분함을 씻고 원통함을 풀어 버리기가 어려울 듯하건마는,
그러나 사제갈(死諸葛)도 생중달(生中達)을 멀리 좃고	그러나 죽은 제갈량도 살아 있는 중달을 멀리 쫓아 버렸고,
발 업슨 손빈(孫賓)도 방연(龐涓)을 잡아거든	발이 없는 손빈도 방연을 잡았거든,
흐믈며 이 몸은 수족(手足)이 ᄀ자 잇고	하물며 이 몸은 손과 발이 성하고,
명맥(命脈)이 이어시니	목숨이 이어 있으니,
서절구투(鼠竊狗偸)을 저그나 저흘소냐.	쥐나 개와 같은 왜적을 조금인들 두려워하겠는가?
「비선(飛船)에 둘려드러 선봉(先鋒)을 거치면	나는 듯이 빠른 배에 달려들어 선봉을 무찌르면,
구시월(九十月) 상풍(霜風)에 낙엽(落葉)가치 헤치리라.」 「 」: 적을 물리치겠다는 화자의 강한 의지	구시월 서릿바람에 낙엽 지듯 헤치리라.
칠종칠금(七縱七禽)을 우린들 못 홀 것가.	칠종 칠금(제갈량이 맹획을 일곱 번 놓아주었다 일곱 번 다시 잡은 일)을 우리라고 못 할 것인가?

▶ 본사 6: 왜구를 무찌르고 말겠다는 무인의 기개

[아] 준피도이(蠢彼島夷)들아, 수이 걸항(乞降) 흐야스라.

	꿈틀거리는 벌레 같은 저 섬나라 오랑캐들아, 빨리 항복하여라
항자 불살(降者不殺)이니 너를 구틱 섬멸(殲滅)흐랴.	항복하는 자는 죽이지 않으니, 너희들을 구태여 다 죽이겠는가?
<u>오왕(吾王) 성덕(聖德)이 욕병생(欲竝生)</u>흐시니라. 평화 공존의 의지	우리 임금의 성덕이 너희와 함께 살기를 바라신다.
태평천하(太平天下)에 요순(堯舜) 군민(君民) 되야 이셔	태평천하에 요순 시대의 백성이 된 것처럼
일월 광화(日月光華)는 조부조(朝復朝)흐얏거든,	해와 달 같은 임금의 성덕이 매일 아침마다 밝게 비치니
전선(戰船) 트던 우리 몸도 어주(魚舟)에 창만(唱晚)흐고,	전쟁하던 배를 타던 우리 몸도 고기잡이배에서 저녁 늦도록 노래하고

추월 춘풍(秋月春風)에 놉히 베고 누어 이셔

가을 달 봄바람에 베개를 높이 베고 누워서

성대(聖代) 해불양파(海不揚波)를 다시 보려 ᄒ노라.
바다에 파도가 일어나지 않음 - 태평성대

성군 치하의 태평성대를 다시 볼까 하노라.

▶ 결사: 태평성대가 돌아오기를 바람

이해와 감상

이 작품은 임진왜란 후 왜적에 대한 적개심과 태평성대에 대한 바람을 담고 있는 가사이다. 임진왜란 때 직접 전쟁에 참여한 작가가 왜적의 침입으로 인한 민족의 수난을 되새기며, 왜적에 대한 적개심을 드러내는 한편 고향으로 돌아가 태평성대를 즐기고자 하는 모습과 우국충정의 의지를 함께 표현하고 있다.

9 농가월령가(農家月令歌) | 정학유

[정월령(正月令)]

정월(正月)은 맹춘(孟春)이라 입춘(立春) 우수(雨水) 절후(節侯)로다.
초봄

1월은 초봄이라 입춘, 우수의 절기로다.

산중 간학(山中澗壑)의 빙설(氷雪)은 남아시니

산속 골짜기에는 얼음과 눈이 남아 있으나,

평교(平郊) 광야(廣野)의 운물(雲物)이 변(變)ᄒ도다.

넓은 들과 벌판에는 경치가 변하기 시작하도다.

어와 우리 성상(聖上) 애민 중농(愛民重農)ᄒ오시니

아, 우리 임금님께서 백성들을 사랑하고 농사를 중히 여기시어

간측(懇惻)ᄒ신 권농 윤음(勸農綸音) 방곡(坊曲)의 반포(頒布)ᄒ니,

농사를 권장하시는 말씀을 방방곡곡에 알리시니,

슬푸다 농부(農夫)들아 아므리 무지(無知)ᄒᆫ들

슬프다 농부들이여, 아무리 무지하다고 한들,

네 몸 이해(利害) 고사(姑舍)ᄒ고 성의(聖意)를 어길소냐?

네 자신의 이해관계를 제쳐 놓는다 해도 임금님의 뜻을 어기겠느냐?

산전 수답(山田水畓) 상반(相半)ᄒ게 힘ᄃᆡ로 ᄒ오리라.

밭과 논을 반반씩 균형 있게 힘써 경작하오리라.

일 년 풍흉(一年豊凶)은 측량(測量)치 못ᄒ야도

일 년의 풍년과 흉년을 예측하지는 못해도,

인력(人力)이 극진(極盡)ᄒ면 천재(天災)를 면(免)ᄒᄂ니

사람의 힘을 다 쏟으면 자연의 재앙을 면하나니,

져각각(各各) 권면(勸勉)ᄒ야 게얼니 구지 마라.

제각각 서로 권면하고 격려하여 게을리 굴지 마라.

…(중략)…

▶ 정월령: 초봄인 정월의 절기(입춘, 우수)와 일년 농사 준비

[사월령(四月令)]

　사월(四月)이라 맹하(孟夏)되니 입하(立夏) 소만(小
　　　　　　　초여름
滿) 절기(節氣)로다.

　비 온 끝에 볏이 나니 일기(日氣)도 청화(淸和)ᄒ다.

　떡갈잎 퍼질 때에 뻐꾹새 자로 울고

　보리 이삭 패어 나니 꾀꼬리 소리 ᄒ다.

　농사(農事)도 한창이요 잠농(蠶農)도 방장(方長)이라.

　남녀노소(男女老少) 골몰(汨沒)하여 집에 있을 틈이

없어

　적막(寂寞)ᄒ 대사립을 녹음(綠陰)에 닫았도다.

　면화(棉花)를 많이 가소 방적(紡績)의 근본(根本)이라.

　수수 동부 녹두 참깨 부룩을 적게 하소.

　　　　　　　　　　…(중략)…

▶ 사월령: 초여름인 4월의 절기(입하, 소만)와 이른 모내기, 목화 농사

[팔월령(八月令)]

　팔월(八月)이라 중추(仲秋) 되니 빅노(白露) 추분 절
　　　　　　　음력 8월
기로다.

　북두성(北斗星) ᄌ로 도라 서편(西便)을 가르치니

　선선ᄒ 조석(朝夕) 긔운 추의(秋意)가 완연ᄒ다.

　귀쏘람이 말근 쇼리 벽간(壁間)에 들거고나.

　아춤에 안기 찌고 밤이면 이실 ᄂ려

　빅곡(百穀)을 성실(成實)ᄒ고 만물을 지쵹ᄒ니

　들 구경 돌아보니 힘드린 일 공생(功生)ᄒ다.

　빅곡(百穀)의 이삭 픠고 여믈 드러 고기 숙어

　서풍(西風)에 익ᄂ 빗츤 황운(黃雲)이 이러난다.

　　　　　　　　　　…(후략)…

▶ 팔월령: 중추인 8월의 절기(백로, 추분)와 백곡의 무르익음과 수확

	4월이라 초여름이 되니 입하, 소만의 절기로다.
	비 온 끝에 햇볕이 나니 날씨도 화창하다.
	떡갈나무 잎이 피어날 때에 뻐꾹새가 자주 울고,
	보리 이삭이 나오니 꾀꼬리가 노래한다.
	농사나 누에 치는 일이 이제 막 한창이다.
	남녀노소가 농사일에 바빠서 집에 있을 틈이 없어
	고요한 가운데 사립문이 녹음 속에 닫혀 있도다.
	목화를 많이 심소, 길쌈의 기본이 되는 것이라.
	수수나 동부, 녹두, 참깨 밭에 다른 농작물을 섞어 심는 것을 적게 하소.

	8월이라 중추가 되니 백로, 추분의 절기로다.
	북두칠성의 국자 모양의 자루가 돌아 서쪽을 가리키니.
	서늘한 아침저녁 기운은 가을의 모습이 완연하다.
	귀뚜라미 맑은 소리가 벽 사이에서 들리는구나.
	아침에 안개가 끼고 밤이면 이슬이 내려.
	온갖 곡식을 여물게 하고, 만물의 결실을 재촉하니.
	들 구경을 하니 힘들여 일한 공이 나타나는구나.
	온갖 곡식의 이삭이 나오고 곡식의 알이 들어 고개를 숙여,
	서풍에 익은 빛은 누런 구름이 이는 듯하다.

▌이해와 감상

이 작품은 농가에서 1년 동안 해야 할 농사에 관한 실천 사항과 철마다 다가오는 세시 풍속 및 지켜야 할 범절 등을 드러내고 있는 가사이다. 대체로 각 달의 절기 소개, 그 절기의 자연환경, 해야 할 농사일, 풍속 소개 등의 순으로 구성되어 있다. 특히 매월이 진행됨에 따라 시상이 전개되는 월령체 형식은 고려 가요 「동동」과도 같은 형식이며, 이러한 형식을 통해서 농민들에게 가르쳐야 할 내용을 효과적으로 전달하고 있다.

10 우부가(愚夫歌) | 작자 미상

[가] 내 말씀 광언(狂言)인가 저 화상 구경하게.
대상을 객관화시킬 수 있도록 3인칭 시점 사용

남촌 한량(閑良) 개똥이는 부모 덕에 편히 놀고
□□ : 주인공이 양반임을 알려 줌

호의호식 무식하고 미련하고 용통하여

눈은 높고 손은 커서 가량 없이 주저 넘어

시체(時體) 따라 의관(衣冠)하고 남의 눈만 위하것다.

장장춘일(長長春日) 낮잠 자기 조석(朝夕)으로 반찬 투정

매팔자로 무상출입(無常出入) 매일 장취 게트림과

이리 모여 노름 놀기 저리 모여 투전질에

기생첩 치가(置家)하고 외입장이 친구로다.

사랑에는 조방(助幇)군이 안방에는 노구(老嫗) 할미

명조상(名祖上)을 떠세하고 세도(勢道) 구멍 기웃기웃

염량(炎涼) 보아 진봉(進奉)하기 재업(財業)을 까불리고

허욕(虛慾)으로 장사하기 남의 빚이 태산이라.

내 무식은 생각 않고 어진 사람 미워하기

「후(厚)할 데는 박하여서 한 푼 돈에 땀이 나고

박할 때는 후하여서 수백 냥이 헛것이라.」
「 」 : 대구법, 대조법

승기자(勝己者)를 염지(厭之)하니 반복 소인(反覆小人) 허기진다.

내 몸에 이(利)할 대로 남의 말을 탄치 않고

친구 벗은 좋아하며 제 일가는 불목(不睦)하며

병날 노릇 모다 하고 인삼 녹용 몸 보(補)하기와

주색잡기 모다 하여 돈 주정을 무진하네.

부모 조상 돈망(頓忘)하며 계집 자식 재물 수탑

일가친척 구박하며 내 인사는 나중이요 남의 흉만 잡아낸다.

내 행세는 개차반에 경계판(警戒板)을 짊어지고

없는 말도 지어내고 시비에 선봉(先鋒)이라.

날 데 없는 용전여수(用錢如水) 상하탱석(上下撑石) 하여 가니
하석상대, 임시방편

내 말이 미친 소리인가 저 인간을 구경하게.

남촌의 한량 개똥이는 부모 덕에 편히 놀고

호의호식하지만 무식하고 미련하여 소견머리가 없는 데다가

눈은 높고 손은 커서 대중없이 주제 넘어

유행에 따라 옷을 입어 남의 눈만 즐겁게 한다.

긴긴 봄날에 낮잠이나 자고 아침저녁으로 반찬 투정을 하며.

항상 놀고먹는 팔자로 술집에 무상출입하여 매일 취해서 게트림을 하고,

이리 모여서 노름하기, 저리 모여서 투전질에

기생첩을 얻어 살림을 넉넉히 마련해 주고 오입쟁이 친구로다.

사랑방에는 조방꾼이, 안방에는 뚜쟁이 할머니가 드나들고,

조상을 팔아 위세를 떨고 세도를 찾아 기웃기웃하며.

세상 돌아가는 것을 보아 가며 뇌물을 바치느라 재산을 날리고,

헛된 욕심으로 장사를 하여 남의 빚이 태산처럼 많다.

자기가 무식한 것은 생각하지 않고 어진 사람을 미워하며,

후하게 할 곳에는 야박하여 한 푼을 주는 데도 아까워하고

박하게 할 곳에는 후덕하여 수백 냥을 낭비한다.

자기보다 나은 사람을 싫어하니 소인들이 비위 맞추느라 배가 고플 지경이다.

자기에게 유리하면 남의 잘못된 말도 따지지 않고,

친구들하고는 잘 지내지만 제 친척들과는 화목하지 못하며,

건강 해칠 일은 모두 하고 인삼, 녹용으로 몸보신하기와,

주색잡기를 모두 하여 한없이 돈을 함부로 쓰네.

부모와 조상은 아주 잊어버리고 계집 자식과 재물만 좋아하며,

일가친척을 구박하고 자기가 할 도리는 나중 일이요, 남의 흉만 잡아낸다.

자기 행동은 개차반이면서 경계판을 짊어지고 다니며,

없는 말도 지어 내고 시비 거는 일에 앞장 선다.

돈이 나올 데가 없는데도 물처럼 쓰고 나서 임시변통하기에 바쁘고,

손님은 채객(債客)이요 윤의(倫義)는 내 몰래라.

입구멍이 제일이라 돈 날 노릇 하여 보세.

전답 팔아 변돈 주기 종을 팔아 월수(月收) 주기

구목(丘木) 베어 장사하기 서책 팔아 빚주기와
양반의 몰락한 모습

동네 상놈 부역이요 먼 데 사람 행악이며

잡아오라 꺼물리라 자장격지(自將擊之) 몽둥이질

전당(典當) 잡고 세간 뺏기 계집 문서 종 삼기와

살 결박(結縛)에 소 뺏기와 불호령에 솥 뺏기와

여기저기 간 곳마다 적실 인심 하겠고나.

사람마다 도적이요 원망하는 소리로다. 이사나 하
여 볼까.

가장(家藏)을 다 팔아도 상팔십이 내 팔자라.

종손 핑계 위전(位田) 팔아 투전질이 생애로다.

제사 핑계 제기(祭器) 팔아 관재 구설(官災口舌) 일
어난다.

뉘라서 돌아볼까 독부(獨夫)가 되단 말가.

가련타 저 인생아 일조에 걸객이라.

대모 관자(玳瑁貫子) 어디 가고 물래줄은 무슨 일꼬.

통냥갓은 어디 가고 헌 파립(破笠)에 통모자라.

주체로 못 먹던 밥 책력 보아 밥 먹는다.

양볶이는 어디 가고 씀바귀를 단꿀 빨듯.

죽녁고(竹瀝膏) 어디 가고 모주 한 잔 어려워라.

울타리가 땔나무요 동네 소금 반찬일세.

각장 장판 소라 반자 장지문이 어디 가고

벽 떨어진 단간방에 거적자리 열두 잎에

호적 종이 문 바르고 신주보(神主褓)가 갓끈이라.

은안 준마 어디 가며 선후 구종(驅從) 어디 갔나.

석새 짚신 지팡이에 정강말이 제격이라.

삼승 버선 태사혜가 어디 가고 끄레발이 불쌍하고,

비단 주머니 십륙사끈 화류 면경(樺榴面鏡) 어디
가고

버선목 주머니에 삼노끈 꿰어 차고,

돈피 배즈자 담비 휘양 능라 주의 어디 간고,

손님이라고 오는 것은 빚쟁이요, 윤리와 의리
는 돌보지 않는다.
먹는 것이 제일 중요하니 돈 나올 일을 하여
보세.
논밭과 종을 팔아서 이자 돈 놓기,

무덤가의 나무를 팔아먹고, 서책을 팔아 빚을
주고,
동네 상놈을 불러다가 일을 시키고, 먼 데서
온 사람에게 행패를 부리며,
잡아 오라, 물러가라, 싸움을 걸어 몽둥이질을
하고,
전당 잡아 세간을 뺏으며, 계집 문서로 종을
삼고,
알몸을 결박하여 소를 뺏고, 불호령으로 솥을
뺏으니,
여기저기 가는 곳마다 인심을 자꾸 잃는구나.

사람마다 그를 도적이라 하여 원망하는 소리
가 높다. 이를 피해서 이사나 해 볼까.

집안의 물건을 다 팔아도 오래 살 팔자라.

종손이라고 핑계하고 위토전을 팔아 노름하
는 것이 일이로다.
제사를 핑계 삼아 제기를 팔아먹고서 관가로
부터 봉변을 당한다.

아무도 그를 돌아보지 않으니 완전히 외톨이
가 되었단 말인가?
가련하다, 저 인생아, 하루아침에 거지가 되었
구나.
고급스런 관자는 어디 가고 물렛줄로 갓끈을
한 것은 무슨 일인가?
(품질이 좋은) 통영갓은 어디 가고 찢어진 갓
에 통모자를 썼구나.
다 먹지 못할 만큼 밥이 많았는데, 이제는 달
력을 보아 가며 밥을 먹는다.
좋은 음식은 어디 가고 씀바귀를 단꿀 빨 듯,

좋은 술은 어디 가고 좋지 않은 모주 한 잔 먹
기도 어렵구나.
울타리로 땔감을 삼고 동네 소금으로 반찬을
하네.
고급스런 장판과 반자, 장지문은 다 어디 가고,

벽이 허물어진 단칸방에 열두 닢의 거적을 깔
았으며,
호적을 쓴 종이로 문을 바르고 신주 싸는 보
자기로 갓끈을 하였구나.
호사스럽게 차린 좋은 말과 앞뒤에서 모시던
고삐 잡는 하인은 어디 갔는가?
거칠게 만든 짚신과 지팡이에 두 발로 걷는
것이 제격이라.
삼승 버선과 태사혜는 어디 가고 지저분한 옷
차림 불쌍하며,
비단 주머니에 고운 끈이 달린 고급 거울은
어디 가고,

버선으로 만든 주머니에 삼노끈을 꿰어 차고,

담비 모피로 만든 덧저고리, 담비 모자, 비단
두루마기는 어디 갔는가?

동지 섣달 베창옷에 삼복다름 바지거죽	동지섣달 추위에 베로 만든 옷을 걸쳤으며, 삼복더위에 두꺼운 바지를 입고,
궁둥이는 울근불근 옆걸음질 병신같이	엉덩이를 울근불근하며 병신같이 옆걸음질을 치는구나.
담배 없는 빈 연죽을 소일조로 손에 들고	담배도 없는 빈 담뱃대를 심심풀이로 손에 들고,
어슥비슥 다니면서 남의 문전 걸식하며	비실비실 다니면서 남의 집 문전에 가 걸식하며,
역질 핑계 제사 핑계 야속하다 너희 인심 원망헐 사 팔자타령.	천연두 제사를 핑계하는 집에 인심이 야박함을 탓하면서 팔자를 원망하는구나.

▶ 패가망신한 인물(개똥이)의 모습

[나] 저 건너 꼼생원은 제 아비의 덕분으로 돈 천이나 가졌더니	저 건너 꼼생원은 제 아비의 덕분으로 돈 푼이나 가졌었는데
술 한 잔 밥 한 술을 친구 대접 하였던가	술 한 잔 밥 한술을 친구에게 대접한 일이 없다.
주제 넘게 아는 체로 음양 술수 탐호하여	주제넘게 아는 체를 하며 음양술수(점치는 일) 몹시 좋아하여
당발복 구산하기 피란곳 찾아 가며	당대에 복을 받을 명당자리를 찾아다니고, 난리 피해 도망갈 곳 찾아가며
올 적 갈 적 행로상에 처자식을 흩어 놓고	올 적 갈 적 돌아다니는 길에 처자식을 여기저기 떨어뜨리고
유무 상조 아니하면 조석 난계 할 수 없다.	있는 사람이 없는 사람을 돕지 않으면 끼니를 때울 수가 없으니, 어쩔 도리가 없구나.
사인취물 하자 하니 두 번지난 아니 속고	사기를 치려 해도 두 번째는 속을 리 없으며,
공납 범용 허자 허니 일가집에 부자 없고	국고를 횡령하려 해도 친척 중에 부자가 없고,
뜬 재물 경영하고 경향 없이 싸다니며	허황된 재물을 얻으려고 여기저기 쏘다니며,
재상가에 청질하다 봉변하고 물러서고	재상 댁에 청을 넣다가 봉변을 당하고 물러나고,
남의 골에 걸태 갔다 혼금에 쫓겨 와서	남의 고을에 재물을 구하러 갔다가 혼금에 쫓겨 오고
혼인 중매 혼자 들다 무렴 보고 뺨 맞으며	혼인 중매를 혼자 들다가 무안을 당하고 뺨 맞으며,
가대 문서 구문 먹기 핀잔 먹고 자빠지기	가대 문서를 가지고 구문을 먹으려다 핀잔 듣고 자빠지고
불의 행세 찌그렁이 위조 문서 비리 호송	옳지 못한 일을 하는 데는 끼어들어 한 몫 보려 하고, 위조한 가짜 문서나 호송해 주는 비리를 범하고
부자나 후려 볼까 감언이설 꾀어 보세.	부자나 후려 볼까 감언이설로 꾀어 보세.
언막이며 보막이며 은점이며 금점이며	언막이나 보막이며, 은광이나 금광을 찾아다니고,
대로변에 색주가며 노름판에 푼돈 떼기	큰 길가에 색주가 그리고 노름판에서 개평 뜯기,
남북촌에 뚜장이로 인물 초인 하여 볼까.	남촌 북촌에 뚜쟁이로 나서서 사람 끌기를 하여 볼까
산진매 수진매에 사냥질로 놀러 갈 제	산지니, 수지니를 데리고 사냥 차 놀러 갈 때,
대종손 양반 자랑 산소나 팔아 볼까	양반 가문의 대종손이라고 자랑하면서 산소자리나 팔아 볼까
혼인 핑계 어린 딸은 백냥짜리 되었구나	어린 딸을 시집보낸다 핑계하고 백 냥에 팔았구나.
아낙은 친정 살이 자식들은 고굉살이	아내는 친정살이를 하고, 자식들은 고생살이를 시키니.
일가의 눈이 희고 친구의 손가락질	친척들은 눈을 흘기고 친구들은 손가락질을 한다.
부지거처 나가더니 소문이나 들어 볼까	어디론가 나가더니 소문조차 들을 수가 없구나.

▶ 도덕적으로 타락하고 비행을 저지르는 인물(꼼생원)의 모습

[다] 산 너머 꾕생원 그야말로 하우로다

거들어서 한 말 자랑 대장부의 절기로다

동네존장 몰라 보고 이소 능장 욕하기와

의관 열파 사람 치고 맞았다고 떼쓰기와

남의 과부 겁탈하기 투장 간 곳 청병하기

친척집의 소 끌기와 주먹다짐 일쑤로다

부잣집에 긴한 체로 친한 사람 이간질과

월수돈 일수돈에 장변리 장체기며

제 부모의 몹쓸 행사

투전군은 좋아하며 손목 잡고 술 권하며

제 처자는 몰라보고 노리개로 정표 주며

자식 노릇 못하면서 제 자식은 귀히 알며

며느리는 들볶이며 봉양 잘못 호령한다

기둥 베고 벽 떨어라 천하 난봉 자칭하니

부끄럼을 모르고서

주리틀려 경친 것을 옷을 벗고 자랑하며

술집이 안방이요 투전방이 사랑이라

늙은 부모 병든 처자 손톱 발톱 젖혀 가며

잠 못 자고 길쌈는 것 술내기로 장기 두고

책망 없이 버린 몸이 무슨 생애 못하여서

누이 자식 조카 자식 색주가로 환매하여

부모가 걱정하면 와락 달아 부르대며

아낙이 사설하면 밥상 치고 계집치기

도망산에 묘를 섰나 저녁 굶고 또나간다

포청 귀신 되었는지 듣도 보도 못할래라

▶ 비행을 저지르는 인물(꾕생원)의 모습

산 넘어 사는 꾕생원은 참으로 어리석은 사람이로다.

남이 거들어서 한 말을 자랑하는 몹시 급한 성격의 남자로다.

동네 어른을 몰라보고 무례하게 욕을 하며

의관을 찢고 사람을 때리고도 맞았다고 떼를 쓰고,

남의 과부를 겁탈하고 몰래 무덤 쓰는 데 가서 떡을 달라고 하며

친척집의 소를 끌어 가고 주먹다짐이 예사로다.

부잣집과 가까운 척하며, 친한 사람을 이간질시키고,

월숫돈이나 일숫돈, 장별리, 장체기 등에 종사하며

제 부모에게 몹쓸 짓을 하고,

노름꾼들 하고는 죽이 맞아서 손목 잡고 술을 권하며

제 처자식은 외면하고 노리개를 갖다가 다른 여자에게 정표로 주어 버리고

(저는) 자식 노릇 제대로 못 하면서 제 자식은 귀하게 알며

며느리는 들볶으며 봉양을 잘못한다고 호령한다.

기둥을 베고 벽을 떨어라, 천하 난봉꾼임을 자칭한다.

부끄러운 줄을 모르고서

주리를 트는 형벌을 받아 몹시 혼이 난 것을 옷을 벗고 보여 주며 자랑하고

술집을 안방으로 삼고 노름방을 사랑으로 삼아 지낸다.

늙은 부모와 병든 처자식이 손톱 발톱이 젖혀지도록

잠을 못 자고 길쌈한 것을 가져다가 술 내기 장기를 두고

(바로잡아 주는 사람이 없이) 버린 몸이 생계를 세우지 못해서

누이의 자식과 조카 자식을 색주가에 팔아 넘기고

그 부모가 걱정하면 얼굴을 붉히며 떠들어대고

아내가 잔소리를 하면 밥상을 치고 폭행하며,

도망산에 묘를 썼는지 저녁 굶고서 또 나가더니

포도청에 잡혀갔는지 듣지도 보지도 못하겠도다.

이해와 감상

이 작품은 조선 후기 남성들의 비행을 훈계하고 있는 가사이다. 어리석은 세 남자의 행실을 낱낱이 나열하고 있는데, 이들은 모두 오륜에 어긋나는 행동들을 보이고 있다. 또한 세 사람의 신분은 개똥이는 양반이고, 꼼생원은 문서를 위조하는 것으로 보아 서리 계층일 것이라고 짐작할 수 있다. 꾕생원은 육체적인 횡포를 일삼는 것으로 보아 서민층임을 알 수 있다. 이 작품은 세 계층의 어리석은 인물들이 모두 패가망신하여 몰락하고 말았음을 교훈 삼아 이러한 행동을 하지 말 것을 훈계하고 있다. 교훈시의 형식을 취하면서 조선 후기의 새로운 시대상을 사실적으로 반영한 작품이라는 점에서 의의가 있다.

09 잡가

1 유산가(遊山歌) | 작자 미상

[가] 화란 춘성(花爛春城)하고 만화방창(萬化方暢)이라.
　　　　　_{상투적 한문 투의 표현}
때 좋다 벗님네야, 산천경개(山川景槪)를 구경(求
景)을 가세.

　　▶ 서사: 봄 경치 구경을 권유함

[나] 죽장망혜(竹杖芒鞋) 단표자(單瓢子)로 천리 강산
을 들어를 가니, 만산 홍록(滿山紅綠)들은 일년 일
도(一年一度) 다시 피어 춘색(春色)을 자랑노라 색
색이 붉었는데, 창송취죽(蒼松翠竹)은 창창울울(蒼
蒼鬱鬱)한데, 기화요초(奇花瑤草) 난만중(爛慢中)에
꽃 속에 잠든 나비 자취 없이 날아난다.

「유상 앵비(柳上鶯飛)는 편편금(片片金)이요, 화간
접무(花間蝶舞)는 분분설(紛紛雪)이라.」삼춘가절(三
「　」: 대구법, 은유법
春佳節)이 좋을씨고. 도화만발(桃花滿發) 점점홍(點
點紅)이로구나. 어주축수(漁舟逐水) 애산춘(愛山春)
이어든 무릉도원(武陵桃源)이 예 아니냐. 양류세지
사사록(楊柳細枝絲絲綠)하니 황산곡리 당춘절(黃山
谷裏當春節)에 연명 오류(淵明五柳)가 예 아니냐.

제비는 물을 차고, 기러기 무리져서 거지중천(居
止中天)에 높이 떠 두 나래 훨씬 펴고, 펄펄펄 백운
간(白雲間)에 높이 떠서 <u>천리 강산 머나먼 길을 어</u>
　　　　　　　　　　　_{상투적 표현}
<u>이 갈꼬 슬피 운다.</u>

「원산(遠山)은 첩첩(疊疊), 태산(泰山)은 주춤하여,
「　」: 의태법
기암(奇巖)은 층층(層層), 장송(長松)은 낙락(落落),
에이구부러져 광풍(狂風)에 흥을 겨워 우줄우줄 춤
을 춘다.」

층암 절벽상(層巖絶壁上)의 폭포수(瀑布水)는 콸
콸, <u>수정렴(水晶簾)</u> 드리운 듯, 이 골 물이 주루루
　　　_{폭포}
룩, 저 골 물이 쏼쏼, 열에 열 골 물이 한데 합수(合
水)하여 천방져 지방져 소쿠라지고 펑퍼져, 넌출지
고 방울져, 저 건너 병풍석(屏風石)으로 으르렁 콸

봄이 오니 꽃이 활짝 피어 성에 가득하고, 만
물이 나서 자라는구나. 때가 좋구나 세상 사
람들이여, 산천 경치 구경이나 가자.

간편한 차림새로 천리 강산을 들어가니, 온
산에 가득한 꽃과 풀들은 일 년에 한 번씩 다
시 피어 봄빛을 자랑하느라고 색색이 붉어 있
는데, 푸른 소나무와 대나무는 울창하고, 아름
다운 꽃과 풀들이 만발하여 흐드러진 가운데,
꽃 속에 잠든 나비가 사뿐하게 날아오른다.

버드나무 위에 나는 꾀꼬리들은 마치 여러 개
의 금조각 같고, 꽃 사이에서 춤추는 나비들
은 어지러이 날리는 눈송이 같구나. 아름다운
이 봄철이 참으로 좋도다. 복숭아꽃이 만발해
서 여기저기 붉었구나. 고기잡이 배를 타고
물을 따라가며 봄철을 즐기니 무릉도원이 바
로 여기가 아니겠느냐? 버드나무의 가느다란
가지들이 실처럼 늘어져 푸르고 황산의 골짜기
안에서 봄을 맞으니 도연명의 오류촌이 바로
여기가 아니겠느냐?

제비는 물을 차며 날고, 기러기는 떼를 지어
허공에 높이 떠서 두 날개를 활짝 펴고, 흰 구
름 사이에 높이 떠서 천 리 강산 머나먼 길을
어찌 갈꼬 하여 슬피 운다.

멀리 있는 산은 겹겹이 있고, 큰 산은 우뚝 솟
았으며, 기이한 바위는 층층이 쌓여 있고, 큰
소나무는 가지가 늘어지고 조금 휘어져서 미
친 듯 사나운 바람에 흥을 못 이겨 우줄우줄
춤을 춘다.

바위가 겹겹으로 쌓인 절벽 위에 폭포수는 콸
콸 쏟아져 수정으로 만든 발을 드리운 것 같
고, 이 골짜기의 물이 주루루룩 흐르고, 저 골
짜기의 물이 쏼쏼 쏟아져, 여러 골짜기의 물
이 한 데 합쳐져서 천방지방으로 솟구쳤다가
평평하게 퍼지고 물줄기와 물방울을 이루며
저 건너 병풍처럼 둘러선 바위를 향해 으르렁
콸콸 흐르는 물결이 은구슬같이 흩어지니, 소
부와 허유가 세상과 단절하고 지내던 기산 영
수가 여기가 아니겠느냐?

• 갈래: 잡가
• 성격: 묘사적, 서정적, 향락적, 풍류적
• 표현
　① 언어 표현 층위의 이중성(상투적
　　 한문 투 표현 + 고유어 표현)을
　　 통해, 양반 문화와 하층 서민 문
　　 화의 혼용이 드러남
　② 비유법, 열거법 등의 다양한 수
　　 사법을 사용함
　③ 음성 상징어를 사용하여 생동감
　　 을 줌
• 주제: 봄날의 아름다운 경치 완상과
　예찬

콸 흐르는 물결이 은옥(銀玉)같이 흩어지니, 소부

허유(巢父許由) 문답하던 기산 영수(箕山穎水)가 예

아니냐.

「주곡제금(奏穀啼禽)은 천고절(千古節)이요, 적다

정조(積多鼎鳥)는 일년풍(一年豊)이라.」

「　」: 대구법

　　▶ 본사: 봄 경치 완상

주걱새 울음소리는 천고의 절개를 노래하고 소쩍새의 울음소리는 한 해의 풍년을 예고하는구나.

[다] 일출낙조(日出落照)가 눈앞에 벌여나 경개 무궁

(景槪無窮) 좋을씨고.

　　▶ 결사: 아름다운 경치에 대한 예찬

아침에 뜬 해가 저녁놀이 되어 눈앞에 펼쳐져 경치가 한없이 아름답구나.

▌이해와 감상

이 작품은 봄철이 되어 아름다운 산천을 구경하자는 데에서 비롯하여 그곳에서 펼쳐지는 풍경을 풍류적으로 드러내고 있는 잡가이다. 표현에 있어서는 우리말 표현을 적절히 활용하면서도 향유 계층을 고려하여 한시 구절이나 가사 등의 표현을 차용하여 활용하였고 사실적인 묘사가 두드러진다. 운율은 4·4조가 주조를 이루나 때로는 파괴되는 모습을 보이기도 한다. 가창을 목적으로 창작된 12잡가 중 하나이다.

01 「유산가」의 화자는 감각적 표현을 보다 강조하기 위해 한자어를 사용하고 있다. (ㅇ, ×)

02 「유산가」는 4·4조의 운율이 주조를 이루지만 파격이 많다는 점에서 가사적 성격의 잡가라고 할 수 있다.
(ㅇ, ×)

| 정답 |　01 ×(향유 계층인 양반을 고려하여 한자어를 사용하고 있다.)
02 ㅇ

10 민요

1 시집살이 노래 | 작자 미상

형님 온다 형님 온다 분(粉) 고개로 형님 온다.

형님 마중 누가 갈까 형님 동생 내가 가지.

형님 형님 사촌 형님 시집살이 어떱뎁까?

이애 이애 그 말 마라 <u>시집살이 개집살이.</u>
　　　　　　　　❶ 시집살이의 어렵고 힘듦을 표현한 것 ❷ 해학적 표현

<u>앞밭에는 당추[唐叔]심고 뒷밭에는 고추 심어,</u>
　❶ 당추와 고추는 같은 것이나, 음의 조화로운 배치를 노린 표현 ❷ 시집살이의 매움을 강조한 표현

고추 당추 맵다 해도 시집살이 더 맵더라.

둥글둥글 <u>수박 식기(食器) 밥 담기도 어렵더라.</u>
　　　　주발, 대접 등 밥 담는 그릇이 수박처럼 둥글게 생겼다는 뜻으로, 상을 차리는 예절의 어려움을 표현한 구절

도리도리 <u>도리소반(小盤) 수저 놓기 더 어렵더라.</u>
　　　　　자그마한 밥상이 어린아이가 도리질하듯 이리저리 흔들린다는 뜻으로, 상을 차리는 예절의 어려움을 표현한 구절

오 리(五里) 물을 길어다가 십 리(十里) 방아 찧어다가,

아홉 솥에 불을 때고 열 두 방에 자리 걷고,

외나무다리 어렵대야 시아버니같이 어려우랴?

나뭇잎이 푸르대야 시어머니보다 더 푸르랴?

「시아버니 <u>호랑새요</u> 시어머니 <u>꾸중새요.</u>
　　　　　무섭고 엄격하신 분　　　└ 꾸중을 잘하는 분
　　　　　　　　　　　　　　　　└ 새침하고 까탈스럽고 불만이 많은 분
동세 하나 <u>할림새요</u> 시누 하나 <u>뾰족새요,</u>
　　　　　시기와 질투심이 많은 분
시아지비 <u>뾰중새요</u> 남편 하나 미련새요.
　　　　　퉁명스럽고 무뚝뚝한 분
자식 하난 우는 새요 나 하나만 썩는 샐세.」
「　」: 시집살이의 괴로움을 해학적으로 표현
귀 먹어서 삼 년이요 눈 어두워 삼 년이요,

말 못 해서 삼 년이요 석 삼 년을 살고 나니,

(배꽃)같던 요 내 얼굴 호박꽃이 다 되었네.　　　◯: 결혼 전의 '나'의 모습
　　　　　　　　　　　　　　　　　　　　　　☐: 결혼 후의 '나'의 모습
(삼단)같던 요 내 머리 비사리춤이 다 되었네.

(백옥)같던 요 내 손길 오리발이 다 되었네.

열새 무명 반물치마 눈물 씻기 다 젖었네.

두 폭 붙이 행주치마 콧물 받기 다 젖었네.

울었던가 말았던가 베갯머리 소(沼)이 졌네.
　　　　　　　　　　　　과장법
「그것도 소이라고 <u>거위 한 쌍 오리 한 쌍</u>
　　　　　　　　　　자식들을 비유함
쌍쌍이 때 들어오네.」
「　」: ❶ 어린 자식들이 어머니의 품을 파고드는 모습을 해학적으로 표현
　　　 ❷ 화자가 슬픔으로 함몰되는 것을 극복하게 해 줌(해학적 체념)

이해와 감상
이 노래는 시집살이의 어려움과 그에 대한 하소연을 담은 민요이다. 봉건 사회의 대가족 제도 속에서 여자가 겪어야 하는 시집살이의 고뇌가 사실적으로 잘 표현되어 있다. 모든 시집 식구들과, 아내의 괴로움을 몰라주는 남편까지 모두 원망의 대상으로 삼고 있다. 형식적으로는 대화체를 활용하여 이야기의 현장감을 더하고 있으며 언어유희와 해학적 묘사는 물론 반복법, 열거법, 대구법, 대조법, 은유법, 직유법, 과장법 등을 적절히 활용하고 있다.

- 갈래: 민요, 부요(婦謠)
- 성격: 서민적, 풍자적, 해학적
- 표현
  ① 사실적이고 구체적이며 다소 과장된 표현
  ② 대화체, 가사체(4·4조, 4음보 연속체)
  ③ 언어적 유희와 해학적 묘사
  ④ 반복법, 열거법, 대구법, 대조법, 은유법, 직유법, 과장법 등
- 주제: 시집살이의 어려움과 그에 대한 하소연, 시집살이의 한(恨)과 체념

바로 확인문제

01 「시집살이 노래」의 화자는 시집살이의 괴로움을 □□□으로 표현하여 고통을 덜고자 한다.

02 사촌 자매의 대화 형식으로 이루어져 일상어를 사용하면서도 언어 표현의 묘미를 잘 살리고 있다. (○, ×)

03 3음보 형태의 율격을 갖추고 있어 매우 안정되고 균형 잡힌 호흡이 가능하다. (○, ×)

| 정답 |　01 해학적　02 ○　03 ×(3음보 → 4음보)

11 한시

1 여수장우중문시(與隋將于仲文詩) | 을지문덕

神策究天文 신 책 구 천 문	그대의 신기한 책략은 하늘의 이치를 다했고, ← 적장의 신기한 계책 예찬 ┐ 대구법, 반어법(계책을 간파했다는 조롱)
妙算窮地理 묘 산 궁 지 리	오묘한 계획은 땅의 이치를 다했노라. ← 적장의 기묘한 헤아림 예찬 ┘
戰勝功旣高 전 승 공 기 고	전쟁에 이겨서 그 공 이미 높으니, ← 적장의 전승 예찬(→ 더 이상 공을 세우지 못할 것이라는 경고)
知足願云止 지 족 원 운 지	만족함을 알고 그만두기를 바라노라. ← 항복 권유, 경고(→ 위협)

｜이해와 감상

이 작품은 고구려의 을지문덕이 수나라의 30만 대군을 맞아 싸울 때에 적장인 우중문에게 조롱조로 지어 보낸 시이다. 표면적으로는 우중문의 신기한 책략과 기묘한 계획을 잔뜩 칭찬하고 있지만, 내면적으로는 이를 조롱하고 비웃는 모습을 보인 것이라고 할 수 있다.

2 제가야산독서당(題伽倻山讀書堂) | 최치원

狂奔疊石吼重巒 광 분 첩 석 후 중 만	첩첩 바위를 미친 듯 달려 겹겹 봉우리 울리니, ← 세찬 물살을 비유(활유법) ┐ 외적 상황
人語難分咫尺間 인 어 난 분 지 척 간	지척에서 하는 말소리도 분간키 어려워라. ← 사람 사이의 시비와 어지러움 ┘
常恐是非聲到耳 상 공 시 비 성 도 이	늘 시비하는 소리 귀에 들릴세라, ← 다툼의 소리 / 들릴까 두렵다 ┐ 내면 세계
故敎流水盡籠山 고 교 유 수 진 롱 산	짐짓 흐르는 물로 온 산을 둘러 버렸다네. ← 속세와의 단절 의지 ┘

｜이해와 감상

이 작품은 속세를 떠나 자연에 묻혀 살고자 하는 정서가 드러난 한시이다. 신라 말 최치원이 지은 7언 절구로 부귀와 벼슬 등 세속의 모든 것을 버리고, 남은 인생을 자연과 더불어 살아가고자 하는 모습이 드러나고 있다. 특히 '물'이라는 소재가 화자가 있는 자연과 속세를 단절시켜 주는 역할을 하고 있는데, 이는 세상의 시비로부터 벗어나고자 하는 의지를 드러낸 것으로 볼 수 있다.

3 송인(送人) | 정지상

雨歇長堤草色多 우 헐 장 제 초 색 다	「비 갠 긴 언덕에는 풀빛이 푸른데, ← 강변의 서경 ┐ 자연시, 서경
送君南浦動悲歌 송 군 남 포 동 비 가	그대를 남포에서 보내며 슬픈 노래 부르네.」 ← 이별의 슬픔 ┘ 「 」: 자연 ↔ 인간사(대조법)
大同江水何時盡 대 동 강 수 하 시 진	「대동강 물은 그 언제 다할 것인가? ← 무정한 대동강 물 ┐ 인간사, 서정
別淚年年添綠波 별 루 년 년 첨 록 파	이별의 눈물 해마다 푸른 물결에 보태질 터인데.」 ← 이별의 한 고조 ┘ 「 」: 도치법, 과장법

설의법

｜이해와 감상

이 작품은 이별의 정한이라는 우리의 전통적 정서를 담고 있는 한시이다. 고려 시대 한시의 대표작으로서 언어의 함축성, 다양한 감각적 이미지의 활용을 통해서 서정성이 뛰어나다는 평가를 받고 있다. 특히 대동강을 배경으로 하여 한시임에도 향토성이 두드러지는 작품으로 평가받는다.

바로 확인문제

05 자연과 인간을 대비하여 주제 의식을 강조하고 있다. (ㅇ, ×)

06 대동강 물결이 이별의 □□과 동일시되어 슬픔의 깊이를 확대하는 시상 전개 방식을 사용하고 있다.

｜ 정답 ｜ 01 ×(역설법에 대한 설명으로, 이 시에는 나타나지 않는다.)
02 반어법 03 ㅇ 04 물 05 ㅇ
06 눈물

4 보리타작[打麥行] | 정약용

新芻濁酒如渾白
신 추 탁 주 여 혼 백

大碗麥飯高一尺
대 완 맥 반 고 일 척

飯罷取枷登場立
반 파 취 가 등 장 립

雙肩漆澤飜日赤
쌍 견 칠 택 번 일 적

呼邪作聲擧趾齊
호 야 작 성 거 지 제

須臾麥穗都狼藉
수 유 맥 수 도 랑 자

雜歌互答聲轉高
잡 가 호 답 성 전 고

但見屋角紛飛麥
단 견 옥 각 분 비 맥

觀其氣色樂莫樂
관 기 기 색 락 막 락

了不以心爲刑役
요 불 이 심 위 형 역

樂園樂郊不遠有
낙 원 락 교 불 원 유

何苦去作風塵客
하 고 거 작 풍 진 객

새로 거른 막걸리 젖빛처럼 뿌옇고

큰 사발에 보리밥, 높기가 한 자로세.

밥 먹자 도리깨 잡고 마당에 나서니

검게 탄 두 어깨 햇볕 받아 번쩍이네.

옹헤야, 소리 내며 발맞추어 두드리니

삽시간에 보리 낟알 온 마당에 가득하네.

주고받는 노랫가락 점점 높아지는데

보이느니 지붕 위에 보리 티끌뿐이로다.

▶ 기~승: 보리타작하는 농민들의 건강한 모습 – 관찰

그 기색 살펴보니 즐겁기 짝이 없어

마음이 몸의 노예가 되지 않았네.

▶ 전: 몸과 마음이 합일된, 농민들의 건강한 노동의 즐거움 – 인식

낙원이 먼 곳에 있는 게 아닌데
　　　　　건강한 삶, 이상향

무엇하러 벼슬길에 헤매고 있으리요.
　　　　　헛된 명분을 좇는 삶, 세속적 욕망
▶ 결: 세속적 욕망에 집착하던 자신의 삶 반성 – 반성

▌이해와 감상
이 작품은 농촌의 노동을 사실적으로 묘사하면서 자신의 삶을 성찰하고 있는 한시이다. 즉, 농민들이 보리타작이라는 공동 작업에 몰두하는 모습을 통해서 노동의 가치를 드러내고 농민들의 삶을 긍정한다. 반면에, 벼슬길에서 헤매고 있는 자신의 모습을 살피면서 자신의 삶을 성찰하고 반성하는 모습이 드러난다.

05 고전 산문

단권화 MEMO

- 갈래: 가전체
- 성격: 풍자적, 교훈적, 우의적
- 특징
  ① 공방의 가계에 대한 약전(略傳) 형식
  ②「국순전」과 함께 우리나라 문헌상 최초의 가전체 작품
  ③ 의인화를 활용
  ④ '도입-전개-비평'의 구성
  ⑤ '돈'에 대한 작가의 비판적 태도가 드러남
- 주제: 경세(經世)에 대한 비판, 재물욕에 대한 경계

01 가전체 문학

1 공방전(孔方傳) | 임춘

공방(孔方)의 자(字)는 관지(貫之)이니, 공방이란 구멍이 모가 나게 뚫린 돈, 관지는 돈의 꿰미를 뜻한다. 그의 조상은 일찍이 수양산(首陽山) 속에 숨어 살면서 아직 한 번도 세상에 나와서 쓰인 일이 없었다.

그는 처음 황제(黃帝) 시절에 조금 조정에 쓰였으나 워낙 성질이 굳세어 원래 세상일에는 그다지 세련되지 못했다. 어느 날 황제가 상공(相工)을 불러 그를 보았다. 상공은 한참 들여다보고 나서 말한다.

"이는 산야(山野)의 성질을 가져서 쓸 만한 것이 못 됩니다. 그러하오나 폐하께서 만일 만물을 조화하는 풀무나 망치를 써서 그 때를 긁어 빛이 나게 한다면, 그 본래의 바탕이 차차 드러나게 될 것입니다. 원래 왕자(王者)란 모든 사람으로 하여금 올바른 그릇이 되게 해야 하는 것입니다. 원컨대 폐하께서는 이 사람을 저 쓸모없는 완고한 구리쇠와 함께 내버리지 마시옵소서."

이리하여 공방은 차츰 그 이름이 세상에 나타나기 시작했다.

그 뒤에 일시 난리를 피하여 강가에 있는 숯 굽는 거리로 옮겨져서 거기에서 오래 살게 되었다. 그의 아버지 천(泉)은 주나라의 대재(大宰)로서 나라의 세금에 관한 일을 맡아 처리하고 있었다. 천(泉)이란 화천(貨泉)을 말한다.

공방은 생김새가 밖은 둥글고 구멍은 모나게 뚫렸다. 그는 때에 따라서 변통을 잘한다. 한번은 한나라에 벼슬하여 홍려경(鴻臚卿)이 되었다. 그때 오왕(吳王) 비(妃)가 교만하고 참람(僭濫)하여 나라의 권리를 혼자서 도맡아 부렸다. 방(方)은 여기에 붙어서 많은 이익을 보았다. 무제 때에는 온 천하의 경제가 말이 아니었다. 나라 안의 창고가 온통 비어 있었다. 임금은 이를 보고 몹시 걱정했다. 방을 불러 벼슬을 시키고 부민후(富民侯)로 삼아, 그의 무리인 염철승(鹽鐵丞) 근(僅)과 함께 조정에 있게 했다. 이때 근은 방을 보고 항상 형이라 하고 이름을 부르지 않았다.

방은 성질이 욕심이 많고 비루(鄙陋)하고 염치가 없었다. 그런 사람이 이제 재물을 맡아서 처리하게 되었다. 그는 돈의 본전과 이자의 경중을 다는 법을 좋아하여, 나라를 편안하게 하는 것은 반드시 질그릇이나 쇠그릇을 만드는 생산 방법에만 있는 것이 아니라고 생각했다. 그는 백성으로 더불어 한 푼 한 리의 이익이라도 다투고, 한편 모든 물건의 값을 낮추어 곡식을 몹시 천한 존재로 만들고 딴 재물을 중하게 만들어서, 백성들이 자기들의 본업인 농업을 버리고 사농공상(士農工商)의 맨 끝인 장사에 종사하게 하여 농사짓는 것을 방해했다. 이것을 본 간관(諫官)들이 상소(上疏)를 하여 이것이 잘못이라고 간(諫)했으나 임금은 그 말을 듣지 않았다. 방은 또 권세 있고 귀한 사람을 몹시 재치 있게 잘 섬겼다. 그들의 집에 자주 드나들면서 자기도 권세를 부리고 한편으로는 그들을 등에 업고 벼슬을 팔아, 승진시키고 갈아치우는 것마저도 모두 방의 손에 매이게 되었다. 이렇게 되니, 한다 하는 공경(公卿)들까지도 모두들 절개를 굽혀 섬기게 되

었다. 그는 창고에 곡식이 쌓이고 뇌물을 수없이 받아서 뇌물의 목록을 적은 문서와 증서가 산처럼 쌓여 그 수를 셀 수 없이 되었다.

…(중략)…

사신(史臣)은 다음과 같이 말한다.

"남의 신하가 된 몸으로서 두 마음을 품고 큰 이익만을 좇는 자를 어찌 충성된 사람이라고 하랴. 방이 올바른 법과 좋은 주인을 만나서, 정신을 집중시켜 자기를 알아주어서 나라의 은혜를 적지 않게 입었었다. 그러면 의당 국가를 위하여 이익을 일으켜 주고, 해를 덜어 주어서 임금의 은혜로운 대우에 보답했어야 했다. 그런데도 도리어 비를 도와서 나라의 권세를 한 몸에 독차지해 가지고, 심지어 사사로이 당을 만들기까지 했으니, 이것은 충신이 경계 밖의 사귐이 없어야 한다는 말에 어긋나는 것이다."

┃줄거리

공방이란 구멍이 모가 나게 뚫린 돈을 말한다. 그런 그(공방)가 황제 시절에 조정에서 일하게 됐다. 그는 욕심이 많고 염치도 없었다. 그는 권세 있고 귀한 사람을 재치 있게 잘 섬겼다. 그들의 집에 자주 드나들면서 자신도 권세를 부리며 비행을 저질렀다. 이에 공우란 신하가 글을 올려 공방은 조정에서 쫓겨나는 신세가 되었다. 이후 공방이 죽자, 남은 무리가 남송에서 살았다.

┃이해와 감상

이 작품은 돈을 의인화하여 계세징인의 목적을 이루고자 했던 가전체 작품이다. 돈이 생겨나게 된 유래와 돈이 인간 생활에 미치는 각종 이득과 폐해를 사람의 행동으로 바꾸어 보여 줌으로써 사람들이 재물을 탐하는 것을 경계하고 있다. 또한 형식면에서는 '도입(가계) – 전개(행적) – 논평(사신의 평가)'이라는 3단 구성을 지니고 있으며, 특히 사신의 평가를 통해서는 작가의 주장을 비교적 직접적으로 드러내고 있다. 이러한 가전의 형식은 설화와 소설을 잇는 교량적 역할을 한 것으로 평가되고 있다.

단권화 MEMO

바로 확인문제

01 「공방전은 '□'을 의인화하여 그 내력과 행적을 허구적으로 구성한 □□이다.

02 '사신'의 논평은 일종의 서술자의 개입으로, '사신'은 '공방'을 긍정적으로 평가하고 있다. (ㅇ, ✕)

03 글쓴이는 '공방'의 행태를 통해 임금을 섬기는 신하의 도리와 신하를 대하는 임금의 도리를 은근하게 나타내며 교훈을 주고자 했다. (ㅇ, ✕)

┃정답┃ 01 돈, 가전 02 ✕(긍정적 → 부정적) 03 ㅇ

02 고전 소설

1 금오신화 | 김시습

- 갈래: 한문 소설, 고전 소설
- 성격: 전기적(傳奇的), 낭만적, 비극적, 환상적
- 특징
  ① 우리나라를 배경으로 함
  ② 많은 사건이 역사적 사실과 연결되어 있음
  ③ 현실적인 주제와 비현실적인 소재가 특이한 조화를 이룸
  ④ 시를 적절히 삽입하여 서정성을 더하고 인물의 심리를 적절히 드러냄
  ⑤ 단순히 행복한 결말을 맺기보다는 그릇된 세계의 질서를 받아들이지 않는 결말을 맺음
  ⑥ 현존 최고(最古)의 한문 소설
- 주제
  ① 「만복사저포기」: 이승과 저승을 넘나드는 남녀 간의 애틋한 사랑과 세속적 삶의 초월
  ② 「이생규장전」: 여인의 정절과 생사를 초월한 영원한 소망과 사랑
  ③ 「용궁부연록」: 화려한 용궁의 체험과 속세의 삶의 무상함
  ④ 「남염부주지」: 선비들이 지녀야 할 정신적 자세와 당대 현실 비판
  ⑤ 「취유부벽정기」: 시대를 초월한 아름다운 사랑

바로 확인문제

01 『금오신화』는 우리나라 최초의 한글 소설로, 우리나라를 배경으로 우리의 사상과 감정을 표현하고 있다.
(○, ×)

02 「만복사저포기」에는 전생과 현생이 관련된다는 불교적 □□ 사상이 나타난다.

03 "여인과 헤어진 양생이 장가를 가지 않고 지리산에 들어가 행방을 감춘 것은 죽은 사람에 대해 끝까지 의리를 지킨 것으로, 이는 단종에 대한 지조를 저버리지 않았던 김시습의 정치적 삶을 반영한 것으로 볼 수도 있다."라는 감상은 작품을 '반영론적 관점'에서 감상한 것이다.
(○, ×)

| 정답 | 01 ×(최초의 한문 소설이다.) 02 윤회 03 ×(반영론적 관점 → 표현론적 관점)

[만복사저포기(萬福寺樗蒲記)]

　이때 만복사는 이미 퇴락하여 스님들은 한쪽 구석진 방에 머물고 있었다. 법당 앞에는 행랑만이 쓸쓸하게 남아 있고, 행랑이 끝난 곳에 아주 좁은 판자방이 있었다. 양생이 여인의 손을 잡고 판자방으로 들어가자, 여인도 어려워하지 않고 들어왔다. 서로 즐거움을 나누었는데, 보통 사람과 한가지였다.

　이윽고 밤이 깊어 달이 동산에 떠오르자 창살에 그림자가 비쳤다. 문득 발자국 소리가 들리자 여인이 물었다.

　"누구냐? 시녀가 찾아온 게 아니냐?"

　시녀가 말하였다.

　"예, 접니다. 평소에는 아가씨가 문 밖에도 나가지 않으시고 서너 걸음도 걷지 않으셨는데, 어제저녁에는 우연히 나가셨다가 어찌 이곳까지 오셨습니까?"

　여인이 말하였다.

　"오늘의 일은 우연이 아니다. 하느님이 도우시고 부처님이 돌보셔서, 고운 임을 맞이하여 백년해로를 하게 되었다. 어버이께 여쭙지 못하고 시집가는 것은 비록 명교의 법전에는 어긋나지만, 서로 즐거이 맞이하게 된 것은 또한 평생의 기이한 인연이다. 너는 집으로 가서 앉을 자리와 술안주를 가지고 오너라."

　시녀가 그 명령대로 가서 뜨락에 술자리를 베푸니, 시간은 벌써 사경(四更)이나 되었다. 시녀가 차려 놓은 방석과 술상은 무늬가 없이 깨끗하였으며, 술에서 풍기는 향내도 정녕 인간 세상의 솜씨는 아니었다.

　양생은 비록 의심나고 괴이하였지만, 여인의 이야기와 웃음소리가 맑고 고우며 얼굴과 몸가짐이 얌전하여, '틀림없이 귀한 집 아가씨가 담을 넘어 나왔구나' 생각하고는 더 이상 의심하지 않았다.

　여인이 양생에게 술잔을 올리면서 시녀에게 명하여 '노래를 불러 흥을 도우라' 하고는, 양생에게 말하였다.

　"이 아이는 옛 곡조밖에 모릅니다. 저를 위하여 새 노래를 하나 지어 흥을 도우면 어떻겠습니까?"

　양생이 흔연히 허락하고는 곧 「만강홍(滿江紅)」 가락으로 가사를 하나 지어 시녀에게 부르게 하였다.

[이생규장전(李生窺墻傳)]

　"저는 본디 양가의 딸로서 어릴 때부터 가정의 교훈을 받아 수놓기와 바느질에 힘썼고, 시서(詩書)와 예법을 배웠어요. 그래서 규방의 법도만 알 뿐이지, 그 밖의 일이야 어찌 알겠어요? 마침 당신이 붉은 살구꽃이 핀 담 안을 엿보았으므로, 제가 푸른 바다의 구슬을 바친 거지요. 꽃 앞에서 한번 웃고 평생의 가약을 맺었고, 휘장 속에서 다시 만날 때에는 정이 백년을 넘쳤었지요. 여기까지 말하고 보니 슬프고도 부끄러워 견딜 수가 없군요. 장차 백년을 함께하자고 하였는데, 뜻밖에 횡액을 만나 구렁에 넘어질 줄이야 어찌 알았겠어요? 늑대 같은 놈들에게 끝까지 정조를 잃지 않았지만, 제 몸은 진흙탕에서 찢겨졌답니다. 천성이 저절로 그렇게 된 것이지, 인정으로야 어찌 그럴 수 있었겠어요? 저는 당신과 외딴 산골에서 헤어진 뒤에 짝 잃은 새가 되었었지요. 집도 없어지고 부모님도 돌아가셨으니, 피곤한 혼백을 의지할 곳도 없는 게 한스러웠습니다. 절의(節義)는 중요하고 목숨은 가벼우니, 쇠잔한 몸뚱이일망정 치욕을 면한 것을 다행스럽게 여겼지요. 그러나 마디마디 끊어진 제 마음을 그 누가 불쌍하게 여겨 주겠어요? 한갓 애끓는 썩은 창자에만 맺혀 있을 뿐이지요. 해골은 들판에 내던져졌고 간과"

쓸개는 땅바닥에 널려졌으니, 가만히 옛날의 즐거움을 생각해 보면 오늘의 슬픔을 위해 있었던 것 같군요. 이제 봄바람이 깊은 골짜기에 불어오기에, 저도 이승으로 돌아왔지요. 봉래산 십이 년의 약속이 얽혀 있고 삼세(三世)의 향이 향그러우니, 오랫동안 뵙지 못한 정을 이제 되살려서 옛날의 맹세를 저버리지 않겠어요. 당신이 지금도 그 맹세를 잊지 않으셨다면, 저도 끝까지 잘 모시고 싶답니다. 당신도 허락하시겠지요?"

이생이 기쁘고도 고마워하며 말하였다.

"그게 애당초 내 소원이오."

그리고는 서로 정답게 심정을 털어놓았다. 재산을 얼마나 도적들에게 빼앗겼는지 이야기가 나오자, 여인이 말하였다.

"조금도 잃지 않고 어느 산 어느 골짜기에 묻어 두었답니다."

이생이 또 물었다.

"두 집 부모님의 해골을 어디에 모셨소?"

여인이 말하였다.

"어느 곳에다 그냥 버려두었지요."

정겨운 이야기를 끝낸 뒤에 잠자리를 같이하였는데, 지극한 즐거움이 예전과 같았다.

이튿날 여인이 이생과 함께 자기가 묻혀 있던 곳을 찾아갔는데, 과연 금과 은 몇 덩어리가 있었고, 재물도 약간 있었다. 그들은 두 집 부모님의 해골을 거두고 금과 재물을 팔아 각각 오관산 기슭에 합장하였다. 나무를 세우고 제사를 드려 예절을 모두 다 마쳤다.

그 뒤에 이생도 또한 벼슬을 구하지 않고 최 씨와 함께 살게 되었다. 목숨을 구하려고 달아났던 종들도 또한 스스로 돌아왔다. 이생은 이때부터 인간 세상의 모든 일을 다 잊어버렸으며, 아무리 친척이나 손님들의 길흉사가 있더라도 방문을 닫아걸고 나가지 않았다. 언제나 최 씨와 더불어 시를 지어 주고받으며 금실 좋게 지냈다.

그럭저럭 몇 년이 지난 어느 날 저녁에 여인이 이생에게 말하였다.

"세 번이나 가약을 맺었지만 세상일이 뜻대로 되지 않아, 즐거움이 다하기도 전에 슬프게 헤어져야만 하겠어요."

여인이 목메어 울자 이생이 놀라면서 물었다.

"어찌 이렇게 되었소?" / 여인이 대답하였다.

"저승길은 피할 수가 없답니다. 하느님께서 저와 당신의 연분이 끊어지지 않았고 또 전생에 아무런 죄도 지지 않았다면서, 이 몸을 환생시켜 당신과 잠시라도 시름을 풀게 해 주었었지요. 그러나 제가 오랫동안 인간 세상에 머물면서 산 사람을 미혹시킬 수는 없답니다."

그리고는 몸종 향아를 시켜서 술을 올리게 하고는, 「옥루춘곡(玉樓春曲)」에 맞추어 노래 한 가락을 지어 부르며 이생에게 술을 권하였다.

▌줄거리

[만복사저포기]

전라도 남원에 노총각 양생이 살고 있었다. 양생은 만복사에서 부처님과 저포놀이를 하여 이긴 후 아름다운 여인을 만나게 된다. 둘은 처음 만나 결혼을 약속하고 여인은 양생을 자신의 거처로 데려가 그곳에서 3일 동안 머문다. 양생은 절 앞에서 그녀와 다시 만나기로 하고 기다리던 중 그녀의 부모를 만나게 된다. 그녀의 부모를 통해 양생은 그녀가 왜구들의 난리 때 죽은 처녀의 환신임을 알게 된다. 여인과 약속한 시간에 절에서 그녀의 부모님과 함께 잿밥을 먹고 양생은 여인과 영영 이별하게 된다. 양생은 여인의 명복을 빌고 지리산에 들어가 약초를 캐며 살았는데 그가 어떻게 죽었는지 아무도 알지 못한다.

[이생규장전]

송도에 이생이라는 선비가 살고 있었다. 이생은 어느 날 최랑이라는 처녀를 만나 첫눈에 반하고 최랑의 집 별당에 머물며 행복한 시간을 보낸다. 이생은 부모님의 결혼 반대로 난관을 겪지만 결국 둘은 결혼하게 된다. 몇 년 후 홍건적의 난이 일어나게 되고 가족은 뿔뿔이 흩어지고 죽기도 한다. 그 과정에서 최랑도 죽게 된다. 난이 평정되어 집으로 돌아온 이생은 가족과 최랑을 그리워하는데 그의 앞에 죽은 아내가 나타나게 되고 둘은 다시 즐겁게 살아간다. 다시 몇 년 후 아내는 자신이 귀신의 몸임을 밝히고 이별을 고하며 사라지고, 그 후 이생도 오래 살지 못하고 병이 들어 죽고 만다.

단권화 MEMO

바로 확인문제

01 『금오신화』에 실린 다섯 작품은 모두 현실의 인간 세계와 초현실의 세계가 상호 출입한다는 설정하에 사건이 전개된다. (○, ×)

02 「이생규장전」과 「만복사저포기」는 이승의 사람과 저승의 영혼이 초월적인 사랑을 나누어 영원히 함께한다는 결말에 이른다는 공통점이 있다. (○, ×)

03 「이생규장전」에는 □□적 도덕 규범과 죽음을 초월하고자 하는 □□의 사상, 삶의 덧없음을 인식하는 □□ 사상이 드러난다.

| 정답 | 01 ○ 02 ×(결국 영원히 이별하는 비극적 결말에 이른다는 공통점이 있다.) 03 유교, 도교, 불교

[용궁부연록]

고려 시절 한 씨 성을 가진 서생이 있었다. 글재주가 좋았지만 그 재능을 발휘할 기회가 없었다. 그러던 중 꿈에서 용궁에 초대된다. 용왕 앞에서 재능도 선보이고 용궁에서 극진한 대접도 받으며 지낸다. 꿈을 깼지만 용궁에서 받은 선물이 그대로 있었다. 그 후 명산에 들어가 자취를 감추었다.

[남염부주지]

경주에 박생이라는 선비가 살고 있었다. 어느 날 주역을 읽다가 졸게 되고 꿈속에서 염라국에 가게 된다. 그곳에서 지옥의 비참한 모습도 보고 염라대왕과 귀신, 천당, 지옥, 윤회설 등에 대해 문답을 한다. 염왕의 인정을 받은 박생은 염왕으로부터 다음 염왕의 자리를 물려받기로 하고 꿈을 깬다. 두 달 후 박생은 죽고 이웃의 꿈에 신인이 나타나 '그대 이웃이 염라왕이 될 것'이라고 한다.

[취유부벽정기]

송도에 홍생이라는 사람이 살았다. 평양 친구 집에서 술에 취해 놀다 부벽정으로 가게 된다. 그곳에서 아름다운 여인을 만나게 되고 그 여인은 죽은 지 오래 된 조선 때의 기자(箕子)의 딸이었다. 그녀와 함께 노래도 주고받고, 나라가 망한 사연에 울분의 감정을 표현하기도 한다. 날이 새고 그녀는 하늘로 다시 올라가고 홍생은 그 여인을 잊지 못해 상사병에 걸려 죽게 된다. 홍생의 시체는 죽은 지 며칠이 지나도 얼굴빛이 변하지 않았다. 그 이유는 기자왕의 딸을 만났기 때문이다.

▌이해와 감상

[만복사저포기]

산사람과 죽은 사람이 사랑을 한다는 인귀 교환 모티프를 바탕으로 한, 『금오신화』에 실린 전기 소설이다. 이 작품에는 인귀 교환 모티프 외에도 시애 설화, 명혼 설화 등이 수용되어 있다. 이러한 귀신과의 사랑 이야기는 사랑에 대한 절실한 강조를 나타내면서도 사랑을 이룰 수 없다는 비극 의식을 드러내는 것으로 볼 수 있다.

[이생규장전]

이 작품은 죽음을 초월한 남녀 간의 사랑을 비극적으로 그려 낸 전기 소설이다. 이 작품의 특징은 전반부의 경우 자유연애를 통한 남녀 간의 결연을 중심으로 이야기가 전개되지만 홍건적의 난이 일어나는 후반부에는 죽음을 뛰어넘는 사랑을 중심으로 이야기가 전개된다는 것이다. 또한 남녀 주인공인 이생과 최랑은 만남과 이별을 반복하고 있는데, 이는 두 사람의 사랑이 그만큼 애틋하고 절실한 것임을 드러내는 것이며, 한편으로는 마지막의 이별을 더욱 비극적으로 만드는 역할을 한다.

[용궁부연록]

고려 때 한 서생이 글재주가 좋아 조정에까지 이름이 알려졌지만 재능을 발휘할 기회를 얻지 못하고 있었다. 그러던 중 꿈에 박연의 용궁에 초대되어 재능을 마음껏 자랑하고, 용궁의 여러 곳을 구경하는 등 극진한 대접을 받고 선물까지 받았다. 그러나 꿈에서 깬 후 현실 세계에 뜻을 두지 않고 명산에 들어가 자취를 감추었다는 이야기이다. 이 작품의 이러한 내용은 작가가 가진 현실 세계에 대한 불만을 간접적으로 나타낸 것으로 볼 수 있으며, 형식적으로는 꿈속의 이야기를 전하는 몽유 소설의 형태를 보여 준다고 할 수 있다.

[남염부주지]

이 작품은 박생이라는 선비가 꿈속에서 염라국에 들어가 염라국 왕과 여러 이야기를 나눈 후 염왕의 인정을 받아 염왕의 자리를 물려받기로 했으며, 꿈에서 깨고 두어 달 후 조용히 숨을 거두었다는 이야기이다. 능력을 인정받지 못하는 선비가 꿈속에서 염왕에게 크게 능력을 인정받았다는 내용은 자신의 능력을 인정받지 못했던 작가의 불만을 반영한 것이라고 할 수 있다. 또한 형식적으로는 꿈의 이야기를 전하는 몽유소설의 형식을 지닌다고 할 수 있다.

[취유부벽정기]

이 작품은 도교적 사상을 바탕으로 지어진 몽유 소설 또는 명혼 소설이다. 한 남자 상인이 평양 부벽루에서 기자의 딸이라는 선녀와 정신적인 사랑을 나누었다는 내용이 핵심적인 이야기로서, 이 이야기에는 주체적인 역사관과 함께 기자의 예를 들어 단종을 폐위시킨 세조를 은연중에 비판하는 모습도 드러나고 있다. 이러한 모습은 생육신의 한 사람이었던 김시습 자신의 관점을 반영하고 있는 것이라고 할 수 있다.

2 홍길동전(洪吉童傳) | 허균

이때 임금이 팔도에 공문을 보내 길동을 잡으라 하시되, 길동의 그 변화를 헤아리기 어렵더라. 장안 큰 길로 혹 수레도 타고 왕래하며 혹 각 읍에 미리 알려 쌍가마도 타고 왕래하며, 혹 어사의 모양을 하여 각 읍 수령 중 탐관오리하는 자를 먼저 처형하고 임금에게 아뢰되 가짜 어사 홍길동의 장계문이라 하니 임금이 더욱 진노하여 가로되,

"이놈이 각 도에 다니며 이런 장난을 하되 아무도 잡지 못하니 이를 장차 어찌 하리요."

하시고 영의정, 좌의정, 우의정과 이조, 호조, 예조, 병조, 형조, 공조 판서를 모아 의논하시더니 연이어 장계가 올라오니 다 팔도에서 홍길동이 장난하는 장계인지라. 임금이 이를 차례로 보시고 크게 근심하사 좌우 사람들을 돌아보시며 물어 가로되,

"이놈이 아마도 사람은 아니요, 귀신이 폐단을 만드는 것이니 조정의 신하들 중 누가 그 근본을 짐작하겠소?"

한 사람이 임금 앞에 나아가 가로되,

"홍길동은 전임 이조 판서 홍 모의 서자요 병조 좌랑 홍인형의 서제이오니, 이제 그 부자를 잡아들여 친히 심문하시면 자연 아실까 하옵니다."

임금이 더 노하여 가로되,

"이런 말을 어찌 이제야 하는가?"

하시고 즉시 홍 모를 의금부로 잡아 가두고 먼저 인형을 잡아들여 임금이 친히 심문하실새 제왕의 위엄을 보이며 진노하사 책상을 치며 가로되,

"길동이란 도적이 너의 서제라 하니 어찌 금지하여 단속하지 아니하고 그저 두어 국가의 큰 환란이 되게 하느냐? 네가 만일 잡아들이지 아니하면 너의 부자의 충효를 돌아보지 아니하리니 빨리 잡아들여 조선의 큰 변란을 없게 하라."

인형이 황공하여 관을 벗고 머리를 조아려 말하기를,

"신의 천한 아이 있어 일찍 사람을 죽이고 망명도주한 지 수 년이 지났지만 살았는지 죽었는지를 알지 못하여 신의 늙은 아비 이 일로 인하여 병을 얻어 위중하와 언제 돌아가실지 알지 못합니다. 길동의 사람 도리 없음을 헤아리기 어려우니 전하께 근심을 끼쳐 드려 신의 죄 만 번 죽어 마땅하오나 엎드려 바라건대 전하는 자비를 내리셔서 신의 아비 죄를 사하여 집에 돌아가 병을 조리하게 해 주십시오. 그리 되면 신이 죽을 결심으로 길동을 잡아 신의 부자의 죄를 씻을까 합니다."

임금이 다 듣고 난 후에 감동하여 즉시 홍 모의 죄를 사면하시고 인형에게 경상 감사를 제수하여 가로되,

"경에게 만일 감사라는 자리가 없으면 길동을 잡지 못할 것이오. 일 년 기한을 주겠으니 빨리 잡아들이도록 하시오."

하시니 인형이 백번 절하며 감사하고 하직하며, 즉시 그날 길을 떠나 감영에 도착하고 각 읍에 방을 붙이니 이는 길동을 달래는 방이라. 그 말에 이르기를,

"사람이 세상에 나매 오륜이 으뜸이요, 오륜이 있으매 인의예지 분명하거늘, 이를 알지 못하고 임금과 아버지의 명령을 거역하며 불충불효하면 어찌 세상이 용납하리요. 우리 아우 길동은 이런 일을 알 것이니, 스스로 형을 찾아와 사로잡히라. 우리 부친이 너로 말미암아 병이 들어 앓아누우시고 전하께서 크게 근심하시니, 네 죄악이 가득한지라. 이러므로 나에게 특별히 경상 감사를 제수하여 너를 잡아들이라 하시니, 만일 잡지 못하면 우리 홍씨 가문의 누대에 걸쳐 쌓아온 맑은 덕이 하루아침에 멸하리니, 어찌 슬프지 아니하리요. 바라나니, 아우 길동은 이를 생각하여 일찍 자수하면 너의 죄도 덜어질 것이요, 한 가문을 보존하리니, 어찌 하겠느냐? 너는 만 번 생각하여 자수하라."

단권화 MEMO

- **갈래**: 고전 소설, 국문 소설, 영웅 소설
- **성격**: 현실 비판적, 영웅적
- **특징**
  ① 최초의 한글 소설
  ② 당대의 사회적 문제를 제재로 삼음
  ③ '영웅의 일대기'를 골격으로 한 작품으로, 한국 서사 양식의 기본 뼈대를 형성한 작품
  ④ 도술적인 요소는 그 뒤에 군담 소설에 계승되어 당시 우리 민족이 가지고 있던 정신적 승리의 문학적 전통을 계승함
- **주제**: 모순된 사회 제도의 개혁과 이상국의 건설

바로 확인문제

01 「홍길동전」은 우리나라 최초의 한글 소설로, 중국을 배경으로 하고 있다. (○, ×)

02 '홍길동'은 위험에 처했을 때 조력자를 만나 고난을 극복한다. (○, ×)

03 '□□□'은 '홍길동'이 건설한 국가로 사회적 모순에 대한 적극적 비판과 저항의 결과물이라 할 수 있다.

| 정답 | 01 ×(중국 → 우리나라)
02 ×(조력자의 도움 없이 스스로 고난을 극복한다.) 03 율도국

▮ 줄거리

조선조 이조 판서 홍공과 시비 춘섬 사이에 서자 홍길동이 태어났다. 길동은 총명하고 학문과 무예의 연마를 게을리하지 않았지만 서자라는 신분의 한계를 느낄 수밖에 없었다. 그러던 중 미래의 화근이 될 수도 있는 홍길동의 존재를 걱정한 가족들에 의해 암살될 위기에 처하나 이를 물리치고 집을 나오게 된다. 집을 나온 길동은 도적의 소굴에 들어가 두목이 되고 활빈당이라는 조직을 자처하며 해인사의 재물과 지방 수령들의 불의의 재물을 탈취하며 의적 활동을 하게 된다. 국왕은 도술을 쓰는 길동을 잡으려 하나 쉽지가 않자 홍 판서 부자를 시켜 길동을 잡으려 한다. 결국 길동은 임금에게 병조 판서를 제수받고서야 고국을 떠나게 된다. 길동은 중국 남경으로 가다가 산수가 수려한 율도국을 발견하게 되고 율도국의 요괴를 퇴치하고 볼모로 잡혀 있던 여인을 구하고 그곳의 왕이 된다. 길동은 부친이 사망했다는 소식을 듣고 잠시 귀국하여 3년 상을 치르고 다시 율도국으로 돌아가서 이상국을 건설한다.

▮ 이해와 감상

「홍길동전」은 '영웅의 일대기'를 바탕으로 한 우리나라 최초의 한글 소설이다. 다만 주인공인 '홍길동'은 대다수의 영웅 소설에 등장하는 주인공과 달리 천상 세계와 관련이 없고, 위험에 처했을 때에도 조력자의 도움 없이 스스로 고난을 극복하는데, 이는 홍길동이 다른 영웅 소설의 인물들에 비해 독립적이며 진취적인 인물임을 뜻한다.

이 작품에는 사회의 부조리를 척결하고 새로운 사회인 율도국을 건설한다는 이상적인 내용이 담겨 있다. 또한 적서를 차별하는 신분 제도와 관료 사회의 비리 등 당대의 현실에서 소재를 취하여 모순된 사회 제도를 개혁하려는 혁명성과 서민 정신을 반영하고 있다. '홍길동'은 서자라는 신분적 제약 때문에 정상적인 출세길이 막혀 있어 의적 행위를 통해 비정상적으로 출세를 하려고 하고, 자신을 잡아들이려는 임금에게 병조 판서 교지를 요구하며 그것이 이루어지자마자 조선을 떠난다. 결국 '홍길동'은 적서 차별의 벽을 무너뜨리는 것에는 성공했으나 이러한 계급 타파는 신분 제도를 인정한다는 전제하에 이루어진 것이어서 계급 문제를 제기했으나 그 해소가 불완전하다는 한계를 보여 준다. 또한 전기적인 방법으로 문제를 해결한 것은 현실적인 방법으로는 개혁이 불가능하다는 절망적인 상황을 드러낸 것이라고도 할 수 있다. 한편, '홍길동'이 건설한 새로운 국가 '율도국'은 고전 소설사에 처음으로 등장하는 이상향이며 사회적 모순에 대한 적극적 비판과 저항의 결과물이다. 즉, 율도국 건설이라는 결말로 인해 「홍길동전」은 해외 진출과 이상국 건설을 그린 최초의 작품으로 평가된다.

이 작품은 영웅적 인물의 제시, 전기성(傳奇性)을 바탕으로 한 사건 전개 등에서 고전 소설의 전형적인 형태를 보여 주는 한편, 소외 계층인 서자(庶子)의 차별 문제와 관리들의 부패상을 비판, 고발하여 주제의 사실성을 높임으로써 고전 소설의 한계를 극복하고 있다. 또한 대부분의 고전 소설이 소재와 인물, 배경 등을 중국에서 가져온 것에 비해, 이 작품은 순수하게 우리나라를 무대로 삼고 있으며, 한글로 표기함으로써 한문을 읽지 못하는 서민들까지 독자층으로 확대했다는 점에서 진정한 국문 소설의 출발점으로 평가받고 있다.

단권화 MEMO

두 부인이 그 이야기를 듣고 한동안 생각에 잠겼다가 입을 열었다.

"우화암 여승(女僧) 묘희(妙姬)는 계행(戒行)이 매우 높고 겸하여 안목도 갖추고 있습니다. 사 오 년 전에 저에게 말하기를, '신성현 사 급사 댁의 소저는 이 세상 사람이 아니다.'라고 하는 것이었습니다. 당시 조카의 혼사를 염두에 두고 자못 귀를 기울였습니다. 그런데 그 후 마침 내 잊어버려 오라버님께 미처 말씀을 올리지 못하고 말았습니다."

소사가 두 부인에게 물었다.

"현매(賢妹)가 들은 말씀과 주파가 한 이야기를 참고해 보건대 사 급사 댁의 처녀는 필시 현숙 할 것이야. 그렇지만 인륜대사(人倫大事)를 허술하게 할 수는 없는 법이지. 어떻게 하면 자세 하게 알 수가 있을까?"

"좋은 방법이 하나 있습니다. 저의 집에 당(唐)나라 때 사람이 그린 남해관음(南海觀音) 화상 (畵像)이 한 축 있습니다. 제가 본래 우화암으로 보내려 하던 것이지요. 지금 묘희에게 그 그 림을 주어 사 급사 댁으로 가게 하겠습니다. 처녀의 글을 구하고 아울러 글씨도 손수 쓰게 한 다면 가히 그 재주를 알 수 있을 것입니다. 그리고 묘희가 그 용모를 볼 수만 있다면 또한 저 를 속일 리가 있겠습니까?"

"그 방법이 좋기는 하겠네. 다만 문제(文題)가 몹시 어려운 것일세. 아녀자가 쉽게 지을 수 있 는 글이 아니라는 말씀이야."

"능히 어려운 글을 지을 수 없다면 어떻게 재녀(才女)라고 말할 수 있겠습니까?"

유 소사(劉少師)가 생각기에, 사 급사 댁에는 남자가 없으니 의당 매파를 보내어 혼인을 의논 해야 되겠다고 하여, 매파 주 씨를 보내 혼인할 뜻을 전했다. 부인이 불러 보니 매파는 먼저 유 소사의 집안이 대대로 부귀하며 한림의 문채와 풍채가 빼어남을 일컫고는 또 이렇게 말했다.

"어느 재상 댁인들 유 소사에게 청혼하지 않았겠습니까? 하오나 소사께서는 소저가 천자 국 색(天姿國色)이며, 재덕(才德)이 출중하다는 소문을 들으시고는 이에 소인으로 하여금 중매를 서게 하였습니다. 소저께서 유씨 집안의 빙폐(聘幣)를 받으시면 그날로 명부(命婦)가 되시는 것이오니 부인의 뜻은 어떠하온지요?"

부인은 매우 기뻤다. 허나 소저와 상의하고자 매파를 머물게 하고는 몸소 소저의 처소로 갔 다. 매파 주씨 말한 대로 소저에게 이르고는 물었다.

"우리 아이는 어떻게 생각하느냐? 숨기지 말고 네 뜻을 말해 보아라."

소저 대답하여 아뢰었다.

"소녀가 듣자오니 유 소사께서는 오늘날의 어진 재상이라고 합니다. 결혼이 불가할 까닭이 없 습니다. 그러나 오직 매파 주 씨의 말로만 본다면 의심스러운 점이 없지 않습니다. 소녀가 듣 자오니 군자는 덕(德)을 귀하게 여기고 색(色)은 천하게 여기며, 숙녀는 덕으로써 시집을 가고 색으로써 사람을 섬기지 않는다고 합니다. 이제 매파 주씨가 먼저 색을 일컬으니 소녀는 그윽 히 부끄럽게 여깁니다. 더욱이 유씨 집안의 부귀를 극히 자랑하면서도 우리 선 급사(先給事) 의 성대한 덕은 일컫지 않았습니다. 혹시 매파 주씨가 사람됨이 미천하여 유 소사의 뜻을 잘 전하지 못한 것은 아닌지요. 그렇지 않다면 유 소사께서 어질다고 하는 말은 거의 헛소문일 것입니다. 소녀는 그 집에 들어가기를 원하지 않사옵니다."

• **갈래**: 고전 소설, 국문 소설, 가정 소설
• **성격**: 가정적, 교훈적, 풍자적
• **특징**
  ① 일부다처제로 인한 처첩 간의 갈 등을 소설화한 최초의 작품
  ② 가정 문제를 다루는 가정 소설이 라는 새로운 영역을 개척한 작품
  ③ 조선 시대에 장편 소설이 창작될 수 있는 밑거름이 된 작품
• **주제**: 처첩 간의 갈등과 사씨의 덕 성 및 고행

바로 확인문제

01 「사씨남정기」는 가정 안에서 벌어지 는 일을 소재로 한 □□ □□이다.

02 「사씨남정기」는 여성을 억압하는 남존여비 사상을 비판하고 있다.
(O, ×)

03 인현 왕후를 옹호하다 귀양을 가게 된 글쓴이가 인현왕후 폐위의 부당 성을 풍자한 것으로 볼 수 있다.
(O, ×)

| 정답 | 01 가정 소설 02 ×(축첩 제도의 불합리성을 비판하고 있다.) 03 O

┃줄거리

명나라에 유현이라는 충신이 살았다. 그의 부인은 아들 연수를 낳고 세상을 떠났다. 유연수는 15세에 과거에 합격하여 한림학사가 되었고 덕성을 갖춘 사씨와 결혼하게 된다. 둘은 금슬이 좋았으나 사씨가 9년 동안 출산을 못하자 사씨의 간곡한 부탁으로 교씨를 후처로 들이게 된다. 교씨는 천성이 간악한 인물이었다. 교씨는 아들을 출산하게 되고 자신이 정실이 되고자 집사 동청과 짜고 사씨를 모함하여 유한림으로 하여금 사씨를 폐출하게 만든다. 정실 부인이 된 교씨는 문객 동청과 간통하면서 유 한림의 전 재산을 탈취하고 유 한림을 천자에게 참소하여 결국 유배를 가게 만든다. 동청은 유 한림을 고발한 공으로 지방관이 되고 온갖 악행을 저지른다. 그 후 유 한림의 오해가 풀리고 충신을 참소한 죄로 동청은 처형당하게 된다. 자신의 잘못을 뉘우치고 다시 사씨를 만난 유 한림은 교씨를 찾아 죽이고 사씨를 다시 정실부인으로 맞아들이게 된다.

┃이해와 감상

이 작품은 처첩 갈등을 바탕으로 한 우리나라 최초의 가정 소설이다. 중국을 배경으로 일부다처제 가정에서 벌어지는 비극을 소설화한 것이다. 권선징악의 교훈적 의미를 강하게 드러내고 있는 작품이지만 한편으로는 숙종이 인현 왕후를 폐출하고 장희빈을 정비로 세운 것에 대해서 풍간하고자 하는 의도가 있는 작품으로 평가된다. 또한 인간이 겪는 고난을 솔직하게 드러내고 있는 작품으로 평가된다. 이 작품은 조선 후기 가정을 배경으로 하는 여러 소설의 등장을 촉진하였다는 점에서 의의가 있다.

  잔을 씻어 다시 부으려 하더니 홀연 석경(石逕)에 막대 던지는 소리 나거늘 괴이히 여겨 생각하되 '어떤 사람이 올라오는고?' 하더니, 한 호승이 눈썹이 길고 눈이 맑고 얼굴이 괴이하더라. 엄연히 좌상에 이르러 승상을 보고 예하여 왈,

  "산야 사람이 대승상께 뵈나이다."

  승상이 이인(異人)인 줄 알고 황망히 답례 왈,

  "사부는 어디로서 오신고?"

  호승이 웃어 왈,

  "평생 고인(故人)을 몰라보시니 귀인이 잊음 헐타는 말이 옳도소이다."

  승상이 자세히 보니 과연 낯이 익은 듯하거늘 홀연 깨쳐 능파 낭자를 돌아보며 왈,

  "소유가 전일 토번(吐藩)을 정벌할 제 꿈에 동정 용궁에 가 잔치하고 돌아올 길에 남악에 가 놀았는데, 한 화상이 법좌에 앉아서 경을 강론하더니 노부(老夫)가 그 화상이냐?"

  호승이 박장대소(拍掌大笑)하고 가로되,

  "옳다, 옳다. 비록 옳으나 몽중에 잠깐 만나 본 일은 생각하고 십 년을 동처하던 일을 알지 못하니 뉘 양 장원을 총명타 하더뇨?"

  승상이 망연하여 가로되,

  "소유가 십오륙 세 전은 부모 좌하를 떠나지 않았고 십육 세에 급제하여 연하여 직명이 있었으니, 동으로 연국에 봉사하고 서로 토번을 정벌한 밖은 일찍 경사를 떠나지 않았으니 언제 사부로 더불어 십 년을 상종하였으리오?"

  호승이 웃어 왈,

  "상공이 오히려 춘몽을 깨지 못하였도소이다."

  승상 왈,

  "사부가 어찌하면 소유로 하여금 춘몽을 깨게 하리오?"

  호승 왈,

  "이는 어렵지 아니하니이다."

하고, 손 가운데 석장을 들어 석난간을 두어 번 두드리니 홀연 네 녘 산골로부터 구름이 일어나 대 위에 끼이어 지척을 분변치 못하니, 승상이 정신이 아득하여 취몽 중에 있는 듯하더니 오래되어서야 소리 질러 가로되,

  "사부가 어이 정도로 소유를 인도치 아니하고 환술로 서로 희롱하나뇨?"

  말을 맞지 못하여서 구름이 걷히니 호승이 간 곳이 없고 좌우를 돌아보니 여덟 낭자가 또한 간 곳이 없는지라. 정히 경황하여 하더니, 그런 높은 대와 많은 집이 일시에 없어지고 제 몸이 한 작은 암자 중의 한 포단(蒲團) 위에 앉았으되, 향로에 불이 이미 사라지고, 지는 달이 창에 이미 비치었더라.

  스스로 제 몸을 보니 일백여덟 낱 염주가 손목에 걸렸고 머리를 만지니 갓 깎은 머리털이 가칠가칠하였으니, 완연히 소화상의 몸이요 다시 대승상의 위의 아니니, 정신이 황홀하여 오랜 후에 비로소 제 몸이 연화 도량 성진 행자인 줄 알고 생각하니, 처음에 스승에게 수책하여 풍도(酆都)로 가고, 인세에 환도하여 양가의 아들 되어 장원 급제 한림학사 하고 출장입상(出將入相)하여 공명신퇴(功名身退)하고 두 공주와 여섯 낭자로 더불어 즐기던 것이 다 하룻밤 꿈이라. 마음에,

  '이 필연 사부가 나의 염려를 그릇함을 알고 나로 하여금 이 꿈을 꾸어 인간 부귀와 남녀 정욕이 다 허사인 줄 알게 함이로다.'

  급히 세수하고 의관을 정제하며 방장에 나아가니 다른 제자들이 이미 다 모였더라. 대사가 소리하여 묻되,

  "성진아, 인간 부귀를 지내니 과연 어떠하더뇨?"

  성진이 고두하며 눈물을 흘려 가로되,

• **갈래**: 고전 소설, 국문 소설, 몽자류 소설, 양반 소설

• **성격**: 전기적(傳奇的), 이상적, 불교적

• **특징**
  ① '현실-꿈-현실'의 이원적 환몽 구조를 지닌 일대기 형식을 취함
  ② 설화 문학인 「조신몽」의 영향을 받음
  ③ 유교, 불교, 도교의 사상이 모두 나타나며 그중 불교의 공(空) 사상이 중심을 이룸
  ④ 주인공의 이름(소유: 속세에서 잠깐 노닐다 감 / 성진: 불법을 통하여 참된 본성을 깨달음)에 인간과 세상을 바라보는 시선을 담아냄

• **주제**: 부귀공명을 통해 인생의 덧없음을 깨닫고, 불교에 귀의함으로써 허무를 극복함

> "성진이 이미 깨달았나이다. 제자가 불초하여 염려를 그릇 먹어 죄를 지으니 마땅히 인세에 윤회할 것이어늘, 사부가 자비하사 하룻밤 꿈으로 제자의 마음을 깨닫게 하시니, 사부의 은혜를 천만 겁이라도 갚기 어렵도소이다."

바로 확인문제

01 「구운몽」은 '□□-□-□□'이라는 환몽 구조를 지닌 □□□ 소설이다.

02 유교, 도교, 불교가 융합된 가운데 유교적 현실주의 세계관이 소설의 근간을 이룬다. (ㅇ, ×)

03 주인공 '성진'은 인간의 부귀영화는 일장춘몽에 불과하다는 불법의 진리를 깨닫는다. (ㅇ, ×)

▌줄거리

중국 당나라 때 육관 대사의 제자 성진은 스승의 명으로 용궁을 다녀오던 중 팔선녀를 만나 희롱을 하고 돌아온다. 불문의 적막함에 회의를 느끼던 중 팔선녀와 인간 세계를 동경하게 된다. 이를 안 육관 대사는 노여워하고 성진과 팔선녀를 염라대왕에게 보낸다. 염라대왕은 벌로 이들을 인간 세계로 내쫓는다. 인간 세계에서 성진은 중국 회남 수주현 양가의 집안에 양소유로 환생하고 팔선녀는 각각 여러 계층의 여자로 태어나게 된다. 양소유는 과거 시험도 합격하고 환생한 팔선녀와 인연을 맺고 절도사의 위치에서 역모를 평정하기도 한다. 토번왕의 항복을 받고 회군하니 천자는 양소유를 승상으로 삼고 위국공으로 봉한다. 이처럼 양소유는 팔선녀를 차례로 만나 2처 6첩을 거느리고 부귀공명을 누리며 화려한 인생을 살게 된다. 하지만 양소유는 벼슬에서 물러나 여생을 보내던 중 문득 인생의 허무함을 느끼게 되고 장차 불도를 닦아 영생을 구하고자 한다. 이때 육관 대사가 나타나고 성진은 꿈에서 깨어나게 된다. 성진은 본래의 모습으로 돌아온 후 죄를 뉘우치고 깨달음을 바탕으로 육관 대사의 가르침을 받는다. 성진과 팔선녀는 대도를 얻어 극락세계로 들어가게 된다.

▌이해와 감상

이 작품은 인생무상이라는 주제 의식을 전달하고 있는 몽자류 소설의 대표작이다. 성진이라는 불제자가 인간 세상의 정욕을 꿈꾸다가 인간 세상의 양소유로 태어나 온갖 부귀영화를 누리지만 꿈에서 깨어 성진의 삶으로 돌아온다는 내용을 담고 있다. 작품의 전체적인 주제 의식은 불교에 기대고 있다고 볼 수 있으나 작품 전체의 서술 분량으로 본다면 유교적 성공과 사대부의 화려한 삶을 주제로 하고 있다고 볼 수도 있다. 이 작품은 후대의 몽자류 소설의 원형이 된다. 또한 창작 의도 면에서 보았을 때, 김만중이 귀양지에서 어머니 윤씨 부인의 한가함과 근심을 덜어 주기 위해 창작하였다는 점에서 '효(孝)' 의식이 높이 평가되어 소설을 긍정적으로 보는 논의의 근거로 사용되기도 하였다.

5 유충렬전(劉忠烈傳) | 작자 미상

이때 원수 금산성에서 적군 십만 명을 한칼에 무찌른 후, 곧바로 호산대에 진을 치고 있는 적의 창병을 씨 없이 함몰하려고 달려갔다. 그런데 뜻밖에 월색이 희미해지더니 난데없는 빗방울이 원수 면상에 떨어졌다. 원수 괴이해 말을 잠깐 멈추고 천기를 살펴보니, 도성에 살기 가득하고 천자의 자미성이 떨어져 변수 가에 비쳐 있었다. 원수 대경해 발을 구르며 왈,

"이게 웬 변이냐."

하고 산호 편을 높이 들어 채찍질을 하면서 천사마에게 정색을 하고 이르기를

"천사마야, 네 용맹 두었다가 이런 때에 아니 쓰고 어디 쓰리오. 지금 천자께서 도적에게 잡혀 명재경각이라. 순식간에 득달해 천자를 구원하라."

하니, 천사마는 본래 천상에서 내려온 비룡이라. 채찍질을 아니 하고 제 가는 대로 두어도 비룡의 조화를 부려 순식간에 몇 천 리를 갈 줄 모르는데, 하물며 제 임자가 정색을 하고 말하고 또 산호채로 채찍질하니 어찌 아니 급히 갈까. 눈 한 번 꿈쩍하는 사이에 황성 밖을 얼른 지나 변수 가에 다다랐다.

이때 천자는 백사장에 엎어져 있고 한담이 칼을 들고 천자를 치려 했다. 원수가 이때를 당해 평생의 기력을 다해 호통을 지르니, 천사마도 평생의 용맹을 다 부리고 변화 좋은 장성검도 삼십삼천(三十三天) 어린 조화를 다 부리었다. 원수 닿는 곳에 강산도 무너지고 하해도 뒤엎어지는 듯하니 귀신인들 아니 울며 혼백인들 아니 울리오. 원수의 혼신이 불빛 되어 벽력 같은 소리를 지르며 왈,

"이놈 정한담아, 우리 천자 해치지 말고 내 칼을 받아라!"

하는 소리에 나는 짐승도 떨어지고 강신 하백도 넋을 잃어버릴 지경이거든 정한담의 혼백과 간담인들 성할쏘냐. 원수의 호통 소리에 한담의 두 눈이 캄캄하고 두 귀가 멍멍해 탔던 말을 돌려 타고 도망가려다가 형산마가 거꾸러지면서 한담도 백사장에 떨어졌다. 한담이 창검을 갈라 들고 원수를 겨누는 순간, 구만장천(九萬長天) 구름 속에 번개 칼이 번쩍하면서 한담의 장창대검이 부서졌다. 원수 달려들어 한담의 목을 산 채로 잡아들고 말에서 내려 천자 앞에 복지했다. 이때 천자는 백사장에 엎드린 채 반생반사(半生半死) 기절해 누웠거늘, 원수 천자를 붙들어 앉히고 정신을 진정시킨 후에 복지 주왈,

"소장이 도적을 함몰하고 한담을 사로잡아 말에 달고 왔나이다."

- 갈래: 고전 소설, 국문 소설, 영웅 소설, 군담 소설
- 성격: 전기적(傳奇的), 비현실적, 우연적, 영웅적
- 특징
  ① 영웅 소설의 전형이자 대표작
  ② 완벽한 영웅의 일대기 구조를 표현함
  ③ 천상계와 지상계라는 이원적 공간을 설정하고, 주인공이 천상계에서 죄를 지어 지상계에 추방된다는 적강 모티프를 지님
- 주제: 난세를 구해 내는 유충렬 장군의 영웅담과 사필귀정

줄거리

명나라 때 유심이라는 충신이 살았다. 그는 늦도록 자식이 없었는데 부인과 함께 칠일 기도를 드리고 아들 충렬을 낳는다. 충렬이 7세 되던 해, 간신 정한담과 최일귀 등이 유심을 모함하여 귀양을 보내고 충렬마저 제거하고자 하나 미리 도망한다. 우여곡절을 겪던 충렬은 영릉 지방의 승상 강희주의 도움을 입어 의탁하게 되고, 충렬은 여기에서 강 승상의 딸과 결혼을 한다. 충렬은 백룡사에서 노승을 만나 무예를 배우게 된다. 한편, 정한담은 호국과 은밀히 내통하여 반란을 일으키고 황제는 위기에 빠지게 된다. 도승의 지시를 받은 충렬은 천자를 구해 내고 호국에 잡혀간 황후, 태후, 태자, 자신의 아버지, 장인 강희주를 구출한다. 그 후 충렬은 천자로부터 높은 벼슬을 받아 부귀영화를 누린다.

이해와 감상

이 작품은 중국을 배경으로 영웅의 군담을 다룬 창작 군담 소설이다. 천상계에서 적강한 인물들이 지상계에서 서로 갈등을 일으킨다는 이야기로서 기본적으로 영웅의 이야기 구조를 바탕으로 하고 있다. 또한 유충렬이 호국을 정벌하고 설욕하는 장면은 병자호란 이후 우리 민중들이 가지고 있던 청나라에 대한 적개심을 반영한 것으로 평가된다. 형식적으로는 영웅의 이야기 구조를 바탕으로 해서 여러 전기적 요소가 두루 나타나는 것을 특징으로 한다. 이 작품은 후대의 창작 군담 소설에 지대한 영향을 미쳤다.

바로 확인문제

01 주인공 '유충렬'은 역사상 실재했던 인물이고, 작품에 나타나는 전쟁 또한 실제로 일어났던 역사적 사실이다. (○, ×)

02 「유충렬전」은 천상계와 지상계라는 □□□ 공간을 설정하고, 주인공이 지상으로 추방된다는 □□ 화소를 지닌다.

| 정답 | 01 ×(창작 군담 소설로 주인공과 전쟁 모두 글쓴이가 허구적으로 만들어 내었다.) 02 이원적, 적강

- **갈래**: 고전 소설, 판소리계 소설, 염정 소설
- **성격**: 해학적, 풍자적, 서민적
- **특징**
① 고전 소설 가운데 가장 널리 알려진 작품으로, 반봉건적 문학으로서 조선 시대 소설의 최대 걸작
② 목판본(경판본, 완판본, 안판본), 활자본, 필사본(만화본 춘향가), 판소리 사설, 극본, 시나리오 대본 등 120여 종이 넘는 이본이 존재하며, 여러 이본 중 전주에서 발간한 「열녀춘향수절가」가 가장 오래된 판본으로 인정되고 있음
③ 사실적 소재와 배경 설정으로 리얼리티를 획득함
④ 당대의 시대정신을 잘 반영함(서민의 저항 정신 및 민중의 승리)
- **주제**
① 신분(계급)을 초월한 사랑
② 부패 관료 고발
③ 신분적 갈등의 극복을 통한 인간 해방

01 신분을 뛰어넘는 사랑이라는 표면적 주제 이면에 신분적 제약을 벗어난 인간 해방과 불의한 지배 계층에 대한 서민들의 항거라는 주제가 숨겨져 있다. (○, ×)

02 4·4조의 운율을 지닌 운문체와 산문체가 섞여 있으며 사건이나 인물의 언행에 대한 서술자의 개입이 제한되어 있다. (○, ×)

03 신분의 차이가 있는 남녀의 사랑이 공인받기 어려운 모습은 신분적 제약과 신분 상승의 욕구가 갈등하는 것으로, 갈등 양상 중 '개인(춘향)과 □□'의 갈등에 해당한다.

| 정답 | 01 ○ 02 ×(서술자의 개입이 자주 드러난다.) 03 사회

---

6 춘향전 | 작자 미상

"여봐라 사령들아, 너의 원전(員前)에 여쭈어라. 먼 데 있는 걸인이 좋은 잔치에 당하였으니 주효(酒肴) 좀 얻어먹자고 여쭈어라."

저 사령 거동 보소.

"어느 양반이관대, 우리 안전(案前)님 걸인 혼금(閽禁)하니 그런 말은 내도 마오."

등 밀쳐 내니 어찌 아니 명관(名官)인가. 운봉이 그 거동을 보고 본관에게 청하는 말이

"저 걸인의 의관은 남루하나 양반의 후예인 듯하니, 말석에 앉히고 술잔이나 먹여 보냄이 어떠하뇨?"

본관 하는 말이,

"운봉 소견대로 하오마는……"

하니 '마는' 소리, 훗입맛이 사납겄다. 어사 속으로, '오냐. 도적질은 내가 하마. 오라는 네가 져라.'

운봉이 분부하여

"저 양반 듭시래라."

어사또 들어가 단좌(端坐)하여 좌우를 살펴보니, 당상(堂上)의 모든 수령 다담을 앞에 놓고 진양조가 양양(洋洋)할 제 어사또 상을 보니 어찌 아니 통분하랴. 모 떨어진 개상판에 닥채저붐, 콩나물, 깍두기, 막걸리 한 사발 놓았구나. 상을 발길로 탁 차 던지며 운봉의 갈비를 직신, "갈비 한 대 먹고지고."

"다라도 잡수시오."

하고 운봉이 하는 말이

"이러한 잔치에 풍류로만 놀아서는 맛이 적사오니 차운(次韻) 한 수씩 하여 보면 어떠하오?"

"그 말이 옳다."

하니 운봉이 운(韻)을 낼 제, 높을 고(高) 자, 기름 고(膏) 자 두 자를 내어 놓고 차례로 운을 달 제, 어사또 하는 말이

"걸인도 어려서 추구권(抽句券)이나 읽었더니, 좋은 잔치 당하여서 주효를 포식하고 그저 가기 무렴(無廉)하니 차운 한 수 하사이다."

운봉이 반겨 듣고 필연(筆硯)을 내어 주니 좌중이 다 못하여 글 두 귀를 지었으되 민정(民情)을 생각하고 본관 정체를 생각하여 지었겄다.

"금준미주(金樽美酒)는 천인혈(千人血)이요, 옥반가효(玉盤佳肴)는 만성고(萬姓膏)라.

촉루낙시(燭淚落時) 민루락(民淚落)이요, 가성고처(歌聲高處) 원성고(怨姓高)라."

이 글 뜻은, '금동이의 아름다운 술은 일만 백성의 피요, 옥소반의 아름다운 안주는 일만 백성의 기름이라. 촛불 눈물 떨어질 때 백성 눈물 떨어지고, 노랫소리 높은 곳에 원망 소리 높았더라.'

이렇듯이 지었으되 본관은 몰라보고 운봉이 이 글을 보며 속마음에

'아뿔싸, 일이 났다.'

이때, 어사또 하직하고 간 연후에 공형(公兄) 불러 분부하되,

"야야, 일이 났다."

▌줄거리

조선조 숙종 때 전라도 남원에 월매라는 퇴기의 딸 춘향이가 살았다. 어느 봄날 남원 부사의 아들 이몽룡은 춘향을 발견하고 둘은 첫눈에 반하게 된다. 이몽룡은 밤에 백년가약을 맺고자 춘향의 집에 찾아간다. 월매의 허락을 받은 춘향과 이몽룡은 행복한 나날을 보낸다. 얼마 후 이몽룡의 아버지가 내직으로 전출하게 되고 이몽룡은 상경할 수밖에 없는 처지가 된다. 이몽룡은 춘향에게 후일을 약속하고 한양으로 떠나고 춘향은 이몽룡을 기다린다. 이때 새로 부임한 신관 사또 변학도는 기생 점고를 하다 춘향을 발견하고 춘향에게 수청을 강요하지만 춘향은 거절한다. 옥에 갇힌 춘향은 이몽룡을 기다리고 이몽룡은 장원 급제하여 암행어사가 되어 남원에 내려온다. 이몽룡은 자신의 신분을 속이고 걸인 행세를 하며 월매와 춘향을 만나지만 춘향은 자신의 선택을 후회하지 않는다. 변학도의 생신연이 벌어지는 날 춘향은 처형 위기에 처하고 이때 이몽룡이 암행어사로 출도하여 변학도를 처벌하고 춘향을 구해 낸다. 이후 춘향은 몽룡과 삼남이녀를 두고 행복하게 살게 된다.

▌이해와 감상

이 작품은 판소리 「춘향가」를 글로 옮기는 과정에서 소설로 정착하게 된 판소리계 소설이다. 판소리계 소설은 모두 근원 설화를 가지게 되는데 이 작품의 경우에는 열녀 설화, 암행어사 설화, 신원 설화, 염정 설화 등이 수용되어 있음을 알 수 있다. 내용면에서 보면 겉으로 드러난 주제는 여성의 정절이라고 볼 수 있지만 그 이면에는 신분적 한계를 넘어선 사랑이라는 주제를 가진다고 볼 수 있다. 또한 이 작품은 판소리계 소설 중에서 가장 인기 있는 작품으로 평가되고 있는데, 그 이유는 구성상 행복과 불행의 극적인 교체를 보이기 때문이다.

- **갈래**: 고전 소설, 한문 소설, 풍자 소설
- **성격**: 풍자적, 비판적
- **특징**
  ① 실학사상을 바탕으로 당대 사회의 모순을 풍자함.
  ② '빈 섬'을 통해 이상향의 구체적 모습을 제시함.
  ③ '허생'이라는 영웅적 인물의 행적을 중심으로 사건을 전개함.
  ④ 부(富)의 획득 문제 비판
  ⑤ 양반 식자층은 나라의 화근이 될 수밖에 없다는 비판
  ⑥ 북벌 의식은 하나의 허위에 지나지 않음을 드러냄
- **주제**: 양반 및 위정자들의 무능력에 대한 비판과 현실에 대한 각성 고취

7 허생전(許生傳) | 박지원

"그렇다면 너는 나라의 신임 받는 신하로군. 내가 와룡 선생 같은 이를 천거하겠으니, 네가 임금께 아뢰어서 삼고초려(三顧草廬)를 하게 할 수 있겠느냐?

이 대장은 고개를 숙이고 한참 생각하더니,

"어렵습니다. 제이(第二)의 계책을 듣고자 하옵니다."

했다.

"나는 원래 '제이'라는 것은 모른다."

하고 허생은 외면하다가 이 대장의 간청을 못 이겨 말을 이었다.

"명(明)나라 장졸들이 조선은 옛 은혜가 있다고 하여, 그 자손들이 많이 우리나라로 망명해 와서 정처 없이 떠돌고 있으니, 너는 조정에 청하여 종실(宗室)의 딸들을 내어 모두 그들에게 시집 보내고, 훈척(勳戚) 권귀(權貴)의 집을 빼앗아서 그들에게 나누어 주게 할 수 있겠느냐?"

이 대장은 또 머리를 숙이고 한참을 생각하더니,

"어렵습니다." / 했다.

"이것도 어렵다, 저것도 어렵다 하면 도대체 무슨 일을 하겠느냐? 가장 쉬운 일이 있는데, 네가 능히 할 수 있겠느냐?"

"말씀을 듣고자 하옵니다."

"무릇, 천하에 대의(大義)를 외치려면 먼저 천하의 호걸들과 접촉하여 결탁하지 않고는 안 되고, 남의 나라를 치려면 먼저 첩자를 보내지 않고는 성공할 수 없는 법이다. 지금 만주 정부가 갑자기 천하의 주인이 되어서 중국 민족과는 친근해지지 못하는 판에, 조선이 다른 나라보다 먼저 섬기게 되어 저들이 우리를 가장 믿는 터이다. 진실로 당(唐)나라, 원(元)나라 때처럼 우리 자제들이 유학 가서 벼슬까지 하도록 허용해 줄 것과 상인의 출입을 금하지 말도록 할 것을 간청하면, 저들도 반드시 자기네에게 친근해지려 함을 보고 기뻐 승낙할 것이다. 국중의 자제들을 가려 뽑아 머리를 깎고 되놈의 옷을 입혀서, 그중 선비는 가서 빈공과에 응시하고, 또 서민은 멀리 강남(江南)에 가서 장사를 하면서, 저 나라의 실정을 정탐하는 한편, 저 땅의 호걸들과 결탁한다면 한번 천하를 뒤집고 국치(國恥)를 씻을 수 있을 것이다. 그리고 만약 명나라 황족에서 구해도 사람을 얻지 못할 경우, 천하의 제후를 거느리고 적당한 사람을 하늘에 천거한다면, 잘되면 대국의 스승이 될 것이고, 못되어도 백구지국(伯舅之國)의 지위를 잃지 않을 것이다."

이 대장은 힘없이 말했다.

"사대부들이 모두 조심스럽게 예법을 지키는데, 누가 변발(辮髮)을 하고 호복을 입으려 하겠습니까?"

허생은 크게 꾸짖어 말했다.

"소위 사대부란 것들이 무엇이란 말이냐? 오랑캐 땅에서 태어나 자칭 사대부라 뽐내다니 이런 어리석을 데가 있느냐? 의복은 흰옷을 입으니 그것이야말로 상인(喪人)이나 입는 것이고, 머리털을 한데 묶어 송곳같이 만드는 것은 남쪽 오랑캐의 습속에 지나지 못한데, 대체 무엇을 가지고 예법이라 한단 말인가? 번오기(樊於期)는 원수를 갚기 위해서 자신의 머리를 아끼지 않았고, 무령왕(武靈王)은 나라를 강성하게 만들기 위해서 되놈의 옷을 부끄럽게 여기지 않았다. 이제 대명(大明)을 위해 원수를 갚겠다 하면서, 그까짓 머리털 하나를 아끼고, 또 장차 말을 달리고 칼을 쓰고 창을 던지며 활을 당기고 돌을 던져야 할 판국에 넓은 소매의 옷을 고쳐 입지 않고 딴에 예법이라고 한단 말이냐? 내가 세 가지를 들어 말하였는데, 너는 한 가지도 행하지 못한다면서 그래도 신임받는 신하라 하겠는가? 신임받는 신하라는 게 참으로 이렇단 말이냐? 너 같은 자는 칼로 목을 잘라야 할 것이다."

하고 좌우를 돌아보며 칼을 찾아서 찌르려 했다. 이 대장은 놀라서 일어나 급히 뒷문으로 뛰쳐나가 도망쳐서 돌아갔다.

이튿날, 다시 찾아가 보았더니, 집이 텅 비어 있고, 허생은 간 곳이 없었다.

01 「허생전」은 □□□□을 바탕으로 당시 사회의 모순을 비판·풍자한 작품이다.

02 결말 부분에서 '허생'이 종적을 감춘 것은 '허생'의 주장이 모두 수용되었기 때문이다. (○, ×)

03 '이 대장(이완 대장)'은 집권층을 대변하는 인물로, 글쓴이가 작품의 현실성을 높이기 위해 끌어온 실존 인물이다. (○, ×)

| 정답 | 01 실학사상 02 ×('허생'의 잠적은 그의 주장이 급진적이어서 수용되기 어려움을 암시한다.) 03 ○

줄거리

서울 남산 밑 묵적골에 허생이라는 선비가 살았다. 허생은 글 읽기로 10년을 기약하고 글을 읽고 있었는데 굶주린 아내가 글만 읽어서 무엇하느냐는 푸념을 한다. 이 말을 듣고 허생은 집을 나가 장안에서 제일 부자인 변씨를 찾아가 만 냥을 빌린 뒤 안성으로 내려가 과일을 매점하여 10배 값에 판다. 그리고 다시 말총을 매점하여 10배의 이익을 본다. 이때 변산에 도적 떼가 우글거리자 허생은 도적 떼를 불러 모아 여자 한 사람과 소 한 마리씩을 데리고 오게 한 뒤 그들을 이끌고 무인도에 정착한다. 그 후 일본에 흉년이 든 것을 이용하여 양곡을 팔아 은 100만 냥을 벌게 된다. 허생은 50만 냥은 바다에 버리고 본토로 돌아와 변씨에게 찾아가 10만 냥으로 빚을 갚고 둘은 벗이 된다. 변씨와 친한 어영대장 이완이 허생에 대한 이야기를 듣고 허생을 인재로 천거하고자 하나 허생은 거절한다. 그 후 허생은 자취를 감추고 사라지게 된다.

이해와 감상

이 작품은 당대의 무능한 양반 계층을 비판하고 이용후생의 실학사상을 보여 주고자 한 고전 소설이다. 특히 작가인 박지원은 허생이라는 선비를 통해서 조선이 가지고 있던 조선 경제의 취약성 문제, 백성들의 어려운 삶으로 인한 도적의 발생, 지배층의 허위의식 등의 문제를 비판하고 있다. 그러나 결말 부분에서는 이완 대장을 비판한 허생이 홀연히 사라지는 것으로 처리되고 있는데, 이는 당시 지배층의 비판을 피하기 위한 방편일 뿐만 아니라 당대의 조선이 지닌 문제가 쉽게 해결될 수 없는 문제임을 암시하는 것이라고 볼 수 있다.

03 고전 수필

서로 다투어 토론함

1 규중칠우쟁론기(閨中七友爭論記) | 작자 미상
부녀자가 거처하는 곳, 규방

• 갈래: 고전 수필, 국문 수필, 내간체
  수필
• 성격: 풍자적, 논쟁적, 우화적, 교
  훈적
• 특징
  ① 사물을 의인화하여 세태를 풍자함
  ② 3인칭 시점에 의한 객관적 관찰
  ③ 「조침문」과 더불어 의인화에 의
    한 내간체 수필의 쌍벽을 이룸
• 주제
  ① 역할과 직분에 따른 성실한 삶
    추구
  ② 공치사만을 일삼는 이기적인
    세태 풍자

[가] 이른바 규중 칠우(閨中七友)는 부인내 방 가운데 일곱 벗이니 글하는 선배는 필묵(筆墨)과

조희, 벼루로 문방사우(文房四友)를 삼았나니 규중 녀잰들 홀로 어찌 벗이 없으리오.
여자인들

이러므로 침선(針線)의 돕는 유를 각각 명호를 정하여 벗을 삼을새, 바늘로 세요 각시(細
바느질

腰閣氏)라 하고, 침척을 척 부인(戚夫人)이라 하고, 가위로 교두 각시(交頭閣氏)라 하고,
바느질 자

인도로 인화 부인(引火夫人)이라 하고, 달우리로 울 랑자(熨娘子)라 하고, 실로 청홍흑백 각
인두   다리미

시(靑紅黑白閣氏)라 하며, 골모로 감토 할미라 하여, 칠우를 삼아 규중 부인내 아츰 소세를
골무   머리를 빗고 낯을 씻음

마치매 칠위 일제히 모혀 종시하기를 한가지로 의논하여 각각 소임을 일워 내는지라.
                                              하는 일, 여기서는 '침선=바느질'을 의미함
                                              ▶ 규중 부인과 칠우의 관계 및 소개

[나] 일일(一日)은 칠위 모혀 침선의 공을 의논하더니 척 부인이 긴 허리를 자히며 이르되,

"제우(諸友)는 들으라, 나는 세명지 굵은 명지 백저포(白紵布) 세승포(細升布)와, 청홍녹라
        가늘게 짠 명주   흰 모시   가는 삼베   비단의 일종들

(靑紅綠羅) 자라(紫羅) 홍단(紅緞)을 다 내여 펼처 놓고 남녀의(男女衣)를 마련할새, 장단
                                                              길고 짧으며 넓고 좁음

광협(長短廣狹)이며 수품제도(手品制度)를 나 곳 아니면 어찌 일으리오. 이러므로 작의지
        솜씨와 격식(모양)   옷 만드는 공

공(作衣之功)이 내 으뜸 되리라."

교두 각시 양각(兩脚)을 빨리 놀려 내다라 이르되,

"척 부인아, 그대 아모리 마련을 잘한들 버혀 내지 아니하면 모양 제되 되겠느냐. 내 공과

내 덕이니 네 공만 자랑 마라."

세요 각시 가는 허리 구붓기며 날랜 부리 두루혀 이르되,
                                            돌려

"양우(兩友)의 말이 불가하다. 진주(眞珠) 열 그릇이나 꼔 후에 구슬이라 할 것이니, 재단

(裁斷)에 능소능대(能小能大)하다 하나 나 곳 아니면 작의(作衣)를 어찌하리오. 세누비
        모든 일에 모두 두루 능함   누빈 줄이 촘촘하고 고운 누비

미누비 저른 솔 긴 옷을 일우미 나의 날내고 빠름이 아니면 잘게 뜨며 굵게 박아 마음대로
중누비   짧은

하리오. 척 부인의 자혀 내고 교두 각시 버혀 내다 하나 내 아니면 공이 없으려든 두 벗이

무삼 공이라 자랑하나뇨."

청홍 각시 얼골이 붉으락프르락하야 노왈,

"세요야. 네 공이 내 공이라. 자랑 마라. 네 아모리 착한 체하나 한 솔 반 솔인들 내 아니면

네 어찌 성공하리오."

감토 할미 웃고 이르되,

"각시님네, 위연만 자랑 마소. 이 늙은이 수말 적기로 아가시내 손부리 아프지 아니하게
          어지간히   처음과 끝의 적당한 시기, 바늘을 꽂을 때와 뺄 때의 적절한 시기

바느질 도와드리나니 고어에 운(云), 닭의 입이 될지언정 소 뒤는 되지 말라 하였으니, 청

홍 각시는 세요의 뒤를 따라다니며 무삼 말 하시나뇨. 실로 얼골이 아까왜라. 나는 매양

세요의 귀에 질리었으되 낯가족이 두꺼워 견댈 만하고 아모 말도 아니하노라."
                        골무의 가죽을 의인화한 것

인화 낭재 이르되,

"그대네는 다토지 말라. 나도 잠간 공을 말하리라. 미누비 세누비 눌로 하여 저가락같이 고으며, 혼솔이 나 곧 아니면 어찌 풀로 붙인 듯이 고으리요. 침재(針才) 용속한 재 들락날락 바르지 못한 것도 내의 손바닥을 한번 씻으면 잘못한 흔적이 감초여 세요의 공이 날로 하여 광채 나나니라."

울 랑재 크나큰 입을 버리고 너털웃음으로 이르되,

"인화야, 너와 나는 소임이 같다. 연이나 인화는 침선뿐이라. 나는 천만 가지 의복에 아니 참예하는 곳이 없고, 가증한 여자들은 하로 할 일도 열흘이나 구기여 살이 주역주역한 것을 내의 광둔(廣臀)으로 한번 쓰치면 굵은 살 가는 살 낱낱이 펴이며 제도와 모양이 고하지고 더욱 하절을 만나면 소님이 다사하야 일일도 한가하지 못한지라. 의복이 나 곧 아니면 어찌 고오며 더욱 세답하는 년들이 게으러 풀 먹여 널어 두고 잠만 자면 브듯쳐 말린 것을 나의 광둔 아니면 어찌 고으며, 세상 남녀 어찌 반반한 것을 입으리오. 이러므로 작의공(作衣功)이 내 제일이 되나니라."

▶ 칠우들의 공 다투기

[다] 규중 부인이 이르되,

"칠우의 공으로 의복을 다스리나 그 공이 사람의 쓰기에 있나니 어찌 칠우의 공이라 하리오."

하고 언필에 칠우를 밀치고 베개를 돋오고 잠을 깊이 드니 척 부인이 탄식고 이르되,

"매아할사 사람이오 공 모르는 것은 녀재로다. 의복 마를 제는 본저 찾고 일워 내면 자기 공이라 하고, 게으른 종 잠 깨오는 막대는 나 곧 아니면 못 칠 줄로 알고 내 허리 브러짐도 모르니 어찌 야속하고 노흡지 아니리오."

교두 각시 이어 가로대,

"그대 말이 가하다. 옷 말라 버힐 때는 나 아니면 못 하려마는 드나니 아니 드나니 하고 내 어던지며 양각을 각각 잡아 흔들제는 토심적고 노흡기 어찌 측량하리오. 세요 각시 잠간이나 쉬랴 하고 다라나면 매양 내 탓만 너겨 내게 집탈하니 마치 내가 감춘 듯이 문고리에 거꾸로 달아 놓고 좌우로 고면하며 전후로 수험하야 얻어 내기 몇 번인 동 알리오. 그 공을 모르니 어찌 애원하지 아니리오."

세요 각시 한숨 지고 이르되,

"너는커니와 내 일즉 무삼 일 사람의 손에 보채이며 요악지성(妖惡之聲)을 듣는고. 각골통한(刻骨痛恨)하며, 더욱 나의 약한 허리 휘드르며 날랜 부리 두루혀 힘껏 침선을 돕는 줄은 모르고 마음 맞지 아니면 나의 허리를 브르질러 화로에 넣으니 어찌 통원하지 아니리오. 사람과는 극한 원수라. 갚을 길 없어 이따감 손톱 밑을 질러 피를 내어 설한(雪恨)하면 조곰 시원하나, 간흉한 감토 할미 밀어 만류하니 더욱 애닯고 못 견디리로다."

인화 눈물지어 이르되,

"그대는 데아라 아야라 하는도다. 나는 무삼 죄로 포락지형(炮烙之刑)을 입어 붉은 불 가
<u>아프다 어떻다</u>   <u>불에 달구어 지지는 형벌</u>
온데 낯을 지지며 굳은 것 깨치기는 날을 다 시키니 섧고 괴롭기 측량하지 못할레라."

울 랑재 <u>척연</u> 왈,
   <u>근심하고 두려워하는 모양</u>
"그대와 소임(所任)이 같고 욕되기 한가지라. 제 옷을 문지르고 멱을 잡아 들까부르며, 우

겨 누르니 황천(皇天)이 덮치는 듯 심신이 아득하야 내의 목이 따로 날 적이 몇 번이나 한
      <u>저승</u>
동 알리오."   ▶ 사람에 대한 칠우들의 불평 토로

[라] 칠우 이렇듯 담논하며 회포를 이르더니 자던 여재 믄득 깨쳐 칠우다려 왈,

"칠우는 내 허믈을 그대도록 하느냐."

감토 할미 <u>고두사왈(叩頭謝曰)</u>,
      <u>머리를 조아리며 사죄하여 말하기를</u>
"젊은 것들이 망녕도이 <u>헴</u>이 없는지라 <u>족가지</u> 못하리로다. 저희 등이 <u>재죄</u> 있으나 공이 많
              <u>헤아림, 생각</u> <u>만족하지</u>   <u>재주</u>
음을 자랑하야 <u>원언(怨言)</u>을 지으니 마땅 <u>결곤(決棍)</u>하얌 즉하되, 평일 깊은 정과 저희 조
        <u>부인을 원망하는 말</u>   <u>곤장을 침</u>
고만 공을 생각하야 용서하심이 옳을가 하나이다."

여재 답왈,

"할미 말을 좇아 <u>물시(勿施)</u>하리니, 내 손부리 성하미 할미 공이라. 께어 차고 다니며 은혜
        <u>하려던 일을 그만둠</u>
를 잊지 아니하리니 <u>금낭(錦囊)</u>을 지어 그 가온데 넣어 몸에 진혀 서로 떠나지 아니하리라."
        <u>비단 주머니</u>
하니 할미는 <u>고두배사(叩頭拜謝)</u>하고 제붕(諸朋)은 <u>참안(慙顔)</u>하야 물러나리라.
      <u>머리를 조아려 사례함</u>   <u>부끄러워</u>   ▶ 감투 할미의 사죄와 규중 부인의 용서

▌이해와 감상

이 작품은 규방의 부인이 사용하는 자(척 부인), 바늘(세요 각시), 가위(교두 각시), 실(청홍흑백 각시), 골무(감토 할미), 인두(인화 부인), 다리미(울 낭자) 등을 의인화하여 쓴 고전 수필이다. 이 작품은 규중의 칠우가 제각기 공을 다투다가 규중 부인의 책망을 듣는다는 비교적 간단한 내용을 담고 있다. 규중 부인의 등장을 기점으로 규중 칠우가 공을 다투는 부분과 인간에 대한 원망을 하소연하는 부분으로 나눌 수 있는데, 처음에 칠우들은 서로를 비난하고 헐뜯는 경쟁 관계에 있다가, 나중에 인간을 비난하는 대목에서는 서로 같은 입장이 되어 탄식하고 서로 동정하는 관계로 변모한다. 이 작품은 자, 가위 등 사물을 의인화하되, 각시, 부인, 낭자, 할미 등 구체적 인물로 설정하여 생생하게 그린 점, 공을 다투는 부분과 원망을 하소연하는 부분이 절실히 표현되어 있다는 점, 인간 심리의 변화, 이해관계에 따라 변하는 세태 등이 섬세하게 표현되어 있다는 점이 높이 평가되고 있다.

01 규중 칠우는 작품의 전반부에서 인간에 대한 불평과 원망을 토로하고 후반부에서 서로를 헐뜯고 경쟁한다. (○, ×)

02 서술자는 □인칭 시점에서 대상의 외면을 관찰하여 서술하고 있다.

03 감토 할미는 규중 부인에게 자신을 포함한 모두의 잘못에 대해 용서를 구하는데 이는 여러 사람이 함께 잘못을 하고도 아첨을 통해 자신만 곤경에서 벗어나고자 하는 모습을 풍자한 것으로 볼 수도 있다. (○, ×)

| 정답 | 01 ×(전반부 ↔ 후반부)
02 3   03 ○

2 조침문(弔針文) | 유씨 부인

[가] 유세차(維歲次) 모년(某年) 모월(某月) 모일(某日)에, 미망인 모씨(某氏)는 두어 자 글로써

'이 해의 차례'라는 뜻으로, 제문의 첫머리에 관용적으로 쓰이던 말

침자(針子)에게 고하노니, 인간 부녀(婦女)의 손 가운데 종요로운 것이 바늘이로대, 세상 사

바늘(의인화)   없어서는 안 될 정도로 매우 긴요한

람이 귀히 아니 여기는 것은 도처에 흔한 바이로다. 이 바늘은 한낱 작은 물건이나, 이렇듯

이 슬퍼함은 나의 정회(情懷)가 남과 다름이라. 오호(嗚呼) 통재(痛哉)라, 아깝고 불쌍하다.

생각하는 마음 또는 정과 회포를 아울러 이르는 말   한문 투의 문장에서 '아아 슬프고 원통하다'의 뜻으로 쓰이는 말

너를 얻어 손 가운데 지닌 지 우금(于今) 이십칠 년이라. 어이 인정이 그렇지 아니하리요.

지금까지

슬프다. 눈물을 잠시 거두고 심신을 겨우 진정하여, 너의 행장(行狀)과 나의 회포를 총총히

몸가짐과 품행 또는 죽은 사람이 평생 살아온 일을 적은 글

적어 영결(永訣)하노라.   ▶ 영결의 심회를 적는 취지

죽은 사람과 산 사람이 서로 영원히 헤어짐

조선 시대에, 이품 이상의 벼슬아치를 뽑을 때 임금이 이조에서 추천한 세 후보자 가운데
마땅한 사람의 이름 위에 점을 찍던 일. 여러 후보가 있을 때 그중에 마땅한 대상을 고르는 것

[나] 연전(年前)에 우리 시삼촌께옵서 동지 상사(冬至上使) 낙점(落點)을 무르와, 북경(北京)을

해마다 동짓달에 중국으로 보내던 사신의 우두머리

다녀오신 후에, 바늘 여러 쌈을 주시거늘, 친정과 원근 일가(一家)에게 보내고, 비복(婢僕)

들도 쌈쌈이 나눠 주고, 그중에 너를 택하여 손에 익히고 익히어 지금까지 해포되었더니, 슬

프다, 연분(緣分)이 비상(非常)하여, 너희를 무수히 잃고 부러뜨렸으되, 오직 너 하나를

연구(年久)히 보전하니, 비록 무심한 물건이나 어찌 사랑스럽고 미혹하지 아니하리오. 아깝

오래도록   무엇에 홀려 정신을 차리지 못함

고 불쌍하며, 또한 섭섭하도다.   ▶ 바늘을 얻은 내력

[다] 나의 신세 박명(薄命)하여 슬하에 한 자녀 없고, 인명(人命)이 흉완(凶頑)하여 일찍 죽지

흉악하고 모질어

못하고, 가산이 빈궁하여 침선(針線)에 마음을 붙여, 널로 하여 시름을 잊고 생애(生涯)를

바느질

도움이 적지 아니하더니, 오늘날 너를 영결하니, 오호 통재라, 이는 귀신(鬼神)이 시기하고

하늘이 미워하심이로다.   ▶ 바늘과 '나'의 관계

[라] 아깝다 바늘이여, 어여쁘다 바늘이여, 너는 미묘한 품질과 특별한 재치를 가졌으니, 물중

(物中)의 명물이요, 철중(鐵中)의 쟁쟁(錚錚)이라. 민첩하고 날래기는 백대(百代)의 협객(俠

출중하도다.

客)이요, 굳세고 곧기는 만고의 충절이라. 추호 같은 부리는 말하는 듯하고 두렷한 귀는 소

(가을철에 가늘어진 짐승의 털이란 뜻으로) 매우 작은

리를 듣는 듯한지라. 능라(綾羅)와 비단에 난봉(鸞鳳)과 공작을 수놓을 제, 그 민첩하고 신

두꺼운 비단과 얇은 비단

기함은 귀신이 돕는 듯하니, 어찌 인력(人力)이 미칠 바리요.   ▶ 바늘의 신묘한 재주

[마] 오호 통재라, 자식이 귀하나 손에서 놓을 때도 있고, 비복이 순하나 명(命)을 거스를 때 있

계집종과 사내종

나니, 너의 미묘한 재질이 나의 전후(前後)에 수응(酬應)함을 생각하면, 자식에게 지나고 비

남의 요구에 응함

복에게 지나는지라. 천은(天銀)으로 집을 하고 오색(五色)으로 파란을 놓아 곁고름에 채였으

품질이 가장 뛰어난 은   금속 등의 표면에 구워 올려 윤이 나게 하는 유약

니, 부녀의 노리개라. 밥 먹을 적 만져보고 잠잘 적 만져 보아, 널로 더불어 벗이 되어, 여름

낮에 주렴(珠簾)이며, 겨울밤에 등잔을 상대하여, 누비며, 호며, 감치며, 박으며, 공그릴 때

구슬을 꿰어 만든 발

에 겹실을 꿰었으니, 봉미(鳳尾)를 두르는 듯. 땀땀이 떠 갈 적에, 수미(首尾)가 상응(相應)

봉황의 꽁지 또는 그런 모양의 것   처음과 끝이 서로 맞아 어울리고,
                                                    바느질선이 가지런함을 말함

• 갈래: 고전 수필, 국문 수필
• 성격: 여성적, 고백적, 추모적
• 특징
① 전통적인 제문의 형식으로 표현함
② 대상(바늘)에 인격을 부여한 의인화 기법
③ 의성어와 의태어의 사용으로 생생한 느낌을 줌
④ 여성 특유의 섬세하고 치밀하고 우아한 필치가 두드러짐
⑤ 과장법과 영탄법의 사용으로 애절함과 안타까움을 더해 줌
⑥ 산문이면서도 3·4조의 가사체를 곁들여 운문적 요소를 지님
• 주제: 부러뜨린 바늘을 애도함

하고, 솔솔이 붙여 내매 조화가 무궁하다. 이생에 백년동거(百年同居)하렸더니, 오호(嗚呼)

애재(哀哉)라.   ▶ '나'와 바늘의 각별한 인연

[바] 바늘이여. 금년 시월 초십일 술시(戌時)에 희미한 등잔 아래서, 관대(冠帶) 깃을 달다가,
— *벼슬아치들이 입던 공복. 오늘날에는 구식 혼례 때에 신랑이 예복으로 입음*
— *오후 7시부터 9시*

무심중간(無心中間)에 자끈동 부러지니 깜짝 놀라와라. 아야 아야 바늘이여, 두 동강이 났구

나. 정신이 아득하고 혼백이 산란하여 마음을 빻아 내는 듯, 두골(頭骨)을 깨쳐 내는 듯, 이
— *정신이 뒤숭숭하고 어수선하여*

윽도록 기색혼절(氣塞昏絶)하였다가 겨우 정신을 차려, 만져 보고 이어 본들 속절없고 하릴
— *숨이 막혀서 까무러짐*

없다. 편작(扁鵲)의 신술(神術)로도, 장생불사(長生不死) 못하였네. 동네 장인(匠人)에게 때
— *중국 전국 시대의 명의. 환자의 오장을 투시하는 경지에까지 이르렀다고 함*

이련들 어찌 능히 때일손가. 한 팔을 베어 낸 듯, 한 다리를 베어 낸 듯. 아깝다 바늘이여,

옷섶을 만져 보니 꽂혔던 자리 없네.

　오호 통재라, 내 삼가지 못한 탓이로다.

　무죄한 너를 마치니, 백인(伯人)이 유아이사(由我而死)라, 누를 한(恨)하며 누를 원(怨)하
— *'백인이 나로 말미암아 죽었다'란 뜻으로, 다른 사람이 화를 입게 된 원인이 자기에게 있음을 한탄하는 말*
— *수원수구*

리요. 능란한 성품과 공교(工巧)한 재질을 나의 힘으로 어찌 다시 바라리요. 절묘한 의형(儀
— *재치있고 교묘한*
— *몸을 가지는 태도. 또는 차린 모습*

形)은 눈 속에 삼삼하고, 특별한 품재(稟才)는 심회가 삭막하다. 네 비록 물건이나 무심치
— *타고난 재주*

아니하면 후세에 다시 만나 평생(平生) 동거지정(同居之情)을 다시 이어, 백년고락(百年苦
— *한집에 같이 산 정*

樂)과 일시생사(一時生死)를 한가지로 하기를 바라노라. 오호 애재라, 바늘이여.
— *한때의 죽고 사는 일*

                                                    ▶ 애도하는 마음과 후세에 대한 기약

이해와 감상

이 작품은 바늘을 부러뜨린 사연을 절실히 담고 있는 고전 수필이다. 구체적으로는 제문의 형식을 빌려서 제문을 짓게 된 취지, 바늘과의 추억, 바늘과의 내세 인연이 계속되기를 바라는 마음을 담은 형식으로 전개되고 있다. 즉, 규중의 부인이 바늘을 의인화하여 바늘을 잃은 슬픔을 섬세하게 노래하고 있는 작품이다. 또한 이러한 모습은 남편과 자식이 없이 살아가는 자신의 처지를 한탄한 것으로도 볼 수 있다.

01 '서사 – 본사 – 결사'로 구성된 □□의 형식으로, 부러진 바늘에 대한 글쓴이의 안타까움과 비통함을 부각한다.

02 대상에 인격을 부여하는 의인법을 활용하여 대상과의 심리적 거리를 넓히고 있다. (ㅇ, ×)

| 정답 | 01 제문　02 ×(심리적 거리를 좁히고 있다.)

3 서포만필(西浦漫筆) | 김만중

중국 초나라의 시인 굴원이
참소를 당하여 조정에서 쫓겨난 후,
그 슬픔을 읊은 시

[가] 송강(松江)의 「관동별곡(關東別曲)」, 「전후 사미인가(前後思美人歌)」는 우리나라의 이소(離
騷)이나, 그것은 문자(文字)로써는 쓸 수가 없기 때문에 오직 악인(樂人)들이 구전(口傳)하여
서로 이어받아 전해지고 혹은 한글로 써서 전해질 뿐이다. 어떤 사람이 칠언시로써 「관동별
곡」을 번역하였지만, 아름답게 될 수가 없었다. 혹은 택당(澤堂)의 소시(少時)에 지은 작품
이라고 하지만 옳지 않다. ▶ 뛰어난 작품인 송강의 가사

[나] 구마라습(鳩摩羅什)이 말하기를, "천축인(天竺人)의 풍속은 가장 문채(文彩)를 숭상하여
그들의 찬불사(讚佛詞)는 극히 아름답다. 이제 이를 중국어로 번역하면 단지 그 뜻만 알 수
있지 그 말씨는 알 수 없다." 하였다. 이치가 정녕 그럴 것이다. ▶ 문학은 자국어로 표현되어야 함

[다] 사람의 마음이 입으로 표현된 것이 말이요, 말의 가락이 있는 것이 시가문부(詩歌文賦)이
다. 사방(四方)의 말이 비록 같지는 않더라도 진실로 말할 수 있는 사람이 각각 그 말에 따라
가락을 맞춘다면, 다같이 천지를 감동시키고 귀신을 통할 수가 있는 것은 유독 중국만이 그
런 것은 아니다. 지금 우리나라의 시문(詩文)은 자기 말을 버려 두고 다른 나라 말을 배워서
표현한 것이니, 설사 아주 비슷하다 하더라도 이는 단지 앵무새가 사람의 말을 하는 것이다.
여염집 골목길에서 나무꾼이나 물 긷는 아낙네들이 '에야디야' 하며 서로 주고받는 노래가
비록 저속하다 하여도 그 진가(眞價)를 따진다면, 정녕 학사 대부들의 이른바 시부(詩賦)라
고 하는 것과 같은 입장에서 논할 수는 없다. ▶ 자국어로 문학을 해야 하는 이유

[라] 하물며 이 삼별곡(三別曲)은 천기(天機)의 자발(自發)함이 있고, 이속(夷俗)의 비리(鄙俚)
함도 없으니, 자고로 좌해(左海)의 진문장(眞文章)은 이 세 편뿐이다. 그러나 세 편을 가지
고 논한다면, 「후미인곡」이 가장 높고 「관동별곡」과 「전미인곡」은 그래도 한자어를 빌려서 수
식을 했다. ▶ 송강의 가사를 높이 평가하는 이유

▌이해와 감상
이 작품은 우리말로 된 문학 작품의 가치를 높게 평가하고 있는 고전 수필이다. 특히, 우리말로 된 작품의 가
치를 높게 평가하면서 송강 정철의 가사 작품을 근거로 꼽고 있는 것이 특징적이다. 또한 이러한 모습은 중국
으로부터 벗어난 문화적 자주 의식을 드러내고 있는 것으로 평가된다.

• 갈래: 고전 수필, 한문 수필
• 성격: 비평적, 비판적, 주관적
• 특징
  ① 문화적 자주 의식이 드러남
  ② 예시를 통해 논거를 제시함
• 주제: 진정한 국문학의 제고(提高)

바로 확인문제

01 「서포만필」은 송강 정철의 가사 작
품을 예로 들어 우리말로 된 작품의
가치를 높이 평가하여 국문 존중 의
식을 뚜렷하게 드러낸 □□□이다.

02 글쓴이는 좋은 문학은 사람들을 감
동시키는 힘이 있다고 하였다.
(ㅇ, ×)

03 글쓴이는 정철의 가사 작품 중 「사미
인곡」이 가장 뛰어나다고 평가했다.
(ㅇ, ×)

| 정답 | 01 비평문 02 ㅇ
03 ×(「사미인곡」 → 「속미인곡(후미인
곡)」)

찾아보기

[INDEX] 현대 시 찾아보기

[INDEX] 현대 소설 찾아보기

[INDEX] 고전 산문 찾아보기

에듀윌이
너를
지지할게
ENERGY

삶의 순간순간이
아름다운 마무리이며
새로운 시작이어야 한다.

− 법정 스님

2023 에듀윌 7·9급공무원 기본서 국어: 문학

발 행 일   2022년 6월 23일 초판 │ 2023년 1월 19일 2쇄

편 저 자   배영표

펴 낸 이   김재환

펴 낸 곳   (주)에듀윌

등록번호   제25100–2002–000052호

주   소   08378 서울특별시 구로구 디지털로34길 55

          코오롱싸이언스밸리 2차 3층

www.eduwill.net

대표전화 1600-6700

여러분의 작은 소리
에듀윌은 크게 듣겠습니다.

본 교재에 대한 여러분의 목소리를 들려주세요.
공부하시면서 어려웠던 점, 궁금한 점,
칭찬하고 싶은 점, 개선할 점, 어떤 것이라도 좋습니다.

에듀윌은 여러분께서 나누어 주신 의견을
통해 끊임없이 발전하고 있습니다.

에듀윌 도서몰 book.eduwill.net
· 부가학습자료 및 정오표: 에듀윌 도서몰 → 도서자료실
· 교재 문의: 에듀윌 도서몰 → 문의하기 → 교재(내용, 출간) / 주문 및 배송

업계 최초 대통령상 3관왕, 정부기관상 19관왕 달성!

2010 대통령상   2019 대통령상   2019 대통령상

대한민국 브랜드대상   국무총리상   문화체육관광부   농림축산식품부   과학기술정보통신부   여성가족부장관상
국무총리상   장관상   장관상   장관상

서울특별시장상   과학기술부장관상   정보통신부장관상   산업자원부장관상   고용노동부장관상   미래창조과학부장관상   법무부장관상

2004
서울특별시장상 우수벤처기업 대상

2006
부총리 겸 과학기술부장관 표창 국가 과학 기술 발전 유공

2007
정보통신부장관상 디지털콘텐츠 대상
산업자원부장관 표창 대한민국 e비즈니스대상

2010
대통령 표창 대한민국 IT 이노베이션 대상

2013
고용노동부장관 표창 일자리 창출 공로

2014
미래창조과학부장관 표창 ICT Innovation 대상

2015
법무부장관 표창 사회공헌 유공

2017
여성가족부장관상 사회공헌 유공
2016 합격자 수 최고 기록 KRI 한국기록원 공식 인증

2018
2017 합격자 수 최고 기록 KRI 한국기록원 공식 인증

2019
대통령 표창 범죄예방대상
대통령 표창 일자리 창출 유공
과학기술정보통신부장관상 대한민국 ICT 대상

2020
국무총리상 대한민국 브랜드대상
2019 합격자 수 최고 기록 KRI 한국기록원 공식 인증

2021
고용노동부장관상 일·생활 균형 우수 기업 공모전 대상
문화체육관광부장관 표창 근로자휴가지원사업 우수 참여 기업
농림축산식품부장관상 대한민국 사회공헌 대상
문화체육관광부장관 표창 여가친화기업 인증 우수 기업

2022
국무총리 표창 일자리 창출 유공
농림축산식품부장관상 대한민국 ESG 대상

에듀윌 7·9급공무원 기본서

국어 문학

자동반복
5회독 플래너

기출OX
문제풀이 APP

뼈대를 세우는
철저한 기출분석

신뢰도 높은
3중 감수 시스템

베스트셀러 1위 YES24 수험서 자격증 공무원 국어(한문) 7급 교재 베스트셀러 1위
(2019년 7월~2020년 5월, 7월~11월, 2021년 2월 월별 베스트)

7급 수석 합격자 배출 2021 국가직 7급 검찰직 수석 합격

합격자 수 1.800% 수직 상승 2017/2021 에듀윌 공무원 과정 최종 환급자 수 기준

5년 연속 1위 2023, 2022, 2021 대한민국 브랜드만족도 7·9급공무원 교육 1위 (한경비즈니스)
2020, 2019 한국브랜드만족지수 7·9급공무원 교육 1위 (주간동아, G밸리뉴스)

고객의 꿈, 직원의 꿈, 지역사회의 꿈을 실현한다

펴낸곳 (주)에듀윌 **펴낸이** 김재환 **출판총괄** 김형석
개발책임 윤대권, 진현주 **개발** 안수현, 이스리
주소 서울시 구로구 디지털로34길 55 코오롱싸이언스밸리 2차 3층
대표번호 1600-6700 **등록번호** 제25100-2002-000052호
협의 없는 무단 복제는 법으로 금지되어 있습니다.

에듀윌 도서몰 book.eduwill.net
• 부가학습자료 및 정오표: 에듀윌 도서몰 → 도서자료실
• 교재 문의: 에듀윌 도서몰 → 문의하기 → 교재(내용, 출간) / 주문 및 배송

값 51,000원 (전 4권)

14350

ISBN 979-11-360-1712-3
ISBN 979-11-360-1709-3(SET)